JACQUES PORTES

Histoire des États-Unis

De 1776 à nos jours

Deuxième édition
revue et augmentée

ARMAND COLIN

Collection U
Histoire

Illustration de couverture : Jasper Johns, *Map*, 1963 (huile sur toile)
Maquette de couverture : L'Agence libre

Armand Colin est une marque de
Dunod Editeur, 5 rue Laromiguière, 75005 Paris

ISBN 978-2-200-28511-1

Avant-propos

En 2008, l'élection de Barack Obama à la présidence des États-Unis a eu un écho considérable dans le pays comme dans le reste du monde, redorant l'aura ternie de ce grand pays par son prédécesseur, comme le démontre le prix Nobel de la Paix qui lui a été attribué dès 2009. Pourtant depuis 1945, le monde entier vit plus ou moins à l'heure américaine, que ce soit par les modes, la musique, les films ou la réussite économique, en dépit des crises récurrentes, comme celle débutée en 2008 qui a abouti à la faillite de General Motors, dont les camions GMC avaient libéré l'Europe en 1944. Par ailleurs, le 11 septembre 2001 a été l'événement le plus médiatisé de tous les temps, marquant le sommet de cette vague de puissance dominante.

Toutefois, dès 1900, les analystes évoquaient l'américanisation du monde avec une angoisse relative et il ne faut pas oublier que la Révolution française a été précédée par la Révolution américaine dont les textes fondateurs étaient déjà bien connus en Europe. Ces quelques exemples prouvent que depuis leur naissance, proclamée le 4 juillet 1776, les États-Unis ont souvent servi de modèle, de pôle d'attraction pour les émigrants de toutes les origines, avant même de jouer un rôle actif dans les affaires du monde.

Ce livre ne cherche pas à traiter seulement de l'influence des États-Unis dans le monde, mais de comprendre tous les ressorts internes qui ont alimenté celle-ci même dans un temps où la République américaine restait une puissance provinciale et secondaire par rapport à la Grande-Bretagne, à la France, à la Russie ou à l'Allemagne. Dans quels domaines les États-Unis ont-ils innové, quelles institutions ont-ils édifiées, quels auteurs, quels musiciens, quels inventeurs ont-ils contribué à l'émergence d'une civilisation américaine ? Il ne s'agit pas pour autant de ressusciter le mythe de l'exceptionnalisme américain, mais de mieux distinguer les tenants et les aboutissants de l'expérience américaine. Car celle-ci n'est pas faite que de lumières ; la tache de l'esclavage et du racisme comme celle de la violence participe aussi de son histoire et explique par là même l'émergence de la puissance américaine : double face d'un même visage de Janus.

Traitant d'une histoire aussi complète que possible sur près de deux siècles et demi, le plan du livre est nécessairement chronologique sans suivre nécessairement les coupures les plus traditionnelles. Jusqu'aux années 1970, les historiens américains ont eu coutume de diviser leur histoire en grandes phases tendues vers toujours plus de progrès, calquées le plus souvent sur l'immuable calendrier institutionnel : ère des bons sentiments après la Révolution, temps des compromis avant le cataclysme de la guerre civile, période progressiste qui s'achève en 1920, puis les décennies initiées par le *New Deal* de Franklin Roosevelt, suivies des absurdités de la guerre froide, avant que le mouvement des droits civiques ne régénère les années 1960.[1] Une telle progression vers plus de démocratie et de liberté était une élaboration historique qui faisait disparaître sous son harmonieux tapis les terribles conflits raciaux et sociaux, les guerres menées par arrogance, la dévastation imposée à une

---

1. Samuel E. Morison, Henry S. Commager et William leuchtenburg, *A Concise History of the American Republic*, New York, Oxford University Press, 1977, version actualisée de *Growth of American Republic*. Ces découpages et cet esprit se retrouvent dans Jean-Michel Lacroix, *Histoire des États-Unis*, Paris, PUF, 1996.

immense nature. D'autres historiens, comme Howard Zinn[1] ont construit leur interprétation sur tous ces aspects occultés de la démocratie américaine.

Depuis, il est devenu impossible d'expliquer l'histoire des États-Unis par une clef unique, qu'elle soit d'or ou de fer, aussi le présent ouvrage cherche-t-il à concilier ces explications contradictoires en faisant la part de chacune selon les moments et les lieux, de façon à rendre intelligible une histoire qui a paru parfois récente à des Européens saturés par la leur, mais qui n'en est pas moins particulièrement complexe, avec son tissu social composite et son décor souvent brutal.

Quoi qu'il en soit, le pays a été construit par des immigrants (même les Indiens en sont) et leur flot n'a jamais cessé, qu'ils arrivent par bateau, avion, camion ou à pied à travers la frontière du Mexique. Par là, les États-Unis sont comparables à quelques-uns des pays du Commonwealth, Canada ou Australie, mais les voies qu'ils ont suivies ne sont pas les mêmes, tant les Américains ont bénéficié des immenses ressources d'un territoire très largement habitable, si bien que les Pères fondateurs ont choisi de mettre en relief la nouveauté d'un pays indépendant, débarrassé de tout lien colonial. Mais, dès ce moment initial, des choix ont été faits qui ont conditionné la suite de l'histoire pour le meilleur comme pour le pire.

L'ouvrage se décline en quatre temps, hormis l'introduction sur la période coloniale (1776-1815) :

1. L'accession au premier rang (1816-1920)
2. Le difficile accouchement de la modernité (1920-1945)
3. Les États-Unis de la guerre froide (1945-1991)
4. L'accélération de l'histoire (1992-2010)

Chacune de ces parties sera explicitée en plusieurs chapitres qui mettront l'accent sur les éléments les plus signifiants et importants de chaque grande période.

1. Howard Zinn, *Une histoire populaire des États-Unis. De 1492 à nos jours*, Paris, Agone, 2002.

Introduction

Une nouvelle puissance est née (1776-1815)

Le 4 juillet 1776, à Philadelphie (Pennsylvanie), le Congrès continental réunissant les délégués des treize colonies britanniques en révolte contre leur métropole adopte leur Déclaration d'indépendance. Ce texte a un souffle dû à Thomas Jefferson, né en 1743 en Virginie :

> « Nous tenons pour évidentes par elles-mêmes les vérités suivantes : tous les hommes sont créés égaux ; ils sont doués par leur Créateur de certains droits inaliénables ; parmi ces droits se trouvent la vie, la liberté et la recherche du bonheur. »

Cette première déclaration d'indépendance de l'histoire de l'humanité demeure strictement unilatérale et ne semble pas facile à mettre en pratique. Alors que les grandes puissances du temps l'ignorent avec condescendance, la date du 4 juillet est devenue rapidement celle de la fête nationale des États-Unis : c'est la preuve d'un point de départ officiel.

Pourtant, il a fallu sept ans pour que le concert des puissances reconnaisse par le traité de Versailles le nouveau membre du club.

De plus, la Déclaration d'Indépendance tenait compte de la diversité des treize colonies, qui n'étaient réunies que par des thèmes communs très délimités.

La diversité coloniale

Une grande diversité géographique

Les treize colonies, et les territoires immédiatement voisins qui n'ont pas ce statut tels le Maine, le Kentucky ou le Tennessee, sont répartis sur la plaine côtière, au pied des Appalaches depuis les limites de la Nouvelle-France (jusqu'en 1763) au Nord, jusqu'à la Floride espagnole au Sud, dans une zone de climat brutal, à peine adouci par la proximité de la mer en raison du courant froid venu du Labrador. À l'exception de celle de New York, les plus septentrionales – New Hampshire, Massachusetts, Connecticut et Rhode Island – forment la Nouvelle-Angleterre ; elles sont constituées de terres couvertes de forêts difficiles à travailler ; elles dépendent beaucoup de la mer et de ses ressources, leur climat est rude, marqué de longs et sévères hivers, auxquels les premiers colons ont eu bien du mal à résister. Les centrales, Pennsylvanie, New Jersey, Maryland et Delaware, sont plus souriantes, pénétrées par de larges estuaires, comme celui de la Cheseapeake. Enfin, la Virginie, la Caroline du Nord et celle du Sud, tout comme la Géorgie, s'étendent plus largement vers l'intérieur et bénéficient d'un climat semi-tropical : ces conditions les rendent favorables à des cultures exigeantes. En raison de l'orientation du relief et des cours d'eau perpendiculaires au rivage, les liaisons terrestres entre ces différents territoires sont presque impossibles ; leur débouché normal est maritime. Vers 1760, il faut encore huit jours pour aller de Boston à New York, et le temps de la traversée transatlantique est en moyenne de quarante jours mais, en mauvaise saison, il peut atteindre deux mois ou plus. Les nouvelles d'Europe ne sont pas connues rapidement, pas plus que Londres n'est capable de savoir aussitôt ce qui se passe dans ses colonies américaines. Ce temps du voyage ne facilite pas le règlement des questions pendantes.

La population

D'origine variée, elle est inégalement répartie sur ce territoire. Vers 1770, on trouve environ 2 150 000 habitants dans les treize colonies et les territoires adjacents, dont 450 000 Noirs, et sur le même territoire peut-être 150 000 Indiens. Ces derniers ont subi une immense catastrophe démographique, car les ethnologues ont estimé leur nombre à 7 millions au début du XVIe siècle sur le territoire actuel des États-Unis. Les Indiens ont subi directement le choc de l'arrivée des colons blancs, car très tôt leur vie a été modifiée par la présence des Européens avec leurs moyens et leurs besoins : les tribus de l'Est ont appris très vite ce qu'il en était, chassées de leurs terres ancestrales, après avoir été utilisées comme troupes supplétives contre les Français trop entreprenants, et par ces derniers contre les colons, ou comme pourvoyeurs de fourrures. De cette lutte pour la vie, les premiers colons blancs ont légué à leurs descendants le thème de la sauvagerie des indigènes, qui a pu justifier tous les excès. Au moment de la Révolution, à la fin du XVIIIe siècle, les Indiens ont été repoussés sur la frontière, limite de la zone de peuplement blanche, certains ont cherché à s'adapter aux coutumes européennes, tels les Cherokees de Géorgie, la plupart furent très réticents, tout en dépendant des armes et des produits manufacturés que leur fournissent les Blancs. De façon insidieuse mais rapidement, les Indiens ont été frappés par un fléau comme l'alcoolisme et par des maladies contre lesquelles ils n'avaient aucune défense immunitaire : variole, tuberculose : au moment de l'indépendance des États-Unis, leur nombre total ne dépasse pas 600 000…

Carte 1. Les États-Unis en 1783

Près de 80 % de ces colons viennent des Îles britanniques (60 % d'origine anglaise, moins de 10 % d'Irlandais, le plus souvent protestants, les Scot-Irish, un peu plus de 8 % d'Écossais) ; environ 9 % sont allemands ; les autres sont d'origine hollandaise – comme à New York (la ville était la Nouvelle Amsterdam jusqu'en 1666) –, suédoise ou française (10 000 à 15 000 huguenots se sont fixés en Amérique après la révocation de l'Édit de Nantes). La diversité religieuse est considérable, avec un émiettement de dénominations protestantes au Nord et l'église anglicane plus présente dans le Sud. Dans l'ensemble, ces colons sont d'origine modeste sans être misérables, ils sont venus parfois au début comme serviteurs engagés, soumis à un contrat draconien (sans salaire pendant le temps du contrat signé avec le patron qui a payé le voyage : souvent 7 ans) ; on ne trouve parmi eux aucun aristocrate, malgré le goût des Américains pour se dénicher un ancêtre prestigieux, ainsi les protestants français ont longtemps bénéficié d'une certaine aura. Pourtant, à la fin du XVIIIe siècle, la société coloniale est très diversifiée ; une classe de riches planteurs est apparue dans le Sud où vit – esclaves noirs compris – près la moitié de la population, et dans les autres colonies a émergé une élite urbaine : Boston atteint 15 000 habitants, New York 30 000 et Philadelphie dépasse les 40 000. Cette population connaît une forte croissance puisqu'elle double tous les vingt ans, grâce à un taux de natalité remarquable – il avoisine les 40 ‰ – qui assure les 2/3 de son essor.

La situation des Noirs est sensiblement différente dans la mesure où 95 % d'entre eux sont esclaves dans les colonies au Sud (Virginie, Maryland, Caroline du Nord et du Sud et Géorgie) dont ils constituent près de la moitié des habitants ; malgré l'arrivée régulière de nouveaux esclaves, plus de 4 000 par an vers 1770, c'est la croissance naturelle qui explique, pour les 2/3, l'augmentation de la population noire.

Cette situation d'essor démographique, pour tous à l'exception des Indiens, prouve que l'économie coloniale est en pleine expansion à la veille de l'indépendance.

Une économie florissante

Le XVIIe américain a été dur : les colons ont dû défricher une terre parfois hostile, assurer la survie des nouveaux arrivants tout en cherchant des produits qui conviendraient à la métropole d'où venait l'essentiel des fournitures indispensables, dans la logique mercantiliste. Sans doute, les fourrures de Nouvelle-Angleterre ou le tabac de Maryland et Virginie s'avèrent-ils rapidement lucratifs, mais ils restent secondaires. D'ailleurs, la plupart des cultures demeurent vivrières : l'économie est à 90 % agricole et c'est la subsistance qui est essentielle. Mais l'immensité des terres disponibles, surtout dans le Sud, et leur fertilité donnent à la population les bases de la prospérité, sans qu'il soit besoin de méthodes de culture sophistiquées. De plus, les troubles de la Révolution anglaise de 1688 permettent aux colons d'échapper quelque peu au contrôle du *Board of Trade*.

Au XVIIIe siècle, les colonies ont trouvé leur équilibre. Dans la Nouvelle-Angleterre, la culture du maïs associée à l'élevage assure aux petits fermiers une confortable aisance, mais l'insuffisance des terres arables a suscité de nombreuses autres activités. Les marchands des villes assurent le trafic des fourrures et du bois qui tient une grande place ; en effet, les chantiers navals se multiplient, tant pour fournir des bâtiments à la marine anglaise que pour produire des petits navires destinés à la pêche locale. Celle-ci constitue une activité majeure de la Nouvelle-Angleterre, plus de 10 000 hommes y participent, sur les grands bancs de Terre-Neuve pour la morue, où ils sont en concurrence avec les pêcheurs français et espagnols, 4 000 autres se livrent à la pêche à la baleine. Les colonies centrales bénéficient de conditions agricoles supérieures et la culture des céréales s'y est développée sur des exploitations de taille moyenne, de 40 à 80 hectares ; la population assure aisément sa subsistance et dégage des surplus de blé qui sont exportés, tant en métropole que dans les

Antilles anglaises. Ces conditions favorables expliquent l'essor de Philadelphie, plus grande ville du temps, où se trouve un industrieux groupe de marchands Quakers, qui fournit aux habitants les produits industriels britanniques dont ils sont friands et qui constituent seuls un véritable signe de réussite. Les colonies du Sud sont les seules où existent de grandes propriétés – souvent, plus de 400 hectares –, les seules qui nécessitent une main-d'œuvre autre que la famille aidée de quelques ouvriers. En effet, le tabac constitue désormais la ressource fondamentale de la Virginie, du Maryland et de la Caroline du Nord ; la demande européenne est forte et cette culture exigeante pour les sols s'y est considérablement développée. Cela explique l'importation d'esclaves, qui transitent souvent par les Antilles, comme l'apparition d'une classe de planteurs riches qui constituent une sorte d'aristocratie échangeant son tabac contre les meilleurs produits britanniques. Dans les deux colonies les plus méridionales (Caroline du Sud et Géorgie), l'indigo, monopole britannique, et surtout le riz assurent l'essentiel des revenus.

Le commerce entre l'Angleterre et ses 13 colonies nord-américaines (en livres sterling)

Années	Total	
	Export	Import
1791	1011313	4014416
1790	1043389	3258238
1789	893296	2306529
1788	883618	1709928
1787	780444	1794214
1786	743644	1431255
1785	775892	2078744
1784	701190	3418407
1783	314058	1435229
1782	28676	256325
1781	99847	847883
1780	18560	825431
1779	20579	349797
1778	17694	33986
1777	12619	57295
1776	103964	55415
1775	1920950	196162
1774	1373846	2590437
1773	1369229	2079412
1772	1258515	3012635
1771	1339840	4202472
1770	1015535	1925571

Source : Historical statistics of the US, II, p. 1176.

Une telle économie, à laquelle s'ajoutent les menues productions industrielles à usage local, tolérées par les Actes de navigation britanniques qui organisent le système mercantiliste – textiles grossiers à l'usage des esclaves, outils métalliques, chapeaux de fourrure – est relativement diversifiée. Elle s'insère facilement dans le commerce international, d'autant que le commerce intercolonial est très réduit, car il n'existe guère de route qui relierait ces territoires ; la Grande-Bretagne assure la fourniture de l'essentiel des produits manufacturés de ses colonies et reçoit les productions brutes : celles du Sud, ainsi que le bois ou une partie du blé des autres. Toutefois, les surplus de Nouvelle-Angleterre (céréales, bois ou poissons) sont expédiés soit en Europe du Sud, soit dans les Antilles, d'où proviennent le sucre, la mélasse et le rhum indispensables en Angleterre comme dans ses colonies ; elles participent également au commerce triangulaire avec l'Afrique qui leur permet de se fournir en esclaves. Le système économique et les échanges aboutissent à la formation d'une sous-région caraïbe, car ces îles participent directement à la prospérité de nombreuses colonies du continent américain.

Toutefois, une difficulté récurrente, qui freine l'essor commercial, provient du manque de liquidités ; du papier-monnaie déprécié circule bien que Londres, en 1751, en ait interdit l'émission. Par ailleurs, les colons échappent facilement au contrôle dérisoire des 200 douaniers britanniques chargés de faire respecter le pacte colonial sur plus de 2 000 kilomètres de côtes.

Un double système politique

Vers 1750, le statut des colonies, longtemps disparate, s'est uniformisé. Les chartes royales, généreusement accordées au XVIIe siècle à des marchands pour la Virginie, à un groupe religieux comme au Massachusetts ou à un grand seigneur, Lord Baltimore, pour le Maryland, ont laissé la place à un contrôle plus strict de la métropole. En effet, neuf colonies sur treize sont désormais royales, le gouverneur y est nommé par le roi ; en Pennsylvanie et au Maryland, il l'est par les propriétaires qui ont conservé leur charte, dans le Connecticut et le Rhode Island, il est élu par l'Assemblée. Le gouverneur à la tête de l'exécutif, souvent entouré d'un conseil oligarchique, doit composer avec l'Assemblée élue par une minorité d'électeurs (des propriétaires dont le seuil de revenus est fixé de façon différente dans chaque colonie) car elle tient les cordons de la bourse ; les sources de conflit sont nombreuses pour ce responsable qui doit rendre des comptes au gouvernement de Londres, lointain et peu au fait des réalités coloniales, tout en dépendant d'une Assemblée locale souvent rétive. En effet, les Assemblées coloniales se considèrent, chacune, comme une Chambre des communes et veulent disposer de la plus large autonomie ; évolution que le gouvernement britannique tente de freiner par l'intermédiaire de ses représentants. Les colons qui travaillent avec les officiels de la métropole sont choisis parmi les « bons citoyens », les élus, représentant les *townships* du Nord et les comtés du Sud, se veulent plus radicaux, mais ne le sont souvent que sur le plan institutionnel. Ils redoutent la contestation des exclus du suffrage, petits propriétaires, serviteurs, colons de la frontière, en butte aux difficultés du terrain et au contact avec les Indiens, qui réclament leurs droits et ne se sentent pas représentés. Ce mouvement est d'autant plus important que l'expansion vers l'Ouest est remarquable dans la deuxième moitié du XVIIIe siècle ; les colons de New York remontent le long de la vallée de l'Hudson, ceux de la Pennsylvanie suivent les vallées de la Delaware et de la Susquehanna ; le Piedmont des Appalaches est partout atteint, malgré la pression indienne et l'obstacle français dans la vallée du Mississippi.

Qu'est-ce qu'un Américain ?

La question se pose devant cette population qui vit dans l'aisance et au sein de laquelle les distinctions sociales sont peu sensibles, à l'exception des Noirs. Elle est habituée à une forte autonomie locale, accentuée par un intérêt intermittent de la métropole. Les progrès ont été tels, en un siècle et demi, que des Américains peuvent être identifiés avec leurs traits caractéristiques, à l'instar de J. Hector St John de Crèvecœur, nobliau français fixé en Pennsylvanie, qui après avoir combattu en Nouvelle-France loue avec emphase « sa nouvelle patrie » et dresse le portrait d'un Américain, qui n'est déjà plus un Européen, mais le résultat original de l'opération d'un creuset. Par ailleurs, les puritains de Nouvelle-Angleterre ou les Quakers de Pennsylvanie n'ont jamais dissimulé leur volonté de rompre leurs liens avec le Vieux Monde ;

c'est pourquoi les premiers ont été mythifiés par les historiens du XIXe et du début du XXe, qui en ont fait les initiateurs de la démocratie américaine. La réalité est beaucoup plus complexe. En effet, pour la plupart, les colons se veulent et se disent anglais, fiers de l'être et le revendiquent hautement comme l'imprimeur de Philadelphie Benjamin Franklin ; tous respectent la *common law.* D'ailleurs, les colonies ne sont nullement tenues par la force et les reproches faits au gouverneur, aux officiels britanniques, ou à Londres le sont par des Anglais qui modèlent leur attitude sur celle du Parlement et qui veulent que soient reconnus leurs droits de sujets britanniques. Tout au plus, les colonies ont pris l'habitude, se sentant incomprises par l'administration locale, d'envoyer des agents les représenter à Londres, pour mieux faire valoir leurs revendications et, ainsi, prévenir leurs mandants du risque d'une législation hostile ; vers 1750, ces agents, le plus souvent nommés par l'Assemblée locale, participent directement au système impérial. Mais, dans toutes ces circonstances, il n'existe aucune forme de rapprochement entre les diverses colonies ; chacune se méfie de l'autre, considérant ses problèmes comme spécifiques ; d'ailleurs, les bases de l'économie suffisent à les différencier, quand ce n'est pas la religion de leurs habitants, même si une partie de leurs préoccupations est commune. De plus, le gouvernement britannique a toujours pris garde d'éviter tout rapprochement entre elles, les contraintes des problèmes de transport l'ont aidé dans cette entreprise.

Ce bel édifice, qui fonctionne relativement bien, malgré les réticences du *Board of Trade,* dont dépendent les colonies, à leur accorder une réelle autonomie, ne va pas résister au choc de la guerre de Sept Ans, plus justement connue en Amérique sous le nom de *French and Indian War.*

Malentendus transatlantiques

La Nouvelle-France constitue, pour les colonies de la Nouvelle-Angleterre une gêne permanente. Non pas que les colons français soient bien nombreux – environ 10 000 se sont installés sur les bords du Saint-Laurent depuis le début du XVIIe siècle, s'ils sont 65 000 en 1763 –, mais le vaste territoire qu'ils contrôlent bloque l'expansion des colons britanniques. De surcroît, la concurrence est vive entre Canadiens et habitants de New York pour l'approvisionnement en fourrures. Enfin, les colons protestants supportent mal la présence des « papistes » invétérés que sont ces Français catholiques. Les frictions sont nombreuses, souvent par Indiens interposés ; les Bostoniens ont fait des incursions jusqu'à Québec en 1690 ; elles ne peuvent que se multiplier alors que les Français, à partir de 1699, sont installés en Louisiane à l'embouchure du Mississippi dont ils veulent contrôler le cours pour favoriser les relations avec le Canada.

Les colons et la guerre de Sept Ans

Tous ne sont pas touchés de la même façon ; en effet, les colonies du Sud ne sont guère sensibles à la menace française fort éloignée. En revanche, les colonies de Nouvelle-Angleterre et les colonies centrales butent sur le réseau de forts mis en place par la France dans le bassin de l'Ohio. Au moment où la guerre de Sept Ans se déclenche en Europe, en 1756, elle fait déjà rage depuis deux ans en Amérique ; le jeune George Washington, officier de la Virginie, est délogé par les Français du Fort Necessity, et les affrontements sont constants dans la région de l'Ohio.

Les colons sont les premiers à lever des milices pour se défendre contre l'ennemi héréditaire ; toutefois, les enjeux les dépassent car il s'agit bien d'un affrontement entre les deux grandes puissances du temps qui se transforme au fil des mois en une véritable guerre mondiale, la première de l'histoire. Le gouvernement britannique craint depuis quelques années la perte de ses colonies d'Amérique et il a bien l'intention de les défendre contre la menace française, mais aussi de ne pas céder à leurs revendications constantes. Le Premier ministre William Pitt n'hésite pas à envoyer 7 500 hommes en Amérique du Nord, renforcés par la *Royal Navy*, pour détruire la présence française. En 1759, c'est chose faite avec la prise de Québec qui annonce le traité de Paris de 1763 et l'abandon par la France de ses possessions d'Amérique.

L'armée et les colons ont marché main dans la main, le commandement faisant toutes les promesses de dédommagement à ceux qui avaient subi des pertes durant les opérations. D'ailleurs, le Massachusetts ou la Virginie sont au bord de la banqueroute du fait de la guerre.

Pourtant, dès la victoire obtenue, le gouvernement britannique reprend sa politique de contrôle des colonies, interrompue momentanément par la guerre. En effet, les colons continuent à violer les lois de navigation et à commercer directement avec les Antilles ou l'Europe ; avec la complicité des représentants locaux de l'administration, ils fraudent allégrement sur les taxes ; enfin, fiers de leur rôle, ils refusent tout prélèvement supplémentaire pour payer les frais encourus par l'entretien des troupes britanniques. La guerre, menée au nom du patriotisme britannique, a paradoxalement contribué à distendre des liens d'affection très étroits entre la métropole et ses sujets d'Amérique. Cette évolution se renforce quand Londres, par la proclamation royale de 1763, marque sa volonté de conserver l'intégrité territoriale de l'ex-Nouvelle-France, signifiant ainsi aux colons l'impossibilité d'y assouvir leur soif de terres.

Vers la rupture

En une douzaine d'années, la situation se détériore à tel point que les colonies britanniques d'Amérique du Nord se décident pour l'indépendance.

Pour parvenir à un meilleur contrôle de ses possessions, le gouvernement britannique a le choix entre trois attitudes : maintenir le *statu quo* sans chercher à imposer des mesures impopulaires auprès des colons, envisager des changements majeurs pour donner aux colonies une réelle autonomie, imposer sa volonté par la force. En fait, le *Board of Trade* n'a jamais envisagé la deuxième solution, tellement il redoute un émiettement de l'Empire ; il va osciller entre la première et la troisième, sans choisir réellement, ce qui va indigner de plus en plus les colons, toujours attentifs à leurs droits.

L'attitude de force apparaît dès 1765 avec le célèbre *Stamp Act* ; Londres veut imposer une taxation sur tous les actes officiels, mais cet impôt, le premier à être levé directement dans les colonies, est voté par le Parlement, sans consultation des colons. Le tollé est immédiat en Amérique contre cette « taxation sans représentation », intolérable pour tout citoyen britannique. Dès l'été, les premiers contacts entre les colonies ont lieu sous l'impulsion de meneurs qui se révèlent, tels James Otis du Massachusetts ou Patrick Henry de Virginie ; les assemblées des colonies du Centre et du Nord demandent le rappel de la loi, des émeutes éclatent à New York, les plus déterminés refusent d'appliquer la loi et boycottent les marchandises britanniques. Une véritable prise de conscience apparaît au sein des élites marchandes et urbaines des diverses colonies ; le lien sacré entre la Couronne et ses sujets vient de se tendre à se rompre. La situation n'est pas révolutionnaire, mais confirme le cabinet britannique dans ses craintes.

Pourtant, sous la pression des marchands britanniques inquiets d'une fermeture du marché américain, le parlement de Westminster adopte le premier scénario et, dès 1766, retire le *Stamp Act* honni, tout en réaffirmant le principe de sa prééminence législative. Les colons ont le sentiment d'avoir été entendus, ils n'envisagent alors aucune forme d'indépendance, encore moins de république ; les plus riches craignent même un retrait britannique qui pourrait être suivi de troubles sociaux, comme l'a laissé entrevoir l'agitation de la campagne contre le *Stamp Act*. De plus, la puissance britannique reste formidable, bien que les unités stationnées en Amérique soient peu nombreuses.

La Grande-Bretagne, de son côté, ne renonce pas à faire payer les colons, ni à raffermir son autorité. En 1767, Townshend, le chancelier de l'Échiquier, fait voter de nouvelles taxes sur les produits importés par les Américains; sans atteindre la violence des années précédentes, l'agitation reprend, sporadique, avec le boycottage. Ayant à nouveau adopté la fermeté, le gouvernement met en prison les marchands qui refusent d'acquitter les nouveaux droits, comme John Hancock à Boston, réprime les émeutes qui s'attaquent aux bureaux de la douane et, en 1768, envoie de nouvelles troupes pour rétablir l'ordre. Les réseaux de la campagne contre le *Stamp Act* sont réactivés; l'assemblée de Virginie qui protestait auprès du roi est dissoute par le gouverneur en 1769. Des affrontements entre les soldats et la foule éclatent à New York; le 5 mars 1770, le « massacre de Boston » soulève l'indignation : 5 manifestants, dont un Noir, sont abattus par la troupe.

Une nouvelle fois, le gouvernement royal choisit l'apaisement et, en avril 1770, retire les droits imposés par Townshend. Le calme revient dans les colonies, le boycottage des produits britanniques cesse; on se croirait revenus quatre ans plus tôt. Pourtant, nombreux sont les colons à penser que le gouvernement britannique a suscité des troubles, sans être vraiment redoutable puisqu'il cède sous la pression. Certains, comme Sam Addams de Boston, pensent que les colonies doivent institutionnaliser les contacts entre elles pour faire face à toute nouvelle crise.

Le lien colonial reste tendu à l'extrême. Or la tension sur les importations resurgit sporadiquement et, en 1773, les esprits s'échauffent à nouveau, quand, maladroitement, le gouvernement de Lord North décide d'exempter de la taxe sur le thé les cargaisons de la Compagnie des Indes orientales; en effet, celle-ci connaissait des difficultés financières et avait sollicité une telle mesure qui lui permettrait de vendre plus facilement en Amérique. Les marchands américains sont indignés de ce traitement de faveur accordé à un concurrent redoutable. Il leur semble qu'un véritable complot se trame contre eux et contre la dignité des colons. Nombreux sont les colons, grands buveurs de thé, à s'emporter également. Les manifestations se multiplient dans les ports et, le 16 décembre 1773, des marchands déguisés en Indiens montent sur un navire de la Compagnie et jettent sa cargaison de thé dans l'eau du port de Boston. C'est la fameuse *Boston tea party*; célébrée comme un haut fait par les Américains, elle indigne les Anglais.

La solution de force

En effet, cette action spectaculaire est de trop : les colons toujours rebelles ont osé s'attaquer à une propriété privée. Les marchands de Londres n'en reviennent pas et condamnent sans nuance leurs collègues américains qu'ils avaient soutenus jusque-là. Le gouvernement choisit la manière forte et semble décidé à s'y tenir. Les mesures de représailles du printemps 1774 sont sévères : fermeture du port de Boston, envoi de nouvelles troupes qui seront logées chez l'habitant, jugement des coupables en Angleterre, annulation de la charte du Massachusetts. Les Américains les jugent intolérables et se sentent totalement incompris par la métropole. À l'automne, se réunit le premier congrès continental à Philadelphie, auquel douze colonies ont envoyé des délégués (seule la Géorgie reste à l'écart, encore peu concernée), tellement le sentiment d'indignation est général; on décide de lever des milices, tout en condamnant les décisions de Londres comme illégales. La rupture n'est pas consommée, mais chez beaucoup d'Américains une profonde amertume a remplacé l'affection filiale envers la mère patrie. Les propositions de compromis de Lord North, au début 1775, sont balayées par les affrontements sanglants de Lexington et Concord (Massachusetts). Les troupes britanniques, qui allaient chercher des armes, ont affronté les milices des *minutemen*, ce qui occasionne des dizaines de victimes : la guerre a commencé.

Dans les premiers temps, elle se déroule dans l'euphorie : les Américains assiègent Boston où les troupes anglaises se sont réfugiées, s'emparent de positions à la frontière canadienne. Le second congrès continental, où, cette fois, toutes les colonies ont envoyé des délégués, se réunit à Philadelphie en mai, il nomme George Washington à la tête d'une armée qu'il faut recruter. Au début de l'été 1775, il n'est pas question d'indépendance ; les colons révoltés, convaincus qu'un complot est tramé contre eux, ont usé de la force pour faire reconnaître leurs droits, ils espèrent toujours que le roi, abusé par ses conseillers, les comprendra et leur rendra justice. Le recours à la force est légitime contre les abus, selon des philosophes comme John Locke (1632-1704), dont les plus cultivés des colons ont été nourris. Mais il est incontestable que l'ivresse des premières actions et le recul apparent des Britanniques prouvent que l'ordre impérial n'est pas immuable. Or le malentendu est alors à son comble : ni le Parlement ni le gouvernement ni le roi ne sont prêts à envisager de donner de nouveaux droits aux colons ; ils veulent, sans aucune machination, réaffirmer toute leur autorité sur des colonies rebelles.

Les plans militaires des treize colonies ne se déroulent pas très bien et, à l'automne 1775, l'offensive qui est lancée hâtivement contre le Canada, siège de la puissance britannique en Amérique, échoue rapidement. Les Canadiens français, appelés à joindre les Américains, n'ont pas oublié les affrontements ancestraux et gardent une prudente réserve : seul un petit nombre rejoint les Américains. Les troupes conduites par Benedict Arnold sont battues devant Québec. Mais cet échec périphérique n'entame pas la détermination des colons, qui poursuivent l'organisation de leur défense, tant sur le plan militaire que diplomatique – un comité du Congrès est chargé de nouer les premiers contacts avec l'étranger : en mars 1776, le général Howe, commandant des forces britanniques, décide d'évacuer Boston et d'attendre les renforts à Halifax.

Ce succès pour les colons survient à un moment où les esprits ont définitivement évolué ; la plupart admettent désormais la rupture complète avec la métropole et sont prêts à former leur propre gouvernement selon des modalités nouvelles. Publié en janvier 1776 à Philadephie, *Common Sense* de Thomas Paine connaît un succès foudroyant : 120 000 exemplaires sont vendus en quelques mois, ce qui indique une population éduquée. L'auteur, un Anglais inconnu, a rédigé un violent pamphlet ; républicain, il attaque une monarchie qui tient en esclavage ses sujets, une aristocratie qui les exploite, il ridiculise « la brute royale » George III, et fouette l'orgueil des colons en montrant que leur continent ne peut plus être gouverné par une petite île. L'ouvrage, écrit dans une langue accessible à tous, semble faire éclater la vérité ; l'aveuglement à l'égard du roi, la timidité des mois précédents ne sont plus de mise, désormais, l'enjeu est clair.

Common Sense a joué le rôle de catalyseur, le Congrès et les esprits sont mûrs pour l'indépendance. Les colonies se dotent d'institutions représentatives et la Virginie, en pointe après que le Massachusetts a encaissé les premiers chocs, adopte, le 12 juin, une déclaration des droits qui tranche par sa nouveauté : elle assure la liberté de conscience, de réunion et les droits élémentaires de l'individu (les députés de l'Assemblée nationale française, en 1789, ne l'oublieront pas). Au même moment, le Congrès, sur la proposition du Virginien Richard Lee, adopte le principe de l'indépendance et charge un comité d'en préparer la déclaration officielle (il est composé de Benjamin Franklin, John Adams, Thomas Jefferson, Robert Livingston et Roger Sherman).

Le 4 juillet 1776, un texte, rédigé essentiellement par Jefferson, âgé de 23 ans, est adopté par les délégués des treize colonies : la Déclaration d'Indépendance.

Le risque de l'indépendance

Un pas considérable a été franchi ; il démontre l'évolution des représentants de l'opinion américaine prêts, en fin de compte, à rompre avec la Grande-Bretagne au nom de grands principes et d'une amorce de déclaration des droits individuels.

Hostilité et indifférence

Traditionnellement, les historiens américains ont été emphatiques à propos de cette déclaration, lui donnant une portée immense, car ce texte donne naissance, pour la première fois, à un État qui n'est pas encore une nation. La déclaration, en premier lieu, signifie que les « patriotes » ont la majorité du Congrès continental, ce qui leur donne une certaine latitude mais peu de pouvoir réel. Depuis plusieurs mois, les radicaux exigeaient l'indépendance et la République, mais ils devaient surmonter l'opposition des conservateurs nullement décidés à couper les ponts avec la métropole et qui n'ont pas disparu le 4 juillet.

Suivant des estimations difficiles à établir, en l'absence d'enquêtes précises et en raison d'une occultation volontaire de leur rôle par les patriotes, ces traditionalistes constituent peut-être 1/5e de la population. Ce ne sont pas seulement de riches propriétaires, ils se trouvent dans diverses couches de la population, répartis parmi les différentes religions. Plus nombreux dans les colonies qui sont régulièrement en affaire avec la Grande-Bretagne ou qui ont besoin d'une protection militaire contre les Indiens, comme le New York ou les Carolines, ils sont presque absents en Virginie et au Massachusetts, qui mènent la lutte pour l'indépendance. Ce sont des gens qui refusent le changement d'institutions impliqué par l'indépendance. Attentistes ou déterminés, ils vont être dénommés loyalistes et, au fil des années – surtout quand se dessine la victoire des États-Unis –, un certain nombre préférera quitter un pays dont les valeurs ne sont plus les leurs : peut-être 200 000, dont un quart se fixe au Canada où ils sont la base de la population anglophone, d'autres dans les Antilles ou en Angleterre. Pendant la guerre, ils vont lutter, les armes à la main ou plus passivement, et être l'objet de vexations et de représailles de la part des patriotes.

Une autre partie de la population, dont le nombre est encore plus difficile à estimer, n'est guère intéressée par l'indépendance, et n'en attend rien de bon. Il s'agit des pionniers de l'arrière-pays mal représentés dans les assemblées locales ; peu soucieux de débats théoriques, ils ont manifesté, comme les « régulateurs » des Carolines en 1770-1771, leur mécontentement devant le poids excessif des villes de l'Est : l'indépendance risque de rendre plus pesant encore le poids des élites locales, qui n'auront plus à craindre l'autorité de Londres.

Les Indiens, qui sont aux prises avec ces hommes de la frontière, sont encore plus mal lotis. Ils peuvent servir les deux camps, mais, en dépit des promesses, ils sont vite oubliés par les Anglais et décimés par les colons, au nom des valeurs patriotiques. L'indépendance les piège entre deux camps, dont aucun n'est le leur. Les Noirs sont sensibles à la rhétorique libératrice de la Déclaration d'Indépendance, mais leurs demandes sont systématiquement ignorées. Certains s'engageront dans les forces britanniques, avec la promesse de l'affranchissement, mais seules quelques centaines en bénéficieront à la condition de s'exiler ; d'autres tenteront la même démarche dans le camp patriote, mais les réflexes esclavagistes joueront aussitôt à leur détriment. Pour eux, l'indépendance accentue le risque d'être livrés sans retenue à des maîtres qui refusent toute évolution raciale, et auxquels la participation active dans le camp patriote donne pleine autorité.

À ces victimes impuissantes, il faut ajouter les groupes religieux non violents, comme les Quakers respectueux de toute autorité constituée – ce qui les fait prendre, au début, pour des loyalistes –, et qui refusent obstinément de prendre parti.

Enfin, comme dans tous les grands mouvements historiques, de nombreux colons sont indifférents à ce qui se passe, ne dépendent guère des fournitures britanniques et attendent les événements, quand ils n'en sont pas les jouets impuissants. Un cas extrême est celui de Crèvecœur, chantre de l'*homo americanus* dans ses *Lettres d'un fermier américain* : en 1780, en butte à l'hostilité des patriotes, emprisonné par les loyalistes, il regagne la France qu'il avait quittée vingt-cinq ans plus tôt. Peu nombreux sont ceux qui pourront comme lui retrouver leur domaine familial. Quelques années plus tard, son fils s'installera aux États-Unis.

Pourtant, l'existence de ces forces passives ou hostiles ne signifie pas que l'indépendance ne soit pas largement soutenue, elle l'est particulièrement par les citoyens les plus actifs.

La première organisation de l'indépendance

Le seul fait d'affirmer l'indépendance conduit les colons à des changements. Le Congrès continental devient l'autorité centrale, bien qu'il n'ait aucun moyen propre, qu'il dépende financièrement de la bonne volonté des colonies et doive solliciter au cas par cas hommes et matériel pour la guerre. Tant bien que mal, cette assemblée va mener l'essentiel des opérations, tant sur le plan militaire que diplomatique ou politique, simultanément pouvoir législatif et exécutif, par le biais de commissions *ad hoc*, sans base juridique solide, sans texte fondateur autre que la Déclaration venue justifier une indépendance muée en dessein collectif. En effet, les *Articles de la Confédération*, premier texte constitutionnel des États-Unis naissants, sont rédigés dès 1777, mais ne sont ratifiés qu'en 1781 par tous les États. Aussi, ce système gouvernemental flou est-il la seule institution représentative durant presque toute la guerre d'Indépendance.

Les États – le mot colonie est naturellement banni – sont, en revanche, tenus de se donner de nouvelles structures. Dès le 4 juillet 1776, les assemblées consultatives et le gouverneur nommé disparaissent *de facto*, et déjà, comme en Virginie avant cette date, des textes fondateurs sont rédigés. Sept États sur treize se dotent d'une déclaration des droits et douze sur quatorze (y compris le Vermont, devenu un État en 1791) d'une nouvelle constitution établissant un régime républicain. Au-delà de ces principes, les différences sont considérables. Rhode Island et Connecticut se contentent d'adapter leurs chartes. Virginie et Pennsylvanie se méfient d'un exécutif fort et privilégient le régime d'assemblée et un cens assez bas, sans adopter un suffrage quasi universel comme la Géorgie ou la Caroline du Nord. Maryland et New York, le premier plus aristocratique que le second, préfère un système classique avec un gouverneur élu et deux chambres, comme le fera le Massachusetts en 1780 ; alors que le système le plus autoritaire est choisi par la Caroline du Sud.

Ces disparités politiques se doublent des clivages religieux, déjà apparents à l'époque coloniale ; les uns faisant de l'Église anglicane la religion d'État, dans le Sud, les autres, en Nouvelle-Angleterre conditionnant la citoyenneté et l'appartenance à une dénomination religieuse précise. De plus, dans de grands États comme la Pennsylvanie ou le New York, coexistent des villages et des groupes sociaux très opposés politiquement et religieusement, ce qui suscite des tensions fréquentes.

Issue directement du processus colonial, cette diversité régionale subsiste d'autant mieux que le pouvoir central est faible et équivoque. Les États gardent de cette époque une habitude d'autonomie qui permettra à certains, surtout dans le Sud, de remettre en cause un lien fédéral par lequel ils s'estiment peu liés ; le seul consensus étant le choix de l'indépendance qui a donné officiellement naissance à chacun.

Ces problèmes se posent implicitement durant les années de guerre ; ils expliquent l'enthousiasme relatif des uns ou des autres à fournir des troupes et du matériel, quand les combats se déroulent loin de chez eux. Toutefois, aucun des États ne remet en cause la décision de 1776.

Une indépendance très fragile

Après leur premier 4 juillet, les jeunes États-Unis sont terriblement seuls. En effet, le gouvernement britannique est de plus en plus décidé à écraser une rébellion devenue chaque jour plus arrogante et il ne peut reconnaître la décision prise par une assemblée qu'il ignore. Du côté des grandes puissances du temps, monstres froids hier comme aujourd'hui, la plus grande prudence est de mise. Sans doute, la France, la Hollande ou l'Espagne ne seraient pas hostiles à une humiliation anglaise, elles pourraient même y travailler, mais ces Insurgents américains ne semblent pas de taille à inquiéter la puissance britannique, n'ayant ni armée ni flotte organisées, en revanche, ils se battent au nom de principes révolutionnaires considérés dangereux par leurs alliés éventuels.

Seuls quelques individus sont exaltés par la nouveauté de la situation, d'autant plus, s'ils sont français, qu'il s'agit de s'opposer à la Grande-Bretagne. Mais leur influence est bien réduite, comme celle du jeune marquis de Lafayette qui arrive en juillet 1777. Les Américains, de leur côté, tentent par des tractations secrètes d'obtenir une aide matérielle de la France, Vergennes – ministre des Affaires extérieures – y consent, mais de façon très limitée ; le gouvernement français reste prudent, mais il est disposé à participer à une guerre qui ne pourra qu'affaiblir la Grande-Bretagne et le vengera de la perte de la Nouvelle-France, sans rien demander que la victoire.

Pendant les premiers temps, les Américains sont bien seuls. Leur armée, bâtie par G. Washington à partir des milices d'État et des régiments recrutés par ceux-ci, ne dépassera pas une trentaine de milliers d'hommes, sur un total possible de 100 000. Mis à part quelques unités formées à l'européenne, ces troupes mal équipées et mal payées n'ont guère d'entraînement, tout au plus s'agit-il de volontaires motivés, des « citoyens-soldats ». Mais ils se sentent avant tout citoyens de leur État où ils reviennent pour les moissons ou quand les opérations les en éloignent trop. Les généraux sont soit d'anciens officiers britanniques, comme Horatio Gates ou Benedict Arnold pourvus d'une certaine expérience mais pas toujours habitués au type de guerre qui va se dérouler, soit sortis du rang, à l'instar de Nathaniel Greene ou d'Anthony Wayne, qui s'affirment au fil des combats.

Les Britanniques, encore marqués par la guerre de Sept Ans, vont disposer au maximum de 75 000 hommes, bien entraînés – une partie sont des mercenaires étrangers en raison du peu d'enthousiasme des Anglais pour la guerre –, appuyés par la Royal Navy qui assure le ravitaillement et le contrôle de la mer et des côtes. Ils disposent de bases arrière au Canada, ce qui leur donne une certaine souplesse tactique, et peuvent compter, sur le terrain, sur l'appui potentiel de 20 000 à 25 000 loyalistes répartis sur tout le territoire, avec quelques points forts en Caroline du Sud et dans l'État de New York. Les forces britanniques sont dirigées par le général Howe flanqué, entre autres, de Burgoyne et Cornwallis.

La disproportion entre les deux adversaires est frappante, d'autant que la Grande-Bretagne est la grande puissance du moment. Pourtant, les Américains ont l'avantage de savoir pourquoi ils se battent et de fort bien connaître le terrain, ce qui n'est pas toujours le cas des « tuniques rouges ». En effet, la volonté guerrière n'est pas affirmée à Londres et, dans l'opinion britannique, cette guerre reste relativement marginale ; de plus, les officiers britanniques sont méprisants envers ces Insurgents, auprès desquels ils ont été parfois en poste. De ce fait, l'interpénétration des colons et des Anglais métropolitains pendant les années précédentes, donne à cette guerre des allures de guerre civile. Population patriote qui peut accueillir avec sympathie des soldats britanniques, officiers américains qui rejoignent le camp de leurs anciens collègues ; mais aussi dureté des combats entre troupes loyalistes et patriotes, la trahison est d'autant plus inexpiable qu'on se connaît trop. Toutefois cet aspect particulier ne doit pas faire oublier le rôle des mercenaires allemands, dans les deux camps, et l'intervention, à partir de 1780, de troupes régulières françaises.

Une véritable guerre qui s'internationalise

Elle dure près de sept ans (1775-1782), mais les combats ne sont jamais continus, interrompus par l'hiver ou par de longs déplacements ; ils se limitent souvent à des accrochages et à des opérations ponctuelles de type guérilla, dont les Américains sont très fiers. Du côté américain, elle occasionne 25 324 morts, ce qui n'est pas négligeable pour un pays encore peu peuplé.

Les opérations se déroulent en deux principales étapes : la première de 1775 à l'hiver 1777-1778, la seconde du printemps 1779 à la fin de 1781.

Après les succès des premiers temps, les troupes américaines atteignent vite la limite de leurs possibilités. Dès novembre 1776, les Britanniques les chassent de New York où ils vont s'installer jusqu'à la fin des hostilités, disposant ainsi d'une formidable base navale, toujours accessible à la Royal Navy. Les troupes de Washington se replient et remportent quelques escarmouches, mais la Nouvelle-Angleterre, d'où était partie la révolution, est mise hors de combat. L'essentiel des forces américaines se regroupe alors en Pennsylvanie. Le commandement britannique veut en finir avant 1778 et décide de prendre en tenaille le cœur de l'armée rebelle : Howe débarque des troupes au fond de l'estuaire de la Chesapeake, en septembre 1777, qui s'emparent de Philadelphie, alors que les 8 000 hommes commandés par Burgoyne ont amorcé, à partir de juin, leur descente depuis le Canada pour prendre les Américains à revers. Ce plan ambitieux échoue piteusement le 17 octobre 1777, quand Benedict Arnold – qui n'a pas encore trahi – oblige les troupes de Burgoyne à la reddition ; cette victoire de Saratoga (New York), due autant à la médiocrité du général britannique qu'à la clairvoyance de Washington qui a envoyé à temps des renforts à Arnold, est capitale. Elle prouve la capacité des Américains, sur leur terrain, et constitue un échec majeur pour la Grande-Bretagne.

De surcroît, la victoire de Saratoga s'avère déterminante pour convaincre la France de fournir de l'aide aux Insurgents. En effet, Vergennes, ministre des Affaires extérieures depuis 1770, voit dans une alliance avec les jeunes États-Unis le moyen d'humilier la Grande-Bretagne et l'aide, qui était restée minime et clandestine, souvent par l'intermédiaire du dramaturge et marchand d'armes Beaumarchais, devient officielle. Les négociations menées, du côté américain, par Benjamin Franklin, arrivé en France dès la fin de 1776 et devenu très populaire à Paris, sont relativement rapides. Le traité d'alliance entre la France et les États-Unis est signé le 6 février 1778 ; il prévoit un accord commercial qui montre l'intention du royaume de supplanter, dans ce domaine, l'Angleterre et une alliance militaire qui est la seule conclue par la jeune République avant le traité de l'OTAN de 1949 ; la France s'engage à ne pas reprendre pied en Amérique. La reconnaissance des États-Unis constitue un événement de première grandeur, à la fois parce qu'elle entraîne, dans le sillage de la France, les Pays-Bas et l'Espagne, et parce qu'elle officialise le succès de l'indépendance d'une colonie se séparant de sa métropole. La leçon ne sera pas perdue, tant par les Américains qui s'en glorifieront, que par d'autres colonies qui la prendront pour référence.

Sur le terrain, l'alliance française n'est d'abord qu'un support moral et matériel. L'hiver de 1777-1778 est le plus dur que connaît l'armée de Washington. Regroupée sur le plateau de Valley Forge elle contemple, impuissante, la capitale aux mains des Anglais ; de plus, les conditions climatiques sont particulièrement rudes et les soldats manquent de tout, alors qu'il faut préparer la campagne suivante. Dans la mythologie américaine, l'épisode de Valley Forge illustre la ténacité et le stoïcisme de G. Washington et de ses hommes, il forge une forte conviction nationale et fait prendre conscience de la dureté de la guerre qui doit se poursuivre.

Les premières interventions de la flotte française de l'amiral d'Estaing, pendant l'été 1778, sont impuissantes à déloger les Anglais de New York. En revanche, la seule menace de l'intervention française a contraint ceux-ci à évacuer Philadelphie réoccupée par les Américains qui remportent quelques succès locaux. Le même scénario se reproduit l'année suivante, la flotte française n'ayant pu empêcher les Britanniques de débarquer en Géorgie, en décembre 1778, d'où ils espèrent réaliser une version modifiée de leur mouvement de tenaille, et où ils peuvent compter sur l'appui des Loyalistes, assez nombreux dans le Sud. Ce plan oblige les Américains et les Français à mieux se concerter et la décision est prise, du fait des disponibilités de la flotte française, d'envoyer 6 000 hommes des troupes régulières pour aider les Américains, d'autant que certains ont servi au Canada et sont habitués au terrain nord-américain. Ceux-ci, sous le commandement du comte de Rochambeau, débarquent à Newport (Rhode Island) en juillet 1780. Ils ne se mettront en marche qu'au printemps suivant, alors que l'armée américaine, malgré certains succès, n'est pas parvenue à faire la décision. Le but est de mener une action concertée entre fantassins français et américains et flotte de l'amiral de Grasse pour encercler l'armée de Cornwallis à Yorktown (Virginie) où elle s'est établie en provenance du Sud, afin d'y attendre les renforts qui doivent venir de New York, acheminés par la Royal Navy. La délicate opération navale et terrestre réussit avec la rapidité requise : la flotte française se montre supérieure à sa rivale anglaise qu'elle empêche d'aborder, elle peut ainsi amener de l'artillerie et des renforts. Après un siège, mené suivant toutes les règles de l'art militaire, Cornwallis se rend, le 19 octobre 1781 avec ses 8 000 hommes, aux mains de Washington et de Rochambeau et en présence du marquis de Lafayette. La guerre ne prend fin que l'année suivante avec quelques combats dans le Sud, mais le nouveau cabinet britannique est prêt à négocier.

Le traité de Paris

Signé le 3 septembre 1783, il met un terme à cette lutte pour l'indépendance amorcée huit ans auparavant. Les États-Unis sont désormais une puissance internationale de plein droit. La Grande-Bretagne a reconnu la perte de ses colonies et se montre généreuse au sujet des frontières ; le nouveau pays est limité à l'Ouest par le Mississippi, au Nord par le Canada – suivant une ligne qui reste imprécise – et au Sud par les possessions espagnoles de Floride. Le traité prévoit également un dédommagement des loyalistes et les conditions de leur éventuel retour. La France alliée n'exige rien que d'avoir lavé l'affront du précédent traité de Paris, vingt ans auparavant ; les autres pays alliés, Espagne et Pays-Bas, obtiennent quelques satisfactions, la première obtient le contrôle de la Nouvelle-Orléans et la Louisiane, les seconds des places stratégiques à leurs frontières.

Pourtant, le résultat ainsi obtenu par les Américains ne manque pas d'ambiguïtés, ce qui explique que l'historiographie américaine ait souvent occulté le traité de Paris au profit de la plus brillante Déclaration d'Indépendance. La guerre qui a abouti à la victoire n'a pas été spécialement glorieuse et seules deux victoires majeures, Saratoga et Yorktown, l'ont rendue possible, la seconde n'étant obtenue que grâce à une aide française tout à fait déterminante. Cette alliance française, dont l'importance est souvent minorée – les Américains mettent plutôt l'accent sur la guérilla menée par les leurs, qui aurait déboussolé les Britanniques – a été considérée comme immorale par certains qui refusaient de pactiser avec le diable catholique et royal. Lors des négociations de paix, retrouvant d'anciennes connivences et en dépit des clauses du traité d'alliance, les délégués américains n'ont pas hésité à entrer en contact direct et secret avec les Anglais, ce que Vergennes savait parfaitement.

Ces éléments expliquent que le traité de Paris n'ait pas été fêté avec un grand enthousiasme aux États-Unis. L'alliance française est trop contraignante pour certains, n'a pas été bien utilisée pour d'autres, qui auraient désiré des accords commerciaux précis pour effectuer en douceur la sortie du système mercantiliste anglais. Enfin, les clauses concernant les loyalistes sont particulièrement mal reçues, ces derniers étant considérés comme des traîtres n'ayant droit à rien, ils n'obtiendront aucun dédommagement.

La paix va permettre aux Américains de poursuivre la construction de leur pays, perturbée mais jamais interrompue par la guerre.

Une révolution quand même

Sans avoir causé les bouleversements de la Révolution française, celle des États-Unis n'en est pas moins assez significative pour avoir soulevé, aussitôt, l'enthousiasme des esprits libéraux en Europe, et tout particulièrement en France, et pour avoir été considérée par les historiens R. Palmer et J. Godechot, dès 1956 dans le contexte de la guerre froide, comme la première manifestation de la « Révolution atlantique. » Depuis cette analyse a été réfutée par des recherches nouvelles, qui démontrent l'absence de liens significatifs entre ces mouvements révolutionnaires, mais qui ont tiré de l'oubli le cas de la révolution haïtienne et celui de l'esclavage que partagent ces mêmes puissances atlantiques : éléments qui n'entraient pas du tout dans les schémas transatlantiques initiaux imaginant la route glorieuse du progrès social et politique.

Les transformations sociales

Elles ne prennent pas la tournure d'une abolition des privilèges ou d'une vaste redistribution des terres, car les chefs du mouvement sont tous attachés au respect de la propriété. Au début du XXe siècle, les historiens progressistes menés par Charles Beard ont voulu voir dans la naissance des États-Unis un complot des plus riches pour confisquer le pouvoir et le contrôle des ressources. Pourtant, le Congrès continental a permis la saisie des terres et des biens des loyalistes bannis, vendus aux enchères au profit des patriotes ; le mouvement s'est accompagné d'abus, comme souvent dans de tels cas, mais a constitué un réel transfert de propriétés. Selon les États, et jusqu'au niveau des villages, la proportion de loyalistes ayant quitté leurs terres atteint jusqu'à 50 % de la population comme dans le New York, source de bouleversements importants à l'échelle d'une petite communauté. Une fois la guerre terminée et dans l'espoir de voir respecter les clauses du traité de paix les concernant, certains riches loyalistes tenteront de reprendre leurs biens. Une des premières priorités de la Cour suprême – elle entre en fonction en 1790 – sera de régler ces cas difficiles, en faisant admettre par les États le droit des anciens propriétaires (*Martin v. Hunter Lessee*, 1816). Toutefois, seule une infime minorité de loyalistes tentera l'impossible retour.

Ces mesures de spoliation n'ont aucun caractère d'égalité sociale, il s'agit simplement de punir des traîtres. Tout au plus, toutes les traditions aristocratiques – titres, corvées féodales, droit d'aînesse – sont officiellement supprimées pour extirper les racines de la tyrannie britannique. De telles mesures, qui constituent une donnée permanente de la société américaine, ne peuvent suffire à satisfaire ceux dont la guerre a bouleversé la situation.

Les premiers à manifester, dès 1783, sont les officiers et les soldats de l'armée continentale, qui attendent avec leur démobilisation le paiement de leurs arriérés de soldes. Mais le Congrès est impuissant à obtenir des subsides des États. Ces hommes réunis à Newburgh (New York) se regroupent tandis que quelques-uns s'emparent du bâtiment où siège le Congrès et la mutinerie paraît d'autant plus inquiétante que le général Horatio Gates semble prêt à en prendre la tête. Il faut toute l'autorité morale de G. Washington pour calmer les esprits et le Congrès satisfait une partie de leurs revendications. Depuis cet épisode, les Américains gardent une grande méfiance envers les armées permanentes et les castes militaires.

Dans la même période, les cours locales de justice n'hésitent pas à condamner à la prison les nombreux fermiers et artisans qui ne parviennent plus à payer leurs dettes ; vers 1785, ils constituent 80 % des détenus en Nouvelle-Angleterre. Cette sévérité indigne des gens qui, souvent anciens soldats ou officiers, avaient fait de gros efforts pour s'installer et étaient désormais considérés comme des criminels, en raison d'une situation économique rendue désastreuse par le manque de liquidités et de crédit et la baisse des prix agricoles. Les faits les plus graves surviennent en 1786 au Massachusetts, quand l'ancien officier Daniel Shays prend la tête d'une rébellion : il empêche les tribunaux de fonctionner et cherche à se procurer des armes. Après un léger affrontement, le mouvement est dispersé sans violence, mais la menace a porté. Un gouvernement plus tolérant arrive au pouvoir au Massachusetts, mais d'autres cas de destruction d'archives judiciaires et de violences sporadiques sont signalés en Virginie et ailleurs, révélant un mécontentement endémique.

Cette agitation sociale n'est ni uniforme ni permanente, mais elle est un signe des difficultés inhérentes à une situation toute nouvelle ; elle alimente le mouvement révolutionnaire.

Un nouveau régime économique

Malgré tous ces défauts, le système mercantiliste britannique assurait aux colonies un approvisionnement régulier de produits finis et leur assurait des marchés protégés pour leurs bois, leurs céréales ou leur tabac. Du fait du traité de Paris, et malgré les espoirs des négociateurs américains d'obtenir des conditions commerciales particulières, ces avantages disparaissent. Les producteurs des États-Unis n'ont plus accès au marché des Antilles anglaises et leurs marchandises à destination de la Grande-Bretagne subissent la concurrence de tous les autres pays. En quelques mois, les prix s'effondrent. Le tabac du Sud continue à se vendre en Grande-Bretagne, mais il faut plusieurs années pour que les plantations ruinées par la guerre redeviennent productives ; en revanche le riz ou l'indigo ne trouvent plus preneur. Les colonies centrales, à l'économie plus diversifiée, souffrent moins, bien que la fermeture des Antilles gêne considérablement la Pennsylvanie qui y écoulait ses céréales. La Nouvelle-Angleterre est durement affectée par la concurrence des trappeurs du Canada qui contrôlent les régions à fourrure des grands lacs ; elle ne parvient plus à vendre ses navires, ce qui condamne à la ruine de nombreux chantiers navals et même l'activité de ses baleiniers baisse de 50 % entre 1783 et 1789. Comble de la honte, les marchands américains qui s'aventurent en Méditerranée, sans la protection de la *Royal Navy*, ne peuvent tenir tête aux pirates barbaresques.

En revanche, les produits britanniques bon marché inondent le marché américain : le déficit commercial de la jeune République s'accroît massivement. En effet, la France ne parvient pas à concurrencer la Grande-Bretagne ; ses produits raffinés ne conviennent pas à une population encore fruste. De leur côté, les Américains qui avaient développé certaines fabrications nécessaires à la guerre perdent un marché lucratif et chacun des États, aux prises avec des difficultés, tente de trouver ses propres solutions sans se soucier de l'intérêt national. D'ailleurs, le manque de numéraire illustre bien cette situation. La guerre a été financée par le lancement de bons du trésor, mais aussi par l'émission de papier-monnaie vite déprécié, le Congrès ayant bien du mal à convaincre les États de lui fournir des subsides ; à partir de

1781, seul l'emprunt permet de faire face aux obligations. Les tensions entre débiteurs et créanciers, entre États plus ou moins touchés par l'inflation et les troubles sociaux, prennent toute leur signification.

Ces difficultés temporaires, qui atteignent leur paroxysme vers 1786, ne signifient pas que les États-Unis soient dépourvus de ressources : les Américains ont prouvé durant les années de guerre et de blocus leur énergie et leur capacité d'adaptation. Le pays est à la recherche d'un nouvel équilibre.

Une ébauche institutionnelle

Jusqu'en 1781, le Congrès continental mène le combat, sans s'appuyer sur le moindre texte officiel, dépendant du bon vouloir des États qui, eux, se sont dotés dès le début de constitutions. Dès 1777, cette situation paradoxale a amené le Congrès à rédiger un premier texte constitutionnel pour donner ses bases à la Confédération. Toutefois, l'adoption de ce document va se heurter à l'opposition des petits États, et tout particulièrement du Maryland. En effet, une intense spéculation foncière s'était développée sur les immenses terres de l'Ouest dont disposaient les grands États, comme le New York ou le Massachusetts avec leur frontière occidentale qui n'avait jamais été fixée, ce qui aggravait le déséquilibre avec les États enclavés ne disposant pas de cette réserve foncière. Finalement, le problème essentiel des terres de l'Ouest va être pris en main par le Congrès, elles deviennent fédérales ; le compromis qui y est mis au point permet la ratification des Articles de la Confédération.

Longtemps négligé par les historiens, ce régime est celui du pays jusqu'à la ratification définitive de la Constitution, en 1788. C'est pourquoi il a suscité un regain d'intérêt, en tant que période créatrice : il a obtenu la paix et conditionné un certain type d'évolution. Au plan institutionnel, les Articles révèlent la méfiance des États à l'égard de toute forme de pouvoir central, assimilable – à un degré ou un autre – à la tyrannie britannique. Le Congrès, au sein duquel chaque État dispose d'une voix (le nombre de délégués pouvant, lui, varier de 2 à 7), est une assemblée, renouvelée chaque année, qui vote les lois, décide des opérations militaires ou des négociations avec l'étranger, mais elle n'a aucun moyen autre que la pression morale pour décider les États à contribuer financièrement où à appliquer les décisions prises ; ils restent libres et souverains et consentent simplement à une alliance acceptée comme perpétuelle. Aucune forme de pouvoir exécutif n'est créée, des commissions temporaires en tiennent lieu et les décisions importantes sont prises à la majorité de 9 États sur 13. Les Articles laissent dans l'ombre les procédures d'amendement, ne règlent pas les conflits entre États et évitent toute déclaration des droits.

Mais ces Articles ont été rédigés en 1777, alors que la guerre battait son plein, et ils paraient au plus pressé ; par la suite, ils se révèlent impuissants à résoudre tous les problèmes de la jeune nation. Pourtant, ce texte constitutionnel initial insiste nettement sur la création d'un régime républicain : le Congrès est doté, au moins sur le papier, des attributs d'un État fédéral ; il négocie et signe les traités, dispose de l'autorité sur les Indiens, bat monnaie, lève et organise l'armée, assure le fonctionnement de la poste.

Ce régime faible et paradoxal est parvenu à signer la paix et à résoudre, au moins provisoirement, certains des problèmes urgents. Ainsi en 1785, le Congrès, conscient de l'importance d'un problème qui a pesé sur sa création, adopte l'ordonnance sur les terres. Abandonnées par les États, les terres du Nord-Ouest appartiennent désormais à l'État central qui se charge de les faire cadastrer, de les découper en parcelles de 36 milles carrés (92 km^2), elles-mêmes divisées en 36 lots égaux d'un mille carré (250 ha), et de les vendre aux enchères, après en avoir réservé 4 pour les soldats démobilisés et 1 destiné à financer la future école. Il s'agit là d'une puissante prérogative de l'État fédéral qui dispose d'une vaste réserve de terres publiques, jusqu'au Mississippi, et qui, grâce à leur vente, assure son crédit pour les années à venir. Peu soucieux de principes théoriques, les spéculateurs – beaucoup viennent d'Angleterre ou de France – se précipitent sur l'aubaine et s'attribuent ainsi de vastes domaines qu'ils pourront revendre avec un gros bénéfice. Le mécanisme est complété en 1787 par l'ordonnance du Nord-Ouest, qui prévoit la création de cinq territoires dans la zone lotie, qui pourront, ayant atteint chacun 60 000 habitants, devenir de nouveaux États de plein droit où l'esclavage sera interdit : en 1803, l'Ohio sera le premier de cette série.

Cette maîtrise de la terre est un des acquis fondamentaux de la période, elle conditionne l'essor des États-Unis pour le siècle à venir, assurant un atout essentiel au pouvoir fédéral, qui toutefois ne cherche pas à assurer l'émergence d'une classe de fermiers égaux, car il permet la spéculation.

Cette réussite prospective ne suffit pourtant pas à résoudre les problèmes qui s'accumulent. Chaque jour, des entrepreneurs dynamiques se heurtent aux rivalités entre États qui empêchent la libre circulation sur une rivière ou une route. Dans le même temps, ceux qui ont moins réussi se sentent négligés, pris à la gorge par leurs dettes, et vont jusqu'à la révolte.

Les grandes puissances se moquent de la faiblesse du nouvel État. La Grande-Bretagne se refuse à toute négociation commerciale sérieuse et l'Espagne fait durer celles qui concernent la navigation sur le Mississippi : toutes deux attisent à plaisir les conflits frontaliers dus à l'imprécision du traité de paix.

La Constitution de 1787

Depuis des années, certains hommes influents, comme l'ancien aide de camp de G. Washington, Alexandre Hamilton, souhaitaient doter les États-Unis d'un pouvoir cohérent et fort, mais les États se méfiaient toujours de toute dérive centralisatrice. Les complications du commerce entre les États et la révolte de Shays font admettre aux délégués la nécessité d'améliorer le fonctionnement de l'Union. Une convention de cinquante-cinq membres se charge de cette mission ; elle se réunit à Philadelphie durant l'été 1787, sous la présidence de G. Washington. Les Pères fondateurs, comme ils ont été dénommés, sont conscients de la nécessité d'établir un État respecté, qui incarne la vigueur des États-Unis ; ayant souvent fait leur apprentissage durant la guerre, ils veulent aussi éviter toute tyrannie plutôt qu'aboutir à une réelle efficacité du pouvoir central. À huis clos, les discussions sont vives sur le principal projet présenté par la Virginie ; les petits États se méfient d'un texte qui prévoit un pouvoir exécutif et deux chambres élues à la représentation proportionnelle. De surcroît, la réglementation nationale du commerce et le rôle exact de l'exécutif suscitent également des débats passionnés. Durant ces trois mois et demi, des compromis successifs ont permis d'éviter la rupture. Le premier est de prévoir l'élection de la chambre basse proportionnellement à la population, ce qui favorise les États les plus peuplés, mais de faire qu'à la chambre haute chacun des États ait le même nombre de représentants, quelle que soit sa taille, ce qui rassure les petits. Un second consiste à inventer une procédure de choix du président à la fois par le peuple et par un collège électoral émanant des États, ce qui satisfait les partisans d'une réelle démocratie comme ceux qui se méfient d'un pouvoir trop populaire. Un troisième, en contradiction avec les principes républicains, consiste à maintenir l'esclavage, que quelques-uns voulaient abolir, et à satisfaire les États du Sud en acceptant que, pour le décompte de leur population qui fixe les circonscriptions et pour la base de l'imposition, trois esclaves vaillent cinq hommes libres ; ces États, moins peuplés, gagnent là un avantage décisif qui permet aux élus du Sud de contrôler le Congrès, mais les esclaves sont aussi considérés comme un capital taxable. Afin de calmer les opposants à ce compromis honteux, la traite des esclaves est interdite après 1808.

Ces arrangements permettent de faire adopter le texte par 39 des 42 délégués encore présents le 17 septembre 1787. La constitution qui est issue de ces débats est originale à plus d'un titre ; elle est brève avec guère plus de 6 000 mots, n'est précédée d'aucune déclaration des droits, au grand dam d'élus comme Thomas Jefferson, qui représente alors son pays à Paris, mais elle innove sur de nombreux points. Les seules autres fédérations existantes, la Suisse et les Pays-Bas, n'avaient pas de président élu, pas de système judiciaire fédéral – même si la Cour suprême n'est que mentionnée dans le texte de Philadelphie –, ni tout le système de *checks and balances* qui font se contrôler et s'interpénétrer trois pouvoirs théoriquement séparés. En effet, le président ne peut être renversé ni par la Chambre ni par le Sénat, mais il peut être jugé par la procédure d'*Impeachment* (reprise des institutions britanniques). Il dispose d'un droit de veto sur les lois issues du législatif, mais surmontable par une majorité des 2/3 ; les ministres sont nommés par le président, mais leurs nominations, comme celles des juges, doivent être approuvées par une commission du Sénat. La majorité des 2/3 est également nécessaire pour la ratification des traités par le Sénat, alors qu'ils sont négociés par le seul président. Le travail des deux assemblées est complémentaire et soigneusement entremêlé ; les juges doivent leur indépendance, réelle, au Congrès qui pourrait éventuellement la réduire. La procédure d'amendement, essentielle, est assez lourde pour ne pas être utilisée trop souvent, mais permet l'adaptation du texte à une nouvelle réalité : depuis 1789, 26 amendements ont été adoptés, qui ont modifié considérablement l'équilibre du texte.

Le texte est plein de subtilités et d'ambiguïtés, voire d'obscurités, qui révèlent la méfiance des délégués, aussi bien envers un pouvoir présidentiel sans contrainte qu'envers un Congrès omnipuissant ; mais ils ont renforcé le lien unissant les treize États, en faisant une nation, par un préambule lourd de signification : « Nous le peuple des États-Unis, en vue de former une union plus parfaite... »

Ces éléments expliquent que cette constitution soit restée en vigueur depuis 1787 ; souple et forte, fondée sur de hauts principes et sur une pratique savante, sur des compromis sans gloire ; il est pourtant excessif d'en faire l'émanation d'un groupe de conservateurs désirant se protéger des débordements populaires. Elle est d'ailleurs devenue assez vite cette « arche sainte devant laquelle les Américains se plaisent à danser ».

Mais pour en arriver là, il fallait que le texte de Philadelphie devienne la loi du pays, et le Congrès a choisi d'obtenir la ratification du peuple dans tous ses États.

La ratification, État par État

Cette ratification a suivi les procédures propres à chacun – convention, assemblée – et s'est accompagnée de débats nombreux et passionnés. Les défenseurs du texte, dénommés « fédéralistes », bénéficient du prestige de Washington et de Franklin, ils se montrent particulièrement incisifs et expliquent tout le mécanisme des institutions proposées en insistant sur l'importance de la nation, en particulier dans le recueil *Le fédéraliste* publié à New York ; on les recrute parmi les banquiers et les entrepreneurs, ayant besoin d'un marché national, mais aussi parmi les artisans et les commerçants et certains fermiers. Les opposants à la ratification se raccrochent aux droits des États ; certains sont des pionniers de la révolution – tel Patrick Henry – qui refusent toute forme de centralisation ; d'autres des paysans endettés pouvant plus facilement se faire entendre sur le plan local. Pleins de bonnes intentions, ils ne proposent rien au-delà du bilan peu convainquant du Congrès dont la mission s'achève.

Le Fédéraliste n° 39, 1787

Le recueil des papiers fédéralistes correspond à une explication du texte de la Constitution avant son adoption. Celui-ci est particulièrement éclairant ; rédigé par J. Madison, il met l'accent sur l'ambiguïté du texte.

Au Peuple de l'État de New York :

... Ce sera une loi fédérale et non nationale, pour reprendre ces termes dans le sens que leur donnent les opposants ; la loi d'un peuple, organisé en de si nombreux États indépendants et non pas regroupé en une seule nation ; une seule considération en montre l'évidence, elle ne proviendra pas d'une décision de la *majorité* du peuple de l'Union ni de celle d'une *majorité* des États mais bien de l'assentiment *unanime* des nombreux États qui y sont partie prenante. [...]

En ratifiant la Constitution, chaque État est considéré comme un corps souverain, indépendant des autres et lié seulement par sa propre action volontaire. Aussi, si elle est établie, la nouvelle Constitution sera une constitution *fédérale* et non pas *nationale*.

Un autre élément apparaît si l'on étudie les sources d'où sont issus les pouvoirs ordinaires du gouvernement. La Chambre des Représentants tiendra ses pouvoirs du peuple d'Amérique ; et ce peuple sera représenté dans une proportion identique et suivant les mêmes principes qu'il l'est dans la législature de chaque État. Jusque-là le gouvernement semble national et non pas fédéral. D'un autre côté, le Sénat tiendra ses pouvoirs des États, considérés comme des sociétés politiques égales ; et ils seront représentés au Sénat suivant le principe d'égalité, tout comme ils le sont actuellement dans le présent Congrès. Aussi le gouvernement est bien fédéral et non pas national.

[...] Si nous prenons dans la Constitution l'autorité par laquelle les amendements pourront être faits, nous constatons qu'elle n'est ni complètement nationale ni complètement fédérale. [...]

À strictement parler la Constitution proposée n'est donc ni fédérale, ni nationale, mais bien une combinaison des deux. Ses fondations sont fédérales et non nationales ; les sources d'où proviennent les pouvoirs du gouvernement sont partiellement fédérales et partiellement nationales ; l'opération de ces pouvoirs est nationale et non fédérale ; leur champ d'application est fédéral et non plus national ; enfin, la façon d'introduire des amendements n'est ni complètement fédérale, ni complètement nationale.

Publius

Source : *In* E. Marienstras, *Naissance de la République fédérale*,
Nancy, P.U.N., 1987, p. 63-64.

Les clivages ne se résument nullement à une opposition entre riches fédéralistes et pauvres anti-fédéralistes, mais divisent profondément les comtés, les villages, les États ; le texte constitutionnel ne peut être modifié durant la ratification, seulement accepté ou refusé. Les petits États sont les premiers à ratifier : dès janvier 1788, cinq l'ont fait et, avant juin, quatre autres, dont le Massachusetts. Bien que la majorité de neuf sur treize ait été suffisante, il faut attendre quelques semaines pour que la Virginie et le New York, sans lesquels le régime aurait été instable, se joignent aux précédents, par des majorités très étroites. La condition mise à l'approbation étant souvent qu'une déclaration des droits soit jointe le plus tôt possible au texte de la Constitution. Celle-ci, sans emphase particulière, est constituée des dix premiers amendements, votés par le premier Congrès en 1789 et ratifiés par les États en 1791 ; ils protègent la liberté d'expression, dans son sens le plus large, et assurent aux justiciables la garantie de tribunaux équitables ; le dernier rassure ceux qui redoutaient une trop grande emprise du gouvernement fédéral en laissant aux États tous les pouvoirs qui n'étaient pas expressément attribués à celui-ci.

Sur ces bases consolidées, sûr de l'approbation du peuple, le nouveau régime peut s'installer. Washington est élu président en février 1789, flanqué de John Adams comme vice-président, le premier Congrès se réunit au même moment ; le siège du pouvoir fédéral se trouve alors à New York.

La première séparation d'une colonie de sa métropole ainsi que la première formation d'un régime républicain moderne, mais nullement démocratique ni encore national, conçu pour un pays qui a prévu son expansion, dans un contexte d'ajustement social sans violence excessive sauf pour les esclaves et les Indiens, composent la révolution américaine, dont l'écho a retenti loin dans le monde. C'est déjà beaucoup, bien qu'on ne puisse la juger à l'aune des mouvements du XXe siècle, alors qu'elle s'achève quelques mois avant que n'éclate la Révolution française. Pas plus que cette dernière, la révolution américaine n'a pourtant apporté la solution désirable à tous les problèmes qui se posent aux pays et elle a choisi d'en occulter certains, comme celui de l'esclavage.

Le rodage de la jeune république

La mise en place des institutions

George Washington est le premier président ; il s'impose à tous par son prestige, son désintéressement, sa hauteur de vues. En 1792, très naturellement, il est facilement élu pour un deuxième mandat, inaugurant par là une tradition implicite qui ne sera rompue que par F.D. Roosevelt au XXe siècle, et codifiée en 1951 par le XIIe amendement. Signe de sa popularité qui se transforme en culte civique après sa mort en 1799 : dès 1790, il est décidé, que la capitale du pays, fixée provisoirement à Philadelphie, portera son nom et sera édifiée sur le district de Columbia, n'appartenant à aucun État ; en 1800, John Adams sera le premier président à s'installer dans ce chantier boueux.

Pour commencer, G. Washington veille à la création des premiers départements ministériels (État, Trésor et Guerre) confiés à de fortes personnalités, T. Jefferson et A. Hamilton pour les deux premiers. Se voulant au-dessus des factions, le président n'en est pas moins un ferme fédéraliste, soucieux de fortifier son pays.

Il approuve la loi judiciaire de 1789 qui permet la création du système judiciaire fédéral, et nomme John Jay premier juge en chef de la Cour suprême fondée en 1790, mais encore incertaine de son rôle.

Il soutient les projets ambitieux d'Hamilton ; celui-ci obtient, en 1791, l'adoption par le Congrès de son projet de Banque des États-Unis qui doit assurer le crédit du pays et émettre la monnaie. La Banque, très discutée, fait partie d'un plan plus vaste qui aboutit à la prise en charge par le gouvernement fédéral de l'ensemble de la dette de l'État et des États, en garantissant les intérêts des créanciers ; elle se chiffre au total à 74 millions de dollars, dont 12 de dette étrangère. Une telle politique doit permettre d'associer la couche aisée de la population à la construction du pays ; inévitablement, elle mécontente les très nombreux débiteurs. Dans le même esprit, mais avec un succès moindre dû à l'incompréhension du Sud, Hamilton, peu sensible aux vertus agricoles prônées par Adam Smith, veut faire jouer au gouvernement fédéral un rôle moteur dans la construction et le développement de manufactures.

La politique fédéraliste permet d'assainir les finances et donne ses fondations au pouvoir fédéral ; ce faisant elle heurte ceux qui se sentent peu concernés par ces priorités. Mais, la nécessité de construire un système solide fait négliger, au début, des résistances diffuses et peu organisées. D'ailleurs, les fédéralistes sont conscients de bâtir un pays, de représenter une élite naturelle qui utilise tous ses relais – églises, élus locaux, enseignants – pour diffuser les idées nationales, pour insuffler la fierté du pays et de l'œuvre à édifier.

Les dix premiers amendements à la Constitution des États-Unis d'Amérique

Premier amendement (1791)[1]
Le Congrès ne pourra faire aucune loi ayant pour objet l'établissement d'une religion ou interdisant son libre exercice, de limiter la liberté de parole ou de presse, ou le droit des citoyens de s'assembler pacifiquement et d'adresser des pétitions au gouvernement pour qu'il mette fin aux abus.

Deuxième amendement (1791)
Une milice bien organisée étant nécessaire à la sécurité d'un État libre, il ne pourra être porté atteinte au droit du peuple de détenir et de porter des armes.

Troisième amendement (1791)
En temps de paix, aucun soldat ne pourra être cantonné dans une maison particulière sans le consentement de son propriétaire ; en temps de guerre, il ne pourra être cantonné que selon les règles prescrites par la loi.

Quatrième amendement (1791)
Le droit des citoyens d'être garantis dans leur personne, leur domicile, leurs papiers et effets contre toute perquisition et saisie déraisonnables ne pourra être violé ; il ne pourra être lancé de mandats de perquisition ou de saisie que pour une cause plausible, appuyée par serment ou déclaration solennelle ; le mandat devra préciser le lieu où doit se faire la perquisition et les personnes ou les choses qui doivent être saisies.

Cinquième amendement (1791)
Nul ne sera tenu de répondre d'un crime capital ou infamant sans un acte de mise en accusation, spontané ou provoqué, d'un grand jury, sauf pour les crimes commis pendant que l'accusé servait dans les forces terrestres, navales ou dans la milice, en temps de guerre ou de danger public ; nul ne pourra pour le même délit être deux fois menacé dans sa vie ou dans son corps ; nul ne pourra, dans une affaire criminelle, être obligé de témoigner contre lui-même, ni être privé de sa vie, de sa liberté ou de sa propriété sans procédure légale régulière ; nulle propriété privée ne pourra être expropriée dans l'intérêt public sans une juste indemnité.

Sixième amendement (1791)
Dans toute poursuite criminelle, l'accusé aura droit à un jugement rapide et public, par un jury impartial de l'État et du district où le crime aura été commis, ce district ayant été auparavant déterminé par la loi ; il aura le droit d'être informé de la nature et la cause de l'accusation, d'être confronté avec les témoins à charge, d'obtenir la comparution des témoins à décharge et d'avoir l'assistance d'un avocat pour sa défense.

Septième amendement (1791)

Dans les instances de *common law*, lorsque l'intérêt du litige excédera vingt dollars, le droit au jugement des faits par un jury sera respecté ; aucun fait jugé par un jury ne pourra être examiné à nouveau par aucune juridiction des États-Unis autrement que suivant les règles de la *common law*.

Huitième amendement (1791)
Aucune caution excessive ne pourra être exigée ; aucune amende excessive ne pourra être imposée ; aucun châtiment cruel ou inhabituel ne pourra être infligé.

Neuvième amendement (1791)
L'énumération de certains droits dans la Constitution ne pourra être interprétée comme ayant pour objet ou pour effet de nier ou diminuer d'autres droits conservés par le peuple.

Dixième amendement (1791)
Les pouvoirs qui ne sont pas délégués aux États-Unis par la Constitution ou refusés par elle aux États, sont conservés par les États ou par le peuple.

Source : *in* M.-F. Toinet, *Le Système politique des États-Unis*, Paris, PUF, 1986, p. 602-603.

1. Les dix premiers amendements constituent la déclaration des droits. Pour chaque amendement, la date indiquée est celle de l'entrée en vigueur.

Les limites du consensus fédéraliste

Elles sont pourtant atteintes assez rapidement. Jefferson devient très réticent à l'égard de cette évolution et, peu à peu, s'éloigne des positions de Hamilton et de Washington. Il apparaît comme le porte-parole des défenseurs du droit des États, acceptant la Constitution à condition que le gouvernement fédéral n'en utilise pas toutes les subtilités pour se renforcer indûment. Ainsi, peu à peu, se dessine la configuration des premiers partis politiques américains, dont, après leur départ du gouvernement en 1793, leurs chefs emblématiques Jefferson et Hamilton prennent la tête. Les fédéralistes regroupent les partisans d'un pouvoir central fort, limitant les débordements populaires éventuels ; ils se recrutent plutôt dans les villes du Nord-Est. Les républicains, souvent issus des milieux ruraux, veulent que le gouvernement fédéral n'ait qu'un rôle minimum et que le peuple s'exprime dans les États ; inévitablement, ils sont puissants dans le Sud, où les propriétaires d'esclaves peuvent aisément contrôler le pouvoir local. Toutefois, ces clivages sont complexes et ne se réduisent ni à une opposition sociale ni à l'opposition Nord-Sud ; les lignes de partage restent floues comme l'est l'organisation de ces partis qui disposent néanmoins de journaux, telle la *National Gazette* de Ph. Freneau, et qui tentent de contrôler le Congrès divisé en deux groupes presque égaux, mais sans limites précises.

À partir de 1792, la lutte entre les deux camps devient plus intense, stimulée par le débat sur la Révolution française ; les fédéralistes ont la réalité du pouvoir durant la totalité du deuxième mandat de G. Washington et durant celui d'un de leurs chefs les plus éminents, John Adams (1796-1800). En 1796, le message d'adieu du premier président est considéré, outre son importance pour la politique étrangère de la Jeune République, comme un texte politique destiné à renforcer les fédéralistes. Ces derniers attaquent durement les républicains, n'hésitant pas à les présenter comme séditieux et à faire de T. Jefferson un dangereux subversif, en particulier au moment de l'élection de 1796 ; des lois d'exception comme *l'Alien and Sedition Act* de 1798 (elles serviront de base par la suite à d'autres législations du même type : en 1900 contre les anarchistes, en 2001 dans le Patriot Act), dont le prétexte est la contagion révolutionnaire, sont en fait dirigées contre les républicains. Mais les excès des fédéralistes, divisés entre le maximaliste Hamilton, qui perd de son influence, et J. Adams plus mesuré, contribuent à renforcer leurs opposants qui ne sont, en rien, les révolutionnaires dépeints par les premiers.

Ces luttes politiques au sommet ont comme but le contrôle du pouvoir fédéral, preuve de l'importance qu'il a pu prendre, grâce à la fondation assurée par les fédéralistes, avant que ne joue pour ces derniers l'usure du pouvoir. Cela ne signifie pourtant pas que la vie politique des États soit suspendue à ce qui se passe à Philadelphie, elle reste autonome à l'abri d'un pouvoir central disposant encore de bien peu de moyens et dépourvu de réelle ambition : quelques dizaines de fonctionnaires pour de rares emplois.

La première alternance survient en 1801

L'élection de T. Jefferson à la présidence marque une étape. Après une campagne haineuse et dure, elle n'est assurée que par le vote de la Chambre des représentants, les grands électeurs n'ayant pas choisi entre lui et Aaron Burr, républicain de New York sans principes solides et aventureux, ce qui lui vaut la haine d'Hamilton qui contribue à faire pencher la balance en faveur du Virginien au début de 1801 ; le président n'entre en fonction que début mars. La clause maladroite, qui faisait du candidat arrivé second le vice-président amène dès 1804, l'adoption du XIIe amendement qui instaure le tandem président/vice-président propre à chaque parti. Au-delà de ces péripéties, le climat de cette élection inaugure l'âpreté violente des luttes politiques américaines, faites de coups bas et marquées par les calomnies. De surcroît, la vigueur de l'opposition et une victoire obtenue à l'arraché, après douze ans de domination fédéraliste, font dire à Jefferson qu'il s'agit d'une « révolution ».

Un tel changement de majorité entraîne un renouvellement des hommes au pouvoir, première ébauche du système des dépouilles qui donne au nouveau président la possibilité de nommer ses partisans à tous les postes fédéraux. Un nouvel équilibre des forces politiques se précise, marqué par le déclin des fédéralistes amorcé depuis 1796 et par le renforcement national des républicains, forts, non seulement dans l'Ouest et le Sud, mais aussi dans des États urbanisés comme le New York ou la Pennsylvanie.

Pour résister à ce mouvement, John Adams n'hésite pas à nommer, à la limite de son mandat, de fermes fédéralistes à des postes de juges, et, depuis quelques mois il a fait de l'un de ses ministres, John Marshall, le nouveau juge en chef de la Cour suprême. Ce dernier va rester à ce poste durant trente-cinq années bien remplies et, au début de son mandat, il ne cache pas sa ferveur fédéraliste et sa volonté de préserver l'équilibre constitutionnel établi depuis 1789. Dans ce but, il donne à la Cour sa fonction de contrôle de constitutionnalité, annulant dans *Marbury v. Madison* (1803) une loi votée par le Congrès, et parvient à limiter les effets de l'offensive républicaine lancée contre lui. Alors que Jefferson se veut le défenseur des États, contre toute extension du pouvoir fédéral, Marshall justifie celui-ci, en imposant aux États le respect des contrats, en attribuant à la Constitution des « pouvoirs implicites ».

L'opposition opiniâtre de la Cour menée par Marshall n'explique pas à elle seule la relative continuité qui marque la présidence de Jefferson. Celui-ci est, en effet, un modéré à l'esprit fertile et imaginatif, conscient des devoirs de sa charge et de la grandeur de son pays. À la fin de 1802, il illustre cet état d'esprit en décidant seul, avant de chercher l'accord du Congrès, l'achat de la Louisiane, proposé par Napoléon ; le traité de cession sera signé en mai 1803. Pour 25 millions de dollars, il double ainsi le territoire des États-Unis, renforçant par là le potentiel du gouvernement fédéral. Les manœuvres de son vice-président A. Burr, qui vise à la sécession de la Nouvelle-Angleterre pour lutter contre le poids du Sud et de l'Ouest, le persuadent de la nécessité de maintenir l'intégrité du pays. Les événements du printemps 1804 pendant lesquels A. Hamilton est tué en duel par Burr – ce qui met un terme à sa carrière étonnante – contribuent à la facile réélection de Jefferson, quelques mois plus tard. Preuve éclatante de la solidité des institutions qui accommodent aussi bien fédéralistes que républicains, partisans de l'affirmation fédérale et défenseurs d'un équilibre plus favorable aux États.

La continuité caractérise aussi l'attitude de Jefferson face aux événements européens de 1792 à 1815, dont les États-Unis subissent les effets directs.

Le poids des événements européens

Il est sensible depuis 1783. Le contentieux n'a pas été réglé avec la Grande-Bretagne, mais c'est le contexte de la Révolution française qui prend de l'importance à partir de 1789 et surtout de 1792. Au point de départ, le mouvement est accueilli avec enthousiasme aux États-Unis ; un régime absolutiste disparaît et ils semblent devoir être rejoints par une deuxième république, car la parenté est nette entre les deux déclarations des droits, de 1776 et de 1789. Les cocardes tricolores sont à la mode, comme les noms français ; un francophile et amateur de bon vin comme Jefferson est exalté par les événements de Paris. Le déclenchement de la guerre par les Girondins douche les enthousiasmes. La terreur est beaucoup plus sanguinaire que le traitement des loyalistes, souvent enduits de goudron et emplumés, ce qui entraînait la mort de beaucoup, les survivants préférant l'exil. Surtout liés par le traité de

1778, les États-Unis pourraient être entraînés aux côtés de la France, ce dont personne ne veut, malgré l'antipathie à l'égard de la Grande-Bretagne. Le gouvernement de Washington, durant ses deux mandats, va tout faire pour maintenir la neutralité américaine. Il limite, par le vote d'une loi, les activités d'Edmond Genet, représentant de la France, qui sans vouloir provoquer l'entrée en guerre d'un pays trop faible, lève des corsaires dans les ports américains. Plus fondamentale est la signature de deux traités, en 1794, avec la Grande-Bretagne grâce à John Jay, en 1795, avec l'Espagne par C. Pinckney. Le premier correspond à la volonté des marchands de Nouvelle-Angleterre soucieux de retrouver un marché lucratif et à l'anglophilie de Hamilton et d'autres fédéralistes de s'exprimer ; il ne règle pas, malgré quelques promesses, la question de la saisie des navires américains ni les questions frontalières, ce qui suscite la colère des républicains. Le second, face à une nation plus faible, est beaucoup plus avantageux : l'Espagne cède aux États-Unis la navigation sur le Mississippi, avec un droit d'entrepôt à la Nouvelle-Orléans, et stabilise la frontière de Floride.

Ces succès fédéralistes, obtenus difficilement expliquent que, dans son message d'adieu, G. Washington tienne à avertir ses compatriotes des dangers de toute alliance européenne, tout en souhaitant un développement des échanges commerciaux.

Ces grands principes, à la base de la politique étrangère des États-Unis, butent sur l'obstacle de l'alliance française et sur des relations difficiles avec le Directoire. Lors de l'affaire tragi-comique de 1797, Talleyrand n'accepte de traiter avec les Américains qu'après le versement d'un pot-de-vin, ce qui soulève l'indignation à Philadelphie ; le Congrès abroge le traité de 1778, ce qui débouche sur la quasi-guerre, surtout navale, avec la France. Finalement, une convention est signée en 1800 à Mortefontaine, qui délie les États-Unis de leurs engagements. La leçon servira dans les périodes suivantes. Mais, très vite, les Américains, qui faisaient du commerce avec tous les belligérants, sont aux prises avec les mesures du blocus qui leur ferme le débouché européen. La *Royal Navy* contrôle les cargaisons et saisit les navires américains, y cherche des déserteurs supposés repris de force ; les incidents se multiplient et font craindre la guerre. Jefferson s'y refuse, car il veut maintenir la neutralité à tout prix par une politique de « coercition pacifique ». Profitant des difficultés économiques en Grande-Bretagne, il décide en 1807 l'embargo total du pays pour la production du commerce américain. La mesure, appliquée rigoureusement jusqu'en 1809, n'a pas tous les effets escomptés. En effet, la Grande-Bretagne n'a pas suffisamment besoin des produits américains pour assouplir le blocus et les marchands de Nouvelle-Angleterre protestent contre un embargo qui les ruine et met en péril la survie d'activités comme la construction navale. Jefferson qui a exercé, en l'occurrence, la totalité de son pouvoir exécutif, voit la fin de son deuxième mandat assombri par ces difficultés et, avant de laisser la place à James Madison, au début de 1809, il accepte l'abrogation de la loi d'embargo. Les plaintes des marchands ont focalisé l'attention, mais dans le même temps, une grande quantité de petites entreprises ont été créées, particulièrement dans le textile, pour assurer la fabrication des produits qui n'arrivaient plus d'Europe. De ce fait, « l'odieux embargo » a d'une certaine façon, favorisé le premier démarrage de l'industrie américaine.

Alors que les esprits étaient occupés par ces questions européennes, en 1804, la proclamation de la république d'Haïti, après une révolte des esclaves qui avait effrayé les planteurs des États du Sud, affirme que ce régime, le second en Amérique après les États-Unis, se place dans l'esprit des « Pères fondateurs ». Pourtant, cette parenté idéologique est déniée par les Américains, qui ne reconnaissent pas le nouvel État et instituent un embargo à son égard : une république noire était totalement inacceptable par Washington, d'autant que le souvenir des drames de Saint-Domingue y était encore vif.

Une guerre oubliée : 1812-1815

Alors même que le Parlement de Londres envisageait de suspendre les restrictions commerciales qui indignaient tant les Américains, la fièvre monte aux États-Unis. Le président Madison se sent impuissant face à l'Angleterre qui n'a pas cessé d'exercer une pression sur la flotte américaine et n'a pas hésité à entretenir l'agitation indienne à la frontière Nord-Ouest. À cette lassitude, se superposent les pulsions nationalistes de jeunes élus de l'Ouest et du Sud, peu concernés par le commerce transatlantique (tels Henry Clay du Kentucky ou John C. Calhoun de Caroline du Sud). Sans trouver de solution au marasme commercial, sans espoir apparent d'une issue satisfaisante et peu au courant de l'état d'esprit à Londres, le Congrès suit le président Madison et déclare la guerre à l'Angleterre, en juin 1812. Cette guerre ne fait pas l'unanimité, la Nouvelle-Angleterre ou la Pennsylvanie ne la souhaitant pas, des élus reprochent même au président de faire le jeu de Napoléon.

Sans tradition militaire, avec une armée de 7 000 hommes et une flotte de seize navires, les États-Unis ne sont pas prêts à la guerre, mais la Grande-Bretagne, engagée en Europe, ne peut distraire aucune force vers l'Amérique. Les premières opérations des Américains contre le Canada sont désastreuses, mais fin 1813, leur marine parvient à contrôler les Grands Lacs et de nouveaux généraux, tel William H. Harrison, remportent quelques succès sur le front du Nord-Ouest. Toutefois, à partir de l'été 1814, les troupes britanniques, libérées par l'abdication de Napoléon, affluent pour en finir. Venant du Canada, elles reçoivent un accueil sympathique des habitants de Nouvelle-Angleterre, avant d'en être refoulées. Attaquant dans la Chesapeake, elles occupent Washington, brûlant les bâtiments du Congrès et la Maison-Blanche, mais échouent devant Baltimore. La troisième attaque se porte sur la Nouvelle-Orléans ; les 7 500 hommes de Packenham venus de la Jamaïque sont écrasés, le 8 janvier 1815, par les troupes hâtivement rassemblées par le général Andrew Jackson du Tennessee.

La nouvelle de cette victoire est connue à Washington avant celle de la signature de la paix. En effet, le 24 décembre 1814 à Gand, les Anglais, lassés des combats et les Américains, heureux de s'en tirer à si bon compte sont parvenus à s'entendre, sans que rien ne soit réglé sur le fond. Pourtant, la conjonction de la paix, dont l'annonce ne parvient en Amérique qu'en février, et de la victoire de la Nouvelle-Orléans donne un coup de fouet à l'orgueil américain. Cette guerre mal conduite, aux effets incertains, a fait croire aux Américains qu'ils pouvaient se défendre et leur a permis de couper le cordon ombilical mental qui les reliait encore à l'Europe. La fin des hostilités sur le Vieux Continent, dont les Américains se sont peu souciés, a grandement aidé ce réel processus nationaliste : l'hymne américain date de cette guerre, comme le personnage d'Oncle Sam pour symboliser le pays, et le drapeau, inventé dès 1777, devient alors le véritable symbole national. Comme pour parachever cet effort, un traité favorable est signé en 1815 avec les États barbaresques, après une victoire de la flotte américaine, qui met fin à des années d'humiliation en Méditerranée. Cet élan national est d'autant plus le bienvenu que la guerre a mis à jour des fissures possibles dans l'équilibre du pays.

Les Américains, après ce qu'ils appellent parfois « la seconde guerre d'indépendance », s'affirment avec d'autant plus d'assurance, que, depuis déjà quelques années, ils s'enorgueillissent d'une réelle expansion continentale.

Les chemins de l'expansion

Très importants, les événements d'Europe n'ont pas polarisé toute l'énergie des Américains. Les régions de la frontière poursuivent leur marche vers l'Ouest, et refusent toute intrusion fédérale – comme les colons de Pennsylvanie, qui se révoltent à partir de 1794 contre la taxe sur le whisky imaginée par Hamilton. L'agitation, après que les meneurs ont été arrêtés, reprend pour diverses raisons. Les Indiens résistent à la poussée colonisatrice et seule l'intervention de troupes peut en venir à bout : en 1794 avec le général A. Wayne, en 1811 avec W. Harrison contre la confédération des tribus du Nord-Ouest organisée par Tecumseh, chef shawnee. La dépossession des Indiens par vente de leurs terres ou par traités après combats suit son cours dramatique. Jefferson ne voit de solution que dans leur assimilation dans la société américaine ou leur départ vers les terres libres de l'Ouest.

Or, l'acquisition de la Louisiane donne une large partie de cet Ouest aux États-Unis. Les Indiens ne peuvent rien en attendre de bon, mais les fédéralistes sont ravis de cette affirmation nationale, les pionniers de l'Ouest exaltés par l'ampleur du territoire, les propriétaires d'esclaves enchantés de pouvoir étendre leur système dans les futurs États qui ne manqueront pas d'apparaître ; en 1812, la Louisiane est le 18e État admis. Les problèmes d'une telle acquisition, nullement prévus dans la Constitution, sont vite oubliés. En 1804, une expédition scientifique et militaire, que Jefferson confie à Meriwether Lewis et William Clark, quitte Saint-Louis pour explorer le nouveau domaine. Elle en revient deux ans plus tard après avoir atteint l'océan Pacifique à l'embouchure de la rivière Columbia dans le Nord-Ouest. D'autres expéditions suivront, qui entraînent les premiers colons à marcher sur leurs traces. Les territoires de la Louisiane constituent un atout extraordinaire pour les États-Unis ; en 1810, 14 % des Américains vivent à l'Ouest des Appalaches, en 1820, ils sont 23 %.

La position de Jefferson au sujet de la Louisiane (extraits)

Le président Jefferson, adversaire d'un pouvoir fédéral trop fort, comprend vite l'enjeu de la Louisiane pour son pays (1802).

La cession par l'Espagne de la Louisiane et des Florides à la France a des effets des plus douloureux sur les États-Unis... Cela renverse complètement toutes les relations politiques des États-Unis, et va engendrer une nouvelle ère pour notre évolution politique. Parmi toutes les nations d'importance, la France est, jusqu'à maintenant, celle avec laquelle nous avons eu le moins d'occasion de conflit... et le plus de communauté d'intérêts. De ce fait, nous l'avons toujours considérée comme notre amie naturelle... Aussi nous avons regardé comme nôtre son essor et ses malheurs également. Il y a un seul endroit au monde dont le possesseur est notre ennemi naturel et régulier. Il s'agit de la Nouvelle-Orléans, par laquelle les produits des 3/8e de notre territoire doivent passer pour trouver un marché, et ce territoire, grâce à sa fertilité, fournira avant longtemps plus de la moitié de notre production totale et contiendra plus de la moitié de nos habitants. La France, se plaçant au travers de cette porte, nous impose une attitude de méfiance. L'Espagne aurait pu la posséder tranquillement pendant des années. Ses dispositions pacifiques, son état de faiblesse la conduiraient à accroître nos facilités en cet endroit, à tel point que sa possession de celui-ci nous serait à peine sensible, et il ne faudrait sans doute pas attendre très longtemps avant que quelques circonstances se produisent qui rendent des plus avantageuses pour [l'Espagne] sa cession aux [États-Unis]. Il ne peut pas en être de même dans les mains de la France : l'impétuosité de ses humeurs, l'énergie et l'agitation de son caractère, ainsi placées à un point de perpétuelle tension avec nous, dont le tempérament s'il est tranquille, désire la paix et la poursuite de la prospérité, n'en est pas moins ambitieux, n'accepte pas la richesse si elle doit s'accompagner d'insultes ou de préjudices et est entreprenant et énergique comme celui d'aucune autre nation sur la terre ; ces circonstances rendent impossible que la France et les États-Unis puissent rester longtemps amis... Le jour où la France s'emparera de la Nouvelle-Orléans, marquera la date de la sentence qui doit la maintenir à jamais à l'intérieur de son niveau des basses eaux. Cela scelle l'union de deux nations qui, ensemble, peuvent maintenir la possession exclusive de l'océan. De ce jour nous devons nous marier avec la nation et la flotte britanniques. Nous devons tourner toute notre attention vers une force maritime, pour laquelle nos ressources nous situent à un rang très élevé... Ce n'est pas un état de choses que nous recherchons ou que nous désirons... mais il se produira nécessairement, par les lois de la nature, si la France prend cette décision. Ce n'est pas la peur de la France qui nous fait réfuter celle-ci. Car aussi supérieure, dans l'abstrait, que soit sa force par rapport à la nôtre, rien ne peut s'y comparer, quand elle doit s'exercer sur notre propre sol... [La France] peut dire qu'elle a besoin de la Louisiane pour le ravitaillement de ses Indes occidentales. Elle n'en a pas besoin en période de paix, et en cas de guerre elle ne pourra compter dessus, dans la mesure où il sera très facilement intercepté. Je suppose que ces considérations peuvent être portées à la connaissance du gouvernement de la France... [sans qu'il se sente offensé]... Nous les mentionnons, non pas comme des choses que nous désirons à tout prix, mais comme des choses que nous redoutons, et nous implorons un ami de faire preuve de clairvoyance et de les prévenir dans notre intérêt commun.

Si la France considère néanmoins la Louisiane comme indispensable à ses yeux, elle pourrait peut-être rechercher des arrangements qui pourraient être compatibles avec nos intérêts... ce serait nous céder l'île de la Nouvelle-Orléans et les Florides. Cela ferait certainement cesser, dans une grande mesure, les causes d'irritation entre nous... et nous éviterait d'avoir à prendre nécessairement des mesures immédiates de compensation...

Je ne doute pas que vous ayez insisté sur ces considérations, en chaque occasion, avec le gouvernement auprès duquel vous vous trouvez... L'idée est ici, que les troupes envoyées à Saint-Domingue, doivent être affectées en Louisiane après avoir achevé leur travail dans cette île. Si cela est bien l'arrangement prévu, vous aurez le temps pour retourner encore et encore à la charge. Car la conquête de Saint-Domingue ne sera pas une tâche facile et rapide. Cela prendra beaucoup de temps et usera un grand nombre de soldats. Tous les yeux aux États-Unis sont maintenant fixés sur les affaires de Louisiane. Depuis la guerre révolutionnaire rien peut-être n'a produit un plus grand malaie dans le corps de la nation.

Lettre de Th. Jefferson, président des États-Unis, à R.R. Livingstone, ministre des États-Unis à Paris, 18 avril 1802.

Source : *in* R.H. Ferrell, *Foundations of American Diplomacy*, 1775-1872, U. of S.C., Columbia S.C., 1968, p. 98-102.

L'équilibre du pays est profondément modifié par cette évolution, comme il l'est par les changements économiques qui se passent dans l'Est. Les États du Sud dépendaient du tabac et de quelques autres cultures, les planteurs utilisaient des esclaves sans véritable nécessité, d'ailleurs l'esclavage, aboli dans le Nord vers 1800, aurait pu éventuellement y disparaître. L'installation des premières usines de filage et de tissage (Francis C. Lowell en 1814) en Nouvelle-Angleterre, ainsi que la diffusion de la machine à égrener le coton d'Eli Whitney, inventée dès 1794, favorisent la culture du coton dans le Sud, au climat propice et aux structures sociales particulièrement bien adaptées. L'esclavage paraît désormais pleinement justifié ; l'économie du Sud peut se développer. Dans le même temps, ne pouvant compter sur une agriculture qui reste vivrière, le Nord s'industrialise : les premières productions bénéficient des découvertes techniques ; les principes initiaux de la standardisation sont adoptés dans les armureries et, en 1807, Robert Fulton fait naviguer le premier navire à vapeur sur l'Hudson.

Cette activité débordante se heurte à un manque de capitaux et à une inflation importante suscitée par les dépenses de la guerre de 1812. La première Banque des États-Unis, dont la charte décennale arrivait à expiration en 1811, est prorogée pour dix ans supplémentaires, soutenue par les États de l'Ouest et du Sud qui avaient protesté contre sa création. Les établissements bancaires se multiplient : 120 entre 1812 et 1815. Le gouvernement fédéral, aux lendemains de la guerre, prend conscience de l'ampleur des besoins du pays ; c'est ainsi qu'un tarif douanier protecteur des jeunes industries est voté en 1816, qui divise profondément l'opinion. Soutenu par les villes de l'Est, en plein essor, et les États de l'Ouest, il est critiqué par le Sud et les milieux marchands; mais il s'agit d'un précédent essentiel dans la politique économique des États-Unis. D'autres pressions s'exercent pour l'amélioration du réseau de transport intérieur dont la guerre a montré toute la nécessité; qui du gouvernement fédéral ou des États doit s'en charger? Avant que la question ne soit tranchée sur le plan constitutionnel, les travaux commencent sur le plan local, avec des canaux en Nouvelle-Angleterre (dès 1800 dans le Massachusetts) et les premières voies aménagées en direction de l'Ouest.

Rien de tout cela n'est définitif, mais les 9600000 Américains de 1820 – ils n'étaient que 5300000 dix ans plus tôt – ont accompli un pas décisif. La Jeune République est solidement établie; elle a su s'extirper des problèmes européens avec un certain bonheur; elle a trouvé les chemins de son développement agricole et industriel, renforcé par la conquête de l'Ouest – aux dépens des Indiens –, mais cette réussite repose sur l'esclavage dans le Sud. Une nouvelle nation est née avec ses contradictions.

John Adams et le sens de la révolution américaine (1818) (extraits)

Un des acteurs de la révolution la juge avec le recul; magnifique appel pour des historiens.

La révolution américaine n'a pas été un événement ordinaire. Ses effets et ses conséquences ont déjà été redoutables sur une grande partie du Globe. Et où et quand cesseront-ils.

Mais que voulons-nous dire par révolution américaine? S'agit-il de la guerre américaine? Mais la révolution était effectuée avant que la guerre n'éclate. La révolution existait dans les esprits et les cœurs des gens. Un changement de leurs sentiments religieux correspondant à leurs devoirs et à leurs obligations. Alors qu'ils croyaient que le roi et toute l'autorité qui en découle gouvernaient selon la justice et la miséricorde en conformité avec les lois et les constitutions qui leur ont été attribuées par le Dieu de la Nature et transmises par leurs ancêtres, ils pensaient devoir prier pour le roi, la reine et toute la famille royale ainsi que pour l'autorité qui en est issue, en tant que ministres ordonnés par Dieu pour leur bien. Mais quand ils virent ces puissances renonçant à tous les principes de l'autorité pour se livrer à la destruction de toutes les défenses de leurs vies, de leurs libertés et de leurs propriétés, ils jugèrent de leur devoir de prier pour le congrès continental et pour tous les treize congrès des États. [...]

Une autre modification de l'état d'esprit a été commune à tous. Le peuple d'Amérique a été éduqué dans une affection usuelle pour l'Angleterre en tant que Mère-patrie; et aucune affection n'était plus sincère que la leur car ils la considéraient comme un tendre et doux parent (de façon erronée d'ailleurs car elle ne fut jamais une telle mère). Mais quand ils ont découvert qu'elle n'était qu'une mégère cruelle, voulant à l'instar de Lady Macbeth leur «fracasser la cervelle», il n'est pas surprenant que leur affection cesse et soit changée en indignation et horreur.

Ce changement radical dans les principes, les opinions, les sentiments et l'affection du peuple, a constitué la véritable révolution américaine.

Il est certainement intéressant pour l'Humanité de chercher à savoir par quels moyens a commencé, s'est poursuivie et s'est accomplie cette importante et considérable altération du caractère religieux, moral, politique et social du peuple des treize colonies, toutes distinctes, indépendantes et sans lien entre elles; cela permettra de la perpétuer pour la postérité.

À cette fin, il est grandement souhaitable que, dans tous les États et surtout dans les treize États originaux, un jeune *Gentleman* de Lettres entreprenne la tâche, laborieuse mais certainement intéressante et amusante, de rechercher et rassembler tous les journaux, tracts, archives, et même mémoires manuscrits qui ont, d'une façon ou d'une autre, contribué à changer l'humeur et les vues du peuple et à en faire une nation indépendante.

Source : L.H. Butterfield ed., John Adams «What is meant by American Revolution», *in* D.J. Boorstin ed., *An American Primer*, New York, A Mentor Book, 1968, p 248-249.

PREMIÈRE PARTIE

L'accession au premier rang 1816-1920

Durant ce XIXe siècle, les États-Unis sont restés une puissance provinciale, préoccupée essentiellement par son développement intérieur, par l'expansion vers l'Ouest, qui est l'une des causes de la guerre civile qui secoue le pays de 1861 à 1865 ; ce conflit majeur façonne une république plus juste, sans qu'elle parvienne à éradiquer le racisme ni l'exclusion des Noirs et des Indiens. Dans ce cadre contrasté, les États-Unis connaissent une croissance économique qui les place parmi les nations les plus riches avant 1900 ; assez logiquement, les Américains entrent dans l'ère de l'impérialisme, puis participent de plein droit à la Première Guerre mondiale, sans en assumer toutes les conséquences.

Chapitre 1

Un équilibre de plus en plus précaire (1816-1860)

Une génération sépare la période révolutionnaire de la montée des tensions qui déchireront les États-Unis jusqu'à la guerre civile. L'historiographie traditionnelle a parlé, pour les vingt premières années de cette période, d'une « ère des bons sentiments » ; en fait, il ne s'agit là que d'une apparence strictement politique, qui occultait les enjeux principaux auxquels le pays avait refusé de faire face. Toutefois, ce laps de temps est celui des expérimentations plurielles, celui de l'apprentissage du règlement des conflits, celui d'un véritable développement diversifié entre grandes régions ; c'est aussi celui « de la démocratie en Amérique » analysée avec tant de subtilité par Alexis de Tocqueville.

Mais cet accomplissement est fragile, miné de plus en plus au fil des années par la question capitale de l'esclavage qui se pose de façon récurrente. Les déchirures de l'Union deviennent alors béantes, avant de s'avérer irrémédiables.

De la démocratie en Amérique

Les institutions américaines ont, dès leur création, d'autant plus attiré l'attention admirative de bien des Européens que l'instabilité politique régnait sur le Vieux Continent. Toutefois, c'est dans les années 1830 qu'elles connaissent un premier renouvellement, devenant démocratiques ; c'est alors que le jeune Alexis de Tocqueville les découvre et les fixe sous sa plume.

Vers l'hégémonie démocrate

Les successeurs de Jefferson (James Madison (1808-1816) – malgré l'impopularité de « sa » guerre de 1812 –, puis James Monroe (1816-1824), assurent la continuité des républicains, tous deux virginiens associés de près à la période révolutionnaire. Les fédéralistes disparaissent en tant que parti, tant en raison de leurs divisions internes que de la modération du parti de Jefferson qui fait siennes de nombreuses thèses fédéralistes. La nouvelle opposition qui se structure alors provient d'une scission du parti dominant, ses membres se présentent simplement comme indépendants ou républicains-nationaux. Cette faible différenciation justifie l'appellation de cette période comme « ère des bons sentiments », qui n'est marquée par aucune querelle fondamentale, constitutionnelle ou de politique étrangère. Les indépendants reprochent aux républicains d'avoir adopté les thèmes fédéralistes et reprennent plutôt à leur compte la défense des droits des États.

Pourtant à la base de la vie politique, des mouvements de contestation se font jour. Une élite issue d'un milieu limité aux grandes familles de l'Est, marquée par sa participation à la révolution, semble monopoliser le pouvoir fédéral. Dans les bourgades du Tennessee, comme dans certains quartiers de New York, se fait jour un vif intérêt pour le pouvoir fédéral, dont l'expérience des années précédentes a montré que sa faiblesse n'était que relative ; n'était-il pas le dispensateur du crédit par la banque, des terres par l'accroissement considérable de son domaine, des emplois dans l'embryon de sa fonction publique ? Pour disposer de ces atouts, il faut conquérir le pouvoir et l'arracher à une oligarchie qui s'entend sur l'essentiel. Le processus électoral qui parcourt les institutions américaines peut être mobilisé à cette fin, tout en satisfaisant les aspirations de la population. Ainsi, une offensive, qui tend à l'extension du suffrage presque toujours censitaire, est lancée à partir de New York, dont la population s'accroît massivement par l'arrivée des immigrants. Martin Van Buren, chef local des républicains, se débarrasse dès 1821 du caucus – groupe de dirigeants du parti qui contrôlent en secret le processus de nomination pour les fonctions électives – au profit de la Convention qui, composée de délégués élus, joue le même rôle au grand jour. L'évolution est conduite à son terme quand Van Buren est contraint, sous la pression populaire, de faire sienne la revendication du suffrage universel. D'autres États vont par divers moyens aboutir à des résultats voisins, et à la fin des années 1820, le suffrage, dont les modalités dépendent des États, devient universel à la mode du temps : blanc et masculin, avec une limite d'âge.

Ces nouveaux moyens sont mis en œuvre lors de l'élection de 1824, qui voit l'émergence d'Andrew Jackson et d'Henry Clay, comme candidats de l'Ouest et du Sud, alors que John Q. Adams représente la Nouvelle-Angleterre. Ce dernier l'emporte seulement grâce au vote final de la Chambre des représentants, confirmant les revendications populistes d'un Jackson frustré de la victoire populaire à cause de ces manœuvres politiciennes.

L'élection de 1824 a montré l'importance du vote populaire – près de 27 % des inscrits ont voté, chiffre considérable pour l'époque – mais également, pour espérer l'emporter, la nécessité d'une représentation nationale, qui transcende les divisions sectionnelles (régionales). À ce niveau-là, une véritable démocratisation s'opère, sans loi générale qui fixerait les limites du suffrage, sans débats idéologiques majeurs, puisque les divers candidats se disent tous républicains-démocrates.

Jackson ou le renouveau ?

C'est du moins l'image qui a longtemps été celle de ce président à la forte personnalité : il domine la vie politique durant deux mandats présidentiels et pèse sur celle de ses successeurs.

L'élection de 1828 assure au candidat républicain-démocrate – la tendance se généralise de parler seulement de démocrate – une confortable victoire. Avec 647 000 voix et 178 grands électeurs, Jackson devance J. Q. Adams, dont le mandat avait été médiocre, de 139 000 voix et 95 grands électeurs. Ce succès a été obtenu avec la plus forte participation électorale jamais enregistrée, 57,6 % des inscrits, et n'a rien de régional, puisque le général l'emporte aussi bien dans le Sud, d'où vient son vice-président John Calhoun (Caroline du Sud), que dans l'Ouest ou dans les États de New York et de Pennsylvanie. Son adversaire est réduit à sa Nouvelle-Angleterre. Une telle réussite tient certes à la popularité de Jackson lui-même, mais aussi au travail accompli par le parti et à la généralisation du suffrage qui multiplie les nouveaux électeurs.

A. Jackson a 62 ans quand il entre à la Maison-Blanche, convaincu d'être un héros national. L'ambiance qui règne le jour de son inauguration semble lui donner raison : une foule considérable, agitée et sans manières envahit la Maison-Blanche pour manifester son enthousiasme, laissant partout les traces de son passage. Les vieux républicains sont persuadés qu'il s'agit d'une révolution ; la légende des vainqueurs ne réfute pas cette interprétation qui les sert. Les recherches récentes ont prouvé que le changement n'était pas aussi profond que la tradition le voulait.

Jackson est le premier président né à l'Ouest (Tennessee), élevé dans le milieu de la frontière, dans une famille d'une « abjecte » pauvreté ; il ne sait ni lire ni écrire, mais se révèle sur le terrain militaire dans les guerres indiennes et, surtout, contre les Anglais qu'il déteste, lors de la victoire de la Nouvelle-Orléans. Premier à avoir battu les Anglais, il est, effectivement, héros national ; mais le *self made man* acquiert des terres, et, dès 1824, est parvenu à se hisser au sommet du parti républicain-démocrate. Il a longtemps été présenté, lui-même cultivant cette image, comme le symbole de l'Américain moyen, l'exemple vivant du progrès décisif accompli par la démocratie, ayant gravi tous les échelons dans une société mouvante et fluide, et Tocqueville n'a pas peu contribué à figer et magnifier ce personnage exemplaire. En fait, Jackson n'est pas pour rien l'élu des grandes villes ; d'origine agraire, il comprend et favorise les entrepreneurs industriels. En fait, la société américaine est déjà moins égalitaire qu'il n'y paraît, car la démocratie s'étend avant Jackson et a favorisé l'émergence d'une réelle classe moyenne dont il est aussi le représentant : Jackson est devenu un propriétaire aisé, qui possède des esclaves, et il est lié aux hommes d'affaires qui construisent les infrastructures. Ces contradictions n'empêchent pas la légende démocratique de subsister puisque le billet de 20 $ est toujours à l'effigie de cet homme bien peu en phase avec le multiculturalisme du XXIe siècle.

En dépit de toutes ces ambiguïtés, A. Jackson marque une réelle rupture avec la classe politique figée de la période des « bons sentiments », trop habituée à détenir le pouvoir et à s'en servir à son seul profit – en 1824, l'élection de J. Q. Adams (petit-fils de John Adams) en dépit du vote populaire avait clairement illustré cette tendance. Mais, surtout, le nouveau président apporte ses certitudes, qui n'ont rien de particulièrement démocratiques : assurer l'expansion des États-Unis, se défaire de la présence espagnole et surtout anglaise qui l'empêche d'affirmer bien haut l'orgueil national. Son génie politique consiste à faire accepter par de larges fractions de l'opinion publique des décisions souvent controversées.

Une politique brutale

Le gouvernement fédéral du temps est essentiellement préoccupé par des questions économiques. La plus grande part de ses revenus provient du tarif douanier, sur le niveau duquel les différents États ne sont nullement d'accord ; une autre, plus importante, provient de la vente des terres publiques de l'Ouest. Ces réalités concrètes concernent un grand nombre d'Américains et suscitent, parmi eux, de nombreux et actifs spéculateurs. Par ailleurs, le développement industriel qui commence dans le Nord-Est, comme les progrès massifs dans le domaine des transports – voies ferrées et, surtout, canaux – pose les problèmes des aides possibles de l'État pour certaines routes et de la disponibilité des capitaux pour ces nouvelles entreprises. La Banque des États-Unis, située à Philadelphie, est au cœur de cette économie : assurée qu'elle est de recevoir tous les fonds fédéraux – tout en étant une institution de droit privé –, elle distribue le crédit selon ses propres normes.

Ces problèmes ne sont pas nouveaux, mais, en raison de l'essor général du pays, ils prennent un tour d'autant plus aigu que la nouvelle administration compte bien imposer ses vues.

Dans les années 1820, les États du Sud n'ont pas une économie stabilisée : les plantations de coton s'y sont multipliées très rapidement, ce qui a entraîné une surproduction, puis une phase de baisse des prix et finalement sa mévente. Nombre de planteurs s'installent alors dans les territoires de l'Ouest sur des domaines plus riches. Comme d'autres colons, ils estiment que la terre publique est trop chère à 1,25 $ l'acre (0,4 ha) et qu'elle est insuffisamment disponible. Les propriétaires restés dans les États primitifs veulent freiner une hémorragie, qui peut remettre en cause leur poids respectif dans l'Union, et s'inquiètent particulièrement du vote d'un tarif douanier élevé, au seul profit des industriels de l'Est.

De 1830 à 1832, le Sud mené par le vice-président Calhoun développe l'idée de nullification, selon laquelle un État a le droit de déclarer nulle une loi du Congrès et de s'opposer à son application, sans pour autant quitter l'Union. Les protestations contre cette conception sont nombreuses et s'expriment d'abord au Congrès en 1830.

Plaidoyer de Daniel Webster pour l'Union (1830) (extraits)

Lors du débat sur la nullification, après que le sénateur Robert Hayne de Caroline du Sud a défendu avec vigueur les thèses du Sud, Daniel Webster sénateur du Massachusetts lui répond, sa péroraison émeut l'assistance.

« Monsieur, j'affirme n'avoir, durant toute ma carrière, jamais perdu de vue l'honneur et la prospérité du pays tout entier, ni le maintien de notre Union fédérale. C'est à cette Union que nous devons notre sécurité intérieure ainsi que la considération et la dignité dont nous bénéficions à l'étranger. C'est à cette Union que nous devons tout ce qui nous rend fier de notre pays.

Cette Union n'a été obtenue que par une discipline vertueuse acquise à l'école de l'adversité. Son origine se trouve dans les besoins d'un système financier désorganisé, d'un commerce déprimé et d'un crédit ruiné. Sous son influence bienfaisante, ces activités fondamentales ont été réactivées et nous ont poussé vers une vie nouvelle. Chaque année est venue apporter les preuves de son utilité et de ses bienfaits ; et ils n'ont pas été outrepassés en dépit de l'extension continue de notre territoire et de la croissance permanente de notre population. Pour nous tous, cela a été une source abondante de bonheur national, social et personnel. Je ne me suis pas permis de regarder au-delà de l'Union pour voir ce qui peut se cacher dans le recoin sombre qui se trouverait derrière elle. Je n'ai pas pris la peine de peser froidement les chances de préserver la liberté alors que les liens qui nous unissent peuvent être rompus en deux. Je ne suis pas prêt à me pencher au-dessus du précipice de la désunion pour voir si, avec ma courte vue, je peux mesurer la profondeur de l'abysse qui s'y trouve. Je ne suis pas plus disposé à servir de conseiller à un gouvernement dont les préoccupations seraient orientées non vers les moyens de préserver au mieux l'Union, mais vers le sort des gens quand celle-ci serait brisée et détruite.

Tant que l'Union dure, s'étendent sous nos yeux et sous ceux de nos enfants de grandes perspectives, excitantes et bénéfiques. Je ne cherche pas à aller au-delà... Dieu me garantit que je n'irais jamais voir ce qui s'étend derrière.

Que mes yeux n'aient pas, quand ils se poseront pour la dernière fois sur le soleil dans le firmament, à le voir briller sur les fragments brisés et déshonorés de ce qui fut notre glorieuse Union : sur des États désunis, aux voix discordantes, belliqueux ; sur une terre prise dans les combats civils, ou, pire encore, noyée de sang fraternel. Que mon dernier et faible regard se porte plutôt sur le somptueux blason de la République, actuellement connue et honorée à travers le monde... ses armes et ses trophées brillant de leur lustre originel, sans qu'une bande soit supprimée ou salie, sans qu'une seule étoile soit obscurcie, portant comme devise non pas cette médiocre question : « Est-ce que tout cela vaut la peine ? », ni ces mots fous et trompeurs : « la Liberté d'abord et l'Union ensuite », mais partout au-dessus de la mer et des terres, emportée par tous les vents qui parcourent le ciel, en amples caractères éclatants et brillants, cette autre formule chère au cœur de tout véritable Américain : la Liberté et l'Union, maintenant et pour toujours, une et indivisible. »

Source : *in* T. Bailyn et D. Kennedy,
The American Spirit, Lexington (Mass.), Heath, 1984, I, p. 235-237.

A. Jackson ne dissimule pas son soutien à Webster mais ce n'est que deux ans plus tard qu'il juge bon d'agir. En effet, la Caroline, peu de temps avant l'élection présidentielle qui donne une large majorité au président sortant, décide d'annuler les lois du tarif douanier qui la lèsent. Jackson réagit vivement en proclamant le droit supérieur de l'Union et en menaçant d'utiliser la force pour le faire respecter. La crise s'apaise sans qu'aucun camp ne perde la face, personne ne voulant vraiment la rupture, mais le problème de fond n'est nullement réglé.

La lutte sans merci du président contre la Banque des États-Unis n'est pas sans rapport avec les revendications des sudistes. Comme eux, Jackson a toujours reproché à la Banque dirigée par Nicholas Biddle de prêter seulement aux riches, de favoriser les intérêts du Nord-Est au détriment de ceux de l'Ouest et du Sud-Ouest. Pour lui, comme pour de très nombreux fermiers et colons, la Banque abuse de sa puissance et utilise celle-ci à des fins politiques – en intervenant dans les élections –, tout en négligeant le bien-être d'une population, qui a besoin d'un crédit abondant et bon marché.

Or, l'occasion est donnée à Jackson de régler ce problème quand Biddle, soutenu par Henry Clay, croit habile de demander au Congrès le renouvellement de la charte de la Banque dès 1832, quatre ans avant son terme. Le Congrès le vote facilement, mais le président n'hésite pas à utiliser son veto et l'affaire de la Banque se trouve placée au cœur de l'élection de 1832. Le conflit va d'autant plus s'envenimer que Jackson se sent conforté par son succès électoral et que Biddle n'a pas l'intention de céder. Le premier retire tous les fonds fédéraux de la banque pour les placer dans 23 banques d'États, alors que le second cherche à se faire rembourser les crédits consentis ; d'autre part, le Congrès tente, en vain, d'intervenir pour empêcher la disparition de la Banque.

Finalement, Jackson l'emporte et prive son pays d'une monnaie stable et d'une politique de crédit nationale, jusqu'en 1913 quand renaît, sous une autre forme, une banque centrale des États-Unis : le *Federal Reserve System*. À plus court terme, le placement hasardeux des fonds fédéraux suscite l'inflation de papier-monnaie, alors que le gouvernement assouplit au dernier moment les procédures de vente des terres pour favoriser les petits acquéreurs, et accentue le mouvement inflationniste. Sans être causée par le système bancaire des États-Unis, la crise économique venue d'Angleterre, qui éclate en 1837 et frappe durement le pays, est aggravée par ces faiblesses. Cela ne suffit pas pour que les partisans d'un système bancaire plus cohérent parviennent à se faire entendre, car le refus de tout monopole d'État est très largement répandu dans le pays et constitue depuis l'un des fondements de l'esprit public américain.

Le même mélange de dureté et de compréhension de l'opinion des colons et pionniers de l'Ouest que Jackson a manifesté à l'égard de la Banque se retrouve dans son attitude à l'égard des Indiens. Jefferson avait conclu que si l'assimilation des Indiens, souhaitable, ne pouvait être obtenue, il fallait les séparer soigneusement des Blancs. Cette politique systématique consistant à repousser les tribus au-delà du Mississippi est appliquée à partir de 1829, dans des conditions différentes selon les Indiens concernés. Certains, répartis sur les deux rives du fleuve, sont souvent nomades et opposent une réelle résistance. Mais la pression de colons proches du président s'exerce également sur les Cherokees de Géorgie. Ces derniers christianisés, sédentarisés et cultivés sont menacés par des chercheurs d'or ; la Géorgie les expulse en dépit d'un traité dûment signé, et le président retire les troupes que son prédécesseur avait placées pour les protéger. À leur égard, il se soucie beaucoup moins des grands principes que lors de la querelle de la nullification. Un quart des Cherokees meurent dans cette déportation de la « vallée des larmes » achevée en 1838 ; à cette date, il n'y a plus d'Indiens à l'est du grand fleuve. On prête à Jackson cette réaction à l'arrêt de la Cour suprême qui annulait l'expulsion : « Qu'elle le fasse appliquer !... », sans l'aide indispensable du gouvernement fédéral.

Au total, la politique intérieure de Jackson est marquée par ses décisions brutales qui correspondent moins à des principes – sinon la préservation de l'Union – qu'à des réflexes proches de ceux des colons de l'Ouest et du Sud. Dans un premier temps, il s'est opposé au Sud dans la querelle de la nullification, puis, dans un second, l'a conforté avec la disparition de la banque et l'expulsion des Indiens. Il n'en reste pas moins que sa présidence ne manque pas de vigueur, d'autant qu'elle s'accompagne de la mise en place d'une vie politique qui va, désormais, caractériser le pays.

Une démocratie à l'américaine

Le choc de l'élection de Jackson provoque un nouvel équilibre des partis et un profond changement dans leurs méthodes. Ce sont ces nouveautés qui retiennent particulièrement l'attention d'Alexis de Tocqueville.

L'afflux des électeurs se poursuit puisque 57,8 % de ceux-ci votent en 1836 et 80,2 %, quatre ans plus tard ; le suffrage est alors quasi universel et les partis tiennent immédiatement compte de ce bouleversement. Les procédures anciennes de sélection des candidats, faites dans le secret du Caucus, laissent la place aux conventions réunissant les délégués du parti élus à la base. D'abord locales, les conventions deviennent nationales en 1831 quand le parti anti-franc-maçon réunit la première qui choisit son candidat à la présidence ; dès 1836, les autres partis adoptent également cette procédure. Faites pour dynamiser les électeurs, ces réunions sont accompagnées de défilés aux flambeaux, de gigantesques pique-niques, et le rituel de la désignation du candidat est accompagné de musique, de chants, de cris. Les nouveaux électeurs, souvent peu éduqués, sont ainsi encadrés et incités à bien voter. Ces procédures nécessitent un « appareil » important de volontaires, qui vont au-devant des nouveaux électeurs, et leur dévouement doit être récompensé. Aussi, le succès électoral s'accompagne d'une redistribution des postes de fonctionnaires fédéraux (11 500 en 1831, dont 666 à Washington) au profit des vainqueurs ; si le phénomène n'est pas nouveau, son ampleur devient impressionnante. Suivant la formule : « Les dépouilles de l'ennemi appartiennent au vainqueur », le *spoils system* se met en place de façon systématique dès 1832. Jusqu'à la fin du siècle, le recrutement de la fonction publique obéit à cette simple logique, du plus humble postier au receveur des douanes de New York, poste particulièrement lucratif. La stabilité des emplois est menacée par le désaveu électoral du patron ; aussi s'agit-il de profiter au mieux de la participation au festin du pouvoir. De surcroît, les états-majors de partis peuvent ainsi motiver leur clientèle et récompenser certains de leurs militants.

Ces pratiques, qui caractérisent le fonctionnement de la démocratie américaine, ont des conséquences multiples qui finissent par lui nuire. En effet, la corruption est difficile à éviter et le débat politique tend à être perdu de vue. Pour convaincre les multitudes des vertus d'un candidat, les slogans et les mots d'ordre deviennent nécessairement simplistes. C'est ainsi que la campagne de 1840 vante la cabane en rondins et le goût pour le cidre du général Harrison – en réalité, un véritable gentleman de Virginie – afin de convaincre les électeurs ; elle y parvient...

Le fourmillement politique, suscité par la diffusion de la démocratie dans le système des années 1830, se manifeste souvent au niveau local. Les innovations – suffrage, conventions, procédures – sont expérimentées dans les États par des tiers partis éphémères. Ils regroupent des travailleurs, des dissidents du parti démocrate, portent des noms étranges comme les « locofocos » de New York, et sans parvenir à s'imposer – souvent trop dogmatiques –, ils n'en fournissent pas moins la preuve de la vitalité démocratique de cette période de transition. Le succès relatif des tiers partis vient aussi du fait qu'en face du parti démocrate de Jackson, l'opposition éprouve un certain mal à s'organiser. Une coalition hétérogène regroupant des partisans de la Banque et d'un tarif plus élevé, mais aussi des tenants du droit des États, des Yankees de Nouvelle-Angleterre et quelques autres, parvient pourtant à se former. Elle dénonce à partir de 1832 les excès jacksoniens, assimile King Andrew au roi George III, et pour mieux se distinguer de ces *tories*, revendique le nom de *whigs*. Les *whigs* pour mieux ridiculiser leurs adversaires les traitent d'ânes ; les démocrates saisissent l'occasion pour dénoncer l'intellectualisme de leurs rivaux et adoptent eux-mêmes l'âne comme symbole définitif de leur parti. Les *whigs* s'organisent comme les démocrates, en machine nationale à rassembler les votes ; leur grand homme – il sera un modèle pour le jeune Abraham Lincoln – est Henry Clay du Kentucky, défendant les grands principes et promoteur de son « Plan américain » qui donnerait au gouvernement fédéral un rôle éminent dans la construction des équipements d'infrastructure et dans la marche de l'économie. En dépit de ses qualités et malgré de multiples tentatives, H. Clay ne parvient pas à la Maison-Blanche, en 1840 son parti lui préfère Harrison, sans beaucoup d'envergure, et il est battu par le démocrate Polk quatre ans plus tard, comme il l'avait été en 1824 et 1832.

Ces combats démocratiques réguliers, dans lesquels ne se distinguent pas toujours les plus grands hommes et se perfectionnent les *machines* des grands partis, font l'envie des observateurs européens aux prises avec les soubresauts révolutionnaires ou un carcan conservateur. Les Américains en tirent une certaine fierté.

L'affirmation nationale

Elle est multiple, mais se fonde sur des valeurs communes qui s'épanouissent durant ces années riches et diverses, pendant que l'expansion territoriale des États-Unis lui fournit un cadre.

La religion nationale

La victoire de « la démocratie » comme est nommé l'avènement du suffrage universel masculin et de ses suites politiques semble le résultat naturel des institutions. Rétrospectivement, la révolution prend toute sa grandeur : elle est magnifiée et près d'un demi-siècle après, son bilan global semble tout à fait favorable.

Dans la majorité protestante, il y a un lien entre la démocratie nouvelle et l'épanouissement d'une religion plus intense et plus individuelle, inaugurée par le « Grand Réveil » du XVIIIe siècle. Dans les communautés de la frontière, les *camp meetings* – rassemblement de fidèles autour d'un prédicateur à la parole envoûtante – se multiplient pour exprimer cette nouvelle spiritualité évangélique, qui permet aux fidèles d'entrer en communication directe avec leur Seigneur. Les baptistes et les méthodistes tirent assez bien parti de cette situation, mais les Églises plus traditionnelles du Nord-Est fondées sur un clergé, presbytérienne et congrégationaliste, doivent évoluer pour éviter le déclin. Toutes sont amenées à tenir compte des vœux des fidèles, à se rapprocher de leurs préoccupations, à se soucier du sort des plus humbles. En quelque sorte, les « dénominations » protestantes se démocratisent relativement, renforçant par là même la légitimité de la république, lui donnant une sorte de religion civile.

Cette conjonction politico-spirituelle est à la base d'une véritable religion nationale, différente d'un simple patriotisme. Sa vigueur est soutenue par le pluralisme de pensées et d'expressions, suivant les différences régionales et la grande diversité des « dénominations » religieuses. La réussite des États-Unis correspondrait à de grands desseins : ils ont une importante mission divine à remplir. Nul ne l'exprime mieux que l'historien George

Bancroft, qui publie le premier volume de son histoire des États-Unis en 1834 : il discerne l'œuvre de la providence dans les diverses colonies qui allaient devenir autant d'États. Puisant aux sources du puritanisme du XVIIe siècle et du républicanisme éclairé de la Révolution, se développe la notion d'américanisme, opératoire aussi bien sur le plan national que local. Il est naturellement tolérant et pluraliste, adopte l'idée de progrès, mais peut aussi aboutir à un repli protestant inquiétant, comme celui de la société secrète des *know-nothing* hostile au développement du catholicisme dans les années 1840 et les élites du Sud sont persuadées d'illustrer au mieux cet épanouissement américain : tolérance et pluralisme ont une définition raciale.

Le patriotisme, qui accompagne parfois ces manifestations, cherche à s'affirmer dans la définition d'une culture américaine. Encore balbutiante, mal dégagée d'origines anglaises, celle-ci émerge néanmoins. Un auteur comme James Fenimore Cooper traite le premier avec talent le thème de la frontière, avec *L'Espion* dès 1821, puis *Le Dernier des Mohicans* en 1826, tout en restant inspiré par la tradition de sir Walter Scott. Un autre, tel Washington Irving, illustre également l'apparition d'une littérature américaine. Dès les années 1840, celle-ci s'épanouit avec Edgar A. Poe, ou le grand poète Henry David Thoreau *(Walden ou la Vie dans les bois)*, sans oublier Herman Melville et bien d'autres, qui constituent désormais le patrimoine intellectuel des Américains. Dans le même temps, une culture populaire se développe avec les chansons à contenu patriotique, tel le *Yankee Doodle* ou avec le succès rencontré par l'adaptation de l'œuvre de William Shakespeare, « américanisée » sur toutes les scènes du pays. De la même façon, les tournées de divas européennes connaissent un grand écho. La peinture suit une évolution similaire avec les premiers artistes locaux, qui font leurs premières armes en Europe, où ils s'imprègnent de culture classique ; parfois, leurs expositions surprennent par leur exotisme, comme la présentation de la culture indienne dans celle de George Catlin qui connaît le succès en Grande-Bretagne comme en France.

Ce foisonnement multiforme explique l'attrait exercé par les États-Unis sur les communautés utopiques. Des socialistes viennent de France comme les disciples de Cabet, qui, en 1848-1849, sont quelques centaines à fonder l'Icarie au Texas, ou d'Angleterre tel Robert Owen et sa *New Harmony* en Indiana : ils sont attirés par l'abondance des terres et l'absence du poids de l'État. Des communautés américaines sont motivées par la vogue du transcendantalisme, qui renouvelle la lecture de la Bible en réaction contre le matérialisme ambiant ; elles aussi cherchent à s'isoler, grâce à l'immensité de l'espace. C'est le cas des *shakers* qui, dans l'Est, prônent une vie simple et austère, ou celui plus extraordinaire des Mormons du « prophète » Joseph Smith – il aurait reçu de Dieu des révélations dans de nouvelles Tables de la Loi, transcrites dans un livre paru en 1830 –, qui se rassemblent à Nauvoo en Illinois, avant, en 1844, de partir vers l'Ouest pour fuir la persécution.

Le pluralisme est bien la règle de l'Amérique jacksonienne : il débouche, tout à la fois, sur l'affermissement d'une culture nationale et des manifestations du refus de celle-ci.

Montrer sa force

Les États-Unis de la première moitié du XIXe siècle ne figurent pas au rang des grandes puissances et ils sont ignorés par celles-ci, une fois apaisé le tumulte des guerres napoléoniennes. Ils n'ont pas d'ambition internationale et se lancent alors dans leurs entreprises « d'améliorations internes » beaucoup plus profitables. Pourtant, les présidents surveillent les agissements des puissances européennes, échaudés qu'ils ont été par les événements de la période précédente.

Ce contexte donne naissance au premier grand texte formalisant, au-delà des recommandations de G. Washington en 1796, la politique étrangère des États-Unis. En effet, les années 1820 sont troublées sur le continent américain par le processus d'indépendance des colonies espagnoles. L'Espagne cherche à obtenir un corps expéditionnaire des autres grandes puissances pour mater les révoltes qui minent son empire d'Amérique. Forts d'une indépendance – la première du genre – chèrement acquise contre leur métropole, les Américains peuvent d'autant moins accepter ce retour de la catholique Espagne que les rapports avec celle-ci ont toujours été difficiles et qu'ils ont déjà reconnu les nouveaux États issus de cet empire. Ces craintes de 1823 sont accentuées par l'activisme subit des Russes sur la côte Ouest à la recherche de nouvelles pêcheries, le tsar prétendant avoir des droits sur l'Oregon jusqu'au nord de la localisation ultérieure de San Francisco, dans un territoire revendiqué également par l'Angleterre, qui manifeste soudain un regain d'intérêt pour l'Amérique.

Le président Monroe et son secrétaire d'État John Q. Adams jugent bon de mieux définir l'attitude des États-Unis face à ces menaces éventuelles sur le continent américain. En décembre 1823, le texte est publié qui va devenir la doctrine de Monroe.

Message de Monroe au Congrès, 2 décembre 1823 (extraits)

Au moment où paraissaient se préciser les menaces de la Russie et de l'Europe sur le continent américain, le président Monroe définit la ligne de conduite de son gouvernement.

Dans les discussions auxquelles cet intérêt a donné lieu (l'Alaska) et dans les arrangements qui peuvent les terminer, l'occasion a été jugée convenable pour affirmer, comme un principe, où sont impliqués les droits et intérêts des États-Unis, que les continents par la condition libre et indépendante qu'ils ont conquise et qu'ils maintiennent, ne doivent plus être considérés comme susceptibles de colonisation à l'avenir par aucune puissance européenne...

Dans les guerres entre puissances européennes nées des difficultés qui ne regardent qu'elles-mêmes, nous n'avons pris aucune part, et notre politique est de pratiquer l'abstention. C'est seulement quand nos droits sont attaqués ou sérieusement menacés, que nous ressentons nos injures et faisons des préparatifs pour notre défense. Nous sommes bien plus intéressés par les mouvements qui se produisent dans cet hémisphère, et cela pour des raisons qui doivent être évidentes à l'observateur éclairé et impartial. Le système politique des puissances alliées est essentiellement différent à cet égard de celui de l'Amérique et cette différence procède de celle qui existe dans leurs gouvernements respectifs... Nous devons en conséquence, à la bonne foi et aux relations amicales qui existent entre les États-Unis et ces puissances, de déclarer que nous devons considérer toute tentative de leur part pour étendre leur système à une portion quelconque de cet hémisphère comme dangereuse pour notre tranquillité et notre sécurité. En ce qui concerne les dépendances actuelles de telle ou telle puissance européenne en Amérique, nous ne sommes pas intervenus et n'interviendrons pas. Mais pour ce qui regarde les gouvernements qui ont proclamé leurs affranchissements, qui l'ont maintenu, et dont, après mûres considérations et conformément à la justice, nous avons reconnu l'indépendance, nous ne pourrions regarder toute intervention d'une puissance européenne, ayant pour objet soit d'obtenir leur soumission, soit d'exercer une action sur leurs destinées que comme la manifestation d'une disposition hostile à l'égard des États-Unis.

... Il est impossible que les puissances alliées puissent étendre leur système politique à aucune portion de l'un ou l'autre continent sans mettre en danger notre sécurité et notre bonheur... La vraie politique des États-Unis est de laisser (les anciennes colonies de l'Espagne) à elles-mêmes, dans l'espérance que les autres puissances adopteront la même attitude.

Source : *in* C. Fohlen et J.-R. Suratteau,
Textes d'Histoire Contemporaine, Paris, Sedes, Cdu, 1967, p. 326-327.

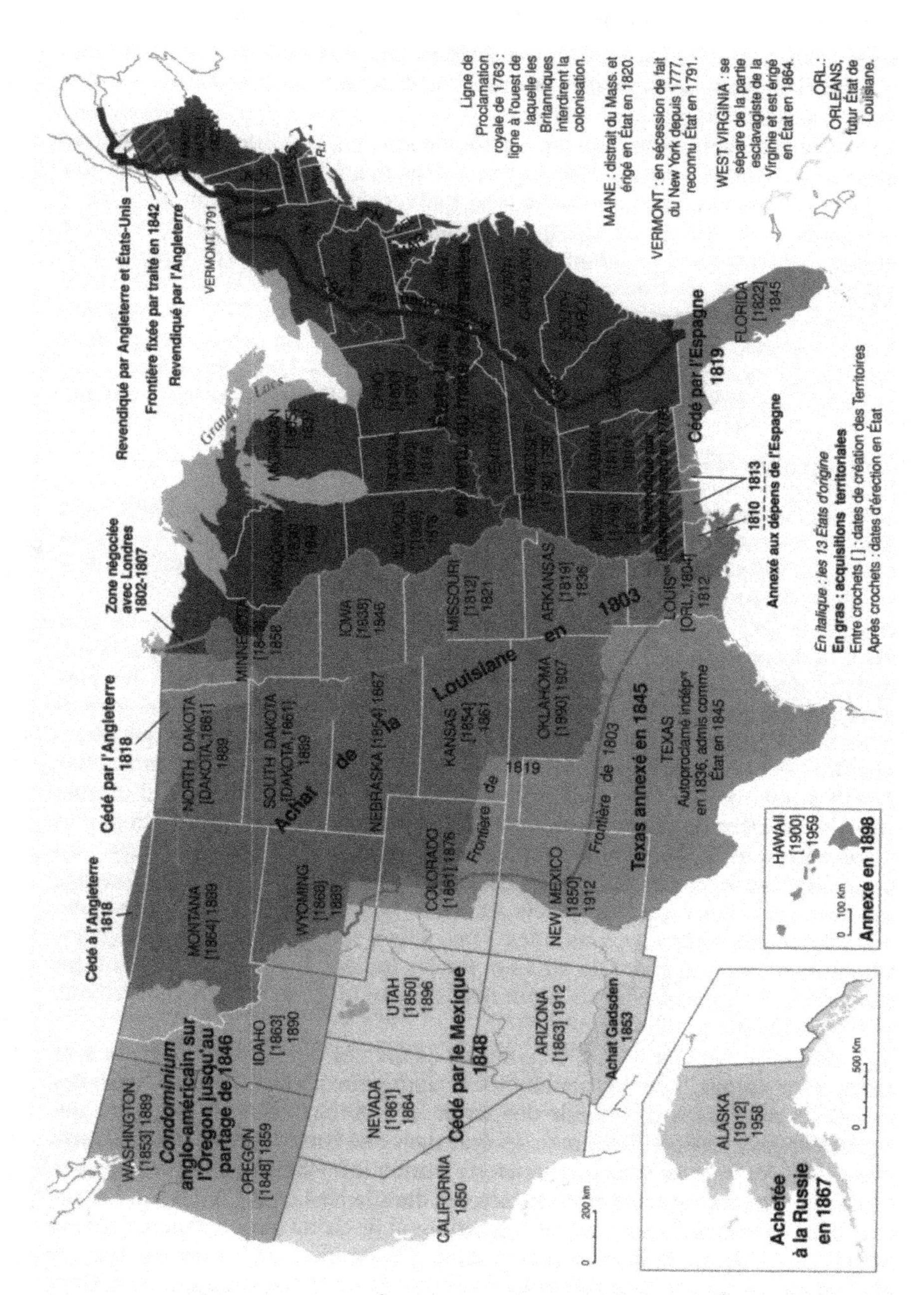

Carte 2. Croissance territoriale des États-Unis et date d'admission des États dans l'Union

Sans manifester aucune crainte à l'égard des États-Unis, la Sainte Alliance n'intervient pas en Amérique et ni Russes ni Anglais ne poussent plus avant leurs avantages. Bien qu'unilatérale et sans effet immédiat – les grandes puissances font mine de l'ignorer –, cette déclaration correspond parfaitement aux intérêts des États-Unis et sera invoquée quand le pays aura les moyens d'étendre sa domination sur la partie sud du continent et sur la zone caraïbe.

Le président Jackson, très hostile à l'Angleterre, n'a pas l'occasion de mettre en pratique la doctrine de Monroe, mais il n'hésite pas à défendre, à sa façon, la cause de son pays avec, cette fois, la France comme adversaire. Celle-ci doit aux États-Unis 5 millions de dollars en dommages et intérêts pour les navires américains et leurs cargaisons, saisis durant les guerres napoléoniennes en raison du blocus continental. Le paiement a pris du retard, en raison de l'instabilité politique à Paris, et Jackson n'hésite pas à menacer les intérêts français de rétorsion : on parle de guerre en 1835. Finalement, la France respecte ses engagements dès l'année suivante. Le calme revient mais le président a montré qu'il fallait compter avec les États-Unis. Ses successeurs immédiats vont, eux aussi, le prouver sur le terrain de l'expansion continentale.

La conquête de l'Ouest

Lancée par l'acquisition de la Louisiane, elle s'est poursuivie jusqu'en 1848. Loin de s'effectuer dans un désert, cette expansion, suscitée par les intérêts conjugués des États du Sud et des colons potentiels du Nord, s'est heurtée aux intérêts acquis par d'autres puissances et à la résistance des populations indiennes.

À la suite de l'exploration de W. Clark et M. Lewis, d'autres audacieux voyageurs sont partis à la découverte de l'Ouest immense. Quelques-uns sont des trappeurs qui rapportent des fourrures à l'*American Fur Company* de John J. Astor ; les premiers à partir – souvent d'origine canadienne française – parcourent et nomment les pistes de la plaine et des Rocheuses. Ils servent souvent de guides qui déterminent les pistes accessibles à la colonisation. On rencontre des hommes tels Jedediah Smith, qui parvient en Californie en 1826, John C. Frémont, d'origine française, qui effectue plusieurs missions dans les années 1840 vers l'Oregon et la Californie – le rapport de ses explorations, récrit par sa femme, connaît un considérable succès et contribue à l'édification du mythe de l'Ouest. Ces hommes permettent, par leurs relevés précis et leurs observations scientifiques, une meilleure connaissance de ces contrées. Mais il ne s'agit pas d'une véritable colonisation, ils n'exercent guère de pression sur les Indiens avec lesquels ils doivent nécessairement s'entendre pour avancer et se nourrir, et, le plus souvent, ni grand intérêt économique, ni politique fédérale systématique ne les soutiennent.

La situation est très différente quand ces dernières conditions sont réunies. Des colons, soit particulièrement entreprenants, soit poussés par des compagnies désireuses d'acquérir des terres, s'installent dans un territoire qui n'appartient pas encore aux États-Unis mais se situe dans une zone contiguë quasi déserte et contestée. Au bout de quelques mois, ils attirent inévitablement l'attention des autorités locales, espagnoles puis mexicaines dans le Sud et la Californie, britanniques dans l'Oregon. Les incidents se multiplient au sujet de leurs droits sur les terres et de leur refus de reconnaître les autorités locales, jusqu'au moment où ces colons appellent à l'aide le gouvernement fédéral. Ce dernier, déjà informé par les spéculateurs qui sont le plus souvent à l'origine de cette colonisation, peut alors intervenir pour protéger les intérêts de citoyens américains. Cette mécanique fonctionne d'autant mieux que les États du Sud, bien représentés au Congrès, veulent étendre la zone de culture du coton et l'esclavage qui l'accompagne : ils sont le plus souvent les promoteurs de l'expansion.

Plusieurs épisodes viennent illustrer ce schéma ; les États-Unis mènent alors une politique étrangère active, utilisant tous les moyens, pour répondre aux besoins internes d'accroissement territorial.

Le cas de la Floride est le premier à se produire. Depuis la fin du XVIIIe siècle, de nombreux colons américains avaient pénétré dans l'ouest de la Floride. L'acquisition de la

Louisiane s'accompagne d'une controverse sur les frontières exactes de ce territoire, car une partie de la Floride pourrait y être incluse. Le président Jefferson s'en préoccupe, qui s'intéresse aussi à Cuba, mais ce n'est qu'en 1810 qu'une révolte opportune des colons espagnols permet aux troupes américaines de s'emparer de la Floride occidentale. L'Espagne proteste mais, affaiblie, ne peut rien faire ; d'ailleurs, le Congrès des États-Unis affirme alors qu'aucun territoire américain ne peut être transmis à une autre puissance. En 1817, le Mexique révolté réaffirme ses droits sur la Floride, des Indiens harcèlent les Américains ; mais l'année suivante, le général Jackson exerçant son droit de poursuite s'empare de la Floride orientale. En 1819, l'Espagne cède officiellement, par traité, la Floride aux États-Unis.

Cet accord exclut spécifiquement le Texas, encore marginal. Pourtant ce territoire est l'objet de la deuxième offensive américaine. En effet, le Mexique qui a succédé à l'Espagne n'a pas les moyens de mettre en valeur un aussi vaste domaine. Aussi, dès 1821, le gouvernement mexicain traite-t-il avec des entrepreneurs américains, comme Moses Austin et son fils Stephen, qui promettent d'amener des colons et d'en faire de futurs citoyens mexicains catholiques. En 1830, 8 000 colons venus des États-Unis peuplent le Texas, en 1835, ils sont 30 000 ; presque tous viennent du Sud avec leurs esclaves. Le Mexique est vite débordé par ces hommes déterminés qui réclament l'autonomie et refusent d'être mexicains ; le général Santa Anna qui arrive au pouvoir tente alors de reprendre le contrôle. En mars 1836, les colons proclament leur indépendance et reçoivent une aide massive des États-Unis ; les combats commencent marqués par la farouche résistance de 200 Texans à Fort Alamo, renforcés par Davy Crockett et John Bowie, contre les 4 000 soldats de Santa Anna, qui finit par les submerger. L'épisode vite mythifié contribue à ranimer les enthousiasmes et, à la fin de cette même année, le Texas proclame son indépendance ; il est reconnu, quelques années après, par les États-Unis et les grandes puissances, mais le Mexique ne veut pas accepter ce fait accompli. Les pressions pour l'annexion aux États-Unis se multiplient, mais n'aboutissent pas ; en effet, le président Van Buren ne tient pas à une guerre avec le Mexique, d'autant que les milieux hostiles à l'esclavage dénoncent l'extension de celui-ci dans un territoire où quatre États pourraient être formés. La « République à une seule étoile » survit dans le cadre d'une large autonomie accordée par le Mexique, jusqu'en janvier 1845, quand les oppositions intérieures sont surmontées et que le Congrès vote l'entrée du Texas dans l'Union comme État esclavagiste. Le Mexique, considéré comme partenaire négligeable, n'a pas été consulté.

Pratiquement dans le même temps, sur les bords de l'océan Pacifique, en Californie comme en Oregon, de nouvelles pressions américaines s'exercent. Dans le second cas, la frontière est très mal précisée entre les territoires britannique et américain sans que cela pose de véritables problèmes en raison de leur éloignement. Toutefois, à partir de 1842, quelques milliers de colons, fuyant les effets de la crise de 1837 et soigneusement encadrés après une véritable campagne de presse qui leur fait miroiter les richesses de ce territoire, prennent la piste de l'Oregon à la recherche de terres riches et disponibles. Rapidement, des demandes d'annexion parviennent à Washington, les démocrates s'emparent du thème de l'Oregon dans la campagne présidentielle de 1844 qui aboutit à la victoire de James Polk. Londres, indigné par ces prétentions américaines excessives qui revendiquent jusqu'au 54°40' de latitude Nord, refuse de céder ce territoire mal connu. En réalité, aucun des deux camps ne cherche le conflit ni ne veut perdre la face – seule une minorité d'Américains se passionnent pour l'Oregon et les Britanniques ne veulent pas se battre pour une possession que la Compagnie de la Baie d'Hudson juge peu attrayante –, aussi le ton monte (« 54°40' ou la guerre ») avant qu'un compromis ne soit trouvé. Finalement, Polk feint de transiger au 49° – objectif réel depuis le début – et, en 1846, la Grande-Bretagne accepte de conclure un traité. La crise a été en grande partie artificielle, mais l'Oncle Sam a prouvé qu'il pouvait « regarder John Bull droit dans les yeux », sans sourciller.

En Californie, le contexte est légèrement différent. À partir de 1840, quelques milliers de colons américains s'installent dans ce territoire mal contrôlé par le Mexique et divisé en ranches d'élevage. Une situation à la texane semble se reproduire, bien que, cette fois, la pression sudiste ne s'exerce pas. Fin 1845, Polk propose discrètement au Mexique de lui acheter le territoire. Le gouvernement de Santa Anna, qui n'a jamais reconnu l'annexion du Texas, ne peut accepter de céder un nouveau territoire aux États-Unis, mais il sait qu'il n'a guère les moyens de s'y opposer. Une « logique de guerre » se met en place : acte symbolique avant de céder, ou occasion de récupérer une bonne somme de son riche voisin. Alors même que les colons de Californie, aidés par des troupes américaines, proclament leur indépendance, un incident confus, dans lequel les Mexicains ont été provoqués, éclate au Texas, au nord du Rio Grande qui fixe la frontière : le 25 avril 1846, 16 soldats américains sont tués. Le 13 mai, le Congrès vote la déclaration de guerre ; à la Chambre, le jeune Abraham Lincoln est indigné par les mensonges du président. Une colonne des troupes américaines s'empare de la Californie et pénètre au nord du Mexique, une autre sous le commandement du général Winfield Scott est débarquée à Vera-Cruz et s'empare de Mexico en septembre 1847. Le Mexique est contraint à traiter, en dépit des exigences confuses des Américains : les plus nationalistes veulent s'emparer de tout le Mexique, alors que le gouvernement se déclare prêt à verser une compensation pour ses conquêtes. Finalement, en février 1848, le traité de Guadalupe Hidalgo donne aux États-Unis la moitié du territoire mexicain : Texas, Californie, Nouveau-Mexique y compris les futurs États du Nevada, de l'Arizona et de l'Utah ; ils accroissent leur domaine des deux tiers. En échange, le Mexique obtient 15 millions de dollars et la fin de tout contentieux – ce qui n'empêchera pas, en 1853, les Américains de lui acheter un territoire supplémentaire, celui de Gasden, afin de supprimer un détour dans la construction d'un nouveau chemin de fer. En janvier 1848, l'or avait été découvert en Californie, une formidable ruée s'ensuivit, venue du monde entier, qui bénéficia naturellement aux États-Unis, renforcés de toutes parts.

James Polk passe à l'histoire comme le président qui a permis la réussite de l'expansion continentale, mais il préfère ne pas se représenter, ayant rempli la mission que lui avaient confiée ses mandants du parti démocrate : en dépit de cette réussite, il n'a pas pris place au Panthéon des grands présidents. La guerre de 1846, dénoncée par A. Lincoln, a été peu populaire dans le Nord, laborieusement provoquée et trop liée aux intérêts des sudistes.

On comprend qu'en 1845, dans une formule qui a fait mouche, le journaliste L. O. Sullivan ait pu parler de cette « destinée manifeste à s'étendre et à posséder la totalité du continent donné (aux États-Unis) par la providence ». Véritable politique des frontières naturelles, justifiant la doctrine de Monroe brandie par Polk, la *Manifest Destiny* a été invoquée pour justifier la diplomatie avec les forts (l'Angleterre), comme la force avec les faibles (le Mexique) ; elle est la meilleure preuve de cette formidable affirmation des États-Unis, mais la gloire a eu comme effets d'aviver des tensions internes.

Un développement contrasté

Les éléments de la « religion nationale » et le vigoureux nationalisme des années 1840 ne masquent qu'imparfaitement les réalités et les intérêts souvent divergents des grandes régions, ces « sections » dont l'affirmation identitaire peut remettre en cause l'unité de la nation.

Un essor économique diversifié

Les années qui précèdent la guerre de Sécession sont marquées par une croissance économique remarquable, de l'ordre de 4,6 % par an – chiffre qui ne sera retrouvé qu'après 1896 –, dont bénéficie l'ensemble du pays en dépit d'importantes nuances et de deux récessions notables ; la première de 1837 à 1843, venue d'Angleterre, est la plus longue avant celle de 1929 ; la seconde de 1857, plus brève, marque néanmoins un sérieux ralentissement. L'agriculture reste l'activité dominante, malgré un recul relatif puisque entre 1840 et 1860 la valeur de la production agricole passe de 66 % à 58 % de la production totale des États-Unis. Le maïs est la céréale la plus cultivée, dans l'Ouest comme dans le Sud, servant aussi bien à l'alimentation des hommes – une bouillie de farine de maïs, l'*hominy*, est la nourriture de base des esclaves – que du bétail, dont l'élevage est particulièrement productif. Le blé, produit surtout autour des Grands Lacs, est acheminé vers les grandes villes de la côte Atlantique soit par cette véritable mer intérieure des lacs puis par le canal de l'Érié qui la met en communication avec l'Hudson, soit par le chemin de fer. À ces productions vivrières, qui ne servent qu'épisodiquement au ravitaillement de l'Europe en raison du coût élevé du transport transatlantique, il faut ajouter les cultures industrielles au milieu desquelles règne sans partage le coton, dont la demande s'accroît de plus de 5 % par an. Le seul coton, cultivé dans le Sud et le Sud-Ouest, assure les 2/3 des exportations du pays vers 1860. À l'exception du coton, cultivé surtout sur de grands domaines à l'aide de la main-d'œuvre servile, la production agricole provient de fermes indépendantes qui utilisent très tôt de puissantes machines – la moissonneuse de McCormick est inventée dès 1831 – en raison du coût élevé de la main-d'œuvre salariée. La relative aisance des fermiers, en dépit de débuts âpres à cause du défrichement des terres, et bien qu'elle ne corresponde plus à l'idéal jeffersonien de petites fermes égales, explique la pression des colons pour obtenir de nouvelles terres dans l'Ouest et justifie les mouvements de colonisation.

De son côté, l'industrie connaît un premier démarrage. La phase de décollage de la révolution industrielle américaine est le plus souvent fixée vers 1843, sur les bases établies lors de la période de l'embargo de 1819, mais, en 1860, les États-Unis sont devenus un véritable pays industriel, loin derrière la Grande-Bretagne, mais pratiquement au même niveau que la France. Dès 1851 au Crystal Palace, les machines américaines surprennent le public lors de l'Exposition universelle de Londres. À la veille de la guerre civile, la valeur de la production industrielle représente 39 % de la production totale, après une phase de croissance atteignant 7,8 % par an. En dépit de l'instabilité bancaire, une certaine accumulation de capitaux et des emprunts émis souvent en Europe permettent la création d'entreprises, d'autant que la réglementation les concernant s'assouplit avec l'aide de la Cour suprême (ainsi l'arrêt *Charles River Bridge* v. *Warren Bridge* de 1837, qui privilégie l'esprit d'entreprise aux dépens des droits acquis de pont à péage). Très vite, les industriels exigent un tarif douanier protecteur pour résister à la concurrence des produits britanniques et l'obtiennent, en dépit de l'opposition du Sud. En effet, la répartition des activités industrielles est très inégale. La Nouvelle-Angleterre, région où a débuté l'industrialisation, regroupe 30 % des 1 311 000 ouvriers de 1860, surtout dans l'industrie textile. Les premières broches à coton ont été installées dès 1813 par F.C. Lowell qui donnera son nom à l'un des centres principaux de l'industrie cotonnière dans le Massachusetts ; cette firme, qui est suivie par beaucoup d'autres, emploie une main-d'œuvre essentiellement féminine (presque toujours des jeunes filles, car les femmes mariées ne travaillent que très rarement). Mais la plus importante région industrielle se situe dans les États du Centre, New York et Pennsylvanie, dans laquelle on trouve 42 % de la main-d'œuvre dans une assez grande variété d'industries légères : chaussures, industries alimentaires, confection, menuiserie, qui caractérisent le tissu industriel américain de l'époque, mais aussi de la métallurgie et des fabriques de matériel de transport dont le développement est remarquable. Plus développé qu'on ne le croit, l'Ouest regroupe 16 % des ouvriers ; il s'agit le plus souvent d'industries alimentaires liées à la transformation de la production agricole ; à l'époque, Cincinnati dépasse encore Chicago. Le niveau de développement du Sud est différent, puisque seulement 8 % des ouvriers s'y trouvent, essentiellement dans le textile et la petite métallurgie, regroupés dans les États frontaliers de ceux du Nord ; l'investissement industriel tend à y baisser avant la guerre en raison de l'influence grandissante des intérêts agrariens, diminuant encore le rôle industriel de la région qui reste « limité et partiel », caractérisé plus par des ateliers que par de véritables usines. Le manque de capitaux et de capacités industrielles va être flagrant au moment de la guerre.

Le développement industriel n'aurait pas été possible sans les progrès extraordinaires accomplis dans le domaine des transports. Longtemps, la diffusion de la production, tant agricole qu'industrielle, était restée limitée en raison de la médiocrité des routes intérieures, à l'exception de la grande voie nord-sud du Mississippi qui, à partir de 1830, est parcourue par des centaines de bateaux à vapeur à fond plat, mus par de grandes roues à aubes. Dans les autres régions, à partir des années 1820, de considérables investissements se portent sur les canaux qui constituent les grands chantiers du temps, en particulier pour relier le bassin de l'Ohio à la côte Atlantique. Mais alors que le réseau de voies navigables – le canal Érié est ouvert en 1825, assurant l'essor de New York – est sur le point de s'achever, il se trouve supplanté par les chemins de fer, beaucoup plus souples et peu sensibles aux contraintes du climat. La compagnie *Baltimore and Ohio* inaugure les premiers kilomètres de voies dès 1830, même si elle n'atteint l'Ohio que vingt ans plus tard. Les ouvriers, souvent irlandais sans formation, qui travaillaient pour les canaux les abandonnent au profit des voies ferrées. Le plus souvent, de petites compagnies exécutent des portions limitées du réseau et, en particulier dans le Sud, elles n'adoptent pas toujours ni le même écartement de voies ni le même matériel, ce qui contraint à de multiples changements pour effectuer le moindre trajet. Pourtant, peu à peu, le réseau s'améliore et s'étend ; 4 500 km de voies sont exploitées en 1840, le triple – près de 15 000 km – dix ans plus tard, et 50 000 km en 1860 à la veille de la guerre (à la même époque, l'Angleterre ne dispose que de 16 500 km). Le réseau se structure autour de la liaison entre New York et Saint Louis ou Chicago – cette dernière supplante peu à peu Cincinnati – mais le Sud a rattrapé une partie de son retard avec plus de 35 % du réseau. Les produits agricoles de l'Ouest peuvent être acheminés vers les centres urbains de l'Est et les ports, alors que les produits industriels, mais aussi les importations de thé et de café, très appréciés par les Américains, sont désormais accessibles dans tout le pays.

L'amélioration des transports permet aux États-Unis de jouer un rôle commercial accru, avec les grands ports de la Nouvelle-Orléans et de New York et l'appoint d'une flotte marchande moderne faite de *clippers* élancés qui perfectionnent la navigation à voile, avant que les vapeurs ne s'imposent. C'est particulièrement vrai sur la route de la Californie et du Pacifique qui passe par le Cap Horn. Le succès de l'ouvrage de Richard Dana, *Two Years before the Mast (Deux ans devant le mât)*, paru en 1840, révèle la fascination exercée par ces grands vaisseaux. En 1853, il n'est pas étonnant que ce soit un Américain, le commodore Perry, qui « ouvre » le premier le Japon à l'influence occidentale ; mais cette initiative importante par son symbole n'a pas beaucoup d'effet sur les relations nippo-américaines.

L'écart grandissant entre deux sociétés

En effet, si les revenus du commerce extérieur proviennent essentiellement du Sud, le progrès et les bouleversements qui caractérisent le pays se déroulent surtout au Nord. Les deux « sections » sont incontestablement composées de la même sorte d'Américains protestants et entreprenants, mais ces derniers ne choisissent pas les mêmes moyens pour atteindre la prospérité.

Urbanisation et immigration au Nord

L'industrialisation est un phénomène urbain et les villes américaines connaissent un essor remarquable durant cette période de décollage économique. Ainsi, de 1820 à 1860, la population urbaine (villes de plus de 2500 habitants) passe de plus de 7% de l'ensemble de la population à près de 20%, triplant presque alors que cette dernière ne fait que doubler. Le phénomène caractérise surtout le Nord, puisque sur les 10 villes les plus peuplées en 1860, trois sont situées au sud de la ligne Mason-Dixon qui délimite les États esclavagistes : Baltimore, la Nouvelle-Orléans et Saint-Louis. New York atteint alors plus de 600000 habitants, suivie de Philadelphie. Les États-Unis s'éloignent désormais de l'idéal agraire célébré par Jefferson. La vie dans ces villes, où se multiplient échoppes et ateliers, est souvent dure, rien n'ayant été prévu pour le logement des nouveaux arrivants ni pour l'équipement des services publics ; si certaines petites villes de Nouvelle-Angleterre gardent un temps un équilibre assez harmonieux, il n'en va pas de même dans les grands centres. De plus, les grandes villes sont le point d'entrée des immigrants, dont le nombre s'accroît rapidement et qui contribuent à l'essor de la population, dû également à une forte croissance naturelle. Ce sont eux qui occupent les nouveaux emplois industriels, acceptant souvent les pires conditions de travail.

Alors que dans la décennie 1820, le nombre de nouveaux arrivants était de 152000, il passe à près de 600000 dans les années 1830, puis à plus de 1700000 dans la décennie suivante, pour atteindre près de 2600000 dans les dix ans qui précèdent la guerre. Dans cette dernière période, les immigrants représentent plus de 9% de la population totale. À partir de 1845, cette accélération brutale correspond à l'arrivée massive des Irlandais chassés de leur île par la maladie qui ruine la culture de la pomme de terre. Au total, ce sont près de 2000000 d'Irlandais qui franchissent ainsi l'Atlantique, souvent après un séjour en Angleterre ; dans la seule année 1851, ils sont 221000, plus qu'aucun autre groupe d'immigrants durant tout le XIXe siècle. Dans leur immense majorité, ces immigrés se fixent dans les villes du Nord, puisque seulement 12% d'entre eux se décident pour le Sud et seulement dans les villes « frontalières » ; la plupart ne veulent pas travailler la terre et sont prêts à tout pour sortir de leur misère.

Avant l'arrivée massive des Irlandais, l'immigration avait été essentiellement anglaise et allemande, mais n'atteignait jamais plus de 100000 personnes par an. Le changement n'est pas seulement quantitatif, car les Irlandais forment un groupe homogène et distinct. Il s'agit de paysans misérables, profondément catholiques, la plupart dépourvus d'éducation, aux mœurs frustes et avec un penchant légendaire pour l'alcool. Ils ne ressemblent en rien à ceux qui les ont précédés, souvent venus avec un pécule et après avoir préparé leur voyage, et les Américains le leur font bien comprendre. Plus que d'autres, les Irlandais se regroupent dans les villes : ils sont sans qualification, mais refusent de s'engager sur des terres. Très naturellement, ils sont employés dans les besognes les plus dures – dockers, mineurs, manœuvres –, les patrons les payant moins et les utilisant comme briseurs de grève. Les femmes sont le plus souvent domestiques. Peu à peu, ils sont acceptés dans l'appareil du parti démocrate, car ils peuvent assurer le vote des quartiers irlandais ; nombreux sont ceux qui deviennent alors cabaretiers ou, plus tard, policiers, alors que d'autres vont, peu à peu « coloniser » l'Église catholique des États-Unis, jusque-là aux mains de prélats d'origine française. Mais cette ascension est très lente, elle se déroule sur deux ou trois générations et se heurte à des réactions de rejet de type raciste. Les Américains « de souche » n'hésitent pas à ridiculiser le grossier Paddy (surnom de l'Irlandais buveur), à moquer ses manières, à dénoncer sa violence et sa bigoterie. Contre cette immigration d'un nouveau genre, à première vue difficilement assimilable, se forme la société secrète des *Know Nothing* (pour conserver le secret, ils répondent qu'ils ne savent rien à toute interrogation) qui se transforme en parti et connaît un certain succès.

Dans les années 1850, les *Know Nothings*, forts surtout en Nouvelle-Angleterre et dans le Sud, l'emportent dans le Massachusetts et envoient 75 représentants à Washington. Ce parti nativiste s'en prend violemment aux catholiques et à leurs institutions, avant de se diviser, à partir de 1855, alors que ses thèmes de prédilection captivent de moins en moins une opinion préoccupée par la grande question de l'esclavage. Une telle réaction révèle la puissance des ondes de choc causées par l'arrivée d'une masse d'immigrants irlandais avec leurs spécificités.

D'autres immigrants débarquent aux États-Unis dans la même période, surtout des Allemands, qui se fondent plus facilement dans la société américaine. Beaucoup se fixent dans le Middle West. Ne rechignant pas au travail de la ferme, ils y fondent les premières grandes brasseries américaines ; d'autres sont recrutés dans l'industrie, où ils amènent parfois certaines traditions revendicatives.

L'importance de l'industrialisation, accompagnée de la prolétarisation d'une part de la population, a suscité l'apparition d'un jeune mouvement ouvrier. Celui-ci, dont l'activité a été rythmée par les aléas de la croissance économique, se heurte à la dispersion des entreprises et n'a pas en face de lui un pouvoir politique arbitraire et tyrannique. Cette situation justifie les patrons de s'opposer à toute organisation des travailleurs, au nom de la liberté individuelle des contrats et à pratiquer une répression très vigoureuse contre toute organisation collective. En dépit de ces difficultés, de nombreux syndicats apparaissent, qui réclament augmentation des salaires et réduction de la journée de travail. Cependant, ils seront balayés par la crise de 1837, après avoir obtenu certains résultats, comme, à partir de 1840, les dix heures quotidiennes dans la fonction publique fédérale. Il faut attendre 1852 pour que reparte une ferme revendication ouvrière ; la première fédération nationale est celle des typographes, la *National Typographical Union*, bien représentée dans le Sud. Le syndicalisme, pour durer, s'organise sur une base strictement corporative, tentant d'obtenir le monopole d'embauche *(closed shop)*, et arrachant aux patrons des avantages concrets sans remettre en cause leur autorité. Les rares tentatives politiques sont des échecs ; en revanche, ces organisations ouvrières développent souvent un rôle de secours mutuel très apprécié par les travailleurs. Le mouvement ouvrier du Sud, plus actif qu'on ne l'a souvent dit, a les mêmes caractéristiques, mais se trouve confronté à la concurrence du travail des esclaves, ce qui le conduit à condamner l'esclavage, sans qu'il renonce à ses positions racistes. Dans le Nord, les ouvriers se situent largement dans le camp des abolitionnistes – souvent sous l'influence des immigrants Européens.

La naissance chaotique du mouvement ouvrier américain est la preuve de la mutation industrielle que le pays est en train de connaître ; elle ne cessera plus.

L'essor des villes amène également le développement d'une classe bourgeoise. En son sein, apparaissent amateurs d'art et de musique, mouvement féministe – comme celui d'Amelia Bloomer, qui veut donner sa dignité à la femme en remplaçant les jupes par des pantalons bouffants – ou parents soucieux de bien élever leurs enfants. Dans les années

1840 naissent les projets d'école primaire gratuite et obligatoire et la réforme des études supérieures démarre, avec l'adoption du système des crédits, sous l'impulsion du pédagogue Horace Mann, de Boston. Les universités connaissent un premier développement, avec notamment celle de Harvard. Ces réels progrès ne parviennent pas à venir à bout du million d'illettrés qui subsistent en 1850 (en dehors des esclaves), mais le chiffre est assez faible pour 23 200 000 habitants. Il n'est pas surprenant que le *New York Times*, quotidien destiné à ces nouveaux citadins, voie le jour en 1851.

Cet essor multiforme du Nord s'accompagne aussi de l'essor des thèmes anti-esclavagistes, souvent venus de Grande-Bretagne où le mouvement abolitionniste est influent. Cette réflexion est largement répandue et contribue au bouillonnement des esprits.

En comparaison, la situation du Sud repose sur un autre type de développement.

Un système esclavagiste en pleine forme au Sud

À partir de 1820, le bouleversement économique provoqué dans le Sud par la culture extensive du coton a justifié et fortifié l'esclavage. Déjà employés sur les plantations de tabac ou de riz, les esclaves conviennent parfaitement à une culture qui exige un travail constant, pour l'entretien des plants, la préparation des sols et une intensité extrême durant le temps nécessairement réduit de la récolte. Vers 1850, près de 60 % des esclaves travaillent sur les plantations de coton ; les autres forment la main-d'œuvre pour d'autres cultures ou assurent la domesticité dans les maisons des maîtres, une petite minorité étant placée dans les ateliers et les usines (environ 250 000). En 1860, on dénombre près de 4 000 000 d'esclaves dans les quinze États esclavagistes, pour un peu plus de 8 000 000 de Blancs (il ne faut pas oublier 500 000 affranchis, dont la moitié vit dans le Nord). La répartition des esclaves varie suivant les États : ils représentent plus de la moitié de la population en Caroline du Sud et dans le Mississippi, un peu moins de la moitié en Alabama, Floride, Géorgie, Louisiane et sont nettement moins nombreux dans les États frontaliers du Nord, à l'économie plus diversifiée.

Même si les Blancs sont nombreux à posséder un ou deux esclaves, les trois quarts d'entre eux n'en possèdent aucun, puisque, en 1860, ne sont déclarés que 400 000 propriétaires d'esclaves. D'ailleurs, la moitié des esclaves sont concentrés dans des domaines en regroupant vingt ou plus, dont les propriétaires ne constituent que moins de 3 % des familles blanches. Ces quelques données prouvent que l'esclavage n'est pas universel dans le Sud, comme on pourrait le croire à première vue. Pourtant, l'influence de « l'institution particulière » est largement dominante, en raison du poids économique et social des planteurs. En effet après 1840, la demande accrue en coton assure la suprématie de ceux qui en contrôlent la production, soit directement, soit en rachetant les récoltes des petits planteurs. La vente de la fibre miracle permet au Sud de se fournir en produits industriels de qualité. Mais la variation des cours du coton amène les planteurs à toujours rechercher les meilleurs prix d'achat, ce qui aboutit à importer des produits britanniques plutôt que ceux en provenance de Nouvelle-Angleterre. Depuis 1828, cette situation a conduit le Sud à protester contre les tarifs douaniers à tendance protectionniste. Dans cette lutte, les plus riches planteurs s'assurent l'appui des petits exploitants, qui n'ont pas d'esclaves, en montrant que la prospérité du Sud dépend de la vente du coton, donc de l'esclavage. Forts de leur prestige, ils dominent les conventions politiques et détiennent la réalité du pouvoir dans ces États.

De surcroît, la vie des planteurs exerce une fascination sur le reste de la population. Les grandes maisons à péristyle, entourées de magnolias et d'arbres d'où pend la « mousse espagnole » ne sont pas les plus nombreuses, mais ce sont leurs besoins qui font vivre l'économie sudiste en raison d'un train de vie fastueux et d'un souci de paraître. Les fils de famille vont poursuivre leurs études à Paris pour les francophones de Louisiane, à Londres ou à Boston pour les autres ; ils sont souvent attirés par la carrière des armes et forment la majorité des officiers de l'armée des États-Unis. Une telle vie, de type aristocratique, a été immortalisée par le roman de Margaret Mitchell, *Autant en emporte le vent* (1936), puis par le film trois ans plus tard qui a en démultiplié l'effet avec des vedettes comme Vivien Leigh et Clark Gable. Ces œuvres donnent son aura romantique au Sud d'avant-guerre. Pourtant, ce genre de vie d'une petite élite repose sur l'exploitation des esclaves, dont on voit rarement les cases et qui apparaissent seulement comme de braves domestiques dans les images traditionnelles du Sud.

Les débats sur le sort des esclaves n'ont pas cessé, au-delà de la condamnation morale sans équivoque de « l'institution particulière ». D'un côté, le camp des Africains-Américains ou des marxisants, tel E. Genovese, insiste sur les coups de fouet permanents, sur le déchirement des familles dans des ventes inhumaines, sur les abus sexuels auxquels sont soumises les femmes noires, sur la dureté du travail, sur l'interdiction faite aux esclaves d'apprendre à lire, écrire ou prier ; l'exemple est donné de sortes de haras de Virginie dans lesquels on ferait naître les individus les plus costauds. Traités de cette façon, les esclaves ne pourraient fournir du bon travail, ils résisteraient toujours et auraient un rendement bien médiocre : à terme, le système s'effondrerait sur lui-même. De l'autre, surtout depuis les travaux économétriques de R. Fogel et S. Engermann dans *Time on the Cross*, l'accent est mis sur l'excellente productivité du travail servile – équivalente ou supérieure à celle du travail libre de l'époque – obtenue par une discipline quasi militaire et rendue possible par le bon état mental et physique d'individus bien nourris, dont le propriétaire connaît le prix et la valeur et qu'il évite soigneusement de maltraiter, d'autant plus que la fin de la traite interdit de se procurer de nouveaux esclaves.

D'autres études illustrent le maintien d'une culture noire originale puisée en partie dans les racines africaines et dont les *spirituals* sont la meilleure expression, et mettent en valeur le rôle discret mais profond des églises noires.

Il est nécessaire de situer le problème au-delà de ces deux interprétations présentées schématiquement. Par sa nature même, l'esclavage enlève toute dignité à l'homme – même à celui qui asservit – et nombreux sont les maîtres à avoir assouvi sur leurs esclaves leurs pires penchants. D'autre part, le système exige la dispersion des familles et des groupes, veille à enlever à l'esclave tout moyen de s'élever. En effet, les planteurs vivent dans la hantise d'une révolte générale de ces hommes qu'ils considèrent comme un bétail, mais dont ils redoutent la profonde humanité ; aussi, les révoltes, comme celle de Nat Turner en 1831 en Virginie, ne se répandent pas au-delà des domaines où elles apparaissent, elles sont toujours impitoyablement réprimées. Pourtant, dans le même temps, les maîtres sont conscients de posséder un véritable capital qu'il ne s'agit pas de gaspiller, en raison de l'arrêt officiel de la traite depuis 1830. Ils doivent ménager les esclaves pour espérer les faire travailler, pour les garder, pour qu'ils aient des enfants, ce qui évitera des achats de plus en plus coûteux au fil des années. Le maître fait parfois accomplir les tâches les plus dangereuses, comme le percement d'une mine, par des travailleurs blancs sous contrat, car il ne veut pas risquer la vie d'esclaves difficiles à remplacer, et le contremaître, dont la brutalité a fait fuir des esclaves, peut être licencié. Toutefois, même vivant dans des conditions acceptables, l'esclave reste soumis aux seules volontés du maître, avec l'angoisse d'un changement brutal d'attitude ; les femmes sont souvent les plus exploitées et ne peuvent refuser les exigences sexuelles des maîtres et de leurs fils ; les enfants qui naissent de ces rapports secrets sont rarement reconnus par leurs géniteurs, mais contribuent au métissage des Noirs des États-Unis.

Pour réagir contre cet état de fait, les esclaves ont recours aux pratiques religieuses clandestines, s'acharnent à tisser des liens familiaux, s'accrochent à leur culture et à ses manifestations. Dans cet équilibre toujours précaire, la natalité est cependant forte : la population noire croît de plus de 4 % par an (autant que la population blanche renforcée par l'immigration). Elle assure à elle seule l'augmentation de l'effectif, passé de 1 500 000 esclaves en 1820, à 2 500 000 vingt ans plus tard, et à 4 000 000 en 1860.

Dans ces conditions complexes, le Sud est figé dans un système archaïque, dont la dynamique du coton masque les contradictions et les effets pervers. Les planteurs parviennent à susciter une réelle cohésion de la population blanche, centrée sur la crainte du Noir et sur le mythe agrarien. Celui-ci conduit à freiner une industrialisation qui, par le salariat, minerait le système esclavagiste. Le Sud n'est pas menacé à court terme d'autant que, représentant la moitié des États et bénéficiant de l'avantage politique dont la constitution les fait bénéficier, il parvient à contrôler le Congrès des États-Unis, mais la modernisation du reste du pays suscite une crainte croissante, même si les industriels du Nord ont encore besoin de son marché et de ses produits.

Face à la différenciation des deux grandes « sections », la troisième, l'Ouest, cherche à s'affirmer. Les colons qui la peuplent répugnent à l'esclavage comme à la puissance des grandes banques de New York, qui les mettraient eux aussi en servitude. Ils se trouvent néanmoins liés au Nord par le besoin vital de terres libres vendues par le gouvernement fédéral et par les débouchés que les villes honnies représentent pour leur agriculture et leur industrie naissante.

Cette situation n'est nullement bloquée dans les années 1850. Le Sud n'est pas homogène et certains États esclavagistes – surtout le long de la ligne Mason-Dixon qui, depuis la fin du XVIIIe siècle, délimite l'extension vers le Nord de « l'institution particulière » – sont peu sensibles à la rhétorique des planteurs. De plus, de multiples liens philosophiques, économiques et familiaux unissent Nord et Sud. Pourtant, les contradictions profondes ne peuvent plus être dissimulées : les passions des hommes et la force de leurs intérêts vont les mettre à vif.

Les chemins du divorce

La crise de la nullification des années 1830 a montré jusqu'où pouvaient aller les ambitions d'une partie du Sud. Pourtant, le développement économique de la décennie suivante a préservé l'équilibre interne du pays en détournant les esprits du seul problème de l'esclavage. Néanmoins, le climat ne tarde pas à se détériorer en raison de l'hostilité grandissante de l'opinion du Nord envers l'extension de l'esclavage et du durcissement de ses partisans.

Une implacable lutte idéologique

Dans le Nord dès le début du XIXe siècle, l'hostilité à l'esclavage est assez répandue. La question a été soulevée lors du débat constitutionnel, toutefois le thème restait philosophique et abstrait. Les véritables abolitionnistes, qui militent pour une suppression immédiate de « l'institution particulière », sont peu nombreux et très isolés vers 1820. Ils se recrutent dans certaines « dénominations » protestantes et font de l'esclavage le péché absolu. Parmi eux, la figure de William L. Garrison se détache ; journaliste du Massachusetts, il est gagné par les *Quakers* à la cause anti-esclavagiste et mène une vigoureuse agitation dans ce sens, ce qui le conduit en prison. En 1831, il publie *The Liberator*, qui réclame l'abolition totale et immédiate de l'esclavage. L'écho de ce cri dépasse les 3 000 exemplaires du journal, dont seulement quatre atteignent le Sud. En 1833, l'abolition de la servitude dans les colonies britanniques stimule le mouvement aux États-Unis ; en 1839, le cas de *L'Amistad* (illustré par le film de Steven Spielberg), ce vaisseau espagnol chargé de Noirs qui échoue dans le

Connecticut, prouve que la définition de l'esclavage repose sur des principes fragiles ; les mutins sont renvoyés en Afrique car la Cour suprême ne veut pas décider de leur statut : marchandise ou être humain. Dans les années suivantes, les abolitionnistes sont de plus en plus nombreux. Ils sont environ 150 000 vers 1840, se recrutant dans les milieux intellectuels du Nord-Est. Ils admettent l'intervention des femmes dans leurs réunions, qui s'y inspirent de thèmes pour le combat féministe, comme celui que mènent les sœurs Grimke en Caroline du Sud. D'autres, comme le New-Yorkais Theodore Weld, n'hésitent pas à créer des institutions scolaires pour les Noirs affranchis : fondé en 1833 dans l'Ohio, le collège d'Oberlin est le premier du pays à admettre des Noirs et des femmes. Une autre activité des abolitionnistes consiste à organiser l'*underground railway* (chemin de fer souterrain), par lequel les esclaves qui fuient le Sud sont cachés dans des maisons amies, dotés de faux papiers ou acheminés directement vers le Canada, afin d'éviter les lois contre les fugitifs appliquées sans faiblesse dans de nombreux États du Nord. Harriet Tubman, ancienne esclave elle-même, a été l'ingénieur en chef de ce curieux réseau ; elle symbolise cette lutte pour la liberté. Les abolitionnistes, pour montrer leur force, les sudistes pour dénoncer un danger, ont eu tendance à surévaluer les résultats de cette entreprise, mais quelques dizaines de milliers d'esclaves en ont bénéficié. Par ces manifestations diverses, les abolitionnistes entretiennent l'agitation.

Les véritables abolitionnistes constituent néanmoins une petite minorité souvent dogmatique et peu réaliste, mais ils obligent d'autres antiesclavagistes à se manifester et à se situer. En effet, décréter l'abolition de l'esclavage était impossible sans l'accord, impensable, des États concernés et beaucoup de politiciens du Nord se refusent à entrer dans un combat sans issue. Mais l'opposition à l'esclavage est plus largement diffusée parmi les hommes politiques issus des *Whigs* du Nord, comme, dès les années 1830, chez les écrivains et les philosophes tels R.W. Emerson, puis Henry D. Thoreau, H. Melville ou Walt Whitman. Ces hommes refusent de suivre des extrémistes, comme Garrison et les siens, mais n'en condamnent pas moins l'esclavage sans relâche, au nom de principes moraux. En 1852, dans ce contexte de tension grandissante entre le Nord et le Sud, *La Case de l'Oncle Tom* d'Harriet Beecher-Stowe connaît un immense succès aux États-Unis comme en Europe. L'ouvrage de cette fille et épouse de pasteurs insiste sur l'amoralité profonde et les horreurs de la situation de l'esclave, présenté de manière très paternaliste ; il devient néanmoins une arme remarquable contre « l'institution particulière ».

Sans représenter l'ensemble de la société du Nord, l'antiesclavagisme, sous ses diverses formes, constitue un ferment essentiel au sein de celle-ci. Il ne débouche pourtant pas sur des options très claires ; les uns envisagent de renvoyer les Noirs en Afrique, les autres souhaitent des mesures politiques pour limiter l'extension de l'esclavage. En 1847, les premiers ont abouti à la création du Liberia sur la côte occidentale de l'Afrique ; l'*American Colonization Society* a distribué à quelques milliers d'esclaves affranchis des terres achetées dans cette région. Pourtant, de telles initiatives très ambiguës n'offrent aucune solution d'ensemble. Les seconds se heurtent, toujours, au refus obstiné du Sud d'envisager la moindre évolution.

Vue du Sud et renforcée par les actions spectaculaires des abolitionnistes purs et durs, la montée de l'opposition à l'esclavage constitue une redoutable menace. D'autant plus que l'esclavage est en recul partout dans le monde, aboli dès 1833 dans les Antilles anglaises, puis en 1848 par la IIe République française dans ses propres colonies. Pour réagir contre cette situation, les sudistes, qui considéraient au début du XIXe siècle l'esclavage comme un fléau qu'il fallait supporter car impossible à supprimer, défendent de plus en plus sa justification. Le vieux John Calhoun de Caroline du Sud comme le Virginien George Fitzhugh vantent l'esclavage qui assure la stabilité sociale et évite la lutte des classes telle qu'elle apparaît au Nord, il protège une race inférieure incapable de survivre sans cette autorité. De surcroît pour ceux-là, l'esclavage est fondé sur la Bible et admis par la Constitution des États-Unis; il permettrait même de préserver la survie d'une véritable démocratie, ruinée, dans le Nord, par l'intrusion des masses populaires et du matérialisme, sous-produits de l'industrialisation et de l'urbanisation. Les sudistes extrémistes conçoivent leur société comme meilleure que celle du Nord, car plus conforme aux véritables traditions américaines, telles qu'elles se sont développées au sud de la ligne Mason-Dixon.

Une telle argumentation se durcit au fil des années, nourrie et justifiée par les manifestations antiesclavagistes. Elle ne convainc pas l'ensemble des habitants du Sud, elle est même réfutée par ceux qui demeurent attachés à l'Union, surtout nombreux dans les États frontaliers. Elle n'en forme pas moins une idéologie dominante qui associe étroitement Sud et esclavage, faisant du maintien de celui-ci, l'assurance de la survie de celui-là. Nombreux sont les Blancs de la région qui sont sensibles à cet aspect d'une rhétorique qui, pour eux, ne débouche pas nécessairement sur la rupture de la Grande République.

Le compromis impossible : 1820-1852

Les oppositions entre Nord et Sud sont apparues dès les premières années de l'Union, mais, à chaque fois, l'apaisement était venu. La Constitution avait renforcé les États ayant des esclaves en permettant de les comptabiliser dans le découpage des circonscriptions et, en 1820, le compromis du Missouri avait permis de régler le cas des territoires issus de l'acquisition de la Louisiane. En effet, la limite du 36°30' de latitude Nord forme la frontière septentrionale du Missouri farouchement esclavagiste, au-delà de laquelle l'esclavage n'est pas admis et, pour maintenir l'équilibre entre les deux régions, le Maine est admis simultanément comme État libre. Cette solution semblait naturelle et sans risque à un moment où le Sud amorçait à peine sa croissance liée au coton. De plus, cela permettait de maintenir l'égalité puisqu'aux douze États esclavagistes, faisaient face douze États libres. Ce subtil équilibre est maintenu jusqu'en 1848 avec quatorze à quinze États de chaque côté ; démocrates et *whigs* sont présents dans tout le pays, ils œuvrent pour ces compromis douteux, afin d'éviter à tout prix une rupture catastrophique pour tous.

En 1846, David Wilmot, représentant démocrate de Pennsylvanie et futur défenseur de l'Union, tente de faire voter un amendement à la loi qui finançait la guerre contre le Mexique : afin d'interdire l'esclavage dans tous les nouveaux territoires acquis à la suite de celle-ci. Les tensions se cristallisent en effet autour de la question des nouveaux territoires, obtenus avec l'aura de la *Manifest Destiny*. Les sudistes sont d'ailleurs très actifs dans le mécanisme qui aboutit aux conquêtes, bénéficiant souvent de leur ancienneté au Congrès qui leur permet de peser sur les décisions. Ils veulent par là accroître l'espace vital du Sud, en étendant la culture du coton et en y introduisant l'esclavage; cela devrait permettre de créer de nouveaux États et d'assurer, au moins, le maintien de l'équilibre traditionnel. Ainsi du Texas, et ce n'est pas un hasard si les tentatives d'expansion, avortées, vers Cuba ou le Nicaragua, ont été menées par des sudistes. Sans qu'il faille y voir un complot organisé soigneusement par les esclavagistes, comme le prétendent et le craignent les abolitionnistes, cette pression sudiste est incontestable. La victoire sur le Mexique, qui donne aux États-Unis un immense territoire méridional, va poser clairement le problème : l'esclavage doit-il s'étendre à ce point, sachant qu'il ne peut s'étendre en Oregon obtenu en même temps ?

Une partie de la réponse vient de la Californie : elle rejoint le camp des États libres. Cette question cruciale de l'extension de l'esclavage conduit à l'effritement des solidarités partisanes ; en effet, les démocrates sont de plus en plus dominés par le Sud et les *whigs* se divisent profondément sur la question, alors qu'au Nord et dans l'Ouest fleurissent des groupes hostiles à toute extension de l'esclavage, comme les *Free Soilers* ; ces derniers sont indifférents envers l'esclavage, mais se mobilisent contre son extension dans les terres de colonisation car eux-mêmes veulent y accéder librement sans subir la concurrence du travail servile. Cette situation confuse explique que le sort définitif des territoires acquis sur le Mexique n'ait été réglé qu'en 1850 au milieu d'intenses controverses. Pour beaucoup d'observateurs, il s'agit d'une dernière chance. D'ailleurs, dans les débats du Congrès, prennent la parole, parfois pour la dernière fois, les grands ténors des années précédentes. Henry Clay propose un compromis conçu pour satisfaire le Sud sans compromettre les grands principes de l'Union, D. Webster plaide aussi pour l'Union, qui doit s'imposer sans contrainte, John Calhoun, une fois de plus, réaffirme les droits du Sud sur les territoires et s'indigne de la campagne abolitionniste, alors que le « *conscience whig* » William Seward refuse une solution indigne, qui favoriserait le Sud esclavagiste. Le tout jeune Stephen A. Douglas, représentant démocrate de l'Illinois, parvient subtilement au compromis final, voté en septembre. La Californie entre dans l'Union en État libre, mais le Nouveau-Mexique et l'Utah auront le choix de leur statut, après un vote démocratique des habitants. Une nouvelle loi sur les esclaves fugitifs est adoptée – condition mise par le Sud à son accord – et, mesure plus symbolique que concrète, le commerce des esclaves est interdit à Washington ; enfin le contentieux texan est réglé.

Ce laborieux compromis dissimule à peine de profondes divisions ; les démocrates sont parvenus à maintenir leur unité, mais l'éclatement des *whigs* est consommé et apparaît clairement lors de l'élection de 1852, qui donne la victoire au démocrate Franklin Pierce du New Hampshire, totalement soumis aux volontés sudistes. Par ailleurs, l'accord de 1850 n'a pas apaisé la colère des antiesclavagistes, d'autant qu'une partie des représentants californiens est favorable aux thèses sudistes et que la loi sur les fugitifs leur paraît une véritable provocation (elle avive la résistance des abolitionnistes et accélère l'*underground railway*). Enfin, les sudistes sentent bien que l'expansion territoriale risque désormais de leur échapper, puisque les territoires potentiels se trouvent tous au nord des régions cotonnières, dans lesquelles beaucoup d'Américains admettaient la présence d'esclaves.

La faille, 1854-1859

Alors que, dans les deux camps, les extrêmes ne désarment pas, la gestion des terres fédérales pose à nouveau des problèmes. En effet, une partie des grandes plaines comprises dans l'acquisition de la Louisiane peut être organisée en nouveaux États. Cela intéresse particulièrement les colons de l'Ouest ainsi que les promoteurs d'un futur chemin de fer transcontinental par la voie centrale, la plus rapide par rapport aux projets émanant des partisans de la route méridionale. S. Douglas représente ces intérêts, mais il sait que jamais le Sud n'acceptera la création d'États situés au-delà de la fameuse ligne du 36°30' de la latitude Nord sans contrepartie. De fait, le projet de création du Kansas, proposé en 1853, n'avance pas, avant que l'habile représentant de l'Illinois n'imagine un nouveau compromis capable de sortir de l'impasse. Au début de 1854, il propose d'ignorer le compromis du Missouri et de constituer deux nouveaux États, le Kansas et le Nebraska, dont la population décidera elle-même de sa position envers l'esclavage : cette apparente ouverture démocratique est un leurre dans la mesure où ces territoires sont alors très peu peuplés. Mais il donne un gage aux sudistes et se fait défenseur du droit des États, dans la plus pure tradition démocrate. Cette fois, le compromis est totalement artificiel puisque les colons du Kansas ne sont pas propriétaires d'esclaves et que le Nebraska est septentrional et peu peuplé. Pourtant en mai 1854, sous la pression des sudistes, la loi Kansas-Nebraska est votée.

Cette mesure déchaîne les passions, car Douglas a ouvert la boîte de Pandore. Les esclaves fugitifs ne sont plus remis à leurs maîtres, sans que le gouvernement puisse faire respecter la loi, et les abolitionnistes s'empressent d'envoyer de nouveaux colons dans le territoire du Kansas avant le vote qui décidera, en mars 1855, de la position envers l'esclavage. Les propriétaires d'esclaves du Missouri voisin se précipitent également dans le nouveau territoire pour le coloniser et s'inscrire sur les listes électorales. Dans chaque camp, le ton monte et les armes sont prêtes à l'usage ; des milices aux noms vengeurs se forment. Les élections, truquées, donnent la victoire aux esclavagistes ; ce résultat reconnu par Washington ne l'est pas par l'autre camp qui forme son propre gouvernement. Les affrontements sont constants, des commandos attaquent le quartier général des abolitionnistes, dont leur chef charismatique, John Brown, n'hésite pas à exécuter cinq esclavagistes en représailles ; deux cents personnes perdent la vie dans ces affrontements et la guerre civile menace, les journalistes évoquent un Kansas « qui saigne » et le faible président Pierce est impuissant à faire respecter la loi et l'ordre. Il faut attendre qu'un nouveau gouverneur fasse appel aux troupes fédérales pour que le calme revienne, sans que le problème de fond ne soit réglé, d'autant que certains officiers sont sudistes. Le mal est fait, des bagarres ont lieu au Sénat, les extrémistes semblent sur le point de l'emporter : la seule certitude vient de l'impossibilité d'un nouveau compromis.

En effet, l'équilibre des partis politiques est définitivement rompu et l'élection présidentielle de 1856 ne résout rien. Les *whigs* disparaissent, divisés en multiples fractions ; seuls les démocrates ont encore une structure nationale dominée par le bloc sudiste et ils choisissent James Buchanan, de Pennsylvanie, fidèle soutien de leurs positions. En face, plusieurs candidats parmi lesquels se détache, pour le nouveau parti républicain, John C. Frémont, explorateur bien connu des pistes de l'Ouest. En effet, en 1854 est né le parti républicain présent uniquement dans le Nord et dans l'Ouest : il est issu du regroupement de démocrates découragés, de *whigs* hostiles à l'esclavage, de *Free Soilers* qui veulent surtout qu'il ne s'étende pas, et d'abolitionnistes décidés à agir. Buchanan l'emporte largement avec 45 % des voix, contre 33 % à son principal opposant, qui a obtenu ses suffrages seulement dans des États libres. Le mandat de Buchanan est continuellement dominé par la question de l'esclavage et alourdi par la crise économique qui éclate en 1857 ; le président n'est pas plus capable de résoudre la première que la seconde.

L'affaire du Kansas contribue à maintenir la tension, puisque le nouveau président accepte le résultat de l'élection de 1855 et considère le nouvel État comme aussi esclavagiste que la Géorgie. Toutefois, en 1858, de nouvelles élections locales ont lieu, qui donnent une victoire incontestable aux antiesclavagistes ; le parti démocrate se divise, car S. Douglas et ses collègues du Nord choisissent de reconnaître ce résultat. Ainsi le Kansas, auquel vont se joindre le Minnesota, puis, en 1859, l'Oregon, renforce-t-il le camp des États libres. Les sudistes exacerbés ne le pardonnent pas à Douglas et perdent, désormais, tout espoir d'élargir substantiellement leur domaine.

Cette défaite a été, à leurs yeux, largement compensée par l'arrêt qu'a rendu la Cour suprême : *Dred Scott* v. *Sandford*, en mars 1857. L'affaire, fort complexe, révèle la volonté de la Cour, dont le juge en chef est Roger Taney depuis 1835, de statuer au fond la question de l'esclavage. En effet, rien n'obligeait la Cour à se saisir de la plainte de l'esclave Dred Scott contre l'un de ses maîtres, qui veut faire reconnaître sa liberté et son droit à la citoyenneté, en raison de son séjour prolongé au Nord du 36°30' de latitude, là où l'esclavage n'existait pas selon le compromis du Missouri.

Arrêt Dred Scott contre Sandford (1857) (extraits)

En 1834, Dred Scott, un esclave noir, a été amené par son maître, Sandford, du Missouri, État esclavagiste, dans le territoire du Wisconsin, où l'esclavage était interdit en vertu du compromis du Missouri de 1820. Dred Scott fut, par la suite, ramené dans le Missouri ; ayant séjourné dans un territoire « libre », il intenta un procès – devant la cour de Circuit du Missouri – à son maître, afin d'obtenir la liberté. Après appel, la Cour suprême rendit son arrêt en 1857.

Le plaignant par erreur [...] était, avec sa femme et ses enfants, tenus comme esclaves par le défendeur dans l'État du Missouri et il présenta son cas devant la Cour de Circuit des États-Unis pour ce district, afin que soit affirmé le droit à la liberté pour lui et sa famille [...]

Le défendeur prétendit [...] que le plaignant ne pouvait être un citoyen de l'État du Missouri... car il est nègre d'ascendance africaine dont les ancêtres, de pur sang africain, ont été amenés et vendus dans ce pays comme esclaves. [...]

La question est simplement celle-ci : un nègre, dont les ancêtres ont été importés et vendus comme esclaves dans ce pays, peut-il devenir membre de la communauté politique constituée et créée par la Constitution des États-Unis, et, en tant que tel, avoir droit à tous les droits, privilèges et immunités garantis au citoyen par ce texte ? Un de ces droits est celui d'intenter une action [...] devant une cour des États-Unis.

[...]

En discutant cette question nous ne devons pas confondre les droits de citoyenneté qu'un État peut conférer à l'intérieur de ses limites avec ceux qui sont inhérents à un membre de l'Union. Celui qui a les droits et les privilèges de citoyen d'un État n'est pas nécessairement, par là, citoyen des États-Unis. [...]

Le problème se pose alors de savoir si les articles de la Constitution [...] s'appliquaient à la race africaine nègre telle qu'elle était dans ce pays ou y serait amenée [...] telle que ses membres pourraient être libérés dans un des États, et, par là, devenir citoyens des États-Unis, investis des droits de citoyen dans tous les autres États sans même le consentement de ceux-ci.

[...]

Pour la Cour, la législation et l'histoire de l'époque, comme le langage utilisé dans la Déclaration d'Indépendance, montrent que, pas plus la catégorie de personnes venues comme esclaves que leurs descendants, libérés ou non, n'étaient reconnus comme partie prenante du peuple ni comme inclus dans les phrases de ce document mémorable. [...]

Après une étude longue et soigneuse du sujet, la Cour, pense [...] que Dred Scott n'était pas citoyen du Missouri dans le sens de la Constitution des États-Unis et, qu'en conséquence, il ne pouvait intenter une action devant leurs tribunaux [...]

Mais il reste à savoir si le plaignant avançait des faits pouvant lui donner la liberté [...]

L'Acte du Congrès sur lequel le plaignant se fonde déclare que l'esclavage et la servitude involontaire [...] seront à jamais interdits dans tout le territoire cédé par la France sous le nom de Louisiane, au nord du 36°30' de latitude et non compris dans les limites du Missouri.

Les droits de propriété privée sont préservés avec soin. Aussi les droits de propriété sont-ils unis avec ceux de la personne et placés sur le même plan par le 5e amendement de la Constitution [...]. Un Acte du Congrès qui prive une personne des États-Unis de sa liberté ou de sa propriété, simplement parce que cette personne est venue, avec ses biens, dans un territoire des États-Unis, sans avoir enfreint de lois, peut difficilement être qualifié de procédure juste de la loi [...].

Actuellement [...] le droit de posséder un esclave est clairement et expressément affirmé dans la Constitution [...] Et aucun terme de cette Constitution ne donne au Congrès un pouvoir supérieur sur la propriété d'un esclave à celui qu'il peut avoir sur tout autre type de propriété [...].

Aussi la Cour pense que l'Acte du Congrès qui a interdit à un citoyen de détenir et de posséder une propriété de ce type dans le territoire des États-Unis, au nord de la ligne mentionnée, n'est pas autorisé par la Constitution, il est donc nul ; aussi ni Dred Scott lui-même ni aucun membre de sa famille n'a été libéré parce qu'il a été amené dans ce territoire ; ils ne l'auraient pas été plus si leur maître avait décidé d'en devenir résident permanent. [...]

Source : *in* H.S. Commager, *Documents of American History*, p. 339-345.

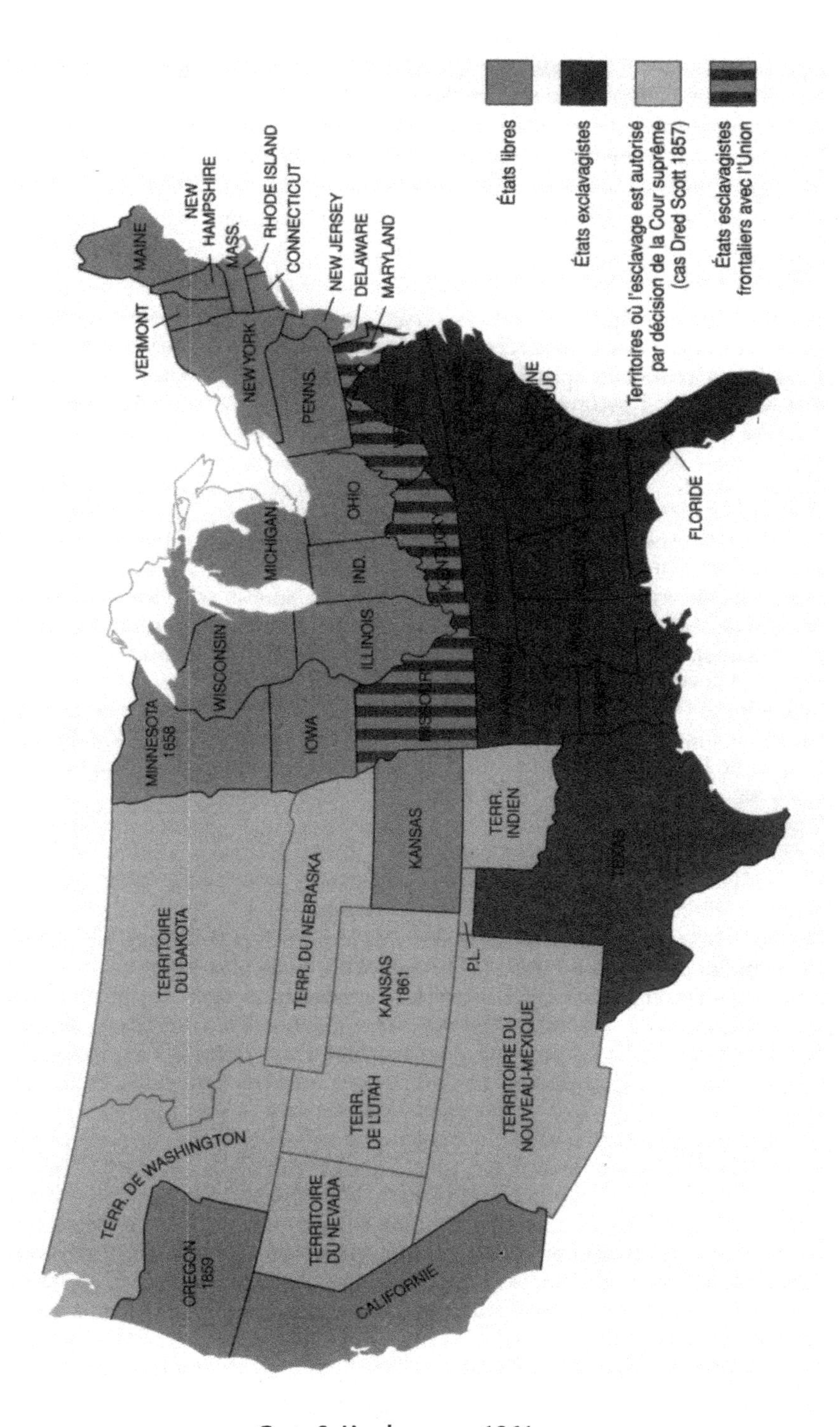

Carte 3. L'esclavage en 1861

Par ce jugement qui annule le compromis du Missouri, l'esclavage est partout chez lui et aucun esclave ne peut compter sur la loi pour être affranchi. Il s'agit de la justification que n'attendaient plus les sudistes les plus dogmatiques.

Au Nord, le tollé est immédiat car la Cour, loin d'avoir tranché le débat, l'a rendu national, elle y a rendu l'esclavage encore plus intolérable, en particulier pour les *Free Soilers* : les passions sont à leur comble. Les républicains dénoncent un complot délibéré, les démocrates modérés sont consternés, qui choisissent une position raisonnable dans le règlement de l'affaire du Kansas, tous les journaux s'enflamment.

Alors que chaque nouvel événement contribue à accroître la tension, le moindre incident peut désormais déchaîner la violence. Celle-ci éclate en octobre 1859, quand l'abolitionniste J. Brown s'empare avec quelques hommes de l'arsenal fédéral d'Harper's Ferry en Virginie pour y saisir des armes et appeler à la révolte des esclaves. Le combat avec la milice est bref, et il faut l'intervention des *Marines* pour se saisir de Brown, qui est jugé sommairement par un tribunal d'État et pendu en décembre 1859. Les sudistes sont persuadés qu'il s'agit là de la première étape d'une invasion nordiste et ils évoquent les horreurs des combats serviles à Haïti. Au Nord, si la plupart condamnent l'action brutale et désespérée de Brown, beaucoup, au-delà du cercle des abolitionnistes, sont émus par le courage et la dignité du personnage, jusqu'à Victor Hugo qui évoque magnifiquement sa mémoire.

Le malentendu est total entre les deux « sections » et les modérés ne parviennent plus à se faire entendre. Tous attendent avec angoisse l'élection de 1860, rendue incertaine par l'éclatement des partis traditionnels et l'émergence de nouvelles forces.

L'élection de 1860 : le tournant

Rarement climat électoral a-t-il été aussi tendu aux États-Unis qu'en cet automne de 1860. Les démocrates présentent, malgré des tentatives de dernière minute, deux candidats, reflétant l'éclatement du parti. D'un côté, S. Douglas, qui refusait de se prononcer sur l'esclavage et acceptait l'arrêt de la Cour suprême, mais qui avait dressé contre lui de nombreux sudistes ; de l'autre, John C. Breckinridge du Kentucky, dont les partisans réclament la reconnaissance constitutionnelle de l'esclavage. À Chicago, les républicains ont investi Abraham Lincoln de l'Illinois au détriment de John Seward de New York, connu pour ses positions affirmées qui, en 1859, annonce un « irrépressible conflit ». Lincoln n'est pas encore très connu, mais il fait figure de modéré issu des rangs *whigs* et a acquis une stature nationale lors de ses débats de 1858 avec S. Douglas, pour la conquête d'un siège de sénateur de l'Illinois, qui lui a échappé de justesse. Lincoln a, en cette occasion, révélé sa hauteur de vue : il a su réaffirmer avec une grande fermeté les grands principes de la démocratie américaine et de la nécessité de l'Union ; il n'a pas pris une position tranchée au sujet de l'esclavage, mais il l'abhorre au nom de la morale et en condamne sans aucune réserve l'extension. Pour lui, l'institution particulière mine l'édifice national : « Une maison divisée contre elle-même ne peut tenir debout ! »

Si nombreux sont les abolitionnistes à s'interroger sur la personnalité et les convictions du candidat républicain, les sudistes sont persuadés – ignorant le sens politique de Lincoln – qu'une victoire de ce dernier constituerait une catastrophe, qui les condamnerait à terme en les privant de leurs territoires.

Lincoln l'emporte avec près de 40 % des voix, contre 29,4 % à Douglas, 18,1 % à Breckinridge et 12,6 % à J. Bell (candidat *whig*). Mais plus significative est la répartition géographique de cette victoire – largement assurée sur le plan des grands électeurs, il en rassemble 180 sur 303 – puisque Lincoln, qui ne récolte aucune voix dans le Sud, l'emporte dans tous les États libres à l'exception du New Jersey. Breckinridge est vainqueur dans tous les États cotonniers, Bell dans le Tennessee et le Kentucky frontaliers, et Douglas dans le seul Missouri.

Les sudistes les plus déterminés, qui ont prévu cette éventualité, ne perdent pas de temps. Ils revendiquent le droit des États à choisir leur appartenance à l'Union, qui avait déjà été affirmé lors de la querelle de la « nullification ». Dans un climat d'euphorie, l'assemblée de Caroline du Sud fait sécession dès le 20 décembre 1860 ; cet État, toujours à la pointe du combat sudiste, est rejoint le 1er février suivant par l'Alabama, la Géorgie, la Floride, la Louisiane, le Mississippi et le Texas. Dans le Sud profond dont la prospérité repose sur le coton, l'exaltation est à son comble, faite d'orgueil et de la joie d'en finir. Rapidement, ces sept États forment la Confédération des États d'Amérique et élisent comme président Jefferson Davis du Mississippi, ancien ministre de la Guerre de Pierce. Pourtant, alors même que Lincoln n'est pas encore entré en fonction, huit autres États esclavagistes sont dans l'expectative, les sentiments unionistes restent vigoureux dans la plupart, alors que la Virginie fait le choix d'une une large autonomie des États.

Les tentatives de compromis ne manquent pas pour éviter le pire. Les uns sont prêts à reconnaître l'esclavage là où il existe déjà, d'autres sont à la recherche d'un nouveau compromis sur les territoires, mais les confédérés ne veulent rien entendre et le président Buchanan se garde bien de toute initiative. Le 4 mars 1861, quand Lincoln entre à la Maison-Blanche, il est décidé à maintenir l'Union et pour cela à éviter que la Confédération soit renforcée par d'autres États ni reconnue par des pays étrangers. Son attention va se cristalliser sur le sort des places fortes fédérales qui se trouvent dans le territoire confédéré, alors que les relations postales sont en voie d'être interrompues. Le Fort Sumter, dans la baie de Charleston en Caroline du Sud, concentre tous les regards ; sa garnison doit-elle être renforcée, ravitaillée ou évacuée ? Lincoln se décide pour un ravitaillement maritime, mais avant que celui-ci n'arrive, les confédérés refusent la reddition du major Anderson qui commande le fort et, le 12 avril au petit matin, ils entreprennent le bombardement qui doit aboutir au même résultat. Les extrémistes l'ont emporté, afin d'interdire un compromis de dernière minute et d'entraîner derrière eux les hésitants.

Lincoln, considéré par certains de ses ministres comme un petit avocat de province, ne faiblit pas et, dès le 15 avril, mobilise 75 000 hommes pour venir à bout de la rébellion. Après des débats forcenés et avant le 20 mai, la Virginie – dont la partie occidentale fidèle à l'Union se sépare –, puis l'Arkansas, le Tennessee et la Caroline du Nord rejoignent la Confédération, souvent au nom du droit des États à faire sécession. Les quatre derniers États à esclaves, Kentucky, Missouri, Maryland et Delaware restent dans l'Union, malgré de profondes divisions.

La guerre civile a commencé. Les historiens se sont beaucoup interrogé pour savoir si elle aurait pu être évitée, mais la question est vaine. Le problème de l'esclavage était devenu dominant dans les esprits, une incompréhension absolue régnait entre les chefs du Sud et ceux du Nord, les compromis, qui avaient fini par vicier l'ensemble du climat, sont désormais impossibles. Le rétablissement d'un équilibre particulièrement instable aurait demandé une imagination extraordinaire et une volonté commune qui n'existaient plus, puisque tout avait été essayé. La guerre a semblé une issue, nul ne pensait qu'elle allait durer quatre ans.

Chapitre 2

Une guerre civile (1861-1865)

Les Américains parlent toujours de « civil war » : cette expression rend bien mieux compte de l'importance considérable de ce conflit pour les Américains que celle de « guerre de Sécession » adoptée depuis en Europe. Sans doute, les onze États du Sud ont-ils quitté l'Union, revendiquant leur droit à la sécession, qui n'existe pas explicitement dans les textes fondateurs, mais ils le font en s'affirmant plus américains que leurs cousins du Nord, en s'accrochant, à leur façon, aux valeurs de la révolution de 1776. Lincoln et les unionistes refusent viscéralement cette option et vont parvenir, au bout de quatre ans, à imposer leur conception de l'Union et à l'emporter. Sans cela, le terme de Sécession se serait sans doute imposé, surtout si les grandes puissances avaient reconnu la Confédération, mais, en dépit de nombreuses hésitations, elles n'ont pas franchi le pas. D'ailleurs en 1863, l'annonce de la libération des esclaves rend la guerre encore plus civile en augmentant d'autant, sans encore l'officialiser, le nombre des citoyens des États-Unis et, pour les étrangers, cette décision donne enfin un sens noble à ce conflit inexpiable. Enfin, comment une guerre, qui a fait 620 000 victimes (soit plus que toutes les guerres des États-Unis réunies qui ont suivi, y compris les deux guerres mondiales) et des centaines de milliers de blessés, souvent au sein de familles désunies, dans le cercle des amis des uns et des autres, ne serait-elle pas, avant tout, civile ?

Rien d'étonnant, dans ces conditions, que la plupart des monuments aux morts des États-Unis soient dédiés aux victimes de *Civil War* ; qu'Abraham Lincoln soit devenu le héros américain par excellence objet de milliers d'ouvrages, flanqué parfois de Robert Lee, le « noble » général en chef des armées du Sud ; ou que, à la fin du XXe siècle, l'audience ait été considérable quand fut diffusé à la télévision un bon documentaire de Ken Burns consacré à cette guerre (traduit, il est passé en France en 2008). Ce chapitre a pour but d'analyser les données de ce conflit, ses étapes, de connaître ses acteurs principaux, afin que les lecteurs comprennent que la guerre civile constitue la matrice d'un pays profondément renouvelé.

Une guerre annoncée, mais mal préparée

Bien que les raisons profondes de la guerre soient anciennes, les États-Unis, confédérés ou unionistes, n'ont rien fait pour la préparer ni pour y faire face ; ils ne l'ont même pas imaginée. Les ressources n'avaient pas été mobilisées, les hommes n'avaient pas été entraînés dans cette perspective, leurs officiers n'avaient qu'une expérience limitée des combats et les armements étaient obsolètes.

Une guerre nécessaire ?

Il est indispensable de revenir, à nouveau, sur la genèse du conflit. En dépit des oppositions diverses entre les deux principales « sections », l'appel à la force avait toujours été écarté lors de la querelle de la « nullification » ou très circonscrit dans le cas du Kansas. En chaque occasion, la modération finissait par l'emporter, les extrémistes n'avaient pas été suivis et étaient largement dénoncés comme de dangereux « terroristes ». Au fil des années, la différenciation économique s'est accentuée, mais ne laisse présager aucun conflit. Les Américains ont compris très tôt que la guerre coûte souvent plus cher qu'elle ne peut rapporter, c'est pourquoi ils n'ont pas hésité à payer pour la Louisiane, ou à dédommager partiellement le Mexique. Les circonstances de la guerre d'Indépendance n'ont pas éveillé dans l'opinion de fierté militariste ; la stature de Washington était d'autant plus grande que, général victorieux, il s'était retiré sans façon sur ses terres. Et la guerre de 1812, dont la fin heureuse occulte les désastres initiaux, n'a pas modifié profondément cet état d'esprit peu belliciste.

La question de l'esclavage n'a pas été réglée au moment de la rédaction de la Constitution et elle pèse de plus en plus sur l'esprit public : les compromis successifs ont entretenu chaque camp dans l'illusion que l'on trouverait toujours une solution pacifique, mais ils ne réglaient rien. Or, dans les années 1850, le fossé est devenu infranchissable entre les meneurs d'opinion du Nord et du Sud. Les derniers n'admettent plus aucune critique de l'esclavage, alors que les premiers sont amenés à condamner de plus en plus fermement « l'institution particulière ». L'abolitionnisme est tabou au sud de la ligne Mason-Dixon : les journaux qui le propagent sont interdits, des violences physiques sont exercées contre les audacieux qui l'évoquent et le candidat républicain, en 1856 comme en 1860, n'y recueille presque aucun suffrage. La désinformation est telle que les républicains sont nécessairement assimilés à des abolitionnistes, et que, réciproquement, tout sudiste est considéré, par les antiesclavagistes, comme un comploteur cherchant à étendre à tout le pays l'esclavage honni. L'historiographie traditionnelle, à la recherche d'une explication consensuelle, reproche souvent aux abolitionnistes d'avoir versé de l'huile sur le feu et d'avoir joué les provocateurs en laissant croire qu'un nouveau compromis aurait été possible qui aurait évité la guerre. Mais quel nouvel accord aurait pu être trouvé ? L'esclavage limité à son territoire traditionnel aurait pu subsister un temps – en 1860, c'était d'ailleurs le souhait d'un Lincoln et des républicains modérés ; mais, pour cela, il aurait fallu que les leaders du Sud admettent que l'institution particulière était condamnée à terme. Or, toutes les données prouvent que le système esclavagiste n'est nullement moribond en 1860 et que ses défenseurs, en bons Américains dynamiques, poussent à son extension illimitée et n'envisagent jamais sa disparition. Les États-Unis auraient-ils pu survivre jusqu'en 1900 – comme le prévoyaient certains projets d'affranchissement progressif avec indemnisation des propriétaires – avec cette tache honteuse ?

Le rôle des abolitionnistes a été essentiel pour fixer les esprits, pour interdire tout nouveau compromis, mais ils n'offrent pas de solution pratique pour atteindre leur but. Les sudistes l'ont bien compris et se sont laissé conduire par leurs extrémistes. Cette conjonction d'intolérances réciproques, peut-être salutaire, oblige à trancher le nœud gordien et conduit à la guerre ; le hasard a placé Fort Sumter en Caroline du Sud, l'État le plus déterminé dans son affirmation identitaire « sudiste », qui a mis le feu à la poudrière.

Le triomphe des extrémistes montre bien que l'esclavage est la cause déterminante du conflit, même s'il est soutenu par un faisceau d'autres raisons secondaires. Mais l'arrivée par surprise de la guerre explique qu'aucun camp n'ait jugé bon de faire de réels préparatifs militaires, et sa durée ne pouvait même pas être imaginée.

Dans cette égale impréparation, le Nord semble disposer de ressources plus considérables que le Sud, de moyens sans comparaison avec ceux de ces États que Lincoln considère comme rebelles.

Quels buts et quels moyens pour la guerre ?

Les belligérants n'ont ni les mêmes buts de guerre ni les mêmes moyens pour les atteindre.

Le Sud, qui a pris l'initiative, veut se faire reconnaître comme entité indépendante, ayant perdu espoir de contrôler une Union qui lui échappe depuis l'arrivée au pouvoir des républicains et l'extension du pays vers l'Ouest. Il cherche à préserver son type de société et d'économie. La guerre sudiste est donc essentiellement défensive, elle vise à vaincre l'ennemi pour lui faire accepter cet état de fait, ou, au pire, à l'épuiser pour arriver au même résultat. Aucune ambition territoriale, au-delà des territoires non encore déterminés, tout au plus le but stratégique de s'emparer de la ville de Washington, si proche du Sud et dont l'importance symbolique est considérable pour le Nord. Pour mener une telle guerre, la Confédération doit conserver sa liberté d'accès aux marchés européens où elle écoule son coton et d'où elle tire l'essentiel de son approvisionnement.

Le Nord doit prouver qu'il détient la vérité et parvenir à supprimer le double danger représenté par la Sécession : constituer un exemple catastrophique pour le maintien de l'Union et perpétuer une forme d'exploitation de l'homme par l'homme, devenue antinomique par rapport aux valeurs américaines. Mais une telle ambition nécessite l'élimination complète de la Confédération, soit par victoire totale, soit par étranglement progressif, mais sans possibilité de demi-mesure. Aucun compromis n'est envisageable, ce qui nécessite une volonté de fer. Les troupes de l'Union doivent encercler le Sud et y pénétrer pour arriver à leurs fins ; d'ailleurs, dans les premiers temps, le but militaire unique est de prendre Richmond, la capitale, située à moins de 150 kilomètres de Washington. Le Nord doit mener l'offensive tout en contrôlant les voies de communication du Sud ; tâche considérable, qui sera réalisée au prix d'énormes difficultés.

Le Sud n'est pas dépourvu d'atouts pour arriver à ses fins, en dépit d'une population inférieure à celle du Nord : 5 450 000 personnes dans les onze États – sans les 3 500 000 esclaves – contre 18 950 000 dans le reste du pays. Il bénéficie de sa cohérence territoriale, n'a pas à disperser trop ses effectifs et peut compter sur la cohésion de sa population blanche. Celle-ci n'a pas partout été enthousiaste pour la guerre, mais, globalement, elle en accepte le sens ; les esclaves continuent d'assurer les tâches les plus humbles pour faire fonctionner le système. À cela, il faut ajouter la tradition militaire dans de nombreuses familles qui fournissent les officiers, en majorité dans l'armée des États-Unis. Enfin, la Confédération peut compter sur la sympathie suscitée en Europe par l'émergence d'une nouvelle « nationalité », à un moment où l'Italie ou l'Allemagne fournissent des exemples de construction nationale. Pourtant, la Confédération est affaiblie par son industrialisation réduite, par un réseau de chemins de fer en plein développement, mais encore fragmenté et dépourvu de matériel roulant produit sur place, ainsi que par sa monoculture. Le coton est certes une matière première très en demande en France et en Angleterre, mais le Nord s'ingénie à en interdire l'exportation, ce qui conduit à la mise en exploitation de nouvelles zones de production dans le monde. Le Sud va être contraint de stocker ce coton qu'il ne peut plus exporter, en espérant créer une pression telle sur le marché européen, qui contraindrait les grandes puissances à intervenir pour avoir accès aux ressources accumulées et à reconnaître officiellement la Confédération. Mais, en dépit d'une crise grave dans l'industrie cotonnière britannique et française en 1862 et de nombreuses hésitations de la part de Napoléon III, cet objectif final ne sera jamais atteint et, pour éviter que ces stocks ne tombent dans les mains des envahisseurs, une grande partie en sera brûlée. Aussi, plus la guerre dure, plus le Sud s'affaiblit-il et a-t-il recours à une inflation galopante pour financer les opérations, pour armer et vêtir les hommes. Sans système bancaire efficace, avec des revenus d'exportation en baisse, les impôts n'ont rapporté que 27 millions de dollars de revenus pour une dépense supérieure à deux milliards...

Mais ces faiblesses structurelles ne sont ressenties que graduellement et le Sud n'est pas battu d'avance.

De son côté, le Nord, plus peuplé et plus urbanisé, dispose d'un tissu industriel et d'un réseau de chemin de fer beaucoup plus développé, il affronte la guerre dans de meilleures conditions. Pourtant, le gouvernement fédéral rencontre des difficultés à mobiliser efficacement hommes et ressources pour un conflit lointain aux yeux d'un grand nombre. Les affaires du Sud et l'esclavage ne sont pas un souci pour toute la population et le recrutement ne se fait pas toujours aisément, aboutissant même à des émeutes à New York, en 1863, où des Irlandais s'en prennent aux Noirs de la ville. En revanche, Washington peut bénéficier de la puissance de l'économie qui assure les fournitures aux armées et entretient le réseau ferré. Dans ce sens, l'Union a l'avantage d'une révolution industrielle commencée quinze ans plus tôt. Cette force potentielle contribue à dissuader les autres puissances de venir au secours de la Confédération. D'autant que les finances sont relativement saines, assurées aux trois quarts par l'emprunt (2,6 milliards de dollars) auprès d'un système bancaire réorganisé, le reste étant fourni par la taxation – introduction provisoire d'un impôt direct sur le revenu – et les revenus d'un tarif douanier renforcé. Ces efforts s'accompagnent de l'émission de papier-monnaie inconvertible, les *greenbacks*, qui ne restent pas longtemps à parité.

Pourtant, ces divers moyens seront longs à mettre en œuvre, en raison des faibles traditions militaires qui existent au sein de l'Union.

Du pouvoir et des hommes

En 1860, l'armée des États-Unis se compose de 16 000 hommes dont le dernier fait d'armes, à l'exception des affrontements avec les Indiens, remonte à la guerre contre le Mexique. Aussi, le rôle du secrétaire à la Guerre est-il relativement mineur et la capacité constitutionnelle du président à commander en chef n'a jamais été réellement éprouvée. L'Union va hériter de ces éléments, alors que le Sud aura à les créer. Il le fera sans innover, sans structurer les nouvelles institutions pour faire la guerre, qui mobilise pourtant, plus qu'au Nord, toutes les énergies. Le Sud se dote d'une constitution très semblable à celle dont il s'est séparé, avec président élu pour quatre ans, congrès et Cour suprême, qui n'aura pas le temps de voir le jour. En revanche, la Confédération a repris la tradition jeffersonienne de droits des États, ce qui affaiblit à le pouvoir central, par principe mais aussi par nécessité. En effet, la Géorgie ou la Virginie ne sont entrées dans la Confédération qu'à condition de conserver toute leur autonomie. Ainsi, les représentants de ces États discutent constamment les décisions présidentielles et ne se plient pas facilement aux obligations collectives ; ils choisissent de garder leurs soldats pour défendre leurs États, plutôt que de les envoyer au front et en prélèvent d'autres pour les moissons, sans demander l'avis du général en chef. D'ailleurs, le régime, au fil des années, tend à devenir plus parlementaire que celui dont il est originaire ; le président Jefferson Davis, dépourvu de charisme et politiquement timoré, ne parvient pas à asseoir son autorité : une sorte de cabinet divisé dirige la Confédération. Une partie de ces problèmes provient de la difficulté à définir une véritable unité, au-delà du maintien de l'esclavage ; d'ailleurs, des partis politiques « nationaux » représentant des options claires n'apparaissent pas, tellement est vigoureuse l'affirmation du droit de chacun des États.

En face, la situation est sensiblement différente, en raison du poids des traditions politiques et de la personnalité d'A. Lincoln. Très discuté au début, considéré par les chefs du parti républicain comme un petit avocat de province sans envergure, l'homme s'impose peu à peu et rassemble autour de lui tous les pouvoirs présidentiels implicites et explicites. Sans diriger les opérations, il fait admettre ses décisions, nomme les généraux, n'hésite pas à suspendre l'*habeas corpus* pour venir à bout des partisans sudistes infiltrés au Nord ou à défier la Cour suprême au sujet des droits d'un accusé considéré comme un traître. Les autres pouvoirs sont marginalisés et soumis. Pourtant en dépit des accusations de ses adversaires, Lincoln n'est pas un dictateur : les institutions fonctionnent normalement dans ce cadre, comme si la guerre était lointaine et d'une importance limitée. Le Congrès légifère quasi normalement et de nombreuses lois importantes sont votées, sur le partage des terres publiques et sur la création du chemin de fer continental. D'ailleurs, les élections se déroulent dans le cadre de l'Union aux dates fixées constitutionnellement ; c'est ainsi que, cas unique en pleine guerre, l'élection présidentielle a lieu en 1864 ; quoique très inquiet sur son sort, le président sortant est réélu sans difficulté. De plus, Lincoln dispose du soutien du parti républicain, solidement établi dans les États de l'Union, qui relaie ses prises de position et ses décisions. Cela ne signifie pas que les États du Nord et de l'Ouest obéissent sans discuter ni que les démocrates favorables à l'Union ou ceux restés hostiles à la guerre – les *copperheads* – approuvent toujours, mais l'affirmation du pouvoir fédéral est rapidement devenue incontestable, soutenue par la force des principes et la volonté d'un homme.

Lincoln

Aucun Américain n'est aussi vénéré que le seizième président des États-Unis, dont l'effigie figure sur les monnaies, dont le portrait a orné des multitudes de maisons, dont le Mémorial à Washington (inauguré en 1922) est toujours visité, chaque année, par des dizaines de milliers de personnes, dont les discours et les lettres sont régulièrement réédités, dont le rôle et la personnalité ont été décryptés dans des centaines de volumes, dont les ambiguïtés et les certitudes passionnent, encore aujourd'hui, de nombreux historiens, qui s'interrogent sur sa sexualité ou ses convictions religieuses. Or, la grandeur du personnage est essentiellement due à son rôle durant la guerre civile, d'autant qu'il était relativement peu connu avant, et au fait qu'il ait été assassiné le 15 avril 1865, six jours après la reddition de Lee à Appomatox.

Rien ne prédestinait le jeune Abraham à une telle destinée. Né en 1809 dans le Kentucky, où son père fermier illettré a bien du mal à survivre, et élevé par sa belle-mère à laquelle il est très attaché – sa mère est morte alors qu'il était très jeune –, il aide aux tâches agricoles et en conçoit une profonde aversion pour le travail de la terre. Il ne peut suivre une scolarisation régulière, mais, grâce à sa belle-mère, apprend à lire, ce qui lui permet de dévorer tous les livres qui lui tombent sous la main ; il se nourrit surtout de la Bible, bien qu'il ne soit guère croyant, et des œuvres de Shakespeare très répandues à cette époque. Grand et dégingandé, il est assez solitaire et ne se sent guère à l'aise dans son milieu familial. Dès qu'il le peut, il se dirige vers l'Indiana où il s'installe comme arpenteur – métier particulièrement utile dans cette région de colonisation ; il participe à une expédition contre les Indiens, qui l'indispose contre les militaires et confirme son peu de goût pour la nature. Peu passionné par les affaires, il fait faillite et, pendant de longues années, paiera scrupuleusement toutes ses dettes. C'est alors qu'après quelques études de droit, il s'installe à Springfield, capitale de l'Illinois, comme avocat ; il s'y est marié avec Mary Todd, dont il aura deux fils. Sans jamais prospérer, il acquiert une grande renommée locale en raison de son bon sens et de son souci permanent de justice ; il défend ainsi aussi bien des compagnies de chemin de fer, dont il apprécie peu le comportement, que les malheureux fermiers qu'elles peuvent spolier. Il n'hésite pas à aller plaider dans tout l'État, en compagnie des juges fédéraux du circuit correspondant, afin de mieux connaître les habitants de certaines localités isolées.

Durant ces années de formation, il est *whig*, car grand admirateur d'Henry Clay. Dès la fin des années 1830, saisi par la passion de la politique, il se fait élire comme représentant à l'assemblée de l'Illinois et représente même son État à Washington de 1845 à 1847, où le nouveau venu se montre un vif accusateur de l'administration démocrate, tout particulièrement lors de la déclaration de guerre au Mexique. Le succès n'est pas permanent et, ne parvenant pas à s'imposer, il songe, à plusieurs reprises, à abandonner. C'est alors qu'il forge ses positions à l'égard de l'esclavage – qu'il abhorre depuis l'enfance, mais dont il ne voit comment se débarrasser – ou du fonctionnement de la démocratie. Son évolution l'amène, peu à peu, dans les rangs du jeune parti républicain. C'est pour celui-ci qu'il se lance dans la lutte sénatoriale contre Stephen Douglas, en 1858. La lutte semble inégale entre cet inconnu mal habillé et le brillant « Petit Géant » démocrate. Pourtant, au long de ces sept débats d'août à octobre, Lincoln pousse son adversaire dans ses retranchements, l'oblige à éclaircir sa position sur l'esclavage et dévoile son racisme ; Lincoln se place sur le plan moral, définit ses propres idées et met à jour les finasseries du politicien. En dépit de l'échec électoral, une nouvelle voix s'est fait entendre qui, sans excès inutile, condamne les compromis infamants et cherche une solution juste aux problèmes du moment.

À un moment où la victoire semble proche, la convention du parti républicain, réunie à Chicago, préfère Lincoln, qui apparaît modéré mais qui s'est dressé avec hauteur contre l'esclavage dans les territoires et qui a mené une campagne habile, basée par ses partisans sur son origine humble de « fendeur de pieux », à Seward, plus sectaire et finalement incertain. Les hiérarques du parti sont persuadés de mener comme ils le veulent ce novice. En fait, à 52 ans, l'homme qui entre à la Maison-Blanche est un pragmatique à principes, doté d'un bon sens politique. C'est un défenseur acharné de l'Union et sa première tâche est d'en défendre l'intégrité. Viscéralement, il rejette l'esclavage, mais refuse les solutions brutales prônées par les abolitionnistes ; persuadé de l'égalité abstraite de tous les hommes, il pense, pourtant, que celle-ci sera difficile à réaliser pour les Noirs en Amérique, la cohabitation étant impossible à imaginer.

Le paradoxe principal est de voir un tel homme, tourmenté et profondément pacifique, devenir chef d'une guerre inexpiable.

Quatre ans de lutte

La durée de la guerre s'explique en partie par le temps qu'il faut aux deux camps, mais surtout au Nord, pour s'engager à fond dans la guerre. En 1861, chaque côté pense pouvoir en finir vite. Aussi, la guerre est à la fois artisanale au début, mais devient, au fil des années, terriblement moderne, avec navires cuirassés, tranchées et mitrailleuses.

Les soldats et leurs chefs

Le recrutement est fait de façon décentralisée dans les deux camps, car, comme dans les guerres précédentes, les États veulent en conserver la maîtrise. Ainsi, les régiments sont dénommés 43e du Maine ou 16e de Géorgie, formés de volontaires originaires de ces endroits, recrutés par un officier qui a demandé à l'être, souvent sans compétences particulières ou, quand il en a, qui doit se charger de la formation de ses hommes. Les officiers sont fréquemment élus par les simples soldats, ce qui assure la bonne entente du groupe, mais pas nécessairement la discipline. Le Sud se distingue, surtout dans les premiers temps, par une abondance d'officiers et de sous-officiers, ainsi que par une habitude des armes assez répandue dans cette société agraire et justifiée par la crainte, toujours présente, d'une révolte d'esclaves.

Dans ces conditions générales, le volontariat devrait suffire et il n'est pas question, au début, d'imposer la circonscription. Celle-ci n'est nécessaire que lorsque la guerre s'enlise, sans issue rapide ; dans le Sud, dès avril 1862, pour faire face à la grande offensive unioniste de McClellan, qui échoue ; en mars 1863, dans le Nord, alors que la menace que fait peser Lee sur Washington se fait plus pressante. Pourtant, ces lois de conscription ne sont pas sévères : elles prévoient une simple amende pour ceux qui ne se présentent pas et autorisent le remplacement – pour 300 $ – de celui qui peut payer, distinguent le lieu du bureau d'enregistrement de celui de résidence, accordent des exemptions aux planteurs dans le Sud, aux chefs d'entreprise dans le Nord. De nombreux abus en découlent : professionnels de la fraude, remplaçants-déserteurs, objecteurs de conscience, qui s'affirment. Les inégalités du service militaire sont telles qu'elles suscitent les émeutes de New York, à l'été 1863, durant lesquelles des Irlandais déchaînés, qui refusent la conscription, s'en prennent aux édifices fédéraux et aux Noirs, faisant une centaine de morts. Sans doute en raison de son caractère civil – qui explique aussi sa dureté – les déserteurs sont nombreux, qui refusent la guerre par principe ou parce qu'elle les oppose à des frères. Le Sud est particulièrement touché par ce phénomène, surtout à partir de 1863, quand les défaites s'accumulent.

L'armée du Nord se distingue de sa rivale par le grand nombre d'étrangers venus se battre pour l'Union : nombreux immigrants récents, farouchement unionistes et officiers européens décidés à se battre pour la cause de la liberté ; c'est le cas du duc de Joinville, fils de Louis-Philippe, du général français de Trosbriand, du général irlandais Corcoran et de colonels allemands comme Carl Schurz. Plus spécifique encore et significative est la présence de troupes noires ; à la fin de la guerre, la Confédération hésite un moment à recruter des esclaves, mais y renonce, tant une telle mesure aurait été aberrante. L'Union est très lente à accepter des Noirs comme soldats, même ceux qui sont libres dans le Nord, de peur de susciter une révolte incontrôlable des esclaves, surtout dans les États esclavagistes restés fidèles. En 1861, Lincoln refuse l'initiative du général Frémont, qui avait armé des affranchis, et qui est démis, mais l'année suivante, les besoins en hommes sont tels que la décision est inversée. De nombreux Noirs viennent s'engager, même s'ils ne sont acceptés qu'avec réticence : il est nécessaire d'attendre 1863, après la Déclaration d'Émancipation, pour que des régiments noirs soient enfin formés, toujours dirigés par des officiers blancs. Ces hommes se battent avec courage, engagés sur tous les théâtres de la guerre, mais surtout dans les troupes de l'Ouest pour leur éviter les contacts directs avec leurs frères esclaves ; ils seraient pourtant de vivants exemples d'espoir. Ils subissent des pertes plus lourdes que celles de leurs camarades blancs, près de 30 % de tués contre un peu plus de 20 %.

Au total, 2 800 000 hommes portèrent les armes – 2 000 000 pour le Nord, 800 000 pour le Sud –, dont 200 000 Noirs, fantassins et marins ; chiffres considérables pour 14 millions d'hommes disponibles et proportion jamais égalée dans une autre guerre américaine.

Ces hommes ne reçoivent, surtout au début, qu'une formation sommaire, limitée à quelques jours, ce qui explique la médiocrité des combattants. Peu à peu, pourtant, les armées se professionnalisent et de nouveaux officiers, sortis du rang, s'imposent par leur force de caractère et par leur habitude des combats. C'est surtout le cas des généraux de l'Union, avec U. Grant ou W. T. Sherman, alors que le Sud garde jusqu'à la fin un corps de commandement homogène autour de T.J. Jackson, J.E.B. Stuart et, bien sûr R.E. Lee. Durant l'ensemble de la guerre, les commandants en chef confédérés sont deux : Joseph E. Johnston, puis, à partir de juin 1862, Robert E. Lee ; mais leurs homologues de l'Union sont six : Winfield Scott, 1861 ; George McClellan, 1861 ; Ambrose E. Burnside, 1862 ; Joseph Hooker, 1863 ; George C. Meade, 1863 ; Ulysses S. Grant à partir de mars 1864. En revanche, alors que Jefferson

Davis change maintes fois de secrétaire à la Guerre, Lincoln, qui s'occupe de plus en plus de la conduite des opérations, n'en a qu'un : Edwin M. Stanton.

Ces quelques données expliquent aussi la longueur de la guerre, entrecoupée de périodes de récupération ou de formation, marquée par des fautes tactiques et le manque de vision d'envergure. Elles éclairent aussi les raisons de la résistance, apparemment surprenante, du Sud.

L'illusion d'une guerre courte, 1861-1863

Dans les premiers temps de la guerre, les deux camps sont persuadés que la victoire se dessinera en Virginie – État qui n'a rejoint la Confédération qu'avec réticence – idéalement située entre les deux capitales, Washington et Richmond. Cette certitude est particulièrement forte chez R.E. Lee (1807-1870), « aristocrate » virginien convaincu, qui a hésité à rejoindre les rebelles, étant fier d'appartenir à l'armée des États-Unis et opposé à l'esclavage : il a affranchi ses esclaves dès 1861. Mais il l'a fait pour défendre son État, car il redoute une Union trop centralisée, qui imposerait partout ses normes et son mode de vie. Lee est particulièrement à l'aise sur ce terrain qu'il connaît à merveille.

Les chefs de l'Union sont, de leur côté, persuadés qu'ils peuvent s'emparer de Richmond, ou, pour le moins écraser l'armée sudiste dans ses environs, en raison de leur supériorité numérique. En effet le plus souvent, l'armée du Potomac comporte deux fois plus d'hommes que l'armée de Virginie du Nord de Lee : 100 000 hommes opposés à 50 000. Pourtant, ce terrain s'avère peu favorable aux batailles rangées et très meurtrier, surtout pour les troupes de l'Union qui devront concevoir une autre stratégie.

L'une des principales difficultés de cette zone de quelques centaines de kilomètres carrés vient de la nature même du terrain. Entre les deux villes s'étendent des montagnes et des collines boisées, appartenant à la chaîne des Appalaches, séparées par des rivières encaissées vite grossies par les pluies. Plus près de la côte, le grand estuaire du Potomac ouvre la voie vers Washington, quand ceux de la James et de l'York compliquent l'accès vers Richmond. Vers le Nord-Ouest, une partie de ces terres est dénommée *wilderness* – la sauvagerie ; en 1862 comme en 1864, des combats très durs et incertains s'y déroulent.

Dans ce contexte, les confédérés parviennent à tirer parti de la situation et réussissent à empêcher toute victoire décisive des troupes de l'Union, sans toutefois pouvoir exploiter leurs propres succès acquis souvent à un prix humain plus lourd que celui de leurs adversaires. Ces succès relatifs sont dus à l'habileté tactique de leurs généraux, tout particulièrement Lee, mais aussi à l'incompétence de leurs homologues du camp opposé. En effet, Lincoln, pour répondre à l'enthousiasme du Nord, doit obtenir des résultats rapides. Mais l'offensive vers Richmond des troupes mal préparées du général McDowell, qui doivent faire sauter le verrou sudiste, tourne au désastre à Bull Run, à quarante kilomètres de Washington vers laquelle refluent les soldats, comme le beau monde venu voir les combats en cette fin de juillet 1861. Pourtant, les sudistes ne peuvent profiter de leur avantage et cette défaite fouette l'orgueil du Nord. Lincoln comprend alors que la guerre va durer : il n'avait encore appelé que 75 000 hommes et en demande 500 000 autres sur trois ans : au début, les volontaires sont plus nombreux que les équipements. Néanmoins, ces troupes ne suffisent pas, car il faut préparer soigneusement la prochaine offensive, dirigée par le général McClellan, qui forme et entraîne une remarquable armée. Excellent organisateur, cet homme de 34 ans persuadé de sa valeur ne veut agir qu'à coup sûr en ménageant ses hommes. Il ne se porte à l'offensive qu'au printemps 1862, imaginant des mouvements complexes, utilisant les chemins de fer et la marine pour débarquer ses troupes. Parvenu à proximité de Richmond, il ne se décide pas à l'attaque, surestimant les forces adverses qui profitent de son indécision pour l'attaquer, tout en menaçant, par des raids de cavalerie, la capitale fédérale. Fin juin, ces combats confus qui durent une semaine ne sont pas décisifs mais meurtriers; McClellan se retire, il a probablement gaspillé l'occasion de porter un coup très dur aux rebelles. Lincoln ne s'y trompe pas et rétrograde le trop prudent jeune homme, mais son successeur John Pope, brutal et médiocre, subit, fin août, une nouvelle défaite à Bull Run. Heureusement pour l'Union, le 17 septembre, McClellan revenu en grâce parvient à briser l'offensive de Lee près de Harper's Ferry, sur les rives de l'Antietam, mais ne se résout pas à le poursuivre en dépit de son avantage numérique. Excédé par cette prudence, Lincoln remplace McClellan par A. Burnside, puis par Joseph Hooker. Aucun des deux ne se montre à la hauteur : en décembre, le premier s'obstine dans une boucherie boueuse autour de Fredericksburg; en mai 1863, le second ne parvient pas à se dépêtrer des attaques de Lee à Chancellorsville, en dépit de ses 130 000 hommes bien retranchés contre les 60 000 du Virginien.

Les deux premières années de guerre ont été terriblement meurtrières, elles ont montré la capacité de résistance du Sud et les qualités manœuvrières de Lee; elles ont aussi convaincu Lincoln de ne pas s'obstiner plus longtemps dans une stratégie sans issue. Pourtant, Lee, conscient de la nécessité absolue d'une victoire marquante qui lui a échappé jusque-là, ne serait-ce que pour convaincre la France et la Grande-Bretagne de la crédibilité de la Confédération, impose au président Davis un mouvement tournant audacieux qui, à travers la Pennsylvanie, devrait lui permettre de menacer Washington par le Nord. Du 1er au 3 juillet 1863 à Gettysburg, la totalité de ses 80 000 hommes affrontent ceux de George C. Meade – qui a remplacé Hooker sur ce front – arrivés juste à temps. Contre les Bleus retranchés sur une ligne de faibles hauteurs mais fortement armés, les deux assauts des Gris sont impuissants et le dernier des 15 000 hommes du général Pickett tourne au massacre car ces soldats lourdement chargés ont à franchir en courant une surface découverte de plus d'un kilomètre pour arriver au pied des positions des troupes de Meade. Les lignes des troupes de l'Union ne sont pas percées. Dans cette bataille la plus sanglante de la guerre, mal jaugée par Lee, les confédérés perdent 28 000 hommes et les unionistes 23 000. Et, bien que Meade affaibli ne puisse poursuivre son rival, Gettysburg est une incontestable défaite du Sud, qui ne peut plus espérer s'aventurer hors de son territoire dans une intervention de la dernière chance; seule lui reste l'option défensive. Lincoln l'a bien compris qui, quatre mois après la fin des combats, prononce une allocution émouvante en inaugurant le cimetière de Gettysburg.

Discours de A. Lincoln à Gettysburg, 13 novembre 1863

Dans ce texte, Lincoln prend de la hauteur par rapport à la guerre, comme si elle était déjà finie. Aussi, ces quelques paragraphes ont-ils fait parfois oublier la bataille de Gettysburg, ils sont gravés à l'intérieur du mémorial de Lincoln érigé à Washington en 1931.

Il y a quelque quatre-vingt-sept ans nos pères ont mis au monde, sur ce continent, une nouvelle nation, conçue dans la Liberté et dédiée à cette proposition : tous les hommes ont été créés égaux.

Maintenant, nous sommes engagés dans une grande guerre civile, pour vérifier si cette nation, ou toute autre nation, ainsi conçue et ainsi dédiée, peut survivre longtemps. Nous sommes réunis sur un des grands champs de bataille de cette guerre. Nous sommes venus pour consacrer une partie de ce champ comme dernière demeure pour ceux qui ont donné leurs vies en ces lieux afin que puisse vivre cette nation. C'est à la fois convenable et approprié que nous fassions ainsi.

Pourtant, en voyant plus loin, nous ne pouvons ni dédier, ni consacrer, ni sanctifier ce coin de terre. Les hommes courageux, morts et vivants, qui se sont battus ici, l'ont déjà consacré au-delà de notre malheureux pouvoir d'ajouter ou de diminuer quoi que ce soit. Le monde ne remarquera guère, pas plus qu'il ne se rappellera longtemps ce que nous avons dit ici, mais il ne pourra oublier ce que eux y ont fait. Ce sont nous les vivants qui devons plutôt nous consacrer à la tâche inachevée que ceux qui se sont battus ici ont fait noblement avancer. Ce sont nous les vivants qui devons être dédiés pour la grande besogne qui nous reste à accomplir [...] et qui devons prendre ici la grande résolution de ne pas laisser ces morts être morts en vain, de faire que cette nation, sous le regard de Dieu, naisse à nouveau dans la Liberté, et d'empêcher que le gouvernement du peuple, par le peuple, pour le peuple ne disparaisse de la surface de la terre.

Source : D.J. Boorstin, *An American Primer*, New York, Mentor, 1966, p. 436-437.

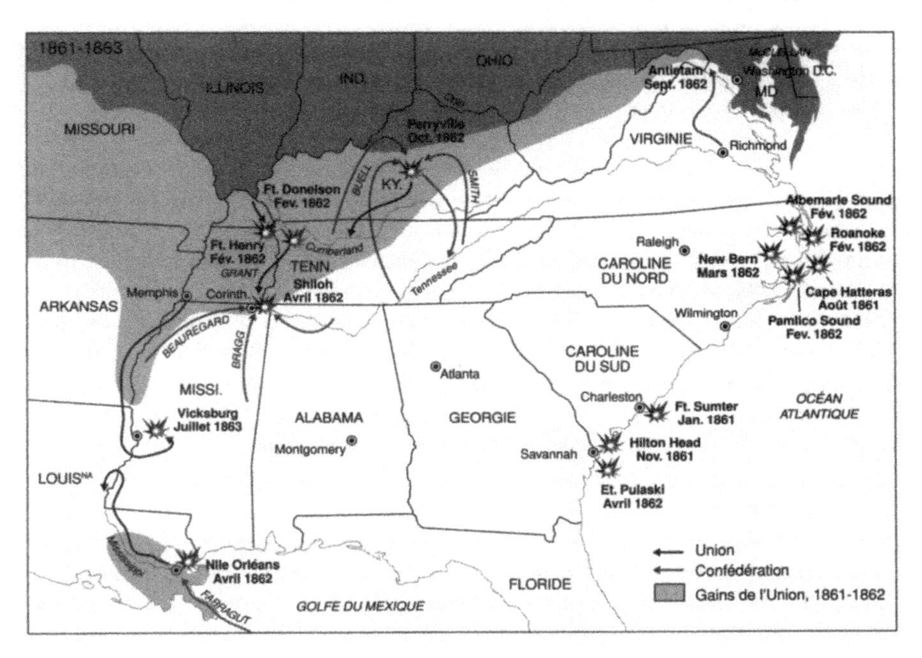

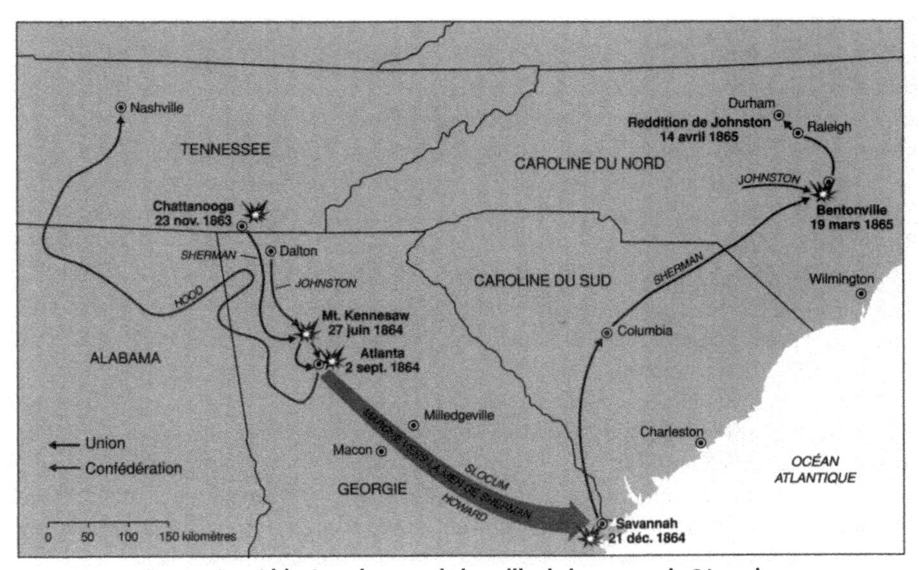

Cartes 4 et 4 bis. Les champs de bataille de la guerre de Sécession

Encore aujourd'hui, le parc national de Gettysburg est l'un des lieux les plus visités des États-Unis, de nombreux États y ont édifié des monuments aux morts.

Pourtant, la victoire de Gettysburg, si elle marque un tournant décisif, n'annonce pas la fin d'une guerre dont le sort va se jouer au-delà de la Virginie, avant d'y revenir pour le final.

Vers la guerre totale, 1863-1865

Pendant que se déroule la mêlée confuse et meurtrière de Gettysburg, les forces de l'Union ont commencé à entreprendre la deuxième étape de leur stratégie. Outre l'attaque frontale, il s'agit de couper les voies de communication du Sud vers l'Ouest et sur l'Océan. Pour rendre efficace le blocus imposé par Lincoln, l'Union doit contrôler 5700 kilomètres de côtes ennemies. Elle n'en a pas les moyens avant 1862, car elle perd immédiatement le chantier naval de Norfolk en Virginie d'où les sudistes extraient une frégate qu'ils nomment *Virginia* et qui s'illustre l'année suivante dans son combat contre le *Monitor*. Pourtant, peu à peu, une flotte est constituée, à partir de constructions et d'achats de navires civils, elle permet de contrôler les principaux ports de la Confédération. Celle-ci, en 1862, n'accueille plus que 800 navires, contre 6000 avant les hostilités. Par la suite, une véritable marine de guerre est bâtie, sous l'impulsion de Gideon Welles, qui applique de façon de plus en plus stricte le blocus. Les confédérés se livrent à une guerre de course dommageable pour la marine marchande de l'Union, mais qui ne fait que retarder l'issue : ils vont marauder jusqu'aux côtes de France et tentent de se doter d'une marine, en blindant les quelques navires qu'ils possèdent et en commandant de puissants bâtiments cuirassés en Angleterre. Toutefois en 1863, le cours de la guerre dissuade les Anglais de livrer ces navires et le Sud subit durement les contraintes du blocus.

Vers l'Ouest, les fédéraux veulent prendre le contrôle du Mississippi, ce qui couperait la Confédération en deux, et à désenclaver le nord du Tennessee resté unioniste. Dès la fin de 1861, l'Union obtient ses premiers succès sur ce front, dans des combats où s'illustre un colonel inconnu, Ulysses S. Grant, qui profite du fait que les rebelles n'ont placé dans cette région que des forces secondaires. Dès avril 1862, une flottille commandée par l'amiral David Farragut permet aux troupes du général Benjamin F. Butler de s'emparer de la Nouvelle-Orléans ; à l'été sur le « Père des fleuves », seul le verrou de Vicksburg et ses environs restent aux mains de la Confédération. Les sudistes ne se laissent pas faire aisément, mais se heurtent au courage et à l'esprit offensif de Grant. Celui-ci évite le pire à Shiloh en avril 1862, au prix de pertes considérables, mais, durant ces années, le front occidental reste marginal. Les forces de l'Union sont divisées en deux corps, ce qui nuit d'autant plus à leur efficacité que le caractère offensif de Grant, promu général, est mal utilisé ; or dans cette région, les généraux confédérés ne sont pas les meilleurs. Il faut attendre 1863 pour que Grant montre toutes ses qualités en s'emparant, le 4 juillet, de la place forte de Vicksburg – après une audacieuse manœuvre qui lui a permis de faire traverser le fleuve à ses troupes pour assiéger la ville. Le général Pemberton, qui commandait la place, se rend avec ses 30000 hommes et un considérable matériel. Ses pertes, additionnées à celles de Gettysburg, sont plus coûteuses pour le Sud que la perte de la circulation sur le grand fleuve ; Vicksburg, bien que moins spectaculaire, est peut-être une victoire plus significative que celle, simultanée, de Gettysburg.

Lincoln fait de plus en plus confiance à Grant, à qui il attribue, en octobre, le commandement du secteur Mississippi. Grant s'entoure de fidèles, en particulier de William T. Sherman qui s'est illustré dans l'Ouest, et reçoit des renforts venus de l'Est. Grâce à cela, il parvient, en novembre 1863, à s'emparer de Chattanooga, à la frontière du Tennessee, qui lui ouvre l'accès à la Géorgie. Ces exploits ont un grand retentissement dans le Nord et, en mars 1864, le président nomme Grant général en chef de toutes les armées de l'Union. L'homme a alors 42 ans ; sorti de West Point comme la plupart de ses adversaires, il montre un grand courage lors de la guerre contre le Mexique puis démissionne de l'armée en 1854, aux prises avec son alcoolisme. Il vit de divers petits métiers avant de prendre, en 1861, la tête d'un régiment de l'Illinois où il habitait, comme simple soldat.

Le plan de Grant consiste à attaquer simultanément la Confédération par la Virginie, par l'Ouest et depuis la Nouvelle-Orléans ; lui-même se chargea de poursuivre Lee sans relâche pour empêcher qu'il puisse distraire des forces vers les autres fronts. Cette stratégie, qui satisfait d'autant plus Lincoln qu'il l'avait lui-même envisagée, ne fonctionne pas totalement en raison de la médiocrité des généraux commandant les troupes venues du Sud, mais Grant peut s'appuyer sur l'armée du Mississippi de Sherman à l'Ouest et sur celle du Potomac au Nord. Malgré de considérables difficultés en novembre 1864, quand Lee l'attaque par surprise dans les bois de la Wilderness, Grant ne renonce pas et continue à avancer vers le Sud. De son côté, Sherman obtient l'autorisation de conduire sa marche à travers la Géorgie, qui doit le mener de Chattanooga à la mer, en passant par Atlanta. Cette offensive, dans une région riche totalement épargnée par la guerre, a pour but de briser le moral sudiste ; les soldats bleus doivent libérer les esclaves, vivre sur le pays et détruire fermes, bourgades et récoltes sur leur passage. Face à ces 100000 hommes en bleu bien entraînés, les généraux en gris Joseph E. Johnston, puis John B. Hood, ne disposent que de 60000 soldats. Ils ne parviennent pas à stopper Sherman, dont ils ne comprennent pas le but ; le 1er septembre, Atlanta évacuée par les confédérés tombe aux mains des troupes de l'Union. En novembre, après avoir laissé la ville en feu – dont l'incendie est immortalisé dans une scène fameuse d'*Autant en emporte le vent* –, Sherman poursuit sa route dévastatrice vers la côte qu'il atteint le jour de Noël. Pendant ce temps, Grant se bat pied à pied avec Lee ; le premier est parfois battu, mais cause au second des pertes toujours plus lourdes dont celui-ci ne peut se remettre. Le siège de Petersburg, au sud de Richmond au début de 1865, est particulièrement douloureux.

La capitale confédérée, évacuée par le gouvernement, et la principale armée sudiste, qui s'affaiblit de jour en jour, sont alors prises dans un étau, fixées par Grant, menacées par Sherman qui remonte vers le Nord. De plus, les lignes de communication sont coupées et le dernier port ouvert, Wilmington (Caroline du Nord), est fermé en janvier. Après avoir vainement essayé de reprendre l'offensive, Lee préfère se rendre à Grant, le 9 avril 1865, dans le petit tribunal d'Appomatox, lors d'une sobre et émouvante cérémonie. Quelques semaines plus tard, les dernières troupes confédérées se rendent également, Jefferson Davis, en fuite, est capturé le 10 mai.

Le 14 avril, le drapeau de l'Union, celui-là même de 1861, flotte à nouveau sur Fort Sumter. Le même soir, le président Lincoln passe sa première soirée de détente au théâtre Ford à Washington ; John W. Booth, un acteur exalté qui s'était introduit près de la loge présidentielle, en profite pour lui tirer dessus. Frappé à mort, il meurt le lendemain. La guerre est bien finie.

Quelles leçons militaires ?

Un conflit de cette ampleur a prodigieusement intéressé tous les observateurs militaires européens, d'autant plus que la guerre se modifie au fil des années et utilise – de plus en plus – toutes les ressources de l'industrie moderne.

On s'est beaucoup interrogé pour comprendre l'ampleur des pertes lors des grandes offensives, en particulier celles menées par les confédérés. Il apparaît que Lee et les autres officiers, formés au début du siècle dans l'école militaire de West Point, étaient convaincus des vertus de l'offensive qui avait fait la décision lors des campagnes de Napoléon, modèle idéal, mais aussi lors de la guerre contre le Mexique, en oubliant que leurs opposants étaient alors médiocrement armés. Ils ont mis du temps à se rendre compte que l'utilisation, d'abord par les Bleus puis par tous, des fusils à canon rayé – *Enfield* originaire d'Angleterre ou *Springfield* américain – rendaient ces offensives beaucoup plus hasardeuses. En effet, la précision et la portée de ces armes facilement maniables permettent de briser les assauts traditionnels ; le terrain de Gettysburg, où les charges sudistes ont dû parcourir plus d'un kilomètre et demi à découvert, illustre fort bien cette faille entre la théorie et la pratique. Au fil des combats, les industriels faisant merveille, les troupes utilisent des grenades à main, des obus explosifs, des mines, des mitrailleuses, des canons de plus en plus précis. Sur mer, les navires cuirassés avec tourelles d'artillerie sont également des nouveautés qui feront date ; en revanche leurs proues renforcées servant à crever la coque des bâtiments adverses n'ont pas eu d'avenir, mais les premiers sous-marins, très sommaires avec les marins pédalant pour assurer air et lumière, ont donné beaucoup d'idées. Autant d'armes qui annoncent celles du XXe siècle, elles ont été expérimentées en vraie grandeur durant la guerre civile américaine.

La plus grande innovation provient de l'utilisation systématique des chemins de fer. Très rapidement, les deux camps ont compris le parti qu'ils pouvaient tirer de ce moyen de transport. Les approvisionnements et les renforts sont acheminés par train, les troupes sont déplacées d'un point à un autre de cette même façon. Ainsi, le général McClellan, en dépit de son échec final, est-il un des premiers à exploiter rationnellement le réseau ferroviaire, pour surprendre l'ennemi, pour traverser des zones neutres ; sa campagne de 1862 est un modèle du genre, qui combine un débarquement naval en liaison avec le chemin de fer. Plus généralement, les armées construisent des voies nouvelles, envoient des trains blindés, prévoient des dépôts de munition ; ces infrastructures doivent être défendues contre les attaques et immobilisent de nombreux soldats. De surcroît, le télégraphe, qui double les voies, permet d'acheminer ordres et renseignements. La guerre de Sécession est la première guerre ferroviaire, la leçon servira lors de la guerre franco-prussienne de 1870.

Le Sud est défavorisé dans cette course au modernisme en raison de son appareil industriel peu développé. Pourtant, en comptant sur l'ingéniosité et le dévouement de ses hommes, le gouvernement qui tente de centraliser le ravitaillement, sinon l'organisation de l'armée, parvient à satisfaire les besoins. Il est remarquable que les Gris n'aient jamais perdu une bataille par manque de munitions. Ils ont de plus utilisé au maximum leur réseau ferré, sans pouvoir compter sur un renouvellement facile du matériel.

En revanche, les services militaires de santé n'ont pas été à la hauteur ; en dépit des efforts extraordinaires et du dévouement des infirmières, ils ne trouvent pas toujours de moyens nouveaux pour soigner les blessures engendrées par le matériel moderne, mais, surtout, ne parviennent pas à enrayer les maladies et les accidents qui se multiplient. Alors qu'un peu plus de 200 000 victimes sont tuées dans les combats, près de 415 000 meurent de malaria, de dysenterie ou d'accidents variés.

Cette guerre est aussi la première guerre photographiée ; de nombreux photographes, dont le plus célèbre est Thomas Brady, ont laissé des milliers de clichés rendant aussi bien compte de la vie des soldats, que de l'attitude des généraux ou de l'allure d'un champ de bataille bouleversé par l'artillerie et parsemé de débris. Ils ont fait beaucoup pour inculquer dans l'esprit des Américains l'horreur de la guerre et, tout particulièrement, le refus de voir mourir les leurs. Depuis, cette arrière-pensée est continuellement présente à l'esprit de l'État-major américain ; c'est d'ailleurs pour cela qu'il privilégie souvent l'utilisation massive de la puissance de feu – artillerie, plus tard aviation – avant d'en venir à l'envoi des troupes. Grant n'hésite jamais à lancer des assauts violents, sachant que c'est le meilleur moyen de faire céder son adversaire, mais il cherche à épargner autant que possible ses propres hommes.

Grant est aussi l'initiateur – dès ses premières victoires de 1862, quand il s'empare des forts Henry et Donelson – de l'exigence de la « capitulation sans condition » de l'adversaire. L'expression devient l'un des surnoms du général, mais la notion sera reprise par Franklin D. Roosevelt dans la conduite des opérations de la Seconde Guerre mondiale et sera adoptée par les alliés à l'égard de Hitler et Mussolini.

Par tous ces traits, la guerre civile américaine est bien une guerre totale ; elle fait appel à l'arme économique, elle s'attaque aux populations civiles dont il faut faire plier la résolution. Ce que Lee entreprend dans sa campagne de Pennsylvanie, est entrepris une échelle plus vaste par Sherman lors de sa fameuse marche : « ... il est inutile d'occuper la Géorgie, mais en détruisant ses routes, ses habitations et leurs occupants... je la ferai hurler ! ». Tous les moyens semblent bons, de la libération des esclaves pour l'Union en 1863, à la réquisition des vivres dans le Sud – si contraire aux traditions américaines.

Ces quelques exemples montrent à quel point cette guerre a profondément marqué les Américains, qui va jusqu'à expliquer certaines de leurs attitudes ultérieures.

Un premier bilan de la guerre

La victoire de l'Union sur la Confédération est totale, dans la mesure où le gouvernement de celle-ci s'est totalement évaporé avant même la capitulation de Lee. D'ailleurs, les buts de guerre fixés par Lincoln, dès 1861, ont été pleinement atteints : la Sécession a pris fin et l'esclavage n'existe plus sur le sol des États-Unis. Force est restée à cette noble conception de la nation. Mais les États-Unis de 1865 sont très différents de ceux de 1861 et tout retour en arrière est impossible.

À bien des points de vue, la longueur de la guerre a profondément influé sur le pays, au-delà même des considérables pertes assez inégalement réparties entre les deux camps. Les Bleus ont perdu 360 000 hommes et ont eu 275 000 blessés ; les Gris 258 000 et 190 000 respectivement (soit 20 % de la population active des États confédérés), alors que, grossièrement, le Sud était moitié moins peuplé que le reste du pays. Mais le fait fondamental reste la libération des esclaves, accompagnée par des transformations économiques majeures et par les problèmes internationaux suscités par ce conflit.

L'émancipation des esclaves

Si la raison profonde de la guerre a été le statut de l'esclavage aux États-Unis, il n'en reste pas moins vrai que le président Lincoln n'avait pas envisagé sérieusement de proclamer, dès avril 1861, l'émancipation des esclaves. Pressé de le faire par les abolitionnistes les plus déterminés, mais aussi par certains de ses ministres, Lincoln s'y refuse, non sur le plan des principes, mais pour éviter d'ébranler la conviction unioniste des quatre États à esclaves que sont le Maryland, le Delaware, le Missouri et le Kentucky. En effet, un renforcement des « rebelles » risquerait d'être fatal à la cause de l'Union ; or c'est celle-là qu'il faut défendre, avant tout, car son succès est la condition même de l'extinction de l'esclavage. En août 1861, cette situation explique que Lincoln ait désapprouvé la décision du général Frémont, de libérer tous les esclaves dans les terres conquises par ses troupes et qu'il ait laissé appliquer la loi sur les esclaves fugitifs. En effet, dans l'éventualité d'un succès rapide de l'Union et dans un premier temps, ses institutions seraient restaurées dans leur état de 1860, régies par les mêmes lois, même celles qui concernent l'esclavage.

Au-delà de ces principes, une forte pression est exercée par les dizaines de milliers d'esclaves, qui fuient leurs maîtres et cherchent en vain à se faire engager dans les troupes fédérales. Or les propriétaires d'esclaves des États « frontaliers » refusent, au printemps 1862, le projet de loi cher à Lincoln qui prévoit une émancipation graduelle des esclaves avec compensation financière et colonisation des affranchis en dehors des États-Unis. Néanmoins, le Congrès se décide à voter des textes qui interdisent le renvoi des esclaves fugitifs à leurs maîtres, puis qui abolissent, en avril 1862, l'esclavage dans le district de Columbia, autour de la capitale, en dépit des craintes d'un afflux massif de Noirs. En raison des succès militaires initiaux du Sud, la nécessité apparaît de plus en plus clairement de le frapper au cœur en s'attaquant à l'esclavage lui-même.

C'est dans cet esprit, alors même qu'il est accusé de mollesse et d'indécision par de nombreux républicains, que Lincoln en est arrivé – dans le plus grand secret – à la conclusion qu'il lui fallait accomplir le pas décisif que représentait l'émancipation des esclaves dans les États rebelles. Il pense que c'est le seul moyen d'atteindre ses buts de guerre, de répondre à la pression républicaine et de garder le contrôle des opérations. De surcroît, à l'été 1862, les quatre États frontaliers ne risquent plus de quitter l'Union. Le 22 juillet, Lincoln annonce sa décision longuement mûrie à ses ministres qui n'en attendaient pas tant, mais le secret est encore gardé pour éviter que la mesure ne soit considérée comme désespérée, à la suite des derniers revers militaires de l'Union. La victoire relative de McClellan sur les bords de l'Antietam, le 17 septembre, donne au président l'occasion qu'il attendait. Le 22 septembre, la proclamation d'Émancipation est rendue publique : elle annonce que, le 1er janvier 1863, tous les esclaves des États et des régions encore « en rébellion contre les États-Unis seront alors, désormais et pour toujours libres » – à moins que les sudistes acceptent entre-temps le plan d'émancipation graduelle. Le sort des esclaves dans les régions ralliées à l'Union sera réglé par d'autres dispositions.

L'écho de cette proclamation est considérable ; les républicains se réjouissent, comme les abolitionnistes et, au fur et à mesure que la nouvelle se répand dans le Sud, les esclaves sont enthousiasmés par cette promesse de liberté. C'est en juillet 1863 que la loi sur la milice autorise, enfin, le recrutement de Noirs. Soudain, la guerre a changé de sens ; ses buts sont désormais hautement moraux et défendables. Lincoln, sans l'avoir totalement voulu, devient « le Grand Émancipateur ». Réciproquement, la violence des démocrates et d'autres conservateurs se déchaîne contre celui qui est accusé d'avoir déclenché une guerre raciale, ce qui prouve la justesse de sa position ; de son côté, le Sud s'inquiète et redoute une révolte servile généralisée. Dans les pays européens, l'effet de la proclamation n'est pas immédiat, mais, peu à peu, la noblesse de l'action du président s'impose. Un peu déçu par ces réticences, Lincoln ne fléchit pas et, le 1er janvier 1863, signe la déclaration d'émancipation, conscient de mettre sa signature sur le document le plus juste de sa carrière : et il affirme qu'il fera tout pour la faire réellement appliquer. Sans doute, les esclaves ne sont-ils libérés qu'avec l'arrivée des soldats bleus mais le mouvement est irréversible. Les affranchis chantent leur « ... pays, douce terre de liberté », 500 000 d'entre eux rejoignent les lignes fédérales jusqu'à la fin de la guerre, inconscients des problèmes qu'ils vont y trouver. L'esclavage, sans être officiellement supprimé, se désintègre, même dans les zones exclues de la déclaration, comme le Delaware ou le Maryland qui ne l'abolissent pas avant 1865.

Dans les régions contrôlées par l'Union, le sort des affranchis n'est guère enviable. La plupart sont engagés, contre un salaire de misère, pour travailler sur les plantations abandonnées ; trop rares sont ceux qui peuvent obtenir des terres à des prix acceptables, tels les privilégiés des îles de la Mer, au large des côtes de Caroline du Sud, aux mains des fédéraux depuis 1861. Pourtant, les Noirs s'habituent doucement à l'économie de marché, souvent avec l'aide d'associations humanitaires venues du Nord et d'anciens abolitionnistes. En mars 1865, leur action conduit au vote par le Congrès, de la loi créant le *Freedmen Bureau*, chargé d'accueillir et de subvenir aux besoins immédiats de ces réfugiés en utilisant les terres abandonnées par leurs propriétaires. Ce bureau dirigé par des militaires n'a rien de permanent : il correspond à une situation d'urgence. Ses missions restent étroitement limitées ; il ne s'agit ni de trop assister les affranchis, ni de leur faire des promesses inconsidérées au sujet de la propriété des terres. En dépit de ces contraintes, l'effet de ces premières actions est considérable, elles donnent de l'espoir aux Noirs et les accoutument à l'intervention des hommes venus du Nord.

Seul un amendement constitutionnel peut abolir définitivement « l'institution particulière » ; en effet, l'émancipation n'est qu'une sorte de confiscation des esclaves par le gouvernement fédéral et il suffirait d'une victoire démocrate aux élections de 1864 pour en annuler les effets. Lincoln met toute son autorité derrière le projet pour qu'il obtienne l'indispensable majorité des deux tiers du Congrès. C'est chose faite, dans l'enthousiasme, le 31 janvier 1865. Le XIIIe amendement, adopté par les seuls États de l'Union, est bien la meilleure conclusion de la guerre.

Le 4 avril 1865, le président Lincoln a tenu à marcher dans les rues de Richmond libérée la veille par Grant. Les Noirs sont nombreux à lui faire escorte, à s'agenouiller à ses pieds, à toucher leur messie. Quel splendide symbole pour cette victoire !

Une victoire de la puissance économique

Les effets de la guerre sont très différents dans les deux camps. Le Sud, sur le sol duquel se sont déroulés presque tous les combats, souffre de la destruction de ses villes principales – Atlanta ou Richmond –, de la désorganisation de son réseau ferroviaire, des récoltes abandonnées ou saccagées. La production de coton qui atteignait plus de 4 millions de balles en 1860 est réduite à moins de 400 000, cinq ans plus tard ; de nombreux stocks ont été détruits. Il faudra plus de dix ans pour que la production agricole atteigne son niveau d'avant-guerre. De plus, l'industrie ne s'est pas réellement développée durant ces années, les sudistes étant restés attachés à leur mode de vie : ils choisissent le plus souvent d'importer, plutôt que de fabriquer, d'autant qu'ils attendent toujours la renaissance d'un système de plantation, qui pourrait être adapté à la disparition de l'esclavage.

Le Nord et l'Ouest, intacts à l'exception d'une petite zone de Pennsylvanie, n'ont pas subi la guerre de la même façon. Des régions entières, dans le Middle West ou dans le Maine, n'ont été affectées que par le départ des soldats ; toutes les énergies ne sont pas consacrées à la guerre. Bien que la croissance économique ait légèrement fléchi de 1861 à 1865, par rapport à celle de la période précédente, en raison de la désorganisation de certains échanges et du gaspillage engendré par les impératifs militaires ; bien que la guerre n'ait pas constitué – comme on l'a cru longtemps – la période de décollage industriel du pays, elle n'a pas nui à l'essor général de l'Union. Si certains salaires souffrent de l'inflation mal contenue, la plupart des entreprises tournent à plein régime qui fournissent nourriture, habillement et munitions de toutes sortes. Pour faire face aux besoins, il faut innover, concentrer, rationaliser, dans l'agriculture comme dans l'industrie. Aucune découverte fondamentale n'est faite, mais les productions liées directement à la guerre suscitent le plus de progrès. Chicago devient la ville des abattoirs avec l'installation, en 1865, des entreprises *Armour* et *Swift* qui mécanisent totalement l'abattage et la production des conserves de viande. Les usines de chaussures produisent plus de deux millions de paires pour les soldats, grâce aux nouvelles machines à coudre de Howe et McKay. Les chemins de fer – sans connaître le développement d'avant-guerre – fonctionnent pour la première fois à pleine capacité. Entre 1860 et 1865 dans les fermes du Nord et de l'Ouest, le nombre de machines agricoles, *McCormick* ou *Wood*, triple et les fermiers connaissent une excellente période.

Cette prospérité, limitée par le manque de main-d'œuvre, est moins sensible dans les secteurs étrangers à l'effort de guerre, mais elle suscite l'apparition d'une catégorie d'entrepreneurs dont le niveau de vie surpasse bientôt celui des grands planteurs du Sud, qui représentaient jusque-là le symbole même du luxe. Des hommes comme Andrew Carnegie dans la sidérurgie, John P. Morgan ou Jay Gould dans la banque, James J. Hill ou George Pullman dans les activités liées aux chemins de fer, Marshall Field dans les grands magasins, ont tous profité largement de la période de la guerre pour asseoir ou développer leurs fortunes.

Pour atteindre ces résultats, le gouvernement fédéral n'a pas ménagé ses efforts. En 1863 et 1864, il a stabilisé le système bancaire pour fournir aux entreprises des conditions favorables aux affaires et a pris soin de maintenir un tarif douanier élevé pour leur assurer une solide protection. D'autre part, les républicains ont entrepris de réaliser une large partie de leur programme de 1860, qui ne se bornait pas à résoudre la question de l'esclavage. Les intérêts de l'Ouest sont particulièrement pris en compte par la création d'un ministère de l'Agriculture en 1861, comme dans le *Homestead Act* et le *Morrill Act* de 1862. Le premier assure la gratuité des terres publiques au colon qui s'engage à défricher et cultiver un lot de 160 acres (64 ha) ; le second attribue des lots de ces mêmes terres pour subvenir aux besoins de collèges agricoles. Ces textes fondamentaux sont destinés à favoriser une colonisation populaire dans les nouveaux États de l'Ouest et à éviter le poids excessif des spéculateurs, mais – ironie du sort – les Noirs même affranchis n'ont pas le droit au *Homestead*. Ces lois engagent néanmoins les États-Unis sur une nouvelle forme de leur développement, avec un rôle accru du gouvernement fédéral. Le meilleur exemple de cette orientation inhabituelle aux États-Unis est la création d'une première ligne intercontinentale, chère au cœur de S. Douglas rallié à Lincoln, mais décédé dès 1861. En effet, les chartes de l'*Union Pacific* et du *Central Pacific* qui doivent commencer la ligne, la première de San Francisco vers l'Est, la seconde de Saint Louis vers l'Ouest, s'accompagnent de larges dotations en terres publiques (10 miles carrés – 26 km^2 – de chaque côté de la voie pour chaque mile – 1,6 km – construit) ainsi que de prêts avantageux garantis par le gouvernement. Les travaux ralentis par la guerre commencent en 1864 ; ils seront achevés en mai 1869. Toute cette activité repose sur le travail d'ouvriers qui ne sont pas toujours satisfaits des conditions proposées par les patrons et de femmes qui – institutrices ou infirmières – suppléent à l'effort de guerre.

Ainsi, le Nord connaît-il dans ces années de guerre une transformation profonde et se dote des moyens, qui donneront toute leur mesure dans la période suivante. Une telle réussite renforce l'orgueil du pays, qui se manifeste également sur le plan international.

Une grande puissance ?

La guerre, civile par nature, n'en a pas moins une réelle portée internationale. En effet, l'Union cherche à éviter, à tout prix, la reconnaissance du Sud par les autres puissances, alors que la Confédération vise à l'obtenir. Dans cette entreprise, Lincoln et son secrétaire d'État Seward vont adopter une position de grande puissance, opposée à celle de l'époque des guerres issues de la Révolution et de l'Empire. Ils ne peuvent s'opposer à ce que le Sud soit reconnu comme belligérant, mais se refusent à aller au-delà. Le blocus doit être respecté et le droit des neutres, revendiqué par l'Angleterre, est difficilement toléré par le Nord. En novembre 1861, l'affaire du *Trent* révèle ces ambiguïtés. Ce navire britannique, sur lequel ont pris place deux envoyés de la Confédération – Mason et Slidell – qui doivent convaincre

Londres et Paris de reconnaître la Confédération, est arraisonné dans les eaux internationales par le *San Jacinto* de *l'US Navy*. Le capitaine Wilkes se saisit des deux sudistes, qui sont ramenés à Boston. L'émotion est intense à Londres devant cette violation du droit des neutres, des troupes sont envoyées au Canada, en dépit de l'hiver, et la guerre menace, à la grande joie du Sud. Lincoln, habilement et sans perdre la face, fait libérer les deux hommes sans désavouer son capitaine ; ce compromis suffit à désamorcer la crise, et met en lumière un contexte nouveau favorable aux États-Unis.

En cette circonstance, comme en d'autres, l'Union et la Confédération n'hésitent pas à faire de la propagande en leur faveur dans les journaux européens, ou à envoyer des agents diplomatiques dans les pays influents qui se conduisent presque en agents secrets, tels John Bigelow qui représente l'Union à Paris ou James Mason et John Slidell pour l'autre camp. Ils doivent approcher les gouvernements, susciter des mouvements de sympathie, négocier des contrats – surtout pour les sudistes.

Les grandes puissances hésitent à franchir le pas et à reconnaître la Confédération. Anglais et Français ont des sympathies pour le Sud, dont le mode de vie rappelle celui des aristocrates européens. Cette région est assimilée par des observateurs à une nationalité naissante, mais ils restent impressionnés par la puissance et la légitimité de l'Union. La Grande-Bretagne, dont la position est fidèlement suivie par Napoléon III, pratique d'abord l'attentisme, même si les audaces de l'Empereur sont freinées par le Quai d'Orsay. Mais, à partir d'Antietam et surtout de Gettysburg, les grandes puissances n'évoquent plus la reconnaissance et résistent aux sirènes confédérées.

À la fin de la guerre, les États-Unis disposent d'une armée puissante, moderne et bien armée, d'une marine efficace, et les Américains manifestent un orgueil national qui pourrait déboucher sur des entreprises aventureuses. Nombreux sont les observateurs, particulièrement en Europe, qui s'interrogent sur ce qu'ils pourraient en faire. Ces craintes sont infondées car, comme ils l'ont fait après la guerre d'Indépendance, les États-Unis s'empressent de démobiliser la totalité des troupes – au bout de quelques années, l'armée revient à 25 000 hommes –, et d'oublier les fantasmes guerriers. Pourtant, forts de leur puissance, William Seward – inamovible secrétaire d'État – et le Congrès peuvent menacer d'intervention les Français malencontreusement aventurés au Mexique. Ils n'avaient pu le faire en 1863, craignant toujours la reconnaissance du Sud, mais, deux ans plus tard, ils n'ont plus cette crainte. En 1867, Napoléon III a retiré ses troupes du Mexique, et abandonné Maximilien à ses rêves d'Empire : en raison de la forte opposition intérieure qu'il rencontrait, mais aussi en raison de la présence de l'armée américaine massée à la frontière. Sans qu'elle ait été officiellement revendiquée, il s'agit bien d'une variante de la doctrine de Monroe. Dans cette même lignée en 1867, Seward renoue avec la tradition des années 1840 et propose aux Russes l'achat de l'Alaska, que le Congrès se résout à accepter, sans grande conviction.

Cette puissance américaine potentielle joue également son rôle dans la création de la confédération du Canada. La Grande-Bretagne s'est rendu compte, au moment de l'affaire du *Trent*, de la difficulté à défendre ses colonies d'Amérique du Nord et elle les a poussées à s'entendre, ne serait-ce que pour mieux résister aux ambitions déclarées par certains milieux américains. Le Dominion du Canada voit ainsi le jour le 1er juillet 1867.

Enfin, lors des négociations des conventions de Washington, en 1872, qui mettent un terme au contentieux anglo-américain dû à la guerre – en particulier, l'affaire des dommages causés par l'*Alabama*, corsaire confédéré construit en Angleterre –, les deux puissances sont strictement sur un pied d'égalité. Pour la première fois, l'ancienne métropole reconnaît véritablement l'envergure des États-Unis.

Ces manifestations de puissance n'ont aucune suite immédiate, mais elles prouvent la capacité des États-Unis à jouer leur rôle sur la scène internationale. Une trentaine d'années passent avant que les Américains, dans leur ensemble, en prennent vraiment conscience.

Par ses conséquences, par ses implications profondes, la guerre civile américaine constitue bien pour les États-Unis un autre événement fondateur et l'on comprend la place qu'elle occupe dans les consciences américaines.

Toutefois, en 1865, l'ampleur des problèmes qui restent à résoudre avec la Reconstruction de l'Union et la disparition d'un président capable de hauteur de vue conditionnent lourdement les années qui suivent.

Chapitre 3

La Reconstruction (1865-1877)

Ces douze années occupent une place très particulière dans l'histoire des États-Unis. Le terme de reconstruction choisi par les Américains ne manque pas d'ambiguïté, bien qu'ils ne le discutent pas. Signifie-t-il que le Sud, pardonné par ses vainqueurs, reprendra sa place dans la maison de l'Union rebâtie à l'identique avec désormais interdiction de quitter l'Union, ou dans un nouvel édifice amplement remanié pour laisser un étage, ou tout au moins une pièce, aux affranchis ?

Ces deux logiques ont marqué profondément l'historiographie de la période. Pendant longtemps, la Reconstruction a été vue comme démontrant la vilenie des vainqueurs qui auraient imposé au Sud l'occupation militaire et, par la force, l'irruption des Noirs dans la vie publique ; les premiers comme les seconds ne reculant ni devant la corruption ni devant la dépossession des droits légitimes des malheureux sudistes. En 1915, *The Birth of a Nation*, le fameux film de D.W. Griffith, illustre, au-delà de ses qualités cinématographiques, cette vision des lendemains de la guerre civile affirmée dans le Sud, avec naissance du Klu Klux Klan, et qui était alors globalement accepté dans le reste du pays, avec seulement quelques refus marginaux. Depuis les années 1960, la période a été réévaluée : elle apparaît comme une deuxième révolution américaine, qui a apporté la liberté aux esclaves et permis l'apurement de la Constitution de 1787, mais l'aboutissement n'est pas survenu, car les promesses incluses dans ces événements en faveur des affranchis ont été limitées aux seuls principes formels de la citoyenneté.

En fait, avant de prendre sa véritable signification, la Reconstruction se déroule sur plusieurs fronts : celui de Washington, essentiellement politique, celui du Sud, en prise avec toute la société, mais également celui de l'Ouest avec ses propres priorités.

La Reconstruction politique

Elle s'impose dans la mesure où la victoire de l'Union a supprimé les prétentions d'indépendance de la Confédération et qu'elle a adopté les amendements abolissant l'esclavage ; Washington tient à ce que les États du Sud réitèrent leur adhésion selon ces nouveaux principes. Une telle procédure ne peut aboutir rapidement et le rythme de la reconstruction s'en ressent.

Le legs de Lincoln

Le président n'a pas laissé de plan pour la Reconstruction, s'il a indiqué quelques principes, bien difficiles à appliquer sans lui. Pour Lincoln, il faut, au fur et à mesure de l'avance des troupes, permettre la réadmission des États libérés au sein de l'Union en comptant sur la minorité d'unionistes qui pouvaient s'y trouver, puisque les chefs rebelles sont privés de leurs droits civiques. Ainsi, pense le président, la population du Sud se réhabituera à l'Union et acceptera l'abolition de l'esclavage comme inévitable. D'ailleurs, le président indique bien qu'il ne veut exercer aucune vengeance, « sans aucune méchanceté, mais avec de la charité pour tous », comme il l'affirme lors de son discours d'investiture en mars 1865, un mois avant sa mort. Il n'y aura d'ailleurs aucun grand procès des chefs sudistes, aucune exécution sommaire.

Dès 1864, contrôlés par les troupes de l'Union, les États de la Louisiane, de l'Arkansas et du Tennessee sont aux mains de fidèles partisans de Lincoln : ils ont prêté un serment de loyauté à la Constitution, rénové leurs institutions rénovées et aboli l'esclavage. Ils demandent au Congrès leur réadmission dans l'Union, mais les républicains radicaux, majoritaires au Congrès, leur opposent un refus. En effet, des élections n'ont pas eu lieu dans ces États, où les Noirs sont souvent maintenus dans un servage peu différent de leur statut antérieur. Le conflit va s'apaiser après les élections de novembre 1864, qui rassurent Lincoln et renforcent les républicains, mais, sur le fond, deux façons de procéder continuent à s'opposer. L'une, soutenue par Lincoln, veut aller assez vite afin d'entraîner Noirs et Blancs dans le mouvement, sans faire du suffrage des premiers un préalable. L'autre, conçue par les radicaux menés par Charles Sumner et Thadeus Stevens, considère les États du Sud comme des territoires sans institutions, aux habitants desquels on ne peut faire aucune confiance ; ils demandent donc qu'ils ne soient admis dans l'Union qu'après avoir rempli nombre de conditions, dont celle qui fait des Noirs des citoyens à part entière.

Seuls l'autorité et le prestige de Lincoln auraient pu permettre de dépasser ces contradictions. Son assassinat laisse la redoutable tâche de mener une reconstruction, sans véritable ébauche, à son successeur Andrew Johnson. Ce natif du Tennessee, a été choisi à la vice-présidence en 1864 pour élargir l'attrait du « ticket » en raison de son origine démocrate et de ses farouches positions unionistes, bien rares dans cette région. Politicien accompli d'origine populaire, à la carrière antérieure sans éclat, il est dépourvu de l'envergure nécessaire pour faire face à de tels enjeux.

La mainmise des radicaux sur le pouvoir

Le nouveau président prétend suivre la politique voulue par son prédécesseur et affirme « reconstruire » rapidement les États du Sud tout en punissant les « traîtres » et en favorisant les Noirs. Ce programme ravit les radicaux lassés par les principes de Lincoln, mais, en réalité, Johnson est farouchement opposé à une intervention prolongée du gouvernement fédéral. Il voudrait que les petits fermiers blancs prennent le pouvoir dans le Sud, aux dépens des grands planteurs, et, qu'une fois reconnue l'abolition de l'esclavage, ces États soient réadmis dans l'Union ; il ne tient nullement à associer à ce processus les Noirs, pour lesquels il a le plus grand mépris. Sa politique de reconstruction, édictée en mai 1865, accorde un très large pardon aux ex-rebelles et favorise les « petits Blancs » sans accorder le suffrage aux Noirs. Les sudistes, qui n'ont pas admis leur défaite, voient là une opportunité d'en atténuer les effets ; de fait, les partisans de l'Union ont toujours été très minoritaires dans un Sud où trois quarts des hommes ont porté l'uniforme gris. Aussi, les gouvernements qui s'installent permettent-ils rapidement aux élites traditionnelles de revenir ou de partager le pouvoir avec des concitoyens plus humbles, qui ont le même rejet de la reconstruction. Dès la fin de 1865, il apparaît bien que le rêve de Johnson de constituer un parti conservateur pour rassembler les modérés favorables à l'Union dans le Nord comme le Sud, est en lambeaux. Les démocrates traditionnels dominent le Sud et, au Congrès, les républicains radicaux refusent de reconnaître les gouvernements « reconstruits » selon la méthode Johnson.

Au Sud, cette première Reconstruction laisse les Noirs à l'écart, car elle redonne de fait le pouvoir à leurs anciens maîtres. Ces derniers, inquiets des déplacements multiples de la main-d'œuvre, anxieux des risques de vengeance violente et désireux de retrouver la prospérité, s'empressent d'édicter des « codes noirs ». Ces textes régissent très strictement les droits des travailleurs noirs : un système sévère d'apprentissage et de contrôle du travail est mis en place avec des surveillants tatillons, les salaires misérables sont versés sur un compte tenu par les propriétaires, qui retrouvent ainsi l'ambiance de l'esclavage. Les Noirs et les républicains protestent contre cette évolution, dont Johnson semble indirectement responsable. Le Congrès, élu en 1864 par les seuls États du Nord, s'oppose de plus en plus souvent au président. Car ces événements donnent raison aux radicaux, qui s'étaient parfois opposés à Lincoln et toujours à Johnson ; ils rallient à leur position les républicains modérés et proposent une politique de reconstruction active. Elle est fondée sur une application stricte des lois et sur une aide fédérale aux affranchis, par la prolongation du mandat du *Freedmen Bureau*, par le vote d'une première loi des droits civils qui, nouveauté considérable, garantit les droits légaux des Noirs si elle n'en fait pas encore des électeurs. Une telle politique est rejetée par le président, qui utilise l'arme du veto, surmonté par la majorité qualifiée du Congrès au début de 1866. Aucun compromis n'est plus possible entre les républicains et le président. Le même scénario se reproduit lors du vote du XIVe amendement qui, dans le but de faire des affranchis des citoyens à part entière, établit une nouvelle définition de la citoyenneté américaine et fait confiance aux tribunaux pour la faire respecter. Les États du Sud refusent la ratification de ce texte ; ils ont le soutien de Johnson. Au printemps 1866, des Noirs, qui voulaient profiter de leur liberté, sont massacrés lors des émeutes raciales de la Nouvelle-Orléans et de Memphis, ce qui confirme les craintes des radicaux sur le refus du Sud à accepter la victoire de l'Union.

Le blocage est total après les élections de 1866, qui laissent le président isolé entre une majorité républicaine et une minorité démocrate venue d'un Sud sans repentir. Les premiers, fraîchement élus, contestent la légitimité de Johnson, alors que la situation se détériore dans le Sud. L'hôte de la Maison-Blanche, qui se répand en propos racistes, est de plus en plus proche des sudistes. Les accusations de « traître, renégat, ivrogne » se multiplient contre Johnson, de la part de républicains, qui veulent en finir et cherchent à affirmer la suprématie du Congrès. Aux abois, tous ses veto surmontés, Johnson se raccroche à son pouvoir de nomination pour s'entourer d'amis et écarter ses ennemis, comme E. Stanton nommé par Lincoln secrétaire à la Défense. Par cette pratique désespérée, il provoque le Congrès qui, tout en continuant à mener sa reconstruction, décide en février 1868 de lancer contre lui la procédure d'*impeachment* à partir d'accusations discutables de « grands crimes et mauvaise conduite ».

L'accusation est strictement politique et semble, aux yeux de nombreux Américains, même parmi les républicains, déplacer l'équilibre institutionnel au profit d'une majorité partisane provisoire. À Washington durant ces quelques mois, l'ambiance est particulièrement tendue et, finalement, le 16 mai 1868, Johnson est acquitté à une voix près. Cette victoire de la raison explique qu'il ait fallu attendre 1974 et 1999 pour que soit utilisée à nouveau la procédure d'*impeachment* contre un président – Richard Nixon, puis Bill Clinton. Si l'échec de Johnson est total, les radicaux ne sortent pas renforcés de l'épisode, car ils n'ont pas réussi à le remplacer par un des leurs, Ben Wade, président du Sénat. Mais ils conservent la maîtrise totale de la Reconstruction.

La Reconstruction radicale

Elle s'étend sur trois ans, de 1867 à 1869, caractérisée par la volonté des républicains élus en 1866 d'imposer leur volonté au Sud rétif. Dans cette politique se conjuguent deux objectifs principaux : le premier, souvent sincère, est d'aider les affranchis à devenir des citoyens à part entière, le second – plus politicien – est d'en faire des électeurs républicains, ce qui assurerait la victoire de leur parti dans tout le pays. Mais, pour arriver à leurs fins, les républicains doivent formuler une politique claire de réadmission dans l'Union des États ex-confédérés. Englués dans la lutte pour le pouvoir, ils n'y parviennent qu'au début de 1867, alors que les radicaux semblent l'emporter.

Le 2 mars 1867, la première loi de Reconstruction découpe le Sud en cinq districts militaires dirigés chacun par un général et subdivisés en cinquante-cinq circonscriptions. La présence de ces troupes peu nombreuses – dix-huit mille en 1867 et onze mille deux ans plus tard – doit permettre la réunion de conventions constitutionnelles élues au suffrage universel masculin – qui n'est pas encore réalisé dans le Nord, où les Noirs ne peuvent voter. Celles-ci devront rédiger, dans chaque État, de nouvelles constitutions conformes aux XIIIe et XIVe amendements, qu'elles devront ratifier, et établir des gouvernements biraciaux pour appliquer ces dispositions. Les textes ainsi adoptés permettent la réadmission dans l'Union, mais les soldats restent dans le Sud jusqu'à l'établissement de gouvernements stables, qui fassent une juste place aux Noirs. Avant l'été 1870, tous les États sont réadmis, mais les dernières troupes cantonnées seulement en Louisiane et en Floride ne sont retirées qu'en janvier 1877, dans des conditions très différentes.

Le complément naturel de cette loi de Reconstruction est l'adoption, en 1869, avec ratification l'année suivante, du XVe amendement qui établit les bases d'un suffrage masculin véritablement universel sans toutefois en fixer les modalités qui dépendent toujours des États. Ce texte, nécessaire accompagnement du XIVe amendement, constitue le couronnement du travail législatif du 40e congrès.

La rénovation de la Constitution après la guerre civile

L'émancipation des esclaves devait, pour être irréversible, figurer dans la Constitution. Les XIIIe, XIVe, XVe amendements suppriment l'esclavage et reconnaissent les droits civiques des affranchis. Le XIVe, ambigu dans sa formulation, servira à bien d'autres fins.

Treizième amendement (1865)

Section 1. – Ni l'esclavage ni la servitude forcée n'existeront aux États-Unis ou en quelque lieu dépendant de leur autorité, si ce n'est comme châtiment d'un crime pour lequel il y aura eu condamnation légale.

Section 2. – Le Congrès aura le pouvoir de faire respecter cet article par la législation appropriée.

Quatorzième amendement (1868)

Section 1. – Toute personne née ou naturalisée aux États-Unis et sujette à leur juridiction est citoyen des États-Unis et de l'État dans lequel elle réside. Aucun État ne pourra adopter ou appliquer une loi qui limiterait les privilèges ou immunités des citoyens des États-Unis; aucun État ne pourra priver une personne de sa vie, de sa liberté ou de ses biens sans procédure légale régulière ni refuser à quiconque relève de sa juridiction la protection légale des lois.

Section 2. – Les représentants seront répartis entre les différents États proportionnellement à leur population établie par le nombre total d'habitants, à l'exception des Indiens non imposés. Mais, lorsque des habitants [de sexe masculin] d'un État, [âgé de vingt et un ans][1] et citoyens des États-Unis, se seront vu refuser ou restreindre d'une manière quelconque, sans qu'il y ait là châtiment d'une rébellion ou d'un crime, le droit de prendre part à une élection pour choisir le président et le vice-président des États-Unis, les représentants au Congrès, les fonctionnaires de l'ordre exécutif ou judiciaire de leur État ou les membres des législatures de leur État, la base de représentation de cet État sera

1. Les dispositions entre crochets ont été modifiées par les XIXe et XVIe amendements.

réduite en proportion du nombre de ces habitants par rapport au nombre total d'habitants de sexe [masculin de plus de vingt et un ans] de cet État.
Section 3. – Nul ne pourra être sénateur ou représentant au Congrès ou électeur des président et vice-président ni exercer aucune fonction civile ou militaire des États-Unis ou de quelque État, si, ayant auparavant, en qualité de membre du Congrès, fonctionnaire des États-Unis, membre d'une législature d'État, ou fonctionnaire du pouvoir exécutif ou judiciaire d'un État, prêté un serment par lequel il s'engageait à défendre la Constitution des États-Unis, il a pris part à une insurrection ou une rébellion contre eux, ou porté aide et assistance à leurs ennemis. Le Congrès peut toutefois, par un vote des deux tiers de chaque Chambre, les relever de cette incapacité.
Section 4. – La validité de la dette publique légalement assumée par les États-Unis, y compris les dettes de pension et primes pour services rendus en combattant l'insurrection ou la rébellion, ne pourra être mise en question. Ni les États-Unis ni aucun État ne pourront reconnaître ou payer aucune dette ou obligation contractée pour soutenir une insurrection ou une rébellion contre les États-Unis ni aucune demande d'indemnité pour la perte ou l'émancipation d'esclaves; toutes ces dettes, obligations ou réclamations seront tenues pour illégales et nulles.
Section 5. – Le Congrès aura pouvoir de faire respecter les dispositions de cet article par la législation appropriée.

Quinzième amendement (1870)

Section 1. – Le droit de vote des citoyens des États-Unis ne pourra être refusé ni restreint par les États-Unis, ni par aucun État pour raison de race, de couleur ou d'un état de servitude antérieur.
Section 2. – Le Congrès aura le pouvoir de faire respecter cet article par la législation appropriée.

Après 1870, aucune grande loi ne sera plus votée au sujet de la Reconstruction, à l'exception des textes d'application pour réprimer les réactions sudistes – *Force Act* de 1870 et 1871 – ; en 1875, le chant du cygne du Congrès est l'adoption d'une loi des droits civils, très audacieuse mais restée lettre morte jusqu'au milieu du XXe siècle.

La reconstruction politique est achevée en 1870, complétée par l'amnistie des anciens confédérés en 1872. L'élection d'Ulysses Grant, le héros de la guerre, à la présidence en 1868 comme candidat républicain marque bien cette évolution. En effet, loin de constituer une potentielle menace de césarisme, comme l'ont cru nombre d'Européens, la présence de Grant à la Maison-Blanche, entouré de modérés, ne renforce pas les radicaux. L'homme n'a aucune envergure politique : élu grâce aux voix des Noirs, il est le symbole de la victoire républicaine, mais ne tient pas à pousser plus loin la reconstruction, se contentant, dans certains cas extrêmes, d'ordonner aux troupes fédérales de déloger les gouverneurs démocrates qui s'accrochent au pouvoir en Caroline du Sud ou en Louisiane. En 1872, il est réélu sans difficulté.

Cette reconstruction a été violemment dénoncée dans le Sud ; la présence des troupes fédérales apparaît comme une intolérable occupation, le travail du *Freedmen Bureau*, dont les effectifs n'atteignent que 158 personnes au moment de sa dissolution en 1869, comme une ingérence inadmissible dans les affaires des États et le vote des Noirs comme une abomination. De ce fait, la reconstruction radicale a longtemps gardé une image détestable. Pourtant, l'ambition des radicaux a été relativement limitée. Ces hommes, dont beaucoup s'étaient illustrés dans les rangs des abolitionnistes, puis devenus de farouches unionistes en conflit fréquent avec Lincoln, avaient gagné leur influence au sein du parti républicain en ayant raison avant les autres. Les premiers, Thadeus Stevens ou Charles Sumner, prédisent l'échec de la Reconstruction de Johnson et dénoncent la mauvaise volonté du Sud à accepter les leçons de la guerre. Quand ils proposent le suffrage des Noirs, ils ne sont pas suivis avant que les violences dans le Sud ne viennent leur donner une nouvelle fois raison, puisqu'il s'agit de chasser du pouvoir les élites traditionnelles, pour que la mesure soit adoptée. Au-delà de l'application des principes républicains dans le Sud – le suffrage et l'accès libre au travail pour chacun, ce *free labor* qui les avait fait se dresser contre l'esclavage, les radicaux, n'ont pas de programme révolutionnaire sur le plan social et économique. Les rares, comme Stevens, qui proposent une large distribution de terres aux affranchis, au besoin en dépossédant les planteurs, ne sont pas suivis. Dans l'esprit de la plupart, l'égalité des conditions pour les Noirs et les Blancs doit suffire à régler tous les problèmes. Une fraction des radicaux penche pour le protectionnisme et le développement des industries, alors que d'autres sont partisans du libre-échange et du maintien d'une agriculture de petits propriétaires ; aucun ne veut remettre en cause le droit de propriété, une fois supprimé celui des sudistes sur les esclaves.

Pour toutes ces raisons, la reconstruction radicale est essentiellement politique, fondée sur des principes issus de la pensée des Lumières du XVIIIe siècle, et, contrairement à la légende sudiste, elle ne s'est pas radicalisée au fil des mois.

Les principes adoptés à Washington doivent être appliqués sur le terrain, mais cela pose beaucoup de problèmes, car toutes les mesures de la Reconstruction, même les plus modérées, provoquent aussitôt la résistance du Sud.

Dans le Sud : espoirs des Noirs, résistance des Blancs

Une région désorganisée

Le Sud a subi lourdement les effets de la fin de la guerre : les destructions sont nombreuses, l'organisation municipale et étatique semble avoir disparu en Floride ou en Caroline du Nord avec la désintégration de la Confédération. De plus, la population noire s'est beaucoup déplacée, soit pour rejoindre les soldats fédéraux où ils se trouvent, soit pour gagner les villes où les conditions ont toujours été moins dures que dans les plantations. Ainsi en 1866, à Montgomery ou Mobile en Alabama, le nombre des Noirs a augmenté de près de 25 %. D'autres, qui avaient fui durant la guerre, reviennent dans leurs États d'origine afin de retrouver les leurs et accentuent l'impression de désordre. En réalité, ces déplacements n'ont pas affecté l'ensemble des affranchis, dont beaucoup ont préféré attendre avec leurs familles dans les domaines où ils se trouvaient, espérant l'arrivée des soldats du Nord qui leur proclameraient l'émancipation rêvée, choisissant dans la joie des noms de famille évoquant la liberté. Depuis, nombreux sont ceux qui se dénomment… Washington. Mais, partout, les Noirs espèrent obtenir des terres individuelles sur lesquelles ils pourraient s'établir ; c'est la requête la plus fréquente qu'ils adressent aux militaires. Ceux-ci, n'ayant aucune consigne précise, agissent suivant leurs propres convictions. Les uns distribuent quelques terres de façon symbolique, en partageant la plantation de Jefferson Davis dans le Mississippi, d'autres persuadent les Noirs de reprendre le travail sur les plantations comme salariés.

Dans un premier temps, les Blancs sont désorientés, car ils craignent confusément une révolte généralisée qui ne s'est jamais produite ; environ dix mille choisissent l'exil vers les Antilles britanniques. Certains se rassurent en imaginant que les anciens esclaves ne survivront pas à la liberté, pour laquelle ils ne sont pas faits, d'ailleurs les déplacements nombreux et désordonnés semblent leur en fournir la preuve. Cette légende de la « disparition naturelle » des Noirs se perpétue pendant quelques années, curieuse façon d'espérer régler le problème. Pourtant, rapidement, ces fantasmes laissent place à un froid réalisme : les élites blanches tentent de reprendre le dessus et de rétablir leur autorité.

L'organisation de la résistance blanche

Le souci légitime de Lincoln et de Johnson de rétablir rapidement un ordre, qui évite le chaos, a permis aux élites traditionnelles du Sud de reprendre en main les affaires. Cela a été particulièrement vrai durant la Reconstruction de Johnson, puisqu'il suffisait de n'avoir pas eu un rôle trop notable dans l'administration de la Confédération pour devenir juge, maire ou gouverneur. Les véritables unionistes sont si rares qu'il n'y a guère le choix, dans la mesure où les affranchis restent à l'écart. L'évolution de la situation à Washington favorise les sudistes qui bénéficient, de plus en plus, de l'appui présidentiel. Or, dans le Sud, la victoire des soldats bleus n'est nulle part acceptée et les rares unionistes sont pourchassés. Les modifications apportées aux textes constitutionnels restent de pure forme, gommant seulement les références précises à l'esclavage. Toutes les lois de la Confédération qui ne sont pas explicitement contraires aux nouvelles lois fédérales sont maintenues. Les États de Géorgie, de Caroline du Sud, de Floride ou du Mississippi veulent empêcher l'annulation des dettes de la Confédération et ils ralentissent la ratification du XIIIe amendement. Les Noirs sont systématiquement exclus de toute fonction locale et, dès 1865 dans le Tennessee, naît le Ku Klux Klan, qui sous un cérémonial moyenâgeux censé évoquer les fantômes des soldats morts, s'attaque violemment aux affranchis, qui manifesteraient une quelconque indépendance, et aux Blancs qui les y aideraient : ils sont assassinés, leurs maisons sont brûlées et une grande croix en feu signe un acte du Klan.

À partir de 1866, le président ferme les yeux sur ces agissements, sur les refus manifestes de l'égalité entre Noirs et Blancs, et laisse « l'intelligence supérieure des Blancs » gérer les affaires des États. C'est dans ce contexte précis que sont édictés les Codes noirs, particulièrement sévères en Alabama, Caroline du Sud, Floride et Mississippi. Partout, ils donnent un statut aux affranchis, qui leur reconnaît certains droits comme celui de témoigner en justice – mais les oblige à des contrats de travail draconiens assortis d'une obligation de résidence fixe et de clauses répressives allant jusqu'à l'envoi en camp de travail obligatoire. Le but était de faire travailler les Noirs pour un salaire sur les mêmes plantations, sous la conduite d'un surveillant et de les maintenir en dépendance par le système organisé d'endettement.

Les Codes noirs sont rejetés par les Noirs qui, sans esprit de vengeance, veulent une fois pour toutes échapper à la contrainte de la plantation et du surveillant détesté. Cette évolution rétrograde et ces prises de position obligent les radicaux à agir pour éviter que la guerre ait été gagnée en vain.

Une coalition fragile

Les mois qui suivent les lois de Reconstruction constituent une période d'opportunité extraordinaire pour les Noirs et certains Blancs. Le Sud est à rebâtir en suivant de nouvelles règles : tout semble possible. Les affranchis, restés sceptiques pendant la Reconstruction présidentielle, se lancent désormais avec enthousiasme dans la lutte politique. L'élection des conventions, les questions qui y sont débattues ont des répercussions dans toute la communauté. L'éveil politique est activé par la venue de nombreux Noirs libres arrivés du Nord : pasteurs, éducateurs, aventuriers viennent prêcher l'évangile républicain, expliquer les nouveaux droits qui s'ouvrent à leurs frères du Sud. Certains, comme James Lynch de Baltimore venu dans le Mississippi, attirent des foules quand ils prennent la parole ; ils mettent sur pied des groupes de l'*Union League* qui diffusent les idées de liberté. D'autres sont d'anciens esclaves fugitifs qui tentent de retrouver les leurs. Tous espèrent établir un climat de tolérance et d'égalité qu'ils n'ont souvent pas connu dans le Nord. Rapidement des chefs et des porte-parole apparaissent parmi les anciens esclaves, comme le père du journaliste Thomas Fortune, déjà connu pour son talent, avant l'émancipation. La rapidité avec laquelle se fait la prise de conscience désarçonne les anciens propriétaires qui tentent parfois de se présenter comme les meilleurs amis des Noirs et se font huer.

Ce bouleversement est accentué par la venue de nombreux Blancs, attirés parfois dès 1863 ou 1864 par ce Sud mystérieux. Ils sont pasteurs ou instituteurs, issus des rangs abolitionnistes, désireux de participer à la libération des anciens esclaves ; mais aussi aventuriers qui espèrent racheter à vil prix des plantations abandonnées, spéculateurs qui veulent tirer parti d'un pays à reconstruire, anciens soldats attirés par une région qu'ils viennent de découvrir. Certains ont travaillé pour le *Freedmen Bureau* du général Oliver Howard, qui a distribué des rations, aidé médicalement plus d'un million de personnes, construit des écoles avec l'aide des affranchis. Fixés dans le Sud, ce sont des *carpetbaggers* arrivés seulement avec un sac de toile comme bagage : ils sont particulièrement honnis par les sudistes, qui leur reprochent de subvertir les Noirs, de s'emparer des emplois et de profiter de leur désastre pour s'enrichir. Habitués au débat démocratique, ces *carpetbaggers* prennent souvent la tête du parti républicain dans le Sud : ils recrutent des Noirs et tentent de convaincre les Blancs modérés de les rejoindre.

L'enthousiasme ne suffit pas car les Noirs ne sont majoritaires que dans la seule Caroline du Sud ; ils composent à peine la moitié de la population en Louisiane, et sont minoritaires partout ailleurs. Or, les *carpetbaggers* ne sont que quelques milliers dispersés et sans influence ni réseau au sein de la population blanche. La constitution d'une majorité républicaine dépend de l'adhésion de certains sudistes, puisque seule une petite minorité de rebelles a été temporairement privée de ses droits civiques. Ce sont les *scalawags*, considérés par les élites traditionnelles comme encore plus détestables que les *carpetbaggers*, puisqu'ils ont trahi leur milieu. Ils ont été présentés comme des gens hargneux et avides, issus de la lie de la société du Sud, qui ne chercheraient que vengeance et avantages personnels. En réalité, il s'agit d'un groupe peu homogène formé d'opportunistes s'accrochant au train des vainqueurs, de planteurs de tradition *whig*, qui acceptent l'évolution, ou de généraux confédérés, tel James Longstreet, l'un des héros de Gettysburg, persuadés que les temps ont changé, mais également des fermiers de l'intérieur, qui n'ont jamais eu d'esclaves, sont souvent unionistes mais hostiles aux doits des Noirs et désireux surtout de contester le pouvoir des planteurs.

Ainsi, dans les conventions constitutionnelles qui se réunissent à l'été 1867, on trouve un quart de Noirs, 17 % de *carpetbaggers* et une majorité de *scalawags* ; les démocrates sont presque toujours restés à l'écart. Ce sont donc souvent les *scalawags* qui font la décision. La faiblesse de cette coalition vient du fait que les intérêts de chaque groupe sont divergents. Les Noirs attendent une participation au pouvoir et, surtout, des terres, même s'il faut les confisquer aux propriétaires. Les *carpetbaggers* sont disposés à assurer l'accès des affranchis au pouvoir, mais la plupart sont favorables à un développement économique du Sud qui ne suppose aucune menace sur la propriété. Quant aux *scalawags*, ils sont souvent violemment racistes et cherchent avant tout à diriger les nouveaux gouvernements pour desserrer l'étau de leur endettement, ce qui n'intéresse pas des affranchis, qui n'ont ni capitaux ni dettes. Dans presque tous les cas, les mesures les plus radicales sont écartées des nouvelles constitutions ; aucune n'envisage un quelconque transfert de propriété ; en revanche, l'aide à la construction de chemins de fer ou le principe d'écoles publiques sont adoptés, ces dernières sont ségrégées comme en Virginie ou biraciales comme en Louisiane ou Caroline du Sud, mais nombreux sont les fermiers blancs qui ne comprennent pas l'utilité de la scolarisation pour leurs propres enfants, d'autant plus qu'ils ne pourraient s'asseoir sur les mêmes bancs que les Noirs.

Les Noirs au pouvoir ?

Dans la légende obscure de la Reconstruction figure en bonne place l'irruption des anciens esclaves sur les bancs des assemblées des États du Sud, où ils auraient démontré leur vulgarité et leur incompétence, qui auraient provoqué une gabegie éhontée. Quelques milliers d'affranchis ont occupé des fonctions électives locales, six cents ont été élus aux assemblées d'États – ils n'y sont majoritaires qu'en Caroline du Sud – et dix-huit ont été élus à des postes de responsabilité (secrétaire d'État, lieutenant-gouverneur, ministres...) ; de plus, seize siègent au Congrès à Washington, dont Blanche K. Bruce qui devient sénateur du Mississippi en 1874. Ces chiffres peuvent être lus de deux façons : d'un côté, des Noirs participent à la vie politique et s'y font une place, pour la première fois dans l'histoire des États-Unis, ce qui est proprement révolutionnaire bien que transitoire ; de l'autre, ces élus noirs n'occupent aucun poste de responsabilité et sont marginalisés dans la plupart des États, écartés des commissions importantes du Sénat, partout ils dépendent du bon vouloir de leurs collègues blancs pour accéder à des positions très légèrement supérieures ; pour ces raisons et parce qu'ils ne connaissent encore ni les règles du jeu ni les codes de conduite, beaucoup sont restés effacés, mais quelques-uns manifestent leur mécontentement et tentent de gravir les échelons, toujours avec difficulté et bien loin de l'enthousiasme de 1865.

En dépit de ces limites, la participation des Noirs à la vie publique constitue un de leurs vœux les plus chers. En effet, les anciens esclaves aspirent à devenir des citoyens américains à part entière, ils revendiquent la totalité des droits inscrits dans la Déclaration d'Indépendance et la Constitution et ne manifestent aucune velléité d'autonomie ; aux lendemains de la guerre, le mouvement d'immigration vers le Libéria, longtemps dérisoire, s'arrête totalement. En revanche, ils ne désirent nullement se mêler socialement aux Blancs, ils préfèrent rester entre eux au sein d'une famille enfin stabilisée, dans leur environnement avec leurs écoles, leurs commerces et leurs églises. Quand, pour effrayer, les sudistes agitent le sceptre des mariages interraciaux, leurs anciens esclaves ont beau jeu de leur rappeler que les seuls mélanges de sang à jamais s'être produits aux États-Unis ont été le fait des maîtres ; ces unions forcées ont donné naissance aux très nombreux métis parmi les Africains-Américains.

La reconnaissance complète de cette volonté d'égalité par les Blancs aurait pu donner un autre sens à la Reconstruction, une autre signification à la démocratie américaine. Mais, dès le début, des failles sont apparues au sein de la coalition républicaine, dont les sudistes invétérés ont essayé de jouer. Les *carpetbaggers* ne restent pas longtemps dans le Sud, car ils s'aperçoivent de la quasi-impossibilité d'y implanter le parti républicain ; de surcroît, très rares sont les mariages entre ces jeunes gens aventureux et des affranchis ; les *scalawags*, qui redoutent la concurrence éventuelle des Noirs pour les postes et les terres, ne font rien qui puisse les favoriser. Pourtant, les gouvernements des États reconstruits ne sont pas inactifs, ils investissent dans des infrastructures manquantes ou ruinées : écoles, routes et construction de chemin de fer. Ils organisent parfois, comme en Caroline du Sud, la vie sociale suivant le modèle de la démocratie locale des *townships*. Cette activité a été beaucoup critiquée par les élites traditionnelles, qui ont dénoncé l'effondrement des finances des États et la corruption endémique de ces assemblées. En réalité, les nouveaux élus ont accompli une tâche considérable, même s'ils pêchent parfois par incompétence, et la corruption est largement présente dans tout le pays durant une période marquée par les scandales financiers, qui affectent jusqu'à l'entourage du président Grant, où ne se trouve aucun Noir. De surcroît, ces gouvernements ont dû agir dans un environnement hostile, ils disposent de peu de ressources et leurs membres dépendent de leur passage au pouvoir pour affermir leur place dans la région et se constituer des réserves. Les Noirs ne sont pas responsables de ces abus dans la mesure où leur poids politique a été très restreint auprès des républicains, et que les démocrates, favorables aux chemins de fer, ont largement participé à la corruption ambiante.

Ces dépenses considérables ne parviennent pas à relancer l'économie restée traditionnelle; le chemin de fer n'attire ni immigrants ni investisseurs nouveaux. Ces médiocres résultats fournissent des arguments supplémentaires aux anciennes élites du Sud, qui n'ont jamais accepté les changements amenés par la victoire de l'Union et la fin de l'esclavage, pour en faire porter la responsabilité aux « occupants ». Pendant ces quelques années, ils se contentent de faire le gros dos, attendant l'occasion de revenir au pouvoir, sans faire la moindre concession.

La fin de la Reconstruction

Elle est amorcée dès 1870, quand les démocrates tentent de reprendre le dessus par la violence et les élections locales, alors que le Congrès abandonne l'initiative ayant, aux yeux de la plupart des républicains, accompli suffisamment en faveur des affranchis. Pourtant, il faut quelque temps avant que ce double mouvement ne produise tous ses effets.

La violence grandissante

Les républicains du Sud n'avaient pas tenu à priver de leurs droits civiques un grand nombre d'ex-rebelles. En effet, ils espéraient gagner à leur cause des Blancs en assez grand nombre pour leur donner une assise stable dans la région. Et les Noirs se méfiaient de toute mesure d'exclusion qui, à un moment ou un autre, pourrait leur être appliquée à nouveau. De ce fait, nombre de postes d'élus locaux – juges, shérifs – étaient restés entre les mains démocrates. Ces derniers, divisés entre traditionalistes et rénovateurs, feignent une acceptation des principes de la Reconstruction, mais sont fermement décidés à chasser les républicains du pouvoir et à limiter, sinon annuler, les mesures prises par ceux-ci, surtout dans le domaine du suffrage noir. Ils veulent d'autre part revenir au système des plantations, afin de restreindre la liberté de déplacement des affranchis.

Pour arriver à leurs fins, les démocrates vont utiliser une double stratégie. Dans les États où les Noirs sont peu nombreux – Delaware, Kentucky, Maryland, Virginie occidentale, Virginie, Tennessee ou Missouri –, les républicains n'ont pu exercer le pouvoir que brièvement et le perdent dès 1869 ou 1870. Aussi, les démocrates, tout en adoptant les principes du développement économique fondé sur les chemins de fer et en se méfiant de l'intervention fédérale, mettent-ils en œuvre toute une série de moyens : ils excluent les Noirs des jurys, leur imposent une taxation particulière pour leurs écoles, organisent une subtile ségrégation sociale dans les transports et les lieux publics et, profitant de l'ambiguïté des XIVe et XVe amendements, instituent un cens électoral qui écarte la plupart des affranchis.

Dans le Sud profond, les Noirs sont trop nombreux pour que les démocrates puissent reprendre le pouvoir aussi facilement. Il s'agit donc, encore plus que dans les États précédents, d'intimider et d'effrayer les Noirs et leurs mentors républicains. C'est dans cette région que, entre 1868 et 1871, le Ku Klux Klan fait preuve de toute sa nocivité et connaît la première période de son développement. Masqués, se faisant passer pour les fantômes des soldats confédérés, les membres du KKK attaquent, la nuit tombée, les élus noirs, ceux qui s'avèrent les chefs de leur communauté, et les membres des clubs républicains. Ils tuent, battent, brûlent, lynchent des détenus avant jugement et créent un climat de terreur là où ils sévissent. En cas d'enquête, les témoins blancs, souvent solidaires de ces agissements, restent muets, les Noirs n'osent ni porter plainte ni se présenter devant le tribunal, car ils redoutent des représailles contre leurs familles et, les plus courageux qui le font, sont obligés de fuir leur région pour éviter la répression. La loi du silence règne parmi les gens du voisinage, même quand on connaît l'identité des agresseurs qui ne sont pas toujours masqués. L'action du Klan est inégale suivant les États et les régions, elle se fait particulièrement sentir à l'intérieur du pays, là où les Noirs sont plus dispersés mais où le sentiment unioniste a été fort : en Alabama, Caroline du Nord, Géorgie ou Mississippi. Des députés *scalawags* sont fréquemment assassinés, des « chasses aux nègres » organisées, au cours desquelles une douzaine de personnes peuvent être tuées, des églises et des écoles noires sont systématiquement brûlées. De nombreux groupes autonomes se réclament du Klan qui n'est pas structuré solidement, mais son rôle sert directement les intérêts des démocrates, même quand ces derniers s'en défendent.

Le gouvernement d'un État « reconstruit » : le Mississippi (extraits)

Opinion d'un politicien noir, en 1871, devant un sous-comité du Congrès enquêtant sur le Ku Klux Klan, préparant les lois répressives contre celui-ci.

Question : Êtes-vous au courant, directement ou indirectement, de pressions qui auraient été exercées sur les électeurs de couleur, soit pour les empêcher de voter, soit pour peser sur le sens politique de leur vote ?

Réponse : Non Monsieur, pas depuis le printemps dernier. Il y a eu, au printemps dernier, de nombreuses menaces contre le vote des gens de couleur et cette organisation menaçait un grand nombre de personnes de couleur, bien que ceux qui le faisaient prétendaient n'avoir rien à voir avec elle.

Q. : Quelle était la nature des menaces dont vous parlez ?

R. : Je ne dirais pas que je connais moi-même ces menaces mais j'ai entendu parler de ce Klan qui s'occupait du vote des Nègres, de la façon dont ils auraient voté. Des messieurs m'ont dit, là dans la rue, que nous ne pourrions pas l'emporter dans ce comté ; bien que nous ayons une majorité de 2 000 voix dans le comté, que jamais nous ne pourrions l'emporter à nouveau. C'était le printemps dernier. Depuis l'enquête je n'ai plus entendu parler de rien, d'aucune menace, pourtant j'ai été, je dois le dire, à travers tout le comté.

Q. : Le Recensement établit, me semble-t-il, que la population blanche est de 5 017 personnes et la noire de 15 798. Est-ce bien ça, d'après ce que vous pouvez savoir ?

R. : Oui, Monsieur, à peu près, Monsieur.

Q. : Savez-vous si des églises de couleur ou des écoles ont été brûlées dans ce comté ?

R. : Il y a bien eu une ou deux écoles de couleur de brûlées dans le comté, une, il y a moins de dix jours. C'est à peu près tout pour les écoles noires brûlées. Il y a eu aussi une ou deux écoles blanches, dans le Sud-Ouest du comté, de brûlées... Tous ces incendies ont été entourés de mystère. Personne ne sait rien à ce propos.

Q. : Quel est le sentiment des Blancs de ce comté envers les écoles de couleur ?

R. : Bien, Monsieur, dans une partie du comté, au Nord-Est, la majorité des Blancs est favorable aux écoles gratuites ; mais dans tout l'Ouest la plupart des Blancs sont opposés à l'école gratuite, qu'elle soit blanche ou noire. J'ai rencontré beaucoup de gens et parlé avec eux. J'ai rencontré un homme important, il a un magasin dans le Nord-Ouest du comté, c'est un homme riche, et il m'a dit que c'était un scandale. Il pensait que le principe selon lequel il était imposé pour éduquer les enfants des autres était mauvais... C'est l'avis, on le dit, de toute la communauté. Et c'est un homme très tranquille, je n'ai jamais entendu dire qu'il ait pris part aux troubles, la seule objection aux écoles gratuites est que les gens ne veulent pas être imposés pour les faire fonctionner.

Q. : Avez-vous entendu parler d'opposition au vote des gens de couleur ?

R. : Ben, non, Monsieur ; il n'y a pas d'opposition ouverte dans ce comté, rien qu'un peu ; notre journal ici y est opposé ; il a cette devise à la une, « Toujours contre le suffrage nègre », c'est-à-dire qu'il l'avait mise après l'élection de 1869, et qu'il l'a ôtée il y a quelques semaines. Je crois bien qu'ils la remettront une fois l'élection passée ; n'importe quel candidat de n'importe quel parti prétend être pour le suffrage universel...

Q. : Avez-vous entendu un nombre appréciable de démocrates dénoncer cette devise comme contraire aux sentiments du parti démocrate de ce comté?
R. : Non, Monsieur, je n'en ai entendu que quelques-uns. J'en ai entendu, moi-même, dire que cette devise ne représentait pas les sentiments de leur parti; un ou deux! Les démocrates les plus importants ici prétendent maintenant qu'il n'y a aucune opposition au suffrage universel, ni aux écoles gratuites, et qu'ils ne sont pas opposés au radicalisme.
Q. : Les croyez-vous sincères dans ce qu'ils avancent?
R. : Non, Monsieur, je ne les crois pas.
Q. : Des Blancs impliqués dans les diverses actions que vous avez précisées ont-ils, jamais, été traînés devant la justice et punis?
R. : Aucun; je n'ai jamais entendu dire que l'un d'entre eux ait été puni. Aucune des tentatives, nombreuses, d'enquêtes n'a abouti. Des témoins m'ont dit être allés devant de «grands jury» ici – j'en connais qui y sont allés pour dire qu'ils avaient reconnu certaines personnes qui avaient commis des méfaits, ils y sont allés et ont vu des membres du grand jury qu'ils connaissaient comme liés au Klan, ou comme membres des bandes qui avaient commis ces méfaits; alors ils ont dit qu'ils ne savaient rien de précis, qu'ils en avaient juste entendu parler. Ils ont dit qu'il valait mieux faire comme ça et je sais que c'est vrai. Il y a des Blancs dans cette ville, j'en connais un qui a toujours vécu ici...; il m'a dit ce matin qu'il ne viendrait pas témoigner devant le comité, parce qu'il dit que ce serait publié; il a dit qu'il n'avait pas envie de se faire massacrer. Il y a plein de gens, Monsieur, qui ne viendront pas. Ils ne croient pas qu'un effort sera fait, leur témoignage ne servirait qu'à informer le monde extérieur de ces méfaits et c'est tout; cela n'aiderait pas à traîner ces bandes devant la justice; cela les rendrait seulement encore plus odieux à ces hommes et ils auraient plus de chances d'être tués.
(Témoignage recueilli par le comité spécial conjoint pour enquêter sur la situation des affaires dans les anciens États rebelles, Mississippi, v. 1, 42nd Cong., 2nd sess., Senate report 41, pt. II (Washington, 1872); 477-478.)

Source : *in* L.H. Fishel and J.-R. B. Quarles, *The Black American*, Scott, Foresman and co., 1976, p. 280-283.

Cette violence ravage le Sud, terrorise Noirs et républicains et il n'est pas facile de la contrer. En effet, il n'existe pas de police fédérale et Washington répugne à utiliser les troupes peu préparées à une telle besogne. Les milices sont souvent composées d'une majorité de Noirs, mais les employer contre le Klan et ceux qui le soutiennent inquiète les gouverneurs républicains, peu soucieux de déclencher une guerre raciale à un moment où leurs positions s'affaiblissent parmi les Blancs. Il faudrait une ferme volonté des autorités et de la population pour briser le cercle de la peur, arrêter les membres du Klan souvent connus et rétablir l'ordre. Une telle fermeté n'est appliquée qu'au Texas et en Arkansas, où grâce à la loi martiale et à une véritable police, les gouverneurs Edmund Davis et Powell Clayton parviennent à éliminer la force du Klan; ailleurs, les démocrates relèvent la tête et contribuent à l'indécision des autorités.

L'ampleur de la crise finit toutefois par inquiéter les républicains à Washington, car ils risquent de perdre le contrôle du Sud et, ainsi, leur raison d'être. En effet, l'unité du parti, au sein duquel les radicaux sont affaiblis et les modérés « libéraux » de plus en plus influents, ne tient que par le maintien de la Reconstruction et l'enjeu du sort des Noirs : les deux sont en péril. Aussi, le Congrès vote-t-il, en 1870 et 1871, les *Force Acts* et un *Ku Klux Klan Act* : les premiers permettent de poursuivre les personnes qui empêchent des citoyens d'exercer leurs droits constitutionnels, le second, plus rigoureux, donne toute autorité au gouvernement fédéral pour réprimer ces atteintes. Une vigoureuse offensive du ministre de la Justice Amos Akerman, secondé par l'armée comme en Caroline du Sud, permet d'arrêter des milliers d'hommes du Klan, d'en faire juger quelques centaines; les autres s'enfuient ou se cachent. Le pouvoir fédéral a montré sa force, mais nombreux sont les républicains qui s'inquiètent de cette audace et l'opinion du Nord n'a pas été mobilisée contre les hideuses violences du Klan.

En dépit de ce climat tendu, les élections de 1872 permettent la réélection facile de Grant contre le faible candidat démocrate Horace Greeley, journaliste aventuré en politique, et le maintien d'une majorité réduite pour les républicains. Dans le Sud, les démocrates ont été très menaçants, si le soutien massif des Noirs a permis aux républicains de maintenir leurs positions et, même, de reprendre l'Alabama à leurs adversaires. Mais, au Congrès, les républicains ont choisi le profil bas, acceptent l'amnistie des ex-confédérés et enterrent la loi des droits civils conçue par C. Sumner pour réellement protéger les Noirs.

Le sursaut de 1870-1871 ne doit pas faire illusion, l'élan de la Reconstruction est brisé. La conjoncture va lui être fatale.

Le Nord se détourne

L'essor économique du début de la décennie 1870, le développement de l'industrie, des chemins de fer, la colonisation de l'Ouest sont autant d'éléments qui détournent le Nord des problèmes du Sud ; en effet les élus de l'Ouest considèrent que la Reconstruction coûte trop cher et n'est plus leur priorité. Les revendications des Noirs sont désormais considérées sur le même plan que celles des fermiers qui se plaignent du tarif des chemins de fer, ou des ouvriers aux prises avec un patronat impitoyable. Elles attirent d'autant moins l'attention que la conviction se répand selon laquelle la Reconstruction a largement assez fait pour les affranchis et qu'elle s'est accompagnée d'une corruption honteuse, dont se servent les démocrates ; de plus, l'opinion du Nord reste très divisée au sujet du suffrage noir. Au sein du parti républicain, les radicaux survivants d'une génération précédente n'ont plus d'influence qu'individuelle et les jeunes loups, comme James G. Blaine ou Roscoe Conkling, sont beaucoup plus intéressés par les chemins de fer et l'industrialisation que par les Noirs. Le parti de Lincoln se tourne de plus en plus vers la défense des grands intérêts économiques : les Noirs n'ont aucun poids auprès de ceux-ci.

De ce fait, les républicains du Sud sont isolés et ils doivent compter sur leurs seuls moyens pour se maintenir au pouvoir. Ils sont de plus en plus conscients de l'hostilité irréversible de la plupart des habitants et les *carpetbaggers*, qui n'ont ni fortune ni assise dans la région, sont contraints de faire des concessions pour y rester. Certains, comme D. Chamberlain, gouverneur de Caroline du Sud, se rapprochent des démocrates, au prix de l'abandon des Noirs qui leur sont restés fidèles ; d'autres mènent des politiques moins laxistes et respectent les grands équilibres économiques : restriction des dépenses, licenciement des fonctionnaires, mais ils lèsent les affranchis qui dépendaient de ces emplois et misaient beaucoup sur les écoles. Les farouches républicains qui se perpétuent en Louisiane ou dans le Mississippi continuent à mener grand train, en profitant de la corruption tant qu'il est possible, et dans ces États un assez grand nombre d'élus noirs prouvent que la Reconstruction n'est pas encore terminée. Les démocrates affirment ouvertement leur acceptation des acquis de la guerre et feignent de respecter les droits de leurs anciens esclaves, mais ils se prétendent les seuls capables d'assurer la prospérité du Sud et l'équilibre entre les races, quitte à oublier ces promesses quand ils parviennent au pouvoir.

Cet équilibre précaire est anéanti par la crise économique qui frappe les États-Unis en 1873 ; provoquée par un endettement excessif des compagnies de chemins de fer et par la fragilité du système bancaire, elle suscite une baisse rapide de la production industrielle et un chômage important accompagné de mouvements de protestation sociale. Le Sud, en voie de relèvement, est plus durement frappé que le Nord ; les chantiers de chemins de fer sont interrompus, les prix du coton ou du riz s'effondrent, les Noirs qui avaient pu acquérir une terre sont ruinés et rejoignent les rangs des métayers ou des salariés, les gouvernements lourdement endettés ne peuvent plus faire face aux échéances. Les dernières associations d'aide aux affranchis ferment leurs portes. Les militants abolitionnistes quittent le Sud, souvent amers et pas immunisés contre le racisme ambiant, comme ce pasteur qui avoue : « Bientôt les Noirs seront partout, dans tous les coins, et ils feront les yeux doux à mes filles. » Les *scalawags* abandonnent peu à peu le parti républicain.

La situation du Nord, quoique moins tendue, contribue à faire oublier un peu plus le sort des Noirs et l'issue de la Reconstruction. Les républicains, comme l'ensemble de l'opinion, ont des préoccupations de plus en plus concrètes et évoluent vers le conservatisme. Les Américains n'attendent plus rien du gouvernement fédéral, dépassé par les événements, beaucoup redoutent les mouvements ouvriers assimilés hâtivement à la Commune de Paris, et les revendications des fermiers semblent menacer le droit de propriété ; ils dénoncent volontiers les excès de la centralisation radicale qui n'ont produit que gabegie et ressentiment chez les Blancs du Sud. Le *New York Herald* publie des articles plaignant le sort de ces derniers, aux prises avec des Noirs incompétents et bestiaux.

Dans ce climat, le rejet des républicains est compréhensible ; aux élections de 1874, ils perdent la majorité de la Chambre et ne conservent que de justesse celle du Sénat. Les démocrates reprennent le contrôle du Sud, à l'exception de la Louisiane où se disputent deux gouverneurs en quête de légitimité, du Mississippi et de la Floride restés fidèles aux républicains, alors que la Caroline du Sud est encore divisée. Le sort de la Reconstruction semble alors scellé.

Le dernier acte

Dans les premiers mois de 1875, avant de laisser sa place aux démocrates, la majorité républicaine parvient à faire voter la loi sur les droits civils, inspirée par Sumner mort l'année précédente, qui condamne la ségrégation sociale. Mais nul ne veille à son application laissée aux tribunaux et, en 1883, elle est déclarée inconstitutionnelle par la Cour suprême.

L'entourage de Grant est empêtré dans des scandales financiers et les républicains ont renoncé au Sud d'autant plus facilement qu'au sein du parti, les élus de l'Ouest sont de plus en plus influents ; de toute façon à Washington, les projets de loi à connotation radicale sont désormais condamnés par la majorité démocrate. L'application des lois fédérales est laissée à l'appréciation des juges locaux qui, dans le Sud, se soucient fort peu des *Force Acts*.

Les derniers gouverneurs républicains tentent encore de se maintenir, mais ils ne peuvent compter sur l'appui de Washington. Le président refuse de fournir l'aide des militaires au gouverneur républicain de l'Arkansas en difficulté en 1874, ou, l'année suivante, à celui du Mississippi, Adelbert Ames, aux prises avec une violence qui rappelle celle du Klan quelques années plu tôt ; en revanche, il n'hésite pas, toujours en 1875, à faire disperser par les soldats l'assemblée démocrate réunie à la Nouvelle-Orléans, pour protéger un gouvernement républicain totalement corrompu mais de qui il est proche. Ayant ainsi gaspillé l'atout représenté par les troupes fédérales, Grant est impuissant à s'opposer au retour en force des « rédempteurs » démocrates, sûrs de la justesse de leurs convictions.

Dans les quatre États encore disputés, où les démocrates n'ont pas la totalité du pouvoir, les deux Carolines, la Louisiane et la Floride, ont lieu de véritables combats entre des républicains qui n'ont plus rien à perdre et des milices blanches qui sèment la terreur parmi les électeurs noirs. En Caroline du Sud, les hommes armés du démocrate Wade Hampton parcourent à cheval le pays pour extirper les dernières traces du républicanisme, ils attirent même au début quelques Noirs brouillés avec Chamberlain. Ces combats inexpiables attirent d'autant plus l'attention, au niveau national, avec la perspective de l'élection présidentielle de 1876, pour laquelle les chances démocrates ne sont pas négligeables.

Le candidat choisi par la convention républicaine est Rutherford Hayes, gouverneur de l'Ohio, personnalité terne et sans envergure, sélectionnée par le parti ; il affronte Samuel Tilden, richissime gouverneur de New York. Bien que battu dans le vote populaire, Hayes, après bien des discussions et la constitution d'une commission *ad hoc* par la Chambre des représentants, est déclaré vainqueur, fin janvier 1877, grâce à une infime majorité parmi les grands électeurs ; les mandats de ces derniers pour la Caroline du Sud et la Louisiane lui ayant été finalement attribués, bien que fort contestés par les démocrates. Ceux-ci ne tiennent pas à provoquer une épreuve de force, mais ils pourraient gêner, voire retarder l'investiture du nouveau président. Aussi, Hayes et l'état-major républicain indiquent-ils très vite que le Sud pourra régler seul ses propres affaires, qu'ils reconnaissent la validité de l'élection des gouverneurs démocrates Hampton et Nicholls dans les États contestés. Dans les semaines suivantes, les dernières troupes fédérales qui soutenaient les républicains regagnent leurs casernes, elles n'interviendront plus dans le Sud, mais avant l'été certaines d'entre elles contribueront à réprimer la grande grève des chemins de fer qui a débuté à Pittsburgh et elles seront envoyées dans l'Ouest contre les Sioux. Cette affectation de moyens illustre bien un changement de priorité au gouvernement fédéral.

Cet épisode peu glorieux marque la fin officielle de la Reconstruction ; le parti républicain a définitivement renoncé à son rôle de protecteur des affranchis, comme il a renoncé à utiliser le pouvoir fédéral pour les aider : « La longue controverse au sujet de l'homme noir semble finalement s'achever », peut annoncer le *Chicago Tribune*, il n'est plus, pour près d'un siècle, un sujet de préoccupation nationale.

Premiers effets de la Reconstruction

Les « rédempteurs » arrivés au pouvoir proviennent aussi bien du rang des planteurs, que des jeunes sudistes décidés à moderniser leurs États ; certains veulent retrouver l'époque d'avant la guerre, les autres tiennent compte des réalités. Tous s'accordent néanmoins pour réduire la participation des Noirs au pouvoir et pour mieux contrôler leur force de travail. Ils doivent pourtant tenir compte d'une éventuelle intervention fédérale et se gardent de trop modifier la lettre des Constitutions ; ils ne peuvent, d'autre part, supprimer trop rapidement tous les bastions républicains. En effet, la situation est différente d'un État à l'autre ; les Noirs du Texas ou de l'Arkansas bien regroupés continuent à voter et à élire quelques officiels, en revanche, dans le Sud profond, le vote noir est sévèrement réduit par des manœuvres d'intimidation, ou des redécoupages savants de circonscription. Mais, partout, les milices noires sont désarmées, les lois contre le vagabondage rétablies et surtout les dépenses des États considérablement diminuées. Ces dernières mesures, compensées partiellement par l'instauration d'un cens électoral, aboutissent à la suppression d'hôpitaux, de services sociaux, d'écoles ; ces mesures frappent en premier les Noirs puis Blancs les plus pauvres et contribuent à rendre certains États du Sud arriérés pour de longues années. Ainsi, après la fermeture d'un collège d'enseignement agricole, la Louisiane n'aura aucune institution d'enseignement supérieur avant le XXe siècle et le nombre d'illettrés va y croître.

En dépit d'une réelle détérioration de leur situation sociale par rapport aux années de la Reconstruction, les Noirs ne retrouvent ni Codes noirs ni esclavage, rendus impossibles par les XIIIe et XIVe amendements ; d'ailleurs, les relations entre les races ne sont pas définitivement figées et les « rédempteurs » ne se préoccupent pas encore des lois civiles. À l'exception des écoles, la ségrégation n'est pas encore partout établie, et les Noirs saisissent avec soin les quelques menues chances de promotion sociale.

En fait, durant la Reconstruction, le Sud a beaucoup changé. Du fait de la crise et de la baisse des prix agricoles, les planteurs, dont certains ont été ruinés, n'ont plus été capables de payer les salaires de leur main-d'œuvre. Les Noirs qui redoutaient le travail de plantation, sans avoir obtenu de terres, vont profiter des circonstances pour devenir métayers de leurs anciens maîtres. Ce type d'exploitation, économique pour le propriétaire, donne une relative indépendance aux Noirs qui n'habitent plus groupés dans les quartiers d'esclaves mais ont désormais leurs cabanes individuelles réparties sur les terres. Peu à peu, le métayage se généralise dans le Sud, aussi bien pour les Noirs que pour les Blancs pauvres. Ce système fonctionne bien quand la part du propriétaire n'est pas excessive et que celle de l'exploitant est suffisante pour vivre et avoir assez de semences pour l'année suivante, mais ce n'est pas souvent le cas et le métayer est amené à emprunter pour assurer la soudure. Au début, les planteurs jouent le rôle de prêteur pour ces métayers sans le sou, mais la baisse des prix et le souci d'indépendance des métayers suscitent l'apparition d'une catégorie de marchands, souvent usuriers. Ils prennent la place des propriétaires et leurs magasins servent de centre pour le commerce et la banque aux petites bourgades qui naissent autour d'une église et d'une école; il s'agit d'un changement important et durable du paysage du Sud. Toutefois, l'endettement des métayers est fréquent: les besoins de base les mettent dans la dépendance de ces marchands; certains d'entre eux font fortune et parviennent à racheter des terres et à rejoindre la classe des propriétaires.

L'économie du Sud est également transformée par les chemins de fer entrepris par les gouvernements de la Reconstruction; les compagnies locales ruinées par la crise ont souvent été rachetées par les capitalistes du Nord, comme Collis Huntington, qui ont aménagé et standardisé les lignes dans un sens nord-sud, favorisant un développement de type colonial.

La vie du Sud a été bouleversée par la guerre et la Reconstruction. Les modifications inscrites dans la loi sont irréversibles et constituent un acquis considérable; pourtant, l'ampleur des changements a été telle qu'ils ont été vite limités à des principes fondamentaux sans souci suffisant d'application. Les Noirs ont beaucoup espéré dans cette période; ils ont prouvé qu'ils pouvaient être des citoyens à part entière, mais il leur faudra attendre bien longtemps pour retrouver une opportunité analogue. La Reconstruction les a abandonnés en route. Les sudistes n'ont pas laissé sa chance à cette tentative, l'ont bloquée dès que possible par la violence, sous prétexte que jamais période n'avait été aussi sombre dans leur histoire. Les républicains et le Nord ont été vite effrayés par leur audace : n'ont-ils pas supprimé l'esclavage, donné la citoyenneté et le suffrage aux affranchis ? Aller plus loin aurait demandé une volonté moins impatiente, une vision plus ambitieuse du pays. L'unité nationale a été réalisée, mais seulement réduite aux acquêts. La reconstruction n'a pas tenu toutes ses promesses.

En 1877, la maison divisée de Lincoln a été effectivement reconstruite, mais elle ne comporte pas d'étage supplémentaire. Les Noirs qui vivaient dans les cases alentour ont été admis dans la cave, ils mettront près d'un siècle à atteindre le rez-de-chaussée.

Chapitre 4

L'âge doré entre deux ères (1877-1898)

Durant près d'un quart de siècle, à la suite du mouvement commencé pendant la Reconstruction, les États-Unis connaissent un profond bouleversement de leurs structures économiques et sociales. Ils deviennent un pays industriel moderne dont l'essor étonne le monde au début du XXe siècle. Ce développement haletant est rythmé par des crises, mais il continue au-delà même de la période dite, par Mark Twain, du *Gilded Age* : puissance des entreprises venue trop rapidement, morgue de leurs chefs avec leur mode vie de « barons pillards » aux immenses moyens. L'avènement de cette économie industrielle déstabilise un monde agraire encore puissant, suscite un vigoureux mouvement ouvrier, mais étouffe le débat politique qui ne renaît qu'après 1896.

Aussi, cette période dite de l'âge doré est-elle faite de bruit et de fureur, marquée aussi bien par les premiers gratte-ciel que par la fin des guerres indiennes, par l'établissement d'une ségrégation implacable dans le Sud et par la médiocrité du personnel politique. Les États-Unis en sortent transformés, avec la plupart des caractéristiques de la grande puissance du XXe siècle. Pour les Américains, la Première Guerre mondiale ne constitue pas une rupture majeure, mais un épisode dans la saga de leur ascension.

Les bases d'une économie moderne

L'essor d'une économie industrielle aux États-Unis a commencé vers 1840, a été perturbé durant la guerre civile, mais a repris fermement par la suite.

Des chiffres indubitables

Le produit national brut, mesurant la production totale, passe de plus de 9 milliards de dollars en 1870 à près de 60 en 1916. Cet accroissement, dans une période de stabilité de la monnaie, correspond à une moyenne annuelle supérieure à 4 % ; chiffres jamais atteints jusque-là, et rarement depuis, ce qui explique que le souvenir brillant du *Gilded Age* ait marqué les esprits.

Durant cette croissance impressionnante, la part de l'industrie devient dominante. Aux lendemains de la guerre civile, la production agricole représente plus de la moitié du PNB et celle de l'industrie un tiers ; en 1900, les proportions sont inversées, l'agriculture se situant à moins d'un tiers et l'industrie dépassant la moitié. La part de la main-d'œuvre employée dans chacun des secteurs suit avec un certain décalage une même évolution, avec le développement concomitant d'un puissant secteur tertiaire basé sur le commerce et les services.

En 1913, les États-Unis, déjà premiers producteurs mondiaux de nombreuses matières premières et de produits agricoles, ont une production industrielle égale à celles de la Grande-Bretagne, de l'Allemagne et de la France réunies ; ils produisent plus d'un tiers des produits industriels mondiaux, contre à peine un quart en 1870. Durant toute la période, l'essor de l'économie est dû à la conjonction de multiples facteurs, dont l'un des principaux est la force du marché intérieur; le commerce extérieur, croissant, jouant un rôle relativement marginal. La population des États-Unis passe de 35,7 millions d'habitants en 1865 (à peu près autant que celle de la France) à environ 100 millions en 1914 (plus du double de celle de la France); soit un accroissement supérieur à 3,5 % par an, qui fournit toujours de nouveaux consommateurs, en dépit de l'inégalité profonde des revenus; les immigrants constituent une part croissante de l'essor démographique et s'habituent vite à la consommation, même si elle se situe à un niveau encore faible. Certaines industries, comme les conserveries *Swift* et *Armour* de Chicago qui font fonctionner de formidables abattoirs, sont justement destinées à nourrir de plus en plus de monde. Si l'on ajoute la multitude des ressources naturelles – mines de charbon ou pétrole de Pennsylvanie, fer du Lac Supérieur –, le développement d'un marché des capitaux centré autour de grosses banques d'affaires comme celle de J. P. Morgan et la remarquable productivité de la plupart des secteurs, stimulée par de nombreuses inventions techniques, on comprend l'essor de l'industrie qui se produit après la guerre civile. Dans le même temps, les États-Unis restent débiteurs des grandes places financières européennes, car ce sont leurs capitaux qui ont permis les investissements et l'essor des entreprises.

Les données de la croissance économique

Les grands ensembles, PNB, agriculture, industrie, montrent le rythme de la croissance américaine après la guerre civile, avec ses périodes de crise.

Produit national brut (prix courants)

Années	Total (millions de dollars)	par tête (dollars)
1916	48,3	473
1915	40,0	398
1914	38,6	389
1913	39,6	407
1912	39,4	413
1911	35,8	382
1910	35,3	382
1909	33,4	369
1908	27,7	312
1907	30,4	349
1906	28,7	336
1905	25,1	299
1904	22,9	279
1903	22,9	284
1902	21,6	273
1901	20,7	267
1900	18,7	246
1899	17,4	233
1898	15,4	210
1897	14,6	202
1896	13,3	188
1895	13,9	200
1894	12,6	185
1893	13,8	206
1892	14,3	218

Années	Total (millions de dollars)	par tête (dollars)
1891	13,5	210
1890	13,1	208
1889	12,5	202
1879-1888	11,2	205
1869-1878	7,4	170

Statistiques concernant l'agriculture 1860-1910

	1860	1870	1880	1890	1900	1910
Nombres d'exploitations agricoles (en millions)	2,0	2,7	4,0	4,6	5,7	6,4
Surface cultivée (en millions d'hectares)	163	163,2	214	249	336	351
Nombres d'agriculteurs (en millions)	6,2	6,9	8,6	10,0	10,7	11,3
Produit brut agricole (en millions de dollars à pouvoir d'achat de 1910-1914)	2,2	2,6	3,9	4,6	5,8	
Produit brut agricole/ agriculteur (en dollars 1910-1914)	332	362	439	456	526	

Valeur ajoutée de la production par secteurs en pourcentage 1840-1900 (calculs faits en prix constants 1879)

Année	Agriculture	Mines	Industrie	Construction
1839	72%	1 %	17 %	10 %
1849	60 %	1 %	30 %	10 %
1859	56 %	1 %	32 %	11 %
1869	53 %	2 %	33 %	12 %
1879	49 %	3 %	37 %	11 %
1889	37 %	4 %	48 %	11 %
1899	33 %	5 %	53 %	9 %

Répartition de la main-d'œuvre (1870-1910) (en millions)

Année	Total	Agriculture	Industrie	Tous autres secteurs (1)- [(2) + (3)]	Services	% de l'industrie (3)/(1)	% de tous les autres secteurs	% des services
	(1)	(2)	(3)	(4)	(5)		(4)/(1)	(5)/(1)
1870	12,93	6,79	2,47	3,67	3,23	19,1	28,4	24,9
1880	17,39	8,92	3,29	5,18	4,38	18,9	29,9	25,2
1890	23,32	9,96	4,39	8,97	7,27	18,8	38,5	31,2
1900	29,07	11,68	5,90	11,49	9,62	20,3	39,5	33,1
1910	37,48	11,77	8,33	17,38	12,67	22,2	46,4	33,8

Sources : Historical statistics of the US, et Y.H. Nouailhat, *Évolution économique des États-Unis, du milieu du XIXe siècle à 1914*, Paris, Sedes, CDU, 1982, p. 180, 202, 221, 224.

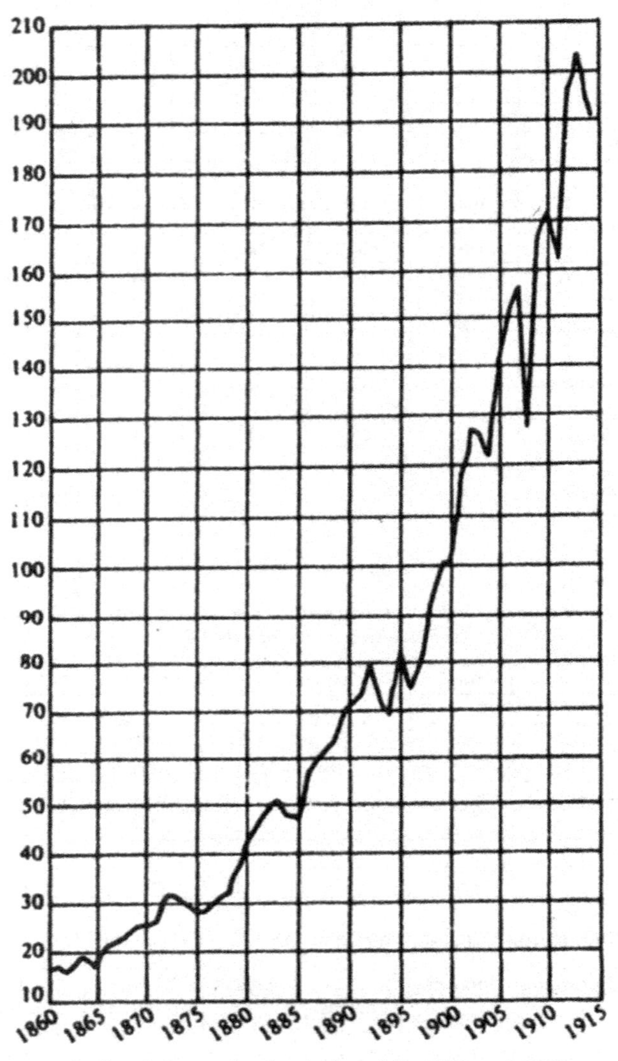

Indice de la production industrielle (100 en 1899)

Le chemin de fer constitue incontestablement un des symboles de cette première ère industrielle, comme, dans la décennie 1920, l'automobile sera celle de la seconde. Sans doute, diverses études tendent à montrer que son importance n'est pas si grande et qu'il n'est pas le moteur principal de ce développement ; il n'en reste pas moins que la multiplication des lignes, les commandes de wagons et de rails ont stimulé certains secteurs industriels comme les aciéries, que le train a permis d'atteindre ou de rassembler les consommateurs et d'acheminer les produits fragiles. À la veille de la guerre de Sécession, les États-Unis disposent de 49 000 km de voies ferrées, en 1880 ils en ont 150 000 (soit 40 % du réseau mondial), huit ans plus tard ce sont 100 000 km supplémentaires qui ont été ajoutés, en 1906, le maximum est atteint avec 360 000 km, (le tiers du réseau mondial), et cela s'arrête là. Les grosses locomotives aux cheminées évasées et au chasse-obstacle en forme de râteau, suivies de larges wagons à plates-formes ouvertes, dont certains, les Pullman, sont équipés luxueusement, parcourent tout le pays. Au premier transcontinental, achevé en mai 1869, quand l'*Union Pacific* et le *Central Pacific* se rejoignent à Promontory Point dans les Rocheuses, s'en ajoutent quatre autres, reliés par de nombreuses ramifications, dans les vingt-cinq ans qui suivent : deux passent plus au Sud, deux plus au Nord.

Le monde industriel se diversifie rapidement. À la puissante sidérurgie, centrée sur Pittsburgh, s'ajoute une gamme très riche d'industries mécaniques (machines, machines-outils), chimiques – avec la firme *Dupont de Nemours* –, pétrolières – avec la *Standard Oil* de John D. Rockefeller (en Pennsylvanie puis au Texas) –, mais aussi les productions électriques, initiées souvent par l'inventeur Thomas Edison, qui s'ajoutent aux textiles traditionnels en Nouvelle-Angleterre puis dans le Sud, sans oublier les ateliers de confection si nombreux à New York ; l'industrialisation de l'alimentation a également commencé. Ces divers éléments expliquent une croissance de la production industrielle d'environ 5 % par an, de 1865 à 1916, soit supérieure à celle de la population.

En dépit d'une baisse relative de son importance, la production agricole progresse, quant à elle, d'environ 4 % par an dans la même période. Les surfaces cultivées s'accroissent considérablement avec la mise en valeur des terres nouvelles de l'Ouest : les États-Unis détiennent le premier rang mondial pour une série de produits agricoles – coton, qui retrouve en 1880 son niveau d'avant-guerre, blé et maïs, sans oublier l'élevage bovin et porcin. Ces quelques données permettent de saisir la puissance d'ensemble de l'économie américaine de la période du *Gilded Age*, non ses fluctuations.

Une conjoncture heurtée

Le prodigieux essor de l'économie américaine n'a nullement été uniforme tout au long de la période. En effet, les souvenirs de nombreux fermiers ou ouvriers font état d'une situation particulièrement difficile durant les années 1870 ou 1890. Les sans-abri, les fermiers ruinés, les manifestations de chômeurs en 1894 font également partie du paysage du *Gilded Age* et forment un contraste avec les chiffres de production les plus impressionnants. En effet, trois récessions vigoureuses se déroulent durant la période. La première en 1873, la seconde en 1893 et la troisième en 1907.

La massive infusion de crédit due à la guerre de Sécession a amené, aux lendemains de celle-ci et jusqu'en 1873, une phase de prospérité sans précédent ; les besoins de la société civile du Nord, la reprise de l'expansion vers l'Ouest expliquent cette croissance rapide alimentée par la masse de *greenbacks*, billets de banque émis en quantité par le trésor fédéral durant la guerre. Les entreprises se multiplient et les fortunes, comme celle de C. Vanderbilt, bâties avant la guerre connaissent un formidable renforcement. Le retrait des billets verts et le retour à l'encaisse métallique décidé pour 1879, joint aux abus de la spéculation due à la prospérité aboutissent à la crise financière de 1873. Dans les dix ans qui suivent, la production de biens durables baisse de près d'un tiers, comme les prix de gros dès 1879. Les compagnies de chemin de fer, ayant leurs actions aux mains de financiers comme Jay Gould dont la faillite a déclenché la crise, arrêtent de nombreux chantiers ; les mises à pied sont nombreuses et les vagabonds, les *tramps*, deviennent, pour la première fois, des personnages familiers du paysage américain. Cette crise, qui tranche avec des années de prospérité, est accompagnée de mouvements sociaux qui inquiètent l'opinion. Le mécanisme financier de la dépression amorce une phase de baisse des prix, accentuée par la surabondance de produits agricoles accumulés pendant la guerre ; cette faible croissance se poursuit jusqu'au changement de conjoncture de la fin du siècle.

La reprise des années 1880 reste timide mais suffisante, après 1885, pour relancer la spéculation dans certains secteurs, telle la construction des chemins de fer. La controverse sur la frappe de l'argent, voulue par les fermiers de l'Ouest, pour éponger leurs dettes, et les secteurs miniers qui contrôlent le minerai précieux, est refusée par les industriels de l'Est, qui, inquiets, redoutent l'instabilité. Les réserves fédérales, jusque-là bénéficiaires, fondent et la deuxième élection du démocrate Grover Cleveland à la présidence, en 1892, ne semble pas un gage de saine doctrine financière. La dépression est profonde, quoique un peu moins forte que celle de 1873 ; elle ralentit les commandes et fait baisser la production de quelque 20 %. Les bandes de sans-emploi s'organisent, comme celle commandée par Jacob Coxey, qui marche vers les grandes villes, l'Exposition universelle de Chicago de 1893, déjà retardée d'un an à cause de la crise, se termine dans un marasme accentué par la grève spectaculaire chez *Pullman*, une des entreprises phare de la période.

Il faut attendre 1896 pour que la hausse des prix, soulageant les fermiers frappés par la baisse apparente de leurs revenus dans les années précédentes, assure une robuste reprise de la croissance qui ne se dément plus – à l'exception de la récession de 1907, causée par la mauvaise distribution du crédit. Cette conjoncture contrastée explique que les Américains n'aient pas considéré la période avec l'enthousiasme que peut susciter la lecture des statistiques de l'économie ; de plus, les différences régionales importantes – le Sud reste longtemps en retrait – viennent également nuancer cette perception. Enfin, dans cette période, les investissements massifs ne sont possibles que par des prêts assurés par les places financières européennes, car, avant 1896, les États-Unis manquent de fonds propres en quantité suffisante.

Les phases de récession aboutissent à la croissance de la concentration industrielle qui donne un de ses caractères au développement global de la période.

Le temps des « barons pillards »

Le considérable essor de l'industrie américaine est inséparable des grands patrons qui en ont pris la tête. La légende du *self-made-man* sorti du ruisseau pour arriver au sommet ne correspond pas à la réalité, même si la carrière d'un John D. Rockefeller ou d'un Andrew Carnegie permet de l'illustrer, car leurs familles étaient pauvres. La plupart des patrons – ils sont environ un demi-million en 1870 – sont issus de bonnes familles de la côte Est, élevés dans les bons principes et relativement éduqués ; pourtant, quelques-uns ont fasciné les contemporains par leur réussite et leur manque total de scrupules. Les uns, comme Jay Gould, semblent dépourvus de toute moralité : ils ont le sens des affaires, savent saisir la moindre occasion pour faire des profits, dans n'importe quel secteur d'activité, en dépit d'apparents obstacles législatifs. Ils peuvent passer de l'assurance aux chemins de fer, émettre des actions à des montants bien supérieurs à leur véritable valeur, acheter un homme politique ou une assemblée, ruiner un concurrent par des manœuvres délictueuses. Les autres, à l'instar d'Andrew Carnegie ou, plus tard, de Henry Ford, se sentent investis d'une mission et veulent montrer l'exemple. Le premier s'intéresse très tôt aux œuvres caritatives, le second – sans aucun scrupule dans les affaires proprement dites – mène une vie simple et austère, contrairement à ceux qui, nouveaux riches, veulent étonner le monde par de somptueuses réceptions dans leurs hôtels particuliers de la 5e avenue de New York et par des excès de toutes sortes, et il mettra une partie de sa fortune dans une fondation à but humanitaire.

Ces « barons pillards », dont les affrontements sans pitié pour s'emparer du contrôle des chemins de fer ont fait le délice des journaux à sensation, correspondent à cette période d'activité fébrile et désordonnée qui suit immédiatement la guerre civile. Ils ne parviennent pas tous à s'adapter aux soubresauts de la conjoncture ni à la complexité de la concurrence. En effet, les années de récession sont marquées par une élimination des entreprises les moins performantes ou les moins bien gérées alors que la production a considérablement augmenté. L'un des phénomènes dominants est une première phase de concentration des entreprises, qui aboutit à un accroissement sensible de leur taille. Ainsi en 1900, il y a 30 % de filatures en moins qu'en 1800, pour une production accrue de 300 %. Ainsi, entre 1870 et 1900, le nombre de salariés d'une entreprise sidérurgique moyenne a augmenté de quatre fois et sa production de plus de dix fois. Les exemples sont nombreux de cette évolution qui affecte tout le secteur industriel ; résultat d'une concurrence farouche et d'une recherche effrénée d'innovations qui permettent de produire plus à moindre coût. Ce phénomène d'ensemble se conjugue à une concentration financière qui permet à un conseil d'administration de gérer diverses entreprises d'un même secteur qui lui en ont confié, de gré ou de force, le contrôle.

La *Standard Oil* de John D. Rockefeller constitue le premier trust. La firme est fondée dès 1882 ; Rockefeller a, peu à peu, racheté les producteurs de pétrole, ses concurrents directs, après avoir pris le contrôle des transporteurs dont ils dépendaient, ce qui permettait de ruiner les récalcitrants en refusant d'acheminer leur production. Rapidement, la *Standard Oil* contrôle directement 90 % de la production pétrolière des États-Unis. Le mouvement de fusion est un peu ralenti par la conjoncture défavorable du début des années 1890, mais il reprend de plus belle avec le retournement de celle-ci à partir de 1896. On assiste, alors, à un prodigieux mouvement de fusions parmi les entreprises américaines. Les trusts se multiplient, semblant se jouer des quelques mécanismes de contrôle hérités des années précédentes, comme la loi antitrust Sherman de 1890.

Le souci des entrepreneurs de contrôler la plus large part d'un marché en expansion, de limiter les fluctuations des prix et d'obtenir le profit le plus important explique l'intensité du mouvement. De 1898 à 1902, plus de 2600 entreprises disparaissent par fusion, expliquant la croissance de celles qui survivent, comme *Du Pont* ou *American Tobacco*. La plus extraordinaire fusion, qui frappe les imaginations, est bien la constitution de l'*United Steel* en 1901 ; lorsque A. Carnegie, qui se retire des affaires, vend ses aciéries au banquier J. P. Morgan, ce dernier administre ainsi 65 % de la production de fer et d'acier et dispose de la première firme au capital supérieur à 1 milliard de dollars. Au tournant du XXe siècle, la production de fer et d'acier des États-Unis dépasse celle de la Grande Bretagne, de l'Allemagne et de la France réunies. En dépit de leur caractère spectaculaire, les trusts ne réussissent pas dans tous les secteurs, car la concurrence parvient à créer d'autres entreprises pour s'emparer de parts de marché ; ainsi, vers 1910, les positions de monopoles ont diminué par rapport à ce qu'elles étaient vingt ans plus tôt. Ces grosses entreprises sont néanmoins celles qui disposent d'une technologie avancée – près de 30000 brevets sont déposés chaque année ; les progrès décisifs de la standardisation apparaissent en premier chez *Ford*, dont le nom donne le substantif fordisme –, et d'un capital puissant qui leur permet de s'étendre sur la totalité du marché national et de prétendre même à un rôle mondial. Les premières années du XXe siècle sont celles de l'installation en Europe de certaines de ces entreprises, pas nécessairement les plus importantes, *Westinghouse* ou *Diamond Watches*, ce qui attise les craintes d'une invasion des produits américains et même celles d'une précoce « américanisation » du monde.

Les industries de main-d'œuvre, comme le textile, dont on a souvent pensé qu'elles étaient à l'écart de cette évolution, participent à leur façon à cette modernisation ; même les fermiers, grâce à l'augmentation des prix et aux besoins du marché urbain, se donnent les moyens de produire toujours plus et mieux ; après une période difficile pour eux, les années du début du XXe siècle sont celles d'un véritable âge d'or.

La concentration des entreprises et leur taille grandissante ont abouti au remplacement des pionniers hauts en couleur par des cadres plus professionnels, à la multiplication des employés, les « cols blancs », qui constituent une nouvelle catégorie sociale. La généralisation des conseils d'administration – apparus d'abord dans la compagnie de chemin de fer de l'Érié –, le recrutement de spécialistes pour diriger les ventes ou la production, conduisent à l'émergence d'un nouveau type de chefs d'entreprise salariés, qui n'ont comme nom que celui de leur compagnie. D'autre part, ce type d'organisation conduit à la formation de véritables bureaucraties, hiérarchisées, où les femmes commencent à trouver leur place – s'identifiant à la Miss Remington qui vante les vertus de la toute nouvelle machine à écrire. C'est particulièrement vrai dans les banques et les compagnies d'assurances, comme la *Metropolitan Life*, qui participent directement au mouvement des affaires. Les employés peuvent provenir des meilleures écoles, mais aussi être recrutés parmi les ouvriers ; Henry Ford, qui se méfie des intellectuels, favorise la promotion de ces derniers sortis du rang ; il emploie en 1910 cinq cents « cols blancs » dont la moitié sont des femmes. Favorisée par l'esprit du temps qui accorde une plus grande place à l'éducation et à la promotion de ces ouvrières, cette évolution amorcée vers 1890 va se poursuivre, elle marque la profonde transformation de l'économie américaine.

Une croissance favorisée

Les succès économiques du *Gilded Age* sont souvent associés à la non-intervention de l'État dans le processus ; ils seraient le produit du libre jeu des règles du marché. En fait, les choses sont plus complexes. L'État fédéral n'exerce pas aux États-Unis de rôle dans la production et n'aborde encore que timidement la réglementation – contrairement souvent aux différents États –, mais cela ne signifie pas qu'il n'ait pas directement favorisé l'essor des entreprises.

Avant le tarif douanier de 1913 qui marque une inflexion vers le libre-échange, durant toute la période précédente, l'économie américaine est protégée par de hautes barrières douanières. Le protectionnisme voulu par les industriels, surtout de la métallurgie et du sucre, devient l'un des credos du parti républicain ; il s'agit de protéger de jeunes entreprises de la concurrence en provenance d'Europe et, surtout, de Grande-Bretagne, tout en favorisant l'entrée des matières premières destinées à l'industrie. Les tarifs successifs, dont celui de McKinley en 1890 est le plus élevé, modulent les divers taux en fonction des besoins des industriels ; tantôt les droits sur la laine brute sont abaissés et ceux sur les lainages élevés, tantôt le sucre entre librement, puis il est taxé. Le Congrès suit les vœux des milieux économiques dominants, mais néglige les revendications des fermiers qui se plaignent du niveau des prix des fournitures américaines et préféreraient avoir accès au marché mondial. Les ressources douanières représentent près de la moitié des recettes du gouvernement fédéral. Il s'agit donc d'un choix politique déterminé. Cet activisme se retrouve dans la politique de distribution des terres. Sans doute, le *Homestead Act* de 1862 a-t-il été voté pour favoriser l'accès libre à la terre, mais très vite les lots ont été attribués moins aux particuliers qu'aux compagnies de chemins de fer pour les aider à étendre leurs réseaux, comme les États l'avaient fait avant la guerre civile. Les Noirs ont durement ressenti cette politique, alors même que le Congrès refusait de répondre à leur demande de terres. La réalisation des intercontinentaux illustre cette situation, puisque les quatre compagnies qui en sont principalement responsables, *Northern Pacific, Southern Pacific, Union Pacific* et *Santa Fé*, ont reçu, à elles seules, 40 millions d'hectares des terres fédérales sur les 52,5 millions qui ont été distribuées – sans oublier 20 millions d'hectares venant des États. Ces terres qui longeaient les lignes ont pu gager des prêts particulièrement avantageux. Les discussions ont été nombreuses pour déterminer si cet apport avait été décisif ; il n'a joué qu'un rôle limité pour les comptes des firmes, mais celles-ci ont en contrepartie permis le développement rapide de l'Ouest, et assuré des avantages particuliers aux transports nationaux.

L'industrie américaine et les chemins de fer auraient sans doute prospéré sans ce soutien de l'État, mais plus lentement. Il n'en reste pas moins que l'État, loin d'être neutre, a privilégié nettement un certain type de développement : les patrons des grandes firmes ferroviaires se sont énormément enrichis, mais leurs entreprises ont presque toujours été déficitaires, maintenues à flot par les gouvernements, tout en bouleversant de façon irrémédiable le milieu naturel qu'elles ont traversé. L'apparence était sauve et les oppositions sont restées limitées : le culte de la réussite, comme dans les romans à succès de Horatio Alger, a marqué cette époque : des héros partis de rien parviennent à se hisser par leurs propres qualités aux postes les plus importants. À partir des années 1880, le darwinisme social, venu du philosophe anglais Herbert Spencer, connaît un franc succès aux États-Unis où il semble illustrer la réussite des meilleurs et justifie la répression ouvrière tout comme la ségrégation raciale. La sélection naturelle, dont Darwin lui-même n'avait jamais envisagé son application à l'Homme, a été transposée à la société des humains, et elle semble tout expliquer au profit des Blancs les plus riches. Les grands patrons, tels Carnegie ou Rockefeller, voient leurs idées confirmées par ce semblant de philosophie et peuvent insister sur la nécessité du laisser-faire, sur le refus des revendications ouvrières. Un tel état d'esprit n'est pas limité aux États-Unis, mais il y trouve son terrain d'élection, tellement la réussite économique et la hiérarchie raciale semblent lui convenir.

Bien qu'elles se déroulent sur un fond de crises conjoncturelles, les grandes Expositions universelles – Philadelphie en 1876 et Chicago en 1893 – participent du même mouvement. Elles veulent mettre en évidence les réussites de la technologie et de l'économie américaines : énorme machine à vapeur *Corliss* dans la première, utilisation massive et diverse de l'électricité dans la seconde, puissante moissonneuse *McCormick*.

Pourtant, les excès du développement et la pression des groupes sociaux commencent à peser sur cette ambiance. La puissance des trusts, l'arrogance des compagnies de chemins de fer entraînent des protestations ; le gouvernement fédéral est nécessairement amené à en tenir compte. C'est ainsi que, dès 1890, une première loi antitrust est adoptée, la loi Sherman ; mais, fondée sur une définition ambiguë des trusts et comptant sur les seuls tribunaux pour son interprétation, elle reste assez inefficace. Une ébauche de réglementation a abouti, dès 1887, à la création de l'*Interstate Commerce Commission*, chargée de contrôler les prix des compagnies de chemins de fer, mais, sans moyen véritable, ses décisions attaquées en justice, cet organisme n'a pu jouer un véritable rôle avant que la pression progressiste soit suffisante, au début du XXe siècle. Le contexte a alors changé, le retour à la prospérité fait ressortir plus clairement les tares de l'époque précédente.

Exclus et soutiers de l'industrialisation

L'essor de l'économie moderne a été brutal ; aussi, nombreux sont les Américains qui sont restés à l'écart ou qui ont dû se battre pour conserver une place honorable.

Les fermiers

Bien que le pourcentage de la population agricole ait tendance à baisser, le nombre d'agriculteurs continue à augmenter durant toute la période et leur importance demeure considérable. Pourtant, jusqu'en 1897, qui leur permet de retrouver la prospérité, le monde rural a été agité par de nombreux mouvements de revendication. L'endettement est considéré comme excessif, surtout dans l'Ouest : les tarifs des chemins de fer sont rendus responsables de la baisse du revenu, qui les fixent sans tenir compte des fluctuations des récoltes et les prix de gros sont calculés par des banquiers des grandes villes de l'Est sans fibre sociale, qui n'ont jamais mis le pied à l'ouest du Mississippi. Dans les années 1870 pour se faire entendre, de nombreux fermiers du Middle West se regroupent en *Granges,* qui se forment en communautés de coopérateurs : elles visent l'entraide de façon à lutter de manière plus efficace contre les compagnies de chemins de fer. Leurs membres demandent aux assemblées d'États de réglementer les compagnies, voire de leur retirer leurs chartes. Mais la crise disperse des *Granges* restées désunies et qui n'ont pas donné la preuve de leur capacité à surmonter les difficultés : elles n'ont obtenu que bien peu de résultats.

Dans la décennie suivante, les alliances de fermiers reprennent partiellement les mêmes revendications, mais elles ne se contentent pas, comme leurs prédécesseurs, d'activités sociales. Divisées entre le Sud et le Nord-Ouest, elles regroupent des millions de fermiers ; qui cherchent à obtenir des concessions des compagnies de chemins de fer, proposent un système financier favorisant le crédit facile, tout en prônant l'éducation de leurs membres. Fortes de leur nombre, ces alliances interviennent dans les élections pour tenter de faire aboutir leurs demandes, mais elles ne parviennent pas à s'unifier. Elles n'en jouent pas moins un rôle essentiel dans la formation du parti populiste qui, fort essentiellement dans l'Ouest, parvient à faire élire, dès 1890, même s'il ne prend ce nom que deux ans plus tard, un sénateur et cinq représentants. Son programme demande un contrôle national du crédit et des chemins de fer, l'interdiction des propriétaires absentéistes, ainsi que des réformes strictement politiques, afin de démocratiser le recrutement des candidats aux élections et d'élargir les pouvoirs de contrôle des citoyens. Ce tiers parti échoue, dans le Sud, à briser le monopartisme démocrate, mais au-delà de cette région, il joue un rôle important dans la décennie 1890, car il contribue à rénover un système politique engourdi et, surtout, représente un monde rural longtemps négligé par les deux grands partis. Les fermiers entretiennent l'agitation, afin de bien indiquer leur refus d'une industrialisation qui commence à les marginaliser. Leurs revendications ne sont pas toutes justifiées, même quand elles sont sincèrement exprimées. Ainsi, l'endettement n'est nullement uniforme, il ne touche en moyenne qu'un tiers des exploitations et correspond souvent à une extension de leur propriété ; de plus dans les années 1880, de nombreux États réglementent les taux de crédit en leur faveur. L'importance du prix du transport n'est pas partout très lourd et ce dernier baisse tout au long de la période, comme l'ensemble des prix. En revanche, les différences régionales sont considérables et beaucoup de fermiers ont toutes les raisons de revendiquer contre telle compagnie de chemin de fer, ou telle banque bien installée auprès d'eux ; ceux du Nord-Ouest sont placés dans les plus grandes difficultés. Ces épreuves sont aggravées par de très dures conditions naturelles, comme la sécheresse accentuée par l'exploitation sans limites de ces terres ; la crise est très aiguë au Kansas dans les années 1880 et aboutit à la ruine de nombreux fermiers, dont les propriétés sont saisies. Une telle situation explique la puissance du parti populiste dans ces régions. Plus généralement, les prix agricoles ont baissé plus nettement que ceux du transport et des produits industriels nécessaires aux exploitations et, malgré de nombreux progrès, les fermiers ne parviennent pas à améliorer substantiellement leur productivité, contrairement aux entreprises industrielles. L'éparpillement des fermes est encore la règle et le nombre de ruraux ne diminue pas encore.

Les fermiers, qui avaient longtemps représenté l'idéal social des États-Unis, ne comprennent pas toujours les raisons véritables de leurs difficultés, ils bénéficient de moins en moins de la croissance d'une économie de plus en plus industrielle. Ils ont encore de belles années de prospérité devant eux, mais la crise des années 1881-1890 constitue pour eux un premier signal d'alarme.

De leur côté, les Indiens et l'Ouest traditionnel sont véritablement en train de disparaître.

La fermeture de la frontière

Officiellement comme le note le recensement décennal, la frontière, qui marquait la limite du peuplement, a disparu en 1890. Cela ne signifie pas que toutes les terres de l'Ouest aient été loties car d'immenses zones sont encore vides et presque inconnues, mais le temps de l'exploration est terminé et une époque s'achève, bien qu'il faille attendre 1912, après l'Oklahoma en 1907, pour que l'Arizona et le Nouveau-Mexique deviennent des États et achèvent l'occupation administrative du territoire continental des États-Unis.

À la fin du XIXe siècle, les Indiens semblent une espèce en voie de disparition. Ils sont environ deux cent cinquante mille regroupés dans de médiocres réserves de l'Ouest, dont les surfaces n'ont cessé de diminuer sous la pression des colons et des mineurs. L'État indien de l'Oklahoma où beaucoup avaient été regroupés de force est ouvert à la colonisation en 1889. Les efforts pour les habituer à la propriété individuelle de la terre n'ont guère eu d'effet, sinon de les priver de leurs terrains de chasse. En 1890, le massacre de Wounded Knee, durant lequel près de quatre cents Sioux, surtout des femmes et des enfants, furent tués par un détachement du 7e régiment de cavalerie, auquel avaient appartenu le général Custer et ses hommes tués en 1876 à Little Big Horn (Dakota), marque la fin des guerres indiennes. Celles-ci se sont déroulées en raison de la corruption fréquente du Bureau des Affaires indiennes et de la brutalité de l'armée inconsciente de l'attachement des tribus à leurs terres sacrées dans le Dakota ou en Orégon. En 1877, il a fallu l'extraordinaire marche des Nez-Percés menés par leur chef Joseph, qui échappe aux soldats en quête des assassins de Custer, le long de 2 500 kilomètres de pistes qui les conduisent au Canada, pour que les troupes qui les ont poursuivis comprennent que, décidément, ces Indiens sont de remarquables combattants et pas des « sauvages ». Mais un tel respect reste rare et les Indiens, qu'ils se rendent ou qu'ils combattent, sont inexorablement soumis et renvoyés dans les réserves. À la recherche d'une adaptation impossible à une société impitoyable pour eux, en dépit du dévouement de quelques individus et associations, qui se trompent complètement en leur donnant une éducation forcée dans des internats, les Indiens deviennent de plus en plus des assistés ou des mendiants. Le calme relatif qu'ils vont désormais connaître leur permettra de rassembler leurs forces ; à partir de 1900, mieux protégés contre les épidémies qui les minaient, leur nombre ne baisse plus et recommence à croître avec régularité.

Alors que s'achève ainsi un épisode essentiel de la vie de l'Ouest, un autre de ses héros est aussi sur le point de terminer sa carrière. Les *cow-boys* qui convoient depuis les années 1860 les immenses troupeaux de vaches *Longhorns* du Texas vers les abattoirs de Chicago, se heurtent de plus en plus aux fils de fer barbelés des fermiers qui ont occupé les terres vacantes, aux chemins de fer qui raccourcissent les distances, aux villes qui redoutent leurs exploits de fin de parcours. Sans doute, subsistent-ils dans certains ranches éloignés, mais leur rôle est bien diminué. L'Ouest se tourne vers une autre forme de développement plus organisé où les terres sont cultivées plus intensément, les mines exploitées plus rationnellement et où les automobiles concurrencent les chevaux. La place se fait également rare pour les originaux comme les Mormons dont le territoire devient État en 1896, l'Utah, après qu'ils acceptent de renoncer à la polygamie.

La signification de la frontière dans l'histoire américaine

Le jeune historien prononce la conférence dont sont extraits ces passages lors de l'Exposition universelle de Chicago en 1893. Le succès est rapide et F.J. Turner fournit la première explication historique purement américaine ; bien qu'il ait été beaucoup discuté, son influence a été durable.

De ses origines jusqu'à nos jours, l'histoire des États-Unis fut surtout l'histoire de la colonisation du « *Great West* ». L'existence d'une zone de terres vacantes, son recul continu et la progression des pionniers vers l'Ouest expliquent l'expansion américaine. [...]

Pour étudier la colonisation de l'Amérique, il faut d'abord rechercher comment le mode de vie européen a pénétré en terre américaine et comment l'Amérique l'a modifié ensuite en le développant et en influençant l'Europe à son tour. Notre histoire doit commencer par l'analyse des germes européens et de leur éclosion en milieu américain. Ceux qui s'intéressent à nos institutions accordent trop d'importance aux origines germaniques au détriment des facteurs américains. La frontière est le facteur d'américanisation le plus rapide et le plus efficace. La nature sauvage s'impose au colon. Elle accueille un homme aux vêtements, aux activités, aux instruments, aux modes de transport et de pensée européens, le fait passer du wagon de chemin de fer au canot d'écorce, le dépouille des divers attributs de la civilisation pour lui faire porter des mocassins et des vêtements de chasse. Puis, elle l'installe dans la cabane de rondins des Cherokees ou des Iroquois et dresse autour de lui une palissade indienne. Le colon sème bientôt du maïs et laboure le sol avec un bâton pointu. Il ne tarde pas à pousser le cri de guerre et à scalper de la façon la plus orthodoxe. Bref, la frontière constitue d'abord un milieu trop hostile pour l'homme, qui doit en accepter les conditions ou périr. Aussi celui-ci s'installe-t-il dans les clairières et suit-il les pistes tracées par les Indiens. Peu à peu, il transforme cette nature sauvage. Il n'en résulte pas pour autant une reproduction de la vieille Europe ou une simple éclosion des germes allemands initiaux, mais un produit nouveau, typiquement américain. La première frontière fut la côte Atlantique, qui était pour ainsi dire la frontière de l'Europe. En se déplaçant vers l'Ouest, la frontière s'est progressivement américanisée. Telles les moraines frontales qu'entraînent des glaciations successives, les frontières laissent des traces derrière elles. Et lorsque la zone-frontière est colonisée, elle conserve ses anciennes caractéristiques. Cette progression de la frontière a correspondu à une libération progressive vis-à-vis de l'Europe et à un essor continu de l'indépendance sur des bases américaines.

Étudier le déplacement de la frontière, avec ses incidences politiques, économiques et sociales, et la condition des hommes qui vécurent à cette époque, c'est étudier la partie véritablement américaine de notre histoire.

Source : *in* Frederick J. Turner, *La Frontière dans l'histoire des États-Unis,* Paris, PUF, 1963, p. 1-4.

C'est dans ce contexte que voit le jour, en 1893, la théorie de la Frontière élaborée par le jeune historien Frederick Jackson Turner. Elle expliquerait ce qu'a apporté à la république américaine l'existence d'un Ouest abordé dès le XVIIe siècle, dans les Appalaches. Les difficultés rencontrées par ces hardis pionniers, loin de leurs racines, n'obéissant qu'à leurs propres volontés et laissant sur le bord de leur route des Indiens inadaptés, n'ont-elles pas forgé la démocratie américaine dans ce qu'elle a de plus original ? Une telle interprétation a été vivement discutée, car elle idéalise une marche brutale vers l'Ouest, qui n'a pas été le moteur du développement du pays, mais elle arrive à point nommé, au moment où la légende de l'Ouest s'impose alors que l'insatisfaction des fermiers inquiète le pays.

La mythologie d'un Ouest préindustriel va désormais se développer, avec le succès des romans à deux sous, qui voient s'affronter cow-boys et Indiens, planteurs et éleveurs, alors même qu'il disparaît avec le XXe siècle. Le Wild West Show de Bill Cody est une prolongation de ce mythe avant que le cinéma amplifie encore plus durablement l'écho mythifié du *western*.

L'exclusion systématique des Noirs

L'échec de la Reconstruction n'a pas fixé partout dans le Sud la place des Noirs dans la société, où résident les 90 % des 8,8 millions qu'ils sont au début du XXe siècle. Mais un changement majeur est provoqué par le mouvement des alliances de fermiers des années 1880. En effet, pendant un bref moment, l'alliance du Sud a fait se côtoyer des fermiers blancs et noirs qui partageaient les mêmes conditions d'existence et avaient des revendications semblables ; ensemble, ils pouvaient faire pression sur le gouvernement des États, voire y représenter la majorité électorale. Ce danger de révolte sociale, qui rappelait le rapprochement des affranchis et des *scalawags*, alarme les élites traditionnelles, qui sont au pouvoir. Elles suscitent alors un consensus raciste, qui fait systématiquement du Noir le bouc émissaire dont la concurrence est présentée comme redoutable pour les fermiers blancs, dont la bestialité menace leurs femmes et leurs filles. Tous les Blancs, riches ou pauvres, ouvriers ou fermiers, éduqués ou frustes se réunissent dans l'affirmation d'une politique de suprématie blanche aussi bien politique que sociale. Cette évolution culmine dans la décennie 1890, durant laquelle se multiplient les lois, qui excluent du suffrage les derniers Noirs votant encore dans certains États ; en 1898, l'État de Louisiane, suivi par d'autres, adopte une législation subtile qui dispense de test d'alphabétisation les éventuels électeurs dont le grand-père votait avant 1865 ; ainsi, seuls les Noirs sont exclus et les Blancs illettrés peuvent voter.

La législation « Jim Crow », qui codifie la ségrégation, étend son emprise dans l'ensemble du Sud sans que le gouvernement fédéral s'en soucie ; les lynchages deviennent courants, près de 200 par an, censés remettre les Noirs à leur place.

La ségrégation est officialisée en 1896 par l'arrêt de la Cour suprême, *Plessy v. Ferguson*. Plessy, un métis de Louisiane, a pris place dans un wagon réservé aux Blancs et refusé de gagner celui des Noirs ; bravant volontairement une loi de l'État de 1890, il invoque le XIVe amendement qui affirme l'égalité entre les races. Au bout du processus judiciaire, la Cour suprême déboute définitivement le plaignant et établit la doctrine « *separate but equal* » qui fonde la ségrégation raciale. La séparation des races est établie sur un plan théorique et facile à vérifier ; en revanche, l'égalité de traitement n'est qu'un leurre, car les écoles et les autres institutions réservées aux Noirs n'ont jamais les meilleures conditions. Cette décision capitale – contre laquelle s'élève avec hauteur de vue le juge minoritaire Harlan, pour qui la Constitution est faite pour tous les citoyens, sans distinction de couleur, même si lui-même ne croit pas en l'égalité des races – va figer les relations raciales jusqu'au lendemain de la Seconde Guerre mondiale. Face à cette situation, les Noirs disposent de moyens limités et doivent s'adapter à cette nouvelle vie, à l'écart des Blancs ; ils renforcent la cohésion de leur communauté, à travers un système de valeurs qui leur est propre, transmis par les Églises baptistes, repris dans le Gospel et le blues et, le plus souvent, impénétrable aux Blancs. C'est ce que découvre dans les années 1880 cet anthropologue blanc grand amateur de folklore, installé en Géorgie, qui cherche à déchiffrer les paroles d'une mélopée chantée inlassablement par des travailleurs noirs, qui creusent un fossé devant chez lui. Il est pris de court par ce qu'il comprend :

> « L'homme blanc est assis sur le mur
> L'homme blanc est assis sur le mur
> L'homme blanc est assis sur le mur tout le temps
> Perdant son temps, perdant son temps... »

Même s'ils sont dépouillés de tous leurs droits de citoyen, leur situation économique s'améliore lentement et ils sont de plus en plus nombreux à être scolarisés.

Pourtant, nombreux sont les Noirs, surtout au Nord, qui ne se résignent pas à être ainsi mis à l'écart de la société américaine. D'abord, Thomas T. Fortune, journaliste de New York – qui adopte vite des positions modérées –, et surtout William E. DuBois, intellectuel noir de Nouvelle-Angleterre, qui enseigne à l'université d'Atlanta dès 1897, veulent l'égalité complète pour leur race, sur les plans social et politique avec application intégrale des amendements de la Reconstruction, mais leur voix n'est guère entendue au-delà de quelques cercles intellectuels. En revanche, Booker T. Washington jouit d'une immense popularité au sein de la communauté noire du Sud. Ancien esclave, éduqué au moment de la Reconstruction, il est devenu célèbre depuis qu'il dirige l'institut de Tuskegee (Alabama), où sont formés techniciens et instituteurs noirs. En effet, B.T. Washington ne cherche pas à abattre la ségrégation d'un coup, mais plutôt à doter la communauté noire des moyens de se hisser au niveau des Blancs par un lent processus d'éducation et de progrès économiques avant de parvenir à l'égalité. Ses positions modérées ravissent les élites blanches du Sud, et conviennent bien aux pasteurs et aux politiciens noirs accoutumés aux contraintes de la vie quotidienne. Pourtant en 1901, quand le président Roosevelt reçoit à dîner à la Maison-Blanche le grand éducateur, ce geste spectaculaire est à la fois salué par les uns comme la preuve des progrès accomplis, mais violemment stigmatisé par la plupart des Blancs, horrifiés par cette brèche dans la ségrégation, des journaux évoquent même « un singe à la table présidentielle ». La situation des Noirs est désormais fixée, surtout dans le Sud qui, malgré l'essor de l'industrie, ne parvient pas à combler son retard sur le Nord. En 1900, les treize États du Sud dépensent moins pour l'éducation que le seul État de New York, plus de la moitié de la population totale y est illettrée, dont les trois quarts des Noirs ; cette situation n'évolue pas avant le milieu du siècle.

L'affirmation d'une classe ouvrière

Le rêve américain de petits propriétaires égaux n'a jamais été une réalité et la guerre civile lui porte un coup fatal. L'avènement d'une économie industrielle repose sur l'émergence d'un monde ouvrier, or celui-ci n'accepte pas nécessairement les conditions qui lui sont faites.

Des mouvements violents

Les grèves se multiplient, suscitées souvent par des baisses de salaire brutales ou des mises à pied sans avertissement ; les patrons revendiquent hautement la totale liberté du travail, ne reconnaissent que les contrats individuels et s'opposent avec force à tout mouvement collectif.

En 1877 en Pennsylvanie, la grande grève des chemins de fer a un grand retentissement dans le pays. Elle est la première de cette importance. Les cheminots qui protestent contre la baisse de leurs salaires sont rejoints par les mineurs de charbon et, en juillet, la grève s'étend à tout le pays, à l'exception du Sud et du Nord-Est, sans qu'elle soit menée par une organisation centrale. Les exigences de nationalisation des chemins de fer, de réduction de la journée de travail ont un large écho dans une opinion excédée par les scandales financiers qui frappent de façon chronique ces entreprises. Pendant quelques semaines, la situation est révolutionnaire, le mécontentement profond et généralisé. Il faut, sur l'instance des patrons auprès du gouvernement fédéral, que les troupes, dont une partie est venue du Sud, soient envoyées pour faire respecter « la liberté du travail », car les milices locales ont tiré sur les ouvriers – en en tuant vingt –, aboutissant en réponse à la destruction de deux mille wagons et cent locomotives à Pittsburgh. À l'automne, la grève s'achève sans résultats pour les ouvriers, mais elle a montré que les États-Unis n'étaient pas immunisés contre un affrontement social, qui pouvait y prendre des formes violentes.

La grande grève de 1877 semble inaugurer une assez longue série de mouvements sociaux qui se déroulent, dans les grandes lignes, suivant un scénario comparable. En mai 1886, à Chicago, les manifestations revendiquent la journée de huit heures, mais elles se terminent par un affrontement meurtrier avec la police, puis par l'explosion d'une bombe à Haymarket, pour laquelle sont arrêtés neuf militants anarchistes, mais dont l'origine est restée inconnue. Après un procès hâtif, quatre ouvriers d'origine étrangère seront pendus, pour montrer que le socialisme n'est pas originaire des États-Unis, en dépit de prises de position internationales en leur faveur. Quatre ans plus tard, sans référence directe à 1886, les syndicats européens, qui tiennent à la distinction avec les anarchistes, choisissent le 1er mai comme journée du travail ; les États-Unis, suivis par le Canada, préfèrent une date plus neutre : le premier lundi de septembre.

En 1892, aux aciéries *Carnegie* à Pittsburgh, les grévistes affrontent avec succès les détectives privés de l'agence Pinkerton, envoyés par le patron qui veut briser leur syndicat, mais doivent céder sous les coups de la milice. Deux ans plus tard, l'étendue et la durée de la grève chez *Pullman* à Chicago semblent ébranler, à nouveau, la société. Les ouvriers se sont mis en grève pour protester contre la baisse de salaires, alors que les loyers dus au propriétaire-patron restaient à leur niveau d'avant la crise. Une grève de soutien s'ensuit qui paralyse les chemins de fer ; le gouverneur de l'État d'Illinois, J.-P. Altgeld, apporte son soutien aux grévistes et s'oppose à l'envoi de troupes fédérales, ordonné par le président Cleveland sous la pression des patrons de compagnies de chemins de fer. La grève est finalement écrasée, son meneur Eugene Debs (d'origine alsacienne) jugé et condamné ; l'ampleur du mouvement a fait réfléchir quelques patrons qui montreront désormais plus de souplesse, mais conduit quelqu'un comme Debs à se tourner résolument vers le socialisme. Le calme se maintient jusqu'en 1902, car ces grandes luttes, qui ne doivent pas masquer les affrontements locaux, ont obtenu quelques résultats : une progressive réduction des heures de travail et une relative amélioration des conditions de travail.

La spécificité des organisations syndicales

Ces mouvements divers aux revendications limitées, qui se terminent par l'intervention des troupes, montrent à la fois l'ampleur du mécontentement face à des patrons tout-puissants et le soutien que ces derniers trouvent auprès du gouvernement. La plupart du temps, ils ont été organisés par des syndicats locaux qui ne parviennent pas à se faire entendre plus largement. En effet, après une tentative infructueuse aux lendemains de la guerre civile, il n'existe pas de syndicat national important avant les années 1880. Le premier est celui des Chevaliers du Travail, dirigé par Terence Powderly. Cette fédération coopérative fondée en 1869, marquée par ses origines religieuses, ne se rallie aux grèves qu'assez tardivement et cherche à éviter la division en métiers, réunissant tous les travailleurs ensemble. Rassemblant près de 600 000 membres vers 1885, après des débuts difficiles, les Chevaliers souffrent d'une organisation faible et, à la suite d'échecs successifs, ils sont accusés d'être mêlés aux événements de Chicago et déclinent rapidement, n'ayant plus que 100 000 adhérents à la fin du siècle. Ce syndicat original, ouvert aux femmes et aux Noirs, est progressivement remplacé par la récente *American Federation of Labor*, fondée en 1886, qui ne recrute que parmi les seuls ouvriers qualifiés, organisés en syndicats de métiers. Ses débuts sont lents, mais, en 1900, elle regroupe près de 550 000 travailleurs, soit moins de 3 % de la population ouvrière. La période de la prospérité lui est plus favorable, puisqu'en 1914, elle a quadruplé ses effectifs. Dirigée pendant quarante ans par Samuel Gompers, elle ne regroupe que des ouvriers qualifiés ; l'AFL s'est fixé pour but la reconnaissance syndicale dans l'entreprise et l'amélioration des conditions de travail pour ses membres, elle écarte toute revendication politique et ne remet jamais en cause la hiérarchie patronale. Elle ne recule pas devant la grève, souvent dure, mais qui n'a toujours qu'un objectif limité. Cette fédération ne regroupe que « l'aristocratie ouvrière », écarte Noirs et femmes ; elle laisse de côté les manœuvres et les immigrés récents, qui doivent se contenter des conditions imposées par les patrons, sans pouvoir compter sur son soutien. Ainsi, se développe un monde ouvrier à deux vitesses ; l'un, composé d'ouvriers « américains » bien payés et protégés par leur syndicat, l'autre regroupant des travailleurs de toutes origines divisés face aux exigences patronales et qui doivent accepter des logements sordides, comme les *tenements* de New York regroupant un million d'entre eux au début du XXe siècle. Au prix de grèves dures, les premiers se sont adaptés à l'économie industrielle ; les seconds en sont les soutiers, corvéables à merci, espérant toujours gagner la première catégorie, comme les Irlandais ont su, pied à pied, le faire.

La place est libre pour d'autres revendications, voire pour le combat socialiste, mais pour que celles-ci obtiennent quelque succès il faudra être sorti d'un *Gilded Age,* pendant lequel le pouvoir des patrons a été à peine ébranlé.

Une société urbanisée

Le bouleversement économique ne fait pas intervenir seulement quelques puissants hommes d'affaires et une foule de marginaux ou d'exclus. Il profite également à tous les employés, les cadres, les commerçants, qui sont indispensables au développement industriel. Toutes ces personnes sont des citadins qui font croître les villes américaines, dont quelques-unes sont les ports d'arrivée des immigrants et, toutes, des nœuds ferroviaires.

L'essor des villes

Le recensement de 1870 est le premier à décompter la population urbaine en donnant une définition de la ville, d'abord fixé à 4 000 habitants, puis à 2 500, chiffre actuel. En 1860, un peu plus de 6 millions d'Américains habitent ces villes, soit 20 % de la population totale ; dix ans plus tard, ils sont dix millions et 25 % de l'ensemble ; en 1890, plus de 22 millions, soit 35 % du total ; vingt ans plus tard, ce sont 42 millions de citadins qui constituent 46 % des Américains. Le recensement de 1920 rendra officiel le chiffre de 50 % de citadins ; il est en fait atteint dès la veille de la guerre. Ces chiffres montrent l'évolution rapide de l'urbanisation, mais ils recouvrent des situations très différentes, suivant les régions, selon les agglomérations.

Les villes du Nord-Est sont anciennes ; elles ont accueilli les immigrants depuis la naissance des États-Unis. Elles se développent considérablement, mais sans la rapidité de celles du Middle-West et de l'Ouest, véritables villes nouvelles. Les villes du Sud, dont la population double dans la période comme celle des villes du Nord-Est, ne regroupent, en 1910, que 20 % de la population totale et restent secondaires. D'autre part, l'accroissement de la population urbaine n'est pas uniforme ; fort au moment de la guerre civile, il décline dans les années 1870 en raison de la crise et reprend dans la décennie 1880. Enfin, ce sont les grandes villes, au-dessus de 25 000 habitants, qui croissent le plus rapidement – de 400 % entre 1870 et 1910 –, au détriment des petites agglomérations qui, elles, n'augmentent que de 230 % dans la même période. Ainsi, alors qu'en 1865, seule New York dépassait un million d'habitants, à la veille de la Première Guerre mondiale, Chicago et Philadelphie l'ont rejointe ; dans le même laps de temps, les villes supérieures à 100 000 habitants sont passées d'une quinzaine à plus de quatre-vingt dix. Vingt-cinq métropoles, comprenant une banlieue regroupant 10 % de la population totale, sont comptabilisées à partir de 1910, et, la même année, New York devient la deuxième ville du monde, derrière Londres – elle regroupe à ce moment-là plus de 13 % de la population américaine. Pour faire face à cet afflux de population, Chicago ou New York, la première en 1889 et la seconde en 1898, annexent les banlieues les plus proches ; ainsi, le *borough* du Bronx devient-il partie intégrante de New York.

Dix des plus grandes villes des États-Unis (1860-1920)

	1860	1880	1890	1900	1910-1920
New York	1 175 000	1 912 000	2 507 000	3 437 000	4 767 000-5 260 000
Chicago	109 000	503 000	1 100 000	2 185 000	2 185 000-2 702 000
Philadelphie	565 000	847 000	1 047 000	1 204 000	1 549 000-1 824 000
Boston	178 000	363 000	448 000	561 000	671 000-748 000
Nouvelle-Orléans	169 000	216 000	242 000	287 000	339 000-387 000
Saint Louis	161 000	350 000	452 000	575 000	687 000-773 000
San Francisco	57 000	243 000	299 000	343 000	417 000-507 000
Detroit	46 000	116 000	206 000	286 000	466 000-993 000
Denver	5 000	35 000	107 000	143 000	213 000-256 000
Los Angeles	4 000	11 000	50 000	102 000	319 000-577 000

Source : Ch. Lefèvre, S. Body-Gendrot *et al.*, *Les Villes des États-Unis*, Paris, Masson, 1998, p. 16.

En moyenne, la population urbaine croît de 3,5 % par an, entre 1870 et 1910 ; alors que celle des campagnes n'augmente que de 1,25 % par an dans la même période. Ces quelques données montrent à quel point les États-Unis deviennent urbanisés, après avoir été longtemps un pays agricole parsemé de petites bourgades.

La formation de la population urbaine

Son développement s'explique essentiellement par le nombre d'emplois industriels et commerciaux. En effet, les nouvelles industries se fixent essentiellement dans les villes, puisque, à la fin du XIXe siècle, 90 % de la production industrielle est urbaine. Dans ces conditions, l'importance des métropoles du Nord-Est, New York, Philadelphie, Boston, Baltimore, se comprend, comme celle de Chicago, Pittsburgh et Detroit et, plus à l'Ouest, celle de Saint Louis ou de San Francisco. Les ouvriers représentent la moitié de la population de ces grands centres, qui abritent également les activités commerciales ; ils sont plus nombreux dans les villes moyennes, uniquement industrielles, comme les centres textiles de Nouvelle-Angleterre, Lowell, Lawrence ou ceux consacrés à d'autres activités, mécanique lourde à Cleveland, chimie à Dayton, etc. Aux cités industrielles, s'ajoutent les villes administratives comme les capitales d'États qui s'affirment, Albany pour New York, Sacramento pour la Californie, ou même Washington, qui passe de 132 000 à 438 000 habitants de 1870 à 1920.

Les besoins de main-d'œuvre ont, d'abord, été satisfaits par la population urbaine déjà existante ; en effet, les activités commerciales de l'ère coloniale et du début du XIXe siècle, les cités de la côte Atlantique, puis celles placées sur les grandes voies de communications ont toujours retenu une population urbaine importante. Le deuxième apport notable a été fourni par les immigrants ; d'après les travaux récents, une proportion de deux tiers à trois quarts des immigrants se fixent en ville. Les théories anciennes selon lesquelles les immigrants allaient directement coloniser l'Ouest sont démenties par les études plus précises. Arrivant en ville, ces gens déracinés, surtout des hommes jeunes, retrouvent sur place des proches, le plus souvent des compatriotes, qui les accueillent, qui les aident à s'installer et à trouver du travail, tout en leur fournissant une ambiance familière rassurante. Le développement des emplois industriels accentue encore le phénomène, offrant de nombreuses opportunités. Très naturellement, se sont ainsi formés des quartiers irlandais à New York ou Boston, allemands à Milwaukee ou Saint Louis, chinois à San Francisco, italiens ou russes dans les années ultérieures, les nouveaux arrivants remplaçant les plus anciens qui partent dans des quartiers plus huppés. Dans les périodes de plus forte immigration, les nouveaux arrivants représentent jusqu'à 40 % de la population de Chicago.

L'exode rural contribue également à ce peuplement des villes. Surtout dans les périodes difficiles du *Gilded Age*, la ville attire par ses activités multiples (commerce, écoles meilleures que dans les campagnes, loisirs) les fils et les filles de fermiers, En 1910, un quart des habitants des villes sont venus de la campagne ; d'ailleurs, quand un habitant des villes se décide à bénéficier d'un *homestead* obéissant à l'appel de Horace Greeley « *Go West, young man !* », ce sont vingt ruraux, lassés de l'isolement et aux prises avec les contraintes financières, qui se dirigent vers ces centres urbains.

Un autre aspect de l'exode rural apparaît dans la lente migration des Noirs du Sud vers les villes ; elle est progressive, touchant d'abord les villes de la région où se regroupent le quart des Noirs, puis gagne, surtout au début du XXe siècle, les cités industrielles du reste du pays. Un cas particulier est fourni par Washington, ville du Sud par bien des aspects, dont la population est noire à environ 30 % durant cette période ; les Noirs espèrent que leurs droits seront mieux respectés près du Congrès et qu'ils y trouveront des emplois dans la fonction publique.

L'accroissement de la population des villes, sous l'effet de ces divers mouvements, est accompagné par une baisse de la natalité due à l'urbanisation ; en effet, le taux de natalité passe de 44 ‰ en 1860 à 30 ‰, cinquante ans plus tard, baisse plus rapide que celle du taux de mortalité. La masculinisation due à l'immigration, l'importance du travail des enfants plus réduite que dans les campagnes et les difficultés de logement expliquent cette évolution, qui aboutit à un tassement de l'augmentation globale de la population.

Le décor urbain

Les villes américaines, dirigées par des municipalités élues, sont reconnues par une charte délivrée par le gouvernement de l'État où elles se trouvent. Elles ne sont soumises, par ailleurs, à aucune contrainte administrative, à aucune réglementation fédérale ou autre. Aussi, leur développement s'est-il effectué de façon anarchique, sans plan d'urbanisme précis autre que l'agencement strict des rues en damier, sans projet architectural d'ensemble. La seule exception est fournie par la capitale fédérale, bâtie suivant le plan à l'ancienne du major L'Enfant.

Des constructions médiocres

Cette situation explique que les villes se sont développées dans le plus grand désordre, sans prévision de logement, sans organisation rigoureuse et uniforme du transport ou des services publics. L'industrialisation massive a accentué ces traits, faisant voisiner usines et gares de triage, taudis, ouvriers et gratte-ciel ; les voies ferrées traversent les quartiers sans protection ; les poteaux, souvent faits de bois brut, correspondant à l'éclairage ou, plus tard, au téléphone, sont placés de guingois par des compagnies indépendantes pressées et peu préoccupées de l'environnement. De plus, la plupart des villes du XIXe siècle sont construites en bois, à l'exception de quelques bâtiments du centre en brique ou, plus rarement en pierre ; l'abondance des ressources forestières et la rapidité de la construction expliquent cette tradition, encore vivace dans les maisons individuelles du début du

XXIe siècle. Mais le rassemblement de ces maisons, de petits immeubles à structure de bois, explique l'ampleur des incendies qui ont frappé de telles villes. Chicago est détruite aux trois quarts par le feu en octobre 1871 à partir d'une lampe à pétrole renversée par une vache rétive au moment de la traite. En avril 1906, les destructions dues au tremblement de terre qui secoue San Francisco sont multipliées par l'incendie qui ravage de superbes maisons de bois de style victorien. Bien d'autres sinistres se produisent, limités à un quartier, à un bloc de maisons ; mais, chaque fois, ils mettent en péril les vies et les biens.

Une architecture moderne

Dans ce contexte, les municipalités parviennent parfois à mobiliser les énergies et à susciter les moyens pour construire mieux. New York, ville-phare, possède de beaux quartiers d'immeubles de pierre rouge ou brune, et a fait construire par John et Washington A. Roebling, en 1883, le pont suspendu qui relie Manhattan à Brooklyn, qui est une réussite technologique et architecturale, reconnue comme telle encore de nos jours avec son splendide éclairage nocturne. Chicago a été reconstruite autour de grands bâtiments de pierre, de style néo-roman, robustes et lourds. Assez rapidement, dans les grandes villes, les immeubles ont poussé en hauteur en raison du prix du terrain et de la rentabilité plus grande qui est escomptée de la location des bureaux et des logements. Les immeubles de New York qui, comme à Paris, plafonnaient à cinq étages vers 1870, atteignent la quarantaine au début du siècle suivant. C'est à Chicago, au début des années 1880, que les limites des constructions traditionnelles conduisent les architectes à rechercher des solutions nouvelles. L'utilisation de la fonte, puis de l'acier moins cassant, pour la structure d'un immeuble, dont les murs ne sont plus porteurs et ne font que remplir les vides, permet de monter un étage sur un autre et d'envisager une très grande hauteur avec un système de décoration originale. Après plusieurs tentatives, c'est William Le Baron Jenney qui, en 1885, construit le premier gratte-ciel pour abriter les bureaux d'une compagnie d'assurance ; la théorie du gratte-ciel sera émise quelques années plus tard par un autre architecte de Chicago, Louis Sullivan. Ces immeubles sont rendus viables par l'invention concomitante de l'ascenseur par Elisha Otis ; à vapeur, hydraulique puis surtout électrique, il devient sûr vers 1880. Les conditions propres à New York, où le sol rocheux est solide, l'espace restreint dans la presqu'île de Manhattan et la demande particulièrement forte, multiplient la poussée des gratte-ciel, dont le toit plat est surmonté de décors surprenants néo-gothiques ou Renaissance. Les rues bordées de tels immeubles sont sombres et, en 1916, la municipalité est obligée de réglementer la hauteur des immeubles et leur élévation ne doit plus être verticale, afin de laisser la lumière du jour pénétrer dans ces rues.

Les gratte-ciel constituent la fierté des villes, mais leur construction est ralentie par la crise des années 1890. La plupart du temps, ils disposent d'un rez-de-chaussée spacieux où se trouvent de multiples commerces et services, au-dessus duquel s'accumulent des étages de bureaux, loués ou possédés par des entreprises différentes. Dans les villes du Middle West et de l'Ouest, l'unique gratte-ciel abrite fréquemment l'hôtel moderne qui accueille les voyageurs avec une grande diversité de bars, restaurants, poste, boutiques ; il constitue souvent le monument principal des cités sans tradition architecturale et qui ont peu d'immeubles. De telles constructions sont éclairées à l'électricité et bénéficient du confort moderne, eau courante, chauffage central ; seules les maisons les plus riches bénéficient de ces progrès.

Des contrastes violents

Ces merveilles architecturales et techniques ne dissimulent pas la médiocrité de l'habitat des moins favorisés. Dans les plus grandes villes, les employés, qui constituent la classe moyenne, se serrent dans des petits logements dépourvus de confort, mais, encore célibataires, ils doivent fréquemment louer dans des pensions de famille, les *boarding houses*, sévèrement tenues et sans intimité. Les immigrés et les ouvriers sans qualification doivent se contenter de véritables taudis comme à Pittsburgh, ou des *tenements* construits pour eux dans les plus grandes villes par des promoteurs cherchant le profit rapide. Il s'agit de cours obscures entourées d'immeubles tristes aux rares ouvertures, composés d'appartements minuscules sans eau courante ni hygiène, où s'entassent des familles entières, qui accomplissent souvent du travail à domicile. Souvent, ces différents quartiers regroupent des immigrants de même origine comme une rue juive du Lower East Side de New York ou les petites Italies de cette même ville ou à Chicago, possédées par des Italiens qui exploitent les leurs sans vergogne, car dans tous les groupes d'immigrants, ceux qui ont fait fortune ne sont pas ressentis comme des exploiteurs sans vergogne, car ils parlent la même langue et partagent les mêmes habitudes alimentaires. Ces quartiers ethniques caractérisent les grandes métropoles. S'y mêlent misère sordide et réelle convivialité, boutiques locales et marchés de produits exotiques, entraide sincère et violence ; les habitants y disposent de journaux et parfois de salles de spectacle dans leur langue. La situation n'est, toutefois, pas figée car, dès que la situation d'un groupe s'améliore, il s'installe dans un quartier plus reluisant, sa place étant aussitôt occupée par de nouveaux arrivants moins regardants. Au Sud-Est de Manhattan, les Italiens s'installent dans les logements sordides des Irlandais, les Russes dans ceux des Allemands ; avant de laisser la place aux Noirs après 1915, beaucoup de Juifs s'installent à Harlem, laissant le Lower East Side aux nouveaux venus d'Europe centrale.

L'extension des villes

Le développement des transports urbains, en particulier du tramway électrique mis au point en 1888 par Frank Sprague, permet d'envisager un élargissement de l'espace urbain. Le tramway à traction animale, les chemins de fer urbains à vapeur, coûteux à installer, ne permettaient pas de se déplacer souplement au-delà de quelques kilomètres du centre ville. Le nouveau moyen de transport franchit une dizaine de kilomètres en une demi-heure, rendant possible la séparation du lieu de travail et du domicile. Les cadres et les familles aisées, lassés du bruit et de l'entassement des immeubles du centre, se font construire de vastes et confortables maisons à l'écart, souvent dans la campagne, qu'ils peuvent atteindre facilement par le tram. D'autres, plus modestes, se contentent de banlieues moins éloignées et moins aérées. Les grandes villes développent ainsi leurs réseaux – celui de Boston atteint 700 kilomètres en 1904). En 1902, plus de 32000 kilomètres de voies sont électrifiés, grâce à la montée en puissance de grandes firmes productrices d'électricité comme General Electric et Edison. Les banlieues se développent alors, elles regroupent des groupes sociaux homogènes, qui sont à l'abri des voisins indélicats et vivent dans une atmosphère de sécurité.

À New York en 1904, le métro, puis, à partir de 1908, l'automobile produite en série par Henry Ford, permettent la poursuite et l'extension des quartiers suburbains, qui produisent un mode de vie tout à fait différent. Ces grandes agglomérations posent naturellement de considérables problèmes de gestion et les solutions n'ont pas été faciles à mettre en œuvre.

Gestion et réforme

La corruption municipale

Les élus municipaux profitent souvent de leur passage au pouvoir pour s'enrichir et pour se créer une clientèle. De telles conditions ne favorisent pas une gestion rigoureuse si de considérables variations existent. Les besoins croissants des villes attirent les entrepreneurs qui tentent d'obtenir des contrats et, par là, la corruption gagne les villes. Ainsi, à la fin de la décennie 1860, New York est-elle dirigée par William Tweed, chef informel du parti démocrate de la ville. Ce dernier n'a jamais été maire, mais, élu comme adjoint responsable de la voirie, il contrôle tous les marchés. Il détourne des sommes considérables des contrats d'équipement, se préoccupe peu de la ville, mais forme un réseau de fidèles en distribuant des vivres aux plus pauvres, en fournissant des emplois à quelques-uns, en faisant espérer tous les autres par un système de dons. Ce système, souvent apprécié des petites gens, est fondé sur la corruption et le trafic d'influence. Le *boss* Tweed n'est pas seul, il a des émules – républicains comme démocrates – à Philadelphie ou Boston, car les partis politiques y trouvent leurs avantages, pour garder le contrôle des municipalités en assurant la fidélité des électeurs.

De temps à autre, les excès sont tels qu'ils indignent les citoyens les plus éduqués ; ainsi, en 1873, Tweed est-il jugé et condamné. Ils parviennent à se faire élire et tentent de pratiquer quelques réformes, d'imposer quelques règles simples. Le souci de bonne gestion ou de lutte contre la criminalité est souvent associé à la volonté d'éviter la prise de pouvoir par des socialistes ou des réformateurs plus déterminés. Certains de ces modérés parviennent à se maintenir au pouvoir, dans les années 1880, à Boston, Detroit ou Philadelphie. Mais ailleurs, l'organisation municipale assez décentralisée dilue l'autorité et, souvent, les *bosses* peuvent reprendre le pouvoir en s'appuyant sur les bataillons compacts d'électeurs qui les soutiennent ; les partis s'arrangent avec les autorités pour faire voter des immigrants qui n'ont pas encore la citoyenneté. Les nombreux Irlandais de New York soutiennent inexorablement le parti démocrate, situé à Tammany Hall, et ses chefs, car ils obtiennent des licences de boisson, des postes dans la police et autres avantages pour leurs familles. Il arrive que les autorités de l'État édictent des règles sanitaires ou des normes de construction qui s'appliquent aussi aux villes, mais ces mesures ne sont pas toujours suivies d'effet, car les rivalités politiques sont souvent féroces entre une municipalité et la capitale de l'État. Après la guerre de Sécession, le gouverneur Fenton du New York crée un bureau d'assistance aux pauvres et édicte des normes de construction pour la métropole de son État, et son successeur Theodore Roosevelt fait de même, mais le pouvoir à Albany (siège du gouverneur de l'État de New York) est le plus souvent républicain, alors que la grande ville est massivement démocrate, ce qui rend difficile la coopération entre eux.

Une volonté de réforme

Récurrents durant toute la fin du XIXe siècle, ces problèmes de gestion stimulent l'action d'organismes privés et d'individus dévoués. Les Églises organisent pour leurs fidèles des réseaux d'entraide ; des associations charitables tentent de s'occuper des enfants abandonnés de New York, de l'éducation des femmes seules, comme *Hull House* de Jane Addams à Chicago. Cette dernière, soutenue par la municipalité, a joué un rôle considérable dans la grande ville de l'Illinois, accueillant et formant des centaines de personnes pour les alphabétiser et les rendre fières de leur culture. Ces formes d'assistance, essentielles, ne peuvent faire face à tous les besoins ; elles se préoccupent peu du fonctionnement des services publics ou de la voirie et reposent sur l'action de quelques individus. Pourtant, une relative prise de conscience se fait jour, favorisée par les articles dévastateurs de journalistes comme Jacob Riis qui, en 1885, décrit et photographie les horreurs des *tenements* de New York. Le succès de scandale est immédiat et les New-Yorkais visitent les *tenements,* qui les bouleversent ; ces immeubles ne disparaîtront pourtant pas avant bien des années, car la ville n'a ni les moyens ni la volonté de construire des logements sociaux corrects.

D'autres personnes se sont souciées d'améliorer le décor de la ville, de la rendre plus attrayante. C'est le cas de Frederick Olmsted, architecte paysagiste, qui veut que les citadins ne soient pas coupés de la nature ; dès 1869, il façonne Central Park au cœur de New York, qui sera suivi par le parc des Commons à Boston. D'autres architectes réfléchissent, comme Olmsted, au moyen d'améliorer la conception de la ville, en séparant logement et travail, en embellissant le cadre de vie. *City Beautiful* : leur mouvement est influent dans les grandes villes, à partir de l'Exposition universelle de Chicago de 1893. L'apparence de l'exposition, une ville blanche, parsemée de parcs, parcourue de grandes avenues, tout en décevant les modernistes par son néoclassicisme, a débouché sur un renouveau de l'urbanisme américain, dont bénéficieront Washington et quelques autres cités comme Seattle. Toutefois, ces tentatives ne résolvent pas tous les problèmes, si elles signalent la volonté de modifier les structures du pouvoir dans les villes, afin de le redonner aux citoyens. Le contrôle des villes va être l'un des enjeux du mouvement progressiste.

Les transformations de la culture

La fin d'une culture collective

L'émergence d'une élite urbaine et d'une classe moyenne modifie le besoin culturel des Américains. Jusqu'à la guerre civile, les Américains, dans leur vaste majorité, partageaient un fonds culturel commun, hors une mince couche urbaine et quelques aristocrates du Sud. Très nombreux étaient ceux qui se nourrissaient de la lecture des préceptes de la Bible (c'est dans ces textes qu'Abraham Lincoln a appris à lire) et de la représentation fréquente, même dans les plus petites bourgades, de pièces de Shakespeare. Sans doute, si celles-ci étaient abrégées, transformées par l'intrusion de quelques personnages connus du public et actualisées, elles n'en constituaient pas moins un patrimoine culturel, aussi bien dans le Sud que dans l'Ouest avec les tournées de petites troupes pittoresques : nombreux étaient les spectateurs à être persuadés que l'auteur était américain. De la même façon, une musique populaire jouée par les premiers grands orchestres, comme celui de Theodore Thomas, était largement appréciée ; on l'écoutait parfois dans Central Park, en dépit des vociférations et des rires, ou amplifiée, comme en 1876 à Philadelphie, par l'accompagnement de centaines de canons et de tambours. Aux lendemains de la guerre, les musées apparus dans toutes les grandes villes du Nord ont décidé – dépourvus de suffisamment d'œuvres originales – de montrer des copies de statues grecques ou de peintres français pour éduquer gratuitement le plus large public.

Or l'enrichissement des hommes d'affaires, leur souci de promotion sociale, d'autant plus fort qu'ils sortent d'un milieu humble, les besoins d'éducation des habitants des villes et l'émergence d'un milieu universitaire – les grandes universités sont fondées à cette époque : Cornell, Stanford, Columbia etc. – perturbent cet équilibre précaire. Ces citadins ne supportent plus d'écouter de la musique dans le brouhaha et la promiscuité, de se bousculer pour voir de vulgaires copies, de subir les rires de la masse. Disposant de moyens, ils engagent des spécialistes qui vont définir une culture d'élite : ils annexent Shakespeare débarrassé de ses impuretés et le réservent aux amateurs qui peuvent l'apprécier, subventionnent, comme Norman Fay, des orchestres tel le *Chicago Symphony Orchestra*, où le même Theodore Thomas est finalement ravi d'échapper au vacarme. Les musées vont désormais mettre les copies à la cave et exposer les œuvres originales achetées à grand prix en Europe, en prenant bien garde que les visiteurs ne les abîment pas. Une culture d'élite s'affirme ainsi, mais ses promoteurs ne cherchent pas à l'imposer au reste de la population, dont ils craignent les débordements : ils s'enferment dans des tours d'ivoire.

La naissance d'une culture de masse

Cette évolution de la culture américaine, typique du *Gilded Age*, s'accompagne de l'apparition d'une nouvelle culture populaire, séparée de ces anciennes bases. Bill Cody, ancien scout de l'armée américaine, avait perçu le potentiel de la légende de l'Ouest lors de la venue dans la région d'aristocrates européens, puis connu au théâtre dans les grandes villes le succès avec des saynètes tirées de son expérience sur le terrain, avec fumée abondante et coups de feu. Enfin, en 1883, il met sur pied le spectacle du *Buffalo Bill Wild West Show,* qui connaît un immense succès dans le pays et outre-Atlantique, car ses tournées en Europe en 1887, 1889 et 1905 déplacent les foules (30 millions de spectateurs en 30 ans d'activité de 1883 à 1913). La simplicité de l'intrigue, qui puise dans la légende de l'Ouest, le rythme des mouvements et une musique percutante en constituent les piments ; il formalise l'apparence du cow-boy et présente toujours d'authentiques Indiens : le spectacle glorifie la conquête américaine de l'Ouest et traite les Indiens avec beaucoup de paternalisme, tout en mettant en valeur leurs qualités de cavaliers. Alors que se déroule ce véritable spectacle de masse, le théâtre américain se renouvelle, afin d'attirer les nouveaux spectateurs urbains peu éduqués, en réduisant les intrigues à quelques scènes bien senties, avec amours contrariées dans des décors exotiques. Une véritable nouveauté, née en 1882 à New York, consiste à représenter une dizaine de séquences courtes sans intrigue, sans lien entre elles, dans un spectacle de deux heures, correspondant aux spécialités des artistes disponibles : jongleurs, chanteurs, acteurs qui déclament une tirade, à l'instar de Sarah Bernhardt qui gagne quelques centaines de dollars dans ses tournées. Ces spectacles de Vaudeville, qui n'ont rien de commun avec le théâtre du même nom en France, sont destinés au plus large public, même quand sa connaissance de l'anglais est insuffisante, et préfigure par ses séances permanentes le premier cinéma ; il aboutit à l'émergence d'un milieu d'artistes bien formés qui vont essaimer dans les films et jusqu'au premier temps de la télévision. La même simplicité efficace se retrouve dans les comédies musicales qui se multiplient sur les scènes de New York et des grandes villes : un livret inconsistant mais des acteurs polyvalents, qui jouent, chantent et dansent, expliquent le considérable succès, qui sera encore amplifié, après la Première Guerre mondiale, à Hollywood. Les romans populaires, apparus dès les années 1840, après avoir puisé dans le fonds britannique, sont désormais totalement américains et très bon marché : 10 cents soit la pièce d'une dime, qui leur donne le nom de *dime-novel.*

La presse suit également cette évolution. Déjà plus largement diffusée qu'en Europe, elle se transforme dans les années 1880. Dès 1841, *La Tribune* d'H. Greeley vise un large public, mais le *World* de Joseph Pulitzer, fondé en 1878, développe le sensationnalisme ; il sera le premier à dépasser le million d'exemplaires au moment de la guerre contre l'Espagne de 1898. Randolph Hearst qui rachète le *Journal* en 1896, accentue cette tendance avec d'énormes titres, l'utilisation de la couleur, les reportages épicés ; il constitue une chaîne de journaux qui développe son influence dans tout le pays. Ce nouveau journalisme invente les reporters qui traquent l'événement jusqu'au bout du monde. En comparaison, le *New York Times*, et même le *New York Herald* du francophile James G. Bennett, plus léger, demeurent très austères.

L'amour du sport manifesté par Bennett, passionné de cyclisme et d'automobile, est très typique de ces années trépidantes. Dès la fin de la décennie 1870, les citadins remplissent les stades de base-ball, jeu très populaire vite professionnalisé ; dix ans plus tard, l'essor du football américain débute, il est d'abord disputé au cours de tournois inter-universitaires. Sans atteindre la frénésie du XXe siècle, le sport commence à servir de support publicitaire pour les entreprises, de sujet pour les journaux populaires. Devenu à la mode, il est présent aussi dans le système scolaire.

L'éclosion d'un système éducatif complet

L'éducation suit un peu la même évolution entre un enseignement primaire efficace mais limité et un enseignement supérieur en plein essor, conçu pour un public sélectionné. L'intérêt des États pour l'éducation a toujours été vif – le gouvernement fédéral n'ayant aucun rôle dans ce domaine, sinon de fournir des données statistiques –, avec des différences considérables entre un Sud rétif et un Nord enthousiaste. Alors qu'en 1870, environ sept millions d'enfants fréquentent l'école, ils sont plus de vingt millions à le faire à la veille de la Première Guerre mondiale ; le nombre d'élèves du secondaire atteint alors deux millions. Bien que l'enseignement dispensé soit de qualité variable, léger dans les « petites écoles de la prairie » où la fréquentation ne dépasse pas quelques dizaines de jours par an, plus régulier dans les villes ; vers 1900, 90 % des Américains et des Américaines sont alphabétisés, au moins sommairement. Leurs institutrices mal formées – très rares sont les hommes qui enseignent – leur ont appris par cœur la lecture, l'écriture et les bases du calcul. Dans les années 1890, des pédagogues comme John Dewey cherchent à rendre plus vivant et plus enrichissant cet enseignement primaire.

Alors que l'enseignement secondaire, moins soutenu par les collectivités locales, s'affirme difficilement, les collèges et les universités se développent, en raison des besoins de cadres, d'ingénieurs, d'avocats ou d'employés de bureaux. Pour généraliser ces formations, le *Morrill Land Grant Act* de 1862 a doté de lots de terres les institutions d'enseignement supérieur technique ; ainsi se créent, entre autres, le *Massachusetts Institute of Technology* et l'université Cornell, mi-privée et mi-publique. Les plus anciennes universités, comme Harvard, Yale ou Johns-Hopkins, vont se rénover : elles imitent souvent le modèle allemand avec séminaires et un certain élitisme ; à la fin des années 1860, elles attribuent leurs premiers doctorats. De grandes personnalités comme Charles Eliot à Harvard ou Daniel Gilman à Johns-Hopkins sont des présidents qui modernisent leurs universités et s'efforcent de recruter les meilleurs étudiants et les plus célèbres professeurs. L'exemple de ces institutions stimule les mécènes qui veulent, à leur tour, créer des universités prestigieuses ; c'est le cas de John D. Rockefeller à Chicago ou de Leland Stanford en Californie. Dès le *Gilded Age*, se met en place un réseau d'universités privées ou publiques, dotées de riches bibliothèques, donnant une éducation supérieure aux filles, qui fait l'originalité et la force des États-Unis. En 1870, il y avait 52 000 étudiants dans le pays ; vers 1914, ils sont environ 400 000, soit plus que dans toutes les universités d'Europe réunies.

Ainsi, malgré de nombreuses différences régionales et sans qu'il y ait uniformité nationale, les États-Unis se dotent durant le *Gilded Age* d'un système éducatif remarquable, organisé suivant le clivage apparu plus largement dans la conception de la culture, produisant, au-delà des besoins de l'économie, une réelle élite cultivée qui est une force pour le pays, sans perdre de vue la formation de base.

Une vie politique subordonnée

Durant toute la période, les grands capitalistes et quelques présidents d'université sont souvent plus connus dans le public que les hommes politiques. Les présidents du *Gilded Age*, sans réelle envergure, ont été vite oubliés ; il faut attendre 1896 pour que le renouveau se produise.

Un régime presque parlementaire

L'évolution strictement électoraliste des partis américains a été freinée par le débat sur l'esclavage et la guerre civile. Grâce à Lincoln, les républicains ont endossé un programme ambitieux fermement idéologique. Pourtant, l'affaiblissement rapide de l'élan de la

Reconstruction dans un contexte d'affairisme effréné a très rapidement périmé les grandes envolées sur l'égalité des citoyens, sur les avancées de la démocratie. Les républicains agitent à l'occasion la « chemise sanglante » pour rappeler leur rôle durant la guerre civile et jeter l'opprobre sur les démocrates, mais il ne s'agit que d'un rituel sans consistance, car ils ont choisi de privilégier les entrepreneurs. Les démocrates se remettent difficilement de leur penchant sudiste et ne peuvent que proposer un meilleur équilibre entre le gouvernement fédéral et les États, en critiquant la mainmise de leurs rivaux sur le pouvoir.

Cette atonie du débat apparaît bien lors des campagnes électorales, à l'agitation rituelle. D'ailleurs, jusqu'en 1896, l'écart entre les candidats à la présidence et celui entre les deux partis pour les élections au Congrès est particulièrement réduit. L'avantage des présidents républicains, Hayes en 1876, Garfield en 1880, Harrisson en 1888, est inférieur à 1 % ; le démocrate Cleveland ne fait pas mieux en 1884, s'il l'emporte plus largement en 1892. D'autre part, si de 1875 à 1895, durant les dix sessions du Congrès (renouvelé tous les deux ans), les républicains en contrôlent sept au Sénat, les démocrates font de même pour huit d'entre elles à la Chambre des représentants. Ces quelques données montrent qu'aucun des partis n'a une réelle majorité, que l'opposition est fréquente entre le président et le Congrès : une forme de cohabitation devient la règle. Une telle situation nuit à la qualité du débat et dilue la prise de décision.

De fait, les pouvoirs prévus par la Constitution fonctionnent de façon inhabituelle. Le président, mal élu et choisi par son parti en raison de sa faible envergure, ne conserve que le pouvoir de nominations aux postes fédéraux et celui d'utiliser la force en cas de besoin ultime. Il joue de ces atouts, place des fidèles autour de lui, satisfait les demandes des patrons aux prises avec une grève dure. Il n'est, en aucune façon, en mesure de lancer un programme, d'initier une législation. Le Congrès pourrait bénéficier, de ce fait, d'un pouvoir plus grand, mais ce n'est qu'apparence. Mis à part l'épisode de la domination radicale sur les républicains qui aboutit à un semblant de régime parlementaire, le Congrès est finalement assez impuissant. Les majorités incertaines, l'existence au sein de chacun des partis de fortes personnalités rivales appuyées sur un fief local inexpugnable – tels, au Sénat, Roscoe Conkling de New York ou James Blaine du Maine pour les républicains, Arthur Gorman du Maryland pour les démocrates –, la masse de jeunes représentants sans expérience, ne sont pas faites pour redonner de l'ampleur au débat. De surcroît, de 1877 à 1901, la procédure lente du Congrès, avec le poids de l'ancienneté dans les commissions, aboutit à ce que seule une vingtaine de lois majeures aient pu être adoptées. L'essentiel du débat et de la législation est consacré à des questions d'intérêt purement local, voire électoraliste. En 1890 durant le mandat de B. Harrisson, le Congrès à majorité républicaine va profiter de sa brève suprématie pour dilapider les fonds fédéraux accumulés grâce au revenu du tarif douanier, en multipliant les bénéficiaires de pensions d'anciens combattants (sont considérés comme tels les soldats blessés accidentellement, les personnes ayant un lien de parenté avec un soldat, etc.). Le parti républicain se constitue ainsi une armée de fidèles électeurs et les pensions constituent l'un des postes principaux du budget fédéral, mais elles ont représenté pour les bénéficiaires l'ébauche d'un système d'assistance sociale, inexistant pour les autres citoyens. Les rares mesures importantes, sur le tarif, ou celles qui réglementent le commerce, sont le résultat de manœuvres interminables et sortent défigurées du processus législatif. En dépit de quelques tentatives d'amélioration du travail législatif dans les années 1890, dues à de fortes personnalités comme Thomas Reed à la Chambre ou Nelson Aldrich (Maryland) et Orville Platt (New York) au Sénat, le Congrès ne parvient pas à se dégager de ces ornières. Elles sont d'autant plus profondes que les sénateurs, élus par les assemblées des États, sont souvent les porte-parole d'intérêts économiques ou financiers qui les ont fait élire et se gardent bien de proposer une législation audacieuse qui leur serait reprochée : ils freinent un peu plus la prise en compte des réels besoins de la société.

La Cour suprême suit une évolution similaire. Après avoir entériné les grands textes de la Reconstruction, elle évolue vers un solide conservatisme et s'ingénie à faire respecter le libéralisme économique le plus total. Suivant, en cela, l'état d'esprit des groupes dominants, la Cour s'oppose à toute extension du pouvoir du Congrès, donne elle-même la définition d'un trust, s'oppose à toute législation nationale, au nom du droit des États. Elle s'affirme ainsi sensible au darwinisme social, sous la direction de juges liés aux grandes entreprises, tels Melville Fuller ou Samuel Miller, mais exerce toujours un réel pouvoir.

Cet équilibre des pouvoirs, peu imaginatif, correspondant le plus souvent à un profil bas au sein de chacun d'entre eux, peut durer dans la mesure où très rares sont les secteurs de l'opinion qui favorisent une intervention ou une réglementation fédérale. Il faut attendre la montée du parti populiste pour qu'une série de problèmes – le tarif des chemins de fer, l'impôt sur le revenu, la réglementation des trusts – fassent l'objet d'un débat national et obligent le pouvoir fédéral à réagir. Jusque-là, d'ailleurs, la très forte participation électorale, qui avoisine régulièrement les 80 %, n'indique pas un mécontentement profond des citoyens ; mais pour l'essentiel, elle est due à l'emprise des partis.

La puissance des machines politiques

Sans grand objectif, englués dans des luttes électorales incertaines, les partis de l'Âne – les démocrates – et de l'Éléphant – les républicains – s'évertuent à se maintenir au pouvoir, au niveau local comme au niveau national. Les premiers, surtout puissants dans le Sud où ils n'ont pas de concurrence depuis la fin de la Reconstruction, sont également bien représentés parmi les immigrants, surtout catholiques comme les Irlandais ; les seconds, forts dans les villes industrielles du Nord-Est, restent bien représentés dans l'Ouest en dépit de leur glissement vers des prises de positions favorables aux milieux d'affaires et conservent le suffrage des Noirs qui votent encore.

C'est surtout à partir du second mandat d'Ulysses Grant, la Reconstruction étant terminée, que l'organisation de la politique prend toute son ampleur. La prise en main des électeurs, mise au point dans les années 1830, s'accentue avec l'universalisation du suffrage qui en multiplie le nombre et au moment de l'émergence des grands thèmes idéologiques liés à la guerre civile et à ses suites. Les *machines* des partis ont pour but d'encadrer les nouveaux électeurs, de stimuler les enthousiasmes, avec encore plus de force et de bruit quand aucune grande question n'agite plus l'opinion. Les campagnes électorales sont l'occasion de défilés aux flambeaux dans les rues avec slogans favorables au candidat, de distribution massive de tracts, de drapeaux, de badges, de cartes à jouer ou de pipes à l'effigie d'Hayes ou de Cleveland. De telles manifestations coûtent des fortunes – treize millions de brochures sont ainsi distribuées par les seuls républicains en 1872 –, et nécessitent la mobilisation de milliers d'hommes pour assurer la participation des citoyens. Il faut, également, multiplier les discours dans les localités, identifier et persuader les personnages influents au sein d'une communauté ; à Philadelphie, le *boss* républicain Quay dispose d'un fichier de dizaines de milliers de noms d'électeurs classés selon leur fidélité et leurs habitudes de boisson. Pour assurer le financement de ces activités, les liens avec les entreprises prennent tout leur sens et les élus d'un parti s'engagent à verser une part de leur salaire à leur organisation, sous peine d'exclusion. Ainsi, les *machines* disposent de budgets considérables et plusieurs milliers de politiciens professionnels se chargent de faire fonctionner le système.

Les conséquences de cette organisation de la politique sont multiples. D'une part, la corruption est inévitable, les partis en vivent ; elle pénètre le système au niveau local plus qu'au niveau national. Les entreprises payent pour un contrat, ceux qui veulent obtenir un poste de fonctionnaire payent, ceux qui désirent l'autorisation d'ouvrir un débit de boisson payent, les juges élus acceptent de fermer les yeux si on les paye. Le fonctionnement des *machines* est finalement coûteux, pour une efficacité réelle mais limitée. En effet, si certains des politiciens sont sincères, vivent et agissent pour le bien de leur parti et des électeurs, nombreux sont ceux qui sont à la recherche du profit personnel. D'autre part, le travail des *machines* n'est nullement démocratique. Les électeurs sont encadrés, rétribués, amusés mais jamais consultés. Le choix des candidats aux différents postes électifs, de bas en haut de la pyramide politique, du shérif au gouverneur, du conseiller municipal au président, est effectué par les chefs du parti, dans le secret des caucus et des luttes d'influence. Ces candidats sont ensuite proposés à l'enthousiasme des électeurs. Dans un tel système de sélection, la médiocrité des candidats à la présidence est indispensable ; en aucun cas, ces hommes ne peuvent être un des chef du parti, ils deviendraient menaçants pour les autres ; ils ne doivent pas avoir trop de caractère pour ne pas mettre en péril le parti, ils doivent seulement servir celui-ci et ne prendre aucune initiative. Très tôt, un tel système a entretenu des dénonciations de la corruption ou de l'opacité du processus. Le parti républicain se divise sur ces questions ; une minorité libérale en 1876, puis dite *mugwump* en 1884, proteste contre la trop grande force de la machine. Pourtant, l'organisation reste indispensable pour gagner les élections et accéder au pouvoir et, même ébranlée, elle se reconstitue rapidement. De plus, les partis sont, à leur façon, proches du peuple, attentifs à certains de leurs besoins ; ils jouent le rôle d'assistance sociale pour les plus démunis, organisent des pique-niques et autres festivités qui sont, parfois, le seul loisir des citadins ; comme l'ont montré diverses études, ils ont contribué à américaniser les immigrants, en les aidant à obtenir la nationalité, tout en valorisant leur origine ethnique qui donne sa cohésion au groupe. Grâce à cela, les Irlandais sont souvent policiers ou tenanciers de bars dans les grandes villes et s'assurent une filière de promotion sociale, qui ne sera pas accessible aux nouveaux arrivants. Même après son arrestation, les déshérités de New York ont continué à admirer le *boss* Tweed, montré comme le type même du corrompu par les réformateurs. Les machines des partis, dans toutes leurs contradictions, parviennent à mobiliser suffisamment les électeurs et l'abstention électorale dépasse rarement 20 %, à la grande différence du siècle suivant.

La vie politique organisée, caractéristique des États-Unis du *Gilded Age*, n'est, toutefois, pas uniforme. Elle correspond souvent à des luttes de clans limités à certaines municipalités, voire à de simples quartiers ; elle n'existe pas dans tous les États – ainsi, le Massachusetts, fidèle à sa tradition démocratique ne possède pas de *machine* ; certains *bosses* ne voient que leur propre intérêt sans se soucier d'un parti ; le même parti, à l'instar des démocrates à New York, peut être divisé entre ville et État. Il n'a jamais existé de *machine* complète du comté à la présidence, mais tout en étant moins indigne qu'on ne l'a souvent dit, le système est coûteux et peu conforme à l'idéal de la démocratie américaine. Cette pratique politique, sans être bouleversée, va évoluer : des groupes de citoyens éclairés, devant des événements scandaleux, ne pourront plus se contenter d'une participation passive.

Vers un renouveau

Par l'existence d'un système institutionnel qui assure, même dans une période troublée comme celle du *Gilded Age*, une certaine stabilité, par l'extension réelle du suffrage – à l'exception de celui des Noirs –, par l'amélioration de son fonctionnement, les États-Unis demeurent une solide démocratie.

Des améliorations techniques

Les restrictions au droit de vote sont diverses et, dans de nombreux États, dont dépendent ces règles, les étrangers peuvent voter avant leur naturalisation, mais pas les ouvriers ; dans le Wyoming, les femmes peuvent également le faire dès 1876, mais il s'agit d'une mesure purement conjoncturelle dans un État peu peuplé et non d'une approche sincère du suffrage féminin. En dépit des luttes de Susan B. Anthony et d'Elizabeth Stanton, celui-ci n'est même pas envisagé par les partis, fidèles à la masculinisation de la politique. Pourtant, les excès du système clientéliste va générer d'autres changements. En juillet 1881, le président James Garfield – d'une stature supérieure à celle de ses prédécesseurs – est blessé à mort par Charles Guiteau qui lui reproche de ne pas lui avoir attribué le poste qu'il convoitait – celui de consul à Marseille… Le président meurt en septembre, remplacé par son vice-président, homme du sérail républicain, Chester Arthur. L'émoi est considérable dans le pays, un motif futile suffit-il à mettre en péril la démocratie ? En dépit de réserves nombreuses, tellement le projet semble menacer les traditions américaines d'accès libre à la fonction publique, le *Pendleton Act* est adopté en 1883 sous la pression des républicains réformateurs. Une *Civil Service Commission* est formée, qui doit mettre sur pied un système de concours pour accéder aux postes de fonctionnaires fédéraux, diminuant ainsi les possibilités de patronage et réduisant l'étendue du « système des dépouilles », indispensable jusque-là à la survie des partis. Les résistances sont nombreuses et seulement 12 % des postes sont touchés au début ; mais, en 1901, sur 256 000 emplois fédéraux, 100 000 sont désormais pourvus par concours. Le processus n'arrive pas à son terme avant le milieu du XXᵉ siècle, mais, à ce moment-là, le fonctionnement des partis a déjà considérablement évolué.

Dans le même temps, commence à se répandre aux États-Unis le bulletin secret et l'urne, qui permettent également de limiter les manipulations et les pressions abusives des partis. En 1910, seulement trois États du Sud refusent encore l'adoption de ces outils démocratiques. Ces améliorations techniques sont importantes, mais, lors de l'élection présidentielle de 1896, un changement plus important est venu du rajeunissement du parti démocrate.

Bryan, Bryan

L'année électorale 1896 réserve des surprises. Les démocrates sont durement atteints par l'incapacité du président Cleveland à redresser la situation économique et ils sont profondément divisés sur les choix à faire pour y remédier. Les intérêts des démocrates du Sud divergent de plus en plus de ceux de l'Ouest, laissés à l'écart de l'industrialisation. Depuis plusieurs années, les représentants de l'Ouest tentent de faire adopter la frappe libre de l'argent, abondant dans ces États et qui leur fournirait le numéraire nécessaire à rembourser leurs dettes. Cette revendication est renforcée par la crise des années 1890 et amplifiée par l'émergence du parti populiste, proche des fermiers touchés par la crise mais aussi de ces mêmes argentistes dont certains s'agitent parmi les démocrates. De leur côté, les républicains semblent assurés de reprendre le pouvoir suprême, puissants grâce à leurs liens avec les grands industriels, convaincus de la nécessité d'une monnaie forte et de la stabilité politique. En 1894, aux élections de *mi-mandat*, les démocrates ont perdu 113 sièges à la Chambre et ne contrôlent plus qu'un tiers du Congrès. La *machine* du parti de l'Éléphant s'organise tranquillement autour du boss Mark Hanna de Cleveland, persuadé de pouvoir contrôler l'élection en promouvant, par tous les moyens dont il dispose – pressions, pots-de-vin – son poulain William McKinley, qui s'est fait un nom comme défenseur d'un tarif douanier particulièrement élevé.

La convention républicaine, qui se réunit fin juin à Saint Louis, élit au premier tour de scrutin son candidat pour l'élection de novembre : W. McKinley. Devant la division des adversaires, il ne paraît même pas nécessaire de mener une campagne active : le candidat reste chez lui. Pourtant, le paysage politique se trouve transformé pour longtemps et de façon plus complexe qu'il n'apparaît à première vue. Débutant le 7 juillet, la convention démocrate de Chicago est survoltée. Les partisans de la frappe libre de l'argent en ont pris le contrôle, avec dans leur mouvance quelques radicaux ; des bandes d'hommes rudes, barbus, presque fanatiques de la cause de l'argent parcourent les rues de la grande ville. Le président Cleveland est violemment répudié, ses prises de position favorables à l'or le font considérer comme un des pires traîtres de l'histoire des États-Unis. Pourtant aucun leader ne semble émerger de cette foule enthousiaste et chaotique. Les discussions sur la plate-forme du parti traînent en longueur, les partisans de l'or tentent de freiner une dérive qui les inquiète et les orateurs argentistes, comme Ben « Pitchwork » Tillman, n'emportent pas la décision. Un jeune avocat du Nebraska intervient en dernier, il n'est connu que dans l'Ouest pour ses farouches prises de position en faveur de l'argent : William Jennings Bryan.

Discours de W.J. Bryan à la convention du parti démocrate à Chicago, 8 juillet 1896 (extraits)

Il a un retentissement extraordinaire, une fougue oratoire sans pareille, des arguments puisés dans les plus grandes traditions américaines, contre les riches de l'Est, contre les banques, contre les monopoles industriels et un plaidoyer magique en faveur des humbles et de l'argent.

« Non, mes amis, nous ne disons mot contre les habitants de la côte Atlantique, mais les hardis pionniers qui ont affronté tous les périls des lieux les plus sauvages, qui ont fait se couvrir de roses le désert, ces pionniers qui, là-bas, élèvent leurs enfants au cœur de la nature, mêlant leurs voix à celles des oiseaux, qui ont édifié des écoles pour l'éducation des jeunes, des églises pour louer le Créateur, des cimetières pour le repos des cendres de leurs morts ; tous ces gens, nous le disons, méritent autant que tout autre habitant de ce pays la considération de notre parti. Nous parlons pour eux. Nous ne venons pas en agresseurs. Notre guerre n'en est pas une de conquête ; nous défendons nos maisons, nos familles et notre prospérité. Nous avons pétitionné et nos pétitions ont été méprisées, nous avons supplié et nos suppliques ont été négligées ; nous avons tendu la main et ils se sont moqués de nous, quand la catastrophe est survenue. Nous ne tendons plus la main, nous ne supplions plus, nous ne pétitionnons plus. Nous les défions...

Il y a ceux qui croient que si vous faites des lois pour rendre les riches plus riches, leur richesse se répandra sur ceux qui sont au-dessous. Mais si, selon l'idée démocratique, vous faites des lois pour rendre les masses prospères, leur prospérité atteindra toutes les classes qui se trouvent au-dessus d'elles.

Vous venez nous dire que les grandes villes sont favorables à l'étalon-or ; nous répliquons que ces grandes villes dépendent de nos vastes prairies fertiles. Que les villes soient brûlées et que nos fermes subsistent et, comme par magie, vos villes sortiront de terre à nouveau ; mais que nos fermes soient détruites et l'herbe poussera dans les rues de toutes les villes de ce pays.

Mes amis, nous affirmons que cette nation est capable de faire des lois pour son propre peuple, sur tous les sujets, sans avoir besoin d'attendre l'accord ou l'aide de quelqu'autre nation de la terre, sur cette base nous pouvons espérer l'emporter dans tous les États de l'Union... C'est à nouveau l'enjeu de 1776... S'ils nous disent que le bimétallisme est bon, mais que nous ne pouvons l'adopter que si d'autres pays nous aident, nous répliquons qu'au lieu d'avoir l'étalon-or parce que l'Angleterre l'a, nous devons rétablir le bimétallisme et alors l'Angleterre l'adoptera parce que les États-Unis l'ont... Nous avons derrière nous les masses productrices de ce pays... Nous répondrons à ceux qui demandent l'étalon-or en leur disant : Vous n'enfoncerez pas sur le front du labeur cette couronne d'épines, vous ne crucifierez pas l'humanité sur une croix d'or. »

Source : D.J. Boorstin, *An American Primer, op. cit.*

Ce seul discours suffit à cet homme de trente-six ans, presque inconnu, pour devenir candidat de son parti. Son succès est tel que les démocrates partisans de l'or quittent un navire qui leur semble pris de folie, mais fin juillet les populistes se rallient à lui. Bryan mène une campagne survoltée : il utilise toutes les ressources du chemin de fer, innove avec les discours prononcés depuis la plate-forme arrière du train. Il parcourt près de 30 000 kilomètres, s'adressant à plus de cinq millions de personnes à travers vingt-sept États ; le tout avec 300 000 dollars, contre cinq millions à son concurrent, qui ne bouge guère de chez lui dans l'Ohio, alors que ses partisans comparent son profil et son calme à ceux de… Napoléon. Sans doute, les grandes villes de l'Est semblent peu réceptives à la rhétorique torrentielle du *« boy orator »*, mais le pays est parcouru d'une fièvre inconnue et les républicains commencent à s'inquiéter.

En dépit de cette débauche d'énergie, l'imprévu ne se réalise pas : W. McKinley est élu facilement. Il rassemble 271 grands électeurs contre 176 à son adversaire et plus de sept millions de voix contre un peu moins de six millions cinq cent mille ; le parti républicain conserve le contrôle du Congrès conquis deux ans auparavant. Géographiquement : le Nord-Est, plus peuplé, a massivement suivi les républicains, le Sud et l'Ouest ont été emportés par Bryan, mais ce dernier n'est pas parvenu à percer parmi les ouvriers et les citadins.

Les leçons de cette élection mémorable sont multiples et diverses. D'un côté, c'est la confirmation, presque caricaturale, de la victoire de l'Amérique industrielle sur celle des fermiers : le parti populiste disparaît corps et biens, ne figurant même plus aux élections de 1898. La domination républicaine est assurée sans partage pour une génération, le seul président démocrate de la période suivante, W. Wilson, bénéficiera, en 1912, de la division de ses adversaires. McKinley, reconnaissant, confie les postes de ministres à quelques-uns de ces barons d'affaires qui ont tant fait pour sa victoire. Pourtant la force des républicains se nourrit du soutien qu'ils ont reçu des ouvriers des villes de l'Est effrayés par la démagogie argentiste : l'adoption du *Gold Standard Act* en 1900, qui répudie l'argent comme monnaie de réserve, vient sceller une évolution qui semble irrémédiable. Les républicains paraissent bien constituer le parti de l'avenir et Bryan avoir été le héros d'un baroud d'honneur de l'Amérique rurale d'un XIXe siècle bien révolu.

Pourtant, jamais un candidat démocrate n'avait rassemblé autant de voix : le parti de l'Âne n'est pas composé seulement d'agrariens nostalgiques et de sudistes bornés. Avec la campagne très moderne de Bryan, est entrée dans le parti une génération d'hommes jeunes, d'origines variées, aux idées nouvelles, parfois socialisantes, comme celles du gouverneur de l'Illinois, John P. Altgeld. Les immigrants n'ont pas tous choisi McKinley et les thèmes populistes rajeunis se sont diffusés dans le parti. Ces forces de renouvellement au sein du parti démocrate sont encore marginales, mais elles préfigurent ce que sera, quarante ans plus tard, la coalition qui fera le succès de F.D. Roosevelt et assurera pour trente ans la domination démocrate. D'ailleurs Bryan lui-même représente assez bien cette diversité : homme de l'Ouest, d'origine irlandaise et écossaise, il est aussi proche du Sud par une partie de sa famille ; il est bien ce *great commoner* dans lequel de nombreux Américains se sont reconnus. Toutefois le jeune avocat du Nebraska est finalement très conservateur, sans idées personnelles autres que son opposition aux trusts et aux monopoles, et cette insuffisance va s'avérer un redoutable handicap dans les années qui suivent, tant pour lui que pour son parti, une fois dissipée l'ivresse de la campagne de 1896.

À court terme, la domination républicaine est assurée plus ferme que dans les années précédentes, mais l'émergence de Bryan a prouvé que les *machines* n'étaient pas omnipuissantes, d'autres forces allaient s'engouffrer dans cette voie.

Le Gilded Age

Il se termine, sur le plan symbolique par la défaite de Bryan : elle a lieu en même temps que la formidable ruée vers l'or du Klondyke, qui concrétise la victoire absolue du métal jaune. Elle signale le changement de conjoncture économique. L'or a dominé la période, avec sa brillance et les excès que son culte entraîne, mais ces années ont aussi été celles du fer pour beaucoup d'Américains. Nombre d'écrivains américains ont écrit sur ces contrastes d'une époque de maturation. Mark Twain pour se moquer du clinquant de ces années, Henry James pour s'interroger sur la distance entre l'Amérique et l'Europe, Henry Adams pour analyser la profondeur des transformations, Henry George ou Edouard Bellamy pour imaginer des solutions socialisantes. Ces quelques hommes montrent que les États-Unis ne se résument pas à des chiffres de production ni à des élections ; il s'agit, de plus en plus, d'un monde complexe dont la cohérence n'est pas totale. Le progressisme va chercher à résoudre ces contradictions.

Chapitre 5

Une puissance mondiale ? (1898-1920)

Le *Gilded Age* a préparé les États-Unis à une expansion multiforme qui va agiter le pays jusqu'à la Première Guerre mondiale. L'aspect le plus manifeste en est une soudaine flambée d'impérialisme. La guerre contre l'Espagne de 1898 propulse une nation paisible et presque provinciale sur la scène mondiale ; les conséquences en sont durables. Le retour à une prospérité solide démultiplie l'attirance de la Grande République américaine et, durant ces quelques années, l'immigration y atteint des sommets inconnus. Présents sur la scène internatonale, les États-Unis accueillent des nouveaux arrivants, venus du monde entier ; sans être nouveau pour un pays bâti par des immigrants, le phénomène, par son ampleur, suscite remous et débats. Mais ces événements considérables sont accentués par l'émergence d'un mouvement réformiste dans le pays ; le progressisme cherche à corriger les effets d'une expansion économique débridée, à moderniser la vie sociale et l'État, favorisant le retour des grands hommes à la politique : Theodore Roosevelt et Woodrow Wilson. Ainsi, dans un contexte économique favorable, les États-Unis parviennent-ils à une certaine maturité. L'entrée dans la Première Guerre mondiale en 1917 paraît presque logique, en fait elle ne l'est pas, et le conflit mondial ne touche les États-Unis que marginalement, avant que le Congrès refuse les implications politiques de cette arrivée dans la société des nations.

Les débuts de l'impérialisme

Bien que la guerre de 1898 soit apparue à la plupart des contemporains comme un véritable coup de tonnerre, l'orage se préparait de diverses façons, mais le plus souvent difficiles à bien percevoir.

Un changement de perspectives

Depuis la fin de la guerre de Sécession, les États-Unis n'ont pas de politique extérieure active ; les ambitions territoriales semblent avoir disparu avec John Seward et son acquisition de l'Alaska. Pourtant, des mouvements divers se produisent dans les années 1880 qui amorcent une probable évolution.

Rien ne change sur le plan de la politique étrangère traditionnelle, dans laquelle le gouvernement américain joue son rôle habituel, attentif à ce qui se passe en Amérique du Sud : il envoie un observateur à la conférence coloniale de Berlin de 1884-1885, risque un affrontement mineur avec la marine allemande dans le Pacifique où les États-Unis ont quelques intérêts. Tous ces événements sont conformes à la place du pays dans le monde et à ses ambitions affichées : ne pas se mêler des affaires européennes si elles n'ont pas un rapport avec le continent américain, ne pas suivre les grandes puissances dans leurs travers coloniaux.

Pourtant, au sein de la société américaine, des voix se font entendre, elles émanent de groupes d'intérêt qui envisagent un autre rôle pour leur pays.

Les hommes d'affaires, préoccupés par la pénétration du marché intérieur, ne manifestent pas un grand intérêt pour investir dans des territoires étrangers, bien que certains réfléchissent à une réelle expansion commerciale : le potentiel de la Chine, avec ses 400 millions de possibles consommateurs, en fait même rêver quelques-uns : vendre des chemises ou des vélos aux Chinois... Seuls les capitalistes qui investissent dans le sucre ont placé des capitaux dans l'archipel d'Hawaï depuis de longues années et s'inquiètent du protectionnisme qui empêche leur production d'accéder sans frais au marché américain. Ils n'hésitent pas, dans la tradition de l'expansion continentale du début du siècle, à faire pression sur le gouvernement fédéral, pour qu'il leur vienne en aide en annexant tout simplement l'archipel. Mais ces hommes sans scrupules n'ont aucun plan au-delà d'Hawaï ni aucun projet global.

Dans les milieux cultivés, certains se sentent un peu à l'étroit dans l'atmosphère du *Gilded Age*. Depuis longtemps, des missionnaires américains sont partis christianiser la Chine, la Corée et des îles océaniennes ; au retour, ils stigmatisent la colonisation européenne, valorisent le rôle qu'ils jouent en tant que citoyens américains. Ils se créent quelques réseaux, mais leur influence est réduite en raison de l'impartialité religieuse du gouvernement fédéral et de l'éparpillement de leurs activités. D'un autre côté, la vogue du darwinisme social, qui justifie la ségrégation des Noirs aussi bien que « l'infériorité naturelle » des ouvriers, ne peut que conforter certains Américains dans leur sentiment de supériorité à l'égard d'autres peuples ; cette croyance orgueilleuse ne conduit pas nécessairement à l'exercice d'un pouvoir sur les plus faibles. Dans ce contexte, l'ouvrage *Our Country*, du pasteur Joshua Strong, paru en 1885, a un réel écho ; ce pesant cri d'alarme contre la dégradation des valeurs protestantes, qui évoque marginalement la mission anglo-saxonne de domination du monde, rencontre le succès, mais signale tout au plus qu'une fraction de l'opinion s'ennuie et développe quelques fantasmes de puissance plus intérieurs qu'extérieurs. La réflexion de quelques officiers de la marine américaine a une autre portée.

Dans les années 1870 et 1880, ces derniers font face avec inquiétude à une flotte archaïque, oubliée, considérée comme inutile depuis 1865 : les progrès de la guerre de Sécession n'ont pas été poursuivis et la plupart des navires sont en bois avec des machines peu efficaces et un armement dépassé. Beaucoup d'officiers n'ont aucune chance d'avancement et trouvent des professions plus lucratives dans les affaires. D'autres veulent redonner un sens à leur travail et convaincre le gouvernement et le Congrès de la nécessité d'une marine puissante, au moins pour assurer la défense d'un pays largement ouvert sur la mer. Le plus influent d'entre eux est le capitaine Alfred T. Mahan, devenu directeur du tout nouveau collège naval de Newport (Rhode-Island). Il a étudié l'importance de la marine pour la Grande-Bretagne et pour le contrôle de l'empire britannique, les leçons sont claires : une marine est essentielle pour défendre les intérêts économiques du pays et pour montrer le pavillon à travers le monde. Lui et quelques autres officiers parviennent à se faire entendre auprès des élus : à partir de 1889, les fonds sont alloués par le Congrès pour la modernisation de la *Navy* ; celle-ci qui se situait en 1880 vers le 15e rang mondial, atteint le 7e en 1893, le 4e en 1900 (derrière les flottes de la Grande-Bretagne, de la France et de la Russie). Dans la conception de Mahan, cette marine a pour but de protéger les grandes voies commerciales du pays et, pour cela, doit se doter de bases de ravitaillement – surtout fournies en bois, car le charbon est rare dans ces îles – spécialement dans la zone caraïbe qui contrôle le golfe du Mexique et l'isthme mezzo-américain, ainsi que dans le Pacifique, sur les routes du mythique monde chinois.

L'opinion américaine ne suit guère ces développements trop techniques, mais elle n'est pas dépourvue de chauvinisme quand l'honneur du pays semble menacé. Un incident frontalier entre la Guyane britannique et le Venezuela en fournit la preuve ; la presse américaine prend le parti de ce dernier pays qui n'hésite pas à en appeler à la doctrine de Monroe. En 1895, le président Cleveland, reprend l'argument pour proposer à la Grande-Bretagne son arbitrage. L'affaire se règle en douceur quelques années plus tard, mais la nouveauté est venue de la fermeté du ton américain et de la passion d'une fraction de l'opinion. Il ne s'agit, toutefois, que de la réitération d'intérêts anciens des États-Unis et non de la manifestation d'une volonté d'expansion. D'ailleurs en 1893, le même Cleveland a refusé de signer le traité d'annexion d'Hawaï, qui lui était proposé.

La guerre contre l'Espagne

Un intérêt ancien pour Cuba

Depuis le milieu du XIXe siècle, Cuba est agité par une révolte récurrente contre la domination espagnole archaïque. Les Cubains veulent leur indépendance et, dans les années 1870, quelques-uns d'entre eux se sont réfugiés aux États-Unis où ils trouvent amis et armes. En 1895, une phase révolutionnaire éclate dans l'île, en partie provoquée par le tarif américain de 1894, qui grève l'entrée du sucre cubain de droits prohibitifs, ruine les exploitants et rend les propriétaires plus exigeants. La répression espagnole est particulièrement dure, des villages sont brûlés, des populations enfermées dans de véritables camps de concentration. Une réaction humanitaire se développe, favorisée par les prises de position des Cubains exilés et par l'image de l'Espagne qui est détestable aux États-Unis, car elle est toujours associée au catholicisme le plus sectaire et à l'Inquisition. De plus, Cuba n'a jamais laissé les Américains indifférents ; en effet, Jefferson y avait déjà vu un « pistolet braqué sur la Floride » et les sudistes avaient pensé un moment en faire un autre État esclavagiste. Par ailleurs, les quelques investisseurs américains à Cuba souhaitent un rapide retour au calme, avec, au besoin, une intervention de Washington. Enfin, l'instabilité à Cuba est dangereuse dans la mesure où elle pourrait provoquer l'intervention d'une grande puissance européenne, qui viendrait aider l'Espagne.

Une tension grandissante

Le ton va toutefois monter entre Washington et Madrid, tant sont nombreuses les maladresses réciproques et forte une manipulation de l'opinion américaine. Le gouvernement américain reste au début totalement neutre, mais, vite, l'Espagne lui reproche de laisser faire un trafic d'armes de New York vers Cuba insurgée. Les deux présidents successifs, Cleveland puis McKinley, s'ils déplorent le rejet de leurs propositions de médiation, car pour l'Espagne les affaires de Cuba sont intérieures, n'en excluent pas moins toute intervention : Cuba est à peine mentionné dans les programmes électoraux de 1896 et, fin 1897, le gouvernement espagnol se décide à proposer des réformes et un nouveau statut d'autonomie aux rebelles. Deux événements remettent en cause cet équilibre précaire ; la publication d'une lettre secrète de l'ambassadeur d'Espagne aux États-Unis, insultante pour McKinley jugé sans volonté, suivie, le 15 février 1898, de l'explosion du cuirassé *Maine* en visite de courtoisie dans le port de La Havane. La responsabilité de la catastrophe, due à un court-circuit dans la cale des munitions, est aussitôt attribuée par l'opinion américaine aux autorités espagnoles, sans attendre la moindre enquête. La tension est extrême, avivée par le rapport du sénateur Proctor qui décrit les horreurs qu'il a vues à Cuba : villages détruits, population maltraitée. Le président McKinley reste calme, mais il est attentif à l'état de l'opinion ; or, celle-ci est vite dominée par les bellicistes. Depuis des mois, la presse à sensation a trouvé dans la révolution cubaine matière à articles sanglants, qui dénoncent les massacres commis par les troupes espagnoles du général Weyler, comparé à un boucher, ils publient des photos truquées de jeunes filles violées ; quant aux rebelles cubains, ils sont assimilés aux valeureux patriotes de 1776. De son côté, le Congrès est le théâtre de surenchères belliqueuses menées par une minorité bruyante du parti républicain. Le président tient compte de ce climat et envoie un ultimatum à l'Espagne pour demander l'arrêt de la répression et propose sa médiation. Madrid ne peut accepter une telle ingérence ni compter sur le soutien des autres puissances ; comme le dit un diplomate : « Vous êtes isolés, car tout le monde veut plaire aux États-Unis. » Alors que les déclarations belliqueuses se multiplient, McKinley, sensible également à l'avis de ces amis hommes d'affaires qui ne redoutent plus la guerre, mais comptent exploiter le sucre cubain, se décide à proposer l'intervention ; celle-ci se veut strictement humanitaire, elle interdit l'annexion et favorise l'indépendance de Cuba. Les discussions sont vives au Congrès, où se mêlent idéalisme, appétits cyniques, arrière-plan stratégique. Le 21 avril 1898, les États-Unis déclarent la guerre à l'Espagne.

Une « splendide petite guerre » ?

L'armée américaine, 27 000 hommes stationnés dans les postes de l'Ouest, n'est nullement prête à la guerre, en dépit des déclarations tonitruantes de Henry Cabot Lodge ou de Theodore Roosevelt, qui accueillent le conflit comme une bénédiction. Toutefois, le climat de guerre pousse à la guerre : le Congrès vote des crédits, des volontaires se présentent, des hommes importants forment des régiments, comme les « Rough Riders » du colonel Roosevelt. L'État-major est capable de monter un débarquement de 17 000 hommes à Cuba où les Espagnols en ont 200 000. Un mélange d'enthousiasme et de craintes absurdes d'une attaque de la flotte espagnole sur New York caractérise l'opinion peu accoutumée au climat guerrier, car l'Espagne n'en a pas les moyens. C'est la marine, patiemment reconstituée, professionnelle et bien dirigée, qui joue le rôle décisif. Dès le 1er mai, la flotte du Pacifique, commandée par l'amiral Dewey, écrase la flotte espagnole à Manille dans les Philippines et, fin juin, celle de l'Atlantique parvient à enfermer les bâtiments espagnols dans la baie de Santiago. Le débarquement du corps expéditionnaire peut avoir lieu dans de bonnes conditions ; les navires espagnols sont détruits le 3 juillet et, après des combats confus et moins brillants que les participants l'ont dit, certains en ont tiré une gloire durable, les Américains prennent le contrôle de Cuba, l'Espagne demande l'armistice le 12 août 1898.

La « splendide petite guerre » a montré la faiblesse et l'incompétence de l'armée américaine, qui a eu moins de 400 tués au combat, mais près de 6 000 décès pour des raisons médicales ou accidentelles ; en fait, les troupes espagnoles, beaucoup moins bien armées, n'étaient pas bien commandées et n'avaient guère le moral : là a résidé la chance des Américains. Ces imperfections de la victoire sont vite oubliées, la guerre a duré deux mois et son retentissement donne une nouvelle stature aux États-Unis, qui ont vaincu une puissance européenne au passé prestigieux, mais sur le déclin.

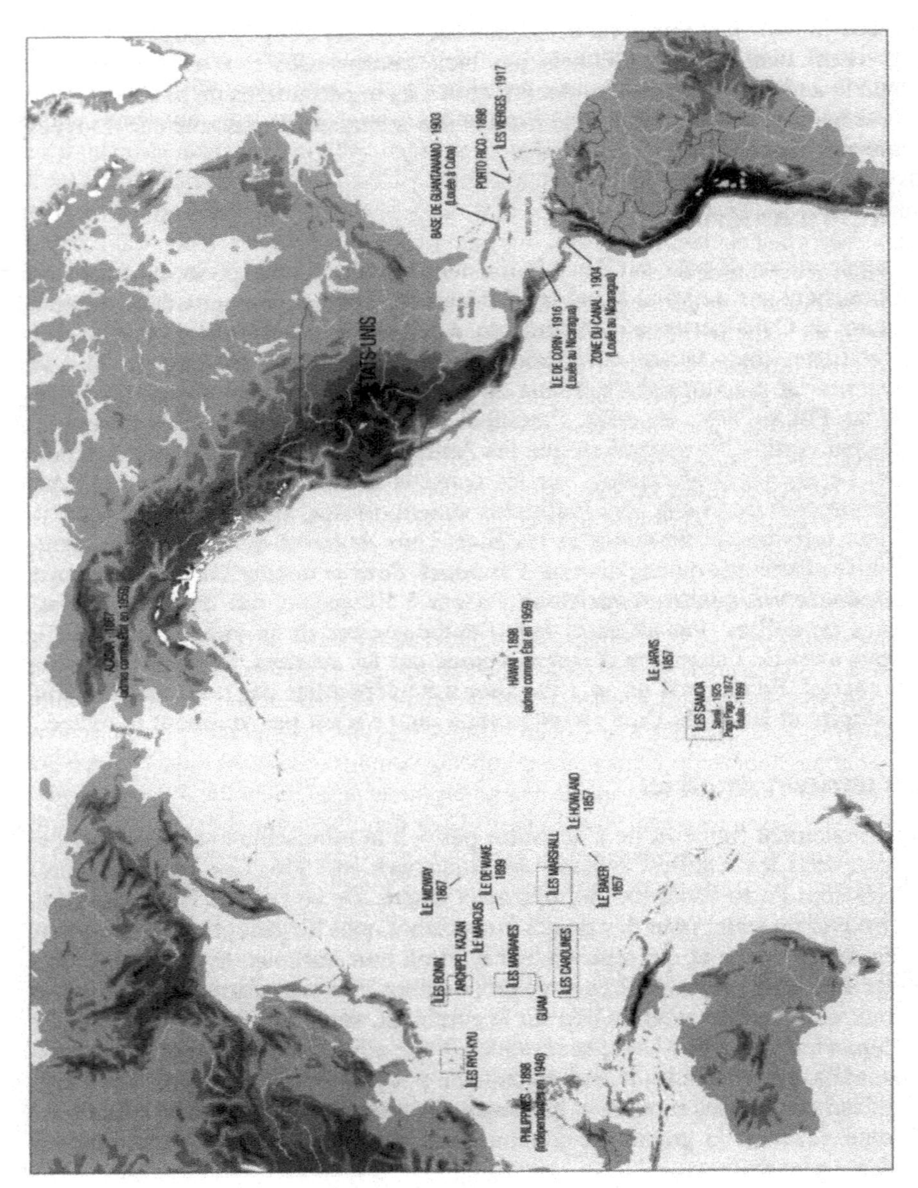

Carte 5. Les étapes de la construction de l'empire américain

La naissance de l'empire

Les négociations de paix ont lieu à Paris, dans le cadre d'une médiation française, et débouchent sur un traité signé le 10 décembre 1898. L'Espagne s'est résignée à la perte de Cuba, devenue indépendante, à celle de Porto Rico et des menues îles du Pacifique, dont Guam ; ces dernières correspondent parfaitement au schéma de Mahan, devenu amiral, et fournissent des bases précieuses. La surprise est venue de l'exigence américaine d'annexer également les Philippines ; en effet, l'archipel n'était pas conquis et les Philippins menés par Aguinaldo espéraient que les Américains favoriseraient leur indépendance. Le président McKinley, sur les conseils de l'amiral Dewey, a jugé que l'occasion était trop belle ; les Philippins sont divisés entre des combattants pour l'indépendance et une bourgeoisie qui attend beaucoup du progrès à l'américaine, les catholiques, méprisés par la hiérarchie espagnole, sont accessibles à la conversion par les missions protestantes ; quant à eux, les États-Unis doivent éviter une éventuelle mainmise allemande ou anglaise sur l'archipel, car aucune grande puissance ne laissera passer l'occasion de mettre la main sur un archipel aussi bien placé sur la route de l'Extrême-Orient. Pour se donner bonne conscience, les généreux vainqueurs américains versent à l'Espagne, qui doit céder, vingt millions de dollars. Dans l'enthousiasme de la victoire en août, le Congrès a ratifié l'annexion d'Hawaï voulue par les sucriers : les temps ont vraiment changé ; en moins d'un an, l'Espagne a été dépouillée des restes de son fabuleux empire et les États-Unis ont obtenu le leur, qui ne prend pas vraiment la place du premier.

Le territoire de l'empire

Il est finalement limité et ne s'accroîtra pas – à la minuscule exception des îles Vierges, dans les Antilles, achetées au Danemark en 1916. Les seuls territoires annexés sont Porto-Rico, les Philippines et Guam : les États-Unis doivent trouver un statut pour des populations qui ne sont pas de race blanche, environ huit millions de personnes catholiques, hispanophones, dont plus de sept dans le grand archipel. Les rares propositions pour transformer ces territoires en États, comme cela avait eu lieu sur le continent, ne sont pas écoutées. En fait, ces îles dépendent des États-Unis, sont dotées d'une administration américaine autonome, mais, en aucun cas, leurs habitants ne peuvent devenir citoyens des États-Unis. Pour ces mêmes raisons, et en raison des promesses antérieures, Cuba n'est pas annexée, mais la grande île devenue indépendante doit subir un protectorat américain très strict, codifié par le traité de 1903.

Guam très peu peuplée et Porto-Rico très près des États-Unis ne posent guère de problèmes, elles bénéficient des retombées de la prospérité du vainqueur qui construit des bases avec des travaux d'infrastructure. En revanche au début de 1899, les Philippins s'estiment trompés et se révoltent contre l'occupation américaine. Les Américains, dont 200 000 hommes participeront aux opérations, vont mener pendant trois ans une guerre dure, de type guérilla aux nombreuses atrocités, sur une terre difficile où les embuscades sont fréquentes, avant de parvenir à contrôler la situation ; cette guerre a été réévaluée durant les années 1960 à la lumière de celle du Vietnam. Dans le même temps, ils installent une administration dirigée par le gouverneur et futur président William Taft, qui obtient la participation des Philippins, mais comprend qu'il ne sera pas aisé de les américaniser, comme cette évolution avait été vaguement envisagée. Cet exemple confirme les réticences américaines à coloniser des territoires peuplés de populations qu'ils jugent inférieures, et leur volonté à se distinguer des pratiques européennes, mais, dans cette pratique sociale, ils n'agissent pas très différemment des Anglais et des Français dans leurs propres territoires.

La stratégie de l'empire

Porto-Rico et Cuba sont remarquablement situés pour contrôler l'isthme de Panama. D'ailleurs, l'une des priorités de Theodore Roosevelt, devenu président en septembre 1901 après l'assassinat de McKinley, est de construire un canal qui permettrait de faire communiquer directement les côtes Atlantique et Pacifique et de faciliter le passage vers l'Orient. Dans les années 1880, les Américains n'avaient pas vu d'un œil très favorable la tentative de Ferdinand de Lesseps de percer l'isthme ; son échec leur laissait la voie libre. En 1901, la Grande-Bretagne, prise dans la guerre des Boers, renonce aux droits qu'elle avait sur un éventuel canal : les États-Unis en seront les seuls maîtres. Pendant deux ans, les promoteurs de la voie nicaraguayenne – plus longue mais bénéficiant sur son tracé de lacs navigables –

et panaméenne – choisie par Lesseps vingt ans plus tôt – se disputent, utilisant la corruption des élus et se livrant à une publicité mensongère. Finalement, le Congrès se décide pour la seconde voie et des négociations sont entreprises avec la Colombie à laquelle appartient le territoire choisi. Les sénateurs de ce pays remettent en cause un premier accord qui ne leur rapporte pas assez et tentent d'obtenir des conditions plus avantageuses. En novembre 1903, un mouvement indépendantiste panaméen fait curieusement sécession de la Colombie ; le président Roosevelt, dont les navires étaient sur place, en cas de danger, reconnaît aussitôt le nouvel État : les États-Unis sont le seul pays à le faire. Dès l'année suivante, un traité entre les deux États, négocié du côté panaméen par un personnage extraordinaire, le Français Philippe Bunau-Varilla, qui a racheté les actifs de la compagnie de Panama et devenu ministre de la toute jeune République à laquelle il les avait revendus... Les États-Unis peuvent entreprendre la construction du canal ; elle est longue, difficile, meurtrière, et s'achève à l'été 1914 : son inauguration est occultée par les événements européens.

Message sur l'État de l'Union du président Taft, 3 décembre 1912 (extrait concernant le Nicaragua)

À la suite de troubles révolutionnaires, les troupes américaines débarquent au Nicaragua en 1912, elles y resteront jusqu'à 1933, ayant installé un gouvernement sûr. Le président Taft justifie clairement cette politique en développant les principaux arguments qui sous-tendent la politique des États-Unis en Amérique centrale, avant et après lui.

En Amérique centrale, notre but a été d'aider des pays comme le Nicaragua et le Honduras à se tirer d'affaire eux-mêmes. Ils sont les bénéficiaires immédiats. Le bénéfice des États-Unis est, quant à lui double.

D'abord, il est évident que la doctrine de Monroe est bien plus vitale dans le voisinage du canal de Panama et la zone des Caraïbes que n'importe où ailleurs. Là aussi, le maintien de cette doctrine pèse plus lourdement sur les États-Unis. Il est donc essentiel que les pays sis à l'intérieur de cette sphère soient débarrassés du risque impliqué par leur lourde dette vis-à-vis de l'étranger et par leurs finances cahotiques et du danger toujours présent de complications internationales dues au désordre intérieur. Jusqu'ici, les États-Unis ont été heureux d'encourager et de soutenir les banquiers américains désireux de prêter une main secourable à l'assainissement des finances de ces pays, parce que cet assainissement et la perfection de leurs douanes, pour leur éviter de devenir la proie de prétendus dictateurs, effaceraient d'un trait la menace de créanciers étrangers et la menace de désordre révolutionnaire.

Le second avantage pour les États-Unis concerne principalement tous les ports du Sud et du Golfe (du Mexique) ainsi que les affaires et l'industrie du Sud. Les Républiques de l'Amérique centrale et les Caraïbes possèdent de grandes richesses naturelles. Elles n'ont besoin que de mesures de stabilité et de moyens de redressement financier pour entrer dans une ère de paix, leur apportant profit et bonheur et créant en même temps des conditions les amenant sûrement à des échanges commerciaux florissants avec notre pays.

Je désire attirer spécialement votre attention sur les récents incidents au Nicaragua, car je crois que les terribles événements enregistrés là-bas pendant la révolution de l'été dernier, les pertes inutiles de vie, les dévastations de propriétés, le bombardement de cités sans défense, la tuerie, l'assassinat de femmes et d'enfants, les blessures qui leur ont été infligées, les tortures de non-combattants pour leur extorquer des rançons et la souffrance de milliers d'êtres humains auraient pu être évitées, si le département d'État, grâce à l'approbation du Sénat de l'accord de prêt, avait eu la possibilité d'appliquer la politique actuellement bien mise en œuvre, qui tend à encourager l'extension de l'aide financière aux États faibles de l'Amérique centrale, avec, comme premiers objectifs, d'éviter justement de telles révolutions en aidant ces Républiques à rétablir leurs finances, à établir leur monnaie sur une base stable, à éloigner des douanes le danger de révolutions en prenant des dispositions pour la sécurité de leur administration et à établir des banques dignes de confiance...

Le contrôle de l'isthme est essentiel pour les Américains. Il explique que, chaque fois qu'un pays proche de celui-ci est menacé par des troubles intérieurs, ils n'hésitent pas à intervenir pour rétablir l'ordre. Ainsi, les *Marines* débarquent à Cuba en 1906, qu'ils avaient évacué quatre ans plus tôt ; puis, en 1905 et 1916, à Saint-Domingue, agitée par des dictatures dépensières ; en 1912, au Nicaragua, qui pourrait accueillir un éventuel second canal ; en 1915 à Haïti. Chaque fois, ces troupes protègent les intérêts américains, favorisent un gouvernement conservateur, pourchassent les rebelles et repartent. De ce fait, la zone caraïbe ne dispose pas d'une réelle indépendance ; elle est soumise au contrôle des États-Unis. Celui-ci est d'autant plus strict que Roosevelt veut éviter que les puissances européennes puissent intervenir dans cette région considérée comme essentielle pour la sécurité de son pays. En 1905, il formule le corollaire de la doctrine de Monroe, par lequel il affirme le droit des États-Unis de jouer les gendarmes pour protéger les intérêts des autres puissances. Ainsi, quand la République dominicaine refuse de rembourser ses dettes à la France et à l'Italie, pour éviter une intervention de celles-ci, les Américains prennent en charge ses douanes et ses finances afin d'effectuer ce remboursement.

Les grandes puissances européennes ne contestent pas les prétentions des États-Unis qui s'inscrivent dans leur zone d'influence et ne menacent pas les territoires qu'elles possèdent dans les Antilles ; les petits pays doivent se soumettre à une politique qui peut devenir exorbitante.

Les présidents successifs, même s'ils ont critiqué cette politique de Roosevelt dite du « gros bâton », sont amenés à la poursuivre sans désemparer, jusqu'à Franklin D. Roosevelt. En 1913 et 1914, l'intervention de Wilson dans la révolution mexicaine, qui menace des intérêts américains considérables, s'inscrit dans ce cadre, bien qu'il ait prôné la coopération pacifique quelques mois auparavant.

Le commerce de l'empire

Les hommes d'affaires, qui au début étaient hostiles à la guerre, ont vite compris les avantages qu'ils pourraient tirer de la présence américaine en dehors des frontières, sûrs de la protection de leur gouvernement. Aussitôt, ils investissent au Mexique, où le total des capitaux américains atteint près de 600 millions de dollars en 1914, soit trois fois plus qu'en 1897 ; à Cuba et dans les autres îles des Antilles où l'accroissement atteint 600 % dans la même période pour atteindre près de 300 millions de dollars. Un courant plus limité, mais en forte augmentation, se dirige vers l'Amérique centrale – 90 millions en 1914 – et vers l'Amérique du Sud – plus de 320 millions à la même date, correspondant à une croissance de 850 %. Surtout dans un continent américain longtemps négligé, la guerre a déclenché des appétits nouveaux, confortés par la force et la volonté impérialiste de Washington.

Un intérêt très vif est manifesté par certains entrepreneurs pour le marché chinois ; en effet, alors que la crise de 1893 correspond à une certaine surproduction, ce dernier représente une perspective intéressante. L'annexion de Guam et des Philippines rend plus accessible la Chine lointaine, que l'on croit connue grâce aux missionnaires. Pourtant, les grandes puissances europénnes sont déjà présentes en Chine où elles se sont taillées de véritables zones d'influence. Dès 1899, John Hay le secrétaire d'État de McKinley formule la doctrine dite de la « Porte ouverte » selon laquelle toutes les puissances doivent laisser le libre accès aux autres sur le marché chinois. Cette politique est réaffirmée l'année suivante après que des soldats américains ont participé aux côtés des Européens à la défense des intérêts occidentaux à Pékin, lors de la révolte des Boxers ; en effet, les Américains craignent que cette intervention fournisse l'occasion de parachever le découpage de la Chine à leur détriment. Les puissances ont accueilli fraîchement ces propositions que les États-Unis ne sont pas en mesure d'imposer. La politique de la porte ouverte, devenue traditionnelle aux États-Unis, est, à l'époque, une politique de faiblesse ; elle ne donne guère de résultats, mais permet d'affirmer quelques principes, qui seront réactualisés ultérieurement.

Malgré ces difficultés, des banquiers et des hommes d'affaires, soutenus par des missionnaires convaincus que des Américains seront mieux acceptés par les Chinois que des Européens, s'attaquent au marché chinois. Ils y obtiennent quelques résultats, surtout dans les cotonnades, mais la part de la Chine dans le commerce américain dépasse rarement 1 % et le total des investissements américains en Asie, bien qu'en forte augmentation, n'atteint que 120 millions de dollars en 1914. En fait, les Chinois n'accordent aucune préférence aux Américains et, très pauvres, ne leur offrent pas de débouchés substantiels ; pour eux ce sont des occidentaux haïssables comme les Européens. Durant la présidence de Taft, de 1909 à 1913, un effort sera fait pour développer les investissements directs dans les chemins de fer, mais le bilan de cette « politique du dollar » reste très réduit, à une époque où le Japon devient la puissance dominante en Chine.

En fait, l'empire américain, quelles que soient ses velléités asiatiques, est circonscrit à une région bien précise, que lui reconnaissent les autres pays, et où il agit à sa guise ; il n'est pas encore mondial. Toutefois, la puissance économique et la politique active menée depuis 1898 signifient que les États-Unis ont acquis une nouvelle stature, qui leur permet, à l'occasion, de se faire entendre dans le monde. Le président Roosevelt choisit de servir en tant que médiateur entre le Japon et la Russie en 1905, ce qui lui vaut le prix Nobel de la paix (comme ses successeurs Wilson et Obama), alors qu'il s'était aligné en secret sur les positions du Japon ; à jouer un rôle de bons offices entre la France et l'Allemagne à propos du Maroc, par francophilie ; à protester contre les pogroms antijuifs en Russie ou, en 1908, à envoyer sa flotte faire le tour du monde afin de montrer partout le pavillon. Il mène une véritable politique étrangère, qui correspond plus à son tempérament qu'à des intérêts précis, plus à lui-même qu'à ses conseilllers ; elle ne sera, d'ailleurs, pas vraiment suivie par ses successeurs.

En dépit de ces limites et de ces incertitudes, la puissance internationale des États-Unis est un acquis durable. Cela ne signifie pas que tous les Américains l'aient accepté facilement.

Les débats sur l'empire

Dès 1898, des voix se sont fait entendre, qui condamnent l'inflexion de la politique étrangère ; plus tard, de véritables controverses s'élèvent au sujet de la genèse de l'empire américain, qui inaugure une ligne de conduite valable pour tout le XXe siècle.

L'anti-impérialisme

La tradition américaine d'hostilité aux colonies n'a pas disparu en 1898, mais les vociférations bellicistes l'ont étouffée un moment. Ce sont pourtant de tels scrupules qui ont abouti à l'amendement Teller qui, avant la déclaration de guerre, interdit l'annexion de Cuba ; lors du débat sur la ratification du traité de Paris, ils ont presque abouti à l'empêcher puisque la majorité des deux tiers n'est obtenue qu'à une voix près, celle de l'ambigu W. J. Bryan. Surtout dans l'Est, des universitaires et des journalistes se sont réunis, qui dénoncent la militarisation du pays, s'inquiètent d'un dévoiement des traditions américaines dans les jungles lointaines. Un certain nombre d'intellectuels comme Charles Eliot, président de l'université d'Harvard, des personnalités comme Andrew Carnegie, des républicains d'autrefois souvent issus de la lutte, abolitionnistes, dissidents en 1884, tels Carl Schurz ou le sénateur George Hoar, mais aussi des démocrates, avec à leur tête

Bryan ou des syndicalistes comme Samuel Gompers, composent un ensemble disparate mais nullement négligeable. En effet, ces personnalités ne sont pas dans les cercles du pouvoir, qui préfère les hommes d'affaires, mais elles disposent encore d'une réelle influence. Très vite à l'approche des élections de 1900, il apparaît qu'il faut bâtir une organisation pour parvenir à se faire entendre, pour peser sur la conscience des électeurs. Il est hors de question de constituer un parti dans des délais aussi brefs, avec comme seul programme l'anti-impérialisme. Aussi en octobre 1899, une ligue anti-impérialiste est-elle fondée à Chicago, sur le modèle des nombreuses ligues et associations qui, aux États-Unis, s'expriment en dehors de partis qui ignorent ces opinions particulières.

Les positions sincères de la ligue, qui viennent contredire l'arrogance impérialiste, n'en sont pas moins ambiguës. En effet, la ligue dénonce uniquement la conduite des Américains aux Philippines, qui serait semblable à celle des Espagnols, puisqu'ils y massacrent la population, ou la regroupent dans des camps. Ce faisant, les anti-impérialistes mettent l'accent sur un problème réel ; d'ailleurs la presse rend compte des atrocités commises par les soldats américains qui perdront près de 4 000 hommes dans cette guerre. Mais rien n'est dit de Cuba encore occupé, de Porto Rico également conquise, où le calme règne ; seules les Philippines inquiètent. Les anti-impérialistes ne connaissent rien des Philippins, dont ils vantent la lutte de façon abstraite, et ne comprennent pas la position agressive des Américains, alors qu'ils partagent le consensus relatif à Cuba la familière, considérée comme un simple prolongement des États-Unis, ou à Porto Rico moins importante. La ligue critique « l'agression criminelle » menée par McKinley comme contraire aux valeurs américaines, et craint la contagion espagnole. Elle adopte, en fait, des positions isolationnistes, analogues à celles adoptées auparavant à l'égard de la Louisiane, de Hawaï ou de Cuba ; elle ne se soucie pas du sort des populations indigènes, mais du risque que ces acquisitions de territoires font peser sur les valeurs traditionnelles américaines, alors qu'il faut les préserver.

Cette ambiguïté, associée à un relatif archaïsme, explique que la ligue, en dépit d'une certaine hauteur de vue et de l'affirmation de nobles principes, n'ait pas réussi dans son entreprise. Nombreux sont les progressistes à s'en détourner et les Noirs, opposés à l'empire, se méfient du racisme sous-jacent dans ces positions. Les élections de 1900 se font partiellement sur la question de l'impérialisme. McKinley est auréolé de sa victoire et son opposant Bryan empêtré dans ses contradictions n'est pas le meilleur porte-parole pour les anti-impérialistes ; le premier l'emporte aisément avec l'appui de son candidat à la vice-présidence, le bouillant Roosevelt, devenu colonel à la suite de son engagement volontaire dans l'armée à Cuba ; Bryan ne convainc que le Sud démocrate et quatre États de l'Ouest fidèles à la cause de l'argent. Le mouvement anti-impérialiste perd de son influence, car avec la guerre qui se termine aux Philippines, sa raison d'être a disparu. Toutefois, cette attitude isolationniste, typiquement américaine ne disparaît pas, elle resurgira en 1920, en 1940 et même lors de la guerre du Vietnam.

Un débat historiographique

L'entrée en impérialisme des États-Unis a passionné les historiens, tant elle semblait trancher avec la tradition, tout en annonçant les combats du siècle suivant. Pendant longtemps une interprétation bénigne de cet impérialisme a dominé ; les États-Unis seraient intervenus à Cuba pour le bien des Cubains, leur occupation des Philippines aurait modernisé l'archipel. La doctrine de Monroe justifierait cette politique spécifiquement américaine. Dans les années 1960, une école révisionniste a dénoncé cette hypocrisie et voulu montrer comment cet impérialisme de la Belle Époque n'était que la poursuite d'une expansion commencée en Floride ou en Louisiane, obéissant à des motifs purement économiques, car la recherche de la porte ouverte aurait été le but cardinal de la politique étrangère depuis les origines. Plus tard, les réalistes sont revenus à des conceptions plus nuancées, ils ne rejettent pas certaines explications révisionnistes qui ont clarifié les choses, mais refusant les à priori. Un tel débat est resté vigoureux dans la mesure où il débouchait sur l'interprétation d'autres conflits et tout particulièrement de la guerre du Vietnam.

En fait, la genèse de l'empire américain, réel et divers, n'obéit pas à une cause unique ni à une logique implacable. La clôture de la frontière en 1890 et la crise économique ne conduisent pas immanquablement les Américains à se lancer dans l'aventure extérieure. La « Destinée manifeste » n'était que continentale et s'est accompagnée du peuplement des territoires continentaux obtenus par tous les moyens, même si elle a souvent consisté dans une lutte avec les pays voisins. À partir de 1898, les Américains, sans y prendre totalement garde en raison de l'habitude qu'ils avaient de Cuba, sont amenés à gérer un vaste empire. Ils traitent cette question de façon assez pragmatique sans aucun à priori sinon celui de la race : ils y apportent une certaine modernisation, sont convaincus de la valeur supérieure de leur système politique et des principes démocratiques, dans le cadre de statuts divers, mais partout ils manifestent leur racisme à l'égard des populations de couleur, ce qui empêche toute accession de ces possessions au statut d'État ; de plus, ils n'hésitent pas à utiliser la force militaire, si nécessaire, ni à manifester partout leurs appétits économiques. Dans les territoires contrôlés comme dans les ambitions commerciales, tous les traits contradictoires qui caractérisent les États-Unis depuis 1900 apparaissent en pleine lumière.

Une fois l'empire constitué, le retour en arrière n'est plus possible car, désormais, « puissance oblige » : les États-Unis sont désormais comparables aux grands puissances impériales d'Europe. Alors que les Américains refusent la nationalité aux Cubains, aux Porto-Ricains ou aux Philippins, des millions d'immigrants venus principalement d'Europe cherchent à l'obtenir.

Gérer cette contradiction est l'un des défis principaux de la période.

L'irruption des immigrants

Les États-Unis n'ont existé, depuis les origines, que par l'arrivée permanente des immigrants ; toutefois, depuis la grande vague irlandaise, ces nouveaux arrivants ne sont pas très nombreux chaque année, mais tout change à la fin de la décennie 1890, l'immigration prenant alors une autre dimension.

Le temps de l'étiage

Depuis l'immigration massive des Irlandais, le mouvement des immigrants s'est considérablement ralenti. L'attraction exercée par les États-Unis n'a été favorisée ni par la guerre de Sécession ni par la conjoncture économique troublée des années 1870. Moins de 300 000 immigrants débarquent par an dans les ports américains durant la décennie 1880, un peu plus de 500 000 dans les dix années suivantes, mais moins de 400 000 entre 1890 et 1900, en raison de la crise économique. Parmi ces immigrants, les nombreux Allemands – près de 200 000 par an dans la décennie 1880 –, les Scandinaves et les Britanniques constituent l'immense majorité. On peut ajouter les Canadiens français qui traversent la frontière du Nord et quelques milliers de Chinois, venus d'abord pour la construction du chemin de fer intercontinental, qui abordent en Californie. Dans l'ensemble, ces immigrants n'arrivent pas en pays inconnu, ils y trouvent des communautés de même origine qui ont déjà trouvé leur place dans la société américaine. Ils doivent pourtant accepter des conditions de travail difficiles – dockers, cheminots, hommes de mains – avant de pouvoir s'installer à leur compte. Attirés par le mythe américain de la prospérité, mais très au courant des prix du blé et salaires horaires, ils viennent pour rester, afin de devenir des citoyens américains. Cette immigration n'est pas très différente de celle du début du siècle, en provenance de l'Europe du Nord-Ouest, surtout de religion protestante. D'ailleurs, les seules réactions hostiles s'adressent aux Chinois et, dans une moindre mesure, aux Canadiens français catholiques. Les premiers sont peu appréciés par les Californiens qui leur reprochent leur façon de vivre, leur refus apparent d'intégration, car ils font venir leurs épouses de Chine et restent entre eux dans des quartiers à part. En 1882 sous la pression de la Californie, le Congrès vote une loi sévère interdisant désormais l'immigration des Chinois ; elle prévoit également l'interdiction des malades mentaux et des immigrants incapables de subvenir à leurs besoins. Il s'agit de la première loi fédérale qui vienne limiter l'immigration, qui était jusque-là entièrement libre.

Durant cette période, une première politique d'immigration se met en place, symbolisée, en 1892, par la fondation d'un Bureau d'immigration autonome et par la construction des installations d'Ellis Island. Cet îlot de la baie de New York, port où arrive la quasi-totalité des immigrants maritimes, devient le centre d'accueil et d'inspection sanitaire et douanière des nouveaux arrivants : ils y reçoivent leur nom, les malades sont isolés, les suspects sans aucune ressource renvoyés, mais le plus grand nombre passe sans difficulté. Sur l'îlot voisin de Bedloe, se dresse, depuis 1886, la statue de la Liberté de Bartholdi. Offerte dix ans plus tôt par la France en gage de l'amitié franco-américaine, ce cadeau est très vite devenu l'un des symboles les plus représentatifs des États-Unis et, pour les immigrants, signale par sa haute silhouette l'entrée de « la terre promise ». Dans les années qui suivent avec le retour de la prospérité à partir de 1896, ces édifices remplissent totalement leur rôle, car l'immigration devient massive.

Une immigration de masse

Entre 1900 et 1920, 14,5 millions de personnes arrivent aux États-Unis, une reprise très forte de l'immigration, d'autant que la guerre, qui commence en août 1914 en Europe, vient ralentir considérablement le mouvement. Chaque année, le chiffre de nouveaux arrivants avoisine le million et le dépasse même en 1905, 1906, 1907, 1910, 1913 ; un maximum absolu de 1,28 millions est atteint en 1907. Les Russes, les Polonais et les Italiens constituent les trois quarts de ces groupes compacts ; ils apportent un changement considérable par rapport à la période précédente.

Les images sont nombreuses qui montrent des femmes vêtues de noir, des enfants dépenaillés, des hommes au regard fermé, qui débarquent à Ellis Island avec quelques baluchons, quelques-uns dans leur costume national. Ces chiffres sont impressionnants, bien qu'il faille tenir compte des « oiseaux de passage », ces immigrants qui regagnent rapidement leur pays d'origine après avoir amassé un petit pactole en travaillant très dur. Répertoriés seulement à partir de 1908, ils peuvent représenter le tiers des Italiens ou des Grecs, qui viennent souvent en tant que travailleurs saisonniers, mais peuvent revenir souvent après avoir pris femme. Un tel flux de l'immigration suscite de nombreuses réactions aux États-Unis.

Une immigration nouvelle ?

De nouveaux immigrants arrivent nombreux sur le sol américain : Russes orthodoxes, Juifs qui fuient les persécutions de l'Empire des tsars ou de celui des Habsbourg, Italiens du Sud totalement rétifs au moindre mot d'anglais, comme les Grecs qui fuient l'empire turc. Un éminent progressiste, aux idées ouvertes, peut affirmer : « Dans chaque visage, quelque chose semble clocher – lippes épaisses, bouche grossière, lèvre supérieure trop longue, mâchoires trop hautes, menton mal formé, nez à la base tordue ou à l'arrête creuse, quand ce n'est pas toute la face prognathe. » De telles remarques, parfois encore plus violentes, ont été formulées, cinquante ans auparavant, à l'égard des Irlandais, dont les *Know nothing* se plaisaient à signaler la face bestiale et la brutalité de manières. D'autre part, les manifestations anticatholiques étaient beaucoup plus violentes contre ces mêmes Irlandais qu'à l'égard des Italiens du début du XXe siècle (bien que des émeutes anti-italiennes aient éclaté à Nouvelle-Orléans en 1891). En fait, les nouveaux arrivants ne sont pas plus étranges que leurs prédécesseurs, parmi lesquels se sont déjà retrouvées toutes les sectes, toutes les origines, toutes les religions. De plus cette immigration reste presque exclusivement européenne et, jusque-là, seuls les Chinois, depuis 1882, et les Japonais, depuis 1908, sont interdits d'accès en Amérique. Enfin, si des minorités juives sont bien parties pour fuir les pogroms, l'immense majorité des immigrants, à cette époque comme auparavant, viennent pour des raisons économiques. Les Russes, les Polonais sont d'autant plus attirés par la perspective de terres libres et, surtout, de salaires élevés que leur sort est médiocre, tout comme les Allemands et les Suédois des générations précédentes. L'attrait des États-Unis et le désir de quitter une situation aiguë se combinent, suivant les périodes, pour expliquer tout le phénomène de l'immigration ; ainsi, la reprise économique de 1896 renforce-t-elle le rayonnement américain et explique, pour l'essentiel, le gonflement de l'immigration.

Taux de croissance moyen de la population avec les éléments explicatifs de cette croissance (pour mille et par an)

Période	Accroissement total	Taux de natalité	Taux de mortalité	Taux d'immigration net
1850-1860	30,2			9,4
1860-1870	23,5			5,8
1870-1875	25,5	40,8	21,8	6,7
1875-1880	18,3	38,8	23,8	3,4
1880-1885	25,4	36,9	21,0	10,1
1885-1890	19,9	35,3	20,6	5,8
1890-1895	20,1	34,3	19,5	4,5
1895-1900	16,3	31,6	18,8	2,8
1900-1905	18,5	30,0	17,6	6,0
1905-1910	19,8	29,6	16,0	6,9
1910-1915	17,5	27,5	14,7	5,3

D'où vient alors cette impression de nouveauté qui prévaut chez de nombreux observateurs ? Une première explication est fournie par la provenance de plus en plus lointaine des immigrants. La plupart de ceux arrivés durant tout le XIXe siècle venaient d'Europe occidentale avec un petit pécule, ils partageaient, en dépit de la diversité de leur origine sociale, une certaine habitude du monde industriel et de ce fait n'étaient pas trop dépaysés par la vie américaine. Les nouveaux arrivants viennent des régions sous-développées de l'Europe, de culture traditionnelle, à l'écart des grands courants de communication ; ils se trouvent brutalement plongés dans un monde totalement étranger fortement industrialisé. Leur période d'adaptation est nécessairement plus longue, cette différence saute aux yeux des Américains.

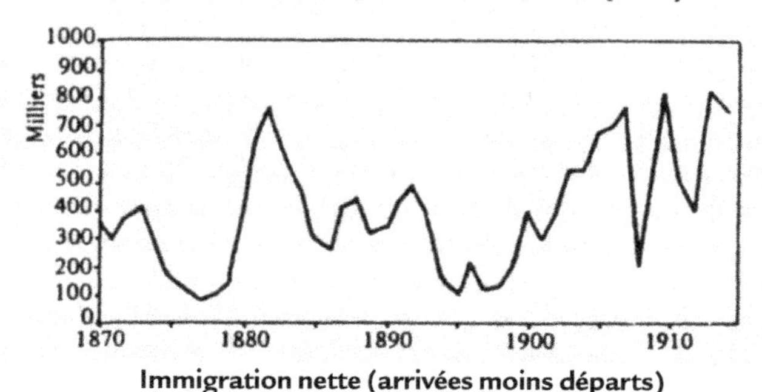

Immigration nette (arrivées moins départs)

Un autre facteur d'explication tient à l'ampleur même de l'immigration. Plus qu'avant se forment des quartiers homogènes dans les villes qui permettent le regroupement des familles venues du même village, de la même région serbe ou italienne. Le poids des traditions familiales, l'adaptation nécessaire à la vie américaine, qui se fait grâce aux premiers arrivés, le réconfort de la langue commune sont autant de raisons qui expliquent ces rassemblements nationaux ou ethniques qui prennent parfois l'allure de ghettos. Ces « petites Italies » de Boston ou New York, ces quartiers polonais de Chicago fournissent une main-d'œuvre bon marché facilement disponible : les nouveaux arrivants sont, pour plus des deux tiers, des hommes sans métier ni qualification. De plus en plus rares sont les immigrants qui tentent leur chance comme fermiers, aussi la concentration urbaine rend plus visible leur présence. Les premières années du XXe siècle transforment New York en nouvelle tour de Babel avec, par exemple, plus de 80 % des Juifs et 75 % des Italiens installés dans le pays.

Les imperfections du Melting Pot

Pour les Américains, les États-Unis ont toujours été assimilés à un creuset dans lequel viendraient se fondre les représentants de toutes les races de la terre et d'où sortirait un homme nouveau. Pourtant ce thème donne lieu à controverses au début du XXe siècle. Les mesures d'exclusion permettent de maintenir une relative homogénéité des nouveaux arrivants, elles sont bien ciblées depuis 1882 : après les Chinois et les Japonais, elles touchent également les criminels et les anarchistes, surtout après l'assassinat du président McKinley en 1901 : l'immigrant idéal est de race blanche, en bonne santé et paisible.

En dépit de ces restrictions, la « nouvelle » immigration provoque des réactions contradictoires. D'un côté, les optimistes célèbrent l'efficacité du creuset, de l'autre, les plus inquiets la mettent en doute et s'interrogent sur la nécessité de limiter sévèrement l'immigration. La première attitude, conforme à la tradition, est remarquablement illustrée par la cérémonie de remise des diplômes dans l'école d'anglais de la Compagnie *Ford* à Detroit en 1910 :

> « Un bateau d'immigrants est représenté sur la scène. Sur le devant se trouve un gigantesque creuset. D'un côté arrivent les élèves de la classe revêtus de leur costume national et n'ayant pour bagage que celui qu'ils avaient à leur arrivée aux États-Unis. Ils disparaissent bientôt dans le creuset de Ford. Les professeurs se mettent alors à remuer le contenu au moyen de longues cuillers. Le pot se met à bouillir puis en sortent les mêmes hommes dans leurs plus beaux habits américains en train d'agiter des bannières étoilées. »

La puissance du creuset semble suffisante pour traiter toutes sortes d'immigrants. Le succès remporté par la pièce *Melting Pot* d'Israël Zangwill, qui se donne à New York en

1908, va dans le même sens, bien que l'auteur n'y évoque que la confrontation de Juifs russes, parlant seulement le yiddish et refusant l'intégration, avec les Juifs sephardim, qui l'acceptent et fuient les pogroms par tous les moyens : entrer dans le creuset ne met-il pas en péril les valeurs traditionnelles ? Le creuset, qui doit faire coexister avec profit les uns et les autres, réussira-t-il à fonctionner dans ces conditions ? La question est posée plus fermement par ceux qui pensent que le *Melting Pot* va se briser sur ces corps étrangers. Dès 1896, le sénateur républicain Henry Cabot Lodge cherche à faire adopter un projet de loi exigeant de l'immigrant qu'il puisse au moins lire dans sa propre langue ; le président Cleveland oppose son veto, tout comme le font Taft en 1913 et Wilson en 1915, car les besoins de main-d'œuvre restent pressants. En revanche en 1906, le Congrès renforce les contrôles et, l'année suivante, accroît les catégories d'exclus, avant d'adopter, dix ans plus tard, une loi aggravant encore ces dispositions et instaurant finalement un test d'alphabétisation. Les progressistes sont souvent les premiers à vouloir limiter l'immigration, ils la considèrent comme une menace pour les travailleurs américains et un obstacle aux réformes qu'ils souhaitent. Les immigrants n'amènent-ils pas avec eux la pauvreté, ne deviennent-ils pas le jouet des politiciens corrompus qui les utilisent pour se maintenir au pouvoir, quand ils ne transmettent pas le virus du communisme ? Ces réactions contradictoires prouvent que la société américaine hésite encore entre deux attitudes : soit un creuset qui fonctionne lentement mais sûrement, soit, pour les plus frileux, un appareil engorgé, presque toujours en panne. Ces interrogations révèlent l'ampleur des changements survenus depuis la fin du XIXe siècle. Les Américains sont confrontés à des réalités nouvelles qui modifient l'équilibre de leur pays, tant sur le plan international qu'intérieur. Des hommes et des femmes se sont préoccupés de cette situation, déjà alertés par l'avènement d'une économie industrielle lors de la période précédente. Le progressisme provient de la conjonction de ces phénomènes divers, du besoin d'adaptation des États-Unis à ces conditions nouvelles.

Le progressisme : un réformisme à l'américaine

Les deux premières décennies du XXe siècle américain sont le plus souvent désignées comme l'ère progressiste. Le progressisme semble prendre harmonieusement la suite du populisme des années précédentes ; mouvement de réforme venu des classes moyennes urbaines alors que son prédécesseur était rural. Cela pourrait expliquer son succès puisque des présidents aussi dissemblables que Theodore Roosevelt et Woodrow Wilson ont été, tous deux, plus ou moins progressistes. En fait, le progressisme est divers, multiforme et il est indispensable de le définir avant de voir à quel point il a pénétré la société et la culture américaines, même au-delà de 1920.

Le progressisme : une nébuleuse

Un large éventail de citoyens

Sous le vocable « progressisme » se regroupent des gens aussi divers que des journalistes dénonçant les scandales des villes, tel Lincoln Steffens ; des femmes se dévouant pour les défavorisés de Chicago, à l'instar de Jane Addams ; des maires rénovant leurs villes en multipliant les services publics, Tom Johnson de Cleveland ; des défenseurs de la nature comme le fonctionnaire Gifford Pinchot ; des démocrates et des républicains, de John P. Altgeld à Charles E. Hughes ; des sudistes raffinant les procédures d'exclusion du suffrage des Noirs en développant le élections primaires réservées aux Blancs, aussi bien que des membres du N.A.A.C.P. *(National Association for the Advancement of Colored People)*, association fondée en 1909 pour assurer le respect des droits de la population de couleur ; des dénonciateurs des trusts aussi bien que leurs défenseurs au nom de l'efficacité ; des partisans de l'impérialisme comme des anti-impérialistes; des hommes et des femmes de New York, du Kansas ou de la Californie. On pourrait ainsi multiplier les exemples de la fin des années 1890 jusqu'aux années 1920.

Cette diversité humaine indique bien qu'il n'existe pas un credo progressiste unique. D'ailleurs le terme lui-même n'apparaît que comme une rationalisation à posteriori vers 1910, au moment où un parti politique le revendique officiellement, la « Ligue nationale progressiste », alors qu'un grand nombre des thèmes progressistes sont déjà largement diffusés dans l'opinion. Des auteurs comme Henry George, avec *Progress and Poverty*, ou Edward Bellamy, auteur de *Looking Backwards*, qui écrivent dans les années 1880 sont parfois considérés comme précurseurs du progressisme, puisqu'il faut bien déterminer une origine. Mais on pourrait aussi bien appeler à la rescousse un Herbert Croly pour *Promise of American Life*, ou Upton Sinclair pour *The Jungle*, comme conscience d'une certaine forme de progressisme, bien que le premier soit un conseiller de Theodore Roosevelt et le second un socialiste...

Les progressistes peuvent pourtant être, tous, considérés comme les agents de l'adaptation de très larges secteurs de la société américaine aux profondes transformations de leur pays depuis la guerre de Sécession. L'opposition entre le populisme et le progressisme n'est pas si tranchée qu'on le dit souvent pour marquer des périodes bien différenciées. Les deux mouvements réagissent à la brutalité et à l'ampleur de l'industrialisation, à la toute-puissance des trusts, à la corruption que celles-ci ont contribué à semer dans le système politique. Et il n'est pas surprenant qu'une partie de leurs revendications puissent être semblables sur ces sujets. En revanche, les progressistes sont surtout des citadins et appartiennent souvent aux couches les plus jeunes de la population, ne refusant pas leur siècle, mais cherchant à le rendre plus agréable à vivre, en en contrôlant et en en rationalisant le rythme et l'évolution.

Sans qu'il y ait idéologie ou parti communs, les progressistes, chacun à leur manière, recherchent la justice contre les excès de la richesse, visent à l'efficacité qui permet de gommer les abus de l'industrialisation et de gouverner mieux, désirent une transparence de la société et de la politique; la plupart ont une réelle stature morale. Ils sont partisans d'un rôle actif de l'État, pour assurer le bien public, et sont disposés à lui apporter leur expertise : les notions de service public et d'experts sous-tendent le mouvement progressiste.

Des journalistes et des écrivains

Ces grands traits du progressisme expliquent que des journalistes et des écrivains sont devenus les hérauts de ce mouvement informel. Le développement de la presse « jaune » dont le succès est dû à l'abus du spectaculaire et au « sang à la une », suscite un journalisme d'investigation, qui découvre des scandales afin d'indigner et de fasciner les citoyens, qui pourraient alors faire pression sur les élus. Un des précurseurs de cette tendance est Jacob Riis, hollandais émigré aux États-Unis. Il y devient, après diverses expériences, journaliste et décrit les horreurs des *tenements* de New York. Jacob Riis ne prend pas parti, il expose une situation intolérable qui doit obliger les responsables politiques à agir. Une démarche analogue se retrouve chez ses successeurs qui exposent scrupuleusement quelques-unes des situations jugées indignes d'une Amérique fière d'elle-même. C'est le cas de Lincoln Steffens à propos de la gestion des grandes villes, dans *Shame of the Cities*, d'Ida Tarbell, qui démonte, comme un entomologiste, le fonctionnement de la redoutable *Standard Oil*, ou de Gustav Myers qui, par son *Histoire des grandes fortunes américaines*, dévoile tous les moyens mis en œuvre par les titans de l'industrie pour atteindre leur prééminence. En 1902-1903, avant de paraître en ouvrages, ces histoires nourrissent les livraisons d'un magazine comme *McLure's*, qui avec d'autres titres comme *Cosmopolitan* ou *Collier's* tranchent par leur dynamisme sur les revues traditionnelles austères et élitistes. Avec la même approche, un photographe comme Lewis Hine illustre froidement l'horreur du travail des enfants. L'écho de ces dénonciations est doublé par la parution, presque simultanée de romans qui utilisent les données ainsi accumulées. Theodore Dreiser avec *Titan* ou Frank Norris dans *La Pieuvre,* Upton Sinclair avec *La Jungle* font mieux comprendre les agissements des maîtres des trusts ou les horreurs des abattoirs de Chicago. La popularité de ces romans est telle qu'elle a poussé les pouvoirs publics à agir pour améliorer les conditions d'hygiène de l'industrie.

Sans avoir de buts directement politiques, de telles dénonciations donnent une image sombre de l'Amérique, ce qui fait dire au président Roosevelt qu'il s'agit seulement de *muckrakers,* de « fouille-merde, qui ne lèvent jamais le regard des saletés qu'ils ramassent ». Mais le succès des *muckrakers* indique bien qu'ils touchent un point sensible. La dénonciation des trusts et des horreurs urbaines n'est pas nouvelle, se rattachant à une tradition hostile aux monopoles, mais pour la première fois le grand public s'émeut, les citadins après les fermiers. L'existence de la misère dans les grandes villes, à son tour, devient à la mode.

Des citoyens dévoués

Aussi, n'est-il pas étonnant que se sentent renforcés les groupes charitables, que les travailleurs sociaux qui avaient longtemps œuvré dans l'anonymat s'affirment. Leur rôle est mieux compris et ils obtiennent des municipalités plus de moyens pour aider les plus démunis ; ils font prendre conscience des mesures spécifiques qu'il faut pour les enfants : crèches, terrains de jeux, tribunaux spécialisés. Jane Addams, John Spargo – il dénonce le travail des enfants dans les mines et les usines – parviennent à se faire entendre ; des emplois se créent dans les organisations charitables, pour lesquels apparaissent des formations spécialisées. Harry Hopkins, jeune diplômé et futur conseiller de Franklin Delano Roosevelt, peut dignement commencer sa carrière en entrant, en 1913, à l'Association pour améliorer la condition des pauvres de New York. De telles préoccupations deviennent de plus en plus fréquentes et normales dans les grandes villes, elles mettent à jour les défauts du laisser-faire excessif des années précédentes. La prise de conscience de l'indispensable cohésion sociale, que ces hommes et ces femmes veulent maintenir et améliorer, s'accompagne souvent d'un souci d'efficacité digne de vrais professionnels. C'est là une autre caractéristique de cette nébuleuse progressiste. Au fur et à mesure des progrès de l'industrie, de la nécessité d'aménagement des villes affrontées à l'afflux massif de populations, des ingénieurs, des architectes, des juristes se lèvent pour répondre aux besoins et dénoncer les abus. Durant les années 1880, les grands capitaines d'industrie, comme les *bosses* des villes se servent d'eux sans se soucier de leurs avis. Mais la crise de la période qui suit, la mise au jour des scandales, poussent ces hommes et ces quelques femmes assimilables à des « technocrates » à se faire entendre et à proposer des solutions. Louis A. Sullivan, concepteur du gratte-ciel, tout comme Daniel Burnham de « l'École de Chicago » ou Frederick Olmsted sont, à leur manière, des progressistes et annoncent dès les années 1890 cette tendance nouvelle.

De plus en plus nombreux vont être les professeurs qui se préoccupent des conditions de l'éducation, les médecins qui s'indignent de l'état lamentable de l'adduction d'eau, les ingénieurs qui proposent des solutions techniques aux problèmes de la société urbaine. Une catégorie de citoyens éclairés cherche à dire son mot, à faire profiter de son expérience la collectivité, le plus souvent sur le plan local. Ce type de souci progressiste débouche sur un renouvellement des méthodes de gestion, dont Frederick W. Taylor fournit dès 1909 le meilleur exemple dans les aciéries de *Bethlehem Steel,* avant que *Ford* ne les perfectionne encore. Le souci de l'efficacité et de la standardisation était déjà apparu dans la construction des machines agricoles des années 1870 et 1880 comme dans les fameux abattoirs de

Chicago qui attirent tant les visiteurs européens avant de devenir symbole d'incurie sous le coup d'enquêteurs progressistes. Mais Taylor amène une formalisation qui manquait jusque-là, première étape d'un mouvement qui traverse tout le XXe siècle.

Ces progressistes sont souvent des scientistes, qui peuvent condamner la consommation d'alcool au nom des découvertes médicales et qui soutiendront le vote du XVIIIe amendement, lequel impose, en 1919, la prohibition, ou peuvent être partisans de l'eugénisme dans le but d'améliorer l'humanité en la purgeant des indésirables, comme en Virginie dans les années 1920 où des malades mentaux sont stérilisés. Il ne s'agit là que de dérives, mais elles s'inscrivent dans la lignée de ce progressisme parfois sérieux et moralisateur.

Le progressisme et la politique

Les préoccupations progressistes débouchent, très naturellement, sur l'action politique, que ce soit sur le plan local ou fédéral. Les accusations d'un Lincoln Steffens contre le maire de Minneapolis ont un poids politique, comme les descriptions de Jacob Riis à New York; d'ailleurs les articles du premier ont contribué à l'élection de gouverneurs réformistes dans le Missouri et le Wisconsin. Et le comportement de certains sénateurs trop dévoués à leurs patrons du monde des affaires, Chauncey Depew à New York ou Nelson Aldrich pour le Rhode Island, est vigoureusement stigmatisé.

Pour obtenir les législations qu'ils désirent, les progressistes doivent agir auprès des conseils municipaux, puis des Assemblées d'États. Cela les conduit à s'intéresser de plus en plus à la politique et assez rapidement apparaissent des élus, que l'on peut qualifier de progressistes, avant même que cette appellation ne leur soit officiellement attribuée.

Le progressisme municipal

Le premier obstacle que rencontrent les progressistes provient de l'anarchie qui règne dans ces municipalités pourries décrites par Steffens. Les *bosses,* qui contrôlent les *machines* locales du parti, ne sont même pas élus, donc irresponsables et peu enclins à réformer un système dont ils profitent si bien. Les citoyens indignés désireux de promouvoir des changements rejettent viscéralement une corruption considérée comme immorale. À la fin des années 1890, se font jour des projets qui permettraient de rénover les structures municipales afin que les réformes puissent aboutir. Il s'agit surtout de centraliser les pouvoirs du maire, de constituer des commissions spécialisées en fonction de leurs compétences et de promouvoir plus de démocratie et de transparence dans les élections et les débats des assemblées. Un modèle-type de charte municipale apparaît ainsi en 1898, calquant les institutions locales sur celles du système fédéral avec un maire disposant du droit de veto et un conseil indépendant; les catastrophes naturelles qui obligent à tout reconstruire conduisent à mettre en place des types de gestion municipale progressistes, recherchant, avant tout, l'efficacité. En 1900, après la destruction de Galveston (Texas) par un raz-de-marée, une commission municipale réduite, composée de cinq spécialistes est élue qui remplace le maire et le conseil. En 1913, après l'inondation qui dévaste Dayton (Ohio), les besoins sont tels que la gestion de la ville a été confiée à un véritable PDG, entouré d'un conseil d'administration traitant les problèmes de façon strictement technique. Ces deux modèles connaissent un grand succès dans les années qui suivent, car ils semblent assurer une rationalisation pure de toute contamination partisane, mais une fois l'urgence passée et l'ordre revenu, la politique reprend vite ses droits.

Les progressistes ne peuvent pas toujours attendre qu'un cataclysme permette de faire table rase; ils adoptent plusieurs autres moyens d'action. Les uns exercent une pression constante sur le maire ou le conseil, sans chercher à être eux-mêmes élus ; c'est le cas de Jane Addams à Chicago ou de Richard Childs à New York, qui obtiennent de nombreuses mesures, l'une en faveur des femmes, l'autre des enfants. D'autres préfèrent se faire élire pour mener à bien leur politique. Les exemples les plus typiques de ce choix sont fournis par Tom Johnson à Cleveland (Ohio) et Samuel *« Golden Rule »* Jones à Toledo (Ohio). Le premier débarrasse la ville de l'influence de Mark Hanna et s'inspire, lui riche industriel, des idées socialisantes d'Henry George ; le second admire ce qui se passe en Europe, particulièrement à Glasgow, et municipalise tous les services publics pour éviter les pots-de-vin tout en désarmant les policiers. Dans beaucoup d'autres villes, les progressistes passent également à l'action : le socialiste Emile Seidel à Milwaukee (Wisconsin) ou Fremont Older à San Francisco ; à New York, patrie de Tammany Hall, symbole inégalable de corruption illustrée en son temps par le boss Tweed, des maires courageux comme Seth Low ou John P. Mitchel parviennent un temps à desserrer l'emprise de la *machine*.

De proche en proche, la politique progressiste gagne tous les niveaux de pouvoir. Entre 1900 et 1910, les élections de gouverneurs comme Charles E. Hughes dans le New York, Woodrow Wilson dans le New Jersey, Robert La Follette dans le Wisconsin, Hiram Johnson en Californie représentent parfaitement la percée des idées réformatrices. Ils accomplissent d'ailleurs un travail considérable, se dégagent de l'influence des trusts, rénovent le système fiscal et éducatif, prennent en charge les services publics et donnent le droit de vote aux femmes. Ces exemples sont imités dans l'Iowa, dans le Michigan mais aussi dans le Sud, en Caroline du Nord ou au Texas avec Charles A. Culberson. Ces hommes, républicains ou démocrates, se sont fait élire souvent grâce à l'appareil du parti, mais une fois au pouvoir, ils s'empressent de le détruire, coupent tous les ponts avec les *bosses* mis en accusation et font directement appel aux citoyens.

La lutte contre les machines des partis

La méfiance à l'égard de la politique telle qu'elle est menée par les partis est d'ailleurs un élément essentiel du progressisme. Les « machines » sont accusées d'avoir entretenu les scandales et négligé les véritables besoins de la population. Les progressistes, quand ils ne parviennent pas directement au pouvoir, cherchent à en écarter définitivement les *bosses* et leurs sbires. Le but est d'arracher l'élection aux appareils de partis et de contrôler sans cesse les élus. Pour atteindre le premier de ces objectifs et rendre le pouvoir au peuple, pour la première fois en 1903 dans le Wisconsin, se met en place l'élection « primaire » dans laquelle les électeurs choisissent directement leur candidat pour l'élection ; dans la décennie qui suit, les deux tiers des États adoptent ce système dans le Sud cette recherche d'une démocratie plus complète aboutit à des primaires « blanches comme lys » qui parachèvent l'exclusion des Noirs du vote… D'autre part, les progressistes parviennent à faire adopter dans de nombreux États, surtout dans l'Ouest, le référendum et le rappel des élus qui permet aux électeurs d'interrompre le mandat d'un représentant indigne (cette disposition a encore été utilisée en Californie en 2005). En 1913, l'adoption du XVIIe amendement, après qu'il a été ratifié par trente États, confirme cette volonté de démocratisation car il instaure l'élection des sénateurs au suffrage universel direct, afin d'éviter qu'ils subissent l'influence corruptrice des législatures d'État au sein desquelles ils étaient, jusque-là, choisis.

Ces mesures faites pour renforcer la démocratie directe connaissent un grand succès et sont peu à peu rendues permanentes dans de nombreux États. Elles n'empêchent pas toujours les machines de contrôler les primaires ni de limiter la portée du rappel délicat à mettre en œuvre, et les sénateurs s'ils ne sont plus corrompus, ne sont pas nécessairement sevrés de la *machine*, quand ils sont élus dans des États massivement fidèles à un parti. Le résultat le plus grave de ces mesures a été de couper les liens entre les électeurs et les partis, de multiplier les élections et de lasser les enthousiasmes démocratiques les plus endurcis. Il s'agit là de l'une des causes essentielles de la baisse sensible de la participation électorale qui contraste avec le « civisme » de 1896 et des années précédentes et qui affecte tous les niveaux d'élection.

Les succès remportés par le courant progressiste sont marqués au sceau de l'enthousiasme d'une population, souvent jeune et éduquée, qui s'emballe pour les belles causes et les grands projets – ainsi l'impérialisme fascine beaucoup de progressistes, comme la manifestation orgueilleuse d'une réussite. Il s'agit souvent de groupes défendant un objectif unique : abolition du travail des enfants, tempérance, compétition pour les primaires, qui cadrent mal avec les partis traditionnels. D'ailleurs, nombreux sont les progressistes qui s'inscrivent dans le parti le mieux placé pour atteindre leur objectif, plutôt que de songer à former un tiers parti dont l'existence est bien fragile dans la vie politique des États-Unis. C'est pourquoi, en ces années de suprématie républicaine, les progressistes se tournent plus volontiers vers le parti de l'Éléphant que celui de l'Âne.

L'intrusion de ces progressistes dynamiques dans les partis en place oblige ceux-ci à évoluer et d'une certaine façon à récupérer, à leur profit, certains des thèmes caractéristiques du mouvement. Si les potentats locaux, menacés dans leurs intérêts immédiats, résistent encore, les chefs ne peuvent plus rester insensibles aux idées nouvelles, dans la mesure où elles ont un écho grandissant dans la population. Il faut toutefois attendre 1901 pour que cette évolution atteigne le niveau fédéral.

L'influence du progressisme à la Maison-Blanche

Le premier mandat de McKinley se déroule dans l'arrogance d'une victoire de laquelle les républicains avaient fini par douter ; les partisans de l'or et des trusts occupent sans vergogne le pouvoir et l'opinion tourne son attention vers le tintamarre de l'impérialisme débutant.

La présidence de Theodore Roosevelt

Un président inattendu mais bien préparé

Les progressistes ont peu de chance de se faire entendre au plus haut niveau, sinon à prendre en marche le train impérialiste ou, pour quelques-uns, la charrette anti-impérialiste. Le climat se modifie avec l'arrivée inopinée de Roosevelt au fauteuil de président. Les caciques du parti l'avaient forcé à accepter la fonction de vice-président, pour écarter un homme trop remuant qui s'était manifesté comme gouverneur de New York ; il s'était d'ailleurs démené pendant la campagne pour assurer l'élection de son patron et vanter les vertus de l'impérialisme. Le hasard fait que moins d'un an après sa réélection, le 7 septembre 1901, le président McKinley est blessé mortellement par Leon Czolgosz, un anarchiste originaire d'Europe centrale, alors qu'il inaugure une exposition à Buffalo. Bien qu'il bénéficie de l'habituelle promotion due à un tel assassinat, McKinley est d'autant plus vite oublié que l'opinion prend vite conscience du dynamisme de son successeur imprévu.

Theodore Roosevelt a, au moment où il accède à la Maison-Blanche, une longue carrière derrière lui, qui en fait l'un des présidents américains le mieux préparé à la tâche qui lui incombe, bien qu'il soit aussi le plus jeune. Né en 1858 dans une famille patricienne de l'État de New York, revendiquant ses origines hollandaises, Teddy a fait des études moyennes dans les meilleures écoles pour terminer par Harvard. Après avoir voyagé en Europe, il connaît dans le Dakota la vie de cow-boy, dure pour lui à la constitution fragile ; son expérience d'une année dans l'Ouest lui donne l'occasion de refaire sa santé, mais aussi de démontrer un certain talent littéraire avec les quatre volumes de *La Conquête de l'Ouest*. Une fois son éducation faite, il parcourt tous les échelons de la vie politique. Sénateur républicain dans la législature de l'État de New York, il devient peu après chef de la Commission du service civil qui, à la suite de l'assassinat du président Garfield en 1881, est chargée de doter les États-Unis d'une fonction publique compétente. Puis, comme chef de la police de New York, il entre en contact avec les réformateurs. Il n'est pas étonnant qu'on propose à un tel homme un poste dans l'administration McKinley en 1896 : sous-secrétaire de la Marine. La guerre contre l'Espagne lui permet d'endosser l'uniforme et d'acquérir à 40 ans, dans des conditions moins brillantes qu'il ne le dit, la gloire militaire qui manquait encore à sa panoplie et qu'il sait merveilleusement orchestrer à son avantage. Il est élu en 1898 gouverneur de l'État de New York, poste d'où il continue à combattre la corruption politique qu'il avait appris à connaître tout au long de sa double expérience de fonctionnaire et d'élu. Cette volonté décapante de Roosevelt explique que la *machine* républicaine, dans laquelle le *boss* Platt de New York est influent, ait tenu à l'aiguiller sur la voie de garage de la vice-présidence.

Le nouveau président ne met pas en œuvre immédiatement un programme réformiste, à tel point qu'il déçoit ceux qui attendaient trop de lui. Mais, rapidement, il prend la mesure de la fonction et en exploite toutes les ressources, plus qu'aucun de ses prédécesseurs ne l'avaient fait en temps de paix. Il est le premier à utiliser avec brio la presse et à ravir les échotiers ; il nage dans le Potomac, il épuise ceux qui le suivent et se montre chaleureux et jovial quand il le faut, tout en sachant écrire et parler avec force, sûr de sa morale et de son rôle. Voici enfin un président américain qui suscite enthousiasme et admiration tant parmi ses compatriotes qu'à l'étranger ; n'est-il pas l'hôte de la Maison-Blanche, le plus aimé des Français jusqu'à John Kennedy ? Ces qualités ont fait dire à nombre d'historiens « progressistes » que Roosevelt a plus parlé qu'agi ; consacrant ses efforts à la politique extérieure, il lui est reproché d'avoir laissé la maîtrise des questions intérieures à la vieille garde du parti républicain aux mains du redoutable et indéracinable sénateur du Rhode Island, Nelson Aldrich. Un tel jugement doit être nuancé, car le président fait entrer au gouvernement des hommes neufs comme Elihu Root ou Charles Evans Hughes. Il est réélu triomphalement en 1904 contre le pâle juge Parker avec plus de deux millions et demi de voix, soit plus que tout autre républicain avant lui ; Teddy poursuit divers objectifs qu'il a rassemblés sous la formule du Square Deal lors de cette campagne : « ... pas simplement le jeu loyal sous les présentes règles du jeu, mais un changement de règles de façon qu'une plus profonde égalité de chances et de récompenses... soit apportée... »

Le Square Deal ?

En premier lieu, figure la lutte contre les trusts, ou du moins leur réglementation, qui correspond autant à ses convictions qu'à l'attente d'un large public. Il a le mérite de réactiver la loi Sherman de 1890 en faisant engager des poursuites, dès 1902, contre la *Northern Securities* qui regroupe les chemins de fer des célèbres Hill, Harriman et Morgan : *Northern Pacific, Great Northern* et *Chicago, Burlington* et *Quincy*. La Cour suprême, en 1904, revient sur un arrêt de 1895 qui autorisait la concentration jusqu'à 98 % d'un secteur : le trust du chemin de fer est démantelé. Dans les années qui suivent, quarante-cinq poursuites sont engagées contre d'autres trusts qui se comportent de façon répréhensible. Roosevelt, soutenu par la justice, fait une distinction entre bons et mauvais trusts en fonction de leurs avantages pour le bien public. Vers la fin de son deuxième mandat, ses dénonciations des puissances d'argent se font plus stridentes, alors même que ses actions se font plus rares. Pourtant, un pas décisif a été franchi, même s'il ne satisfait pas les partisans d'une interdiction de la concentration industrielle.

Un deuxième objectif consiste à utiliser toutes les ressources du pouvoir fédéral pour limiter les abus des grandes compagnies. En 1906, Roosevelt s'attaque aux tarifs des compagnies de chemins de fer, qui avaient suscité la colère des fermiers depuis la guerre de Sécession. La loi Hepburn permet à l'*Interstate Civil Commission*, en sommeil depuis sa création vingt ans plus tôt, de réglementer ces tarifs, pour éviter les rabais abusifs aux grandes entreprises et les taux excessifs pour les plus humbles ; les résultats sont spectaculaires. Cette même volonté aboutit à la réglementation sévère, la même année, des conserves alimentaires et surtout des viandes produites par *Swift* et *Armour* dans les abattoirs de Chicago, à la suite de rapports alarmants et surtout du succès de *La Jungle* d'Upton Sinclair – fort déçu que le public ne retienne que les quelques pages consacrées à ce problème plutôt que sa dénonciation de l'exploitation capitaliste. Le *Pure Food and Drugs Act*, amélioré en 1911, donne aux États-Unis une législation d'hygiène alimentaire, qui n'existe alors nulle part dans le monde. Roosevelt agit avec d'autant plus de détermination, quand il sent la montée d'un réel mouvement d'opinion, qui va dans le sens de ses propres convictions.

Pour le vingt-sixième président des États-Unis, le gouvernement fédéral n'a pas seulement un rôle répressif. Il doit aussi s'affirmer par sa force de proposition et sa capacité d'arbitrage entre forces antagonistes. Roosevelt intervient pour faire cesser la grève des charbonnages de Pennsylvanie qui s'éternise de mai à octobre 1902. Le syndicat *United Mine Workers* dirigé par John Mitchell réclame aux patrons une hausse des salaires de 10 %, la journée de huit heures et la reconnaissance syndicale. La grève s'étend et une fumée noire s'épaissit sur New York et les autres grandes villes privées de l'anthracite de Pennsylvanie et contraintes d'utiliser des charbons de qualité médiocre. L'opinion penche en faveur des 50 000 mineurs, alors que l'approche de l'hiver inquiète de plus en plus. Le président, après une rebuffade des patrons qui refusent de s'asseoir à la même table que les mineurs à la Maison-Blanche, les menace-t-il d'envoyer les soldats prendre possession des installations. Finalement une commission d'arbitrage, dans laquelle siège un général, un évêque catholique et quelques spécialistes, est constituée en mars 1903. Son rapport fustige l'acharnement patronal et donne satisfaction aux mineurs à l'exception de la reconnaissance syndicale. C'est une incontestable victoire pour le président qui illustre ainsi, en dehors de tout mandat institutionnel clair, la force de l'exécutif et les vertus du *Square Deal* qui n'avantage aucun camp mais règle la crise dans l'intérêt de la collectivité. Dans le même esprit, en 1903 est créé un nouveau secrétariat au Commerce et au Travail, qui prouve le caractère irréversible de l'intervention du gouvernement fédéral dans ces domaines.

Plus originale et plus novatrice encore, est l'action de Roosevelt en faveur de la préservation de la nature. Depuis les années 1870, des craintes étaient apparues en raison de la dilapidation des ressources naturelles, en particulier des forêts, c'est pourquoi avaient été créés les premiers parcs nationaux, tel celui de Yellowstone en 1872 et de Yosemite en 1890. Toutefois les entreprises n'hésitent pas à frauder pour se procurer du bois à bas prix ou pour exploiter des ressources minières protégées. Teddy, amoureux de l'Ouest sauvage et grand amateur de chasse, s'attache à ce problème avec son énergie habituelle. Il rattache le service de la forêt, scientifiquement dirigé par Gifford Pinchot, au ministère de l'Agriculture ; il fait passer une centaine de millions d'hectares de terres de l'Ouest jusqu'à l'Alaska dans le domaine public, pour qu'en soit rationalisée l'exploitation et pas seulement organisée sa simple conservation ; il prévoit les sites qui seraient utilisables par des barrages ; organise des conférences en vue d'étudier le problème de l'irrigation… En quelques années, outre une sensibilisation du public à des problèmes qui seront presque totalement négligés par ses successeurs, cinq nouveaux parcs nationaux sont créés, cinquante et une zones de vie sauvage sont organisées...

Message du président Roosevelt sur la conservation, 3 décembre 1907 (extraits)

Theodore Roosevelt est un des premiers à prendre conscience du gaspillage d'une nature exceptionnellement riche par un développement sans frein. Son neveu, Franklin D. Roosevelt reprendra le flambeau.

Conserver nos ressources naturelles et les utiliser de manière appropriée, voilà qui constitue le problème fondamental dont dépendent presque tous les autres problèmes de notre vie nationale. [...] Nous devons comprendre que gaspiller ou détruire nos ressources naturelles, dépecer et épuiser le sol au lieu de l'utiliser pour accroître son utilité, cela détruira la richesse de nos enfants, alors que nous devons contribuer à la développer. Dans les quelques années qui viennent de s'écouler, le gouvernement s'est efforcé, par l'intermédiaire de plusieurs agences, de faire voir plus loin à notre peuple et de substituer à l'anarchie et au profit immédiat le développement ordonné de nos ressources.

Nos grands cours d'eau doivent devenir des voies d'eau nationales, en premier lieu le Mississipi et ses affluents, en second lieu la Columbia, et bien d'autres encore qui se jettent dans le Pacifique, dans l'Atlantique ou dans le golfe du Mexique. [...] Des Grands Lacs jusqu'à l'embouchure du Mississipi, il devrait exister une voie d'eau profonde dont partiraient d'autres voies vers l'est et l'ouest. Un tel système reviendrait pratiquement à étendre nos côtes jusqu'au cœur même de notre pays. Si nous le réalisons immédiatement, il pourra être terminé dans peu de temps et décongestionner les grandes voies ferrées qui assurent le transport des marchandises. [...] Ainsi le territoire qui longe le cours inférieur du Mississippi deviendra l'un des plus prospères, l'un des plus peuplés, comme il est déjà aujourd'hui l'un des plus fertiles au monde. [...]

Il faudrait étendre beaucoup plus qu'actuellement l'irrigation, non seulement dans les États des Grandes Plaines et des Rocheuses, mais dans bien d'autres encore, par exemple dans les États du Golfe et de l'Atlantique Sud ; là, l'irrigation irait de pair avec l'assainissement des marais. Le gouvernement fédéral devrait s'employer sérieusement à cette tâche, avec la conscience que l'utilisation des cours d'eau et de la force hydraulique, des forêts, l'irrigation et l'assainissement des terres menacées d'inondation constituent les éléments indépendants d'un même problème. [...]

L'optimisme est un trait de caractère positif; s'il est excessif, il devient stupide. Nous parlons volontiers des ressources inépuisables de notre pays ; c'est une erreur. La richesse minière du pays, le charbon, le fer, le pétrole, le gaz naturel ne se reproduisent pas ; à long terme, ils s'épuiseront. Le gaspillage d'aujourd'hui prépare l'épuisement de demain, dont nos descendants souffriront une ou deux générations plus tôt. Mais il faut arrêter complètement d'autres formes de gaspillage – le gaspillage du sol par le délavage, par exemple, qui figure au nombre des gaspillages les plus dangereux que connaissent les États-Unis, est évitable, et l'énorme perte de fertilité n'est pas nécessaire. La préservation ou le remplacement des forêts est l'un des principaux moyens pour empêcher cette perte [...]. La consommation annuelle de bois est aujourd'hui trois fois plus grande que la croissance annuelle ; si l'une et l'autre ne changent pas, tout notre bois sera épuisé dans une génération et bien avant que l'épuisement complet ne soit atteint, la rareté croissante se fera sentir, de bien cruelle manière, sur notre richesse nationale.

Source : H.S. Commager, *Documents of American History*, II, p. 48-50.

Ces diverses mesures, en partie concordantes et accompagnées par ses initiatives internationales tonitruantes font-elles de Theodore Roosevelt un progressiste ? Car il n'a rien fait, malgré des promesses, pour alléger le tarif douanier, pas soutenu les projets qui condamnaient le travail des enfants, n'a promu aucune réforme fondamentale et n'a pas éliminé les trusts. Par ailleurs, il a pris soin de se tenir à l'écart des progressistes affirmés comme Hiram Johnson ou Robert La Follette, s'est démarqué totalement des socialistes qu'il considère comme opposés à l'idéal américain et ne s'est rallié qu'à l'extrême fin de son mandat à une offensive contre les puissances d'argent. Le président n'est pas un réformateur à tout crin, mais il est très conscient du rôle que peut jouer l'État fédéral pour résoudre les difficultés économiques ou sociales qui freinent l'essor de son pays, ce qui recoupe certaines préoccupations progressistes. Pour lui, il n'est pas question d'agir brutalement ni de suivre un programme ; très apte à saisir les mouvements de l'opinion, Roosevelt agit à coup sûr quand un certain consensus se fait jour ; ainsi l'élection de nombreux progressistes aux élections de 1904 lui donne-t-il un signal dont il tient compte. Toutefois, jusqu'à la fin de son mandat, il prend bien soin de ne pas détériorer plus qu'ils ne le sont ses rapports avec la vieille garde du parti, ce que beaucoup de progressistes lui reprochent. Son principal apport est d'avoir promu les thèmes progressistes, d'en avoir été le catalyseur auprès du plus grand nombre au nom de principes moraux. Très fier de son bilan, il n'admet pas qu'il soit discuté.

Ayant promis de ne pas se représenter en 1908 alors qu'il en avait le droit, Roosevelt n'abandonne pas pour autant le jeu politique qu'il a si profondément marqué. Il propose comme son successeur le secrétaire à la Guerre, juriste et ancien gouverneur des Philippines, le corpulent William Howard Taft. Ce dernier est élu très aisément, écrasant son opposant démocrate, William J. Bryan qui en est à sa troisième tentative malheureuse.

Taft, un président de transition

En arrivant à la Maison-Blanche, Taft est considéré avec égale faveur par les progressistes et les conservateurs du parti. Il a soutenu et appliqué avec vigueur les mesures prises par Roosevelt, tout en faisant savoir que, pour lui, le rôle de la présidence a été trop étendu. D'autre part, chacun des deux groupes pense avoir facilement barre sur lui. En fait, dépourvu de finesse politique, le nouveau président penche nettement du côté des conservateurs et il ne parvient pas à résoudre le problème posé par un parti profondément divisé par le progressisme. Alors qu'il soutient, en principe, un abaissement des barrières douanières voulu par l'Ouest, il signe, en 1909, un tarif Payne-Aldrich qui les augmente sous la pression des intérêts protectionnistes. Alors qu'il prétend poursuivre la politique écologique de son prédécesseur, il licencie, en 1910, celui qui en était le symbole, Pinchot. Attaqué par les progressistes menés par « *Fighting* » Bob La Follette, George Norris et Hiram Johnson, il fait ouvertement campagne pour la vieille garde aux élections de 1910 qui sont marquées par la perte de leur majorité au Congrès au profit des démocrates, pour la première fois depuis 1894. La situation est si mauvaise que les progressistes préfèrent quitter le parti figé dans le conservatisme pour fonder, en 1911 la « Ligue nationale progressiste et républicaine ». Roosevelt, rentré peu avant d'un voyage de chasse en Afrique, suivi d'une tournée triomphale des capitales européennes, trouve son héritage en péril. Convaincu de sa popularité, il pense l'emporter à la convention de son parti pour l'élection de 1912, mais la « machine », débarrassée des progressistes, veut encore moins entendre parler du trop connu Roosevelt et choisit l'ineffable Taft. L'ancien président accepte alors d'être le candidat de la Ligue pour sauvegarder l'élan réformateur. Il s'est pénétré des idées d'Herbert Croly, qui, dans *Promesse de la vie américaine*, justifie l'intervention de l'État pour aboutir à une meilleure répartition de la richesse au profit du bien-être collectif. Ces idées, éminemment progressistes, sont à la base du « Nouveau Nationalisme » qui constitue le thème de la campagne de Roosevelt. Quel chemin parcouru depuis les dénonciations méprisantes des *muckrakers* !

Programme de la ligue nationale progressiste et républicaine, 21 janvier 1911

Après avoir utilisé les partis, un groupe de progressistes mené par R. La Follette décide de former un nouveau parti, son programme révèle l'importance de la réforme politique.

La Ligue a pour but la promotion d'un gouvernement populaire et d'une législation progressiste.

Le gouvernement populaire en Amérique a été mis de côté et la législation progressiste étranglée par les «*specials interests*», qui contrôlent les caucus, les délégués, les conventions tout comme les organisations de parti ; et, par ce contrôle de la mécanique gouvernementale, ils imposent les candidatures et les programmes, ils élisent les administrations, les assemblées législatives, les représentants du Congrès, les sénateurs des États-Unis et ils exercent leur contrôle sur les fonctionnaires du cabinet.

Dans ces conditions les lois en faveur de l'intérêt général ont été soit ignorées soit refusées. Cela est clairement mis en valeur par les longues batailles qu'il a fallu mener pour faire passer des lois, et encore partiellement efficaces, pour le contrôle des tarifs et des services des chemins de fer, pour une révision du tarif dans l'intérêt des producteurs comme des consommateurs, pour la réglementation des trusts et des combinaisons selon de solides principes économiques, adaptés aux conditions industrielles et commerciales d'aujourd'hui ; mais également pour une réforme sage, cohérente, et impartiale des lois bancaires et monétaires, pour la conservation du charbon, du pétrole, du gaz, du bois, des chutes d'eau et de toutes les autres ressources naturelles appartenant au peuple, enfin pour que toute la législation soit élaborée seulement dans le souci du bien commun.

Le gouvernement est devenu soucieux de la volonté populaire, des législations progressistes ont été votées, quand, dans certains États, le gouvernement populaire a pris le dessus sur le système de la convention déléguée, et a, ainsi, pris le contrôle de la machine gouvernementale.

La Ligue Progressiste Républicaine est persuadée de l'importance de la réalisation d'un gouvernement populaire. Aussi elle propose :

(1) L'élection des sénateurs des États-Unis par une voie directe du peuple ;

(2) Des primaires directes pour le choix des officiels élus ;

(3) L'élection directe des délégués aux conventions nationales avec possibilité pour l'électeur d'exprimer son choix pour le président et le vice-président ;

(4) Des amendements aux constitutions d'États en faveur des droits à l'initiative, au référendum et au rappel ;

(5) Une loi complète contre les pratiques corrompues.

Source : *in* H.S. Commager, *op. cit.*, II, p. 59-60.

Woodrow Wilson : un universitaire au pouvoir

Wilson et l'élection de 1912

Roosevelt et son parti de « l'Élan », qui rassemble la ferveur populiste et les progressistes les plus ardents, n'ont ni le monopole des réformes ni celui de la morale. Le parti démocrate, dont la force réside dans le Sud profond, blanc et raciste, l'Ouest nostalgique du populisme et une partie de la classe ouvrière, n'a pas changé en profondeur, mais des hommes nouveaux, plus modernes, y sont apparus depuis 1896. La preuve en est donnée par la convention de Baltimore qui choisit Woodrow Wilson, au 46e tour de scrutin. Ce nouveau venu sur la scène fédérale représente une autre tradition américaine que son rival. Leur combat a été parfois présenté comme celui du « prêtre et du guerrier ». Wilson, né en Virginie en 1856, est un sudiste presbytérien, comme son père pasteur, le premier à être élu depuis 1860. C'est aussi un grand intellectuel ; il fait des études de droit à Princeton, puis à Johns-Hopkins, dont il sort docteur en 1885, avec une thèse remarquée sur le fonctionnement du système politique américain. À partir de 1890, il devient un éminent professeur et chercheur en science politique qu'il enseigne à l'université Princeton, dont il devient président en 1902. Ses idées tournent autour d'une critique du fonctionnement du Congrès et d'une nécessaire subordination du président au pouvoir législatif. Grand admirateur du cabinet britannique, il est assez proche des intellectuels conservateurs de la revue *Harpers's Weekly*. Pourtant, à la présidence de la grande université du New Jersey, il révèle des tendances réformatrices, en cherchant à briser l'organisation très élitiste des étudiants. Cela n'empêche pas que la machine locale du parti le choisisse en 1910, pour être gouverneur de cet État connu surtout pour son laxisme à l'égard des trusts ; en effet, Wilson profère un libéralisme de bon aloi qui ne laisse pas craindre une intervention hostile de l'État dans les affaires. À ce poste, Wilson se révèle pourtant un ardent réformateur, au grand dam de ses mentors ; il brise la machine, poursuit en justice le *boss*, fait voter des lois qui organisent des élections primaires et qui protègent les travailleurs. Il devient un candidat réformateur des plus présentables pour 1912. D'autant qu'il brandit le drapeau de la « Nouvelle liberté » qui lui a été inspiré par Louis Brandeis, juriste bostonien, à l'instar du « Nouveau Nationalisme » de son rival. Les deux programmes correspondent à deux sensibilités bien dissemblables. Wilson est beaucoup plus virulent contre les trusts dont il conteste l'efficacité et pas seulement les abus, mais se refuse à toute intervention de l'État qui nuirait à la liberté individuelle, il explique la pauvreté par des raisons morales et il a adopté tous les codes racistes du Sud, dont il est issu. Mais il reprend à son compte le principe de la baisse du tarif douanier et de l'impôt sur le revenu, chevaux de bataille des populistes.

Enfin, Wilson n'a pas la chaleur d'un Roosevelt ; c'est un croyant sûr de ses idées, facilement arrogant mais capable d'une étonnante force de conviction au service d'une idéologie issue du plus pur libéralisme du XIXe siècle, qui correspond si bien à la mentalité américaine. Il est, par ailleurs, conseillé par le colonel House du Texas, qui le guide au sein du parti et sait attirer autour de lui des intellectuels, de Louis Brandeis à William McAdoo, qui préfigurent une esquisse du *brain trust* de Franklin D. Roosevelt, vingt ans après...

L'élection de 1912 se joue autour du progressisme et les résultats indiquent bien la force de la volonté réformatrice. Taft, le seul candidat conservateur, n'arrive que troisième avec 23 % des votes et ne remporte que deux États ; Wilson et Roosevelt recueillent 69 % des suffrages, mais le premier l'emporte aisément avec 42 %, ne laissant au second que 27 % des voix et six États... Eugène Debs apporte au parti socialiste un score inespéré avec plus de 900 000 voix, soit 6 % des votants. Les démocrates emportent également la majorité dans les deux chambres. La machine des partis n'est pourtant pas anéantie ; l'ampleur du succès démocrate n'est pas dû aux seuls réformateurs et le bon score de Roosevelt, personnellement déçu, est dû autant à sa popularité qu'aux idées progressistes, car les républicains traditionnels n'ont pas dit leur dernier mot.

Un programme minimum

Profitant de son succès, Wilson s'empresse d'agir et, en un peu plus d'un an, une série de réformes importantes présentées comme un véritable programme sont votées sans coup férir par une majorité, que le président cajole pour aboutir à une meilleure coordination souhaitée entre l'exécutif et le législatif. Il n'hésite pas, rompant avec une tradition remontant à John Adams, à aller en personne lire son message devant le Congrès ; ce qui fait enrager Roosevelt de ne pas y avoir pensé plus tôt. Dans un premier temps, le nouveau président bénéficie des mesures qui, lancées pendant le mandat de son prédécesseur, arrivent à leur conclusion en 1913. Les XVIe et XVIIe amendements, qui prévoient l'élection directe des sénateurs et le principe de l'impôt sur le revenu, sont en accord avec la « Nouvelle Liberté » mais ne doivent rien à la victoire de Wilson.

L'adoption de la loi organisant le *Federal reserve system*, en décembre 1913, marque une incontestable continuité avec la période précédente. C'est à la suite de la crise financière de 1907, provoquée par l'incohérence de la politique du crédit, que la nécessité de créer une banque centrale s'est imposée. Divers projets sont alors mis au point par le Congrès à majorité républicaine et Taft en reprend le principe dans sa campagne de 1912. La nouvelle administration en fait, naturellement, l'un des points essentiels de son programme en tenant compte de la méfiance traditionnelle des fermiers à l'égard du retour à une banque centrale, honnie depuis Andrew Jackson et à peine tolérée pendant la guerre civile. Le débat est houleux et le projet final correspond aux vues du Congrès ainsi qu'à l'influence de McAdoo, conseiller économique du président. Une centralisation excessive est évitée par la création de douze banques fédérales de district et d'un Bureau fédéral de réserve, indépendant de l'administration, qui fixe en liaison avec les banques le taux d'escompte pour tout le pays. Cette nouvelle loi est importante, qui dote les États-Unis d'un système de banque centrale originale mais à la hauteur de celui des autres grands pays. Toutefois, la politique du crédit est encore dans l'enfance et, à part une courte période durant la Première Guerre mondiale, le *Federal Reserve System* ne parvient pas à proposer des solutions aux problèmes de l'endettement des fermiers ni à l'instabilité bancaire.

Le triptyque économique proposé par Wilson dès son investiture comprend, outre la réforme bancaire, l'abaissement du tarif douanier. Il s'agit là d'une mesure typiquement démocrate, répondant aux vœux des nombreux électeurs du Sud et de l'Ouest. Sans être révolutionnaire, le tarif Underwood rompt avec une politique vieille d'un demi-siècle ; il abaisse le taux moyen de 37 % à 27 % mais surtout supprime tout droit d'entrée sur un grand nombre de produits. Pour compenser la perte de revenus qui en résulte pour le trésor, un impôt sur le revenu est institué, sous l'impulsion du représentant du Tennessee, Cordell Hull. Il ne comporte aucune volonté distributive et n'a qu'un but fiscal, avec un plafond de 4 000 $ et un taux qui ne dépasse pas 6 %. Il s'agit néanmoins de l'amorce d'une politique très nouvelle pour un pays encore rétif devant toute forme d'imposition fédérale, elle n'avait été acceptée que durant la guerre civile.

Le dernier volet du programme wilsonien comporte un nouveau projet de loi antitrust, bien dans la lignée des préoccupations progressistes. Au départ, le président pense à rogner les pouvoirs des trusts de telle façon qu'ils s'éteignent comme une espèce condamnée. Les deux lois qui sont finalement votées par le Congrès à l'automne de 1914 ne correspondent guère à cette ambition. La loi Clayton remplace la loi Sherman de 1890, en définissant de manière beaucoup plus précise le trust et ses pratiques critiquables, mais elle ne comporte guère de moyens de contrôle ni de contraintes. Pourtant, sous la pression du parti, Wilson a accepté que la loi Clayton distingue sans ambiguïté les corporations des syndicats, ils ne pourront plus être poursuivis en application des mesures antitrust. Samuel Gompers s'en réjouit, mais les effets de ces dispositions ne sont pas à la mesure de ses espoirs de reconnaissance syndicale.

Plus significatif de l'évolution du président est le texte créant la *Federal Trade Commission* ; cette commission indépendante est dotée du pouvoir d'assurer la liberté économique et de lancer les poursuites contre ceux qui pourraient l'enfreindre. Cette nouvelle commission, créée sous l'impulsion de Brandeis, remplace le Bureau des corporations de Roosevelt et s'apparente aux mesures du « Nouveau Nationalisme » de ce dernier. Le fait que Wilson n'y nomme que des gens proches des milieux d'affaires n'empêche pas qu'il ait pris ses distances avec son programme initial, lequel excluait toute intervention directe du gouvernement fédéral dans l'activité économique.

Un progressiste très mesuré

Les mesures obtenues par le président dans sa première année de fonction ne sont pas profondément originales par leur contenu ; elles démontrent par contre la capacité de *leadership* qu'il a prouvée en prenant l'initiative tant sur la forme que sur le fond. Wilson a réellement fait passer un programme, ce qui n'avait rien d'évident en raison du caractère disparate de son parti tenu loin du pouvoir depuis de longues années. Ces mesures économiques sont importantes et vont dans le sens du progressisme, sans faire du nouveau président un progressiste. Il estime d'ailleurs avoir assez fait et n'envisage pas d'autres réformes. Il faut la pression du parti et la force du courant progressiste au Congrès pour qu'il accepte, en 1915, de signer la loi proposée par La Follette, le *Seamen's Act*, qui donne aux marins les droits essentiels de citoyen, alors qu'ils étaient jusque-là les serfs de leur commandant. Dans la même période, il s'oppose à toute loi réglementant le travail des enfants, à laquelle Roosevelt s'était rallié en 1912, ainsi qu'à tout amendement au sujet du suffrage féminin sous prétexte qu'il s'agit de questions relevant des seuls États. Le contexte de la guerre va néanmoins modifier cette attitude.

Avant la guerre

La Première Guerre mondiale, qui éclate en août 1914, n'affecte pas directement les États-Unis. Au départ européen, ce conflit est regardé de loin, dans l'esprit de la doctrine de Monroe. Pourtant, assez rapidement, les Américains sont amenés à s'y intéresser ; favorable sur le plan économique, elle finit par les inquiéter sur le plan stratégique. Il faut néanmoins attendre près de trois ans pour que le président Wilson fasse entrer son pays dans le conflit. Les États-Unis ont alors beaucoup évolué dans les dernières années sur les plans social et politique.

Des progrès inégalement répartis

L'essor économique prolongé qui marque le début du XXe siècle, à peine interrompu par la crise financière de 1907, contribue à un net accroissement de la richesse nationale américaine. Le produit national brut passe de 246 $ par habitant en 1900 à 473 $ en 1916. Cette richesse est très inégalement répartie puisque, à la veille de la guerre, les 5 % les plus riches de cette population détiennent les 15 % du revenu national et les millionnaires, fiers de l'être, sont relativement nombreux. Il n'en reste pas moins que l'ensemble de la population bénéficie de cet enrichissement ; le chômage disparaît presque totalement – ce qui explique l'échec des mesures envisagées pour limiter l'immigration – et la consommation s'accroît régulièrement, les Américains consommant deux fois plus de produits manufacturés que les Allemands ou les Français et moitié plus que les Anglais.

Dans ces conditions-là, les méthodes de production de masse sont le plus souvent d'origine américaine. La standardisation continue de progresser pour aboutir, en 1908, à la production de la *Ford T*, qui, cinq ans plus tard, est le premier modèle produit à la chaîne par des ouvriers particulièrement bien payés, 5 $ pour huit heures par jour ! Avec sa simplicité et sa robustesse, fait pour les médiocres routes américaines, dépourvu de toute fantaisie, produit en une seule couleur, noire, cet engin peu coûteux marque la volonté de démocratiser l'usage de l'automobile. Dès 1910, près de 500 000 voitures circulent aux États-Unis dans les campagnes comme dans les villes, près d'un million sont fabriquées cinq ans plus tard et le double en 1920. Dans le même temps, en Europe, les automobiles sont produites pour les besoins de l'armée ou, luxueuses, pour les plus riches. Cette amélioration générale des conditions de vie laisse subsister des situations difficiles. Les plus mal lotis sont les immigrants récents, mais les ouvriers, auxquels la prospérité n'apporte pas la reconnaissance qu'ils cherchent, ne participent guère à la belle époque. L'AFL négocie des contrats avantageux, obtient la journée de huit heures dans de nombreuses entreprises ; en 1903, les mineurs satisfont certaines de leurs revendications, mais les patrons continuent le plus souvent à refuser la négociation et répriment sévèrement les mouvements revendicatifs, en comptant sur la modération de la grande centrale syndicale. Ces contradictions expliquent l'émergence de syndicats plus durs, comme, en 1905, celui des *Industrial Workers of the World*, qui atteignent 70 000 adhérents en 1916, mais ils ont du mal à s'imposer, autrement que localement. Ces mouvements sociaux doivent affronter une violente répression policière, comme le massacre de Ludlow de l'hiver 1913-1914, perpétré par la milice du Colorado contre des mineurs qui cherchent à se syndiquer pour protester contre la réglementation d'une ville appartenant à la compagnie exploitante ; la mort de deux femmes et de onze enfants émeut l'opinion, mais sa réaction reste humanitaire. D'ailleurs, l'AFL se démarque vivement de toute propagande qui pourrait être jugée révolutionnaire, comme celle des *wobblies* de l'IWW.

Dans ce contexte, le score de Eugene Debs, candidat socialiste aux élections présidentielles de 1912 est particulièrement honorable, ses 6 % le plaçant à un niveau équivalent de celui des socialistes dans bien d'autres pays industrialisés, mais le mouvement retombe rapidement et, en 1920, il n'atteindra plus que la moitié de ce pourcentage. La relative médiocrité des résultats politiques des socialistes au niveau national, car ils sont présents dans les municipalités, s'explique par des divisions internes et par le peu de politisation des syndicats, comme par les particularités du système électoral américain, mais elle tient également à d'autres raisons plus profondes, comme l'omniprésence du progressisme dans cette période. Non pas que les progressistes soient socialistes, mais une partie des réformes qu'ils proposent sont parallèles aux revendications socialistes : démocratie directe, dénonciation des trusts et des profiteurs, interdiction du travail des enfants. L'écho médiatique du progressisme, sa relative récupération par le pouvoir politique contribuent à marginaliser le programme socialiste, présenté comme radical, et à en limiter la diffusion.

Ce mélange d'inégalité marquée, d'élans humanitaires et de revendications, qui parviennent difficilement à obtenir des résultats concrets dans un contexte économique favorable, caractérise bien la société américaine des années 1910. Beaucoup d'améliorations ont été apportées aux injustices les plus criantes, mais dans des limites bien marquées. En 1909, il faut que les lynchages de Noirs se multiplient jusqu'à Springfield, la ville de Lincoln, pour que l'opinion du Nord s'émeuve et que les leaders noirs rencontrent un écho parmi les intellectuels blancs ; cette alliance permet la création de la *National Association for the Advancement of Colored People (NAACP)*, dont le programme attaque la ségrégation omniprésente. Mais quand Wilson arrive à la Maison-Blanche en 1913, il rétablit dans toute sa sévérité la ségrégation raciale à Washington, en contraste avec son relâchement sous ses prédécesseurs républicains.

En dépit des nombreux progrès accomplis, ces diverses réactions sociales illustrent les limites atteintes par le progressisme.

Un bilan d'étape du progressisme

Avant 1914, une grande partie des réformes progressistes ont été adoptées par le Congrès. Il faut remarquer le parallélisme des mesures prises sous l'impulsion de Roosevelt ou Wilson, qui semblent presque inévitables étant donné l'importance des minorités réformatrices dans chacun des partis. Le cas de la limitation du travail des enfants est très révélateur ; refusée par Roosevelt et Wilson dans un premier temps, les deux s'y rallient finalement. D'autre part, l'évolution du président démocrate vers le « Nouveau Nationalisme » montre la nécessité d'utiliser le gouvernement fédéral pour faire aboutir ces réformes indispensables. Il n'est pas surprenant que le nombre de fonctionnaires fédéraux passe de 286 000 en 1901 à 402 000 en 1914.

Le progressisme, sur le plan fédéral, apparaît bien comme le plus petit commun dénominateur des deux partis qui permet l'aboutissement de nombreuses réformes, à condition qu'elles ne divisent pas trop. C'est ainsi que ni Roosevelt ni Wilson n'ont pris de mesures en faveur des Noirs ; le premier se contentant d'initiatives superficielles, quelques nominations à des postes subalternes ; le second appliquant à Washington la ségrégation légale comme dans les autres villes du Sud et n'évoluant que très lentement sous la pression de certains progressistes. Il ne pouvait exister de réelle majorité pour attaquer l'équilibre racial issu de 1896, ce qui justifie les seules initiatives privées, en dehors des forces politiques. Le même phénomène se produit pour le suffrage féminin ; les militantes, comme Susan B. Anthony qui, depuis 1870, plaçaient tous leurs espoirs dans cette réforme, ont utilisé des moyens de propagande pour arriver à leurs fins, reprenant aux partis leurs parades, leurs orchestres et leurs manifestations populaires, abandonnés par les formations politiques sous l'influence du progressisme. Les partis ont toujours fait la sourde oreille au niveau national, bien que cette pression ait produit ses effets dans certains États puisque, en 1912, les femmes peuvent voter en Californie, alors que cette possibilité avait été limitée jusque-là à quelques États sous-peuplés de l'Ouest. Finalement, le suffrage féminin doit attendre le lent cheminement du XIXe amendement, en 1920, grâce à l'opiniâtreté de progressistes déterminées et non par les partis traditionnels.

Le progressisme politique va pourtant connaître un renouveau à l'approche de l'élection de 1916. Wilson, poussé par la nécessité, renoue avec les réformes. Aux élections de 1914, les démocrates avaient connu des pertes importantes et la perspective de la réunification du parti républicain, à la suite de l'effritement rapide des positions du parti de Roosevelt mal implanté dans le pays, menace sérieusement la réélection du président. Wilson, meilleur politicien, qu'on ne le dit souvent, agit promptement en nommant dès janvier 1916 Louis Brandeis à la Cour suprême où il pourra maintenir l'esprit réformiste, même si une flambée d'antisémitisme se manifeste dans l'opinion en raison de cette nomination. Il n'hésite plus à soutenir une législation en faveur d'intérêts particuliers : travail des enfants, droit des travailleurs fédéraux, prêts spécifiques pour les fermiers, journée de huit heures pour les cheminots des grandes compagnies. Toutes ces mesures, issues du « Nouveau Nationalisme », coupent l'herbe sous le pied des progressistes et empêchent qu'ils rallient le parti républicain.

Wilson est d'ailleurs réélu, en 1916, avec seulement 600 000 voix d'avance sur son rival Charles E. Hughes bien que celui-ci représente l'aile réformiste du parti de l'Éléphant. Il faut toutefois préciser qu'outre la division réussie du vote progressiste, il a bénéficié de sa promesse de ne pas envoyer les *boys* en Europe.

Vers la guerre

À priori, les États-Unis ne privilégient aucun camp dans la guerre qui commence ; ils sont en rivalité avec l'Allemagne dans le Pacifique, alors qu'ils se sont rapprochés de la Grande-Bretagne au moment où celle-ci est empêtrée dans la guerre des Boers, et de la France, grâce à la francophilie de Roosevelt, mais cette orientation occidentale n'implique aucun engagement particulier. D'ailleurs, la présence d'une dizaine de millions d'émigrants d'origine allemande, le plus grand groupe national aux États-Unis, oblige le gouvernement à une certaine circonspection, car nul ne sait s'ils n'ont pas gardé un attachement à leur patrie et, d'un autre côté, l'attitude antibritannique des Irlandais contraint à ne pas trop s'aligner sur l'Angleterre.

Pourtant, en quelques mois, la situation internationale force le gouvernement des États-Unis à réagir. Deux problèmes principaux se posent : l'un provient de la difficulté grandissante à maintenir la neutralité dans une guerre où les belligérants ont recours à l'arme commerciale et au blocus ; l'autre est suscité par la demande de crédits de la part de la France et de l'Angleterre. Les États-Unis ont déjà été aux prises avec des problèmes de neutralité, lors des guerres de la Révolution et de l'Empire, ils se sont même battus en 1812 en raison de ceux-ci, mais encore durant leur guerre civile pour faire respecter leur blocus du Sud. Ces précédents ne sont guère encourageants et, du fait du blocus britannique, les Américains sont mis dans l'impossibilité de commercer avec l'Allemagne et les puissances centrales. En 1916, la tension est vive avec l'Angleterre, quand cette dernière réprime durement le soulèvement de l'Irlande, aux hauts cris des Irlandais des États-Unis ; pourtant Wilson parvient à calmer les esprits. D'ailleurs, suivant un courant traditionnel bien établi depuis des années, les Américains commercent presque exclusivement avec les Alliés. De ce fait, les navires américains ou les Américains embarqués sur des bâtiments britanniques sont sous la menace de la guerre sous-marine menée par les Allemands pour étrangler l'Angleterre. Au début de 1915, les premières victimes américaines tombent et, le 7 mai de la même année, le somptueux paquebot *Lusitania* est coulé, faisant 128 morts américains, sans que cet événement explique l'entrée en guerre survenue deux ans plus tard. D'autres incidents moins spectaculaires se produisent dans les mois qui suivent, qui font monter l'hostilité de l'opinion américaine à l'égard de l'Allemagne.

Dès l'été 1914, la France sollicite un prêt auprès de la banque *Morgan* ; Bryan, secrétaire d'État, refuse une telle atteinte à la neutralité. Pourtant, dans les semaines qui suivent, devant le risque d'un arrêt des exportations américaines, tous les obstacles sont levés : France et Angleterre vont bénéficier des crédits américains, sans lesquels les deux puissances étaient au bord de la faillite. En avril 1917, avant l'entrée en guerre, 2,5 milliards de dollars ont déjà été prêtés aux Alliés, alors que moins de 300 millions l'ont été aux puissances centrales, dont seulement 27 millions à l'Allemagne.

Le commerce et les crédits lient de plus en plus le sort des États-Unis à celui des Alliés, autant par amitié traditionnelle que par intérêt bien compris à l'égard de clients très familiers. Les contemporains, puis, dans les années 1930, les historiens progressistes menés par Charles Beard, ont accusé le gouvernement américain d'avoir cédé aux pressions des banquiers et des marchands d'armes. En fait, le rapprochement avec les Alliés n'implique nullement une entrée en guerre des États-Unis, mais les éloigne indubitablement de la neutralité. Le débat est vif sur ce sujet et il aboutit, en juin 1915, à la démission de Bryan, inquiet du ton très vif adopté à l'égard de l'Allemagne à la suite de la perte du *Lusitania*. Un premier clivage apparaît dès ce moment entre les pacifistes, souvent progressistes, qui refusent l'engrenage militaire et une large fraction de l'opinion montée contre les « horreurs » allemandes commises tant dans la guerre sous-marine que lors du « viol » de la neutralité belge. Un second clivage divise les partisans des Alliés ; les uns, souvent républicains, sont prêts à les aider à fond, les autres, autour de Wilson, désirent garder une liberté de manœuvre. Avec cette intention, le président, tout en obtenant le vote de crédits pour préparer l'armée et la flotte en raison des risques grandissants de la guerre sous-marine, tente, en janvier 1915, puis l'année suivante, une médiation auprès des combattants sans aucun résultat. Aussi, lors de la campagne électorale de 1916, quand il promet de ne pas envoyer de troupes en Europe, il ne s'agit pas d'hypocrisie de sa part, mais plutôt d'un espoir dans une éventuelle conciliation – conforme à celui d'une large partie de l'opinion –, sans qu'il exclue totalement la possibilité de la guerre.

Dans les mois qui suivent, le président et son conseiller, le colonel House, réalisent que les Alliés ont des buts de guerre très durs et que toute médiation est impossible. Or, les deux hommes dessinent un projet pour la paix à venir : celui d'un monde sans vainqueur absolu, où seront réglés les problèmes frontaliers et dans lequel les États-Unis pourront exercer une influence bénéfique grâce à la démocratie et à l'ouverture générale des marchés. Pour faire accepter ce plan ambitieux et bien qu'ils n'aient aucun objectif territorial, les États-Unis ne peuvent plus rester sur la touche, ils doivent s'engager dans la guerre tout en gardant une certaine autonomie pour peser sur la paix à venir et sans s'aligner sur la France et l'Angleterre, dont la survie reste essentielle. Cette pensée hautement stratégique avec perspectives à long terme n'est dévoilée ni aux Alliés ni à l'opinion américaine, mais elle sous-tend l'action de Wilson à partir de 1917.

Or l'Allemagne, par la reprise forcenée de la guerre sous-marine en janvier, multiplie les incidents qui impliquent des Américains et provoquent autant de *casus belli*. Dans ce contexte, début mars, la publication par les services anglais d'un télégramme secret du ministre allemand des Affaires étrangères, Arthur Zimmerman, qui, en cas de guerre avec les États-Unis, propose au Mexique de s'allier avec l'Allemagne et de récupérer les territoires perdus en 1848, provoque un choc supplémentaire dans l'opinion. Les pacifistes tentent encore d'empêcher l'armement des cargos qui est réalisé mi-mars, mais l'opinion est très remontée contre l'Allemagne. À la suite de nouveaux torpillages, la Grande-Bretagne étant menacée d'asphyxie, le 2 avril 1917, le président Wilson demande au Congrès de déclarer la guerre à l'Allemagne, en raison de la barbarie montrée par ce pays : c'est chose faite le 6 avril, par de très larges majorités dans les deux chambres. Sans toujours bien comprendre les motivations de leur président, une majorité de l'opinion le suit dans ce qui semble une croisade pour le bon droit.

Les États-Unis en guerre

En dépit d'un début de préparation militaire et économique, le changement est brutal quand il s'agit de faire effectivement la guerre. Les industries ne sont pas plus prêtes à fabriquer du matériel de guerre que l'armée, portée à 200 000 hommes, à combattre sur le sol français. Les besoins sont immenses en fait de matériel, d'équipement, d'approvisionnement, des fils de téléphone aux ambulances, sans oublier les moyens nécessaires pour recruter une armée et envoyer un corps expéditionnaire outre-Atlantique. Il apparaît rapidement que la coordination et l'organisation d'un tel effort ne peuvent être assurées que par le gouvernement fédéral. Le Congrès accorde d'ailleurs au président les pouvoirs de diriger les industries et les mines, de réquisitionner les fournitures, de fixer les prix, et lui confie la maîtrise sur la totalité du système de transport et de communication. Devant une telle centralisation, qui va au-delà des revendications socialistes, nombreux sont les progressistes qui se réjouissent. Ce pouvait être l'occasion de mettre un terme au gaspillage économique et, simultanément, de faire passer par ce gouvernement renforcé les réformes qui assainiront durablement les mœurs politiques et promouvront les indispensables valeurs morales

La mobilisation économique

L'effort de guerre, en tout plus de 10 milliards de dollars prêtés aux Alliés et 26 milliards de dépenses de guerre, est financé pour un tiers par l'impôt sur le revenu qui révèle toutes ses possibilités et pour les autres deux tiers par des emprunts : quatre prêts de la Liberté et un de la Victoire lancés avec une débauche de publicité – présentés par des vedettes de cinéma comme Mary Pickford et Douglas Fairbanks – et largement couverts.

L'organisation ne concentre pas les décisions entre les mains du seul président, mais celui-ci crée un ensemble de bureaux spécialisés coordonnés par le Conseil de la Défense Nationale. Le plus important de ces organismes est le Bureau des industries de guerre, fondé à l'été 1917 ; il ne prend néanmoins son essor que neuf mois plus tard, avec la nomination à sa tête de Bernard Baruch, financier de Wall Street. En établissant les meilleures relations avec les patrons, qu'il associe aux décisions, Baruch veille à la fourniture des produits nécessaires à la guerre pour les Alliés et les Américains : réglementation de la production, fixation des prix, répartition des contrats, détermination des priorités, encouragement des industries nouvelles. La standardisation est privilégiée pour éviter le gaspillage et l'efficacité prime sur législation antitrust.

Un bureau analogue est créé pour assurer la production et l'acheminement du pétrole et du charbon : en cas de pénurie, il n'hésite pas à fermer des usines civiles afin de réserver la production d'énergie pour la guerre. Une autre agence, sous la direction de William C. McAdoo, fidèle à Wilson, administre les chemins de fer qui restent privés, pour uniformiser les horaires, limiter le trafic civil et moderniser le matériel.

L'emprise de l'État s'étend aussi à la consommation des ménages, ce qui diffuse les effets de la guerre vers l'ensemble de la population. Herbert Hoover démontre tous ses talents d'organisateur en prenant en charge la *Food Administration*. Il s'agit d'augmenter la production de céréales, de viande et de sucre dont dépendent les Européens pour leur subsistance : à la fin de la guerre, les États-Unis exportent trois fois plus de produits alimentaires qu'avant celle-ci. La production et la consommation sont « hooverisés », par la fixation des prix des céréales, l'achat de la totalité de la récolte de sucre américain et cubain et la garantie des prix pour que les fermiers étendent leurs terres cultivées. De plus, les Américains sont rationnés, avec des « lundis sans froment » suivis de « mardis sans steak » et de « mercredis sans porc », et la réglementation de la distribution de pain et de sucre dans les restaurants. L'économie américaine n'a jamais été autant contrôlée et centralisée, mais les entreprises jouent le jeu, car cette mobilisation n'est pas faite pour durer.

La mobilisation sociale

Cet effort massif et multiforme n'aurait pu avoir lieu sans l'appui des travailleurs : le gouvernement promeut la paix sociale en poussant les patrons à la négociation tout en favorisant la syndicalisation, la hausse des salaires et la réduction des horaires de travail : la Fédération américaine du travail double ses membres en deux ans. La journée de huit heures est généralisée et même la sidérurgie, longtemps hostile, s'y rallie. Des emplois sont ouverts dans les activités de guerre ; des logements publics sont construits pour les ouvriers des arsenaux et chantiers navals et un système d'assurance sociale est créé pour les combattants et leurs familles. Pour la première fois, le gouvernement fédéral met en place une réelle politique sociale. Dans le même temps, en complet accord avec l'AFL, le gouvernement réprime durement les grèves lancées par l'Internationale des travailleurs du monde (IWW), à tendance révolutionnaire : les chefs sont jugés et condamnés à la prison après un procès expéditif.

Pour s'assurer le soutien d'une opinion qui reste divisée et réussir la mobilisation, le gouvernement organise, grâce au Comité de l'information publique, dirigé par le journaliste George Creel, une réelle propagande. Des tracts, des brochures, des films vantent l'effort de guerre et dénoncent les Allemands comme barbares et cruels ; l'art et les lettres allemands ne sont plus enseignés dans certains États et des manifestations xénophobes se déroulent sans être réprimées : des commerçants d'origine allemande sont agressés et leurs boutiques saccagées. Le Congrès vote des lois contre l'espionnage et la sédition, inspirées de celles de l'époque de la guerre d'Indépendance, qui permettent de poursuivre des délits d'opinion : de nombreux militants pacifistes sont ainsi arrêtés.

Les mesures de guerre et le climat dans lequel elles sont prises, avec souvent l'accord total du président Wilson, permettent à la fois de réduire le mouvement opposé à la guerre et d'affaiblir gravement les mouvements les plus radicaux, à la grande joie des conservateurs mal à l'aise devant les réformes des dernières années, alors que de nombreux progressistes, qui continuent à soutenir l'effort de guerre, s'inquiètent de ses atteintes à la liberté, comme de la gabegie entraînée par la production de guerre, même quand elle est assurée par le gouvernement fédéral.

En guerre

L'arrivée des Américains sur le front est d'abord symbolique, quelques unités menées par le général Pershing : « Lafayette, nous voici ! », et il faut attendre la fin de 1917 pour que les troupes américaines débarquent de façon régulière en Europe. Il a fallu du temps pour entraîner des soldats recrutés par la nouvelle loi instituant la conscription, de les équiper de matériel léger et de camions car, pour le reste, les Américains dépendent largement des Alliés : tanks britanniques et canons de 75 français. Environ 5 millions d'Américains ont été recrutés, 2 millions sont allés en France, dont 400 000 Noirs – l'armée est ségréguée comme la société et très rares sont les officiers ou les troupes d'élite noirs. Ces soldats, tant attendus par le général Pétain, jouent un rôle décisif à l'automne 1918, en particulier à Saint-Mihiel, pour contenir l'offensive allemande en Champagne et, dans les mois qui ont suivi, ces soldats bien formés constituent une part essentielle de l'effort de guerre allié. Les Américains ont tenu à garder l'autonomie de commandement et ont veillé à isoler leurs hommes des tentations de la société civile française ; ils ont reçu des consignes rigoureuses au point de vue hygiène et sexualité.

Les *doughboys* ou les *sammies*, comme ils ont été appelés, se sont battus avec courage et sans état d'âme, sans connaître toutes les horreurs de la guerre des tranchées. Pourtant, l'expérience a été forte : de jeunes écrivains comme John Dos Passos ou Ernest Hemingway, de jeunes politiciens comme Harry Truman, ont été marqués à vie, de jeunes Noirs ont aperçu, en permission à Paris, une société moins rigidement cloisonnée que la leur. Des femmes de bonne famille, comme Ann Morgan, ont conduit des ambulances et assuré les soins dans les hôpitaux. Au bout du compte, les pertes américaines dépassent 116 000 morts – dont la moitié de maladie. Sans comparaison avec celles des autres grands pays, ces pertes indiquent la réalité de la guerre américaine ; si les Américains se sont surtout battus en France, des contingents sont intervenus en Sibérie en 1919 pour sauver une partie de l'armée blanche et contrer les ambitions japonaises.

Toutes ces troupes sont rapidement rapatriées, une fois la guerre terminée ; elles ne doivent jouer aucun rôle dans la paix qui se prépare.

Un réel effort de guerre, des pertes limitées

- Hommes entre 18 et 45 ans enregistrés pour la conscription : 24 340 000.
- Soldats en uniforme : 4 744 000.
- Conscrits : 3 764 000.
- Incorporés : 2 820 000.
- Morts : 116 516.
- Blessés : 204 000.
- Pourcentage des pertes, morts et blessés, par rapport aux hommes entre 18 et 45 ans : 0,3.

Les propositions de paix de Wilson

L'entrée en guerre des États-Unis a permis à Wilson de mieux prendre conscience de la fragilité de la situation du monde. L'équilibre des puissances qui évitait ou limitait les conflits locaux a définitivement disparu et il ne s'agit plus, comme en 1915, de chercher à le rétablir mais bien de le remplacer par un autre système dans lequel les États-Unis seront nécessairement prépondérants. Sans cela, Wilson redoute des dangers qui menaceraient la civilisation, par l'apparition de conflits locaux, qui, comme en 1914, deviendraient incontrôlables. Le président parvient à l'idée d'un jeu de dominos dans lequel la chute d'un seul pion suffit à les faire tous tomber. Le projet de Société des Nations doit, très concrètement, répondre à ces besoins, en se substituant, pour le meilleur, à l'équilibre traditionnel des grandes puissances.

De plus, Wilson réfléchit au concept d'opinion publique mondiale qui, réveillée par la guerre, cherche également à empêcher le renouvellement de conflits monstrueux. Cette idée nouvelle et moderne correspond à une réalité concrète issue de la vie politique américaine : l'opinion publique, ou plutôt les opinions, s'y expriment et permettent de limiter les conflits. Dans le monde, il ne s'agit pas d'une opinion globale mais de la prise de conscience par des élites d'une nécessaire solidarité basée sur les valeurs humaines : les Européens s'inquiètent de la fin d'un monde, les peuples coloniaux espèrent une nouvelle ère. Selon Wilson, les États-Unis sont les seuls à avoir les moyens de répondre à ce type de questions, car ils ne sont pas aveuglés par des intérêts territoriaux et produisent « des bouffées d'air pur qui soufflent sur la politique mondiale, détruisent les illusions et nettoient ces endroits de leurs gaz et de leurs miasmes morbides ».

Ces idées complexes mais neuves sous-tendent les propositions de Wilson : les 14 points du 8 janvier 1918

1. Fin de la diplomatie secrète.
2. Liberté de navigation sur les mers en temps de paix ou de guerre.
3. Suppression des obstacles au libre-échange international.
4. Réduction des armements.
5. Règlement impartial des questions coloniales, en tenant compte du bien-être des populations.
6. Évacuation par l'Allemagne des territoires russes et accueil de la Russie « dans la société des nations libres avec institutions de son choix ».
7. Évacuation de la Belgique par l'Allemagne et restauration de sa souveraineté.
8. Retour de l'Alsace-Lorraine – prise par la Prusse en 1871 – à la France.
9. Règlement des frontières de l'Italie, suivant le principe des nationalités.
10. Autonomie des divers peuples d'Autriche-Hongrie.
11. Réarrangement des frontières des nations balkaniques suivant la nationalité, avec libre accès à la mer pour la Serbie.
12. Développement autonome des nationalités sous autorité turque et libre passage dans le détroit des Dardanelles pour les navires de toutes les nations.
13. Une Pologne indépendante avec libre accès à la mer.
14. Association générale des nations.

Le programme wilsonien n'est pas accueilli dans l'enthousiasme par les gouvernements européens, bien qu'il soit prudent et imprécis sur les colonies. Les Allemands ne sont pas encore prêts à s'en satisfaire, Français et Anglais n'y trouvent pas la nécessaire punition de l'Allemagne et Lénine et les bolcheviques rejettent la notion même de nationalité : en juillet 1918, l'envoi de 8 000 *Marines* en Sibérie, au sein d'un corps expéditionnaire composé essentiellement de troupes européennes pour y aider les Blancs contre les bolcheviques, viendra interrompre toutes les chances de rapprochement entre la nouvelle Russie et les États-Unis.

Pourtant, à l'automne 1918, lors des pourparlers du cessez-le-feu, les Allemands se raccrochent aux 14 points comme à une bouée de sauvetage et font même de leur acceptation par les Alliés la condition de leur signature. Les Américains poussent pour l'armistice du 11 novembre, avant que l'écrasement de l'Allemagne ne soit complet, pour que ce texte devienne la base des négociations de paix de l'année 1919.

Woodrow Wilson s'affirme comme l'incontestable meneur du jeu. L'Angleterre et la France, devenues dépendantes sur le plan financier et stratégique, doivent accepter, *volens nolens*, l'ordre du jour américain, car elles n'ont rien d'autre à proposer sinon un équilibre nouveau mais précaire des puissances. Dans ces circonstances, la volonté des États-Unis de se tenir au-dessus de la mêlée, tout en proposant des pistes nouvelles, explique l'enthousiasme des populations européennes qui ont accueilli Wilson ; il ne s'agit plus de langue de bois mais d'une vision saine avec des perspectives à long terme.

Le président Wilson se rend en Europe pour participer à la conférence de la Paix : il est accueilli par l'enthousiasme des populations d'autant que certaines d'entre elles, en Belgique et dans le nord de la France, sont ravitaillées directement par les Américains. Ces propositions nouvelles et attirantes pour l'opinion publique sont les seules à être présentées lors des conférences de Versailles et Saint-Germain-en-Laye ; les autres pays vainqueurs, comme la France, cherchent surtout à récupérer les territoires perdus et à punir l'Allemagne vaincue. Wilson ne domine pas pour autant les débats de Versailles, mais ses idées vont structurer les traités et, en même temps, se heurter à bien des difficultés concrètes. Contrairement à la légende, le président n'arrive pas en Europe avec des idées fumeuses, il est armé des informations recueillies lors d'une vaste enquête menée par cent cinquante chercheurs et universitaires spécialistes des questions européennes ; ces derniers ont mis au point des plans précis pays par pays pour la reconstruction de l'ensemble de l'Europe.

Dans les décisions de Versailles, l'influence américaine apparaît clairement. De bons exemples : la création du royaume de Yougoslavie – Wilson a été informé par des idéologues de la région et s'est rallié à leur projet –, la résurrection de la Pologne, l'éclatement de l'Autriche-Hongrie en petits États correspondant à peu près aux nationalités, avec inévitablement des zones contestées. Pourtant, l'autodétermination des peuples n'a pas eu lieu et l'accès des diverses nationalités au statut d'État constitué s'est révélé un casse-tête insoluble. De plus, le président américain a dû accepter le principe des réparations et faire droit aux prétentions françaises sur la Sarre. Le seul changement sur les questions coloniales vient des mandats sur les anciennes colonies allemandes ; il inaugure cette notion nouvelle de mandat d'origine américaine.

Les nombreuses imperfections du traité expliquent les réticences françaises et anglaises à l'égard de Wilson ainsi que la déception de l'Allemagne ; d'autre part, la participation de la Russie n'a pas été réglée, en raison de l'instabilité du régime. Le président américain est très conscient de la situation ; ni les gouvernements ni les opinions publiques ne sont prêts pour l'universalisme et la solidarité entre nations, les égoïsmes nationaux ont pris le dessus. Aussi s'accroche-t-il à la Société des Nations, seule apte à contenir les ambitions et à régler une à une les difficultés, grâce à la présence modératrice des grandes puissances.

La SDN est une pièce centrale du schéma américain. Elle symbolise l'avènement de l'opinion publique mondiale et le rejet du simple équilibre des puissances. Grâce à la SDN, les idées de coopération et de règlement négocié des contentieux devraient s'imposer peu à peu, pense Wilson. Aussi, tant à Versailles qu'à Washington, le président américain refuse-t-il obstinément de séparer le traité de l'établissement de la SDN. Clemenceau, Lloyd George

(Premier ministre britannique) et Orlando (Premier ministre d'Italie) ont trouvé cette insistance suspecte et l'ont attribuée à l'indécrottable idéalisme de leur partenaire. Il s'agit pourtant d'une vision réaliste, qui tient compte de l'équilibre mondial qu'il faut modifier, sans s'en satisfaire. En 1918, le wilsonisme bénéficie d'une fraîcheur incontestable, mais se situe trop loin des intérêts étroits des vainqueurs et des vaincus.

À première vue, la conception du monde de Wilson a été un échec et le réalisme de Clemenceau semble l'avoir emporté. Le président américain n'est pas parvenu à faire ratifier le traité de la SDN et l'Europe issue de Versailles s'est révélée instable et dangereuse, car l'application partielle des principes d'autodétermination et de nationalité n'a pas suffi à résoudre les problèmes.

Aussi, les traités de paix ne ressemblent-ils que d'assez loin aux thèses wilsoniennes. Le président des États-Unis a néanmoins obtenu la création de la Société des Nations (SDN) qui doit constituer la clef de voûte de l'application des traités de 1919. Loin de son pays pendant plusieurs mois et très sûr de lui, Wilson n'a pas su associer le parti républicain à son entreprise, ni expliquer avec clarté ses projets à l'opinion publique. Celle-ci ne comprend pas les ambitions mondiales de son président et, fière de la victoire, voudrait ne plus entendre parler de la guerre et de ses suites. Durant l'été et l'automne 1919, Woodrow Wilson se heurte à l'opposition résolue d'une minorité de républicains et ne parvient pas à convaincre ses concitoyens de la nécessité du traité de Versailles, ni de la SDN ; de surcroît, il est frappé, en octobre 1919, par une attaque qui le laisse paralysé jusqu'à la fin de son mandat et incapable de lutter contre ses opposants. En novembre 1919, le Sénat des États-Unis refuse de ratifier le traité de Versailles : les Américains ne siégeront pas à la SDN, qu'ils ont contribué à créer, ni ne donneront leur garantie au système des traités.

L'échec s'explique beaucoup par l'absence des États-Unis des instances de la SDN -- bien qu'une majorité des cadres soient américains, venus à titre privé représenter leurs universités et leurs entreprises –, par leur retrait momentané de la politique européenne et mondiale. De ce point de vue, l'incapacité du président à « vendre » le traité et la ligue des nations à sa propre opinion pèse très lourd. Les maladresses de Wilson vis-à-vis des républicains, qu'il n'a jamais associés à son projet, sa certitude d'avoir raison et d'œuvrer pour l'avenir, sa croyance excessive dans le soutien indéfectible de l'opinion publique américaine expliquent son échec final.

En fin de compte, les idées développées par Woodrow Wilson entre 1916 et 1919 servent à conceptualiser la politique étrangère des États-Unis au moins jusqu'aux années 1960. L'analyse des potentialités de son pays associée à une vision précise du monde avec ses dangers et ses atouts – modernisme de la notion d'opinion publique globale – forment un ensemble efficace qui n'a pas été remplacé sur le fond. Wilson, le premier, a donné aux relations internationales une dimension culturelle et politique qui dépasse la diplomatie classique. Pas plus en 1918 qu'en 1945 ou en 1965 au Vietnam, il ne s'agit d'une volonté missionnaire d'imposer les valeurs américaines, mais de proposer des moyens américains de résoudre certains des problèmes internationaux. Sans doute, cette conception sera largement modifiée par F. D. Roosevelt, puis par la lutte contre le communisme à partir de 1946, mais elle n'en donne pas moins un éclairage sur l'ensemble du XXe siècle et sur le début du siècle suivant, puisqu'on a parlé du « wilsonisme botté » de George W. Bush.

Une opinion déboussolée

Formidable et très impressionnant, l'effort de guerre américain n'a obéi à aucun schéma idéologique. Du jour où la guerre se termine, le 11 novembre 1918, les États-Unis mettent un terme brutal à tous les programmes mis en œuvre, ferment agences et commissions :

dès les premiers mois de 1919, l'État fédéral s'est totalement retiré de la vie économique et les deux millions de *Sammies* qui ont franchi l'Atlantique sont rapatriés aussi vite que le permet la capacité de la flotte : ils ne sont plus que quelques dizaines de milliers en Europe à la fin de l'année.

Une crise de reconversion

La conjonction de cet afflux de main-d'œuvre désœuvrée avec une baisse drastique des commandes de biens industriels et agricoles, le tout dans un climat inflationniste créé par la demande urgente due à la guerre – la moyenne des prix a augmenté de plus de 75 % depuis 1914 –, provoque une crise brève mais intense en 1919-1920. Rien n'a été prévu pour faire face à ces difficultés et le mécontentement est grand : le pouvoir d'achat baisse en dépit d'une faible hausse des salaires, alors que les besoins individuels sont immenses. Plus de 600 000 Noirs ont quitté le Sud entre 1917 et 1925 pour travailler dans les usines du Nord, mais leur présence ne paraît plus aussi nécessaire et les soldats noirs démobilisés retrouvent le racisme quotidien contre lequel l'accomplissement de leur devoir patriotique aurait dû les avoir prémunis.

Pour ces multiples raisons, 3 600 grèves, impliquant 4 millions de travailleurs, éclatent en 1919. Les patrons veulent reprendre les avantages qu'ils ont dû consentir pendant la guerre et ont tendance à voir derrière chaque grève l'influence redoutée de la révolution d'Octobre, qui serait importée par des immigrants radicaux. En janvier 1919, la grève des ouvriers des chantiers navals de Seattle, directement touchés par la fin des commandes de la marine, est durement réprimée par les *Marines* car les autorités y voient le premier Soviet du pays. En septembre, le droit de se syndicaliser est refusé aux policiers de Boston ; la grève qui s'ensuit permet au gouverneur de l'État, Calvin Coolidge, de fonder sa popularité : tous les grévistes sont licenciés. Le même mois, éclate la plus grande grève de l'histoire américaine, quand 350 000 ouvriers de la sidérurgie cessent le travail pour obtenir la reconnaissance syndicale. Le président Elbert Gary de la compagnie U.S. Steel en refuse le principe : la grève ne s'achève qu'en janvier 1920 sans que les ouvriers aient rien obtenu.

Peur et violence

Plus menaçant encore sont les attentats à la bombe, qui se multiplient au printemps 1919 : certains sont évités de justesse, d'autres, comme devant la banque Morgan, font victimes et dégâts. La maison du ministre de la Justice, l'attorney général A. Mitchell Palmer, est visée : autant de preuves d'une conspiration « rouge » dont la possibilité confuse inquiète nombre d'Américains. Les émeutes raciales de l'été 1919 ajoutent à ce climat dégradé : elles éclatent à Washington comme au Texas, en tout dans plus de 25 villes, faisant 120 victimes ; la pire se déroule à Chicago causant 38 morts, dont 23 Noirs, et 537 blessés, dont 342 Noirs. Des Blancs, souvent sans emploi, s'attaquent aux Noirs et vont jusqu'à les lyncher. Mais pour la première fois, les Noirs, parmi lesquels des soldats démobilisés, répondent à cette violence et n'hésitent pas à se défendre, faisant même des raids dans les quartiers blancs. Dans cette période de chômage, la concurrence est grande entre ouvriers des deux races et le Nord se montre aussi peu tolérant que le Sud. Comme de coutume, la police et la justice frappent plus durement les Noirs impliqués dans ces événements que les Blancs.

Ces événements sont le reflet de la peur confuse qui étreint de nombreux Américains confrontés à des changements brutaux, à des situations inédites après la grande perturbation de la guerre. Pour faire face, le gouvernement de Wilson n'hésite pas à utiliser des moyens vigoureux. Les États passent des lois contre la sédition qui permettent de nombreuses arrestations, des élus socialistes sont exclus, des serments de fidélité sont exigés dans certains établissements scolaires. Le Congrès commence à restreindre l'immigration et permet la déportation d'étrangers suspects de radicalisme : en décembre 1919, l'anarchiste Emma Goldman, dont le mariage avec un citoyen américain a été annulé, est envoyée en Russie où elle n'a jamais vécu, comme 500 autres déportés renvoyés dans leurs pays d'origine. Le ministre de la justice Palmer, persuadé du danger révolutionnaire, secoué par l'attentat qui a frappé sa maison et sûr du soutien de l'opinion, n'hésite pas à utiliser tous les moyens. Une sorte de police parallèle, qui donnera naissance au FBI en 1927, dirigée par le jeune E. Hoover, organise des descentes par surprise dans les organisations socialistes, saisit les documents, arrête les responsables sans mandat, et les soumet à des procès sommaires : au début de janvier 1920, 3 000 personnes dont de nombreux étrangers, suspectées de communisme, sont ainsi arrêtées dans trente-trois villes.

En mai 1920 dans ce contexte, sont appréhendés, puis condamnés à mort dans un procès tendancieux, les Italiens Nicola Sacco et Bartolemeo Vanzetti : deux ouvriers anarchistes accusés sans preuve convaincante d'avoir tué le caissier d'une usine de chaussures du Massachusetts après lui avoir volé la paie des ouvriers. Leur origine étrangère et leur option idéologique hautement revendiquée en font des coupables emblématiques : en 1921 au moment du procès, ils cristallisent la peur de nombreux Américains qui se sentent menacés par ces bolcheviques au couteau entre les dents. Une grande campagne en leur faveur se lève en Europe et en Amérique latine alors que leur exécution approche après le rejet de nombreux appels et celle-ci contribue au durcissement des autorités américaines, qui n'admettent pas de céder à une pression étrangère. Sacco et Vanzetti seront exécutés en 1927.

Les progressistes ne prennent pas tous leurs distances avec un gouvernement dont ils avaient beaucoup attendu et qui va très loin dans l'attaque contre les libertés, car souvent ils sont fiers d'être américains et rejettent la contagion communiste. Ils sont, comme d'autres, inquiets des conséquences de la paix ratée et ne comprennent pas les ambitions mondiales de leur président. La guerre n'a amené que contraintes désagréables et suites menaçantes.

Pourtant, au-delà des ces mois d'après-guerre troublés, beaucoup des réformes initiées par les progressistes dans les villes et dans le système politique se mettent en place et conditionnent l'évolution du pays dans la période suivante : par bien des aspects, la prohibition de l'alcool et le refus de tout engagement international sont inspirés directement par des courants progressistes.

Deuxième partie

Le difficile accouchement de la modernité 1920-1945

D'une guerre mondiale à l'autre, les États-Unis sont passés d'une puissance émergente, refusée par de nombreux citoyens, à la victoire incontestable de 1945, après un conflit considéré par tous comme fondamentalement juste. La longue présidence du pays, assumée par Franklin D. Roosevelt, l'a aussi marqué, car le rôle de l'État fédéral s'est beaucoup accru, alors qu'une ébauche d'État-providence était mise en place. Dans le même temps, pourtant, les blocages raciaux n'ont pas disparu, en dépit de quelques progrès individuels, mais les moyens du pays à la fin de Seconde Guerre mondiale laissent penser que d'autres progrès surviendront.

Le prestige des États-Unis immédiatement après la fin de la guerre est immense, comme le sont les atouts dont ils disposent : vaste défi pour la démocratie, les libertés publiques et la capacité de gouverner le monde.

Chapitre 6

Ombres et lumières (1920-1933)

Cette douzaine d'années est basée sur un système complexe de contradictions. D'un côté, les États-Unis se lancent dans une prospérité qui semble désormais assurée à jamais, avec des automobiles achetées par le plus grand nombre, avec Hollywood qui atteint son apogée, avec des progrès pour les femmes et même pour les Africains-Américains : *Gatsby le Magnifique* de Scott Fitzgerald symbolise les fastes des années 1920. De l'autre, de nombreux Américains manifestent une profonde inquiétude à l'égard des nouveautés sociales engendrées par cette même prospérité : les plus radicaux mettent en place la prohibition, afin de contrôler l'être humain mauvais par nature, d'autres choisissent de fermer les frontières et de restreindre puissamment l'immigration, alors que les manifestations renouvelées du Klu Klux Klan se déroulent à Washington et dans les villes du Nord. Pourtant, le pays semble à l'abri des remous mondiaux et limite soigneusement sa participation internationale. La crise qui éclate en 1929 paraît d'autant plus catastrophique qu'elle ébranle les certitudes des uns et des autres : elle donne tort aux modernes comme aux réactionnaires.

La vie moderne

La crise de reconversion de 1919-1920 a été violente, avec la demande moindre des produits agricoles et le dérèglement des échanges commerciaux et financiers, mais elle est peu durable et disparaît rapidement des mémoires avec les mauvais souvenirs de la guerre.

Une nouvelle économie ?

En dix ans, 1919-1929, le PNB des États-Unis passe de 78,9 à 104,4 milliards de dollars, avec une croissance d'environ 4,2 % par an. Les nouveautés technologiques permettent de parler de deuxième révolution industrielle : l'auto et le bus supplantent le train, l'électricité domine le secteur de l'énergie – l'énergie électrique remplace de plus en plus la vapeur dans les usines. De 1914 à 1930, le pourcentage d'entreprises qui ont choisi l'électrification passe de 30 à 70 % et près de la moitié des machines à vapeur américaines finissent leurs jours dans la même période. L'agriculture ne suit pas le même rythme et reste à l'écart de ces progrès.

Dans la même période, la production industrielle a quasiment doublé, passant de l'indice 58 à 110 (base 100 pour la moyenne de la période 1933-1939). Cette croissance s'est produite sans augmentation de main-d'œuvre, mais grâce à une hausse de la productivité due essentiellement au progrès technique. Les secteurs industriels les plus modernes mènent la croissance avec l'essor de la radiophonie (plus de 10 millions de téléphones sont installés en 1915, le double, en 1930) et l'explosion de la production automobile.

La Ford T apparaît avant la guerre, mais elle ne devient le symbole de l'Amérique automobile que dans la période suivante. Produite à 15 millions d'unités durant près de 20 ans à un prix toujours décroissant – il passe de 1 500 dollars en 1913 à 290 en 1929 pour le modèle le plus ordinaire –, cette voiture de conception simple, mais pourvue à sa sortie en 1908 de nombre d'innovations (capote amovible, éclairage, pneumatiques) satisfait le fermier comme le citadin. Toutefois, au fil des années, les clients ne se contentent plus aussi facilement d'une voiture rustique et souhaitent plus de confort et de nouveauté technique, mais le système Ford, basé sur un modèle unique, est parvenu à accoutumer l'Américain à l'automobile s'il ne suffit plus à une société bien peu égalitaire. Le prestige de Ford reste tel que quand il annonce, en 1928, son nouveau modèle A qui succède à la T, un demi-million d'Américains versent un acompte pour cette voiture qu'ils n'ont encore pas vue.

Pourtant le règne de Ford est de moins en moins hégémonique et, vers 1920, une centaine de constructeurs proposent des modèles variés sous les noms aussi divers que Dodge, Sdudebaker, Willis, Overland : voitures de luxe ou concurrentes directes de la T. Rapidement la concentration gagne aussi la construction automobile et en 1929 il ne reste plus que 44 constructeurs, mais parmi ceux-là, Ford, Chrysler (1924) et General Motors assurent 80 % de la production. Les conduites intérieures, équipées de chauffage, de démarreurs électriques, et de multiples perfectionnements, fabriquées par la méthode de l'assemblage mise au point par l'ingénieur Chrysler, remplacent de plus en plus la noire et fruste T.

General Motors, fondée dès 1908 par Will Durant, a commencé par regrouper nombre de petits constructeurs comme Cadillac, Buick, Pontiac, puis à produire une voiture populaire : la Chevrolet; en 1920, l'arrivée aux commandes de Pierre du Pont et d'Alfred Sloan provoque une totale réorganisation. Il s'agit de produire une gamme de modèles très diversifiés, sous des marques différentes, les unes identifiées au luxe comme Cadillac, les autres à la simplicité comme Chevrolet, tout en organisant une gestion décentralisée fondée sur l'expertise du technicien et la rationalité économique. De bons résultats sont rapidement atteints et dès 1929, avec 30 % du marché, GM passe devant Ford dont la gestion reste traditionnelle. La méthode GM sert de base à la plupart des firmes automobiles dans le monde, avant de s'écrouler en 2008 sans avoir su se moderniser.

Grâce à ces multiples transformations, 5,3 millions de véhicules à moteur sont produits en 1929 – chiffre qui ne sera pas égalé avant 1949 – aux États-Unis où 26,7 millions d'autres circulent. La saturation est proche, puisque roule une auto pour cinq Américains – 56 % des familles en possèdent une –, contre une pour quarante-trois personnes en Grande-Bretagne ou en France et une pour trois cent vingt-six en Italie. Il ne s'agit pas uniquement de voitures particulières, mais aussi de camions qui permettent d'acheminer des marchandises dans les coins les plus reculés du pays et de bus, qui supplantent peu à peu le train. Au début de la période, des petits opérateurs locaux transforment eux-mêmes leurs véhicules pour acheminer des passagers, mais peu à peu les États adoptent des règlements de sécurité et les constructeurs produisent des engins adaptés au transport collectif. La concentration se déroule sur le plan régional jusqu'à la formation, en 1929, de la compagnie Greyhound qui s'impose sur le plan national. Le bus coûte moins cher que le train ou le tram, parcourt des routes pittoresques et permet une grande souplesse d'utilisation. En 1929, plus de 33 000 bus circulent dans le pays, ils concurrencent directement le train qui avait été le symbole de l'Amérique du XIXe siècle. Tous ces véhicules disposent de 400 000 kilomètres de routes, soit autant que de voies ferrées, signe d'une évolution irréversible.

L'industrie automobile américaine est au cœur de la réussite des années 1920, mais elle laisse percevoir quelques faiblesses. En effet, cette industrie est devenue la première par la valeur de sa production; de plus elle est à la base de l'essor de l'industrie pétrolière, des peintures spécialisées, de la vitre ou du caoutchouc et elle contraint la sidérurgie à adapter ses produits à ses besoins; les États investissent des sommes considérables dans la construction et l'amélioration de routes et d'ouvrages d'art et, en 1929, le gouvernement fédéral se lance dans un premier programme d'autoroutes entre les États. Naturellement, des stations-service apparaissent, des commerces et des usines s'installent le long des routes, comme les habitations ou les écoles, surtout dans les campagnes.

La stagnation relative du marché de l'automobile à partir de 1927, réduit de plus en plus à un marché de remplacement, a des conséquences immédiates sur une grande partie de l'activité industrielle. De leur côté, les banques commencent à s'inquiéter du développement du crédit qui a permis la réelle démocratisation de l'automobile, mais qui, appliqué à un produit à durée de vie limitée – 7 ans pour une voiture –, entraîne des risques.

Le ralentissement de l'effet d'entraînement venu de Detroit, où la plupart des fabricants sont alors installés, n'explique pas la crise qui va survenir mais constitue une faiblesse dissimulée par la débauche de publicité destinée à convaincre un client devenu réticent.

Si les secteurs les plus modernes se développent et attirent toute l'attention, il n'en va pas de même des domaines plus traditionnels. Ni la sidérurgie ni le textile ne connaissent de tels succès, ils n'ont pas bénéficié d'innovation majeure, et sont directement concurrencés par les nouveaux produits : les textiles synthétiques amènent la multiplication des fermetures d'usines de Nouvelle-Angleterre au profit de leurs filiales du Sud, où les salaires restent notablement inférieurs; en revanche la construction de gratte-ciel et de voitures assure l'essor régulier de la production d'acier et de pétrole (l'industrie pétrolière se développe au Texas et en Californie au rythme annuel de 50 %). En revanche, la croissance de l'industrie chimique américaine est spectaculaire, mais elle est due en partie à l'acquisition de brevets allemands. Les fermiers s'endettent pour acheter des tracteurs et des engrais chimiques, rendus nécessaires par la disparition du fumier de cheval. Ces investissements massifs expliquent en partie la vigueur du « boom » des années 1920.

L'augmentation de la production a été possible grâce la rénovation des méthodes de gestion des entreprises les plus modernes. L'influence du « taylorisme » se généralise et commence à se répandre en Europe : les gestes de l'ouvrier sont décomposés de manière à les rendre plus efficaces et plus rapides. L'exemple de la chaîne de montage d'Henry Ford est typique : une voiture est produite toutes les 93 minutes en 1915 et une toutes les 10 secondes en 1929.

L'application de telles méthodes à des secteurs de forte innovation technologique contribue à expliquer la croissance de la production, mais encore faut-il que les entreprises aient les moyens d'investir. Pour y parvenir, la vague de concentration, ralentie par la fièvre anti-trust de l'ère progressiste, reprend vigoureusement. Le gouvernement fédéral, aux mains des républicains, favorise les activités des hommes d'affaires; Herbert Hoover, ministre du Commerce avant d'accéder à la présidence en 1928, pousse à la création de grandes corporations, à partir d'un regroupement par métiers. Dans ce contexte, le mouvement de concentration, souvent de type horizontal et sous la forme de vastes holdings, touche des secteurs nouveaux. Ainsi, la production d'électricité est-elle en plein essor et, en 1930, elle est assurée par 10 groupes, parmi lesquels General Electric et Westinghouse, au lieu de près de 4 000 en 1920.

La concentration touche également la fabrication des cigarettes, Philipp Morris, ou des savons avec la formation du groupe Colgate-Palmolive, mais le secteur des services fournit d'autres exemples : de 1920 à 1929, le nombre de banques passe de plus de 30 000 établissements à 16 000, par fusion ou faillites, ce qui aboutit à la prédominance de quelques grands groupes : 1 % des banques contrôle ainsi près de la moitié de l'activité bancaire. Le même phénomène se produit dans la distribution avec l'apparition de chaînes commerciales qui dominent largement le petit commerce, quand elles ne le font pas disparaître dans certaines localités. Atlantic & Pacific, Woolworth et quelques autres grandes marques voient leurs ventes se multiplier pour atteindre des résultats étonnants : A & P assure 10 % de la vente de produits alimentaires de tout le pays et les habitants de Philadelphie font les deux tiers de leurs courses dans des magasins à succursales. Le cinéma suit la même voie avec l'émergence de huit producteurs, les *majors*, qui assurent 90 % de la production et contrôlent 20 000 salles de cinéma dans tout le pays ; l'industrie cinématographique se situe au 4e ou 5e rang du classement des industries.

L'essor extraordinaire du commerce fournit la clef essentielle de l'accroissement de la production durant les années 1920. La prospérité repose sur une forte consommation assurée par l'augmentation du pouvoir d'achat des Américains. Le salaire moyen a augmenté de 26 % et les dividendes des actionnaires des entreprises de 65 % ; il subsiste des secteurs de grande pauvreté, mais le revenu moyen par tête passe de 522 à 716 dollars. L'inégalité des revenus – le nombre des millionnaires ne cesse de croître : les 36 000 familles les plus riches du pays ont un revenu équivalent à celui de 12 millions de familles qui constituent 44 % de la population – n'empêche pas un nombre toujours croissant d'Américains de pouvoir consacrer une part notable de leurs revenus à la consommation. Certains industriels l'ont tellement bien compris que, suivant l'exemple de Ford, ils payent des salaires suffisants à leurs ouvriers afin d'en faire des consommateurs, qui peuvent grossir les rangs de la classe moyenne. De plus, la plupart des industriels consacrent des budgets importants à la publicité qui devient envahissante pour satisfaire la déesse consommation. Une grande variété de produits courants sont également industrialisés, de la montre-bracelet au « Pyrex », en passant par le briquet ou les pellicules pour le cinéma. L'alimentation suit le mouvement : conserves de légumes, de viande ou de fruits sont d'utilisation courante dans les villes. Non contents de développer l'existant, les industriels mettent au point des nouveautés : en 1930, près de 70 fois plus de rayonne que quinze ans auparavant sont produites, ce qui révolutionne l'industrie textile ; la bakélite s'impose dans la fabrication des postes de radio, tout comme les peintures laquées pour l'automobile ; de plus, l'utilisation d'électroménager s'amplifie : réfrigérateurs, fer à repasser, machine à laver, etc.

Le niveau de vie américain est alors, de très loin, le plus élevé du monde et les voyageurs européens sont stupéfaits de trouver des téléphones partout, des machines toujours nouvelles et surtout des myriades d'automobiles klaxonnant et fumant.

Le triomphe de la publicité

Les succès extraordinaires de l'économie américaine, dont l'automobile est le plus beau fleuron, contribuent à placer les hommes d'affaires sur un véritable piédestal, alors que les progressistes n'avaient pas été tendres, avant 1917, envers ceux qu'ils jugeaient être des tyrans sans morale. La transformation survient, paradoxalement, à la suite de l'effort de guerre ; celui-ci a été une réussite de la forte centralisation exercée par le gouvernement fédéral, mais ce sont les hommes d'affaires qui en reçoivent le crédit, car ils l'ont réalisé. Les réussites éclatantes de la période suivante font le reste.

La publicité comme les déclarations officielles vont dans le même sens : une véritable idéologie du business se développe. Tous les problèmes de la société semblent pouvoir être réglés à la manière de ceux des entreprises. L'homme d'affaires a remplacé « l'homme d'État, le prêtre, le philosophe en tant que créateur de valeurs éthiques et de comportement » peut s'exclamer un écrivain et dans un best-seller de 1925-1926, *The Man Nobody Knows*, le publicitaire Bruce Barton affirmer sans hésiter que Jésus-Christ est le fondateur du monde des affaires : n'est-il pas allé « chercher une douzaine d'hommes issus des bas-fonds du business pour former une entreprise qui a conquis le monde entier ? » Le président Coolidge partage des certitudes analogues et, pour lui comme pour la plupart des Américains, Henry Ford est le symbole vivant de ces hommes d'affaires qui disposent de toutes les solutions aux problèmes du temps : il a donné le bien-être aux ouvriers en en faisant des consommateurs, sans accepter les règles d'acier de la bourse, et mène avec sa famille une vie digne et austère, et peu importe qu'il soit raciste et profondément conservateur. Nombre de patrons sont persuadés de pouvoir résoudre le problème social en assurant le bien-être et le confort à leurs employés, à qui ils fournissent, avec un paternalisme serein, des espaces verts, des assurances, des cadeaux de fin d'année, des bibliothèques et autres menus avantages. Le business semble si bien réussir qu'un vieux progressiste comme Lincoln Steffens s'exclame, lors de l'élection de 1928 : « Les grandes entreprises ont atteint, aux États-Unis, le but que les socialistes s'étaient fixé : de la nourriture, des logements et des vêtements pour tout le monde. » L'arrivée de Herbert Hoover au pouvoir, autre exemple de réelle réussite personnelle, semble assurer la pérennité de cette situation idyllique. Cette euphorie liée au début d'une économie de la consommation, grâce aux outils du capitalisme, se retrouve à partir de 1980 et jusqu'à la crise de 2008 ; d'ailleurs l'exemple des années 1920 a alors été cité fréquemment.

Pourtant la glorification du business dissimule des problèmes qui sont loin d'être résolus. L'essor de la production industrielle ne s'est nullement accompagné du plein-emploi, car il a été essentiellement obtenu par des gains de productivité. Durant toutes les « années folles » subsiste, de ce fait, un chômage important ; difficile à évaluer en l'absence de statistiques officielles : il se situe entre 5,2 et 13 % de la population active. Nombreux sont les travailleurs à perdre leur emploi, pour quelques mois ou plus. Les États-Unis, en raison de la diversité des législations des États, restent l'un des pays industriels où les journées de travail sont les plus longues, où le travail de nuit n'est pas rare pour les femmes et les enfants et où personne ne se soucie de venir en aide aux chômeurs. La prospérité, célébrée dans les médias, masque une réalité qui n'est pas dramatique, mais qui pourrait devenir préoccupante.

Cette situation explique que, pour faire mentir la règle, la prospérité soit une période peu favorable pour les syndicats. Dès 1923, l'AFL a perdu près d'un million et demi de membres, en raison de la conjonction d'une forte répression, à partir de la peur rouge de 1919 et 1920, du désintérêt du gouvernement fédéral – la Cour suprême invalide des lois qui protégeaient les travailleurs – et du maintien d'un chômage non négligeable. D'ailleurs les grèves, encore nombreuses au début de la période dans les mines ou le textile, sont inefficaces. Une fois encore seul le succès retient l'attention : nombreux sont les Américains à estimer que ceux qui chôment le veulent bien, et refusent donc toute forme de syndicalisation.

Les fermiers ne bénéficient guère de la prospérité. Quand, en 1929, le revenu national par tête atteint $ 750, celui du fermier n'arrive qu'à $ 273, alors que le secteur agricole ne représente plus que 9 % du revenu national. D'ailleurs, comme pour marquer ce déclin, le recensement de 1920 indique, pour la première fois, que les Américains sont plus nombreux à vivre dans les villes – définies à partir de 2 500 habitants – que dans les campagnes. L'Amérique de Thomas Jefferson, fondée sur une communauté de propriétés agricoles de taille comparable, qui a toujours été un mythe, n'est plus qu'un rêve nostalgique : Henry Ford, l'homme moderne par excellence qui a contribué à détruire l'ordre traditionnel des choses, reconstitue à Greenfield Village une communauté villageoise typique du XIXe siècle, avec chevaux, tisserand et souffleur de verre, en fournit la meilleure illustration (aujourd'hui ont été adjointes à ces traces passéistes des voitures Ford des années 1950).

Les fermiers ne se sont jamais remis de la crise de l'immédiat après-guerre. Ayant étendu les surfaces cultivées de 40 % en raison des prix élevés garantis par Herbert Hoover pour subvenir aux besoins des Alliés, ils doivent désormais faire face à une surproduction qui fait chuter les cours de façon sensible, au fur et à mesure que le marché européen se ferme. Pris dans le piège de l'endettement, accentué par la modernisation des équipements – tracteurs, voitures, engrais –, les habitants des campagnes voient leur pouvoir d'achat baisser régulièrement, ce qui les tient à l'écart des bénéfices de la consommation. Les gouvernements restent sourds aux protestations de cette partie de la population qui revendiquait, encore en 1896, le premier rôle. Les fermiers restent fidèles au credo progressiste : intervention de l'État, redistribution des revenus en leur faveur et financement public des travaux d'irrigation. Mais ils sont presque les derniers à revendiquer un tel programme, à un moment où les valeurs rurales ne sont plus guère à la mode et où le pouvoir politique est fasciné par le business.

Un temps pour le plaisir ?

Le développement industriel accéléré, le rôle grandissant des services dans l'activité économique, l'importance considérable accordée au commerce dans toutes ses facettes, sont autant d'éléments qui expliquent l'urbanisation croissante des États-Unis. Une majorité d'Américains vit désormais dans des villes dans lesquelles se concentrent la plupart des progrès significatifs, dont profite surtout une classe moyenne aux limites floues, mais en plein essor.

Dans les grandes et les petites villes de plus en plus étudiées par des sociologues, on retrouve un certain nombre de traits communs : les logements sont bien équipés – l'électrification des villes se généralise durant la période –, de nombreuses machines – aspirateur (1917), fer à repasser et grille-pain (1912), réfrigérateur (1932) – viennent y alléger le travail des ménagères. Dans le budget de ces familles, la part de la nourriture diminue au profit des dépenses d'habillement, d'équipement ou de loisir. Signe de cette évolution, l'automobile s'impose d'un bout du pays à l'autre, modifiant la physionomie des villes autant qu'elle facilite les déplacements tant professionnels que récréatifs.

Journaux et magazines en nombre toujours croissant popularisent ce mode de vie car leurs ressources proviennent, avant tout, de la publicité qui peut occuper jusqu'aux deux tiers du contenu. Le phonographe inventé par Edison en 1877 constitue un élément de plus en plus courant du mobilier, et, en dépit des contraintes techniques de l'enregistrement, 100 millions de disques sont produits en 1921, chacun compose la discothèque de son choix.

C'est également dans les villes que la radio, la « TSF », se développe de façon encore plus remarquable. Née en 1920 à Pittsburgh, dans une filiale de Westinghouse, cette nouvelle forme de communication connaît un succès foudroyant puisque, dix ans après cette expérience, 14 millions de familles possèdent un poste de radio. Une agence fédérale (devenue Federal Communication Commission en 1934) accorde les autorisations d'émettre. La diversité entre les stations, elle, subsiste même quand survient la concentration – National Broadcasting Corporation et Columbia Broadcasting Corporation naissent en 1926 et 1927. En effet, la diffusion de musique, entrecoupée de nombreux messages publicitaires et d'un peu d'information, aboutit à généraliser des thèmes communs à travers tout le pays et surtout dans les zones urbaines, où l'on trouve la plus grande partie des stations et des postes.

Ces exemples de la civilisation de masse caractérisent une frange non négligeable de la société américaine, mais ils se déclinent suivant les considérables différences de revenus qui existent dans le pays. Ainsi sur les 27,5 millions de familles américaines de 1929, seuls 7,5 millions ont plus de $ 2 500 de ressources annuelles, alors qu'il faut compter près de $ 2 000 pour vivre décemment dans la Middletown (ville anonyme, en fait Muncie dans l'Indiana) étudiée par le couple de sociologues Lynd. Or, la vie y est moins chère que dans les grandes villes et surtout qu'à New York, d'où proviennent la plupart des informations.

Même au sein de la classe moyenne des employés à « cols blanc », les différences sont considérables : les uns plongent dans les charmes tout nouveaux de la consommation de masse et leurs revenus sont les gages de la reconnaissance sociale, les autres, plus huppés, préfèrent des plaisirs plus capiteux, tout en rêvant avec nostalgie à la vie rude du vieil Ouest. De la même façon, les femmes, dont beaucoup sont secrétaires dans les bureaux, n'accèdent pas toutes aux fonctions prestigieuses de chef d'orchestre ou de vedette de cinéma.

L'Américaine des années 1920, aux cheveux coupés à la « garçonne », porte des robes amples, qui ne dépassent pas le genou et des souliers plats. Elle travaille, elle vote. Telle est l'image la plus fréquente dans les magazines, celle de la *flapper* pour employer le terme américain, créé par l'humoriste Henry L. Mencken. Cette Américaine surprend les visiteurs européens qui s'extasient devant sa liberté d'allure, s'étonnent de la variété de ses activités professionnelles quand ils ne s'inquiètent pas de sa liberté apparente.

De telles descriptions ne sont pas fausses, mais ne correspondent qu'à la jeune femme des grandes villes qui inspire romanciers et cinéastes. Si la situation des femmes a considérablement évolué, cela s'est fait sans bouleversement. Après des années de mouvement féministe et après avoir remplacé les hommes dans les usines d'armement ou dans les fermes durant la guerre, nombreuses sont les Américaines qui veulent affirmer leur personnalité. Celles-là adoptent volontiers une mode qui les libère des vêtements traditionnels, elles n'hésitent pas à fumer et à boire et se montrent de redoutables consommatrices. Les autres, moins actives, suivent plus lentement cet exemple. La jeune fille des villes profite particulièrement de cette évolution, elle sort plus librement qu'auparavant, n'hésite pas à avoir des aventures avant le mariage : autant d'éléments qui alimentent les romans populaires et peuvent être portés au crédit, ou au débit, de cette « nouvelle femme ».

Ces changements dans la morale et le comportement deviennent irréversibles : dans les années 1920, le nombre de divorces croît sensiblement, atteignant 206 000 en 1929 pour 1,23 million de mariages, ce qui signifie que près de 20 % d'entre eux se termineront par une séparation.

Les Américaines jouissent, par rapport aux Européennes, de l'avantage considérable du droit de vote. En effet, la longue lutte des féministes a permis l'adoption du XIXe amendement en 1920, dernière mesure du progressisme militant. D'une telle évolution, obtenue sans violence, les féministes attendaient beaucoup, mais elles ne tardent pas à être déçues. En effet, dans leur esprit, le vote féminin devait moraliser la politique et influer sur la législation dans un sens plus social. Or, il apparaît très vite que les nouvelles électrices ne profitent guère de leur droit, étant souvent, lors des premières élections, moitié moins nombreuses que les hommes à aller voter. Mais au bout de quelques scrutins, leur participation électorale devient similaire à celui des hommes : l'élan civique ne vient pas immédiatement. Enfin, les réticences des politiciens à ouvrir leurs rangs aux femmes, jointes à une certaine inertie de leur part, conduisent très peu d'entre elles aux postes de commande : elles n'accèdent guère aux fonctions électives. Aussi est-il malaisé d'attribuer une véritable influence au vote des femmes ; il s'agit pourtant d'une mesure indispensable d'égalité politique que les États-Unis ont su adopter avant la plupart des grands pays, sans qu'elle provoque aucun mouvement de fond.

L'autre atout des femmes américaines est leur apparente réussite professionnelle. On cite volontiers le cas de femmes avocates, architectes ou dirigeantes d'entreprise, on insiste sur les 2 millions de secrétaires qui travaillent dans les bureaux, sur les 10 millions d'emplois qui sont détenus par des femmes. En fait, ces chiffres considérables dissimulent une stabilité de la proportion des femmes dans la population active : de 1900 à 1930, celle-ci varie entre 19,6 % et 21,9 %. Si les femmes ont toujours travaillé aux États-Unis – et les principaux progrès dans ce domaine ont été effectués durant l'ère progressiste –, les choses n'évoluent plus guère jusqu'à la Seconde Guerre mondiale. Pourtant, des mouvements lents se produisent à l'intérieur même du groupe de celles gui travaillent. Traditionnellement, les Américaines ne travaillent qu'avant de se marier, car les hommes redoutent d'être accusés de ne pouvoir subvenir aux besoins de la famille. D'ailleurs, en 1930, les trois quarts des municipalités obligent encore les institutrices à quitter leur emploi dès qu'elles se marient. Mais un nombre croissant de femmes mariées continuent à travailler. Certaines cherchent à obtenir, de cette façon, leur indépendance, mais la plupart sont contraintes au travail par l'insuffisance des salaires du mari ou par les exigences de la consommation.

Cette intrusion des femmes dans le monde du travail n'est pas bien vue par les hommes, qui redoutent la concurrence d'un milieu peut-être rétif à la syndicalisation et satisfait de bas salaires. En effet, à de rares exceptions, les Américaines occupent des emplois peu qualifiés et peu payés : téléphonistes, secrétaires, et vendeuses dont les salaires sont inférieurs de 30 à 50 % à celui des hommes qui accomplissent un travail analogue. Il y a plus d'Américaines qui deviennent médecins, professeurs ou juges en 1930 qu'en 1900, mais elles représentent moins de 10 % de ces professions.

Ces conditions de travail expliquent que les femmes soient durement touchées par la Grande Dépression, car le chômage les frappe en priorité.

La nouveauté de la « nouvelle femme » lors de la « nouvelle ère » ne résiste guère à l'examen. La presse et les romanciers ont monté en épingle des phénomènes, souvent exceptionnels, qui constituent les signes d'une évolution mais ne dissimulent pas une réalité beaucoup plus nuancée.

De telles contradictions sont également symbolisées par l'évolution de l'architecture urbaine. La prospérité a permis de reprendre la construction des gratte-ciel – les premiers sont apparus à Chicago dans les années 1880 – qui avait presque cessé à la veille de la guerre. Le nombre d'étages dépasse souvent la quarantaine et la décoration de ces tours est souvent recherchée. Elles peuvent être isolées dans la ville comme l'immeuble néo-gothique construit pour le *Chicago Tribune* en 1925, ou former de leur masse la bordure des rues étroites de New York, où le record de hauteur du Chrysler Building, à la flèche d'acier inoxydable qui surmonte ses 77 étages, est battu, en mai 1931, par l'Empire State Building et ses 86 étages. La crise va interrompre ce mouvement de construction, mais le phénomène atteint les villes moyennes qui veulent ainsi démontrer leur appartenance aux temps nouveaux : Tulsa, Houston, Memphis ou Cleveland s'enorgueillissent, à la fin de la décennie, de leur unique gratte-ciel, symbole de réussite et signe d'ambition.

Mais loin de ces prouesses architecturales, nombreux sont les citadins à ne pas se reconnaître dans une urbanisation sans mesure : ils se satisfont pleinement d'une ville sans excès traversée par Main Street (la rue principale) avec son magasin Woolworth et ses stations-service, monotone et sans éclat ; paysage urbain semblable d'une ville à l'autre, mais rassurant comme un signe de l'unité américaine.

L'ère du divertissement

Les années qui précèdent la Première Guerre mondiale ont permis le développement de nouvelles formes de divertissement : sport professionnel comme le baseball – sport très populaire, qui assure les beaux dimanches des citadins avec une équipe comme les Brooklyn Dodgers –, vogue des salles de bal, premiers grands succès du cinéma, renouvellement de la musique. Il s'agissait là du début d'un mouvement qui s'accélère dans la période suivante. La prospérité aboutit à une explosion de ces activités, devenues typiques de la vie américaine.

Le cinéma constitue une facette essentielle des années 1920 aux États-Unis, il y a atteint une puissance et une popularité qui ne seront pas égalées de sitôt. À la fin des années 1920 aux États-Unis, existent plus de 20 000 salles de cinéma avec une capacité de 11 millions de places, elles accueillent environ 77 millions de spectateurs chaque semaine, contre 40 millions en 1922. Chaque année, 700 longs-métrages et des centaines de courts-métrages sortent des studios d'Hollywood, alors que l'Allemagne en produit 200 et la France 90. Le cinéma américain est devenu une véritable industrie : il se classe à la 4e place des activités industrielles et occupe près de 400 000 personnes, tout en exerçant un attrait pour beaucoup d'autres.

Depuis 1915, les producteurs ont quitté New York, au climat froid et aux syndicats puissants, pour la Californie : ils se sont fixés à Hollywood, un faubourg de Los Angeles dont ils ont fait la renommée.

Les noms de Charlie Chaplin, Gloria Swanson, Mary Pickford, Rudolph Valentino ou Douglas Fairbanks sont immédiatement associés, dans le monde entier, à cette réussite. Les films et leurs vedettes éveillent modes et passions : *Le Fils du Cheik* (1921) suscite des milliers de cheiks dans tout le pays et la mort du héros du film, Valentino, en 1926 à 31 ans, prend des allures de deuil national. Des journaux spécialisés, comme *Variety*, collent à la vie des vedettes, mettent en avant leurs extravagances ou leurs divorces, donnent le montant de leurs cachets fabuleux, puisqu'elles peuvent gagner en une semaine ce qu'un Américain moyen gagne en un an.

Ce succès est lié à la montée en puissance des huit grandes maisons de production : Paramount, Metro-Goldwyn-Mayer, Fox, Universal, Columbia, Warner, United Artists et RKO. Un film comme *Robin des Bois* en 1922, avec Douglas Fairbanks, a bénéficié du plus grand décor jamais construit jusque-là et, en 1925, *Ben Hur* a été réalisé en quatre ans par quarante-deux opérateurs, la célèbre course de chars mobilisant 12 chariots et 48 chevaux.

Les films visent le divertissement et le rêve : les reconstitutions historiques, les histoires romantiques et les westerns qui représentent 20 % de la production américaine, sont des genres bien établis. Les adolescents forment un public de choix pour ces spectacles extraordinaires et le monde entier participe au culte d'Hollywood : en 1926, environ les trois quarts des films diffusés dans le monde sont américains. Le film muet s'adapte facilement et au meilleur coût à tous les publics et dans le monde entier. L'ampleur du succès et les excès des vedettes inquiètent les milieux les plus conservateurs qui soutiennent une forme de censure, au nom de la protection des bonnes mœurs. Les producteurs qui contrôlent également les salles doivent s'organiser pour faire face à cette menace : ils le font en créant un organisme professionnel dirigé par Will Hays, qui représente les producteurs de façon corporative et veille à éviter toutes les mesures hostiles au cinéma.

La révolution qu'amène l'avènement du parlant, avec, en 1927, le célèbre *Chanteur de Jazz*, dans lequel le spectateur entend pour la première fois la voix du héros, l'acteur Al Jolson, en même temps qu'ils le voient, bouleverse cet équilibre. Certains acteurs, Douglas Fairbanks par exemple, ne peuvent s'adapter à cette innovation ; de plus les spectateurs étrangers ne peuvent comprendre les dialogues car le doublage n'est pas au point avant 1936 ; pendant une dizaine d'années, les cinémas nationaux protégés pas leur langue connaissent un âge d'or. Mais Hollywood tente de produire des films en langue étrangère, avant que le doublage ne conforte sa position largement dominante.

La profession cinématographique cherche à écarter le danger venu des partisans de la censure (souvent des églises qui combattent la violence et la sexualité) en mettant en place à partir de 1930 un code d'autocensure, durci à partir de 1934 avec un bureau chargé de l'appliquer ; ce processus donne aux films américains classiques une tonalité particulière : les interdits y sont suggérés plutôt que montrés.

En même temps, afin de donner une image plus prestigieuse à la profession, les grands studios récompensent les meilleurs films et acteurs grâce à l'Académie des arts et sciences du cinéma qui est fondée en 1927 et remet en mai 1929 ses premières récompenses pour les années 1927 et 1928 : les célèbres Oscars.

Grâce à ce double dispositif, Hollywood connaît un véritable âge d'or que la crise des années 1930 n'interrompt pas, mais ralentit : les salles pour faire face à la baisse de l'assistance proposent des friandises, dont le fameux pop-corn, qui assurent les fins de mois des exploitants.

Les maisons de disque cherchent également à renouveler constamment leur production, même si la concentration n'est que relative dans ce milieu ; elles enregistrent des musiques nouvelles. Les fermiers et artisans blancs des montagnes du Sud font connaître des airs qui vont devenir la *country music* et atteindre à partir des années 1930 un immense succès, avec des stations de radio spécialisées. Mais c'est le jazz qui constitue la musique américaine la plus originale, le terme désigne alors toutes les formes musicales des Noirs du Sud. Il se répand depuis la Nouvelle-Orléans jusqu'à Chicago ou Kansas City et connaît un vif succès en Europe, où il est arrivé avec les soldats noirs du corps expéditionnaire américain de la Première Guerre mondiale.

Parmi les plus grands succès : des blues, qui expriment les réactions profanes d'un solitaire pris avec les difficultés de l'existence, et le spiritual ou gospel, porté par des groupes qui chantent les espoirs d'une vie meilleure ; la Bible fournit de nombreux thèmes développés par ces artistes. L'un des succès les plus extraordinaires est celui de Bessie Smith, dont le disque *Down hearted blues* de 1923 se vend à près de 800 000 exemplaires ; la chanteuse fait de nombreuses tournées, avant que la crise ne vienne interrompre le succès de ce genre de variétés : elle meurt en 1937, laissant derrière elle sa légende. Cette musique est écoutée par les nombreux Noirs venus travailler dans les villes du Nord, mais elle est rapidement appréciée aussi par des Blancs, qui ne mettent pas en cause pour autant les principes de la ségrégation : le très populaire Louis Armstrong doit toujours entrer par l'entrée de service, même quand il est la grande vedette sur la scène.

Ce succès ambigu trouve son accomplissement dans la « Renaissance de Harlem » qui correspond à la reconnaissance par les Blancs d'un art typiquement noir. Les spectacles et les clubs, situés dans un quartier peuplé presque exclusivement par des Noirs, sont gérés et fréquentés seulement par des Blancs, qui apprécient un rythme entraînant et des sonorités nouvelles, mais choisissent les artistes et imposent les styles.

Le succès des chanteurs et des musiciens noirs marque donc l'émergence de la culture noire, pour autant tous continuent à être perçus sous l'angle folklorique et sans considération. Pour les Noirs eux-mêmes, il s'agit d'une forme d'affirmation de leur dignité, mais aussi de la prise de conscience de leur place bien délimitée dans cette société urbaine caractéristique des « années folles ».

Les joies débridées qu'offrent musique, spectacles de variétés des *Ziegfeld Follies* et cinéma, ne doivent pas faire oublier que ces plaisirs sont « secs » et que nombreux sont les Américains à s'inquiéter de tels débordements, à s'indigner de valeurs qui ne leur semblent pas américaines et à refuser ce qui n'est qu'une bien timide promotion des Noirs. Henry Ford tente de discréditer le Jazz « négroïde » en finançant des recherches qui prouveraient que la musique jouée en Amérique n'aurait comme origine que les seules ballades anglaises du XVIIe siècle : il n'y est pas parvenu.

L'Amérique du refus

Alors que la publicité et les films véhiculent une image survoltée de la vie urbaine et des délices de la consommation, au son syncopé de la musique de jazz, nombreux sont les Américains mal à l'aise devant ces débordements du modernisme, mais aussi réticents à l'égard de certains thèmes progressistes, comme le vote des femmes ou la réglementation des chemins de fer. Au plan national, les nouvelles revendications progressistes sont refusées car la majorité du Congrès est devenue conservatrice, mais dans de nombreux États, des lois diverses ont été votées dans la période précédente et sont désormais appliquées – protection des enfants, réglementation d'hygiène, normes scolaires – que certains refusent comme une intrusion inadmissible de la loi dans leur vie privée. Aussi, le rejet de l'intervention de l'État se manifeste-t-il à différents niveaux, et donne lieu à des luttes politiques inexpiables au niveau local.

La prohibition de l'alcool : la morale par la loi

Les années 1920 sont en partie rendues « folles » par l'interdiction de la vente et de la fabrication de toute boisson alcoolisée de plus d'un degré, instaurée par le XVIIIe amendement de janvier 1919, complété par la loi Volstead et appliqué à partir du 1er janvier 1920. Cette mesure est le résultat d'une longue lutte menée depuis les années 1870 par des églises protestantes évangéliques et des ligues de tempérance ; elle s'inscrit également dans la volonté progressiste de rationaliser la vie sociale et de rendre l'homme meilleur. De plus, la prohibition satisfait pleinement ceux qui pensent que la pauvreté et le crime dérivent de l'abus de l'alcool et ces derniers sont persuadés qu'elle redonnera sa fibre morale à la nation. Un évangéliste de Virginie peut célébrer l'avènement de la prohibition en ces termes :

> « Les taudis ne seront plus qu'un souvenir. Nos prisons seront transformées en usines et nos cellules en entrepôts... Désormais les hommes marcheront droit, les femmes souriront et les enfants riront. L'enfer sera pour toujours à louer. »

Au départ, les partisans de la prohibition se recrutent surtout parmi les baptistes et les méthodistes d'origine américaine habitant souvent les petites villes du Sud et du Middle West ; ils cherchent à retrouver la morale ancienne non pervertie par l'immigration massive de la première décennie du siècle ou par la pollution urbaine ; pour eux l'être humain est fondamentalement mauvais et il faut le préserver, au besoin par la contrainte, de ses mauvais penchants. Mais certains citadins sont également favorables à l'interdiction de l'alcool pour des raisons scientifiques, afin de préserver la santé publique ; en effet, des études sérieuses souvent venues de Grande-Bretagne prouvent la nocivité de l'abus d'alcool. Aussi, au début du XXe siècle, se forme une coalition entre ces deux groupes dissemblables, qui condamnent pour des raisons différentes les dangers de l'alcoolisme : il est alors à la mode de vouloir éradiquer un tel fléau. Lors des élections, les candidats qui boivent sont assaillis par des jeunes enfants en aube blanche qui leur demandent de changer d'attitude.

En revanche, les immigrants récents, les catholiques, les juifs ou les épiscopaliens, sont plus réticents à l'égard d'une mesure aussi drastique, mais ils sont toujours sur la défensive, sans argument convaincant à faire valoir. Les prohibitionnistes s'organisent et parviennent à leur fin dans certains États, mais les buveurs franchissent les frontières pour étancher leur soif. Ils profitent alors de la guerre, pour interdire aux soldats de consommer de l'alcool, d'autant plus que presque tous les brasseurs des États-Unis sont d'origine allemande (le coca-cola est alors choisi dans les paquetages pour remplacer la gnole) : le Congrès est presque unanime pour cette loi patriotique. Enfin portés par ce mouvement, ils parviennent sans difficulté à avoir la majorité des deux tiers au Congrès et celle des trois quarts des États en moins d'un an pour faire adopter ce changement à la constitution.

Le vote de l'amendement s'est fait sous la pression de ces militants déterminés, qui semblaient dans le sens du progrès, sans envisager vraiment la suite. La loi d'application ne donne pas les moyens de faire sérieusement respecter la mesure : le nombre des fonctionnaires chargés de cette tâche, souvent corrompus, est dérisoire, sauf en 1930 avec la création d'un bureau de police spécialisé, dirigé par le célèbre Eliot Ness. Dans ces conditions, l'application et le contrôle des mesures de prohibition sont d'autant plus difficiles qu'une majorité de citadins cherchent à les tourner.

Il aurait fallu des moyens considérables et une volonté sans faille pour lutter contre l'ingéniosité des Américains désireux de se procurer de bien des façons l'alcool interdit. La contrebande utilise l'immense frontière du Canada et un peu celle du Mexique ; l'archipel de Saint Pierre et Miquelon connaît une prospérité qu'il n'a jamais retrouvée en servant d'entrepôt pour les transports clandestins venus de France. Le trafic enrichit une quantité d'intermédiaires qui font venir le cognac français ou le whisky écossais pour irriguer les gosiers américains : saloons et bars disparaissent au profit de locaux sous la raison sociale d'associations culturelles ou religieuses, les fameux *speakeasies*, situés dans des appartements anonymes aux lourds rideaux. Tous les Américains n'ont pas les moyens d'acquérir ces produits au prix élevé, aussi se lancent-ils dans la fabrication d'alcool domestique. D'ignobles et dangereuses mixtures sont ainsi fabriquées à partir d'alcool dénaturé et de médicaments : des milliers de personnes sont paralysées par de tels produits, d'autres souffrent d'hémorragies internes dues à l'alcool de bois.

Les aspects pittoresques ou dramatiques du trafic accompagnent la généralisation de l'hypocrisie, souvent notés par les Européens, et du mépris de la loi. Il est particulièrement facile de se procurer rapidement un verre dans la plupart des villes américaines. La baisse réelle de la consommation d'alcool, progrès moral, est compensée par la reconnaissance quasi officielle des trafiquants, les *bootleggers*, soumis à l'impôt sur le revenu pour leurs activités. Enfin l'ampleur de la contrebande et les revenus tirés du trafic débouchent sur une augmentation de la criminalité. Le crime organisé apparaît aux États-Unis bien avant 1920, alimenté par la corruption urbaine et fondé sur les traditions propres à certains groupes ethniques, mais la prohibition lui ouvre des perspectives de gains illimités. Les gangs utilisent le racket, tirent parti de la prostitution et dominent le jeu, ils prospèrent grâce au *bootlegging* qui représente plus de la moitié de leurs revenus.

Le climat de plaisir et d'argent facile de la période semble presque justifier les agissements des Al Capone, Dion O'Banion et autre Dillinger. Les gangsters s'organisent en sociétés anonymes décentralisées ; ils utilisent toutes les ressources de l'automobile et des armes à feu, mais savent, à l'occasion, se montrer généreux avec les membres de leur clan. Leurs valeurs sont identiques à celles de bien des hommes d'affaires, mais ils n'ont aucun scrupule sur les moyens. Les chefs les plus importants s'affichent volontiers entourés du plus grand luxe et éblouissent les passants. Le succès d'Al Capone, étroitement lié à Chicago et à la prohibition, tient à ce mélange de richesse et de violence. La guerre des gangs à Chicago fait les gros titres des journaux ; les gangsters morts reçoivent des funérailles à grand spectacle. Ces crimes spectaculaires sont relativement rares, mais attirent l'attention ; ils font prendre conscience de l'impuissance ou de la complicité de la police et de la justice, mais fascinent beaucoup d'Américains.

Aussitôt, les gangsters, héros d'un nouveau genre, sont immortalisés dans les journaux et sur les écrans. Le mythe d'Al Capone se développe avec *Scarface* d'Howard Hawks dès 1932 et la légende de Bonnie Parker et Clyde Barrow habille d'une aura romantique une cavale sordide, au cours de laquelle des innocents sont leurs victimes.

Le président Coolidge bannit l'alcool de la Maison-Blanche et son successeur Hoover est abstinent, mais tout le pays ou presque se procure de la boisson. La prohibition qui devait aboutir à l'élimination du crime enrichit son terreau et une loi fédérale est ridiculisée. De plus en plus de voix s'élèvent pour demander la fin de la prohibition, qui pourrait par la taxation des boissons alcoolisées fournir des revenus à l'État ; alors que la prohibition était associée à la prospérité, la Grande Dépression la rend encore plus insupportable. Arrivés au pouvoir, les démocrates votent l'autorisation de la bière, puis dès 1933, le XXIe amendement annule le XVIIIe ; les autorités locales peuvent instituer la prohibition, mais il n'y a plus de norme fédérale.

La prohibition ne correspond pas à une simple aberration de la société américaine. La mesure vient couronner les efforts d'une tradition évangélique et satisfait des progressistes soucieux de morale et de pureté. De plus, une majorité d'Américains y est restée longtemps favorable et de nombreux États ou municipalités « secs » avant 1920, le resteront après 1933. Aussi l'échec de la prohibition est-il moins venu de la vague de criminalité, spectaculaire mais limitée, que de la puissance acquise par les milieux urbains : souvent d'immigration récente, ils ne partagent en rien l'idéologie prohibitionniste. D'ailleurs, les gangsters se recrutent presque uniquement au sein de groupes ethniques : Italiens, Irlandais, Juifs. Quand Al Smith, catholique irlandais et new-yorkais, candidat démocrate à la présidence en 1928, n'hésite pas à demander l'abrogation de la prohibition, il est suspect par sa seule origine, qui est l'une des raisons de son échec contre Hoover.

La force du fondamentalisme

Les églises protestantes sont divisées entre celles qui acceptent le monde moderne et s'adaptent aux changements sociaux et celles qui, en réaction et pour conserver leur influence, s'en tiennent à une interprétation littérale de la Bible ; certaines n'ont jamais accepté la théorie de l'évolution issue des travaux de Darwin au milieu du XIXe siècle, car elles contredisent la croyance dans un monde créé en sept jours par un dieu tout-puissant.

Les bouleversements des années 1900-1920 raniment la querelle. Les fondamentalistes, forts dans certains des États du Sud et du middle-west, veulent assurer la permanence des valeurs morales et religieuses traditionnelles qui semblent menacées par le développement urbain suspect de libre pensée et d'athéisme : la prohibition ayant été obtenue, il leur reste à interdire la théorie de l'évolution sans pouvoir espérer en une mesure nationale. Dans de nombreux États, des lois sont votées qui interdisent l'adultère, promeuvent l'eugénisme en isolant et stérilisant les personnes considérées déficientes, ou pour bannir des écoles l'enseignement de la théorie de l'évolution. Dans cinq États – Oklahoma, Floride, Tennessee, Mississipi, Arkansas –, cet enseignement est effectivement interdit. Les parents, qui élisent les administrations scolaires décentralisées, exercent ainsi leur contrôle sur le contenu de l'enseignement dispensé à leurs enfants ; ils ont leur mot à dire sur les programmes et sur les enseignants.

Ces pratiques archaïques soulèvent les protestations et la colère des esprits scientifiques et de nombreux chrétiens qui refusent l'interprétation littérale de la Bible, car elle mène à l'obscurantisme. C'est pourquoi une organisation libérale, *American Civil Liberties Union,* décide de contester la loi du Tennessee. John T. Scopes, jeune professeur de biologie de la ville de Dayton, accepte de servir de cobaye. À l'été 1925, il est accusé par ses propres amis, d'avoir enfreint la loi en enseignant l'évolution. Le procès devient un test national : il mobilise d'un côté les fondamentalistes, défendus par William J. Bryan, en fin de carrière, et de l'autre les plus déterminés des libéraux, avec comme avocat le célèbre Clarence Darrow, connu pour son athéisme et ses prises de positions de gauche. En juillet 1925, plus de 3 000 personnes envahissent Dayton – ville de 1 700 habitants –, des dizaines de journalistes suivent le procès relayé dans tout le pays en direct par la radio. Les débats révèlent les détours de la procédure locale, qui empêchent Darrow de démontrer l'anticonstitutionnalité de la loi, mais il ridiculise les arguments fondamentalistes. Finalement, Scopes est jugé coupable et condamné à 100 dollars d'amende, mais le jugement est cassé en appel, ce qui empêche la défense de saisir, comme elle le cherche, la Cour suprême : l'enseignement de l'évolution reste interdit dans le Tennessee jusqu'en 1967. Darrow est convaincu d'avoir obtenu la victoire, mais sa prestation a indigné la plupart des habitants, car ce dandy progressiste venu en train de New York représente tout ce qu'ils détestent et ils restent d'autant plus fermes dans leurs convictions qu'aucune intervention fédérale n'est possible dans le domaine de l'éducation.

Ce « procès du Singe » indique que le fondamentalisme reste extrêmement vigoureux : de nombreuses écoles recrutent toujours leurs professeurs en fonction de critères religieux ou politiques. L'écho donné à cet affrontement médiatique met en lumière la puissance des contrastes culturels et sociaux entre l'Amérique des villes et celle des champs, entre une conception ouverte ou étroite des valeurs du pays, mais la première n'a pas les moyens de l'emporter sur la seconde. Au début du XXIe siècle encore alors que le 150e anniversaire de la publication de ***L'origine des espèces*** de Darwin suscite de nombreux ouvrages, près de la moitié des Américains ne croient pas dans la théorie de l'évolution.

Des Noirs en ville

La migration des Noirs du Sud vers les villes industrielles du Nord-Est, amorcée durant la guerre tant par les besoins de celle-ci que par la maladie du coton attaqué par un parasite, se poursuit dans les années 1920 : la population noire de New York passe de 152 000 à 328 000, celle de Chicago de 109 000 à 233 000 et les migrants arrivent dans des villes comme Pittsburgh ou Saint Louis où il y en avait toujours eu très peu. Dans toutes ces villes, rien n'est prévu pour accueillir les nouveaux arrivants, qui se regroupent dans des quartiers souvent misérables : celui d'Harlem apparaît en quelques mois pendant la guerre. L'arrivée des Noirs fait fuir les occupants blancs, l'habitat se dégrade, mais les loyers pour ces taudis restent élevés d'autant que les seuls emplois auxquels les Noirs accèdent sont peu qualifiés et peu payés. Dans ces conditions, la vie dans ces quartiers est particulièrement dure ; ce ne sont pas des ghettos, car ils ne sont jamais fermés ni peuplés uniquement de Noirs. Les familles sont souvent désunies, car les hommes partent au loin pour travailler quand ils ne se retrouvent pas en prison, et les organisations religieuses n'ont pas assez de moyens : le taux de mortalité infantile atteint 290 % à Chicago et à Harlem, où il est presque le double de celui des Blancs. Les efforts de la Ligue urbaine, fondée en 1910, sont insuffisants et les intellectuels noirs, comme W.E. DuBois, ne parviennent pas à se faire entendre des habitants de ces zones urbaines. La ségrégation rampante et la misère de la plupart contribuent à tenir les Noirs citadins à l'écart du reste de la société, sans que les autorités municipales ne s'en soucient ; toutefois la prospérité des années 1920 produit quelques retombées sur cette population en termes d'emplois.

Cette discrimination informelle mais solidement installée, explique les succès remportés de 1920 à 1925 par l'entreprise originale de Marcus Garvey. Ce dernier, né à la Jamaïque en 1887, prend conscience très tôt de l'infériorité dans laquelle est tenue la race noire et cherche à y remédier. Après des voyages en Europe et en Amérique centrale, il fonde à Harlem en 1916 une branche de son Association universelle pour le progrès des Noirs. Le succès vient à partir de 1919, quand son journal *Negro World* obtient une large audience : en 1920, son mouvement revendique plus d'un million de membres.

Le programme de Garvey se décompose en trois points principaux :

La valorisation de la race noire, afin de montrer aux Noirs les plus humbles qu'ils peuvent être fiers de leurs origines, car les rois africains étaient prestigieux avant la colonisation des Blancs. Les journaux de son groupe n'acceptent aucune publicité pour des produits destinés à blanchir la peau ou à décrêper les cheveux. Garvey affirme partout la supériorité de la culture noire et tient à une séparation complète des races, il se rapproche par là des racistes blancs les plus extrêmes et accepte de discuter avec le grand chef du KKK. Il se charge d'écrire une histoire des révoltes conduites par des Noirs en Afrique, aux Antilles et en Amérique. Les pasteurs de l'association cherchent à développer une religion noire et, en 1924, mettent à l'honneur un Christ noir.

L'espoir naît d'une émigration vers l'Afrique, car seul ce retour aux sources pourrait régénérer les Noirs américains. Dans ce but, Garvey adopte un drapeau, rouge-vert-noir et fonde une milice, la « légion africaine », avec les infirmières de la « croix noire », l'escadrille de l'aigle noir. Il lance une compagnie de navigation, la Ligne de l'Étoile noire qui doit acheter des navires pour l'émigration vers l'Afrique. Il parcourt les rues de New York en grand uniforme blanc, avec dorures et chapeau orné de plumes vertes, entouré de sa garde d'Amazones.

Au-delà de ce comportement d'histrion, Garvey, inspiré par les thèses de Booker T. Washington, est persuadé des vertus du capitalisme pour aider au développement de sa race et cherche à favoriser des entreprises noires : chaînes de restaurant, imprimeries, hôtels.

Ces ambitions se heurtent rapidement à de multiples difficultés. Les entreprises fondées par Garvey, mal gérées, ne parviennent pas à survivre à l'exception de son journal. Sa compagnie maritime est déclarée en faillite et il est inculpé en 1922 de pratique frauduleuse et expulsé en 1927 comme étranger indésirable, car il a conservé la nationalité britannique ; jusqu'à sa mort à Londres en 1940, il poursuit avec énergie le combat de sa vie.

Les leaders noirs traditionnels lui reprochent sa défense du capitalisme, ou ses prises de positions contre l'intégration, ils l'accusent de racisme car il refuse toute forme d'organisation intégrée. Pour la bourgeoisie noire, Garvey ne peut être qu'un « fou ou un traître ». Dans le fond, tout ce petit monde envie le succès populaire de Garvey, dont l'audience se maintient après son départ forcé, en dépit de ses erreurs et de ses maladresses, quand eux-mêmes ne peuvent y prétendre.

Il est le premier à lancer un nationalisme noir renouvelé et son rôle a été considérable pour faire prendre conscience aux Noirs des ghettos de leur identité ; des pasteurs ont perpétué cette façon de penser, jusqu'au père de Malcolm X qui s'en était inspiré. La mode du « Black is beautiful » est directement issue du garveyisme, mais il faut attendre les années 1960 pour que la recherche identitaire des Africains-Américains reprenne ces thèmes, débarrassés de la mode extravagante de Garvey dans les années 1920.

La fin d'une immigration libre

Les réactions aux grandes vagues de l'immigration d'avant-guerre, puis les grèves et attentats de 1919 attribués à des étrangers, ainsi que les mouvements anti-germaniques durant la guerre, indiquent le trouble des Américains. L'arrivée continue de nouveaux immigrants ne risque-t-elle pas de mettre en cause l'identité des Américains de souche plus ancienne, accrochés à leurs valeurs ?

L'opposition à l'immigration

Le Congrès est saisi à plusieurs reprises de ces questions, ses commissions émettent des rapports et proposent d'instaurer des tests d'alphabétisation pour les immigrants, afin d'assurer leur accession à la citoyenneté.

Des mouvements hostiles aux immigrants naissent dans le pays, les uns réclament de sélectionner des immigrants « acceptables », d'autres proposent un arrêt complet de l'immigration, dans la lignée de la décision contre les Chinois en 1882.

Dans cette athmosphère, en 1915, le Klu Klux Klan connaît un renouveau : en 1920, il compte 1,5 million de membres et beaucoup plus de sympathisants. Il ne s'agit pas d'une simple réplique du Klan des lendemains de la guerre de Sécession, qui n'a pas disparu dans le Sud, car les deux tiers de ses membres, souvent citadins, se recrutent dans l'Indiana, l'Illinois ou l'Ohio. Son organisation, mise au point par un dentiste de Dallas, Hiram Evans, est particulièrement efficace : méthodes de recrutement sophistiquées, vente de la panoplie du parfait klansman. Les membres du Klan portent des titres ronflants : « Grand Dragon », « Cyclope exalté », « Grand Empereur » et ont leur argot et leur calendrier qui débute en 1867. Le Klan manifeste en masse à Washington en août 1925, après avoir organisé des cérémonies nocturnes dans les mois précédents avec croix brûlées et cérémonial compliqué.

Le nouveau Klan ne se contente pas de ce folkore absurde, il veut appliquer son programme et n'hésite pas à recourir à la violence : intimidation, églises brûlées, lynchages. Il s'agit de contrôler la moralité du peuple et d'en vérifier « l'américanité ». En effet, le Klan, tout en continuant à s'attaquer aux Noirs, s'en prend à ceux qui menaceraient, selon lui, les valeurs traditionnelles des États-Unis : les juifs sont des « étrangers inassimilables », les catholiques seraient responsables de la mort de Lincoln, McKinley ou Harding et fomentent un complot contre les valeurs américaines, les immigrants venus de régions inconnues propagent des croyances étrangères et risquent de dominer les Américains blancs et protestants. Ce mélange de racisme traditionnel et d'une conception étroite de l'américanisme explique le succès relatif du Klan dans ces années troublées.

Fort d'un soutien non négligeable dans l'opinion, le Klan peut exercer une puissante influence politique dans certains États et pénétrer les deux grands partis. Partout le Klan cherche à renforcer la prohibition, à surveiller les écoles, à restreindre l'immigration et il joue un rôle non négligeable dans la défaite d'Al Smith en 1928, candidat qui représente tout ce qu'il déteste.

Pourtant, dès ce moment, la puissance du K.K.K. est ébranlée par des scandales financiers et moraux et par des rivalités régionales : il ne survit plus que localement. L'affaiblissement du Klan est également dû à la lutte menée contre lui par de nombreux libéraux, mais provient aussi de l'application des lois des quotas qui, restreignant l'immigration, vont dans le sens de ses revendications et rendent inutiles ses menaces.

Une limitation par des quotas

La restriction de l'immigration n'est pas voulue seulement par des extrémistes. Nombreuses sont les voix, même parmi les progressistes, qui se font entendre dans ce sens, en particulier quand il apparaît dès 1920 que l'arrivée des immigrants reprend de plus belle avec plus de 900 000 personnes venues surtout d'Europe de l'Est. Ces Américains sont craintifs et oublient d'où ils viennent, comme si le pays n'avait plus les moyens d'intégrer ses nouveaux venus, souvent orthodoxes, juifs et catholiques.

Les mesures prises dans les années précédentes, à l'égard des Asiatiques, des fous ou des illettrés, ne suffisent pas. En deux temps, en 1921 et en 1924, le Congrès vote les lois des Quotas. La première, valable un an seulement pour un essai, autorise l'admission de 3 % des personnes originaires de chaque groupe ethnique figurant dans le recensement de 1910, soit environ 375 000 immigrants, parmi lesquels les Italiens et les Russes, souvent juifs ; cette loi ne satisfait pas les plus déterminés partisans de la restriction puisqu'elle semble favoriser les peuples de l'Europe du Sud et de l'Est, nombreux en 1910. La loi de 1924 prend pour base le recensement de 1890, avant la vague d'immigration, et n'autorise l'immigration que de 2 % de chaque nationalité redéfinie par des experts, soit plus de 160 000 personnes en provenance presque uniquement d'Europe de l'Ouest ; l'immigration des habitants du Canada ou de l'Amérique latine s'effectue hors quotas. Le Congrès exprime là ses convictions profondes : les seuls vrais Américains doivent être des Blancs chrétiens et éduqués, les autres sont refoulés hors du pays.

Le débat, qui aboutit à loi qui limite l'immigration à 164 000 personnes par an, démontre une forte angoisse devant l'immigration et les arguments employés ont une certaine résonance au début du XXIe siècle.

> *M. Shields (D. Tennessee)* : M. Le Président, la future politique de l'immigration interpelle très sérieusement l'attention du peuple américain. Les gens demandent que cette politique soit modifiée pour passer de la porte grande ouverte à tous les peuples du monde à une politique de restriction stricte, voire même à une interdiction de toute immigration... Les immigrants qui arrivent aujourd'hui sont d'un type différent de ceux que nous avons accueillis dans la période antérieure de notre histoire, et leur arrivée en très grand nombre provoque une alarme sérieuse et menace la pureté de notre sang, ainsi que l'homogénéité et la suprématie du peuple américain, comme l'intégrité et la permanence de notre forme de gouvernement représentatif...
> La grande majorité d'entre eux ne se répartissent pas, comme les précédents, dans tout les États, ne se mêlent pas et ne sont pas absorbés dans l'ensemble du peuple américain... Ils se concentrent dans les villes et forment des communautés de leur différentes nationalités, ils parlent leur propre langage... Plus de la moitié ne sont pas naturalisés et continuent à dépendre d'un gouvernement étranger... Nous avons dans les rangs de ces immigrants une majorité de communistes, de dynamiteurs et d'assassins de policiers...
> *M. King (R. Utah) :* Le sénateur ne pense-t-il pas que si l'immigrant reste isolé, à l'écart du peuple américain, c'est parce qu'il subit les manifestations d'exclusion de la population locale ?... Le sénateur ne pense-t-il pas que la situation est due à l'incapacité du peuple américain à se doter des moyens efficaces pour américaniser l'immigrant et l'insérer dans le corps social ?
> *M. Heflin (D. Alabama)* : ...dans mon État, il y avait un fort dans lequel les habitants blancs habitaient... Il y avait un grand portail dans la muraille et quand il était fermé, ils étaient à l'abri des Indiens. Mais ils sont devenus négligents et indifférents, comme certains Américains le sont devenus sur ce sujet. Un jour, une personne vit que la grande porte était ouverte et demanda : « Qui a laissé la porte ouverte ? » Ils répondirent : « Ça ne fait aucune différence, il n'y a pas un Indien à 50 miles à la ronde. » À ce moment-là, un petit garçon revint en courant de la porte : « J'ai vu un homme avec de la peinture rouge sur la figure et des plumes sur la tête. » Ils hurlèrent de fermer la porte, mais c'était trop tard, les guerriers Crees étaient déjà entrés... ils massacrèrent toute la population...
> Je lance un appel au Sénat des États-Unis pour qu'il ferme la porte, vite tant qu'il le peut, avant qu'il soit trop tard : « Fermez les portes ! »[1]

1. Source : Congressionnal Record, 16-28 avril 1924, cités dans Howard H. Quint, Milton Cantor et Dean Albertson, *Main Problems in American History*, vol 2, Homewood, Dorsey Press, 1978, p. 252-25, traduction J. Portes.

Les résultats de cette législation durable, passée avec une très large majorité sans une réflexion saine – ses principes restent en vigueur jusqu'en 1965, avec un durcissement au moment du maccarthysme –, sont immédiats. Les pays de l'Europe du Nord-Ouest représentent 87 % du total possible : les installations d'Ellis Island ne risquent plus la surcharge et le risque d'une invasion des populations misérables du Sud et du centre de l'Europe semble écarté.

Pourtant, les effets pervers de la loi Johnson-Reed sont considérables à plus long terme. Désormais les États-Unis ne sont plus une terre d'accueil et le service de l'immigration doit, de plus en plus, empêcher l'entrée d'immigrants illégaux et déporter ceux qu'il arrête. D'autre part, la liberté laissée aux habitants du continent américain aboutit à faire de ceux-ci 46 % des immigrants en 1928, contre moins de 4 % avant la guerre, et à diminuer la part des Européens. Rapidement, l'immigration ne fournit plus la main-d'œuvre non qualifiée nécessaire à la bonne marche de l'économie moderne, qui en a beaucoup plus besoin que d'ouvriers spécialisés ou d'artisans venus d'Allemagne ou d'Angleterre.

En conséquence, les patrons continuent à faire appel aux Noirs du Sud, qui, sans cela, auraient été moins nombreux à venir dans le Nord, puis aux Mexicains en Californie, mais ces immigrants sont pauvres, sans pécule. Ce changement de l'immigration amène dans les grandes villes une population au pouvoir d'achat faible et contribue à ralentir l'essor des petites villes jusque-là peuplées d'immigrants européens. À un moment où fermiers et industriels cherchent à vendre toujours plus, cette évolution peut se révéler dommageable.

Ainsi, la loi des quotas, destinée à accroître l'homogénéité de la population américaine, aboutit-elle à la venue dans les villes de Noirs et de « latinos » dont l'assimilation pose de considérables problèmes, certainement pas souhaités par les promoteurs de la loi. La volonté de protéger les travailleurs américains les moins qualifiés contre la concurrence européenne tourne court avec l'arrivée d'ouvriers qui se contentent des plus bas salaires, mais cet apport est encore insuffisant et contraint certaines firmes américaines à s'installer à l'étranger, dans des pays où se trouve la main-d'œuvre et des marchés potentiels : c'est le cas dans certains pays d'Amérique latine, mais aussi de l'Allemagne en reconstruction.

Ces bouleversements dans la politique d'immigration, dont l'importance n'a pas été perçue sur le moment, contribuent à accroître certaines des difficultés économiques, qui débouchent directement sur la crise économique de 1929.

Quelques protestations

La victoire des conservatismes craintifs ne parvient pas à faire taire les intellectuels : Henry Mencken, l'un des grands journalistes du temps, se moque de cette nouvelle bourgeoisie américaine avec une ironie dévastatrice ; Harolds Stearns dirige un volume pessimiste sur *Civilization in the United States*, Sinclair Lewis dans *Babitt* ou *Main Street* stigmatise cette société arrogante, raciste et fermée sur elle-même comme John Dos Passos avec *USA*. Leur succès indique bien que les Américains sont nombreux à s'interroger. D'autres, des artistes surtout, prennent le chemin de Paris pour s'exprimer en toute liberté : Josephine Baker ou Sydney Bechet y fuient la ségrégation, comme les nombreux artistes de la Rive Noire qui animent la vie culturelle parisienne ; Henry Miller y trouve une ambiance plus chaleureuse que le conformisme moral et sexuel de son pays.

Ces mouvements restent marginaux et ne signifient pas que les États-Unis de la fin des années 1920 soient frappés par une profonde crise morale : les optimistes qui ont foi dans la prospérité restent nombreux. Pourtant, les excès du progrès et les réactions qu'ils entraînent montrent que, contrairement aux rêves les plus fous qui s'expriment alors, des tensions et des contradictions restent vives, aux effets incontrôlables. Le retournement de la conjoncture les fera apparaître avec plus de force.

Une vie politique sans éclat

La plupart des développements des années 1920 se déroulent sans réelle intervention du gouvernement fédéral, à l'exception des lois d'immigration ; cette évolution renoue avec la tradition des présidents médiocres, comme lors de la deuxième moitié du XIXe siècle, après les fortes personnalités de Theodore Roosevelt et de Woodrow Wilson ; comme si les promesses de ces hommes avaient eu des fruits amers, le pays avançait sans eux. D'ailleurs, le choix des tenants de la prohibition de passer par l'amendement, plutôt que par une loi du Congrès indique le peu de confiance dans la représentation nationale.

Une suprématie républicaine

L'élection présidentielle de 1920 constitue un raz-de-marée en faveur du parti républicain. Warren Harding distance le démocrate James Cox de 7 millions de suffrages et rassemble 61 % de l'électorat, ce qui constitue un record pour l'époque. Il semble que les femmes, toutes nouvelles électrices, aient amplifié le mouvement. Sénat et Chambre des représentants disposent d'une large majorité républicaine. Cette situation se perpétue durant toute la période de la prospérité et seule la Grande Dépression l'interrompt. En 1924, Calvin Coolidge distance dans des proportions analogues son concurrent John Davis, et Herbert Hoover, quatre ans plus tard, fait de même avec Al Smith.

Une telle suprématie républicaine renoue avec celle qui avait été initiée par McKinley en 1896 ; ce retour en force s'explique par le rejet manifeste de la politique de Wilson et de ses conséquences sur la vie du pays, tant à l'intérieur que sur la scène internationale ; en 1920, le dynamisme du jeune Franklin D. Roosevelt, candidat démocrate à la vice-présidence, n'y change rien. Beaucoup d'Américains sont lassés des réformes, des bouleversements et Harding peut parler « d'extirper toutes les racines du wilsonisme ». D'autre part, la « vieille garde » républicaine, qui constitue l'appareil du parti, prend sa revanche et contrôle à nouveau celui-ci, après avoir purgé les derniers progressistes. Les républicains peuvent se vanter de dominer la vie politique depuis 1896 : l'ère de Wilson apparaît désormais comme une parenthèse. Les historiens américains évoquent le réalignement politique de 1896, qui provoque un changement durable de la domination républicaine.

Warren Harding et Calvin Coolidge, les deux premiers présidents de la période, frappent par leur inconsistance. Harding, obscur sénateur de l'Ohio a trouvé le slogan « Retour à la normale » qui colle si bien à la période. Il ne se signale par aucun talent particulier, sinon une chaleur personnelle et un sens de la sociabilité qui lui font fréquenter clubs et associations, si répandus aux États-Unis. Ces aimables dispositions attirent autour de lui de nombreux amis auxquels il est fidèle, détestant se faire des ennemis. Son gouvernement, auquel il préfère nettement le golf et le tennis, est ainsi composé de deux groupes. D'un côté, les républicains de renom et de valeur : Herbert Hoover au Commerce, Charles E. Hughes au Secrétariat d'État et, dans une moindre mesure, le Secrétaire au Trésor, Andrew Mellon – il le reste de 1920 a 1932 ; de l'autre, les amis du président, conservateurs sans faille et sans scrupule : Albert Fall à l'Intérieur, Harry Daugherty à la Justice. Cette fine équipe est rapidement mise en péril par des scandales autour de l'attribution de terrains riches en pétrole, qui évoquent la corruption d'antan et impliquent directement Fall et Daugherty. Le président n'a nullement bénéficié de ces pratiques, mais n'a pas voulu sévir contre ses amis. Il meurt en août 1923, à la suite de fêtes aussi discrètes qu'intimes : cet amateur de petites filles est vite oublié.

Le vice-président Coolidge lui succède, avant d'être élu comme président l'année suivante. Originaire du Massachusetts, dont il a été gouverneur, il y a montré sa détermination en réprimant toute agitation avec vigueur ; l'homme est austère et frugal, dans la lignée de ses origines puritaines. On a pu dire qu'il aspirait « à devenir le dernier président des États-Unis et qu'il y est presque arrivé ». Coolidge travaille aussi peu que possible, décide rarement et ne se signale que par la pratique occasionnelle d'un cheval mécanique. L'humoriste Henry L. Mencken exagère à peine en disant que face à des difficultés Coolidge aurait réagi « ... en baissant les rideaux, étiré ses jambes sur son bureau et somnolé toutes les après-midi » ; d'ailleurs sa présidence ne cause ni excitation ni controverse.

Pourtant Calvin Coolidge a bénéficié d'une immense popularité. Nombreux sont les Américains à associer son nom à l'idée même de prospérité, surtout quand ils regardent rétrospectivement cette période. Par sa vénération pour le monde des affaires et par sa soumission à ses vœux, Coolidge a accompagné aveuglément la prospérité, ne pouvant voir les périls qui grandissaient. De façon à redorer le prestige de cet homme, des analystes vantent pourtant sa lucidité ou son intuition : il aurait refusé de se représenter en 1924, parce qu'il aurait eu le pressentiment de la crise...

La popularité dont jouissent le président et les républicains les plus conservateurs explique l'échec final des progressistes, rassemblés une dernière fois par Robert La Follette (sénateur du Wsconsin) en 1924. Le choix d'un candidat conservateur par les démocrates, lors de la même élection, ne peut que contribuer à leur défaite, Coolidge donnant toutes les garanties de ce côté-là. Il faut attendre 1928 pour qu'une alternative réelle se développe avec Al Smith le catholique irlandais de New York et premier candidat à la présidence issu d'un milieu strictement urbain. Mais les Américains ne sont pas encore prêts à de telles audaces et surtout Herbert Hoover est quasi invincible, porté par une prospérité sans faille apparente qui perpétue la suprématie républicaine ; cet homme compétent et expérimenté est convaincu de la politique qu'il va conduire.

Une politique très inégalitaire

Le gouvernement fédéral s'est retiré des nombreux secteurs qu'il dirigeait pendant la guerre, mais continue à peser, à sa façon, sur la vie économique du pays. Andrew Mellon, Secrétaire au Trésor et lui-même homme d'affaires, utilise tous les moyens dont il dispose pour favoriser les entreprises, au lieu de chercher à réduire la considérable dette nationale. Son collègue Hoover a les mêmes conceptions, tout en insistant sur la formation de grands groupes dans chaque secteur de l'économie ; il apporte un appui important à cette orientation globale.

Cette politique déterminée consiste à alléger la charge fiscale qui pèse sur les plus riches, elle gomme l'aspect légèrement progressif de l'impôt sur le revenu établi par l'administration Wilson. Mellon, l'un des hommes les plus riches d'Amérique, ne parvient à ses fins qu'en 1926, gêné jusque-là par la minorité progressiste qui s'oppose vigoureusement à une telle évolution. La loi fiscale de 1926 prévoit que les revenus annuels supérieurs à un million de dollars ne seront plus taxés qu'à 20 % au lieu de 60 % : Mellon bénéficie lui-même de telles réductions dont il fait profiter ses semblables, il y ajoute divers abattements et remboursements discrets qui alimentent les coffres d'individus et de sociétés proches du parti républicain. Cette politique systématique est poursuivie jusqu'en 1929, conforme à l'idée, partagée par de nombreux hommes d'affaires d'hier et d'aujourd'hui, selon laquelle les impôts ne doivent pas peser sur les riches, afin de ne pas gêner leur activité qui profite aux plus pauvres, par un effet de cascades de commandes et d'emplois gérés par les plus riches, aussi seuls les pauvres et les classes moyennes doivent être taxés. La suppression de la prohibition permettrait, aux yeux de certains, de taxer la bière qui constitue la boisson populaire par excellence et ainsi de diminuer encore les impôts des plus riches.

La politique suivie par Mellon lui a assuré le soutien sans faille des riches Américains, républicains ou démocrates, d'autant que la dette nationale passe dans la période de 24 à 16 millions de dollars.

L'ampleur des inégalités de revenus atteint un maximum en 1928 – ce chiffre ne sera dépassé qu'en 2007, avant l'éclatement de la crise : les 10 % des Américains les plus riches bénéficient d'un peu moins de la moitié du revenu disponible.

Avec les mêmes préoccupations en tête et en écoutant les revendications des industriels qui craignent la concurrence européenne pour des produits nouveaux comme ceux de l'industrie chimique, Mellon et Hoover obtiennent, en 1922, que le Congrès adopte un tarif hautement protectionniste. La loi Fordney-McCumber passe aisément, elle semble constituer également une protection pour les fermiers qui doivent faire face à la surproduction : elle établit des droits élevés, laissant au président la possibilité de les réduire dans certains cas. Ce retour à la tradition républicaine du protectionnisme a pour effet d'intensifier la lutte commerciale et d'inciter certains industriels à s'implanter à l'étranger pour éviter les mesures de rétorsion : c'est le cas de GM en Allemagne. En 1930, Hoover devenu président renforcera encore cette politique grâce au vote du tarif Hawley-Smoot, même si de nombreux économistes émettent alors des doutes sur l'efficacité d'une telle mesure.

Cette politique ultra-libérale et favorable au monde des affaires explique que le gouvernement refuse de soutenir les prix agricoles et de participer à la construction des barrages hydro-électriques régionaux. Elle explique également le rôle réduit que joue la Réserve Fédérale, elle se contente d'abaisser le taux d'escompte pour faciliter un accès toujours plus important au crédit bon marché qui soutient la prospérité.

La Cour suprême, dont l'ancien président William Taft est juge en chef de 1922 à 1930, accompagne cette tendance conservatrice. Elle annule ainsi certaines lois progressistes qui taxaient les industriels qui employaient des enfants et établissaient un salaire minimum pour les femmes employées dans des hôpitaux : celles-ci qui étaient devenues citoyennes actives ne bénéficieraient plus d'une protection spécifique.

Une activité extérieure discrète

La politique extérieure des républicains tourne le dos à l'activisme wilsonien, rejeté par une majorité d'Américains : il n'est plus question de projet mondial, ni d'imposer la démocratie au reste du monde. Mais des traités sont signés avec les nouveaux États européens et la tombe d'un soldat inconnu est inaugurée en 1920 au cimetière d'Arlington. L'intervention dans la guerre mondiale a été perçue par de nombreux Américains comme porteuse de conséquences néfastes : dettes impayées, pertes humaines inutiles, mauvais exemples pour les Noirs et contagion révolutionnaire. Si les États-Unis refusent un rôle de guide sur la scène mondiale, cela ne signifie pas qu'ils restent inactifs : des mouvements pour la paix et le souci d'être présents sur les marchés mondiaux conduisent à diverses initiatives ; ils ne sont pas alors isolationnistes, mais refusent seulement les engagements diplomatiques contraignants.

L'équilibre des forces a changé dans l'océan Pacifique et le Japon veut être reconnu, en raison de sa participation au camp allié, comme l'égal des plus grands. C'est à Washington que se déroule en 1921-1922 une conférence pour régler ce problème, preuve que les États-Unis ne se désintéressent pas totalement des affaires du monde. Trois traités établissent un équilibre des armements navals entre la Grande-Bretagne, les États-Unis, le Japon, la France et l'Italie et tentent de désamorcer la course aux armement et les ambitions territoriales et régionales. Ce même souci d'éviter les conflits explique la multiplication des associations œuvrant pour la paix, le désarmement et le règlement équitable des conflits internationaux. Le climat de l'époque explique l'enthousiasme qui accueille, en 1928, la signature du traité entre Aristide Briand, ministre français des Affaires étrangères, et son homologue américain Frank Kellog ; ce texte qui rend la guerre hors-la-loi, mais ne prévoit rien pour les contrevenants, suscite un grand enthousiasme à travers le monde, comme si l'espoir renaissait d'une grande politique américaine ; mais il n'en est rien, car le traité a justement été ratifié par le Sénat des États-Unis parce qu'il ne provoquait aucun engagement précis. Quoique s'isolant des affaires politiques européennes, de nombreux Américains siègent à la Cour internationale de la paix à La Haye et dans divers comités mis en place par la SDN ; mais ils y sont à titre individuel ou comme employés d'entreprises américaines de conseil et d'expertises ; ces jeunes gens forgent là leurs carrières internationales, qui se développeront pour beaucoup d'entre eux lors du *New Deal*.

Dans le même temps, le gouvernement fédéral soutient vigoureusement le commerce et les investissements à l'étranger : des pressions sont exercées sur les gouvernements pour qu'ils abaissent leurs droits de douane et assouplissent leur réglementation, les diplomates américains portent toute l'aide nécessaire aux entreprises, certains sont spécialisés dans un domaine et sont en résidence à Paris ou à Londres, attentifs à l'évolution de la législation locale.

Cette conjoncture favorable n'amène pas le gouvernement américain à transiger sur le remboursement complet des dettes de guerre qui se montent à 10 milliards de dollars : il a emprunté aux banquiers américains selon des règles commerciales qu'il faut respecter, ne serait-ce que pour maintenir la confiance dans le monde des affaires. D'autre part, une éventuelle annulation des dettes, envisagée par de très rares experts, bénéficierait surtout à la Grande-Bretagne qui serait alors créditrice par rapport aux autres pays du monde et pourrait rivaliser avec les États-Unis.

En Europe, et tout particulièrement en France, la situation est considérée de façon très différente ; ces dettes ne sont que le prix payé pour assurer la victoire de la démocratie, pour laquelle les poilus ont versé leur sang. De surcroît, le coût de la reconstruction empêche d'envisager un tel remboursement. Enfin, les réparations dues par l'Allemagne ne sont pas payées, ce qui interdit tout règlement aux banques américaines. Le débat est violent, car les responsables américains ne veulent pas mélanger dettes et réparations : les premières sont concrètes, alors que les secondes dépendent de décisions politiques prises à Versailles. En 1923, aucune solution n'est en vue : le non-paiement des réparations entraîne celui des dettes américaines. Les États-Unis ne proposent qu'un aménagement des taux de remboursement, avec le même montant.

En mai-juin 1923, les Britanniquees et les Finlandais décident d'accepter les propositions américaines ; la Grande-Bretagne tient à retrouver la bonne entente avec les États-Unis afin de restaurer le rôle mondial de la Livre. Face à cet isolement, la France occupe la Ruhr.

En juillet 1924, les banquiers américains Charles Dawes, Henry Robinson et Owen Young, mandatés par le président Coolidge, obtiennent de l'Allemagne qu'elle paie ce qu'elle doit au titre des réparations, aidée en cela par un emprunt lancé aux États-Unis. Sans le reconnaître officiellement, les États-Unis ont établi le lien entre dettes et réparations : pendant les quatre ans qui suivent, ils prêtent 2,5 milliards de dollars aux pays européens, et principalement à l'Allemagne, qui paie alors les réparations qui permettent à la France, l'Italie et les autres de payer leurs dettes (2,6 milliards de dollars dans la même période). Ce flux financier transatlantique aboutit à une forme de mondialisation dans laquelle la prospérité des États-Unis est assurée par eux-mêmes, alors que l'Europe dépend de ce système pour se maintenir à flot : les diverses monnaies – livre, mark, franc – sont alors stabilisées. Ce système est consolidé par le nouvel accord de janvier 1929, négocié par les banquiers O. Young et J. P. Morgan, qui échelonnent le paiement des réparations et des dettes sur 58 ans, soit jusqu'en 1987. Tous les pays européens l'ont accepté.

L'épisode des dettes de guerres illustre à merveille la nature de la suprématie financière américaine sur l'Europe et le rôle idéologique direct qu'elle joue durant ces années de prospérité ; aucune trace d'isolationnisme dans cette politique puisque les banques et le gouvernement américains agissent de concert et imposent leurs volontés à des pays européens divisés et impuissants. Les Américains ne se désintéressent pas d'un monde dans lequel ils investissent, parallèlement au retrait des puissances européennes, comme en Amérique latine ou en Asie.

Contrastes et oppositions en disent long sur la réalité sociale américaine des années 1920 : ces années dites « folles » sont celles des jupes courtes et du charleston, du jazz triomphant et des vedettes d'Hollywood, mais sur les mêmes écrans surgissent également les images de l'exécution de Sacco et Vanzetti (1927), du procès du singe et de la prohibition de l'alcool qui a engendré de la violence ; alors que le Klu Klux Klan défile en grande tenue dans le centre de Washington en agitant des drapeaux américains (1925).

La crise de 1929

La crise qui éclate avec une soudaineté apparente en octobre 1929 a profondément marqué les Américains, beaucoup plus que les deux guerres mondiales restées lointaines avec des conséquences limitées : dans l'après-guerre, les souvenirs les plus douloureux sont ceux de la crise, avec ses queues pour les soupes populaires, avec des chômeurs de plus en plus nombreux sans aucune ressource.

La prospérité semblait tellement bien établie et justifiée, qu'elle a dissimulé aux yeux de la plupart des observateurs des fissures en train de s'élargir : surplus agricoles, manque de débouchés pour certains produits industriels arrivés à saturation de leurs marchés, inégalité criante des revenus, fragilité du système de crédit. Ce n'est qu'après coup que l'ampleur du mal s'est révélée et que des tentatives d'explication ont été élaborées ; sur le moment rien n'était prévu pour l'enrayer ni dans les entreprises ni dans les gouvernements, d'où l'intensité du désarroi alors que la crise s'approfondissait.

La brutalité de la crise

Le mardi noir d'octobre 1929

Le 23 octobre 1929 marque le démarrage du cycle infernal de la crise boursière qui retient toute l'attention. En une heure ce jour-là, le *Dow Jones*, indice des valeurs industrielles de la bourse de New York, perd 21 points, ce qui le ramène à son niveau de juin ; les choses ne s'arrangent pas et le 29 octobre, le fameux « Mardi noir », l'indice s'effondre de 45 points à l'ouverture – 16,4 millions d'actions sont vendues à n'importe quel prix pour trouver preneur. La baisse dure ininterrompue jusqu'au 22 novembre.

Le *Dow Jones* – base 100 en 1926 – avait atteint 191 au début de 1928 et 381 en septembre 1929, il est à 147 en décembre et il atteint 42 en mars 1933, son point le plus bas. Ces chiffres donnent la mesure de l'effondrement boursier d'octobre 1929, qui a tant marqué les esprits, sorte d'épée de Damoclès pour les bourses occidentales.

L'essor économique des années 1920 a donné à beaucoup d'Américains l'impression qu'il était facile de faire rapidement des profits considérables. Les placements dans l'automobile et dans les entreprises de radiodiffusion s'étaient révélés particulièrement fructueux : l'action *Radio Corporation of America* bondit de 85 à 420 dollars dans la seule année 1920. La spéculation foncière en Floride en 1924-1926 conduit également à des profits spectaculaires, fondée sur une montée purement spéculative des terrains. Il n'y a aucune assurance de stabilité.

Les Américains sont relativement nombreux à jouer à la Bourse, mais beaucoup moins qu'au début du XXIe siècle. Sur une population de 120 millions d'habitants, environ 4 millions possèdent des actions dont 1,5 million en quantité suffisante pour être en affaire avec un courtier, mais seulement un peu plus du tiers de ces derniers recueillent près de 80 % des dividendes ; c'est dire que la bourse reste une occupation de la bourgeoisie aisée et qu'elle ne s'est guère démocratisée. Pour participer à l'essor du marché, la plupart de ces spéculateurs achètent 80 à 90 % du prix des actions à crédit, puis remboursent le prêteur tout en faisant un gain appréciable avec le profit réalisé. Aussi des sociétés d'investissement se multiplient qui édifient des pyramides financières, dont l'équilibre tient aux progrès constants du marché. Depuis 1927, les échafaudages financiers sont facilités par la *Fed*, la banque centrale américaine, qui abaisse son taux de base et n'ose plus par la suite s'attaquer directement à la spéculation. Celle-ci obéit uniquement à une frénésie de gains rapides exacerbée par l'air du temps. Wall Street draine ainsi une masse de capitaux considérable, dont beaucoup proviennent de pays étrangers ; ils sont très volatiles en attente du placement le plus immédiatement fructueux et accentuent la fragilité du marché.

Ce prodigieux mouvement financier – les prêts aux courtiers sont passés de 6,5 millions de dollars fin 1928 à plus de 8,5 en septembre 1929 – repose sur le maintien de la confiance. Dès que celle-ci est entamée, à la suite de quelques mauvais résultats, la spirale descendante s'amorce sans que les déclarations du président Hoover sur la « solidité et la prospérité fondamentales des affaires » puissent l'arrêter, pas plus que les interventions des grandes banques. La bulle financière gonflée à l'extrême explose en octobre 1929. À ce moment-là, seul de l'argent a été perdu, mais, dès décembre, la production industrielle a baissé de près de 10 % et les importations américaines de 20 %. La prospérité, que beaucoup en 1928, croyait assurée pour longtemps, est bien terminée.

La crise industrielle

Le spectaculaire krach financier de Wall Street a eu des conséquences immédiates sur l'ensemble de l'économie. Il enraye la mécanique de la spéculation et les prêteurs réclament leurs mises que les débiteurs ne peuvent pas rembourser : les faillites des sociétés d'investissement se multiplient alors que les plus fragiles des emprunteurs peuvent être acculés au suicide.

Pourtant, malgré de fortes tensions, le système bancaire résiste au choc jusqu'en 1930-1931, moment où, en raison du caractère mondial de la crise, les faillites bancaires se multiplient : 5 000 entre 1929 et 1932, mais presque autant avaient connu le même sort dans la décennie précédente. Le chaos boursier n'explique pas seul la généralisation de la crise. Celle-ci perturbe les placements à long terme des entreprises et cause les lourdes pertes subies par les spéculateurs les plus riches : le commerce de luxe plonge. Or, si ces dépenses jouent un rôle non négligeable dans le système de la prospérité, leur diminution ne peut seule provoquer la crise industrielle, plus lourde de conséquences encore que la crise financière.

La profondeur de la dépression et sa généralisation rapide proviennent du fait que la terrible chute de Wall Street, d'octobre à novembre 1929, survient dans une conjoncture déprimée depuis l'été. Déjà, l'année précédente, les secteurs les plus dynamiques ont marqué le pas. L'industrie automobile, qui avait surinvesti, ne parvient à écouler sa production que par des artifices commerciaux. La construction immobilière, à la base de l'essor du début de la décennie, fléchit régulièrement depuis 1925, mais elle ne trouve plus une demande solvable, car les ménages sont largement équipés : 60 % des automobiles et 80 % des postes de radio sont acquis grâce au crédit à la consommation. Avant octobre, cette situation entraîne le fléchissement des commandes aux sous-traitants, contraints à licencier tout ou partie de leur personnel. La prospérité reposait sur la certitude d'une augmentation continue de la demande, entraînant le considérable mouvement d'investissement de la période. Or, la croissance de la population américaine a commencé à fléchir, ne serait-ce qu'en raison de la politique d'immigration mise en place par les quotas : les capacités de l'industrie américaine sont d'autant plus sous-employées que dans de nombreux secteurs le marché était saturé. Dans ce contexte déjà profondément déprimé, il ne fallait rien attendre du secteur agricole en crise depuis des années : le krach boursier porte « le coup de grâce » au système très fragilisé de la prospérité.

Naturellement, les investissements s'amenuisent : de 35 % en 1930, puis autant l'année suivante, avant de cesser presque totalement en 1932. Les grandes entreprises qui acceptent les directives présidentielles ne baissent pas les salaires de leurs ouvriers pour maintenir un minimum de pouvoir d'achat et se contentent, au début, de ne plus embaucher. Mais le marasme s'amplifie, la demande s'affaiblit : la situation devient intenable à partir de l'été 1931 pour les grandes firmes, comme Ford ou US Steel. Les entreprises qui continuent à trouver un marché (textile, alimentation) survivent à ce choc, surtout quand elles n'ont pas fait trop appel au crédit, mais les perspectives à moyen terme restent très sombres. La production baisse sans cesse, les salaires diminuent et les licenciements sont de plus en plus fréquents ; de leur côté, les petits entrepreneurs n'ont pu éviter la mise à pied de leurs ouvriers, ce qui entretient une atmosphère délétère dans le pays. Les travailleurs qui gardent un emploi vivent dans l'angoisse de le perdre et se refusent à dépenser.

Une crise sociale

Le chômage devient une véritable catastrophe : il frappe 4,5 millions de gens en avril 1930, 8 millions en mars 1931, 12 millions en mars 1932, sans doute 15 ou 16 l'année suivante. Le tiers de la population est au chômage ou appartient à une famille dépendant d'un chômeur ; les femmes comme les Noirs, derniers arrivés, sont licenciés en priorité. Dans certaines villes dès avril 1931, comme Philadelphie, le chômage atteint 40 % de la population active ; à Detroit où l'industrie automobile était dominante, au début de 1933, la moitié des habitants sont sans emploi. Des exemples analogues peuvent être pris dans les mines de Pennsylvanie ou dans l'Alabama. Les villes et les régions les plus touchées sont souvent celles qui dépendaient d'une industrie unique dont l'effondrement a des conséquences sur toutes les autres activités : sous-traitants, fournisseurs. En revanche, la diversité des industries et la complémentarité entre celles-ci et les services expliquent que certaines parties du pays, comme la Californie, échappent partiellement au fléau : elles attirent les chômeurs des zones sinistrées, voyageurs clandestins sur les chemins de fer transcontinentaux vers des terres réputées plus accueillantes, où rien n'est prévu pour eux ; assez rapidement, des comités d'accueil musclés d'hommes armés trient-ils les migrants en fonction des sommes dont ils peuvent disposer et chassent-ils les plus démunis.

La diversité des situations révèle des souffrances dont nul n'aurait pu penser qu'elles pourraient exister aux États-Unis. Dans les villes, nombreux sont les habitants qui se nourrissent dans les poubelles des restaurants et dans des zones plus pauvres, les enfants ne mangent qu'un jour sur deux ; partout, des queues se forment pour la moindre distribution de nourriture de l'armée du Salut et d'autres associations caritatives.

Dans le même temps, les fermiers, après des récoltes superbes, ne parviennent plus à écouler leurs productions ; la vente de pommes par les chômeurs dans les villes n'est qu'un pis-aller dérisoire. Les prix agricoles, déjà bas avant 1929, s'effondrent plus rapidement que ceux des fournitures indispensables : de moitié entre 1929 et 1933 pour les premiers, d'un tiers pour les seconds. Les fermiers, largement endettés pour faire face à la demande exceptionnelle de la Première Guerre mondiale, ne peuvent plus faire face à leurs engagements ; mais, en raison de la baisse des prix, ils choisissent souvent d'accroître ou de maintenir leurs productions pour rembourser leurs dettes, ce faisant, ils accentuent la surproduction, qui fait chuter un peu plus les prix. Le mouvement de faillite des banques des régions agricoles, déjà notable avant 1929, s'accélère en raison de cette spirale à la baisse. Dans une partie du Middle-West, des mouvements de violence contre les banques se produisent, car les terres sont désormais dans leurs mains, sans aucun souci des occupants. Dans d'autres régions, comme l'Oklahoma et le Kansas, la situation est encore aggravée par la sécheresse du *dust bowl* : les cultures extensives ont détruit les rangées d'arbres et asséché les cours d'eaux, aussi quand le climat devient plus sec, le sol est lessivé et ces régions sont ruinées ; *Les Raisins de la colère*, livre de John Steinbeck, porté à l'écran par John Ford en 1940, décrit avec beaucoup de force cette situation.

Bien que les classes moyennes souffrent moins que les ouvriers, bien que la plupart des plus riches, à l'exception d'une minorité spectaculaire de faillites retentissantes, ne voient leurs revenus que substantiellement écornés, les États-Unis se débattent avec la crise la plus dure et la plus longue de leur histoire, qui touche les uns après les autres tous les secteurs. Quelques chiffres en donnent la mesure : entre 1929 et 1933, le produit national brut a baissé de 29 %, les dépenses de consommation de 18 %, la construction de 78 % et l'investissement de 98 %, le chômage est passé de 3,2 à 24,9 % de la population active.

Pourtant la dégringolade n'a pas été régulière : la fin de l'année 1930 avait laissé espérer une possibilité de reprise, à la grande satisfaction du président Hoover, mais la faillite de la grande banque autrichienne du *Kreditanstalt* en mai 1931 entraîne des réactions en chaîne, en raison de la masse de capitaux américains placés en Europe et surtout en Allemagne (1,25 milliard en 1927-1928). L'effondrement des monnaies achève de dérégler le système monétaire et généralise la crise sur le plan mondial. À partir de fin 1931, l'optimisme n'est plus de mise et le fond semble atteint au début de 1933.

Le contraste est tellement grand avec les années précédentes, le choc tellement inattendu, malgré quelques signes avant-coureurs dont il était difficile de faire une synthèse, que la crise morale est profonde. Le business qui était paré de toutes les vertus est désormais traîné dans la boue ; les patrons deviennent les boucs émissaires, et la confiance disparaît totalement, en dépit des incantations du président Hoover dont le mandat se déroule presque totalement durant la crise. En quelques mois, de nombreux journalistes, artistes et écrivains se tournent vers le parti communiste américain, tellement l'effondrement du capitalisme, prévu par Marx, semblait en train de se produire à une vitesse stupéfiante.

Les réactions à la crise

Hoover, le piège

En raison de son extraordinaire popularité, le président Coolidge aurait pu être facilement réélu en 1928 ; pourtant dès l'été 1927, il annonce qu'il ne solliciterait pas un autre mandat. Simple fatigue d'un pouvoir mollement assumé, ou, comme sa femme l'a dit plus tard, prescience de la venue de temps trop difficiles pour lui.

Herbert Hoover est le candidat qui s'impose facilement à son parti, puis à l'élection de novembre contre le démocrate Al Smith, bouc émissaire des groupes les plus conservateurs. Nul n'est mieux préparé que cet homme à sa nouvelle tâche. L'arrivée de Hoover à la Maison-Blanche, à 60 ans, se déroule sous les meilleures auspices : il est né en 1874 dans une famile Quaker, mais orphelin de bonne heure, il a été élevé par des parents lointains ;

brillant ingénieur sorti de l'université Stanford, il fait fortune dans des entreprises minières et devient millionnaire avant 1914, à quarante ans. Il se lance ensuite dans l'administration avec autant de succès, il assure le ravitaillement des habitants de la Belgique et du Nord de la France durant la guerre, avant de prendre la tête, au gouvernement, du bureau de l'approvisionnement en nourriture qu'il mène tambour battant. Il reste ministre du Commerce de Harding et Coolidge et joue un peu le rôle d'un Premier ministre, démontrant une grande capacité de travail et une réelle efficacité. Après sa défaite de 1932 et jusqu'à sa mort en 1964, il veut prouver qu'il avait compris la crise ; tous les documents qu'il a accumulés sont conservés à l'université Stanford en Californie dans les locaux de la fondation conservatrice qu'il a créée.

Son passé humanitaire et quasi progressiste ravit ceux qui reprochaient à Coolidge son indifférence et son inertie ; d'un autre côté, il a mené une bataille centrée sur les valeurs américaines et sur la défense de la prohibition (lui-même n'a jamais bu), qui satisfait pleinement les républicains les plus conservateurs. Il n'a pourtant guère le temps de faire apprécier son originalité avant que la crise n'éclate.

Il est vain de reprocher au président de n'avoir pas su prévoir la catastrophe, car très rares sont les experts qui l'ont fait. En revanche, les proclamations de son discours d'inauguration sur la victoire réalisée contre la pauvreté sonnent amèrement quelques mois plus tard. Les critiques sur sa stratégie de lutte contre la crise ont plus de crédibilité, elle a été mise en œuvre tardivement, tellement il est convaincu que l'économie américaine est profondément saine, qu'elle rebondira d'elle-même et que la prospérité sera « au coin de la rue ».

En réalité, Hoover n'est pas de ceux, comme Andrew Mellon, qui pensent que la crise est « naturelle » et qu'il faut attendre patiemment qu'elle suive son cours ; c'est un président volontariste, prêt à agir, prêt à mettre le poids du gouvernement fédéral dans la bataille. Dans le même temps, il est profondément convaincu de la nécessité de respecter l'individualisme américain et l'égalité des chances qui en découlerait. Sa stratégie s'organise autour de quelques grands principes : en premier lieu, il s'agit de rétablir la confiance, dont la disparition est pour lui la raison profonde de la crise. Pour cela, Hoover n'hésite pas à répéter les promesses de redressement ni à payer de sa personne en assistant à des manifestations sportives, comme si de rien n'était ; ne pas invoquer la dépression pour ne pas inquiéter. Cette démarche, qui comporte une part de vérité, échoue et contribue à faire perdre au président sa crédibilité : l'aggravation et l'élargissement de la crise viennent contredire cette application américaine de la « méthode Coué ».

Mais en même temps, Hoover, fort de son expérience de la guerre, cherche à lutter contre la crise en faisant appel à la coopération volontaire : il réunit régulièrement les grands chefs d'entreprise pour les inciter à ne pas baisser les salaires et à maintenir l'investissement, il suscite des commissions qui doivent catalyser le volontarisme, comme le Bureau fédéral des fermiers, la Conférence nationale de surveillance des affaires ou la Corporation nationale de crédit. Malgré l'injection de quelques crédits fédéraux, ces tentatives intéressantes échouent rapidement, inadaptées à l'ampleur des problèmes. Il en va de même d'une agence destinée à venir en aide aux chômeurs et aux malheureux, POUR (*President Organization for Unemployment and Relief* – Organisation du président pour le chômage et le secours) : sa fonction essentielle vise à restaurer l'optimisme par une publicité adaptée.

Les échecs de ces tentatives ne découragent pas le président et il n'hésite pas, contrairement à ses principes et à titre exceptionnel et temporaire, à accepter un déficit fédéral pour financer des actions ponctuelles : soutenir les prix agricoles, lancer des travaux publics et, à partir de 1932, dotation de la *Reconstruction Finance Corporation* qui attribue des prêts fédéraux aux institutions bancaires et financières pour leur permettre de relancer l'activité. Ces initiatives vont dans le bon sens et sont reprises par Roosevelt l'année suivante, mais elles viennent trop tard et restent timides.

Finalement, l'action de Hoover est multiple et son échec seulement relatif, en raison des énormes difficultés. Pourtant Hoover a laissé dans l'opinion une image désastreuse : les Américains l'associent à la crise et lui en attribuent la responsabilité. Le « grand ingénieur » est dépeint comme un incapable et un politicien détestable : on parle de « Dépression Hoover » alors que son nom a été lié à la prospérité et les taudis des chômeurs sont baptisés « Hooverville », alors que des rues de Belgique célèbrent son nom comme un sauveur.

Herbert Hoover, malgré sa réputation humanitaire, n'a jamais su marquer la moindre compassion, ni manifester la moindre chaleur humaine à l'égard des plus démunis : il a accompli froidement son devoir pour eux, sans plus. Piètre orateur, il n'a jamais réussi à faire passer ses messages de confiance aux plus défavorisés. À ces traits de caractère regrettables à une époque où les Américains se sentaient désemparés, s'ajoute un dogmatisme conservateur.

En effet, Herbert Hoover s'est toujours refusé à distribuer des fonds pour aider des individus, alors qu'il le faisait volontiers pour des institutions : il accorde 45 millions de dollars, en 1930, pour nourrir le cheptel de l'Arkansas menacé par la sécheresse, mais s'oppose à accorder 25 millions aux fermiers de la région et à leur famille : les porcs survivent mais leurs propriétaires meurent de faim. De la même façon, il s'oppose à toute aide directe en faveur des chômeurs, mais en accorde aux banques. Il craint d'affaiblir la fibre morale des individus et de diminuer leur capacité de résistance en leur accordant de l'assistance. Ce n'est que très discrètement qu'il accepte à titre exceptionnel quelques rares programmes d'aide sociale.

Ces conceptions, qui tournent de plus en plus vers le conservatisme lors de la campagne présidentielle de 1932, sont rejetées par une large majorité d'Américains, indignés d'une attitude que la prospérité pouvait faire accepter mais qui n'était nullement adaptée en temps de crise. En dépit de ses mérites réels, Herbert Hoover n'est jamais parvenu à s'adapter à un pays que la crise bouleverse en profondeur.

La montée des mécontentements

Si Hoover a été en première ligne dans la lutte contre la crise, il n'est nullement le seul en cause. Or, pas plus les hommes politiques que les hommes d'affaires, qui ont perdu beaucoup de leur superbe, n'ont de solution à la crise qui dure et s'envenime. Les propositions ultra-libérales sont démonétisées et, à part les marxistes qui voient leur nombre s'accroître, les démocrates ne proposent rien de neuf. L'utilisation systématique et consciente du budget est encore impensable et les idées de Keynes ne sont pas encore connues et les pré-keynésiens bien rares : les deux partis, comme le prouvent les programmes de 1932 vigoureusement défendus par Hoover et Roosevelt, s'obstinent à vouloir restaurer l'équilibre budgétaire. Et en 1930, le gouvernement n'hésite pas à relever le tarif douanier par la loi Hawley-Smoot, ce qui paralyse un peu plus le commerce et, en 1932, à augmenter les impôts – avec le projet d'une taxe de vente – pour équilibrer un budget en hausse et non à des fins sociales, alors qu'un allégement aurait pu susciter une légère reprise.

Mais les économistes de la *Fed* n'ont pas de meilleure solution que le gouvernement et, désemparée par la crise, la banque centrale reste passive en maintenant une politique restrictive du crédit qui contribue à aggraver la récession. Les banques ne pouvant accorder plus de disponibilités qu'elles en ont, suscitent la méfiance des déposants qui retirent leurs fonds ; une politique plus active de la *Fed* aurait sans doute permis d'éviter de nombreuses faillites d'établissements bancaires. Ainsi, la politique monétaire est-elle seulement défensive et n'évolue qu'au printemps 1932, beaucoup trop tard. La banque centrale de cette époque n'est pas consciente de la nécessité de mener une réelle politique de crédit.

Les élections au Congrès de 1930 ont laissé une courte majorité aux républicains au Sénat mais pas à la Chambre, et les démocrates se gardent bien de s'associer a la course suivie par Hoover. Ils sentent très bien qu'elle mécontente toujours plus l'opinion qui souhaite des actions plus déterminées et aspire à l'établissement d'une certaine solidarité : ils n'hésitent pas à vouloir « faire payer les riches » et à proposer une loi pour venir en aide aux chômeurs, Hoover, fidèle à lui-même, met son veto à ce retour de flamme du progressisme honni.

Devant l'impuissance apparente des gouvernements et la durée implacable de la crise, les Américains restent dans leur ensemble dignes et calmes, plus résignés que révoltés, plus abattus que revendicatifs. Le poids du chômage et les difficultés de la vie quotidienne expliquent cette attitude, mais la diversité des situations régionales et les initiatives de solidarité des habitants d'un quartier ou des associations permettent à la plupart des citoyens de ne pas se décourager. Les groupuscules communistes n'ont pas devant eux une société prête à s'écrouler, même si les conditions semblent, à première vue, leur être favorables.

Ce calme d'ensemble ne dissimule pas une violence qui ne se répand pas partout, mais qui est occultée dans la presse afin de ne pas donner de prise aux agitateurs. Des chômeurs pénètrent en groupes dans les grands magasins pour obtenir, sous la menace, de la nourriture et les gérants préfèrent ne pas appeler la police. Des camions de boulangers sont parfois dévalisés avant que les forces de l'ordre puissent intervenir et des organisations de chômeurs tentent de s'opposer aux nombreuses expulsions, causées par le non-paiement des loyers. De telles actions restent rares, mais inquiètent les autorités, prêtes à y voir la main cachée du communisme ; la police veille et n'hésite pas à réprimer avec férocité des mouvements jugés subversifs.

C'est ce qui arrive, en mars 1932 à la grande usine *Ford* de la Rivière rouge, à Dearborn, dans la banlieue de Détroit. Un défilé de 3 000 chômeurs organisé par des communistes, veut se rendre jusqu'à l'usine pour exposer des revendications à la direction : Henry Ford n'est plus le patron-miracle. La police cherche à disperser une manifestation paisible et la violence éclate : les policiers se replient dans l'usine et tirent faisant 3 morts et 50 blessés. Cinq jours après ce drame, 40 000 personnes assistent aux funérailles qui se déroulent sous un portrait de Lénine. L'écho de ce drame est important mais limité, afin d'occulter le rôle des communistes et de refuser toute politisation.

Quelques mois plus tard, l'opinion est beaucoup plus touchée par le sort tragique de « l'armée du Bonus ». Un groupe d'anciens combattants de la Première Guerre mondiale, venant de la région de Portland, décide de marcher sur Washington pour obtenir du Congrès le paiement immédiat d'une prime, le « bonus », qui leur a été promis pour 1945 ! L'idée remporte un certain succès et plus de 20 000 hommes, souvent accompagnés de leurs familles, s'installent dans la capitale fédérale au printemps de 1932. Une moitié quitte la ville après que le Sénat a rejeté la proposition de loi votée par la Chambre ; les autres chômeurs désemparés s'installent dans des taudis qu'ils ont édifiés à Anacostia, à proximité des bâtiments du Congrès : de nouvelles Hoovervilles. Le 28 juillet, des incidents éclatent et un ancien combattant est tué. Le gouvernement prend peur : sans en référer au président, Douglas MacArthur, le chef d'État-major, et son adjoint Dwight Eisenhower, décident de chasser ces malheureux du district de Columbia, persuadés de la menace révolutionnaire imminente. Équipées pour le combat, les troupes, avec des cavaliers sabre au clair et des mitrailleuses, n'ont aucun mal à disperser la dérisoire « armée du Bonus » dont les cabanes sont impitoyablement brûlées.

Sans être le véritable responsable, le président Hoover « couvre » son général, ce qui contribue, un peu plus encore à en faire un personnage odieux et insensible aux yeux de très nombreux Américains, plus émus par le sort des anciens combattants que par celui des ouvriers communistes de l'usine de la Rivière Rouge.

Conclusion

Ces graves incidents surviennent quelques mois avant l'élection décisive de novembre 1932 ; ils ne peuvent qu'accentuer l'inquiétude de l'opinion qui s'interroge sur la solidité du système économique et sur le risque de voir la cohésion sociale se déliter irrémédiablement. La violence ne risque-t-elle pas de se généraliser alors que le fond de la crise n'est pas encore atteint ? Il n'en a rien été, mais sur le moment les périls semblent s'accumuler, occultant le calme et la dignité de l'ensemble du pays.

La tension qui règne en 1932 permet de mieux comprendre pourquoi la crise a marqué si profondément les Américains ; elle explique également que les deux candidats, Hoover et Roosevelt, cherchent à analyser la dépression de façon à ne pas en porter la responsabilité. Le président sortant a toujours prétendu que la crise était venue d'Europe : le système des dettes issues de la Première Guerre mondiale ayant fragilisé l'économie américaine et, en 1931, la faillite des banques européennes aurait annulé la reprise qui s'annonçait. Cette interprétation, pour le moins discutable, est rejetée par le candidat démocrate qui, très naturellement, met en cause la politique des républicains et insiste sur les excès de la « Nouvelle ère » qui ont conduit à une débauche spéculative, sans aucun des contrôles nécessaires. Ce débat entre les deux hommes n'a pas été tranché facilement par les économistes et les historiens. En effet, les interprétations de la crise sont d'autant plus nombreuses qu'on attend d'elles des leçons utilisables pour celles de notre temps.

Il a été prétendu qu'il y avait une espèce de compensation inévitable entre la Prospérité et la Crise, celle-ci apparaîtrait dès lors comme naturelle, voire indispensable. Plus sérieusement, les monétaristes, dans la lignée de Milton Friedman et Anna Schwartz, expliquent le phénomène par une contraction injustifiée de la masse monétaire en 1929-1930 ; mais une explication unique, si séduisante soit-elle, n'est guère convaincante. D'autres, comme Paul Samuelson, insistent sur une causalité multiple, plus exacte, ce dernier s'inspire d'un keynésianisme modéré qu'il a choisi de mathématiser. Certains élaborent, à l'instar de Hoover, l'explication internationale, ou insistent, tel Joseph Schumpeter, sur la conjonction rare des mouvements cycliques, qui a provoqué une crise unique en son genre.

John Maynard Keynes a été le premier à tenir compte de l'insuffisance relative de la demande pour expliquer l'ampleur de la crise, confortant les explications démocrates, avant qu'il ne soit contesté, à partir de 1979, par le retour des ultra-libéraux avec la politique de l'offre et la croyance dans l'absolue sagesse des marchés. D'autres analystes, Robert Gordon, Thomas Wilson ou, en France, Jean Heffer ont repris la thèse de Keynes, mais ils y intègrent les causes secondes : financières, budgétaires ou internationales. Il apparaît bien que l'économie américaine connaissait, dans les années 1920, des faiblesses structurales, dues à un investissement excessif dans les secteurs les plus modernes. Le marché est partiellement saturé et les revenus des classes moyennes, bases du développement de la consommation, n'augmentent pas aussi vite que la production, alors que de nombreux secteurs restent en retrait : industries traditionnelles, fermiers, avec des chômeurs déjà nombreux avant la crise. L'aveuglement et l'ignorance économique des gouvernements, comme l'avidité sans frein des plus riches, ont fait le reste.

En 2008, le développement de la crise liée à des crédits immobiliers à risque a fait ressurgir le spectre de 1929 ; l'activisme des gouvernements pour sauver le système financier et provoquer une relance a pourtant signifié un retour en grâce du keynésianisme aux dépens du dogme libéral qui régnait jusque-là : Keynes a compris que personne ne pouvait faire des prédictions dans le domaine économique et qu'il était donc impossible d'être totalement rationnel, alors que les disciples d'Hayek, et même un Samuelson disciple de Keynes, affirment que l'économie est régie par des règles mathématiques basées sur la seule raison, quels que soient les aléas politiques ou sociaux.

Franklin D. Roosevelt, qui arrive au pouvoir en 1933, n'a pas la chance de connaître cette pensée économique encore inédite mais il choisit avec énergie, mais aussi une relative maladresse, l'activisme présidentiel.

Chapitre 7

Les États-Unis de Roosevelt (1933-1945)

Le président élu en 1932 se devait de proposer des solutions rapides : il fallait qu'il prouve à ses concitoyens qu'il connaissait leurs besoins et savait comment les satisfaire, à l'opposé de Hoover figé dans ses inhumains principes conservateurs.

Or, Franklin Delano Roosevelt, le nouveau président, parvient rapidement à faire oublier son prédécesseur et ouvre une nouvelle page de l'histoire des États-Unis, en proposant un *New Deal* qui est resté dans la mémoire et a souvent été imité. L'homme domine la scène pendant plus de douze ans, une période essentielle pour son pays et pour le monde. De ces années date une nouvelle naissance des États-Unis, qui connaissent des changements en profondeur, avec une entrée décisive dans le vaste monde. Il n'est pas rare de faire de 1945 la date fondatrice des États-Unis contemporains, mais beaucoup de ce qui les compose s'est mis en place durant les mandats de FDR – comme il est fréquemment dénommé –, et son héritage marque toujours le pays soixante-cinq après sa disparition en avril 1945, comme le prouvent les références fréquentes de beaucoup de ses successeurs à sa grande figure, de Harry S. Truman à Barack Obama.

Grâce à ce président complexe, les États-Unis entrent vraiment dans la modernité, avec une ébauche de services sociaux (complétés seulement en 2010 par la réforme du système de santé) et une réelle vision du monde qui lui a été propre.

Le *New Deal* n'est pas un programme cohérent, mais a évolué avec ce président, qui a su redonner espoir aux Américains.

L'urgence du *New Deal*

Franklin D. Roosevelt, l'élu

Une élection attendue

Le parti républicain ne dispose pas d'un grand choix lorsqu'il réunit sa Convention à Chicago en juin 1932. Sans doute, une minorité se passerait volontiers d'Hoover, mais ce serait reconnaître sa responsabilité dans la crise, le président sortant le refuse. Aussi Hoover est-il inévitablement candidat ; au fait d'une opinion très hostile à son égard, il est bien décidé à rester discret, se contente comme le parti, de mettre en avant les solutions républicaines pour sortir de la crise, même quand elles ont donné les preuves de leur impuissance.

Du côté démocrate, les choses sont sensiblement différentes ; la perspective d'un succès assuré, en raison de l'impopularité de Hoover, suscite bien des ambitions. Al Smith, le candidat malheureux de 1928, reste influent et n'aime pas Franklin D. Roosevelt, candidat déclaré, aussi soutient-il donc un troisième homme, Newton Baker. L'équipe de Roosevelt doit batailler ferme, durant la Convention qui se tient également à Chicago à partir du 30 juin, pour convaincre les représentants du Sud et de l'Ouest, et pour rallier le célèbre patron de presse, Randolph Hearst. Au quatrième tour, Roosevelt l'emporte à la majorité requise des deux tiers des délégués et choisit comme vice-président par souci de complémentarité, l'un de ses opposants : John Garner du Texas.

Le candidat prouve son entregent et n'hésite pas à rompre avec une tradition et à en inaugurer une nouvelle : il vient devant la Convention prononcer son discours d'acceptation. Celui-ci révèle son talent d'orateur et reflète la diversité des courants démocrates auxquels Roosevelt doit s'adresser : il prend parti pour les plus humbles, cet « homme oublié », formule testée lors de l'un de ses précédents discours, mais soutient également le « sommet de la pyramide », sans lequel rien n'est possible. Ces contradictions sont gérées par la promesse d'un *New Deal*, mot d'ordre flou et sonore que chacun interprète à sa façon, d'autant qu'aucune mesure précise n'y figure.

La campagne électorale accentue le contraste entre l'extraordinaire dynamisme de Roosevelt – malgré le succès probable, il prononce une trentaine de discours majeurs dans le pays – et l'atonie de Hoover, contraint de défendre son bilan, quand il n'affronte pas des manifestations hostiles lors de ses rares sorties. Peu à peu, le président sortant identifié à la droite n'a plus d'autre ressource que de dénoncer son adversaire comme un dangereux radical qui mettrait en péril l'équilibre du pays. Satisfait de ce label de gauche, Roosevelt peut tantôt évoquer, comme à San Francisco, la nécessité d'une planification de l'économie et, à Colombus, reprocher à Hoover les excès de la réglementation fédérale ; il peut s'engager à assurer le bien-être des plus démunis à Pittsburgh, mais aussi critiquer le président sortant pour avoir trop dépensé et mis le budget en déficit. En dépit des accusations de Hoover, Roosevelt n'apparaît en rien comme un révolutionnaire, quand il s'exclame : « Mes amis, ma politique est radicale, comme est radicale la liberté américaine ! » Qui pourrait s'opposer à une telle proclamation, qui ne serait sensible à la voix chaleureuse, devenue vite familière, que transmet la radio à des millions d'auditeurs, quand Hoover demeure toujours froid et lugubre.

La victoire démocrate ne fait guère de doute et n'importe quel candidat l'aurait sans doute emporté, mais son ampleur va au-delà des espérances du parti. Le candidat démocrate, avec 22,8 millions de voix, distance son rival de plus de 7 millions de suffrages et l'emporte dans tous les États sauf six : les très républicains Maine, Vermont, New-Hampshire, Connecticut ainsi que le Delaware et la Pennsylvanie. Le candidat socialiste Norman Thomas, avec un peu moins de 900 000 voix et 2,2 % du suffrage, alors que la crise lui permettait d'en espérer 5,5 %, et le communiste William Foster, avec 100 000 voix, ne profitent en rien du mécontentement des travailleurs. L'abstention se situe à 43 % comme en 1928, ce qui indique que nombre d'Américains déboussolés ne croient guère a une solution politique, autre défi que le nouveau président devra relever : il y réussira partiellement puisque le pourcentage des abstentionnistes tombera à 39 % en 1936 et 37,5 % en 1940.

Ce succès d'un homme est aussi celui d'un parti. Les démocrates obtiennent une forte majorité dans les deux chambres : 310 sièges de représentants contre 117 – soit 90 de plus par rapport à 1932 – et 60 sénateurs contre 35 – soit 13 de plus. Le parti de l'Âne, avec 56,6 % du vote national, domine nettement la vie politique, ce qui n'était pas arrivé depuis la veille de la guerre de Sécession. Une nouvelle ère commence.

L'homme Roosevelt

Franklin D. Roosevelt est, encore aujourd'hui, classé parmi les meilleurs présidents derrière Lincoln et devant Washington. Ronald Reagan qui s'est attaqué aux acquis du *New Deal* a toujours marqué son admiration envers l'homme qui en avait été le promoteur et pour lequel, jeune journaliste, il avait voté. Ce prestige n'a pas été immédiat et il s'explique de plusieurs façons, car la carrière et la personnalité de Roosevelt sont en tous points remarquables. Franklin Delano – nom de jeune fille de sa mère – Roosevelt fils unique de James et Sara est né en 1882 dans l'une des familles patriciennes de l'État de New York; d'origine hollandaise, il est cousin de Theodore Roosevelt à qui il porte une grande admiration. Le jeune Franklin suit les études typiques d'un jeune homme issu de ce milieu : école de Groton (Massachusetts), qui applique le modèle britannique pour forger la fibre physique et morale des garçons de bonne famille, puis études supérieures à l'université d'Harvard pour y faire son droit, malgré une attirance pour la mer et l'Académie navale d'Annapolis. Le jeune homme réussit honorablement, mais s'avère meilleur sportif que grand intellectuel : son entregent et sa chaleur humaine font merveille auprès de ses camarades, lorsqu'il dirige *Crimson*, journal de l'université. En 1904, il entre à l'université Columbia (New York) pour compléter ses études de droit. L'année suivante, il épouse Eleanor Roosevelt, lointaine cousine et nièce du président Theodore Roosevelt. Ils auront cinq enfants et bien que leur union n'ait pas été heureuse, ils forment une équipe efficace; Franklin a une longue liaison et Eleanor s'épanouit dans les amitiés féminines, mais elle comprend et stimule l'ambition de son mari, le tient au courant de ses préoccupations humanitaires et sociales; elle est la première femme de président à être définie comme *First Lady*, avec un véritable cabinet à ses côtés.

La pratique du droit dans une firme de Wall Street n'enchante guère Franklin : il ne saurait s'en contenter et il est saisi par le virus de la politique. Étrangement, il va calquer sa carrière sur celle du prestigieux cousin Theodore, tout en restant, selon la tradition paternelle, un fervent démocrate. Son enthousiasme fait merveille et il est élu en 1910 pour la première fois sénateur de l'État de New York, dans une circonscription républicaine. Il se révèle un parlementaire actif et se fait connaître nationalement dans sa lutte contre la corruption de la « machine » démocrate de Tammany Hall et, sans être un progressiste affirmé, fait partie des étoiles montantes du parti. Après avoir soutenu la campagne de Woodrow Wilson, il est très heureux qu'on lui demande d'occuper le fauteuil de Theodore comme Sous-secrétaire d'État à la Marine. Il envisage même de s'engager, quand les États-Unis entrent en guerre, mais il ne fera qu'une brève mission en Europe en 1918. Pour se faire connaître nationalement et susciter des appuis dans le parti, il accepte d'être candidat à la vice-présidence en 1920, avec James Cox. L'échec attendu en fait néanmoins l'une des personnalités démocrates de premier plan pour une élection suivante.

Cette belle carrière est brutalement interrompue en août 1921 ; alors qu'il fait du bateau, Roosevelt est frappé par la poliomyélite. Le fils de famille sportif et décontracté est désormais paralysé des deux jambes : les espoirs de progrès rapides sont vite déçus, il ne pourra plus jamais marcher sans aide, devant pour se tenir debout porter des jambières métalliques au prix de profondes souffrances et être porté pour s'asseoir dans un fauteuil ou rentrer dans une voiture. Beaucoup auraient renoncé à la vie publique, mais son ambition est encore plus forte et la presse reste discrète sur son infirmité car il a exigé de ne pas être pris en photo, situation qui ne pourrait se passer avec les médias de la période suivante (pour signifier le changement d'époque, le président Clinton inaugurera un monument à Washington, montrant Roosevelt dans un fauteuil roulant avec une couverture sur les genoux). Cette épreuve donne à FDR une trempe qu'il n'avait sans doute pas aussi forte et lui permet de se faire un prénom, elle contribue beaucoup à sa popularité : les gens admirent son courage et apprécient une bonne humeur qui ne se dément pas.

Durant les premières années de sa nouvelle vie, Roosevelt se tient en contact, par correspondance, avec les démocrates les plus éminents et dirige, en 1924, la première tentative d'Al Smith de décrocher la nomination démocrate, à l'occasion de laquelle il prononce son premier discours public depuis son attaque. Toujours actif au sein du parti, il joue le même rôle quatre ans plus tard et devient le successeur logique de Smith pour le poste de gouverneur de l'État de New York. Il se demande s'il s'agit du meilleur tremplin pour servir à une candidature présidentielle ultérieure, mais il décide de se présenter afin de prouver qu'il est capable de mener campagne : il est élu et facilement réélu en 1930. À ce poste, Roosevelt démontre que son infirmité ne le handicape pas et il fait face à la crise de façon convaincante. Son action ne se distingue guère, sur le fond, de celle de Hoover, mais il se révèle maître de la communication politique et donne l'image d'un activisme efficace contre la crise. Il s'entoure de travailleurs sociaux remarquables qui le suivront à Washington – par exemple, Frances Perkins et Harry Hopkins et, la crise s'approfondissant, envisage des solutions plus progressistes, comme l'organisation de secours aux chômeurs.

Une carrière aussi bien remplie explique que FDR ait été choisi comme candidat par son parti, pour remporter l'élection présidentielle. Mais ce succès vient aussi du caractère du nouveau président ; c'est un homme d'action, convaincu qu'il peut résoudre les problèmes auxquels il est confronté et capable d'en persuader ses interlocuteurs en privé comme en public. Il s'y emploie en utilisant toutes les ressources de la radio, dont il comprend qu'elle nécessite une éloquence nouvelle proche des préoccupations des auditeurs : ses « causeries au coin du feu » ont été largement imitées dans d'autres pays.

Cette attitude optimiste convient parfaitement aux Américains qui se sentent en confiance avec un homme qui a manifesté un tel courage personnel. De plus, Roosevelt se remarque par son pragmatisme, qui lui permet de s'adapter à toutes les circonstances et de choisir la solution la plus simple, loin de tout dogmatisme. Il est, au mieux, imprégné d'une réelle culture progressiste et convaincu de la nécessité d'une action sociale en faveur des plus démunis, ce qui le rend proche des soucis de l'Américain de la dépression. C'est également un admirateur des réalisations de Wilson, dont il retient tantôt le libéralisme, tantôt l'intervention de l'État, même si son dynamisme et le déroulement de sa carrière le fassent ressembler beaucoup à l'oncle Theodore.

Ce mélange fascinant est à la base du charme du président, auquel il essaie de faire succomber tous ses interlocuteurs, mais constitue aussi une faiblesse. En effet, il peut être superficiel et adopte facilement le point de vue du dernier qui a parlé, mais il sait au bout du compte prendre sa décision. Cet homme séduisant et chaleureux est un tacticien hors pair et un politicien retors, l'un des premiers à utiliser les sondages de Gallup pour orienter son action – ils apparaissent en 1935 –, mais il n'est ni un théoricien ni un intellectuel et tient compte, le plus souvent, des rapports de force.

Un réel brain-trust

La Constitution de 1787, rédigée à l'âge du cheval, a institué un long intervalle entre l'élection du président début novembre et son entrée en fonction début mars : il fallait que les bulletins arrivent à Washington par des chemins hivernaux puis, éventuellement, que le Congrès se réunisse afin de choisir entre les candidats. Pendant ce temps, le président sortant continue à agir et le Congrès à légiférer. Lors de l'hiver 1932-1933, alors que la crise atteint son maximum, ces dispositions sont très néfastes ; le président élu refuse toute perspective d'union nationale, qui lui interdirait d'agir. FDR s'empresse d'obtenir dès son accession au pouvoir réel l'adoption du XXe amendement, qui réduit ce délai et permet, à partir de 1937, l'entrée en fonction du président le 21 janvier.

C'est pendant cette période incertaine et tendue que les Américains s'accoutument à de nouveaux noms, ils découvrent les « hommes du président ». Il s'agit du célèbre *« brain trust »* dont s'entoure Roosevelt depuis 1932 : un groupe informel de conseillers, souvent d'origine universitaire, qui joue un rôle essentiel pour l'information du président qui joue à merveille des différences et des susceptibilités. Autour d'un noyau stable de professeurs :

Raymond Moley de tradition progressiste, Adolf Berle J.-R. brillant jeune homme ou l'économiste Rexford Tugwell, gravitent des wilsoniens comme Bernard Baruch ou quelques politiciens amis, tel Sam Rayburn du Texas. En dehors de ce groupe mouvant, se trouve Harry Hopkins ; chargé de nombreuses fonctions diverses, il devient au fil des années l'un des conseillers les plus écoutés du président, même dans le domaine international. Pour la plupart, ces hommes ne détiennent aucun mandat électoral et proviennent d'horizons différents, mais ils ont en commun une certaine modération politique et la plus grande admiration pour le patron.

Le *brain trust* est en rivalité constante avec le cabinet que le président réunit rarement et auquel il ne se confie guère, sinon à quelques-uns des membres qui lui sont proches. C'est le cas de Henry Morgenthau, ministre du Trésor à partir de 1934 ou de Frances Perkins, ministre au Travail et première femme à diriger un ministère. Les autres sont choisis pour l'équilibre politique, tel le républicain Harold Ickes à l'Intérieur ou des représentants du Sud afin de conforter des élus influents dans le parti démocrate, comme le Virginien Claude Swanson à la Marine ou Cordell Hull du Tennessee au Secrétariat d'État. Ce cabinet reste d'une grande stabilité durant les mandats de Franklin D. Roosevelt, qui préfère toujours créer des agences et des commissions parallèles, confiés à des hommes sûrs, plutôt que de renforcer les ministères existants. Cette double structure correspond bien aux besoins du président de n'être lié par personne, et de rester toujours le maître du jeu.

Le président élu a le choix entre collaborer avec le sortant ou attendre le jour de l'inauguration pour agir à sa guise. La situation est particulièrement tendue avec des fermiers prêts à passer à des actions violentes et des chômeurs non secourus sur le bord d'actions désespérées, sans oublier les faillites qui se multiplient dans les secteurs bancaire et industriel. Certains n'attendent plus rien : à la suite de Hoover, certains milieux d'affaires redoutent une révolution dont Roosevelt pourrait être l'initiateur. D'autres patrons, au contraire, se rallient très rapidement au président élu, car ils connaissent ses principes et sont persuadés qu'il est le seul à avoir la capacité de désamorcer le risque révolutionnaire et de leur redonner l'espoir.

Hoover tente d'obtenir de Roosevelt qu'il soutienne sa politique : en décembre, son projet de renégociation des dettes internationales indique, selon lui, l'origine extérieure de la crise, et en février, ses remèdes pour la crise bancaire qui s'aggrave. Le président élu refuse tout rapprochement avec une politique rejetée par les électeurs et qui risquerait de lui lier les mains. D'autant que l'enquête sur les faillites de certains des grands groupes financiers de la prospérité révèle des comportements scandaleux qui rejaillissent sur les républicains et accentuent la crise de confiance envers les financiers et les banques : les faillites se chiffrent par centaines et les caisses de la Réserve fédérale se vident, passant de 1,3 million de dollars en janvier 1933 à moins de 400 000 en mars.

Le 4 mars 1933 à un moment particulièrement dramatique, Roosevelt prend les commandes et son adresse inaugurale est marquée par l'urgence de la situation : « La seule chose dont nous ayons à avoir peur, est la peur elle-même... Nous devons agir, et agir tout de suite. »

Les 100 jours

Les Américains attendent beaucoup du nouveau président et il jouit d'une immense popularité alors qu'il n'a encore rien accompli : le *New Deal* est bien attrayant, mais personne ne sait vraiment ce que recouvre la formule. Or, du 4 mars au 16 juin 1933, une quinzaine de lois majeures sont votées après une quarantaine d'heures de débat : elles constituent l'armature du *New Deal*. Ce temps des 100 jours est devenu une règle politique dans de nombreux pays : un nouvel élu doit montrer dans les trois premiers mois sa capacité à s'attaquer aux problèmes en cours, sa détermination s'affaiblit ensuite au contact des contraintes législatives et avec le retour de l'opposition quelque peu anesthésiée au début.

Les premières mesures d'une urgence absolue

L'inauguration de FDR s'est déroulée au plus profond de la crise bancaire, alors que vingt-deux États ont ordonné la fermeture des banques pour juguler la panique. L'attente est d'autant plus vive que, dans son adresse inaugurale, Roosevelt a lancé des piques vigoureuses contre les « marchands du Temple » qui trompent le peuple et a évoqué les « changeurs d'argent » sur un mode biblique, tout en louant les valeurs sociales « plus nobles que le simple profit financier ».

Le président montre sa détermination : dès le 5 mars, il convoque le Congrès en session extraordinaire pour le 9 ; le 6, par autorité exécutive, il ordonne la fermeture de tous les établissements bancaires du pays pour quatre jours. Mais la loi votée à l'unanimité et en une heure, le 9 mars, par la Chambre, et presque aussi facilement par le Sénat, ne contient rien de nouveau. Préparée à partir des projets de l'administration républicaine en concertation avec les banquiers, la loi d'urgence bancaire institue une garantie fédérale pour les banques solvables et prévoit la procédure de réouverture des établissements. La *Reconstruction Finance Corporation* de Hoover renforce le capital des banques et la *Fed* est chargée de mettre de l'ordre dans un système bancaire anarchique.

Le 12 mars, dans la première de ses conversations radiophoniques dites « au coin du feu », Roosevelt explique la mesure en termes simples et en appelle à la confiance des citoyens. Le résultat ne se fait pas attendre : les déposants reprennent le chemin des guichets et la panique disparaît sans qu'aucune mesure neuve n'ait été prise. Au mois de juin, ces premières mesures sont complétées par la loi Glass-Steagall, qui organise l'affiliation des banques au Système de réserve fédérale par une procédure d'assurance et institue une distinction rigoureuse entre banques de dépôts et banques d'affaires, au-dessus d'un niveau de capitaux ($ 100 000) afin d'éviter que les premières n'alimentent la spéculation, comme en 1928-1929. Cette loi sera vidée de son sens entre 1982 et 1998, par de nouveaux textes qui aboutissent à la déréglementation du secteur, jusqu'à la crise de 2008, qui redonne son aura à cette loi du *New Deal*.

Par ailleurs au début de 1934, deux lois successives organisent la transparence des opérations boursières, tant au niveau des courtiers que de la Bourse elle-même, avec la *Securities Exchange Commission*, sur laquelle est calquée la Commission des opérations boursières en France.

Ces lois entrent rapidement en vigueur et l'opposition des professionnels à cette intervention de l'État dans leurs affaires pèse d'autant moins qu'un certain nombre d'entre eux sont favorables à ces textes, qui ne remettent pas en cause leur contrôle de leurs entreprises.

L'action du gouvernement dans ces domaines techniques qui n'intéressent qu'indirectement les électeurs est relativement aisée et ne nécessite guère de débats théoriques. Il en va de même de l'autorisation donnée aux brasseurs de produire de la bière, alcoolisée à moins de trois degrés – dans l'attente de l'amendement qui abrogera la prohibition : elle réjouit consommateurs et producteurs, permettant à ces derniers d'embaucher et de verser des impôts.

Au-delà de telles mesures assez faciles à prendre, les choses se compliquent. C'est ainsi qu'en avril Roosevelt interdit l'exportation d'or et, le 5 juin, une résolution conjointe du Congrès, annonce la fin des paiements en or dans les transactions. Dans le même esprit, Raymond Moley annonce à la conférence internationale de Londres, en juillet, que le président n'exclut pas une dévaluation du dollar, ce qui condamne l'éventualité peu probable d'une action internationale concertée contre la crise. Roosevelt n'a, en fait, pas encore choisi entre les partisans de la rigueur financière et de la coopération internationale et ceux, plus nationalistes, de la dévaluation et de l'augmentation du pouvoir d'achat.

La même incertitude existe au sujet du chômage. Le problème est d'une urgence absolue, mais Roosevelt est partisan de l'orthodoxie financière et se méfie de toute augmentation des dépenses fédérales qui pourrait déséquilibrer un peu plus le budget. Lui et ses conseillers, partisans d'une intervention de l'État, ne veulent pas distribuer de l'assistance, mais sont incapables de créer de nouveaux emplois. En attendant, l'une des préoccupations personnelles du président peut être réalisée : le *Civilian Conservation Corps* (Corps civil de conservation) est créé le 31 mars. Le CCC recrute des jeunes chômeurs de 18 à 25 ans, les paie, les éduque et leur confie des tâches de conservation des sols et d'aménagement dans les forêts publiques comme dans les parcs nationaux. Cette agence, organisée de façon quasi militaire, occupe annuellement environ cinq cent mille jeunes gens, blancs et noirs, elle joue un rôle important jusqu'en 1942, quand la mobilisation pour la guerre intervient. Mais une telle initiative, qui n'accueille pas les filles, reste ponctuelle et limitée : elle ne peut être généralisée.

La mesure la plus importante consiste à transposer au niveau fédéral le système mis au point par Harry Hopkins à Albany, en utilisant certains des moyens mis en place sur le tard par Hoover. Le 12 mai 1933, le Congrès vote le *Federal Emergency Relief Act* (loi fédérale de secours d'urgence) doté de 500 millions de dollars, dont la gestion est confiée à Harry Hopkins. Ces sommes ne sont pas destinées à des secours directs, mais sont versées aux États ou aux collectivités locales qui se chargent, en mettant des fonds supplémentaires, de donner des allocations aux plus nécessiteux ou, mieux, de créer des emplois dans les travaux publics. Cette politique timide est insuffisante, bien qu'elle apporte un premier secours à beaucoup qui n'en avaient aucun, elle permet aussi à Harry Hopkins de prendre conscience de l'ampleur du problème avant d'imaginer de nouvelles solutions au-delà de l'urgence. Ce sera, avant l'hiver, la création sous sa direction, de la *Civil Works Administration* (Administration des travaux civils).

Ces mesures prises immédiatement parviennent à stabiliser le système financier, mais elles ne révèlent aucun grand dessein, contrairement à d'autres lois plus ambitieuses qui sont votées simultanément.

AAA, NIRA, TVA

Priorité à l'agriculture

L'aide aux agriculteurs, en crise depuis le lendemain de la Première Guerre mondiale, constitue d'autant plus une priorité que les fermiers américains ont longtemps constitué dans la pensée publique la colonne vertébrale de la société, mais la situation est particulièrement complexe en raison de sa dimension régionale et politique : la Californie s'en sort mieux que le Kansas, certaines autorités locales ont fait des efforts, mais sans aucune coordination.

La première urgence consiste à empêcher l'extension des saisies de fermes, qui traumatise les agriculteurs aux prises avec des créanciers anonymes ; la situation est prise en main grâce à une concentration des moyens de la *Farm Credit Administration* (Administration du crédit pour les fermes) qui distribue des crédits à moyen terme.

L'autre exigence est plus longue à mettre en œuvre : elle consiste, grâce à des garanties fédérales, à augmenter substantiellement les prix des produits agricoles et par là stabiliser le pouvoir d'achat des fermiers.

Roosevelt charge Henry Wallace, son ministre de l'Agriculture spécialiste de ces questions et originaire de l'Iowa, de trouver un compromis avec les fermiers. En effet, deux camps s'opposent : le premier souhaite que le gouvernement fédéral fixe des prix agricoles à de niveaux suffisants et se charge de vendre les surplus au prix du marché mondial, le second, de tradition populiste, souhaite un retour à la frappe de l'argent qui provoquerait de l'inflation, afin d'alléger ses dettes et augmenter les revenus. Pour Roosevelt, il ne saurait être question d'aller jusque-là, car il tient à la valeur de la monnaie, mais il veut éviter de heurter de front les malheureux fermiers, qui ont voté en grand nombre pour lui.

L'*Agricultural Adjustement Act* (loi d'adaptation agricole) est voté le 12 mai après d'âpres discussions ; le texte prévoit la réduction des surfaces cultivées pour supprimer la surproduction et augmenter les prix. Le gouvernement s'engage à verser des indemnités compensatrices aux agriculteurs qui choisiront volontairement de labourer leurs champs et d'abattre leur bétail suivant des quotas préétablis. Cette politique s'applique au blé, au maïs, au coton, au tabac, au riz, comme à la production de lait et de porc ; elle est financée par une taxe imposée à l'industrie alimentaire qui transforme ces produits. L'AAA comporte également des mesures qui permettent un allégement des hypothèques ; la loi n'exclut pas la possibilité d'une dévaluation de la monnaie pour concilier les populistes.

La direction des bureaux de l'AAA est confiée à George Peek, ce représentant des fermiers est partisan des ventes à l'étranger et peu favorable à la réduction de la production ; il s'oppose souvent au ministre Wallace, qui le remplace en 1934 par un autre délégué des fermiers, doté d'un sens prononcé de l'autorité, Chester Davis.

L'application des mesures législatives n'est pas facile : la destruction du quart des récoltes de coton et l'abattage de six millions de porcelets, dont la viande doit être distribuée aux chômeurs, choquent de nombreux Américains mal nourris et indignent des fermiers formés depuis toujours à accroître la production. Toutefois, malgré des drames personnels et en dépit des avantages que la loi donne aux plus gros propriétaires, l'AAA, bénéficiant des mauvaises conditions climatiques de 1933-1934, permet une hausse sensible du revenu agricole – de 50 % en 1936 par rapport à 1929 – et un allégement de la dette des fermiers. Dans l'ensemble, la politique instaurée par l'AAA est plébiscitée par les fermiers et constitue un succès majeur pour Roosevelt. Elle constitue la première politique fédérale visant à garantir les revenus des fermiers et sera complétée et améliorée tout au long du XXe siècle ; durant toute cette période Washington a, en fait, subventionné l'agriculture, même quand les critiques étaient virulentes contre la politique agricole commune européenne : les deux continents n'utilisent pas les mêmes méthodes, mais leur but est le même.

L'industrie, moins consensuelle

La pièce maîtresse du dispositif du *New Deal*, plus ambitieuse et plus complexe que l'AAA, est le *National Industrial Recovery Act* (loi nationale de redressement industriel) du 16 juin 1933. Pour Roosevelt, il s'agit de « la législation la plus importante et, ayant le plus de portée, jamais votée par le Congrès des États-Unis ». La dégradation de la production oblige le gouvernement à agir pour réformer les pratiques industrielles, condamnées par la dépression, en obtenant l'accord des patrons et des ouvriers. En effet les excès de la concurrence entre entreprises ont abouti à des faillites retentissantes ainsi qu'au développement d'ateliers misérables, sans aucune réglementation sociale.

Le NIRA cherche à résoudre ces différents problèmes sur les plans politique et économique. La loi suspend les dispositions de la législation antitrust et tente d'instaurer une sorte de planification volontaire. Elle prévoit que les industriels signeront, de leur propre chef, des Codes de bonne conduite pour éliminer la concurrence déloyale : fixation de prix minimum et de quotas de production, niveau plancher des salaires. Pour assurer la collaboration des syndicats, qui prônaient une réglementation fédérale plus rigoureuse, l'article 7a du NIRA reconnaît pleinement la liberté syndicale et accorde une dotation de 3,3 millions de dollars à la *Public Work Administration* pour lutter contre le chômage en promouvant une politique de grands travaux. Cette agence est dirigée directement par Harold Ickes, ministre de l'Intérieur.

Cette politique, fondée sur la coopération volontaire des partenaires sociaux et sur une forme de planification souple, est directement issue de la pensée progressiste – dépasser la lutte des classes par une forme de corporatisme – elle nécessite une grande rigueur dans l'application. Roosevelt nomme à la tête de la *National Recovery Administration* un personnage pittoresque : le général Hugh Johnson. Cet officier de cavalerie s'est illustré, pendant la Première Guerre mondiale, auprès de Bernard Baruch dans le *War Industries Board*. Il transpose les méthodes de mobilisation militaire dans le cadre du NRA : l'organisation d'une campagne de publicité très poussée est inspirée de celle des Bons de la Victoire. Toute entreprise qui accepte les Codes peut apposer un « Aigle bleu », accompagné de la mention « Nous faisons notre part », sur ses produits : ce symbole indique que le gouvernement fédéral donne sa caution à la politique suivie par cette entreprise. Afin de populariser les Codes, Johnson organise d'immenses défilés patriotiques, une danse, la « Nira », est un succès de 1933 et le prénom Nira est donné aux petites filles qui naissent à ce moment-là. Durant l'été 1933, l'opinion suit avec enthousiasme le lancement de cette campagne et, à la fin de l'année, 96 % des industriels ont adopté la procédure des Codes.

Un tel succès unanime n'est qu'apparent. Les méthodes brutales et décalées de Johnson irritent beaucoup de monde. Beaucoup de patrons, parmi les plus importants, signent des Codes, mais seulement après avoir augmenté leur production en profitant des bas salaires encore en vigueur ; habitués à des ententes de cartel, ils acceptent les Codes, à condition de fixer eux-mêmes les quotas de production et les prix et n'envisagent aucun réel dialogue avec les syndicats. Or la NRA doit rechercher la coopération volontaire et n'a aucun moyen de contraindre les récalcitrants. Dans l'ensemble, les Codes ne sont appliqués que dans les grandes entreprises et n'aboutissent qu'à une hausse limitée des prix et des salaires, 10 % pour les premiers, 4 % pour les seconds, avec une baisse des heures de travail insuffisante pour aboutir à une réduction du chômage.

L'action de la NIRA est vite critiquée par les hommes d'affaires qui contrôlent de plus en plus son action, comme par les syndicats qui se heurtent à leur mauvaise volonté ou par les consommateurs dans l'attente d'une réelle hausse du pouvoir d'achat. Les résultats économiques sont négligeables et le changement de comportement reste superficiel. Malgré cet échec, consommé dès 1934 et en dépit du départ de Johnson, le NIRA permet au gouvernement fédéral de faire admettre son intervention dans l'économie et d'imposer le respect de certaines réglementations sociales souvent oubliées.

Ainsi les grandes mesures des 100 jours n'ont pas toutes des résultats convaincants, à l'opposé d'actions plus limitées et réellement neuves, comme le CCC ou la TVA. Mais l'ensemble de cette phase du *New Deal* est marqué par la détermination du président et son sens de la communication.

L'aménagement régional : une exception

Depuis des années, le sénateur progressiste George Norris du Nebraska s'agitait pour que le barrage de Muscle Shoals dans la vallée du Tennessee, édifié pendant la guerre, soit pris en charge par le gouvernement fédéral afin d'amener l'électricité dans une région particulièrement déshéritée. Après le refus de Coolidge et Hoover, Roosevelt adopte le projet et lui donne une extension inattendue. Pour un homme passionné par la conservation de la nature, c'est l'occasion de mettre sur pied une grande ambition et de se rapprocher des élus progressistes. Il envisage une zone d'expérimentation économique et sociale, qui susciterait le tourisme et profiterait aux fermiers et aux citadins, comme aux industriels.

La loi instituant la *Tennessee Valley Authority* (Autorité de la vallée du Tennessee) est votée le 10 mai 1933. Elle crée une administration souple, dirigée par trois hommes et financée par des emprunts et en étroite coopération avec les autorités locales. Une zone de plus de 100 000 km², s'étendant sur cinq États autour du Tennessee, est aménagée entre 1933 et 1939. Une vingtaine de barrages sont édifiés avec une capacité d'un million de kilowatts ; ils permettent de doubler la consommation d'électricité ; un chenal est creusé dans la rivière, la rendant navigable sur plus de mille kilomètres ; l'irrigation et l'industrialisation suivent naturellement.

Cette expérience, parfaitement réussie, de planification et d'aménagement régional suscite beaucoup de critiques. Les compagnies d'électricité protestent contre la concurrence déloyale et les hommes d'affaires parlent de socialisme, mais les habitants de la vallée sont ravis et fiers. D'autres régions cherchent à bénéficier de cette expérience mais la TVA reste unique aux États-Unis : volonté du président, terrain d'expérimentation pour les *New Dealers* planificateurs dans une zone relativement marginale. De telles conditions favorables ne se retrouvent pas facilement, d'autant qu'une intervention fédérale dans l'aménagement régional n'est souhaitée par personne.

Ainsi la législation des 100 jours constitue-t-elle un ensemble disparate, dans lequel voisinent des mesures strictement conjoncturelles avec une nette intervention de l'État, plus ou moins efficace, car celui-ci ne s'en donne pas réellement les moyens, n'ayant pas de solutions d'ensemble : Roosevelt est toujours favorable à une réduction des dépenses fédérales et raisonne en progressiste du début du siècle. Aucun ciment idéologique ne sous-tend la politique suivie, en revanche, pour faire vite, les conseillers du *New Deal* ont puisé dans les diverses expériences menées en Europe pour imaginer des dispositions applicables.

Roosevelt cherche toujours l'appui politique le plus large et parvient à l'obtenir en donnant satisfaction à plusieurs secteurs de l'économie. C'est pourquoi les « grandes lois » de cette période contiennent des dispositions contradictoires et les agences nouvelles peuvent être dirigées par des personnalités en opposition avec la politique suivie, si la coopération volontaire des partenaires sociaux est toujours recherchée, elle interdit de lancer de véritables bouleversements. Il n'en reste pas moins que le rythme et les quelques résultats des 100 jours ont laissé une très forte impression dans l'opinion : Roosevelt est parvenu à susciter la confiance, qu'avait en vain recherchée son prédécesseur. C'est là un changement majeur, mais cet « État de grâce » largement dû au talent politique de FDR ne peut durer sans réelle reprise de l'économie.

La signification du *New Deal*

Au-delà de l'excitation du printemps 1933, il s'agit de mesurer les effets de ces premières mesures.

Des bases théoriques incertaines

Roosevelt est arrivé au pouvoir au creux de la dépression et la conjoncture ne pouvait que s'améliorer. Par ailleurs, les lois du printemps 1933 ont permis d'injecter des sommes non négligeables dans le circuit économique, sans plan précis. Le président et la plupart de ses conseillers sont restés marqués par l'expérience progressiste et ils pensent que l'État peut corriger l'économie par la législation, mais ils n'ont pas de connaissances économiques. À l'exception de Mariner Eccles, ces hommes n'ont pas pris conscience, comme John M. Keynes va le faire, du rôle que peut jouer le budget en utilisant le déficit pour relancer la consommation, mais, en raison de l'urgence, ils ont distribué de l'argent aux agriculteurs ou aux chômeurs tout en rognant sur d'autres dépenses favorables aux consommateurs; en revanche, les Codes ont légèrement amélioré le pouvoir d'achat des ouvriers qui en bénéficiaient. Aussi les dépenses fédérales, sans correspondre à une stratégie économique précise et sans réelle appréciation de l'effet des sommes dépensées, passent de $ 3,2 milliards en 1932, à $ 4 milliards en 1933 puis à $ 6,4 milliards l'année suivante et $ 6,5 milliards en 1935.

Cette situation explique que le PNB, qui avait atteint $ 72,7 milliards en 1933, passe en 1934, à 79,5 et, en 1935, à 87,8. On est loin du chiffre de 1929 de $ 104,4 milliards mais la reprise est nette. La même évolution caractérise la consommation des ménages et les prix. Ceux des produits agricoles passent (indice 100 en 1914) de 65 en 1932, à 90 en 1934, et 109 en 1935, améliorant le sort des fermiers, car le prix des produits industriels dont ils ont besoin se redresse un peu plus lentement.

La hausse relative des prix explique que Roosevelt ait tardé à prendre une décision sur la valeur du dollar, convaincu de l'importance réduite des facteurs internationaux. Il faut attendre janvier 1934 pour que le dollar soit officiellement dévalué de 40 % – une once d'or vaut désormais $ 35, valeur qu'elle garde jusqu'en 1971 – et cette mesure, associée à d'autres, n'est pas étrangère à l'amélioration de la conjoncture. Elle permet, par ailleurs, au Secrétaire du Trésor d'utiliser la réévaluation du stock d'or qui en découle automatiquement pour agir sur la création de la masse monétaire. La courbe du chômage s'infléchit aussi légèrement, puisque le nombre de sans-emploi passe de 12 830 000 en 1933 à 11 340 000 l'année suivante et à 10 610 000 en 1935.

En juin 1934, ces données encourageantes permettent à Roosevelt, dans l'une de ses conversations « au coin du feu », de poser aux auditeurs ces quelques questions : « Vous sentez-vous mieux que l'an dernier ? Vos dettes vous semblent-elles moins lourdes ? Votre compte bancaire est-il plus en sécurité ? Vos conditions de travail se sont-elles améliorées ? » La réponse va de soi.

Pourtant, les résultats atteints restent fragiles; cette première phase du *New Deal* a plus cherché à fournir une aide de premier secours et à tenter d'impulser la reprise qu'à remédier aux causes profondes de la crise qui restent largement inintelligibles. Cette action se veut consensuelle et, en conséquence, cherche toujours à obtenir le soutien des plus grosses entreprises – banques, industries grâce aux Codes – et des plus gros fermiers. Un tel accord n'est pas difficile à trouver dans la mesure où en 1933 les patrons souhaitaient une exceptionnelle intervention de l'État pour étouffer un éventuel danger révolutionnaire; le consensus est réel mais éphémère car, une fois le risque écarté, les dirigeants d'entreprise reviennent à une opposition sans faiblesse. Une telle alliance conjoncturelle explique que les idées économiques mises en œuvre soient restées conservatrices : refus de secours qui seraient de l'assistance, volonté de revenir à un budget équilibré, tout cela avec la coopération volontaire des partenaires sociaux.

Dans ce contexte, la détermination grandissante du gouvernement à venir en aide aux plus démunis et à se soucier de la dimension humaine des problèmes constitue son apport décisif et novateur.

La lutte contre le chômage

La priorité de la lutte contre le chômage a été confiée, conformément à l'habitude rooseveltienne, à plusieurs organismes et à plusieurs hommes, puisque la FERA de Harry Hopkins doit coexister avec la PWA d'Harold Ickes, voire avec le CCC voulu par le président.

Les tensions sont inévitables entre le dynamique Hopkins, impuissant à distribuer une aide directe, et le très prudent Ickes. Ce dernier richement doté, choisit scrupuleusement les grands travaux à effectuer grâce à son programme (barrages, ponts, bâtiments publics), pour éviter tout risque de corruption, toute accusation de dépenses excessives. Cette attitude parcimonieuse nuit aussi bien à la reprise économique qu'à la distribution efficace des secours. À l'approche de l'hiver 1933, Harry Hopkins insiste pour que des mesures soient prises en faveur des chômeurs et obtient de Roosevelt, le 9 novembre, la création de la *Civil Works Administration* dont il prend la tête. Il ne s'agit plus de veiller à ce que les collectivités locales indemnisent les gens dans le besoin, mais, pour cette agence fédérale disposant, à titre de début, de $ 400 millions pris sur le budget de la PWA, de venir directement en aide à 4 millions de chômeurs dans le besoin. Si les mesures économiques prises par Roosevelt se comparent à celles de Hoover, la création de la CWA marque un changement majeur. Dans l'esprit de Roosevelt, comme dans celui de Hopkins, il ne s'agit pas d'assistance, mais de création d'emplois, dûment payés, qui permettront une amélioration du pouvoir d'achat et une reprise de l'économie, tout en répondant à un indispensable souci humanitaire.

Les résultats ne se font pas attendre, car dès janvier 1934 à son maximum, la CWA emploie 4,31 millions de personnes : les trois quarts des $ 950 millions de dépenses sont constitués par des salaires. À ce moment-là, le CWA regroupe la moitié des personnes secourues : 20 % des Américains reçoivent une aide ou appartiennent à une famille aidée. L'énergie déployée par Hopkins permet de lancer de très nombreux projets dans lesquels des chômeurs sont employés et payés à des salaires voisins de ceux du secteur privé ; pour lui, le meilleur projet avec une réelle utilité pour la société est celui qui emploie beaucoup de main-d'œuvre. Le CWA a ainsi contribué à construire ou rénover 400 000 kilomètres de routes, à réparer 40 000 écoles, à drainer des marais, à dératiser des immeubles, à construire des stades, des aires de jeux et des piscines : ces travaux d'infrastructure on été si importants qu'ils sont encore visibles et utiles au XXIe siècle. De surcroît, Hopkins veut employer les intellectuels et les artistes durement touchés par le chômage.

L'ampleur de l'entreprise soulève la protestation des conservateurs, qui voient là une dérive socialiste et dénoncent la corruption du CWA – réelle dans certains secteurs : ils redoutent l'accoutumance à une assistance déguisée. Roosevelt s'inquiète et le CWA est dissous dès le printemps 1934. Environ la moitié des bénéficiaires du programme sont transférés vers d'autres comme le FERA, mais seulement pour $ 6,50 par semaine au lieu de $ 15. Le choc est rude pour beaucoup et des émeutes éclatent à Minneapolis quand le CWA cesse ses opérations.

Pour de nombreux chômeurs, l'intervention du CWA a constitué le plus beau jour de leur vie : premier salaire qu'ils reçoivent, premier emploi qu'ils ont depuis des années, moyens d'entretenir sa famille. Dans l'ensemble, les différents programmes de secours créés par le *New Deal*, pour éviter les expulsions de locataires ou permettre de manger, redonnent aux Américains un certain espoir. Ils ne se sentent plus abandonnés, comme du temps de Hoover, et sont des centaines de milliers à écrire au président et à sa femme, pour exposer leurs difficultés, persuadés qu'ils peuvent compter sur eux : la Maison-Blanche met en place un secrétariat pour répondre à tout le monde et parfois le président met un mot et signe. Les salles de cinéma attirent toujours de nombreux spectateurs venus se distraire de la vie quotidienne, d'autant que des loteries sont parfois organisées à l'entracte et du pop corn vendu, car les exploitants utilisent tous les moyens pour compenser la baisse de leur revenu due à une assistance en baisse.

Les résultats de ces programmes de secours pour les chômeurs ne doivent pas faire oublier la misère qui frappe toujours de nombreux Américains. Tous les chômeurs ne sont pas secourus et les fermiers touchés par la sécheresse sont exclus des programmes de l'AAA ; les femmes reçoivent des aides inférieures à celles des hommes et les Noirs continuent à quitter le Sud, acceptant de gagner la moitié de leur salaire d'avant la crise. Seule une réelle reprise de l'économie permettrait de résoudre le problème. Elle n'est nullement en vue.

1934 : Les élections du mid-term

Traditionnellement, les élections du *mid-term*, situées entre deux élections présidentielles, sont mauvaises pour le parti au pouvoir. La victoire démocrate est pourtant éclatante : sur les 35 scrutins sénatoriaux, 26 vont aux candidats démocrates qui sont désormais 69 contre 25 et ils remportent 322 sièges à la Chambre, ramenant les républicains à 103.

À première vue, il s'agit d'une immense victoire pour Roosevelt et le *New Deal*. Nombreux sont les républicains célèbres à être balayés par d'obscurs démocrates, comme Harry S. Truman dans le Missouri. Le renouvellement des Représentants est spectaculaire, car le dynamisme du président et le rythme des réformes ont attiré vers la politique une nouvelle génération : tous ces *New Dealers* désireux de participer à une entreprise importante et enthousiasmante pour le pays dans l'esprit des 100 jours. Certains viennent apporter du sang neuf au *Brain Trust*, comme les jeunes avocats Ben Cohen et Thomas Corcoran, disciples du Juge Felix Frankfurter, d'autres comme Truman assurent la relève du parti.

À y regarder de plus près, la victoire de 1934 ne signifie pas seulement le rejet indiscutable de la politique républicaine, elle signale aussi un glissement vers la gauche du parti démocrate ; comme l'atteste une trentaine de nouveaux élus : des progressistes et des représentants des fermiers mais aussi quelques socialistes. Dans le Wisconsin, de tradition progressiste, le vieux Bob La Follette est réélu au Sénat avec le soutien de FDR, mais Phil son fils, beaucoup plus radical, est aisément élu gouverneur. Dans le Minnesota, les électeurs font confiance à des radicaux qui trouvent le *New Deal* trop tiède. En Californie, l'écrivain Upton Sinclair, socialiste de longue date, a lancé l'EPIC, pour *End Poverty in California* (Mettre fin à la pauvreté en Californie) : il propose que l'État prenne en charge les usines abandonnées et y fasse travailler les chômeurs ou qu'il fonde des colonies agricoles. Le succès est considérable et Sinclair décide de se présenter comme gouverneur pour le parti démocrate. Il est finalement battu, après une violente campagne des franges les plus conservatrices des deux partis soutenues par les magnats de Hollywood qui dénoncent ce rouge et menacent de quitter la région s'il était élu ; ils produisent des films de propagande dans lesquels des acteurs jouent une foule en colère contre Sinclair et ses projets. Le gouverneur républicain victorieux doit pourtant se montrer en faveur du *New Deal* afin de désamorcer le mouvement.

Le président tient compte de ces signaux, relayés par certains intellectuels, bien qu'ils viennent seulement d'une dizaine d'États et de quelques individus plus ou moins représentatifs. La protestation émane souvent de groupes qui se situent en dehors du système politique traditionnel et sont plus difficiles à évaluer.

Une contestation démagogique

Des imprécateurs populistes

On peut observer qu'un contexte de crise favorise l'arrivée au pouvoir de deux hommes aussi opposés que Roosevelt et Hitler, au début de 1933. Dans le même ordre d'idées, une forme de fascisme américain émerge parfois dans les analyses, mais ce mouvement est resté finalement très marginal.

En effet, trois mouvements différents et sans lien entre eux, dominés par trois fortes personnalités, agissent en dehors des partis ; ils s'appuient sur un populisme ambigu dont le succès montre les limites d'application du *New Deal*.

Le docteur Francis Townsend a 66 ans en 1933, quand il perd son emploi en Californie et il tire de cette expérience un plan utopique pour régler d'un seul coup les problèmes économiques du pays. Il propose que l'État verse $ 200 par mois à toutes les personnes de plus de 60 ans à condition qu'elles s'engagent à dépenser l'intégralité de la somme dans le mois qui suit ; un tel montant représente le double du revenu moyen de l'époque. Cette distribution de pouvoir d'achat, financée par une taxe de ventes de 2 %, relancerait la consommation et résoudrait le problème du chômage puisque les personnes âgées n'auraient plus à concurrencer les jeunes sur le marché du travail. Le succès rapide des « clubs Townsend » qui propagent ce programme, s'explique par le nombre grandissant de personnes âgées, surtout en Californie, où sont venus se fixer de nombreux retraités. Ces derniers n'ont le plus souvent aucune pension et sont très sensibles à la propagande de Townsend qui comprend une défense des valeurs traditionnelles – contre la jupe courte et la cigarette pour les jeunes – et une organisation de distractions et de sorties, dans une ambiance chaleureuse et religieuse.

En 1936, le mouvement revendique 3,5 millions de membres dans tout le pays et fait signer une pétition par 20 millions d'Américains. Les critiques ont vite démontré que ce plan, équivalent à la moitié du PNB américain, serait impraticable et ingérable. Pourtant les stratèges du parti démocrate s'inquiètent du poids d'un mouvement si populaire : d'un côté, la loi sur la sécurité sociale de 1935 prend soin de créer un système de pensions, inférieur aux espoirs de Townsend (en 1939, le versement individuel atteint seulement $ 20), mais qui va dans le même sens, de l'autre la virulence du personnage contre le *New Deal* qui refuse d'appliquer son plan conduit à une commission d'enquête sur les pratiques de son organisation en Californie ; un simple avertissement en sort qui l'affaiblit avant les élections de 1936.

Le « curé de la radio », présente un défi différent mais plus ample. Charles Coughlin, prêtre catholique d'origine irlandaise venu du Canada, s'est fait connaître dans sa paroisse du Michigan par ses sermons radiophoniques contre le Ku Klux Klan, puis a remporté un grand succès pendant la dépression, grâce à de violents sermons anti-communistes, anti-banquiers puis anti-Hoover. Ses sermons passent dans de nombreuses stations syndiquées du pays et il revendique un auditoire de 30 à 40 millions de personnes, plus que personne avant lui. Peu à peu, il met au point un programme de redistribution des richesses avec un projet de manipulation monétaire, envisage des nationalisations et s'attaque aux riches, en prônant la justice sociale. Son succès étonnant – il reçoit 80 000 lettres par semaine – tient à sa maîtrise parfaite de la radio et à la simplicité de son programme qui puise dans les traditions populistes du Middle West.

Coughlin soutient d'abord Roosevelt et ce qu'il appelle son *Christ Deal*, mais, peu à peu, il critique le président pour avoir partie liée avec les banquiers de Wall Street, le *New Deal* pour être infiltré par les communistes et les Juifs, et se montre de plus en plus violent à l'égard du pouvoir. À nouveau, les démocrates s'alarment en raison de l'approche des élections de 1936 ; le prêtre, qui a fondé son parti, l'Union nationale pour la justice sociale, est soutenu par Al Smith et pourrait se rapprocher de Townsend et de Long. Le président demande à la hiérarchie catholique, grâce à l'influent Joseph Kennedy, de modérer ce prêtre, sans réel résultat bien que le Vatican ne le soutienne pas ; Coughlin se préoccupe de moins en moins de spiritualité, mais ses critiques économiques et sociales sont stridentes. Les élections de 1936 le déçoivent et il manifeste alors une admiration pour Mussolini et Hitler, ainsi que pour le programme nazi ; ses diatribes violentes, fascisantes et antisémites finissent par le marginaliser et affaiblissent considérablement son message, bien que ses programmes de radio perdurent jusqu'à la guerre.

Huey Long est un personnage beaucoup plus redoutable, car lui est un vrai politicien ambitieux qui n'a jamais caché ses ambitions présidentielles et dispose de moyens puisqu'il est le dirigeant du parti démocrate de la Louisiane. De tradition radicale, après avoir fait tous les métiers, il est élu en 1928, à 35 ans, gouverneur de son État sur un programme de partage des richesses au profit des plus pauvres. Il organise soigneusement sa domination sur l'État dont il contrôle, par le jeu des nominations et par son autorité, l'assemblée, la presse, la justice. Il utilise ce pouvoir absolu pour améliorer le système scolaire, l'organisation de la santé ainsi que les services publics et, contrairement à la plupart des politiciens du Sud, ne prend pas de positions racistes. La Louisiane ne lui suffit pas et il se fait élire sénateur en 1931. Il soutient Roosevelt en 1932, mais rapidement s'éloigne de lui, jugeant que le *New Deal* n'a rien fait pour les « masses ».

Pour réagir, Long fonde en 1934 la *Share Our Wealth Society* (Société de partage de notre richesse) pour faire pression sur Roosevelt et servir ses ambitions. Son programme promet à chaque famille un revenu de $ 5 000 par an, obtenu en taxant et en expropriant les plus riches qui ne pourront pas posséder plus de 10 ou 15 millions de dollars : il n'y aura plus de milliardaires, seulement des millionnaires. Ce partage simpliste des richesses, basé sur une considérable surévaluation des plus hauts revenus, remporte un considérable succès dans l'atmosphère de revanche envers les riches. La personnalité pittoresque et charismatique de Long, son langage imagé le rendent populaire ; en 1935, il prétend avoir créé 27 000 clubs *Share Our Wealth*, qui réunieraient 8 millions de personnes et ses thèmes rencontrent un réel écho dans l'opinion.

Roosevelt craint d'autant plus Long que celui-ci pourrait se présenter en 1936 et diviser le vote démocrate. Le gouvernement fédéral va tout faire pour isoler le sénateur, qui est en fait assassiné, en septembre 1935, par un jeune homme qui cherche à venger son père, victime des pratiques de Long en Louisiane. Le mouvement ne se remet pas de cette disparition, mais le personnage de Long reste entouré d'un certain mystère.

L'attaque contre le New Deal

La contestation démagogique d'un curé, d'un vieux docteur et d'un politicien louisianais doué inquiète les démocrates car elle se déroule sur un terrain où ils pensaient être maîtres, en raison du travail social et humanitaire accompli depuis 1933. Pourtant ces mouvements révèlent que les premières mesures du *New Deal* n'ont pas amélioré le sort de tous les démunis et, en raison du nécessaire compromis politique, n'ont pas été accompagnées d'un discours de gauche convaincant.

Si le diagnostic posé par ces trois mouvements révèle des points communs, l'éloignement de Washington, la faiblesse de la redistribution sociale, ils dépendent chacun d'un chef charismatique et, malgré cette rhétorique commune, gardent des styles très dissemblables. Aussi ne parviennent-ils pas à former un front commun menaçant ni à se réunir sur un seul nom. Aucun d'entre eux ne repose sur une organisation politique structurée, les chefs n'ont pas d'équipe solide autour d'eux, mais disposent de réseaux d'adhérents individuels et de remarquables fichiers d'adresses. De plus, en dépit d'un écho grandissant, aucun de ces mouvements ne parvient à une dimension nationale et chacun est finalement concurrent de l'autre. Pour ces raisons, il est impossible de parler de fascisme, même si les thèmes véhiculés n'en sont pas très éloignés. Roosevelt use donc de son poids politique pour limiter l'écho de ces mouvements en s'attaquant à chacun séparément, tout en adoptant dans certaines réformes en cours des mesures qui peuvent satisfaire l'électorat mécontent et enlever aux mouvements une partie de leur programme. La contre-offensive est nécessaire car la puissance de cette contestation indique que nombreux sont les Américains à s'impatienter devant les difficultés persistantes et la lenteur des progrès.

Or, depuis le succès des élections de 1934, l'élan du *New Deal* s'affaisse : aucune grande loi n'est votée et les effets de la CWA ou du NIRA sont largement dissipés.

Cette pause, plus ou moins volontaire, permet aux opposants systématiques du *New Deal* de relever la tête ; ils profitent de l'incertitude suscitée par la contestation des démagogues. Les milieux les plus conservateurs, rassurés par le calme social, s'inquiètent d'une intervention excessive de l'État devenue inutile, à leurs yeux, et les démocrates du Sud s'indignent de la volonté affichée par le CCC ou le CWA de ne marquer aucune différence entre Blancs et Noirs dans la distribution de l'aide. Des organisations se forment pour canaliser ces courants et les républicains relèvent la tête : pour l'ex-président Hoover les mesures du *New Deal* seraient fascistes et le *brain trust*, coupable de soviétiser le pays, communiste. Toutefois, aucune alliance ne se réalise entre ces hommes et les démagogues ; elle seule aurait pu être dangereuse pour les institutions. Aussi, cette opposition reste marginale et nombreux sont les hommes d'affaires – tel Thomas Watson, fondateur d'IBM ou, brièvement, Jack Warner d'Hollywood – à se rapprocher au grand jour de Roosevelt qui lance envers eux une offensive de charme. Néanmoins, le président, toujours soucieux d'équilibre, ne peut pas ignorer cette opposition de droite.

Pourtant, au début de 1935, l'entrée en session du Congrès élu en 1934 amène une pression réformiste importante. Les représentants savent que la dépression n'est pas terminée et qu'il est nécessaire de relancer vite les réformes. Roosevelt semble décidé à aller dans ce sens. En avril, l'une des premières mesures de la session est le vote d'une nouvelle loi de secours, d'où est issue la *Works Progress Administration*, mais le président ne soutient guère les projets de loi en faveur des droits des travailleurs initiés par le Congrès.

Le 27 mai, la Cour suprême déclare le NIRA inconstitutionnel, par un jugement unanime, *United States v. Schecter Poultry Corp*. Un éleveur de poulets de Brooklyn avait porté plainte contre cette loi qui déclarait ses poulets impropres à la consommation, car la vente de ses produits ne se faisait que dans les frontières de l'État, et qu'il ne pouvait être soumis au NIRA, loi fédérale qui n'est justifiée que par le commerce entre États ; la Cour lui a donné raison et a invalidé une loi qui empiétait sur le droit des États.

Cette législation n'avait pas obtenu de grands résultats, mais elle avait institué une forme de collaboration entre État, patrons et syndicats ouvriers : celle-ci est annulée. D'autre part, la Cour menace ainsi toute la législation du *New Deal* et elle donne un arrêt aussi rigoureux à l'égard du AAA en janvier 1936 : *United States v. Butler* condamne également l'utilisation abusive de la clause du commerce. Depuis quelques mois, on pouvait se douter que certaines lois des 100 jours, hâtivement rédigées, étaient menacées, mais l'unanimité des juges est inquiétante sur des points de détail, car les rares juges libéraux ont voté comme les plus âgés. Cette fois, il s'agit d'une opposition politique majeure qui s'attaque au cœur des réformes du *New Deal*.

Roosevelt est furieux contre ce qu'il considère être un complot judiciaire ; il avait sans doute déjà choisi de relancer le mouvement de réformes, mais cette montée des oppositions fouette sa détermination, qui rejoint celle du Congrès.

Un autre *New Deal*

L'obligation de reprendre certaines mesures annulées, la nécessité de trouver de nouvelles solutions aboutissent à un rythme législatif durant l'été 1935, qui a souvent incité à parler d'un deuxième *New Deal*. Cette interprétation fait du *New Deal* un projet cohérent, marqué par des changements de rythme : il n'en est rien. Les idées qui ont soutenu les premières réformes ont été d'ordre progressiste et elles ne suffisent plus, il faut donc que se structure un nouveau corps de pensée qui s'inscrit dans ce mouvement, que les Américains ont par la suite baptisé libéralisme et qui se rapproche d'une forme de pensée de gauche dans le vocabulaire européen.

La relance des mesures sociales

Après les espoirs de 1934, le chômage, qui se stabilise à un niveau trop élevé, explique les revendications populaires. L'*Emergency Relief Appropriation Act* (loi d'attribution de secours d'urgence) d'avril 1935, répond à ce besoin. Il s'agit de la plus grande injection de fonds fédéraux pour la solidarité : près de $ 5 milliards de dollars. L'agence qui gère ces fonds est la *Works Progress Administration* (Service du progrès par le travail), elle fonctionne jusqu'en 1941, sous la direction de Harry Hopkins qui l'emporte sur Harold Ickes. Plus de 8 millions de personnes sont passées par la WPA, soit 20 % de la main-d'œuvre américaine, et, en moyenne, 2 millions sont employées simultanément. Cette puissance de la WPA explique qu'elle ait contribué à faire baisser le chômage sensiblement : 9 millions dès 1936, 7,7 millions en 1937, soit 14,3 % de la population active contre plus de 20 % en 1935. En dépit de cet effort considérable, au moins 5 millions d'Américains restent encore en dehors de ce système de secours.

La WPA reprend les mêmes principes que la CWA mais avec beaucoup plus de moyens et la certitude de la durée. Les chômeurs sont embauchés pour un projet précis pour lequel ils sont payés, en moyenne $ 50 par semaine, soit moitié moins que dans le privé. Les emplois sont souvent précaires, mais la WPA provoque la même adhésion que le CWA, sur une autre échelle. L'œuvre accomplie est considérable : un millier d'aérodromes, 8 000 écoles et des hôpitaux sont construits ; la plupart des emplois se situent dans la construction et les travaux publics, mais la WPA organise systématiquement des projets culturels. Des artistes de théâtre, des musiciens d'orchestre, des peintres et des écrivains sont engagés pour fournir au public la culture de la dépression ; les résultats sont inégaux mais Orson Welles, Joseph Cotten, Saul Bellow, Jackson Pollock ont bénéficié, à un moment ou à un autre, de tels projets. Les historiens ne sont pas oubliés et une considérable collecte d'archives est organisée dans tout le pays : anciens esclaves, préservations de documents.

Les critiques contre les abus de la WPA – le saupoudrage des crédits, la paperasserie et le favoritisme politique ou racial – sont nombreuses, comme pour le CWA l'année précédente ; mais Harry Hopkins, soutenu par le président, maintient un effort qui a profondément marqué, malgré ses limites, une génération d'Américains.

En 1935, Eleanor Roosevelt convainc son mari de se préoccuper du sort des jeunes, durement frappés par le chômage et le désespoir, sans oublier cette fois les filles ; il met sur pied la NYA (*National Youth Administration*) dirigée par Aubrey Williams et administrée dans chaque État : la direction de l'agence du Texas est donnée à Lyndon B. Johnson (27 ans), remarqué par le président comme un jeune politicien plein d'avenir. Dans ces différentes fonctions, le président favorise une nouvelle génération d'hommes politiques qui assureront la continuité des réformes.

La loi Wagner, ou plutôt la *National Labor Relations Act* (loi nationale sur les relations du travail), n'est pas une initiative présidentielle : le projet, destiné à préciser l'article 7a du NIRA au profit des syndiqués, a été formulé par le sénateur de New York, Robert Wagner. Le président et Frances Perkins, avec une vision paternaliste des rapports sociaux, s'y opposent et l'organisation patronale *National Association of Manuracturers* se dresse violemment contre un projet qui favorise l'indépendance syndicale. Malgré cette résistance, le Sénat approuve la loi avec une large majorité, 63 à 12. L'annulation du NIRA par la Cour suprême provoque la volte-face de Roosevelt qui soutient désormais avec vigueur la loi, définitivement adoptée le 5 juin 1935.

Le texte prévoit l'existence d'un bureau des relations du travail qui doit arbitrer les conflits et définit les procédures de grève ; il établit également la représentation syndicale dans l'entreprise et ses conditions : le principe de *closed shop* qui donne au syndicat majoritaire dans une entreprise la totalité de la représentation est adopté au grand dam des employeurs. Pour ses promoteurs, la loi Wagner doit favoriser l'émergence d'un fort pouvoir syndical pour équilibrer celui du patronat ; celui-ci l'a bien compris qui tente de faire annuler ce texte novateur instaurant la neutralité de l'État dans les conflits du travail.

Les patrons sont d'autant plus inquiets de ces textes contraires à leurs habitudes qu'ils sont adoptés alors même que le Congrès discute le projet de loi sur la sécurité sociale jugé tout aussi nocif. La conjonction de ces lois, d'origines variées, ne doit pas faire croire qu'elles constituent un ensemble homogène, mais elles indiquent une préoccupation nouvelle du gouvernement, cherchant plus à protéger les citoyens qu'à modifier le fonctionnement de l'économie.

En 1934, les États-Unis sont l'un des seuls pays développés à ne disposer d'aucun système de retraite ni d'aucune forme d'assurance sociale, sans même parler de l'allocation chômage. De telles dispositions sont considérées par beaucoup d'Américains comme contraires à leurs valeurs d'indépendance individuelle et d'autosuffisance. Pourtant la crise et les revendications des fidèles du docteur Townsend ont montré les difficultés des personnes âgées et des malheureux, ce qui contraint le pouvoir à agir. Le président est lui-même favorable à un système qui protégerait les Américains « du berceau jusqu'à la tombe », et le Congrès étudie diverses formules, qui atteindraient partiellement ce but. Le *Social Security Act* (loi de la Sécurité sociale), adopté en août 1935, salué par des hurlements hystériques contre cette victoire « socialiste », reste très timide. La loi comporte deux volets : l'un met en place une allocation chômage gérée par les États, l'autre institue un régime de retraites fédérales, financé par les employeurs et les salariés de l'industrie. Seuls les chômeurs qui ont déjà eu un travail peuvent bénéficier de la loi dont sont exclus les plus nécessiteux – les sudistes ne veulent pas entendre parler d'un système dont les Noirs pourraient bénéficier ; les personnes âgées ne touchent rien avant 1941 et toute forme d'assurance-maladie est exclue. Les différents projets de réforme du système de santé échouent entre 1945 et 2010, quand le Congrès adopte celui de Barack Obama.

Malgré ces limites, la loi constitue bien une « première » dans la mesure où elle reconnaît la sécurité sociale comme relevant du gouvernement fédéral. Elle contribue à rassurer cet « homme oublié » qui hante parfois les pensées du président. Elle est la première pierre d'un État-providence qui marque une inflexion importante dans la pensée politique des hommes et femmes du *New Deal*, attribuant à l'État un rôle de promoteur du progrès social, alors que les entreprises sont laissées libres de conduire leurs affaires économiques comme elles l'entendent. D'ailleurs, les Américains sont très attachés à leur « Sécurité sociale » et, encore au début du XXIe siècle, ont manifesté leur opposition à toute remise en cause de ces avantages.

Par ailleurs, le gouvernement poursuit la rénovation des institutions financières qui permettent à l'économie de mieux fonctionner.

L'amélioration du système financier

En dépit de son peu d'intérêt pour ce genre de questions, c'est bien le président qui désire s'attaquer, dès 1934, aux *holdings* ; très présents dans les services publics, ils dominent, par exemple, la fabrication d'électricité sans se soucier des besoins réels du pays. Ces « pyramides » financières ont joué leur rôle dans le déclenchement de la crise boursière, et la SEC n'est pas suffisante pour les contrôler. Au printemps 1935, un texte est présenté au Congrès qui prévoit la dissolution des *holdings* qui ne prouveraient pas leur utilité économique ; il soulève un tollé dans les milieux financiers qui assaillent les représentants et les sénateurs de libelles contre ces mesures communistes et même des allégations visant la santé mentale du président. Le Congrès, sensible à cette campagne, adoucit sensiblement la loi Wheeler-Rayburn ; celle-ci votée en août organise seulement mieux le contrôle de la SEC qui pourra décider de la dissolution de certains *holdings* et qui dispose des moyens de limiter leurs agissements. Parallèlement, le Congrès adopte, en mai 1935, la loi qui fonde la *Rural Electrification Administration* ; elle achève l'électrification des zones rurales avec des tarifs adaptés.

Le consensus de 1933 est bien terminé ; les patrons, satisfaits du calme social, se dressent désormais contre un *New Deal*, dont, à leurs yeux, la nocivité est d'autant plus apparente qu'ils n'en ont plus besoin, alors que celui-ci situe son action sur un terrain différent qui n'est pas conçu pour les gêner.

Le *Banking Act* d'août 1935 a été voulu par Mariner Eccles, jeune banquier convaincu de l'importance du budget pour relancer l'économie ; son rôle marque le tournant du *New Deal* vers une politique basée sur une analyse comparable à celle de J. M. Keynes. Eccles est arrivé à ses conclusions avant d'avoir lu ou connu Keynes, il a été nommé par Roosevelt à la tête de la *Fed* ; il désire renforcer les pouvoirs de la banque centrale, pour donner plus de poids à la politique économique du gouvernement. La loi, moins ambitieuse que celle qu'envisageait Eccles en raison de nombreuses oppositions au Congrès et du peu de soutien du président, oblige les banques à s'affilier à la *Fed* et donne une plus grande autorité à son nouveau Bureau des gouverneurs. Mariner Eccles est le premier véritable patron de l'institution et son rôle est fondamental pour faciliter le financement des grandes dépenses fédérales, tout particulièrement durant la guerre.

Encore plus controversée est la réforme fiscale qui constitue la dernière grande loi votée en 1935. Le ministre au Trésor, Henry Morgenthau, est persuadé de la nécessité d'équilibrer un budget dans lequel les dépenses s'accroissent et prépare une projet de réforme fiscale qui alourdirait les impôts sur les plus riches et aboutirait à plus de justice sociale tout en augmentant les recettes. Au départ, Roosevelt ne voit pas l'utilité de ce projet qui va soulever la colère des privilégiés. Mais, en juin, avec la concurrence stridente des propositions de Huey Long, il annonce la nécessité de la réforme fiscale pour lutter contre une injuste concentration de la richesse et propose un impôt progressif sur le revenu comme sur les sociétés. Ce message de Roosevelt remporte un immense succès auprès de très nombreux Américains favorables à faire « payer les riches » et de multiples lettres saluent cette initiative présidentielle, l'assurant de l'appui des travailleurs. Le président, satisfait de ce revirement de l'opinion, se désintéresse du projet qui est sauvé de justesse après divers compromis qui en atténuent l'effet : l'impôt sur le revenu est légèrement augmenté, au-dessus de $ 50 000, ainsi que celui sur les sociétés et des droits sur les successions sont institués. La justice fiscale est en progrès mais le *Revenue Act* de 1936 ne modifie en rien la distribution des richesses.

Ces diverses mesures signalent l'émergence d'une autre version du *New Deal*, orientée plus à gauche et fondée pour longtemps sur des idées proches de celles de John M. Keynes. Dans un premier temps, Roosevelt a accepté ce changement plus qu'il ne l'a compris en profondeur ; en revanche, ses sincères préoccupations sociales renforcées par la pression des électeurs et des mouvements de contestation qui prennent de l'importance, lui permettent d'accompagner le mouvement ; toutefois il ne veut se couper ni de ses amis du Sud, ni des privilégiés raisonnables. Roosevelt est moins sensible à l'idéologie que doué d'un flair très subtil, soutenu par les sondages dont il découvre l'intérêt pour comprendre les mouvements d'opinion, même si leurs résultats apparaissent parfois contradictoires.

Le choix du libéralisme

L'élection de 1936 doit trancher entre partisans et adversaires des réformes de 1935. Si le résultat les entérine, le président devra trouver les moyens de rebondir.

Une victoire électorale gaspillée

Le triomphe de 1936

Les réformes des seconds 100 jours ont été adoptées avec, toujours dans les arrière-pensées du président, les perspectives du combat électoral. Très consciemment, Roosevelt a privilégié une attitude « de classe », en phase avec une large partie de ses électeurs, mais allant rarement plus loin que des discours.

Or, le début de l'année 1936 est marqué par un net durcissement du débat politique. La Cour suprême paraît décidée à détruire la législation du *New Deal* et la seule mesure importante votée par le Congrès est le *Soil Conservation and Domestic Allotment Act* (loi sur la conservation des sols et les allocations internes) qui permet de reprendre les versements de subventions aux fermiers, après l'annulation de l'AAA. De plus, les républicains relèvent la tête, persuadés qu'ils ont une chance de battre Roosevelt à l'automne. Les attaques se multiplient contre la « communisation » de l'Amérique, contre la dérive socialiste d'une loi comme celle sur la Sécurité sociale et contre un président qui prendrait ses ordres à Moscou. Face à ses attaques absurdes, Roosevelt se positionne plus à gauche et décide de dénoncer « l'autocratie économique resplendissante » et à inciter au combat contre « les forces du privilège et de l'avidité ». L'opinion populaire est ravie, qui se sent défendue par le président.

Dans ce climat très tendu, marqué par une haine extrêmement violente contre Roosevelt – son seul nom est considéré comme un gros mot dans certains milieux –, les démocrates sont inquiets. Les sondages semblent peu favorables et les trois mouvements contestataires se sentent des ailes, bien qu'affaiblis : ils se rassemblent dans l'*Union Party* qui présente comme candidat le populiste Bill Lemke ; une telle candidature, si elle parvient à bien rassembler les électeurs des trois mouvements, pourrait diviser le vote démocrate. En juin, les républicains choisissent comme candidat Alfred Landon, dit le « Coolidge du Kansas ». C'est le seul gouverneur républicain à avoir été réélu en 1934, mais Landon est un médiocre orateur à la radio et n'est pas vraiment hostile au *New Deal* : il propose tout au plus une meilleure gestion des programmes. Or, pour avoir une chance, il semble nécessaire d'attaquer violemment FDR ; le parti, puis le candidat plus ou moins convaincu, s'y emploient : ils évoquent une « Conspiration de l'Internationale communiste », agitent le spectre de la guillotine qui menacerait l'Amérique. Nombreux sont les journaux, défendant les intérêts de leurs propriétaires, à prendre parti contre Roosevelt, ils utilisent tous les moyens à leur disposition : désinformation, violence des éditoriaux, fausses nouvelles. Cette campagne est largement financée par les milieux d'affaires et c'est la première fois que l'on dépense autant d'argent pour une élection présidentielle : $ 14 millions pour le parti républicain, $ 9 millions pour les démocrates.

La convention démocrate reconduit, sans hésitation, Roosevelt et Garner. Le président, très touché par ces attaques violentes et personnalisées, n'hésite pas dans les semaines qui précèdent le scrutin, à prendre la tête du combat de ceux qui n'ont rien, contre ceux qui ont tout.

La victoire de Roosevelt et des démocrates est inattendue par son ampleur. Le président est réélu avec la plus large majorité de l'histoire : plus de 27 700 000 voix, soit 60,8 % des suffrages, contre un peu moins de 16 700 000 voix et 36,4 %, pour Landon et moins de 900 000 voix, 2,1 %, à Lemke ; les candidats socialiste et communiste sont totalement marginalisés. Roosevelt l'emporte dans tous les États, sauf deux, le Maine et le Vermont et rassemble 523 grands électeurs contre 8 à Landon. Le parti démocrate capitalise sur cette victoire : avec 333 représentants contre 88, 75 sénateurs contre 16 ; 13 des premiers et 4 des seconds appartiennent à des tiers partis, situés plus à gauche.

En 1932, le succès de Roosevelt a correspondu à un rejet de Hoover et des républicains, mais celui obtenu quatre ans plus tard est bien le triomphe du président et du *New Deal*. Les Américains ont véritablement plébiscité la politique menée par FDR et son orientation progressiste. De ce fait, la victoire de 1936 provoque également un bouleversement de l'équilibre politique américain.

L'émergence de la coalition Roosevelt

La victoire de Roosevelt de 1936 repose sur un nouveau regroupement d'électeurs démocrates. Les forces qui soutiennent traditionnellement ce parti ont continué à voter pour lui. En premier lieu, le Sud, où depuis les lendemains de la guerre de Sécession, existe un solide monopartisme et où les républicains ne présentent souvent même pas de candidat : Roosevelt a pris soin de ne pas s'en prendre à l'appareil de la ségrégation et de respecter l'avantage que donne l'ancienneté aux indéracinables sénateurs et représentants du Sud profond, qui contrôlent l'accès aux présidences de commissions du Congrès ; ainsi, aucune loi contre le lynchage ne passera durant sa présidence, malgré la pression des démocrates de gauche, car les parlementaires du Sud s'y opposent avec force. D'autre part, les appareils démocrates de certaines grandes villes, souvent menés par des Irlandais, ont continué à apporter leur soutien au président, tout comme l'Ouest agraire de vieille obédience démocrate et satisfait des résultats de l'AAA.

Au-delà de ces forces habituelles du parti, Roosevelt est parvenu à considérablement élargir son électorat. Sur les six millions de nouveaux électeurs, par rapport à 1932, cinq ont voté pour Roosevelt, convaincus de la nécessité d'exprimer leur avis. Les études plus fines montrent que le soutien apporté au président est inversement proportionnel aux revenus : 42 % des Américains les plus riches ont voté pour lui – « la lutte de classes » reste très relative –, mais aussi 80 % des syndiqués, 81 % des travailleurs non qualifiés et 84 % des personnes secourues.

De ce fait, la coalition Roosevelt repose largement sur le vote des déshérités, des victimes directes de la crise, surtout dans les villes – il l'emporte dans quasi toutes celles de plus de 100 000 habitants. Un apport notable est venu du monde ouvrier : les syndicats, dont beaucoup avaient voté Hoover en 1932, ont rallié massivement son successeur grâce à la loi Wagner. Le financement de la campagne est en partie assuré par des subventions syndicales, soit $ 770 000, dont les deux tiers ont été donnés par le syndicat des mineurs, *United Mine Workers*, de John Lewis, qui n'a pas hésité à faire activement campagne pour Roosevelt. L'alliance entre l'AFL et le parti démocrate constitue un tournant essentiel, car ce parti, marqué par le conservatisme et le populisme, était, traditionnellement, mal vus par les syndiqués. À Chicago, le portrait du président trône dans les foyers ouvriers, car ils se sentent bien représentés par un homme qui les insère dans la communauté nationale.

Roosevelt a obtenu également les suffrages des principales minorités : catholiques, juifs, mais aussi femmes et intellectuels, reconnaissants pour les efforts faits en leur faveur par la WPA. Les groupes ethniques ont aussi rejoint la coalition. Le cas des Noirs est le plus intéressant : de tradition, ceux qui peuvent voter sont fidèles aux républicains en raison de la grande figure de Lincoln, et, en 1932, ils sont restés méfiants à l'égard de FDR. Le changement est venu des Noirs du Nord, plus nombreux à voter, débarrassés des contraintes de la ségrégation imposées par les démocrates sudistes. Ils ont bénéficié des mesures sociales du *New Deal* sans qu'elles soient conçues spécialement pour eux : le tiers de l'aide au logement est allé à des Noirs, la WPA leur paye des salaires supérieurs à ceux obtenus dans le privé, ils ont accès à la fonction publique et leur accession à la propriété est facilitée ; quelques Noirs dans les grandes villes du Nord sont élus dans les scrutins locaux, comme Adam Powell à New York. Le président nomme quelques Noirs à des postes subalternes comme Mary McLeod Bethune, mais c'est surtout sa femme qui a pris des positions franches contre le racisme. Les conservateurs attaquent le couple présidentiel sur ce thème : « Tu embrasses les négros, j'embrasserai les Juifs. Nous resterons à la Maison-Blanche aussi longtemps que nous voudrons. »

Cette coalition est nécessairement fragile, et la cohabitation de farouches sudistes et de Noirs n'est possible que grâce à l'habileté manœuvrière de Roosevelt ; de façon analogue, l'appui syndical n'est pas bien accepté de tous. D'ailleurs dans les mois qui suivent, la « coalition Roosevelt » s'effrite. Il n'en reste pas moins vrai que cette alliance entre les pauvres, les minorités et les vieux démocrates, survit à Roosevelt et constitue la base de la puissance démocrate dans le pays jusqu'aux années 1960, mais aucun de ses successeurs démocrate n'aura son talent pour préserver un équilibre parfois contradictoire.

Une lutte inutile contre la Cour suprême

Conforté par sa victoire électorale, Roosevelt semble prêt à s'attaquer aux problèmes de fond. Il envisage un programme législatif important en faveur de ce tiers de la nation qui est encore « mal logé, mal habillé, mal nourri », comme il l'avait souligné dans la campagne.

Pourtant, la première initiative de Roosevelt dès le 5 février 1937, après son entrée en fonctions le 21 janvier, est de proposer, à la stupeur générale, une réforme de la Cour suprême. Il souhaite que le président puisse nommer un nouveau juge, au-delà du nombre habituel de neuf, pour tout juge de plus de 70 ans qui refuserait de se retirer ; la justification de cette mesure est l'engorgement de la Cour, aggravé par le grand âge des juges en place.

Cette réforme technique ne trompe personne : le président veut marginaliser la majorité conservatrice qui domine la Cour et être certain de voir ses projets approuvés et pérennisés. Durant son premier mandat, Roosevelt n'a pas eu la possibilité de nommer un seul juge. Certains avaient été nommés par Wilson, mais sont devenus archi-conservateurs, d'autres par Harding et Hoover penchent du même côté, Charles E. Hughes, le président de la cour, est plus modéré, tout comme Louis Brandeis, éminent juriste wilsonien. La Cour a invalidé systématiquement toutes les mesures du *New Deal* donnant à l'exécutif des pouvoirs aux dépens du législatif ou par lesquels le gouvernement fédéral s'immisce dans les affaires des États. On comprend l'irritation du président devant cette entreprise de destruction menée par une coalition de juges archaïques. La procédure d'amendement étant trop longue et incertaine, il a préféré le biais d'une loi technique, par elle-même nullement scandaleuse car le nombre des juges n'est pas fixé dans la Constitution et parce que la limite d'âge à 70 ans s'appliquerait à tous les juges et pas seulement à ceux de la Cour Suprême.

Le caractère hypocrite de la proposition et sa mise au point secrète expliquent le tollé qu'elle déclenche. Les membres du Congrès n'en comprennent pas l'urgence et Roosevelt a du mal à en trouver un représentant qui veuille faire de ce projet une proposition de loi. Du côté Cour, Hughes et Brandeis montrent facilement que leur âge ne les rend pas incapables et que la Cour fonctionne très convenablement. Nombreux sont les Américains à s'inquiéter d'une attaque contre l'équilibre même de la Constitution et les républicains saisissent ce prétexte pour regagner du terrain. Or, avant l'offensive de Roosevelt, la Cour a évolué et approuve pour la première fois une loi sur le salaire minimum, puis en avril 1937, la très controversée loi Wagner ; en mai, l'un des juges les plus âgés démissionne. Mais Roosevelt n'a pas su attendre cette évolution et ne veut pas reculer. Finalement son projet est enterré par le Congrès en juillet, la majorité démocrate a tout fait pour cela, et seules quelques mesures techniques pour accélérer le travail judiciaire voient le jour.

Dans les deux ans qui suivent, le président va pouvoir nommer des juges plus libéraux, Hugo Black, Felix Frankfurter, William Douglas, mais les dommages causés par son initiative sont considérables. FDR l'invincible, qui exerçait le pouvoir avec une certaine magie, est battu : l'opposition ne l'oubliera pas. L'année 1937 a été entièrement gaspillée dans cette lutte vaine, le Congrès n'a voté aucune législation importante, une formidable occasion a été perdue, d'autant plus que la crise n'est pas terminée.

Le nouveau cap de 1937-1938

Le retour de la récession

Les mesures de 1935 et les débats sur la Cour suprême ont abouti à négliger la conjoncture économique. Celle-ci semblait favorable, la croissance reprenait : le PNB avec $ 105,3 milliards en 1937 a dépassé son niveau de 1929, les prix continuent à monter et le chômage semble stabilisé autour de 7,7 millions de chômeurs. Cette situation favorable permet aux conservateurs d'accentuer la pression contre le montant des dépenses fédérales, et le président accepte, à l'été 1937, de diminuer les dépenses de la WPA, ce qui conduit à supprimer l'emploi de 1,5 million de personnes. À moyen terme, le budget fédéral devrait retrouver un équilibre voulu par Morgenthau et souhaité par Roosevelt. De son côté, la *Fed*, en exigeant une augmentation des réserves des banques pour éviter une spéculation sans contrôle, contribue à rendre plus cher le crédit aux entreprises et aux particuliers.

Or, depuis juin 1937, les signes d'une inversion de la conjoncture favorable se multiplient. Les entreprises freinent leurs investissements et la relance fédérale semble atteindre un palier ; les prix industriels fléchissent, tout comme l'indice Dow Jones. Au bout de quelques semaines, il est clair que l'économie américaine est entrée dans une phase de récession : le Dow Jones passe de 190 à 115 en deux mois et la production industrielle suit le mouvement, elle baisse de 30 % dans les derniers six mois de 1937 ; irrémédiablement le chômage enfle à nouveau : 2 millions de chômeurs de plus en décembre, plus de 3 millions au printemps 1938, soit 10,4 millions, soit à nouveau près de 20 % de la population active. Des scènes que l'on croyait révolues se reproduisent : des enfants se nourrissent dans les ordures, les queues de chômeurs s'allongent pour les secours. La situation n'est pas aussi dramatique qu'en 1933, mais personne ne s'attendait à la rechute ; toutes les mesures prises depuis cinq ans semblent dérisoires. Roosevelt est désemparé et se voit placé dans la situation de Hoover, contraint à se montrer optimiste : il parcourt le pays à l'automne 1937 pour restaurer la confiance, parlant de la solidité fondamentale de l'économie.

Enfin une explication convaincante

Les explications de la récession sont nombreuses : les plus anciens conseillers comme Hopkins, et Roosevelt dans un premier temps, évoquent la responsabilité des trusts et des « 60 familles » ; Morgenthau met en cause le déficit du budget qui a inquiété les industriels. Par contre, Eccles, Ickes, Wallace et Frances Perkins pensent que ce sont les coupes destinées à réduire le déficit budgétaire et la perte de pouvoir d'achat due à l'instauration des cotisations de sécurité sociale, qui ont provoqué la récession. Les idées de Keynes, connues depuis 1936, semblent se vérifier par les faits, ce qui renforce la position d'Eccles et de ses amis.

Le président hésite devant ces explications, mais admet que les mesures les plus efficaces ont été celles qui ont redonné du travail aux chômeurs et dont la suspension a été durement ressentie. Peu à peu, de manière d'abord informelle, puis en se référant explicitement aux thèses de John M. Keynes, arrivées en Amérique du Nord dès leur parution en Grande-Bretagne – *La théorie générale de l'emploi, de l'intérêt et de la monnaie* y est publiée en 1936 –, le président se convainc du rôle que peut jouer le budget fédéral en utilisant le déficit pour relancer la consommation. Désormais, il ne s'agit plus pour le gouvernement de réglementer l'économie comme il l'avait tenté au début du *New Deal*, mais de laisser les patrons produire librement, tout en soutenant le pouvoir d'achat des Américains, qui assureront ainsi la consommation.

Pour bien marquer cette évolution, Franklin D. Roosevelt assume très consciemment son choix en maniant avec finesse le terme « libéralisme », qui devient rapidement synonyme de celui de « gauche » dans le contexte américain, le mot commençant par la lettre L est employé depuis comme une insulte par les plus conservateurs ; ces derniers l'emploient pour faire référence à l'intervention constante et jugée excessive de l'État fédéral, inévitablement accompagnée de dépenses sans limites qui croissent de manière quasi mécanique et irresponsable.

En 1938, le président Roosevelt substitue consciemment le terme libéral au terme progressiste, sans envisager la postérité que ce terme aura et bien qu'il soit déjà stigmatisé par les républicains dogmatiques comme le fourrier du communisme : « Il transforme le libéralisme, désignant un gouvernement faible et un système économique de laisser-faire, en une croyance en un État actif et socialement conscient, devenant une alternative aussi bien au socialisme qu'au capitalisme débridé. »

Roosevelt n'est plus indécis : il va agir à partir de l'hiver 1937-1938, pour faire face à un nouveau krach boursier et la montée régulière du chômage. L'exemple de la reprise de 1933-1934 et la pression des *New Dealers*, qui privilégient la relance par l'augmentation des dépenses fédérales, l'emportent. Le Congrès, à l'approche des élections de novembre 1938, ne se fait pas prier et vote des dépenses de $ 3,75 milliards, dont l'essentiel doit permettre de redonner toute sa puissance à la WPA, à la PWA et aux autres agences gouvernementales. Dans le même temps, pour satisfaire l'opinion, le gouvernement lance une vaste enquête sur les trusts ; elle montre l'existence de pratiques malhonnêtes, mais n'incrimine pas la responsabilité des trusts dans la récession de 1937-1938.

La reprise est assez rapide, le niveau de la production industrielle retrouvant, dès 1939, son niveau de 1935 ; en revanche, le chômage bien que décroissant reste encore élevé, aux environs de 9 millions.

Cette récession a montré que la crise n'était pas terminée ; le *New Deal* n'a pas guéri l'économie de ses faiblesses structurelles. L'étroitesse du marché, l'archaïsme des secteurs les plus traditionnels, souvent privilégiés par les mesures gouvernementales pour sauvegarder l'emploi, et l'absence d'un produit nouveau, jouant le rôle de l'automobile durant la prospérité – le nylon inventé en 1937 ou la télévision ne peuvent encore tenir cette place –, sont autant de données qui expliquent la durée de la crise. Dans ce contexte, les décisions de la Fed et celles concernant le budget ont été prises à contretemps, mais ne peuvent expliquer, seules, l'ampleur de la récession.

Roosevelt ne devient pas keynésien d'un seul coup et l'influence du Britannique reste limitée à quelques économistes, mais il n'en est pas moins vrai que l'évolution idéologique en cours prend son inflexion décisive : les *New Dealers* actifs orientent désormais clairement l'action du gouvernement vers un soutien de la consommation ; grâce à l'arme budgétaire, ils ont renoncé à agir sur l'économie. Ce tournant de 1938 est très important, car il marque une réelle et nouvelle étape de la politique gouvernementale, encore dénommée *New Deal*, qui va lui survivre et soutenir la croissance de la guerre et de l'après-guerre.

L'émergence d'un « front populaire »

La relative amélioration de la situation économique des années 1933-1935 et le passage de la loi Wagner ont permis aux ouvriers de relever la tête. Pourtant, la vieille centrale syndicale de l'AFL, qui ne regroupe que les ouvriers qualifiés organisés par métiers, ne tient pas à syndiquer les manœuvres des industries de masse (automobile, sidérurgie, caoutchouc). Les ouvriers de ces secteurs souhaitent des syndicats réellement représentatifs, regroupés par types d'activités industrielles.

John Lewis, charismatique leader du syndicat des mineurs, a très bien compris la nouveauté de la situation et senti la pression de la base : il est prêt à l'affrontement. Or, l'AFL est beaucoup trop modérée pour mener ce combat et John Lewis accepte mal sa subordination au sein de la centrale de Walter Green. Après l'échec de ses propositions devant le congrès de l'AFL, Lewis décide en 1936 de former le *Committee for Industrial Organization* qui accueille tous les ouvriers, sans distinction de métier, de qualification, de race, d'origine ethnique ou de sexe. La scission a officiellement lieu en 1938, le terme Committee étant changé en Congress ; le CIO regroupe alors près de 4 millions d'adhérents, soit autant que l'AFL. L'effectif syndical a ainsi triplé de 1929 a 1939 et atteint presque 10 millions d'adhérents. La nouvelle centrale est nettement orientée à gauche, avec d'assez nombreux communistes, elle syndique les ouvriers noirs en grand nombre ; Philip Randolph, le chef du syndicat noir des employés des wagons-lits, trouve un accueil favorable au sein de la nouvelle centrale. Dans le même mouvement, ces syndiqués se préoccupent particulièrement des libertés publiques.

Pour se faire reconnaître par les employeurs, souvent réticents à appliquer la loi Wagner, le CIO lance les grèves avec occupation d'usines qui, au début de 1936, éclatent spontanément à Akron dans l'industrie du caoutchouc. Elles réussissent partiellement, mais sont très populaires. La tactique de la grève avec occupation d'usine empêche l'emploi de briseurs de grèves et donne à l'ouvrier la maîtrise sur la machine. Elle effraie particulièrement les patrons qui y voient une atteinte au droit de propriété et dénoncent volontiers l'influence communiste dans ce nouveau syndicat. Au début de 1937, le mouvement s'amplifie dans l'industrie automobile, General Motors est obligé de céder : première grande victoire pour un CIO désormais reconnu comme interlocuteur. Les grèves se multiplient avec des résultats inégaux : U.S. Steel reconnaît le syndicat sans lutter, comme le font les compagnies électriques, mais Ford, Goodyear et Republic Steel résistent. Des affrontements ont lieu, faisant jusqu'à dix morts tués par la police, fin mai à Chicago. Il faut attendre le début de la guerre pour que le mouvement reprenne, la tactique de la grève avec occupation d'usine étant déclarée inconstitutionnelle en 1939. Jusque-là, la Cour suprême renouvelée avait conforté les libertés publiques en validant les piquets de grève et en reconnaissant le droit des militants communistes à s'exprimer.

Durant ces conflits du travail, interrompus par la récession de 1937-1938, le gouvernement est resté neutre : il ne vole plus au secours des patrons comme autrefois, mais ne soutient pas le CIO dans ses initiatives. Pourtant, les républicains ont beau jeu de reprocher à Roosevelt sa collusion avec les grévistes, et une partie des classes moyennes s'inquiètent du poids grandissant des syndicats. John Lewis, qui attendait beaucoup du président, ne le soutient plus, d'autant que le caractère difficile et ambitieux du premier lui fait refuser tout recul.

Des réformes de transition

Aux prises avec les difficultés économiques et sociales, le gouvernement reste sur la défensive. Il se contente de faire aboutir des projets en cours. Ainsi, en 1937, la création de la *Farm Security Administration* (Administration de la sécurité des fermiers) permet de venir en aide par des prêts et des subventions aux fermiers les plus pauvres ; c'est dans le cadre de ce programme qu'une équipe des meilleurs photographes, tels que Walker Evans et Dorothea Lange, accumule les clichés montrant la détresse qui règne encore dans certaines régions. En février 1938, l'AAA est remplacée complètement par une nouvelle loi qui, systématisant les quotas de production et les subventions, est à la base de la politique agricole des États-Unis jusqu'en 1995.

Parmi les dernières lois votées en 1938, figure également le *Fair Labor Standards Act* (loi des normes du travail équitable) qui fixe un salaire et un nombre d'heures minimal à atteindre dans les trois ans : $ 0,40 par heure et 40 heures par semaine ; de plus, le travail des enfants est interdit. Cette loi majeure, même incomplète, est la dernière grande mesure sociale du *New Deal* ; le Congrès ne l'a adoptée que très difficilement en raison de l'opposition farouche des éléments les plus conservateurs. Roosevelt rencontre d'autres obstacles quand il veut augmenter le nombre de fonctionnaires recrutés sur concours ou quand il cherche à rationaliser le fonctionnement du gouvernement. Le Congrès s'oppose à ce qu'il considère comme un excès de pouvoir présidentiel. Le président s'irrite de cette fronde, souvent menée par des démocrates mais il n'a presque plus de prise sur un Congrès de plus en plus rétif.

C'est pourquoi, rompant avec la tradition la mieux établie, FDR décide d'intervenir dans les élections de novembre 1938. Les démocrates les plus conservateurs pourraient rejoindre leurs homologues républicains, alors que se formerait un regroupement des libéraux des deux partis. En juin 1938, dans l'une de ses « causeries au coin du feu », Roosevelt indique que sa préférence irait à des candidats libéraux, dans la lignée de ses propositions de 1936. Il va, de plus, soutenir « ses » candidats dans les diverses régions du Sud. Les résultats de cette intervention dénoncée comme une véritable « nuit des longs couteaux », sont mitigés. Dans la plupart des circonscriptions – 31 détenues par des démocrates sont soumises à renouvellement pour le Sénat – il s'agit, durant les primaires, de remplacer le candidat conservateur par un libéral. Les *New Dealers* l'emportent parfois, mais les symboles mêmes du conservatisme, comme « Cotton Ed » Smith de Caroline du Sud ou Millard Tydings du Maryland, sont aisément renommés.

À nouveau, une initiative du président se retourne contre lui, les démocrates qui lui ont résisté ne sont pas prêts d'oublier son intervention ; leur indépendance est encore accentuée par la certitude qu'il ne briguera pas un troisième mandat. D'ailleurs Roosevelt n'a jamais été un véritable chef de parti et, en 1938, il n'a plus de programme suffisant pour s'imposer facilement.

Les élections de mi-parcours marquent une nette remontée des républicains qui profitent des erreurs de Roosevelt et de la récession qui s'achève à peine. Ils gagnent 13 postes de gouverneurs, 8 sièges au Sénat – 23 contre 69 – et 81 à la Chambre – 169 contre 261. Toutefois le parti démocrate reste largement majoritaire, la tentative de formation d'un parti progressiste a échoué et les républicains élus sont plutôt des modérés.

D'autres enjeux

La fin du New Deal

Roosevelt a compris désormais qu'il faut aider à la reprise de l'économie, plutôt que multiplier des réformes. D'ailleurs, pour la première fois depuis 1933, le président n'a pas de nouvelles propositions de loi. Il s'attache, tout au plus, à obtenir le vote du texte important destiné à la réorganisation de l'administration, à la suite des travaux de la commission Brownlow : un « bureau exécutif » du président est créé, avec office du budget et celui de la prévision ; en même temps, l'embauche d'aides administratifs pour étoffer le cabinet du président devient possible. Les effectifs de ces postes nouveaux sont encore peu nombreux, une centaine environ, mais Roosevelt depuis 1933 n'avait qu'une demi-douzaine d'employés permanents et avait dû demander des aides dans les ministères : il s'agit désormais d'un outil essentiel pour l'efficacité d'une présidence moderne, jugée sur le moment dictatoriale et, plus tard avec l'inflation de ces conseillers, « impériale ».

L'absence de lois nouvelles ne signifie pas que le Congrès cherche à démanteler le *New Deal*, mais certaines mesures voient leurs moyens réduits, d'autres sont améliorées, mais la force de proposition n'existe plus guère. D'ailleurs, toutes les promesses de 1936 n'ont pas été tenues ; beaucoup d'Américains sont encore « mal logés, mal vêtus, mal nourris ». Le président a laissé passer la chance que lui donnait la victoire électorale. Le Congrès s'est montré de plus en plus réticent, ne suivant plus un Roosevelt en panne de projets.

D'ailleurs la décision prise de soutien du pouvoir d'achat demande une surveillance des prix et salaires, mais n'exige aucune mesure législative.

Le tarissement du *New Deal* ne doit pas faire oublier que beaucoup a été accompli. Le visage de l'Amérique a été profondément modifié. Sur le plan matériel, des édifices publics, des routes, des aéroports, des barrages et des ponts comme celui du Golden Gate à San Francisco (financé par le WPA, il a été inauguré en 1937), ont été construits. Sur le plan technique, des innovations extraordinaires : bimoteur DC 3 et bas nylon en 1937, télévision en 1939, inaugurée par Roosevelt lors d'une exposition à New York. Sur le plan social, une forme d'État-providence est en train de se constituer, suivant la mutation idéologique de 1938, et les Américains ne peuvent plus s'en passer, alors que les structures économiques sortent non seulement intactes de la période, mais renforcées par la reprise. Sur le plan politique, le pouvoir fédéral s'est considérablement renforcé, processus irréversible, et le président en est devenu l'acteur essentiel.

On pourrait multiplier les exemples, dans le domaine culturel, comme dans la vie de tous les jours, de tous ces bouleversements qui sont associés à tort ou à raison au *New Deal*. Ce mouvement de réformes, mal coordonnées et incomplètes, a profondément modernisé le pays et a contribué, par l'effort fait en direction des exclus, à l'unifier. L'organisation fédérale des secours et la volonté pédagogique de Roosevelt, premier président radiophonique, ont forgé une nouvelle forme de citoyenneté, dont la nouveauté même suscite résistances et oppositions.

Le grand échec, qui explique la timidité de FDR au début de 1939, est économique. Roosevelt a été élu, en 1932, pour en finir avec la dépression et personne n'aurait pu penser que, six ans plus tard, il subsisterait plus de 10 millions de chômeurs, que le PNB atteindrait à peine celui de 1929. Ces données recouvrent une réalité plus diversifiée car les profits des entreprises ont repris leur ascension et les plus gros fermiers ont tiré parti des subventions qui accompagnaient les restrictions de production, mais il subsiste des régions sinistrées. La production d'acier a augmenté de 15 %, grâce à la reprise de la construction, aidée par l'une des dernières lois votées en 1938, mais surtout grâce à l'amorce du réarmement.

La récession de 1937-1938 a révélé la relative impuissance du gouvernement malgré les moyens mis en œuvre depuis 1933, car les mesures prises pendant cinq ans n'ont traité la crise que superficiellement, en raison de la méconnaissance de ses causes profondes. La preuve de cet échec relatif de la politique menée par Roosevelt est donnée par la reprise véritable de l'économie qui s'amorce en 1940 et se poursuit en 1941. Les fournitures de guerre, d'abord pour les alliés, puis dans le cadre de la politique de préparation, permettent enfin une décrue durable du chômage – 8,1 millions de chômeurs en 1940, 5,5 millions en 1941, soit 9,9 % de la population active – et une relance puissante de la production, le PNB augmentant de 30 % entre ces deux années.

Les dépenses de guerre confirment très clairement les analyses keynésiennes ; elles sont financées par le déficit budgétaire et conduisent à la relance de l'économie. Avec cette incontestable preuve, la conversion du président de 1938 se trouve totalement justifiée. Désormais et sans réserve, les idées de Keynes donnent ses fondements à la science économique moderne, elles sont relayées par les hommes influents, au sein du gouvernement et des entreprises et vont devenir, après la guerre, la nouvelle vulgate économique.

La montée des menaces internationales

Les années de crise et les mesures du *New Deal* ne sont accompagnées d'aucune politique internationale active. Sans penser que les difficultés sont venues de l'étranger, Roosevelt ne se préoccupe guère de ce qui se passe dans le monde et n'a jamais eu conscience d'une éventuelle solution internationale à ces problèmes. En revanche, le président ne renie pas son passé wilsonien et s'intéresse à ce qui se passe dans certaines régions du monde. Plus soucieux que ses prédécesseurs de la volonté des peuples, il cherche à établir une « politique de bon voisinage » avec les pays d'Amérique centrale et latine et ne veut plus recourir aux interventions militaires dans ces régions, mais y faciliter les échanges économiques : une conférence entre FDR et les dirigeants locaux est organisée à Buenos-Aires en 1936, le statut de Panama est modifié pour donner à ce micro-État plus d'autonomie : le président des États-Unis est très populaire en Amérique latine. De plus, les relations avec les protectorats sont améliorées : à Cuba, l'autorité du gouvernement local est accrue, mais le pouvoir pris par Fulgencio Batista, un militaire dévoué qui renverse un leader nationaliste, et les intérêts économiques des États-Unis (sucre et casinos à La Havane) régissent l'île ; promesse est faite aux Philippins que le statut de l'archipel évoluera pour les amener à la souveraineté locale, puis à l'indépendance. Dans tous ces pays, cette politique aboutit à l'intensification des échanges commerciaux avec les États-Unis, plutôt qu'avec le Japon ou l'Allemagne.

Le durcissement de la situation internationale ne vient pas du continent américain, mais d'Europe et d'Asie. FDR en est très conscient, mais sa marge de manœuvre est très limitée. Alors que les Américains sont plongés dans la plus profonde crise économique de leur histoire, une commission d'enquête du Sénat, fondée en 1934, cherche les causes de l'entrée des États-Unis dans la Première Guerre mondiale ; elle est dirigée par le sénateur Gerald P. Nye (Républicain du Dakota du Nord) et développe ses recherches au sujet de la vente de munitions à la France et la Grande-Bretagne durant la période de neutralité de ce conflit. Ces auditions recoupent diverses publications, comme *Road to War* de Walter Millis, où les banquiers sont accusés d'avoir beaucoup prêté aux alliés, d'avoir entraîné le président et le pays dans une guerre égoïste et inutile pour la plupart des Américains. Cette dénonciation des milieux financiers s'explique en partie par le développement de la crise, dont ces mêmes banquiers et les patrons des grandes entreprises sont considérés comme responsables.

L'effet dans une opinion inquiète est considérable : un sondage de 1937 indique que près des deux tiers des Américains considèrent que la participation à cette guerre a été une erreur. Cela ne prépare pas les esprits à un autre conflit : les États-Unis n'ont pas à se mêler de questions qui ne concernent que les Européens. Pour éviter tout dérapage guerrier, le Congrès vote une série de lois qui doivent assurer la neutralité en cas de conflit :

- Loi de neutralité de 1935 : interdiction d'envoyer des armes à un quelconque belligérant.

• Loi de neutralité de 1936 : interdiction de faire des prêts à un belligérant.

• Loi de neutralité de 1937 : obligation aux acheteurs en état de guerre de payer comptant leurs acquisitions et de les transporter sur leurs propres bâtiments, c'est le principe *Cash and Carry*.

Causée d'abord par l'intervention de Mussolini en Éthiopie, cette législation s'applique à la guerre d'Espagne et aux conflits asiatiques et européens. Sont favorables à ces mesures des nationalistes comme les sénateurs républicains William Borah (Idaho) et Hiram Johnson (Californie), qui veulent couper tout lien de dépendance avec l'Europe ; des personnalités proches du fascisme comme le prêtre démagogue Albert Coughlin, le très populaire aviateur Charles Lindbergh, admirateur de la nouvelle Allemagne – il reçoit même à Berlin une haute décoration nazie – et d'autres qui conservent leur sympathie pour Mussolini. Ce dernier a fait un gros effort de propagande en direction des immigrants d'origine italienne. En 1933, une escadrille de vingt-cinq avions commandée par Italo Balbo est reçue fastueusement à Montréal, Chicago, New York et Washington ; elle montre partout l'efficacité moderne du régime fasciste.

Face à ces dispositions, la marge de jeu du président est très restreinte. Il ne peut qu'interdire l'envoi d'armes aux républicains espagnols et condamner la participation de 3000 volontaires américains à leurs côtés dans la brigade Lincoln – parmi lesquels on trouve l'écrivain Ernest Hemingway. Face à la politique expansionniste du Japon en Chine, le secrétaire d'État Cordell Hull peut évoquer un embargo moral contre l'agresseur et FDR parler, en octobre 1937, de la nécessité d'une quarantaine contre l'empire du Soleil levant, sans que cette politique aboutisse à un quelconque résultat puisqu'aucune mesure n'accompagne ces beaux discours. La politique agressive d'Hitler ne suscite pas de réactions américaines et FDR partage officiellement l'apaisement anglo-français qui suit la conférence de Munich en septembre 1938. En privé, FDR est de plus en plus inquiet de la montée en puissance de l'Allemagne nazie et du Japon, il n'écarte pas une éventuelle intervention de son pays mais il ne juge pas possible de renverser le courant isolationniste. Ses tentatives d'obtenir l'abrogation de certaines clauses des lois de neutralité échouent et il faut attendre novembre 1939 pour qu'il obtienne que la clause *Cash and Carry* puisse être appliquée aux armes et aux munitions. D'un autre côté, le président parvient à persuader le Congrès de voter des budgets militaires substantiels pour assurer la défense du pays : nouveaux navires en 1935, construction d'avions à partir de fin 1938, dont 200 sont vendus à la France en 1939, mais ils n'arriveront que peu de temps avant juin 1940 et ne seront pas utilisés.

À partir de septembre 1939, l'aggravation de la situation en Europe polarise l'attention du monde politique, sinon de l'ensemble du pays. Les conservateurs républicains du Congrès ne sont pas les plus acharnés opposants à une politique internationale active, et Roosevelt peut se rapprocher d'eux. C'est ainsi qu'il constitue, dès août 1939, un *War Resources Board* (Bureau des ressources de guerre) dirigé par Edward Stettinius, venu d'US Steel ; en mai 1940 c'est le tour d'un *National Defense Advisory Comission* (Commission nationale et consultative pour la défense) où l'on retrouve Stettinius, ainsi que William Knudsen de General Motors. On est loin de la rhétorique hostile aux hommes d'affaires avides.

Le même souci de ne pas heurter de front un Congrès, où l'emprise isolationniste est forte, conduit l'administration à prendre des mesures contre des étrangers suspects. Depuis 1938, le Comité des activités non américaines de la Chambre des Représentants a débuté une enquête sur la subversion fasciste et communiste ; très populaire elle connaît un regain d'activité après le pacte germano-soviétique. Cette dénomination « non américaine » n'est pas l'équivalent d'antiaméricain, comme cela est traduit souvent en français ; elle tient au cœur de l'identité choisie par les Américains : ces idéologies marxiste ou nazie sont étrangères à leurs valeurs affirmées et ceux qui les portent n'ont pas de réalité américaine, ce ne peuvent être des Américains, ce sont donc des non-Américains.

Pourtant, les États-Unis sont confrontés aux réfugiés qui fuient une Europe dans laquelle le nazisme a commencé ses ravages.

En mai 1939, les 930 Juifs allemands à bord du navire *Saint-Louis* ne sont autorisés à débarquer ni à La Havane ni à Miami; ils regagnent l'Europe et la plupart finiront dans les camps nazis. L'émotion autour d'une telle odyssée est intense, mais la demande d'asile de Juifs qui fuient l'Allemagne se heurte à la très stricte politique des quotas : tout au plus peuvent-ils être accueillis comme Allemands dans la mesure où le nombre d'immigrants venant de ce pays était dérisoire, et seuls quelques décrets présidentiels permettront l'accueil de réfugiés supplémentaires comme touristes avec des visas prolongés. À partir de 1938, le président Roosevelt tente d'ouvrir un peu plus les portes, mais le Congrès et le département d'État s'y opposent au nom des principes de la loi d'immigration de 1924. Les pays d'Europe ne se signalent pas par une plus grande ouverture, mais, au bout du compte, les États-Unis auront accueilli plus de Juifs que les autres. De 1933 à 1944, 476 930 immigrants arrivent aux États-Unis, 296 032 sont des Européens, sur lesquels 218 069 réfugiés, dont 165 756 Juifs.

1940 : le choc de la défaite de la France

Le 10 juin 1940, le président ne pouvait répondre aux objurgations de Paul Reynaud d'entrer en guerre, mais il est secoué par l'ampleur de la déroute française et bien décidé à ce que cela ne puisse arriver à la Grande-Bretagne, désormais en première ligne, seule face aux forces de l'Axe. De son côté, l'opinion est également bouleversée par la défaite de la France et les sondages, encore imparfaits, signalent son évolution : si une forte minorité reste hostile à la guerre (37 %), une nette majorité (70 %) est prête à prendre des risques pour aider la Grande-Bretagne, sans que la question des moyens pour y parvenir ne soit posée. Ainsi, des dispositions particulières seront prises par le président et le Congrès pour accorder un asile temporaire à des enfants anglais dont les maisons sont détruites; l'opinion y est unanimement favorable alors qu'elle s'oppose à des mesures du même ordre en faveur d'enfants juifs dont l'accueil serait durable.

Dans l'année qui suit, Roosevelt avance de façon déterminée vers une alliance anglaise, qui ne conduit pas aussitôt à la guerre, mais ses sympathies sont clairement exprimées envers « ces nations qui donnent leur sang dans le combat contre l'agression fasciste ». D'un côté, il obtient du Congrès un accroissement considérable des dépenses militaires toujours présentées comme défensives : l'armée est portée à 800 000 hommes, avec une loi instaurant l'enregistrement de tous les hommes entre 21 et 35 ans, soit 16 millions, 50 000 avions sont commandés. De l'autre, il répond aux demandes d'aide de Winston Churchill et, le 3 septembre 1940, décide en tant que commandant en chef, et sans consulter le Congrès, le troc entre une cinquantaine de destroyers de tous âges, dont les Anglais ont besoin pour protéger leurs approvisionnements, et la location avec des baux emphytéotiques de bases dans des îles anglaises des Caraïbes comme la Jamaïque et les Bermudes ainsi qu'à Terre-Neuve. À nouveau, pour ne pas provoquer les isolationnistes de plus en plus inquiets de l'engagement des États-Unis, l'insistance est mise sur l'aspect avantageux de cet échange défensif, comme si les bases étaient beaucoup plus importantes que quelques vieux rafiots.

C'est dans ce contexte que se déroule l'élection présidentielle de novembre 1940. Les républicains sont d'abord convaincus que FDR ne se représentera pas, ils estiment donc pouvoir reprendre le pouvoir; parmi les étoiles montantes du parti de l'Éléphant figure un jeune procureur de New York, Thomas Dewey, ou Robert Taft, fils de l'ancien président, mais aussi un transfuge démocrate d'un grand dynamisme, originaire de l'Indiana,

Wendell Willkie. Ce dernier, avocat de Wall Street, peut compter sur de nombreux appuis et développe un programme de libre entreprise pour satisfaire les lassés du *New Deal* et lui permettre de financer sa campagne. Le choc provoqué par la défaite de la France, en mai 1940, enlève toutes ses chances au trop jeune Dewey et, le mois suivant, Willkie l'emporte finalement à la convention de Philadelphie.

Du côté démocrate, beaucoup pensent que Roosevelt devrait se représenter, mais cela risque de se retourner contre lui, tellement est puissante la tradition des deux mandats consécutifs. Mais la forte personnalité du président a empêché qu'apparaisse une relève dont il ne s'est jamais soucié. FDR hésite mais, assez rapidement, il laisse entendre qu'il obéirait à un appel populaire et souligne le risque isolationniste que ferait peser une victoire républicaine, tout en défendant les acquis du *New Deal*. Finalement, à Chicago, la convention l'acclame et il est nommé dès le premier tour. Il impose comme candidat à la vice-présidence Henry Wallace, secrétaire à l'Agriculture, dont il vante le libéralisme, dans le nouveau sens qu'il a donné à ce mot.

La campagne oppose un « challenger » peu connu à un champion solidement installé dans une situation internationale dramatique. Roosevelt se contente de quelques apparitions, lors de visites de bases militaires, et de rares discours. Willkie s'époumone à dénoncer le dirigisme et l'inefficacité du *New Deal* : il s'enferme dans une dialectique isolationniste. Avec 27 307 000 voix et plus de 55 % des suffrages, Roosevelt l'emporte largement, en dépit des bons résultats de Willkie, qui a fait beaucoup mieux que Landon en 1936, puisqu'il réunit plus de 22 millions de voix et près de 45 % des suffrages. Dix États échappent au président sortant, dont le succès électoral s'effrite légèrement, mais qui réunit néanmoins 449 mandats contre 82. Au Congrès, le parti démocrate maintient ses positions de 1938.

L'électorat, à un moment de grande tension, a de nouveau choisi l'homme le plus expérimenté, car il inspire confiance. D'ailleurs, la coalition de 1936 ne s'est pas rompue, Roosevelt reste, malgré l'interruption des mesures sociales, le président des plus démunis et, de surcroît, il s'impose comme un guide sûr dans le contexte de la guerre.

Tout en ayant promis à ses concitoyens, lors de l'élection de novembre 1940, de ne pas envoyer les « boys » outre-mer, Roosevelt est conduit à s'engager de plus en plus du côté britannique. Un pas décisif est franchi le 17 décembre 1940 avec la mise au point du prêt-bail : Churchill demande une aide vitale car la Grande-Bretagne est en cessation de paiement. Le président utilise une métaphore familière pour éduquer l'opinion : si la maison de votre voisin est en feu et que son tuyau d'arrosage est percé, vous n'hésitez pas à lui prêter aussitôt le vôtre sans poser dans l'immédiat la question du prix ou du remplacement. Les experts américains doivent faire vite et éviter le spectre des dettes interalliées ; le prêt-bail permet des livraisons de matériels, des aides financières, selon un système de dons et sans créer de dettes ; il permet de financer les Alliés en guerre ; à partir du 21 juin 1941, il est étendu à l'URSS décidée à défaire le fascisme, non sans que se soient exprimées de nombreuses inquiétudes contre cette faveur faite à la patrie du communisme. Entre 1941 et 1945, les États-Unis ont exporté par ce moyen 32,5 milliards de dollars, dont 13,8 milliards à la Grande-Bretagne et 9,5 à l'URSS : en priorité du matériel militaire, mais également des approvisionnements. Le *lend-lease* a permis, en renforçant les forces armées des pays récipiendaires, de réduire la durée de la guerre.

Dans le courant de l'année 1941, les États-Unis sont amenés par étapes et non sans réticences à armer leurs cargos et à les faire escorter de navires de guerre afin de maintenir en état le cordon ombilical de la Grande-Bretagne. De fréquents incidents ont lieu avec les sous-marins allemands qui auraient pu suffire à faire entrer le pays dans la guerre. Roosevelt ne s'y résout pas, impressionné par la puissance des isolationnistes, alors qu'il sait la guerre inévitable : sa prudence politicienne l'emporte encore devant des sondages ambigus. Pourtant début août, la première rencontre avec Winston Churchill sur des cuirassés dans les brumes de Terre-Neuve, se passe très bien et la Charte de l'Atlantique ébauche une véritable alliance élargie à l'URSS avec la perspective d'une nouvelle Société des Nations.

Les Américains entrent sans transition dans la guerre qui met fin à la crise : ils y mettent toute leur énergie.

Comprendre l'entrée en guerre

La multiplication des incidents dans l'Atlantique fait penser que la guerre ne peut survenir que dans cette zone, à la suite d'un affrontement avec des sous-marins allemands, qui cherchent à couper le cordon ombilical entre les États-Unis et la Grande-Bretagne. Or, l'événement qui provoque la guerre se déroule dans le Pacifique, selon la volonté de Japonais que presque personne aux États-Unis ne redoutaient.

Les Japonais constituent une menace pour les États-Unis dans le Pacifique dans la mesure où ils sont présents en Chine et mènent une politique expansionniste ; en septembre 1940, ils s'allient même formellement à l'Allemagne et à l'Italie afin de constituer l'Axe, puis ils s'emparent de l'Indochine française en juillet 1941. Les ambitions japonaises semblent s'étendre à l'ensemble du Pacifique et menacer aussi bien l'Australie que les Philippines. Le gouvernement américain, tout en continuant des négociations pour obtenir le retrait japonais de l'Indochine, institue un embargo sur les aciers puis sur le pétrole à destination du Japon, qui dépend des fournitures américaines dans ce domaine, car il n'a aucune de ces matières premières dans l'archipel. Ces mesures considérées comme vexatoires décident le Japon à lancer la guerre contre les États-Unis. Or, l'État-major américain ne s'inquiète pas véritablement car ses services ont percé le code secret nippon et les messages captés, s'ils envisagent des opérations importantes, ne mentionnent jamais une offensive précise contre un territoire américain ni une date. De plus, l'attention du président est fixée sur l'Europe et il essaie de choisir le bon moment pour déclarer la guerre à l'Allemagne. Enfin les Américains n'ont pas pris conscience de l'effet qu'a l'embargo contre le Japon : il a été perçu comme un *casus belli* et a donné au gouvernement impérial les arguments pour mobiliser le pays contre une puissance qui l'étrangle.

Le matin du dimanche 7 décembre 1941, intervient l'attaque par surprise de la flotte et des avions japonais sur la base de Pearl Harbor, dans l'archipel d'Hawaï. Bombes incendiaires, sous-marins de poche, torpilles et obus détruisent presque totalement la flotte américaine du Pacifique au repos : huit navires de combat sont détruits, plus de 2 400 soldats sont tués, seuls trois porte-avions échappent à ce désastre. Le choc aux États-Unis est immense et l'attaque y apparaît comme une traîtrise ; FDR, le 8 décembre, obtient du Congrès quasi unanime la déclaration de la guerre contre le Japon et son infamie ; trois jours plus tard, l'Allemagne et l'Italie déclarent la guerre aux États-Unis, en vertu du traité de l'Axe qui les unit à l'empire du Soleil levant.

Les isolationnistes tant redoutés par Franklin D. Roosevelt se sont tus du jour au lendemain après Pearl Harbor. Des critiques ont suggéré après guerre que le président Roosevelt avait laissé se dérouler l'attaque, dont les services secrets l'auraient averti, afin de convaincre ses concitoyens de la nécessité de la guerre ; une telle interprétation, outre qu'elle prouverait un cynisme monstrueux, est totalement fausse, car le décryptage des messages japonais ne mentionnait ni la date ni le lieu de l'opération. Mais il est certain que les tenants de l'isolation ont cédé d'autant plus facilement que les agresseurs étaient les « barbares » japonais, car ils auraient pu se montrer beaucoup plus réticents face à une offensive allemande, à la fois en raison de la forte communauté germanique dans le pays et parce que leur sympathie pour le Troisième Reich et son culte de l'aryen n'était pas si rare. D'ailleurs dans les camps de prisonniers tenus par les troupes américaines aux États-Unis, les Allemands sont mieux traités, en matière de logement et de nourriture, que les soldats africains-américains, qui parfois les gardent.

L'entrée en guerre des États-Unis, que déclenche l'attaque du Japon sur Pearl Harbor le 7 décembre 1941, est sans réserve, mais son origine à Hawaï ne doit pas faire illusion : le pays va se battre sur deux fronts, mais celui de l'Europe reste le plus important jusqu'en 1944, en affectation de moyens comme en conception stratégique. Les États-Unis doivent porter leur effort vers l'Europe où se joue la partie décisive, sans abandonner le front Pacifique en raison des progrès de l'offensive japonaise. Sur le front occidental, les Américains se situent dans l'alliance avec la Grande-Bretagne et l'URSS et ils doivent tenir compte des points de vue différents, même s'ils parviennent à imposer souvent les leurs ; la guerre qui s'y déroule demande des hommes en très grand nombre et beaucoup de matériel. L'effort accompli depuis 1940 doit être amplifié considérablement mais ne se fait pas dans les mêmes termes, en raison de l'acheminement des *GI*. La réflexion stratégique s'apparente à celle de la Première Guerre mondiale avec le choix entre assaut frontal contre l'ennemi ou attaque périphérique.

Dans le Pacifique, jusqu'en 1943, la guerre est seulement navale et aérienne ; les hommes embarqués ne sont pas très nombreux et ne le seront jamais en dépit de l'attaque systématique de chacune des îles. L'État-major américain doit imaginer les opérations de façon nouvelle et doit le faire seul, dans la mesure où les Japonais se sont emparés des territoires coloniaux européens, seules l'Australie et la Nouvelle-Zélande ne seront pas attaquées. La guerre dans cette zone est particulièrement dure mais reste relativement secondaire, au moins jusqu'à la décision finale en Europe.

De plus, comme lors de la Première Guerre mondiale, les États-Unis doivent prendre leurs précautions contre les possibles soutiens de l'Axe au sein de la population ; les Allemands arrivés surtout au XIXe siècle ne sont pas inquiétés, mais les Italiens sont désignés par un décret « étrangers ennemis », car beaucoup ne sont pas naturalisés et ont été parfois sensibles au prestige de Mussolini. Les protestations se multiplient contre une mesure qui semble injuste, d'autant plus qu'un grand joueur de baseball comme Joe DiMaggio est considéré comme une idole : en octobre 1942, le gouvernement revient sur cette décision hâtive et propose des mesures de naturalisation accélérée pour ces Italo-Américains loyaux (lors du débarquement américain en Sicile, le gangster Lucky Luciano sera extrait de sa cellule pour servir d'intermédiaire avec la Mafia locale, mais il sera dès lors interdit de séjour aux États-Unis).

La Grande-Bretagne dépend totalement de l'aide américaine et sur son sol se mettent en place les préparatifs du débarquement de Normandie. Dans les pays occupés comme la France, les Pays-Bas ou la Belgique, l'espoir de libération que cette opération promet grandit alors que l'échéance approche.

Le président Roosevelt assume le rôle de chef de l'alliance contre le nazisme : il reçoit et héberge à la Maison-Blanche comme dans la propriété familiale de Hyde Park (New York) des souverains et des chefs d'État européens réfugiés aux États-Unis, ainsi Martha la princesse de Norvège, avec laquelle il passe une partie de son temps libre. Persuadé, comme un bon politicien américain, que les rencontres personnelles sont seules susceptibles de faire avancer les dossiers, il établit des relations fortes avec les leaders avec lesquels il mène la guerre.

Au fil des rencontres, une réelle amitié unit le président américain à Winston Churchill, dont la mère était américaine. Les deux hommes de formation très différente se comprennent à demi-mot, se retrouvent autour d'un verre et ensemble se détendent ; leur correspondance est abondante, chaleureuse et intime, même s'ils ne sont pas toujours du même avis. Ils se sont rencontrés pour la première fois au large de Terre-Neuve le 14 août 1941, pour la Charte de l'Atlantique qui scelle leur alliance après une discussion serrée, puis Churchill vient passer la période de Noël 1941 à la Maison-Blanche afin de parler de la guerre devenue officielle et leurs rencontres ne cessent plus.

Les États-Unis face à la guerre

Roosevelt, chef de guerre

Le président Roosevelt n'a pas de connaissance militaire ou stratégique, mais il s'impose rapidement comme le véritable commandant en chef, fier de ses prérogatives. Il se pique de stratégie au fil des mois de guerre et impose certaines de ses positions. Les opérations en Afrique du Nord, les 7 et 8 novembre 1942, ont été voulues par le président américain afin de prouver la combativité des Américains aux yeux de l'opinion publique lassée de l'inaction apparente des autorités ; et, pour lui, le débarquement massif en Normandie était le moyen de mettre à mal directement l'ennemi. La notion de capitulation sans conditions, initiée lors de la guerre de Sécession par le général Grant pour faire céder le Sud, s'est imposée en 1943 afin de marquer l'impossibilité d'entente avec les « forces du mal » : là encore le Premier ministre britannique aurait souhaité plus de souplesse, car il envisageait de négocier avec ceux des Allemands qui seraient acceptables. Il redoutait qu'une telle capitulation ne provoque l'effondrement de l'Allemagne dans lequel s'engouffreraient les Soviétiques. Pour l'Europe libérée, les principes ébauchés à Casablanca et complétés à Yalta doivent beaucoup à la conception américaine de la démocratie.

À Téhéran (novembre 1943) à Yalta (février 1945), Roosevelt a tenté d'amadouer Staline, de le comprendre sans préjugés ; il n'est pas parvenu à nouer de liens réels avec un homme plus accoutumé à des relations brutales ; il pense toutefois obtenir plus de l'homme fort du Kremlin que Churchill avec son réalisme cynique et, à Téhéran, l'appui de Staline au débarquement sur la côte française a permis à Roosevelt de venir à bout des réserves tenaces de Churchill, qui aurait préféré le contournement par les Balkans comme en 1915. Et, pour la première fois lors de cette première rencontre tripartite, Staline remercie officiellement Roosevelt d'avoir étendu le prêt-bail à son pays : l'URSS reçoit aussi du matériel de guerre américain par les convois de la mer Blanche vers Mourmansk.

En revanche, le président américain a toujours gardé une grande méfiance envers le général de Gaulle, dont il ne comprend ni l'attitude ni l'ambition. Le contentieux entre les deux hommes tient à l'ambiguïté des États-Unis à l'égard du gouvernement de Vichy auprès duquel ils maintiennent l'amiral Leahy, un compagnon d'armes du maréchal Pétain, comme ambassadeur jusqu'en avril 1942. Aux yeux de Roosevelt, le chef de la France libre n'est qu'un apprenti dictateur sans aucun respect pour la démocratie, qui ne saurait en aucun cas diriger la France libérée ; il n'est tolérable qu'en raison du soutien que lui accorde Churchill. C'est pourquoi, après le débarquement en Afrique du Nord, la politique américaine consiste à soutenir le général Giraud. Dans sa villa de Casablanca le 23 janvier 1943, quand Roosevelt reçoit de Gaulle, il s'entoure de précautions : le chef des services secrets est dissimulé derrière des tentures, son revolver à la main, et des *Marines* armés se cachent sur le balcon au cas où le visiteur attaquerait son hôte. Ce malentendu dure jusqu'à libération de la France.

En dehors de ces équations personnelles, le président des États-Unis a marqué en profondeur les relations avec les Européens. Il a favorisé les conférences internationales fréquentes entre divers chefs d'État, et non plus bilatérales comme Churchill, de Gaulle ou Staline y étaient habitués. Ces réunions se multiplient, que ce soit au Caire avec Tchang Kaï Chek, avec les deux autres grands à Téhéran et Yalta, avec Churchill à Québec, à Washington et à Casablanca. Lors de ces rencontres, Roosevelt ne parle pas plus fort que les autres, mais représente le pays qui est plus fort que les autres.

Lors de ces conférences entre chefs d'État, Roosevelt, qui compte beaucoup sur les relations personnelles, insiste pour la création des Nations unies et envisage, sans l'obtenir, un processus général de décolonisation.

Sur tous ces poins l'apport américain est essentiel, mais il l'est également sur le plan matériel.

La mobilisation nationale

Une organisation performante

Lancé en 1941, le « Programme de la Victoire » n'aboutit pas à une centralisation rigoureuse et sans faille; des objectifs ambitieux ont été fixés par le président mais sans souci de réalisme et sans disposer encore des moyens nécessaires. Après un temps d'incertitude et en raison de l'entrée en guerre, la bonne solution s'impose.

Les premiers organismes mis en place, modelés sur ceux de la Première Guerre mondiale, ne peuvent qu'évaluer les besoins, destinés qu'ils sont à préparer l'opinion à l'éventualité de la guerre. En janvier 1942, le *War Production Board* (Bureau de la production de guerre), sous la direction de Donald Nelson venu de la compagnie Sears and Roebuck, est seul chargé de contrôler l'économie et remplace les organismes précédents. Les industriels n'ont plus le choix : il leur faut produire du matériel militaire, selon les priorités du WPB. Pourtant Nelson ne parvient pas à empêcher la Marine et l'Infanterie de se doter de leurs propres centrales d'achat indépendantes. De véritables féodalités militaires se forment qui se soucient fort peu des priorités nationales; à cela s'ajoute la nomination par Roosevelt de « tsars » (dénomination courante aux États-Unis pour désigner des personnes dotées de tous les pouvoirs face à un problème précis) chargés avec tous les moyens nécessaires, d'une question particulièrement cruciale : main-d'œuvre, pétrole, caoutchouc. Finalement, en mai 1943 l'*Office of War Mobilization* (Service de la mobilisation pour la guerre), sous la direction de James F. Byrnes, est créé pour coordonner toutes les initiatives et pour arbitrer entre militaires et industriels; ancien juge à la Cour suprême, l'homme est un ami et conseiller du président.

Tout cela a été possible parce que le président a été doté par le Congrès à partir décembre 1941, de pouvoirs extraordinaires. Il peut créer toutes ces agences, affecter les ressources et fixer des priorités à l'économie suivant les besoins de la défense qu'il est le seul à définir. Le grand thème est celui de la conversion des produits de consommation en fabrication de guerre : dès 1940, le chef syndical Walter Reuther demande que les firmes de Detroit produisent des avions plutôt que des voitures particulières, mais les patrons résistent et il faut attendre 1942, pour que le WPB interdise la fabrication d'automobiles privées et que soit lancée, à grande échelle, la fabrication de caoutchouc synthétique pour faire face à l'interruption de l'approvisionnement en caoutchouc naturel. Mais les premiers avions produits par Ford et GM ne sortiront des chaînes qu'en 1943. En revanche, les chantiers navals se consacrent plutôt à la production de navires destinés au transport transatlantique : une centaine de navires sortent de ces chantiers dès 1941.

C'est également par une décision présidentielle, sans que le vice-président ou le Congrès soient mis au courant, que débute le processus qui aboutit à la production de la bombe atomique. Le projet Manhattan est une anomalie dans l'ensemble de l'économie de guerre par sa taille et sa complexité : la découverte de la réaction atomique en 1942 à l'université de Chicago est la première étape, puis sous la direction de l'armée est constitué un réseau complexe à travers le pays – des universités : Chicago, Berkeley, des usines : Oak Ridge (Tennessee), Hanforth (État de Washington), un laboratoire d'essai à Los Alamos (Nouveau-Mexique) – avant les premières bombes d'août 1945. Au total, ce projet a employé jusqu'à 100 000 personnes et coûté 2 milliards de dollars.

Bien que tous les problèmes ne soient pas résolus et que le contrôle administratif de la main-d'œuvre soit impossible, ce type de décisions, appliquées par de multiples organismes, permet à la production de guerre d'atteindre des sommets. Ces agences de guerre remplacent rapidement celles du *New Deal*, qui ferment leurs portes, mais ceux qui les animaient trouvent facilement de l'emploi dans ces nouvelles structures.

Le financement de la guerre

Pour éviter que ne se répète le cauchemar financier engendré par la Première Guerre mondiale, le financement de l'effort de guerre a été étudié de très près pour éviter tout dérapage. Dans le même temps, le gouvernement n'hésite pas à dépenser tout ce qu'il faut pour gagner la guerre.

Dépenses du gouvernement fédéral et dépenses militaires (1941-1945) (valeur en milliards de dollars [dollar constant 1940])

	PNB		Dépenses fédérales			Dépenses militaires			
Année	**Total**	**%+/–**	**Total**	**Croissance +/–**	**% du PNB**	**Total**	**%+/–**	**% dép. féd.**	**% PNB**
1940	101,40	-	9,47	-	9,34	1,66	-	1,64	17,53
1941	120,67	19,00	13,00	37,30	10,77	6,13	269,3	5,08	47,15
1942	139,06	15,24	30,18	132,20	21,70	22,05	260,0	15,86	73,06
1943	136,44	-1,88	63,57	110,60	46,59	43,98	99,46	32,23	69,18
1944	174,84	28,14	72,62	14,24	41,54	62,95	43,13	36,00	86,88
1945	173,52	-0,75	72,11	-0,70	41,56	64,53	2,51	37,19	89,49

Les chiffres sont impressionnants : la guerre de 1917-1918 avait coûté 32 milliards de dollars, la suivante près de 300 milliards. Les chiffres ci-dessus montrent clairement le poids pris par le gouvernement fédéral dans l'économie et surtout le poids des dépenses militaires.

Pour financer un tel effort, deux possibilités : l'impôt et l'emprunt. Roosevelt veut éviter, autant que possible, l'endettement, préférant comme il le dit en 1942 : « ...régler tout à 100 %, sur-le-champ, grâce aux impôts, plutôt que de se décharger du fardeau de la guerre sur les épaules de nos petits-enfants ». En fait, l'effort de guerre est financé à près de 50 % par l'impôt – un chiffre comparable à celui de la Grande-Bretagne.

Ce résultat a été atteint grâce à une refonte du système fiscal américain qui, pour la première fois, atteint l'ensemble de la population. À peine 4 millions d'Américains payaient l'impôt sur le revenu en 1939, ils sont 43 millions en 1943, 50 millions à la fin de la guerre. La grande loi fiscale de 1942 instaure une réelle progressivité ainsi qu'une « taxe de la victoire » de 5 %, applicable à tous. Désormais, l'ensemble des classes populaires est assujetti à l'impôt, ce qui permet de répartir plus largement l'effort de guerre.

Pour arriver à ce résultat, sans nouveau personnel, l'administration instaure, à partir de 1943, le versement de l'impôt par une retenue à la source sur les salaires, pratiquée par les employeurs qui se chargent de reverser à l'État les sommes dues. En 1944, le taux moyen d'imposition est de 20,9 %, mais l'impôt sur les sociétés augmente aussi et les super-profits dus à la guerre sont taxés à plus de 90 % pour éviter les accusations contre l'enrichissement des marchands de canons, comme après la Première Guerre mondiale.

Bien que le Congrès refuse, en 1943, l'augmentation de l'impôt sur les sociétés prévue par Roosevelt et bien que la population américaine ne soit pas excessivement taxée en dépit des plaintes de certains, la guerre modifie durablement la fiscalité américaine, plus que le *New Deal* n'avait pu le faire. La progressivité et l'élargissement de l'assiette de l'impôt sur le revenu, la retenue à la source efficace et indolore, la taxation indirecte étendue aux activités d'amusements, aux moyens de transport ou aux produits de luxe, sont autant d'innovations qui survivent à la guerre.

Ces progrès ne suffisent pas et les Américains n'auraient pas accepté une taxation plus lourde, ce qui rend le recours à l'emprunt indispensable. Le Trésor utilise tous les moyens disponibles : avances bancaires, facilitées par l'abondance des dépôts sur les comptes courants, émission de « bons de guerre » destinés tant aux investisseurs institutionnels qu'aux particuliers. Auprès de ces derniers, les Bons E sont particulièrement populaires : ils peuvent être versés par une retenue sur les salaires et rapportent $ 40 milliards : en 1946, 85 millions d'Américains ont acheté pour 185 milliards de ces divers bons.

En tout, le gouvernement lance des emprunts représentant $ 135 milliards entre 1942 et 1945. Si les sommes prélevées auprès des citoyens ne sont pas inflationnistes, prenant la place d'une consommation devenue impossible, les fonds prêtés par les banques provoquent la construction de pyramides de crédit, qui peuvent devenir inquiétantes. Très tôt, Roosevelt s'inquiète de l'inflation possible, causée par une telle masse financière lancée dans l'économie : au financement fédéral de la guerre, s'ajoute la pression exercée par la montée considérable de la masse salariale due au retour du plein-emploi et à la hausse des salaires.

Dès 1941, le président crée une agence pour contrôler les prix et elle est renforcée l'année suivante : il s'agit de l'*Office of Price Administration* (Service de l'administration des prix), ou OPA. Il n'est pas question d'établir un gel des prix et des salaires, mais de procéder à des contrôles limités par secteurs. Les industriels parviennent à tourner les réglementations – il suffit de modifier l'emballage d'un produit pour échapper au prix officiel – et les fermiers exercent des pressions constantes pour ne pas subir la réglementation et profiter à plein de la hausse de leurs prix. De la même façon, l'accord de juillet 1942 dans la sidérurgie prévoit une hausse de 15 % des salaires pour compenser celle des prix depuis 1941 : il entraîne une cascade de réajustements.

En mai 1943, pour vaincre la mauvaise volonté du Congrès soumis aux pressions des électeurs, Roosevelt ordonne un véritable gel des salaires et des prix. Finalement, l'augmentation des prix n'atteint pas 2 % jusqu'à la fin de la guerre, mais elle a été de 23 % de décembre 1941 à mai 1943 et de 47 % entre 1939 et 1941. Le résultat est appréciable si l'on considère l'ampleur des sommes injectées dans l'économie, sans oublier la masse des crédits accordés aux puissances alliées.

Un effort de tous

Le président cherche la coopération volontaire des patrons et des ouvriers ; elle n'est ni régulière, ni cohérente.

Les attaques contre les patrons avides et insensibles cessent car l'effort de guerre ne peut réussir sans eux. Pour s'assurer de leur soutien, le gouvernement met sur pied un programme de subventions pour aider au passage à la production de guerre, des réductions d'impôt sont aussi proposées et la législation antitrust ne s'applique plus aux entreprises qui concourent à la production de guerre. De surcroît, le gouvernement s'engage à payer la facture de ses fournisseurs avec une majoration automatique assurant un profit. Les entreprises profitent de ces avantages en changeant fréquemment de modèle et en sachant que l'administration pressée ne vérifie guère les factures. Des enquêtes, et tout particulièrement celles dirigées par le sénateur Harry Truman, montrent l'ampleur du coulage et des abus.

Dans ce contexte favorable, les industriels investissent massivement. Les industries de l'automobile, d'abord hésitantes, ne fabriquent plus de voitures particulières, mais des camions et des tanks ou des avions : moteurs Rolls-Royce chez Packard, tanks chez Chrysler, B-24 chez Ford dans une immense usine construite spécialement, qui en produit 500 par mois en 1944. Le B 29 Superforteresse, seul capable d'atteindre l'Allemagne et le Japon et qui exige de nombreuses innovations, comme les radars ou les moteurs, est construit dans quatre différentes usines par des centaines de milliers d'ouvriers, pour un coût de trois milliards de dollars. Au total, la fabrication des avions constitue la première dépense de guerre, presque le quart du total : elle emploie 2 millions de travailleurs, qui ont produit 125 000 appareils (49 000 bombardiers, 64 000 chasseurs).

Des produits nouveaux sont exploités de façon industrielle comme les hélicoptères par Henri Sikorski ou les *Liberty Ships,* mis au point par Henry Kaiser, industriel de l'aluminium, qui pour produire en masse, allège les métaux, utilise la soudure plutôt que les rivets, et une grande quantité d'ouvriers de toutes les origines : préfabriqué et fait pour un seul voyage, le navire était construit en un an en 1941, en 56 jours en 1942, en 14 en 1944. Au total, près de 6 000 navires de tous modèles ont été produits pendant la guerre.

D'autres industriels, plus inattendus, profitent également de la frénésie productive. Robert Woodruff, patron de Coca-Cola, persuade l'État-major de la nécessité de sa boisson pour la santé et le moral des soldats et des marins. La petite bouteille va ainsi suivre l'armée américaine jusqu'au bout du monde ; le sucre est rationné mais le sirop magique n'en manque jamais. De la même façon, Philip Wrigley, roi du chewing-gum, réussit à imposer une de ses tablettes avec chaque ration K du soldat et relance ainsi les ventes dans le public.

Pour arriver à ces résultats, les hommes d'affaires remplacent de plus en plus les *New Dealers :* l'évolution amorcée en 1937 s'achève, amenant les patrons à gérer seuls l'économie car ils ont le savoir-faire, le gouvernement les laisse faire, se concentrant sur d'autres tâches de type social. Une nette reprise de la concentration se produit car les plus grosses firmes obtiennent et réalisent plus facilement les contrats. Plus de 500 000 petites entreprises ferment leurs portes durant la guerre alors que les plus importantes se renforcent : en mars 1943, 70 % de toute la production militaire est concentrée entre 100 firmes qui n'en détenaient que 30 % en 1940.

La guerre permet ainsi la création d'une ébauche du complexe « militaro-industriel » qui s'épanouira dans les années 1950.

Le changement fondamental apporté par la guerre concerne la main-d'œuvre. Au fur et à mesure que le rythme de production de guerre s'accélère, le chômage diminue : 1,3 % de la population active en 1943 et moins d'un million de personnes restent sans emploi. En tout, de 1940 à 1945, plus de 16 millions d'hommes et de femmes servent sous les drapeaux, plus de 2,5 millions de fonctionnaires sont engagés et des millions d'autres dans les entreprises. Les besoins de main-d'œuvre sont tels que le gouvernement essaye, par la *War Manpower Commission* (Commission de la main-d'œuvre de guerre) de répartir les travailleurs dans les secteurs prioritaires et envisage même en 1944 un système de conscription civile. Les résistances sont trop importantes pour que ce type d'encadrement militaire fonctionne ; en revanche, les interdictions de travail des enfants sont assouplies et, dans les usines d'armement, les horaires hebdomadaires passent de 40 à 48 heures avec paiement des heures supplémentaires.

Les salaires ouvriers bénéficient de cette situation en augmentant de 65 % en dollars courants – 27 % en dollars constants –, de 1940 à 1945. Avec les nombreuses possibilités de travail supplémentaire, les chèques de paie grossissent substantiellement.

Ce climat euphorique tranche avec les années de la dépression et favorise l'implantation syndicale. L'AFL et surtout le CIO recrutent largement parmi les nouveaux travailleurs ; les patrons ne s'opposent que mollement à ce mouvement, dans la mesure où il ne nuit pas à la production. D'ailleurs le *National War Labor Board* (Bureau national du travail de guerre), créé en 1942, vise à désamorcer les conflits et à assurer la participation des ouvriers à l'effort de guerre. Le nombre de syndiqués passe de 10,5 millions à près de 15 entre 1941 et 1945, profitant surtout au CIO qui améliore son implantation dans les grandes industries. En 1945, 35,5 % des salariés non agricoles sont syndiqués : un record pour les États-Unis.

Les procédures de négociation collective se multiplient, et, sans empêcher les conflits d'éclater, favorisent la stabilisation du monde du travail. Pourtant les directives de discipline salariale du gouvernement et les contraintes de la production arrivent à peser lourdement sur les syndiqués, conscients de perdre tout ou partie de leur indépendance : les grèves de 1943 le prouvent. Dans des secteurs comme l'industrie automobile, les syndicats parviennent à une ébauche de co-gestion avec les patrons et le gouvernement, mais elle est rapidement abandonnée après la guerre.

Les fermiers bénéficient également des exigences de la mobilisation. L'exode rural continue en raison des besoins de l'armée et de l'industrie, ce qui permet à ceux qui restent de profiter du doublement des prix agricoles pendant la guerre. Il n'est plus question de réduire les surfaces cultivées, de limiter la production, mais au contraire de produire toujours plus : les États-Unis sont aussi bien le grenier que l'arsenal de la démocratie. Les méthodes se perfectionnent, avec utilisation massive d'engrais et amélioration des machines. De plus, le lobby fermier au Congrès obtient les hausses nécessaires des prix pour atteindre et dépasser la parité avec les prix industriels. Le revenu agricole par tête triple pendant la guerre, alors que celui de l'industrie ne fait que doubler. Les fermiers connaissent une nouvelle ère de prospérité qui chasse les souvenirs de la crise, mais une partie du Sud rural reste à l'écart de ces progrès. Plus généralement, les salaires ont augmenté en moyenne de 65 % durant les années de guerre, ce qui assure un revenu stable ou en légère hausse, en tenant compte de l'inflation, limitée à 3,5 % l'an entre 1942 et 1946, mais avec des pics avant et après cette période à plus de 20 %.

Des résultats impressionnants

En janvier 1942, le président Roosevelt fixe des objectifs de production pour 1943 : 100 000 avions de combat, 75 000 chars et 10 millions de tonnes de navires, un doublement par rapport aux prévisions de 1942. Bien que ces chiffres paraissent extravagants et qu'ils ne correspondent pas à des études précises, les résultats en seront assez proches.

En 1945, les États-Unis auront produit :

- 300 000 avions
- 12 000 navires civils et militaires
- 64 000 péniches de débarquement
- 86 000 tanks
- 15 000 véhicules blindés
- 2 500 000 camions
- 315 000 pièces d'artillerie
- 15 millions de fusils et toutes les munitions nécessaires

434 millions de tonnes d'acier ont permis cette production qui, dès 1942, dépasse celle des pays de l'Axe réunis et en représente le double, deux ans plus tard. Dans le même temps la production de viande a crû de 23 % et la récolte de céréales de 14 %.

Ces résultats ont pu être atteints grâce à de remarquables gains de productivité : entre 1939 et 1944, elle s'est accrue de 25 % dans l'industrie, à une moyenne annuelle de 5 %, contre 2 % dans le demi-siècle précédent et de 36 % dans l'agriculture. Les industriels appliquent les principes de la fabrication en grande série aux modèles de canons venus de Suède, Bofors ou de Suisse, Oerlikon, réduisant le nombre de pièces et le coût ; les usines de machines à écrire produisent tout aussi efficacement des mitrailleuses.

Jamais l'économie américaine n'a autant produit, surtout dans un domaine où l'expérience des États-Unis était restreinte. Ce prodigieux effort s'est effectué en deux ans seulement, puisque à partir de la fin de 1943, et surtout après le débarquement en Normandie, les chaînes de production ont commencé à ralentir. Les victoires annoncent la fin probable de la guerre et il ne s'agit pas de rater la reconversion.

L'effort et la mobilisation de guerre mettent un terme à la dépression économique. La masse des dépenses fédérales, sans vain souci d'équilibre budgétaire, a fait la décision et l'injection de milliards de dollars dans le circuit a permis de retrouver la prospérité. La réussite de la mobilisation économique vérifie le diagnostic de John Maynard Keynes que Roosevelt n'avait accepté qu'en 1938 et balaie les arguments des conservateurs. L'utilisation contrôlée des dépenses fédérales et du déficit budgétaire fait désormais partie de l'arsenal des gouvernements pour une trentaine d'années.

L'importance des dépenses fédérales est illustrée par l'augmentation considérable du nombre des fonctionnaires civils : entre 1939 et 1944, il passe d'un million à près de quatre. Pourtant, dans le même temps, le triomphe de l'économie revient aux hommes d'affaires, sans lesquels les moyens mis en œuvre n'auraient eu que peu d'utilité et jamais Roosevelt n'a envisagé une nationalisation des industries de guerre ni une planification totale de la production.

Les États-Unis dans la guerre

La production sert à fournir les alliés et sans celle-ci la victoire aurait été impossible. En 1944, les troupes anglaises, françaises, soviétiques sont en tout ou partie équipées de matériel venu des États-Unis : casque, Jeeps, camions GMC, chasseurs et bombardiers, etc. Les *GIs* ont joué un rôle décisif lors du débarquement en Normandie, comme pour la libération de Paris ou l'occupation du Japon et les généraux américains ont conduit ces hommes avec efficacité, qu'ils s'agissent d'Eisenhower, Patton ou Clark.

La stratégie américaine

En dépit du choc de Pearl Harbor, la priorité stratégique demeure le front européen. Dans le Pacifique, il s'agit de contrôler l'offensive japonaise avant de pouvoir la repousser ; il n'y a pas de danger pour le territoire américain, bien qu'une certaine panique se développe en Californie, avec des rumeurs d'attaques de sous-marins japonais. Pour mener une éventuelle offensive à l'Ouest, les Américains doivent amener hommes et matériel en Grande-Bretagne, ce qui exige du temps en raison des sous-marins allemands qui attaquent les convois, et, malgré l'instauration d'un service sélectif, parce que les recrues doivent être entraînées.

Le front européen

Pour répondre aux demandes pressantes de Staline qui veut soulager le front oriental, Roosevelt s'engage à organiser un débarquement en France dès 1942 ou en 1943. Le président doit imposer cette option à Churchill resté fidèle à une offensive dans les Balkans. Pourtant, la difficulté d'une telle opération pour parvenir à rassembler des forces suffisantes, et des circonstances favorables conduisent les alliés à débarquer en Afrique du Nord en septembre 1942, puis l'été suivant en Sicile en raison de la décomposition de l'État fasciste. Importantes, ces opérations n'ont pas d'effet décisif et immédiat sur l'issue de la guerre, mais, destinées à rassurer l'opinion, elles démontrent les capacités technologiques et le moral de l'armée alliée. Mais après la bataille de Stalingrad (de l'automne 1942 au printemps suivant), l'insistance de Staline se fait plus forte, lors de la première conférence des trois chefs d'État, à Téhéran en décembre 1943. La décision y est prise d'effectuer le débarquement majeur au printemps, tandis que l'aviation américaine et anglaise bombarde les grandes villes allemandes, afin de briser le moral de la population ; celle-ci ne se révolte pas, mais n'a plus confiance en son gouvernement pour assurer sa sécurité, en revanche ce dernier garde sa capacité de répression.

Dans les cinq premiers mois de 1944, deux millions d'hommes sont amassés dans le sud de l'Angleterre avec un matériel impressionnant. Sous le nom d'opération Fortitude, diverses actions de diversion détournent l'attention des Allemands de la zone choisie en Normandie : fausse armée du général Patton disposée pour débarquer dans les Pays-Bas, faux documents sur le cadavre d'un aviateur repêché par les Allemands. Le 6 juin 1944, 200 000 hommes débarquent sur les plages choisies grâce à une armada de péniches de débarquement et à la maîtrise de l'air ; autant les troupes britanniques et les troupes américaines des plages les plus au nord débarquent sans trop de problème, autant les Américains à Omaha Beach rencontrent une opposition terrible, reconstituée par le film de Steven Spielberg, *Il faut sauver le soldat Ryan* (1998). Techniquement, l'opération Overlord est un succès, mais il faut un mois pour que les troupes débarquées puissent sortir de la tête de pont : Caen n'est prise qu'après trois semaines, alors qu'elle se situe à moins de 30 kilomètres des plages du débarquement. Ensuite, ce verrou saute : la résistance allemande ne fait plus le poids, attaquée et bombardée, retardée par les maquis. Le port de Cherbourg est assuré fin juin, après des combats particulièrement durs et l'offensive est déployée au-delà de la zone de débarquement. Les villes normandes ont été largement détruites par les bombardements alliés, mais aussi beaucoup d'autres afin d'égarer les Allemands loin de la Normandie. Le général Eisenhower, qui commande les opérations d'invasion de la France, accepte les demandes françaises, car le trajet le plus direct ne passait pas par Paris et, le 24 août, la capitale intacte est libérée par des troupes françaises et américaines.

Si, pour de nombreux Français, la guerre semble terminée, il n'en est rien pour les Américains. La marche alliée vers le Rhin est stoppée le 16 décembre 1944 par une contre-offensive allemande dans les Ardennes dont les *GIs* subissent le choc direct : les Allemands ont concentré leurs meilleures divisions blindées dans la forêt et entrepris de modifier les panneaux routiers pour tromper leurs ennemis. Ils bénéficient de l'effet de surprise et d'un temps couvert qui interdit la couverture aérienne, mais avant le premier de l'an, les troupes américaines qui ont reçu des renforts parviennent à briser l'offensive allemande, qui n'a jamais atteint ses buts.

En conséquence, l'invasion de la partie occidentale de l'Allemagne ne commence pas avant février 1945, alors que les troupes soviétiques ont percé en Pologne et pénètrent déjà sur le territoire du Reich, profitant de l'ouverture des grandes plaines orientales.

C'est dans ce contexte, au début de février 1945, que se déroule, sur les bords de la mer Noire, la conférence de Yalta, qui réunit Churchill, Staline et Roosevelt. Il s'agit d'une conférence de guerre, alors que l'Allemagne résiste encore et que la puissance japonaise demeure redoutable, c'est pour cela que seuls les trois grands y participent. Les controverses ont été nombreuses au sujet de la capacité physique de Roosevelt et sur sa faiblesse face à Staline : le président américain, très affaibli, cherche à conserver une bonne entente avec le chef du Kremlin, comme gage d'une paix durable, car le problème de l'Europe libérée du nazisme se pose. En réalité, les chefs d'État entérinent l'avancée des troupes et la position des forces au moment de la conférence ; or seuls les Soviétiques sont en mesure d'occuper la Pologne et ils arrivent dans les environs de Berlin, alors qu'Anglais et Américains ne sont encore que dans la Rhénanie ; Churchill, réaliste, a demandé que la France ait sa part dans l'occupation de l'Allemagne et au conseil de sécurité de l'ONU pour éviter que la Grande-Bretagne ne soit isolée face aux deux Grands. Enfin, Staline s'est engagé à déclarer la guerre au Japon après la défaite de l'Allemagne et a accepté l'organisation des Nations unies, qui voit le jour en mai 1945 : deux des buts essentiels de Roosevelt. En févier 1945, il ne pouvait être question pour les Américains de se lancer dans une politique de force contre l'URSS, alors que la guerre allait sur sa fin, le risque de nouveaux affrontements était impensable.

Sur les bases définies à Yalta, l'Allemagne capitule le 8 mai 1945, ce qui entraîne des manifestations d'enthousiasme des deux côtés de l'océan Atlantique. Résultat obtenu grâce au poids des États-Unis dans la balance de la guerre.

En finir avec le Japon

Depuis la bataille de Midway, en mai 1942, la flotte américaine a pris le dessus sur celle du Japon, qui a perdu quatre porte-avions dans un affrontement d'un nouveau style : les deux flottes ne se voyaient pas, elles utilisaient torpilles et avions embarqués ; les Japonais ne peuvent plus menacer ni Hawaï ni l'Australie. Mais les Américains doivent reconquérir île par île les possessions japonaises, aussi bien dans le Pacifique Sud que plus au Nord. Dans le même temps, des bombardements ont lieu sur le Japon, mais, partis de très loin, ils ne sont guère décisifs, s'ils prouvent que le territoire japonais n'est pas hors limite. Deux ans après Midway, les troupes américaines se rapprochent de l'archipel nippon au prix de considérables difficultés. En dépit de leur suprématie aérienne, les soldats américains – et surtout les *Marines* – doivent batailler sur chaque île défendue avec acharnement par les Japonais pendant des jours au prix de lourdes pertes. Les effectifs engagés sont moins nombreux que sur le front européen, mais la violence des combats dans un climat tropical face à un adversaire coriace marquent profondément les Américains. La reprise des Philippines par Douglas MacArthur fait figure d'épopée, tout comme les combats pour Iwo Jima en février 1945 ; dans toute la bataille, seuls 1 000 Japonais sur les 22 000 seront faits prisonniers, alors que les forces alliées subissent 18 000 blessés et 7 000 morts. Le quart des médailles d'honneur attribuées aux *Marines* pendant la Seconde Guerre mondiale sera attribué pour l'invasion d'Iwo Jima. Clint Eastwood a réalisé en 2006 une version cinématographique en deux parties : la bataille du point de vue américain, *Mémoires de nos pères*, où il décrit la prise de l'île puis sa légende avec le drapeau américain hissé au sommet du mont Suribachi, puis les combats vus du côté japonais, *Lettres d'Iwo Jima*, qui montrent la profonde humanité d'hommes longtemps décrits comme barbares.

La progression lente des Américains vers le Japon explique l'insistance de leur état-major pour que l'URSS se joigne à leur combat ; un document secret obtenu par Roosevelt à Yalta. Dans le même temps, les généraux mettent au point un plan de débarquement dans l'archipel japonais pour 1946 et envisagent des pertes considérables, en raison de la détermination sans faille de leurs adversaires : plus de 5 000 marins sont tués par l'écrasement des avions kamikaze sur les bâtiments qui attaquent les îles, mais ces attaques suicide sont un signe du désespoir de l'aviation japonaise, qui n'a plus d'autres moyens pour retarder l'inéluctable. Malgré les 83 000 morts qu'il cause et la quasi-destruction de la ville, le bombardement sur Tokyo du 23 mai 1945 ne fait pas céder le régime impérial militarisé, bien que des discussions se déroulent au plus haut niveau.

C'est dans ce contexte qu'est prise la décision par le président Truman de lancer la bombe atomique sur le Japon.

Le sens de la bombe atomique

Le projet Manhattan a débuté en août 1942 dans le plus grand secret et il s'agit bien de la fabrication d'une arme nouvelle qui peut accélérer la fin de la guerre. Les scientifiques ont accepté de collaborer dans cet espoir, malgré certaines réticences, comme celles d'Albert Einstein. La conception de l'engin est complexe et fait appel aux premiers ordinateurs qui occupent une pièce entière et pèsent des tonnes. Roosevelt n'a mis au courant personne en dehors d'un cercle étroit et surtout pas son vice-président Harry Truman, choisi pour des raisons d'équilibre politique interne et avec lequel il n'est pas lié. Quand ce dernier arrive au pouvoir, après la mort de FDR le 12 avril 1945, il est mis au courant des préparatifs par ses directeurs Vannevar Bush, le civil, et Leslie Groves, le militaire, et découvre le projet. L'utilisation de la bombe contre le Japon paraît alors s'imposer, en raison de la difficulté de l'offensive aéronavale.

Le premier essai a lieu le 16 juillet 1945 à Alamogordo dans le Nouveau-Mexique et révèle la puissance de l'engin, alors que se déroule la conférence de Postdam. Les deux seules bombes qui existent sont opérationnelles et le président décide de les lancer sur des villes japonaises symboliques.

Le 6 août 1945, le bombardier B 29 *Enola Gay* lance la première bombe sur Hiroshima, causant 130 000 victimes et détruisant la ville avec une violence inconnue jusque-là. Le 9 août, la deuxième bombe détruit Nagasaki et provoque 60 000 tués. Dans les deux cas, le nombre des blessés est considérable et leur état est souvent effrayant. Les Américains exultent, sans beaucoup d'état d'âme ; le 12 août, l'empereur Hiro-Hito annonce la capitulation de son pays : elle est signée le 2 septembre sur le cuirassé *Missouri* par le général MacArthur du côté des vainqueurs.

Immédiatement, l'utilisation de la bombe a soulevé des controverses : était-elle nécessaire, aurait-il été préférable d'effectuer un essai pour effrayer, n'a-t-elle pas eu pour but de lancer un avertissement à l'URSS ? Les militaires aiment toujours utiliser des armes nouvelles, sans s'occuper des réactions de l'adversaire, et c'était le cas de cette première bombe atomique ; de plus, le fanatisme apparent des Japonais et les difficultés de la guerre suffisent à expliquer Hiroshima et Nagasaki, alors que les Américains ont l'impression d'être désormais les seuls en guerre peut-être pour un an de plus. Les Japonais ont tenté de négocier avant Hiroshima avec les Soviétiques, mais rien de décisif n'est sorti de ces pourparlers. Dans le même temps, mais de façon secondaire, le président Truman a vite compris que cette arme pouvait avoir une portée bien plus grande et qu'elle serait d'un poids considérable dans le jeu diplomatique en cours.

Une armée nouvelle

Environ 16 millions d'Américains ont servi durant la guerre dans l'armée, 11,5 d'entre eux ont été envoyés à l'étranger ; Europe, îles de l'océan Pacifique, Chine, puis Japon.

- 11, 3 millions dans l'armée de terre
- 4, 2 millions dans la marine
- 670 000 dans le corps des *Marines* (au statut indépendant)
- 360 000 femmes sont réparties dans ces unités ; elles ne se battent pas mais peuvent être infirmières, secrétaires, voire pilotes dans des avions d'exercice

• 900 000 Africains-Américains – pour reprendre la terminologie actuelle – font partie de ces troupes officiellement ségréguées. À la fin de la guerre, environ 10 % de Noirs sont recrutés, soit une proportion équivalente à celle de leur place dans la société.

Ces femmes et ces hommes ont en moyenne 26 ans. Ils subissent un entraînement dans des camps disséminés dans le pays et dont le plus grand nombre se trouve dans le Sud. Le séjour outre-mer est fixé à seize mois.

Les *GIs* sont bien nourris et bien équipés, ils sont souvent nettement plus grands que les habitants, ce qui frappe les Européens comme les Japonais ; ils distribuent facilement cigarettes, chocolat et chewing-gum. Dès qu'ils sont installés dans un pays, leurs bases sont ravitaillées à profusion en matériel et en produits américains ; des artistes viennent animer des soirées et des projections de films récents sont organisés spécialement pour eux : Marlène Dietrich, le comique Bob Hope. La discipline, tout en étant ferme, est moins formelle que dans les armées européennes. Durant les mois passés en Grande-Bretagne avant le débarquement, des relations se nouent avec des Anglaises, donnant lieu à des unions, comme ce qui se passera lors du séjour dans les pays d'Europe continentale. En Angleterre, en France et en Allemagne, quelques milliers de viols ont été commis par ces soldats, souvent par des Noirs stationnés dans des coins perdus où ils s'ennuyaient ferme ; les cours martiales sont toujours composées d'officiers blancs.

Bien qu'elles ne soient pas reconnues et puissent être sévèrement punies, les relations homosexuelles ne sont pas rares. Pour la plupart des soldats, il s'agit d'un premier séjour à l'étranger, ce qui leur fait découvrir d'autres façons de vivre et leur permet aussi de prendre conscience de leur identité américaine.

Ces soldats se sont battus vaillamment et sans poser de questions, comptant sur la camaraderie du groupe pour mieux tenir, mais certains ont subi des traumatismes importants à la suite d'épreuves majeures. Certains des hommes qui ont débarqué sur les plages de Normandie ont connu des journées épouvantables, dont ils n'ont parfois parlé qu'à l'occasion des cérémonies du cinquantenaire de l'événement ; tout comme ceux qui ont été faits prisonniers des Japonais aux Philippines, où la moitié d'entre eux sont morts.

En tout, 406 000 Américains ont perdu la vie durant cette guerre, ce qui est relativement peu par rapport aux pertes allemandes ou russes. Et ce chiffre est inférieur à celui des pertes de la guerre de Sécession.

Les statistiques montrent que les Noirs ont été relativement nombreux à servir, mais dans un cadre très restrictif, ils sont très peu dans les armes dites « nobles » comme la marine, l'aviation ou les *Marines*. On peut citer tout de même le cas de pilotes noirs décorés avec de remarquables états de service, comme de *Marines* noirs qui ont accompli des exploits dans le Pacifique. Pourtant les différentes unités de l'armée sont toutes ségréguées : les Noirs servent dans des unités particulières exclusivement noires et souvent commandées par des officiers blancs. De plus, une nette proportion de l'encadrement de l'armée américaine vient du Sud, par tradition et en raison des difficultés économiques de la région, ce qui contribue à renforcer la ségrégation. Dans la mesure du possible, et comme ce qui s'est passé durant le précédent conflit mondial, les Noirs sont relégués dans des tâches ingrates de non-combattants pour qu'ils n'aient pas accès aux armes : beaucoup de chauffeurs de camions, de personnel d'intendance, de terrassiers sont des Noirs. Les transfusions sanguines se font en fonction de la race du donneur et, dans les camps de prisonniers allemands gardés par des Noirs, la nourriture des premiers est meilleure que celle des seconds.

Cette situation est durement ressentie par les militants noirs qui mettent en cause une lutte pour la démocratie et l'égalité qui se fait dans ces conditions honteuses : pour eux le racisme américain n'est pas trés différent du racisme allemand... Le souvenir de la

Première Guerre est proche, or cette dernière a été suivie par la désillusion. Des pressions sont exercées sur le président, mais celui-ci reste très prudent, ne voulant pas risquer des réactions dans le Sud. Mais, la participation noire à la guerre a joué un rôle décisif dans la lutte ultérieure pour l'émancipation.

Une société plus ou moins en guerre

Les Américains, pris par le rythme de la mobilisation, ne vivent pas une « guerre totale ». L'accès aux emplois reste libre, comme les loisirs, aucune véritable menace ne pèse sur le sol américain et les effets directs du conflit – rationnement, pression militaire, propagande – restent limités, comme le souci pour certains de devoir conserver une voiture modèle 1942. Il n'est donc pas étonnant que, contrairement à ce qui se passe en Europe, la guerre ait laissé aux Américains d'assez bons souvenirs, alors que la période de la crise restait celle de la catastrophe, avec tous les mauvais moments. Cela ne signifie pourtant pas que les problèmes aient tous disparu, mais ils se posent dans un contexte nouveau.

La guerre pour sortir de la crise

Le retour au plein-emploi, accéléré par le recrutement des soldats, change profondément la vie quotidienne : les déménagements sont souvent indispensables pour trouver les emplois qui suivent les fabrications militaires en Californie comme au Texas, les inquiétudes pour le membre de la famille devenu soldat, dont les lettres tardent à arriver, sont fréquentes. Mais l'un des changements les plus importants et les plus appréciés provient de la sécurité d'une paye régulière. L'augmentation des salaires en particulier pour les emplois les moins qualifiés ainsi que les nécessaires heures supplémentaires procurent une nette amélioration du pouvoir d'achat.

Seuls des pays en guerre, les États-Unis bénéficient d'une telle situation : « Nous vivons dans un certain confort, avec de la lumière et dans une totale sécurité. Nous sommes la seule nation en guerre à avoir vu augmenter son niveau de vie depuis le début des hostilités. »

Les Américains sont même pris d'une frénésie d'achat, après la privation des années précédentes. Avant l'entrée dans la guerre, les usines automobiles recommencent à tourner à plein régime, produisant plus d'un million d'automobiles en 1940, ce qui explique la réticence des industriels à abandonner ce marché juteux pour celui, apparemment incertain, des matériels militaires. Une fois la conversion de la production réalisée, les besoins et les envies sont limités par l'offre disponible. Certains préfèrent épargner et, dès 1943, 70 millions de dollars sont accumulés. D'autres en profitent pour rembourser leurs dettes, mais tous cherchent à utiliser, d'une façon ou d'une autre, les nouveaux revenus dont ils disposent.

Les ventes des grands magasins quintuplent durant les années de guerre et Macy's à New York n'a jamais autant vendu que le 7 décembre 1944. Les clients qui ne trouvent pas de tissus se rabattent sur des produits pharmaceutiques, ou sur des babioles. Les éditeurs profitent de cet état d'esprit : chaque année depuis Pearl Harbor, les ventes en librairie augmentent de 20 %, et l'arrivée sur le marché du livre de poche lancé en 1939 est impressionnante : 10 millions d'exemplaires en 1941, 20 millions l'année suivante, 40 millions en 1943. De la même façon, les Américains sont de plus en plus nombreux à aller au cinéma, environ 90 millions par semaine – car les entrées ont augmenté d'un tiers par rapport à 1938 – à aller à des concerts, à suivre les matchs de baseball, malgré le départ des meilleurs joueurs au front.

Les Américains connaissent une nouvelle ère de prospérité, mais ces plaisirs et ces dépenses nouvelles masquent de réelles difficultés. Le rationnement proprement dit reste relativement limité : à partir de 1942, le gouvernement distribue des tickets pour une dizaine de produits devenus rares, en raison de l'interruption des approvisionnements ou des besoins militaires : sucre, café, viande, beurre, pneus, tuyaux de caoutchouc, essence, nylon… Cette atteinte au libre choix de chacun provoque de vives protestations de principe et le développement d'un marché noir. Mais les Américains ressentent plus directement l'interruption de la production civile. En effet, les lames de rasoir contiennent de l'acier, des pelles du fer, des tubes de rouge à lèvres du cuivre, tout comme les tondeuses à gazon ou les grille-pain et ces produits disparaissent d'un seul coup, transformés en grenades ou en mitrailleuses. C'est également le cas du whisky ou des cigarettes réservés aux valeureux soldats, mais également des tissus qui servent aux uniformes. Les consignes gouvernementales aboutissent à une mode débarrassée de toutes fioritures, où le bouton remplace la fermeture à éclair, où le maillot de bain deux-pièces est le comble du patriotisme puisqu'il économise du tissu…

Face à cette situation, les Américains réagissent assez bien. La prohibition n'est pas si loin et l'on retrouve les habitudes de restriction : les femmes se peignent une couture sur la jambe pour remplacer un bas nylon, dont on fait les parachutes. Pour faire face aux restrictions alimentaires, les « jardins de la victoire » se multiplient. Le plus frustrant, à partir de 1942, est de devoir laisser la voiture au garage, sans essence et sans pièces de rechange.

Ces ennuis de la vie quotidienne restent tout à fait supportables et ne sont en rien comparable aux disettes, privations et couvre-feu qui frappent l'Europe. Les États-Unis continuent à assurer un niveau de vie décent à leurs citoyens et à leurs soldats, tout en fournissant largement aux alliés la production des matériels de guerre.

Ce relatif optimisme n'empêche pas le maintien de situations pénibles. L'affluence de la population vers les usines du Texas ou de Californie, dans des moyens de transport surchargés, se déroule dans l'attente et l'ennui. Le nombre de mal-logés, déjà important, ne fait que s'accentuer et, en 1944, 20 millions de personnes vivent encore dans la pauvreté.

Un réel élan patriotique

Le choc de Pear Harbor a été si fort que l'isolationnisme semble avoir disparu. L'enjeu est clair, l'ennemi désigné et aucune ambiguïté n'apparaît. Les Américains sont dans l'ensemble en accord avec les buts de guerre : une victoire totale et la préservation de leur niveau de vie. Les doutes sur l'avenir du pays ont fait place à un orgueil patriotique fièrement affirmé : les États-Unis se battent pour une bonne cause. Cet élan s'accompagne d'excès, comme une violence contre les Japonais en Californie que le gouvernement laisse se produire puisqu'elle s'inscrit dans les nécessités de la guerre.

Le gouvernement ne veut pas revenir à la propagande de la Première Guerre mondiale, mais il lui faut faire connaître ses buts de guerre. Après diverses tentatives, l'*Office of War Information* (Service de l'Information de guerre) est créé en 1942, sous la direction du journaliste Elmer Davis. Le but de cet organisme est d'insister sur la noblesse des buts de guerre tout en donnant aux Américains des raisons de fierté. Films, brochures, émissions de radio mettent en avant l'enthousiasme des combattants, l'excellence des matériels, comme la Jeep. Des grands cinéastes, comme Frank Capra, participent à ces manifestations. Cet optimisme de commande, relayé par divers organismes, rencontre l'adhésion du public qui le partage pour l'essentiel. Des acteurs comme James Stewart ou Clark Gable s'engagent dans l'armée et en reviennent avec les honneurs.

Cela explique l'élan mis à récupérer du métal, à se lancer dans les « Jardins de la Victoire » et à souscrire aux bons du Trésor avec enthousiasme et pas uniquement par intérêt.

De tels sentiments se répercutent dans la production littéraire et artistique de l'époque. Les chansonnettes se multiplient qui se moquent des « Japs » ou vantent le drapeau, mais *Mon Noël blanc* de 1942 représente le mieux, même pour les soldats dans des jungles torrides, l'esprit américain. La réelle nouveauté provient du succès extraordinaire du jeune Frank Sinatra, dont la voix chaude fait s'évanouir les adolescentes dont les petits amis sont sous les drapeaux. De la même façon, les bandes dessinées s'adaptent à l'actualité : le détective Dick Tracy devient soldat et Blondie encourage le lecteur à acheter des bons de la victoire ; quand à Wonder Woman, créée en 1941, elle se bat pour un monde en paix. Hollywood produit près de 1 000 films durant la période : ceux d'action pure ont moins de succès que les comédies musicales : *La route semée d'étoiles* avec Bing Crosby (1944) ou les belles histoires romantiques, *La femme de l'année* avec Katherine Hepburn et Spencer Tracy (1942) et surtout *Casablanca* avec Humphrey Bogart et Ingrid Bergman (1943), dont certains critiques discutent la valeur patriotique, alors que le studio l'a conçu comme un film de propagande.

Ce mélange de légèreté et d'enthousiasme qui caractérise l'esprit du temps est renforcé par le poids limité de la guerre : en 1945, le nombre d'Américains morts à la guerre est de 406 000, dont moins de 300 000 tués au combat, il y a eu 670 000 blessés. Ces conditions très particulières expliquent une nette reprise de la natalité entre 1940 et 1945 : la population s'accroît de 6,5 millions, alors qu'elle avait crû d'à peine 3 millions durant toutes les années 1930.

Le nouveau rôle des femmes

Environ 10 millions de femmes travaillaient en 1939, elles sont près de 15 millions à le faire dès 1941, un peu moins de 20 millions en 1944, et 16,5 millions l'année suivante. En 1944, les Américaines constituent 36 % de la main-d'œuvre civile et près de 50 % d'entre elles ont eu un emploi pendant la durée de la guerre. Pour la première fois, plus de femmes mariées que de célibataires travaillent. Cette entrée massive des femmes sur le marché du travail s'est faite parallèlement aux exigences de la mobilisation économique et au départ des hommes dans l'armée. Tout d'un coup, les réticences des employeurs sur la force physique des femmes, celles des politiciens sur l'abandon des valeurs familiales disparaissent.

La nouveauté vient de l'emploi des femmes dans l'industrie. Les usines qui travaillent pour la guerre engagent massivement des ouvrières, dont les qualités de sérieux et de minutie sont vantées alors qu'avant la guerre le milieu restait exclusivement masculin. Les femmes deviennent soudeuses, mécanos, ou grutières, à l'instar de « Rosie-la-riveteuse » dont l'image hollywoodienne est reproduite partout, donnant l'exemple du maintien possible de la féminité dans un bleu de travail et le volontarisme : « We can do it ! ». Environ un tiers des emplois industriels sont occupés par les femmes, sans jamais qu'elles atteignent les fonctions de direction. Le nombre de fonctionnaires féminins double, approchant 40 %. De plus, des femmes portent l'uniforme, sans jamais combattre, alors que d'autres trouvent des emplois dans la presse, la radio, les cabinets d'avocat ou la bourse.

Une telle atteinte aux traditions provoque de nombreuses réactions : nombreux sont les hommes qui persistent à redouter une inversion des rôles, l'abandon de la famille et de l'éducation des enfants. Dans l'ensemble cette promotion des femmes ne bouleverse pas l'ordre traditionnel. Les mères continuent à s'occuper de leurs familles après leur travail et de nombreuses campagnes de publicité mettent en avant les valeurs féminines habituelles : beauté, douceur, affection maternelle, qui doivent subsister, même dans les tâches les plus humbles. Enfin, pour un travail identique, le salaire féminin reste inférieur à celui des hommes, d'environ 15 % dans l'automobile, et les employeurs prennent bien soin de distinguer entre emplois féminins et masculins. Dans l'ensemble, pourtant, les années de guerre permettent une diminution de l'écart social et culturel entre hommes et femmes.

Cette remarquable promotion sociale, dont les Américaines bénéficient, est d'autant mieux acceptée que beaucoup sont persuadées qu'elle ne peut être que temporaire. À partir de 1944, la fin du conflit approchant, les patrons et le gouvernement mènent une campagne d'information pour que ces femmes retournent dans leurs foyers ; le taux de natalité, par ailleurs, s'élève à partir de 1943. Les femmes réalisent qu'elles ne pourront conserver les mêmes emplois après la guerre, ce que leurs maris n'accepteraient d'ailleurs pas ; toutefois près des deux tiers d'entre elles, selon des sondages, indiquent qu'elles désirent continuer à travailler. Dès le début de la démobilisation, les femmes doivent quitter la plupart des emplois ouvriers : les trois quarts d'entre elles abandonnent les chantiers navals et les usines aéronautiques et elles ne sont plus que 7,5 % dans l'automobile, contre plus d'un quart en 1943.

Ainsi la promotion sociale des femmes, réalisée au nom d'objectifs nationaux et non pour leur épanouissement, semble-t-elle éphémère. Pourtant nombre d'entre elles ont apprécié de pouvoir travailler et ne l'oublieront pas, d'autant que leurs capacités ont été brillamment démontrées et reconnues.

L'affirmation noire

Au moment où la guerre éclate, les Noirs doivent affronter partout la ségrégation. Ils ne peuvent prétendre à tous les emplois et les patrons se refusent à embaucher des Noirs. Aussi, bien que les besoins de main-d'œuvre soient pressants, les Noirs sont-ils encore frappés par un chômage plus élevé que les Blancs.

Rapidement, l'ironie de la situation apparaît. Comment « l'arsenal de la démocratie » peut-il combattre le nazisme et tolérer le maintien du racisme dans ses pires aspects ? La propagande nazie n'a pas manqué de souligner l'hypocrisie américaine. La contradiction ne frappe pas les sudistes, qui font des distinctions subtiles entre les deux situations : leurs Noirs seraient bien traités et nullement enfermés dans des camps. Le gouvernement et l'État-major se refusent à modifier en quoi que ce soit la réglementation existante : le général George Marshall, commandant en chef, estime que le moral des troupes ne résisterait pas à la déségrégation. Quant à Roosevelt, il préfère ne pas se mêler de cette affaire, autrement que par quelques déclarations de principe. En revanche, nombreux sont les Noirs à protester contre le sort qui leur est fait.

Plus de 700 000 Noirs quittent le Sud pour chercher du travail à Detroit ou en Californie, où 120 000 arrivent dans la seule année 1943 ; cette migration causée par le besoin de main-d'œuvre est un démenti de fait à la ségrégation ; celle-ci apparaît comme un obstacle sur la route de la victoire. Si l'armée recrute de plus en plus de Noirs, l'action déterminée et totalement originale de Philip Randolph, chef du syndicat exclusivement noir des porteurs de wagons-lits, permet d'aboutir à des résultats tangibles. En janvier 1941, il envisage de lancer une marche sur Washington, pouvant réunir dix à cinquante mille Noirs, pour demander le droit au travail. Il rencontre Roosevelt et exige des mesures concrètes pour mettre fin à la ségrégation. Le président, soucieux d'éviter une marche aussi spectaculaire qui aurait le plus mauvais des effets sans provoquer les démocrates du Sud, rédige l'Ordre exécutif 8802 qui interdit la discrimination dans les industries de guerre comme au gouvernement et il institue le *Fair Employment Practices Committee* (Comité pour l'équité dans les procédures d'emploi) qui doit contrôler l'application de cette mesure : rassuré, Randolph annule la marche. L'action du FEPC, organisme consultatif, reste limitée. Il s'agit néanmoins de la première initiative du gouvernement fédéral, et le problème racial est ainsi posé officiellement, au grand dam des sudistes du Congrès qui obtiennent en 1946 la suppression de ce comité dérangeant. À cela s'ajoutent les besoins croissants de main-d'œuvre et, à partir de 1943, le Bureau du travail supprime toute ségrégation : le gouvernement fédéral emploie 200 000 personnes de race noire, soit trois fois plus qu'avant la guerre. Les Noirs ne représentent que 3 % de la force de travail en 1942, mais en forment 8 % en 1945 et le CIO syndicalise un demi-million d'entre eux. Rien n'était prévu pour les accueillir dans les villes industrielles où ils arrivent : 300 000 à Chicago dans le quartier Sud, où les installations sont au mieux prévues pour 200 000 et, à Detroit, une concurrence farouche existe entre Noirs et Blancs pour des logements en construction.

Ces résultats renforcent le militantisme noir contre la ségrégation quotidienne qui ne disparaît pas pour autant. Les conditions de logement dans les villes du Nord et de l'Ouest sont particulièrement lamentables et multiplient les tensions. Fondé en 1942 à Chicago par James Farmer et ses amis, le *Committee on Racial Equality* (Comité pour l'égalité raciale) entreprend des actions non violentes spécifiquement dans les villes du Nord contre la ségrégation dans les lieux publics et les logements ; des étudiants font de même dans la capitale fédérale. Les progrès sont lents et la prise de conscience des Noirs est encore limitée par les nécessités de la vie quotidienne.

Les tensions sociales

Les déplacements à la recherche d'emplois, le travail féminin et le départ des hommes ont contribué à modifier les traditions familiales. Laissés seuls une grande partie de la journée par l'éloignement des parents et disposant d'argent de poche, les adolescents se regroupent en bandes et quittent volontiers l'école. L'attirance pour une vie plus libre et, surtout, la possibilité de trouver des emplois dès 14 ou 15 ans en raison de l'assouplissement de la législation, fournissent une motivation suffisante. Entre 1940 et 1944, 1,25 millions de jeunes quittent ainsi le système scolaire. Ils occupent souvent des emplois précaires, dans les bars et autres établissements autour des camps militaires.

Cette situation aboutit à une nette progression de la délinquance juvénile (elle augmente de 23 % à Détroit entre 1939 et 1943) et également au développement d'une grande liberté sexuelle parmi les jeunes filles. Les « filles de la victoire » vivent sans se marier avec des soldats et le nombre d'attentats à la pudeur double entre 1941 et 1942. La prostitution est fréquente dans le voisinage des camps militaires. En particulier dans les grandes villes, les maladies vénériennes se développent chez les jeunes, ce qui alarme les autorités.

Sans aller toujours aussi loin, les jeunes gens cherchent à montrer leur différence. Ainsi dans la mode : socquettes et talons plats pour les filles, parkas et premiers blue-jeans pour les garçons. D'autres adoptent la mode « Zoot » plus sophistiquée, avec grands pantalons, gilets, cravates et immenses chaînes de montre et se déchaînent en séances de danse effrénées. De tels comportements sont souvent vus comme de la provocation : à Los Angeles, en 1943, des « Zoots » d'origine mexicaine sont poursuivis et battus dans les rues par des soldats et des civils, en réaction à une fantaisie jugée d'autant plus excessive que s'y ajoute le mépris racial pour des « bronzés ».

L'amorce de la révolte des jeunes s'explique également par l'instabilité grandissante de la famille. Trois millions de ménages se séparent de 1941 à 1944 : le divorce qui touchait

16 % des couples en 1940, en affecte 27 % quatre ans plus tard. Bien que des situations analogues se soient produites durant la Première Guerre mondiale et les années de la crise, ces chiffres sont les plus élevés qu'aient connus jusque-là les États-Unis. Les mariages conclus très vite, avant le départ du fiancé sous les drapeaux, finissent fréquemment par le divorce, comme beaucoup de ceux conclus par les soldats avec des étrangères à la fin de la guerre.

Les réels progrès accomplis par les Noirs durant la guerre ne l'ont été que grâce à une lutte constante contre l'hostilité et l'inertie des autorités et de la population blanche. En juin 1943, dans un parc proche du quartier noir de Detroit, des affrontements éclatent. Les Noirs, persuadés qu'une des leurs a été tuée par des Blancs, s'attaquent à leurs boutiques et l'émeute se déclenche : elle dure plusieurs jours, sans que la police intervienne. Le bilan est lourd : 25 Noirs et 9 Blancs tués, près de 700 blessés, de considérables dégâts matériels. Quelques semaines plus tard à Harlem, les Noirs, à la suite d'une rumeur, s'attaquent aux magasins blancs et les pillent : 6 d'entre eux sont tués, 300 blessés.

De tels incidents restent limités, mais sont révélateurs de tensions latentes que la guerre exacerbe en accélérant les mouvements de population. De façon plus feutrée, des tensions analogues existent dans les quartiers mexicains de Los Angeles. Or les autorités locales et fédérales n'ont pas pris garde à une évolution, apparemment analogue à celle occasionnée par la Première Guerre mondiale, mais beaucoup plus lourde de dangers.

Pour associer les syndicats à l'effort de guerre, le gouvernement a obtenu leur promesse de ne pas faire grève. Toutefois, cet engagement de bonne volonté ne résiste guère aux contraintes salariales subies par les travailleurs. D'ailleurs, les grèves sauvages continuent au même rythme que durant les années précédentes. Elles touchent plus de 2 millions de travailleurs en 1944 et, bien que brèves, signalent le mécontentement diffus de nombreux ouvriers, sans perturber la paix sociale et l'effort de guerre.

Le flamboyant John Lewis, chef du syndicat des mineurs, devenu l'ennemi personnel de FDR, va profiter de ces circonstances. Il déclenche la grève de ses 400 000 mineurs à quatre reprises en 1943 et attaque violemment les bureaucrates « zombies » du NWLB, tout en demandant une hausse des salaires refusée par les patrons. En chacune de ces occasions, le gouvernement réquisitionne les mines, les travailleurs ne reprennent le travail que menacés de voir leurs sursis supprimés et après un appel vibrant à leur patriotisme. Lewis ne se démonte pas pour autant, sûr de la fermeté de ses troupes et indifférent au mécontentement grandissant de l'opinion.

En novembre 1943, tout en réquisitionnant les mineurs, Roosevelt, inquiet d'un tel conflit à l'approche de l'hiver, charge Harold Ickes de trouver une solution. Le gel des salaires est maintenu, mais les mineurs obtiennent une augmentation sous la forme d'avantages marginaux : congés payés et assurance santé. De ce fait, le mouvement est désamorcé et ne s'étend pas.

La victoire de Lewis et la montée des revendications inquiètent les législatures d'États, où les républicains ont fait une rentrée en force, et elles prennent des mesures pour brider l'activité syndicale. Sous cette pression, le Congrès réagit à son tour en votant, en juin 1943, la loi Smith-Connally pour stabiliser le monde du travail pendant la guerre en réglementant la grève. Cette loi confirmée, malgré le veto de Roosevelt, contraint les syndicats à annoncer à l'avance leur intention de faire grève, à observer un délai de 30 jours pour calmer les esprits et à obtenir un vote majoritaire des syndiqués avant de pouvoir déclencher le mouvement. Le président, de son côté, est doté de moyens supplémentaires pour faire reprendre le travail dans les usines de guerre. Cette loi n'est pas appliquée avec vigueur, mais elle inquiète les syndicats car elle est le signe d'une évolution de l'opinion à leur égard.

Les troubles de l'année 1943 ne doivent pas faire croire que la société américaine est en pleine ébullition. Au contraire, on peut s'étonner que les bouleversements produits par la guerre n'aient pas suscité plus de problèmes.

Une guerre démocratique

La prééminence du président, amorcée par le *New Deal*, a été considérablement renforcée par la guerre. Dans l'ensemble, le Congrès reste assez passif, suivant les initiatives de l'exécutif, et la Cour suprême ne rend aucun jugement majeur. La vie politique garde pourtant sa vivacité, ne serait-ce qu'en raison du calendrier électoral immuable en dépit du conflit et des difficultés qu'il entraîne.

Quelques écarts importants

Le problème des libertés publiques

La Première Guerre mondiale avait démontré un certain mépris des autorités américaines à l'égard des principes de bases de la démocratie. Rien de semblable, à une majeure exception près, entre 1941 et 1945. En effet, l'OWI développe une activité bénigne d'encadrement de l'information ; seuls les républicains les plus acharnés le dénoncent comme un outil de propagande prévu pour une quatrième élection de FDR. La justice ne s'attaque pas à l'extrême gauche et, dans la mesure de l'alliance avec l'URSS, le parti communiste d'Earl Browder soutient l'effort de guerre ; en revanche, l'administration intervient discrètement auprès de l'Église catholique pour faire taire le père Coughlin, dont les émissions accusent juifs et communistes d'avoir déclenché la guerre. Les poursuites engagées contre quelques fascistes notoires ne vont pas jusqu'au bout, un seul incident est à retenir : l'exécution de huit saboteurs allemands pris sur le fait, après avoir été débarqués par un sous-marin. Dans le même esprit libéral, au respect duquel Roosevelt veille pour assurer l'unité nationale, les objecteurs de conscience qui refusent de porter les armes se voient offrir des emplois compatibles avec leurs convictions : environ 25 000 Quakers ou Memnonites servent dans le corps médical de l'armée, et près de 12 000, plus déterminés dans le refus de l'uniforme, sont employés dans des camps qui effectuent des travaux collectifs, surtout dans les zones forestières. Seuls 5 500, parmi lesquels une majorité de Témoins de Jéhovah, qui refusent toute forme d'embrigadement et les pacifistes acharnés sont mis en prison ; ils y mettent au point des méthodes de résistance passive qui remportent un grand succès une quinzaine d'années plus tard.

Au début de la guerre, les Italiens et les Allemands, considérés comme totalement assimilés, ont été néanmoins désignés par un ordre exécutif « étrangers ennemis ». Environ 600 000 d'entre eux ne sont pas naturalisés et, souvent peu éduqués, ont été sensibles au charisme de Mussolini. Mais les protestations sont telles contre l'absurdité de la mesure que le gouvernement, en octobre 1942, revient sur sa décision et reconnaît la loyauté des Italo-Américains, qui bénéficient de mesures accélérées de naturalisation.

Dans ce contexte extrêmement favorable, qui contraste avec tout ce qui se passe dans les pays en guerre, le sort réservé aux Japonais constitue une honte indélébile pour la démocratie américaine.

La déportation des Japonais

Ils sont un peu plus de 120000 fixés essentiellement en Californie : un tiers d'entre eux, les *Issei* nés hors des États-Unis, n'ont pas droit à la naturalisation depuis la loi sur l'immigration de 1924, les autres, *Nisei* et leurs enfants *Sansei* sont des citoyens américains.

En Californie, les Japonais, comme les Chinois avant eux, ont constamment souffert de la discrimination raciale. On leur reproche, naturalisés ou non, aussi bien de faire du tort aux ouvriers blancs en acceptant des salaires de misère, que de se montrer arrogants et insuffisamment dociles. L'attaque contre Pearl Harbor et la frénésie anti-japonaise qu'elle déclenche font s'exprimer des sentiments violemment racistes. On accuse ces travailleurs dévoués de préparer des sabotages en faisant des signaux aux sous-marins japonais qui ne manqueront pas d'attaquer la Californie : des hommes politiques, des citoyens sensés sont de plus en plus nombreux pour exiger que des mesures drastiques soient prises à leur encontre.

Le général John DeWitt, chef de la défense de la côte du Pacifique, affirme : « Un Jap est un Jap... citoyen américain ou non... Je n'en veux pas. » Avec l'accord des autorités civiles, il demande donc à Washington que les « Japs » soient déportés loin de la zone côtière. Les raisons militaires avancées par ce général sont niées par la Marine et le FBI, mais la pression de l'opinion est de plus en plus forte : des libéraux comme le journaliste Walter Lippmann se joignent aux nativistes pour soutenir la proposition de déportation. En février 1942, cédant à ces pressions et sans se soucier de cette attaque aux principes démocratiques, le président Roosevelt signe sans état d'âme l'ordre exécutif 9066 qui organise la déportation des Japonais.

Personne ne veut accueillir les malheureux chassés de leurs logements sans compensation et convoyés d'abord dans des centres de rétention, puis répartis par l'armée dans dix camps situés dans sept États de l'Ouest, loin de toute agglomération et souvent dans des zones semi-désertiques : leurs biens sont vendus et leurs logements occupés par d'autres, souvent des Noirs fraîchement arrivés. Dans ces camps, les conditions de vie sont très précaires : barbelés, miradors, baraques de bois, sanitaires collectifs. Les familles sont parfois séparées. La plupart de ces internés vont rester dans ces camps de concentration jusqu'à la fin de la guerre ; dans le Wyoming par exemple, le camp de Hayes est plus peuplé que la ville voisine de Cody, dont les habitants feignent d'ignorer l'existence. Toutefois, à partir de 1943, ceux qui parviennent à démontrer leur loyauté sont autorisés à partir et certains s'engagent dans l'armée : les deux unités japonaises sont parmi les plus décorées pour leur vaillance, mais elles n'ont pas été utilisées sur le front du Pacifique. En revanche, près de 20000 vieux *Nisei* refusant le serment de loyauté, restent détenus dans des conditions encore plus dures.

Le sort des Japonais suscite des protestations, en particulier d'Eleanor Roosevelt, et, après plusieurs procès en appel, la Cour suprême est saisie. Dans son arrêt *Korematsu v. the United States* du 18 décembre 1944, elle approuve la décision de déportation comme une « nécessité militaire », bien qu'une minorité de juges ait dénoncé cette mesure « raciste » et comparable à celles prises par les nazis contre les Juifs. Pourtant, la veille de cet arrêt, le gouvernement a décidé de lever l'interdiction qui était faite aux Japonais de rentrer chez eux. Mais ils n'ont droit qu'à un dédommagement insignifiant et les autorités se désintéressent totalement de leur cas, ils doivent refaire leur vie et affronter encore le racisme et la discrimination.

Il faut attendre plus de quarante années pour que cette atteinte aux droits les plus élémentaires de la personne soit reconnue par le gouvernement fédéral. En août 1988, le

Congrès a assumé la responsabilité de cet acte honteux et voté un dédommagement substantiel aux survivants, mais celui-ci reste symbolique par rapport aux traumatismes subis par ces familles.

Durant la guerre, la propagande nazie et japonaise a dénoncé l'hypocrisie américaine en prenant l'exemple des Noirs et des Japonais, cas patents d'atteinte à la liberté. L'accusation ne manque pas de poids, mais n'a pas eu d'effet réel et le bilan de la démocratie américaine pendant cette période reste honorable, surtout si on le compare à celui des quelques autres pays en guerre.

Le retour des conservateurs

Malgré le succès massif de Roosevelt et des démocrates en 1940, les républicains ont commencé à remonter la pente. Le mouvement se confirme aux élections de *mid-term* en novembre 1942. Elles se déroulent dans des conditions particulières : seuls 28 millions d'électeurs participent au scrutin contre 50 millions deux ans plus tôt ; les procédures mises en place pour permettre aux soldats de voter ne suffisent pas et les multiples mouvements de population empêchent l'inscription sur les listes électorales. Cette situation favorise plutôt les républicains car les plus humbles, conscrits et travailleurs à la recherche d'un emploi, sont plutôt démocrates.

Par ailleurs, sans que les Américains contestent l'entrée en guerre, certains s'en plaignent : les fermiers des prix, les sudistes des chances données aux Noirs et les républicains critiquent la gabegie de la mobilisation et la dérive des dépenses ; tous s'inquiètent d'une situation militaire qui ne s'améliore pas vite.

Les résultats vérifient cette tendance, habituelle comme avertissement au pouvoir en place. Les démocrates gardent la majorité à la Chambre, mais elle se réduit à 10 sièges, 218 à 208 ; au Sénat elle est plus large, 58 à 37, mais les républicains ont gagné 9 sièges ; de surcroît, certains jeunes gens brillants ont emporté des postes de gouverneur : Thomas Dewey dans le New York, John Bricker dans l'Ohio, Harold Stassen dans le Minnesota. L'équilibre au sein du parti démocrate est modifié par cette élection ; en raison de défaites dans le Nord-Est, les élus du Sud reprennent le contrôle. Ils constituent la majorité des représentants et des sénateurs démocrates et dominent, de ce fait, la plupart des commissions du Congrès.

Ainsi se constitue une coalition conservatrice, hostile à bien des mesures du *New Deal* et d'autant plus décidée à arriver à ses fins qu'elle laisse une grande liberté au président pour la conduite de la guerre. Ce regroupement de conservateurs parvient à faire la décision dans 40 % des votes. Le président, conscient du nouveau rapport de forces, semble se résoudre à ne s'occuper que de la conduite de la guerre.

La guerre et la part qu'ont pris les hommes d'affaires dans la mobilisation ont profondément modifié les objectifs du gouvernement. La coalition conservatrice du Congrès a accompagné ce mouvement et, au moment où les dépenses fédérales croissent considérablement, elle se montre volontiers inquiète du poids des mesures sociales qui semblent de moins en moins justifiées. D'autre part, les républicains n'hésitent pas à dénoncer la nocivité du *New Deal*, qui alourdit le rôle du gouvernement fédéral et bride l'initiative individuelle.

À partir de 1942, les grandes agences de la période précédente sont dissoutes. Le CCC n'intéresse plus guère l'opinion et Roosevelt reconnaît qu'il a accompli sa tâche : on lui coupe les fonds. La WPA, souvent critiquée pour son gaspillage, ne semble plus utile en ces temps de prospérité retrouvée : ses opérations s'arrêtent à la fin de 1942. En 1943, c'est le tour d'autres organismes, qui encadraient la jeunesse, tentaient de planifier l'après-guerre et assuraient l'électrification des campagnes.

Dans le même état d'esprit, le Congrès rejette un projet de loi qui aurait permis l'extension du système de sécurité sociale et refuse la hausse des impôts prévue par le président pour 1944. Celui-ci a beau tempêter et retrouver son ton de 1936 contre les riches, son veto est surmonté. Roosevelt ne parvient plus à s'imposer auprès d'un Congrès rétif, prêt à écouter les industriels qui réclament la fin des contrôles et le retour à la production civile : dès le 6 juin 1944, le WPB est d'ailleurs supprimé.

L'essentiel des réformes ayant été accompli avant la guerre, cela explique que, contrairement à ce qui s'était passé lors de la Première Guerre mondiale, la considérable centralisation amenée par la mobilisation n'ait pas été accompagnée d'une vague de nouvelles mesures, mais plutôt d'une réaction. Les réformes qui subsistent confirment le tournant pris vers l'aide à la consommation et le droit des personnes, au lieu de projets restructurant l'économie. Dans cet esprit au début de 1944, le président lançe l'idée d'un *Economic Bill of Rights* (Charte des droits économiques) qui assurerait à tous les citoyens le droit au travail, au logement, à l'éducation et à la protection sociale. Ce projet n'aboutit pas mais montre que l'élan réformateur n'a pas disparu. Une autre preuve des convictions de FDR est le projet, qu'il parvient à faire voter en 1944, du *GI Bill.* Cette loi, dont les effets sont considérables dans l'immédiat après-guerre, donne aux soldats démobilisés la préférence dans la recherche d'emplois, des subventions pour suivre des études universitaires et des prêts bonifiés pour l'achat d'un logement, d'une boutique, d'une terre, ou d'une voiture indispensable pour aller chercher un emploi. S'il s'agit de la dernière grande loi sociale, elle n'a pas servi de matrice à une législation du même genre destinée à des jeunes qui ne sont pas anciens combattants et que certains auraient souhaitée.

Quoi qu'il en soit, la pression conservatrice et les priorités guerrières ont empêché qu'une attention sérieuse soit portée aux problèmes sociaux qui subsistent, malgré la prospérité générale. Les lois sur le travail des enfants ne sont plus appliquées, les plus bas salaires n'attirent pas les regards. L'efficacité à tout prix a remplacé la compassion et les hommes d'affaires revenus aux commandes cantonnent les *New Dealers* des administrations dans les tâches internationales.

Dans le même temps, le rôle du gouvernement fédéral a considérablement crû et les besoins de la mobilisation ont fait quadrupler le nombre de fonctionnaires civils. Les mesures de réorganisation administrative votées en 1939 ont permis ce considérable renforcement de l'exécutif, qui a désormais en fait l'initiative des lois. Aussi le Congrès se cantonne-t-il dans des domaines relativement subalternes où il développe sa mauvaise humeur dans l'attente de la fin de guerre.

La fin d'une époque

Roosevelt reste, alors que la guerre s'achève, plus que jamais le plus grand des Américains. Au sein du parti démocrate, personne ne conteste qu'il doive se représenter pour la quatrième fois à l'élection présidentielle. Le seul débat porte sur le choix du candidat à la vice-présidence. Contrairement à ce qu'il avait fait en 1940, le président laisse la convention qui se réunit à Chicago prendre la décision. Henry Wallace, vice-président sortant, est écarté car il a pris des positions de plus en plus à gauche, surtout sur le plan international. Le choix se réduit finalement à deux hommes : le directeur du WPB, James Byrnes de Caroline du Sud, et ami du président, ou l'humble et intègre sénateur du Missouri

Harry S. Truman. Le premier est vite écarté en raison de son conservatisme et en raison de ses liens avec des affairistes, alors que Truman, second choix commun à tous les clans du parti (noirs, syndicalistes, sudistes, sénateurs), emporte la décision, à sa grande surprise. Harry S. Truman ne ressemble en rien à Roosevelt, avec lequel il n'a eu que de rares contacts. Issu d'une famille simple du Missouri, il n'a guère fait d'études et doit gagner tôt sa vie dans divers métiers, il fait même faillite dans son commerce de chemises, dont il paiera les dettes jusqu'au dernier centime, même après son accession à la présidence. La Première Guerre mondiale, qu'il finit capitaine, lui donne l'occasion de s'affirmer : il entreprend des études de droit et entre dans l'appareil démocrate de son État, comme juge, puis, à 50 ans en 1934, il est élu sénateur. Au Sénat, il se montre particulièrement sérieux et a dirigé sans faiblesse la commission de contrôle des dépenses de guerre, ce qui lui vaut une certaine estime, mais, sans beaucoup d'entregent, il n'est nullement connu dans le pays.

Quelques jours auparavant, la convention républicaine, réunie également à Chicago, avait choisi le brillant gouverneur de New York, Thomas Dewey, associé à John Bricker. La lutte avait été chaude lors des primaires, car Wendell Willkie semblait devoir l'emporter, mais Dewey, âgé de 42 ans, a saisi sa chance avec beaucoup d'aplomb. Le ticket républicain est jeune et dynamique, sans proposer d'idées nouvelles, prétendant simplement mieux gérer le *New Deal*, et assurer la paix et la prospérité. Les accusations contre l'influence des communistes et des syndicats au sein du parti démocrate tombent à plat et ravissent le président qui compte bien sur les voix ouvrières.

La lutte semble totalement inégale, d'autant que la victoire en Europe se dessine nettement et que MacArthur vient de débarquer aux Philippines. Mais le contraste est frappant entre la santé éclatante des républicains et l'allure souvent épuisée de Roosevelt, flanqué d'un solide mais plus tout jeune Truman. La santé de FDR constitue d'ailleurs l'un des enjeux de la campagne : il est souvent à bout de forces, irritable, supportant de plus en plus difficilement son appareillage pour les jambes ; de plus, il souffre d'hypertension et a eu des alertes cardiaques, que son entourage se garde bien de révéler. Très susceptible sur ce sujet, Roosevelt réagit violemment et montre par ses réparties féroces, qu'il faut encore compter avec lui.

Mais le « vieux combattant » doit se contenter de quelques apparitions dans des bases militaires et de quelques discours bien sentis à Chicago et New York.

Au soir du 7 novembre, Roosevelt emporte les suffrages de plus de 53 % des 48 millions d'électeurs, dont 3 millions de *GIs*, et 432 mandats électoraux contre 99 à Dewey : seuls dix États ont choisi ce dernier. Il ne s'agit plus d'un raz-de-marée mais d'une solide victoire : le parti démocrate renforce légèrement ses positions à la Chambre avec 242 sièges contre 190 et les maintient au Sénat. La coalition Roosevelt a soutenu son chef : minorités raciales, ouvriers, employés, mais au Congrès le regroupement conservateur n'a pas faibli.

Au début de 1945, les États-Unis sont clairement engagés sur la voie de la victoire totale en Europe comme dans le Pacifique. Les préoccupations intérieures cèdent le pas devant ces échéances.

Pourtant, au début du printemps, c'est la santé du président qui inquiète à nouveau. Lors de son retour de la conférence de Yalta et sa présentation de ses résultats devant le Congrès réuni, le 1er mars, en session extraordinaire, il est apparu particulièrement fragile. Il s'agit de sa dernière apparition en public et beaucoup des participants en ont le pressentiment. Le 12 avril, il meurt d'une hémorragie cérébrale à Warm Spring en Géorgie où il avait l'habitude de se reposer et de prendre les eaux. Son corps est ramené, par train, jusqu'à Hyde Park, la propriété familiale, par Washington et New York. Une foule immense et profondément émue assiste au passage du convoi. Tous les Américains rendent hommage à cet homme qui a dominé son temps et profondément marqué son pays.

La capitulation allemande, le 8 mai, marque le jour de la victoire en Europe, ce qui promet le retour prochain des boys, mais elle ne suscite pas d'enthousiasme car les combats dans le Pacifique sont très durs. Il faut attendre le 12 août pour que le Japon cède enfin : la joie peut enfin éclater.

En 1945, les Américains ne peuvent envisager comme en 1918, un « retour à la normale ». Les années qui ont précédé la guerre ont été celles du chômage et des pires difficultés et ce sont les années de guerre qui ont montré le bon exemple. Mais sera-t-il possible de tirer des leçons durables de ces circonstances tellement exceptionnelles ?

Des États-Unis renouvelés ont été forgés de 1933 à 1945, en cela cette année décisive marque une étape essentielle, sans ouvrir une ère totalement neuve.

Troisième partie

Les États-Unis de la guerre froide 1945-1991

Pendant plus de quarante-cinq ans, la politique étrangère des États-Unis est dominée par la guerre froide. Tous les mouvements de contestation, surtout dans les pays du monde dit « libre », sont suspectés d'être provoqués par des communistes, dans le pays lui-même et au moins jusqu'au milieu des années 1960, la crainte de la subversion communiste aboutit à piétiner les droits de l'homme et à stériliser la pensée publique. Sans doute, après ce paroxysme parfois hystérique symbolisé par le maccarthysme, le climat se détend-il alors que s'amorce la détente avec Moscou et Pékin, et que l'échec de la guerre du Vietnam brise le consensus anticommuniste. Mais l'invasion de l'Afghanistan par les troupes soviétiques en 1979, le coup d'État en Pologne de 1981 ou le maintien de Fidel Castro à Cuba, sont autant d'événements, qui aboutissent inévitablement à des retours de flamme de la guerre froide. Toutefois, la société américaine, protégée par cette couverture militarisée, change en profondeur avec la montée de revendications générationnelles et raciales : en pleine guerre froide en 1954, la Cour suprême entreprend de démanteler la ségrégation raciale en vigueur depuis le siècle précédent; en 1969 à Woodstock, un demi-million de jeunes communient dans l'esprit d'une ère nouvelle. Finalement, le mélange détonant entre la rigueur de la guerre froide et la vigueur du mouvement social provoque dans les années 1980 un retour du conservatisme qui devient dominant dans le débat d'idées : il est incarné par le président Ronald Reagan, dont le successeur assistera à l'implosion du bloc soviétique, ce qui met un terme à la guerre froide.

Le débat sur ce conflit a divisé journalistes et historiens : à l'époque de sa mise en place, les analystes, comme Richard Hofstadter confirmaient que le gouvernement américain avait été contraint de réagir face à une menace communiste déterminée et multiforme, mais à partir des années 1960, les historiens et politistes formés par la lutte des droits civiques et la protestation contre la guerre du Vietnam, dans la lignée de William Appleman Williams, ont voulu montrer que les États-Unis avaient joué un rôle excessif dans la genèse de la guerre froide, alors que l'URSS très affaiblie par la guerre n'avait, somme toute, que des revendications légitimes. Le plan Marshall n'aurait été lancé que pour assurer des marchés aux Américains, sans réelle menace soviétique; la guerre civile en Grèce n'aurait fourni qu'un prétexte à l'impérialisme; l'intervention en Corée aurait ignoré la volonté supposée de réunification des Coréens. Presque toujours, Washington aurait été l'agresseur. Cette nouvelle interprétation dite « révisionniste » a dévoilé certains des moyens mis en œuvre par le gouvernement américain, sans aucun souci de démocratie; pourtant l'ouverture partielle des archives soviétiques à partir de 1991 a débouché sur d'autres interprétations plus complexes. Staline envisageait une confrontation générale avec le monde capitaliste, mais dans un délai de plusieurs années; aussi entre 1947 et 1953, a-t-il agi avec prudence, pour ne pas provoquer la puissance américaine, ni à Berlin ni en Corée, mais en profitant de toutes ses faiblesses. Les États-Unis ont réagi avec excès à cette menace qu'ils considéraient comme uniforme depuis que le parti communiste l'avait emporté en Chine, mais sans chercher eux non plus l'affrontement direct : pas de guerre pour Berlin, pas de bombe atomique contre la Chine, mais offensive dans des terrains périphériques comme le Vietnam où ni Moscou ni Pékin n'avaient d'intérêt direct. De ce fait, la guerre froide entre les Deux Grands a conservé une dimension largement symbolique, que certains ont dénommé « l'équilibre de la terreur ».

Chapitre 8

Des années de puissance inquiète (1945-1960)

Avec la victoire acquise aussi bien en Europe que dans le Pacifique, les États-Unis s'affirment rapidement comme la grande puissance du moment. Ils ont un territoire intact et ont subi relativement peu de pertes, alors qu'ils doivent aider les pays dévastés dans lesquels ils ont déployé des troupes : celles-ci se trouvent dans presque toute l'Europe du Nord-Ouest, mais également en Chine, Japon ainsi que dans de nombreux territoires de l'océan Pacifique. Au pays, les Américains connaissent une prospérité qui a fait oublier les années de la crise : celle-là pèse lourdement sur les mémoires alors que celle-ci n'a pas été bridée par beaucoup de restrictions.

Pourtant, la conjoncture qui place les États-Unis comme seule et incontestable très grande puissance dans le monde est totalement nouvelle ; il n'est pas certain que l'ensemble de la population soit prêt à l'assumer sans résistance, partagée entre l'arrogance de la victoire et l'angoisse des bouleversements qui en découlent. Les historiens de l'école dite du consensus ont fait de cette période d'une quinzaine d'années un véritable âge d'or, dans la mesure où le pays était calme à l'intérieur et sûr de lui à l'extérieur ; pourtant, derrière cette apparence lisse et paisible se maintenait une vigoureuse ségrégation raciale et se développait une honteuse hystérie anticommuniste qui semblait mettre en doute la solidité même de cette puissance ; elle a été analysée par les historiens dits « révisionnistes », qui remettent en cause l'apport de leurs prédécesseurs. Les contradictions entre ces forces contraintes ne pouvaient qu'exploser, les prémices de ce choc apparaissent dès la fin des années 1950 chez un nouvel écrivain comme Jack Kerouac, ainsi que dans les manifestations de l'affirmation noire.

Le premier après-guerre

Après la mort de Roosevelt, le 12 avril 1945, les commandes sont immédiatement prises par son vice-président Harry S. Truman. Le contraste est immense entre un homme qui a mené son pays à travers la crise et la guerre, élu quatre fois depuis 1932, et son humble successeur. Il avait été choisi, comme tous les vice-présidents, pour des raisons d'équilibre interne du parti et ne doit pas faire d'ombre au président dont il n'est nullement l'intime et qui s'est bien gardé de l'associer à la moindre décision. En quelques jours, il doit tout à la fois assumer la tâche de commandant en chef des forces américaines, prendre connaissance des préparatifs de la bombe atomique, décider de son utilisation éventuelle, participer à la conférence interalliée de Postdam fin juillet, prendre connaissance des plans de la fin de la guerre et imposer son autorité aux ministres et conseillers de Franklin D. Roosevelt, qui pour beaucoup lui portent peu d'estime. Il peut compter néanmoins sur la majorité démocrate qui vient d'être élue au Congrès et qu'il connaît bien grâce à sa carrière de Sénateur. Après une période de flottement, il parvient à s'imposer; il modifie peu à peu l'équipe au pouvoir pour s'entourer de collaborateurs loyaux sur lesquels son autorité est totale.

Enfin en paix, les Américains de l'automne 1945 souhaitent vivement un retour à la vie normale, mais, contrairement à 1918, ils n'ont pas de référence solide. En effet, depuis la fin de 1929, ils n'ont connu que la crise et la guerre : la première avec ses difficultés qui n'ont vraiment cessé qu'en 1940 grâce aux dépenses militaires – ces dernières font repartir la croissance et conduisent au plein-emploi; la seconde, sans jamais occasionner les pertes et les restrictions des pays européens, n'en a pas moins pesé assez lourdement. De plus, 406 000 Américains ont été victimes de la guerre, dont plus de 300 000 au combat, chiffres dérisoires par rapport aux autres belligérants, mais imposants pour un pays sans longue tradition guerrière.

Par ailleurs, les changements induits par le *New Deal* ont bouleversé le fonctionnement du système politique : une présidence promue impériale qui donne les grandes orientations, un État fédéral devenu omniprésent – tant par ses emplois : près de 9 millions de fonctionnaires civils, contre environ 1 million en 1940 – que par l'impôt sur le revenu, désormais prélevé sur une très large assiette. Enfin, en 1945, plus de 12 millions d'hommes et de femmes sont sous les drapeaux, dont 7,5 à l'étranger.

Les Américains, isolationnistes dans leur majorité avant la guerre, ont pris la direction des opérations et imposé l'ONU en tant qu'organisation internationale, dont les premières assises se tiennent à San Francisco en avril 1945. Le projet était particulièrement cher à Franklin D. Roosevelt, qui vengeait en quelque sorte l'échec de son prédécesseur et mentor Woodrow Wilson sur la SDN.

Dans ce contexte profondément renouvelé, le retour à la paix suscite diverses inquiétudes. Le gouvernement craint une récession en raison de la fin des commandes militaires : ralenties depuis des mois, elles sont brutalement interrompues après la victoire, comme l'est également le prêt-bail, qui a permis la survie des alliés durant la guerre. Et la pression de l'opinion est très forte en faveur d'une démobilisation rapide et complète des troupes, qui est préférée au risque d'un gonflement massif du chômage. Pourtant, dès les premiers mois qui suivent la capitulation du Japon, la consommation privée reprend, les usines se reconvertissent aux productions pacifiques aussi vite qu'elles avaient accompli le chemin inverse; les Américains sont pressés de dépenser l'épargne considérable accumulée grâce aux heures supplémentaires du temps de guerre. De leurs côtés, les *GIs* démobilisés au rythme de 1 million par mois comptent bien bénéficier du *GI Bill* qui a été voté en leur faveur en 1944, comme la conclusion au *New Deal*. Aussi, l'année 1945 se termine-t-elle au mieux pour les citoyens américains, qui retrouvent la paix dans le cadre de la prospérité et de la puissance de leur pays.

Les troupes et fournitures américaines sont présentes partout dans le monde, de l'Allemagne aux îles du Pacifique, d'Afrique du Nord en Écosse : ils ont assuré la libération des territoires occupés par les nazis et sont les maîtres du Japon dont deux villes ont été vitrifiées par le feu nucléaire. Partout, l'arrivée et le séjour des soldats américains avec leurs moyens techniques et leur approvisionnement pléthorique bouleversent les habitudes : des cigarettes et des chewing-gums sont distribués à la volée, les films d'Hollywood, dont l'Europe occupée a été sevrée, y déclenchent l'enthousiasme. Le passage des Américains dans les îles d'Océanie a provoqué l'émergence du Culte du Cargo qui célèbre l'irruption soudaine de richesses multiples arrivées par la mer et l'air dans des sociétés primitives; dès lors, ces populations attendent le retour de cette avalanche divine de bienfaits.

Dans la zone contrôlée par un Japon qui a paru invincible durant la guerre, la victoire assure aux Américains un prestige immense, car ce sont ces troupes qui désarment et prennent en charge les redoutés soldats japonais.

Au-delà de la victoire, le président Truman n'a pas une conception claire pour utiliser cette puissance. La possession de l'arme atomique semble suffire par elle-même à perpétuer la domination américaine là ou elle peut s'exercer. Pourtant depuis la mort de Roosevelt, la suspicion a grandi envers l'alliée qu'est encore l'URSS : celle-ci ne semble pas pressée d'obéir aux principes de l'Europe libérée définis à Yalta. En juillet 1945 à Postdam, peu de résultats ont été acquis, sinon la gestion de la fin de la guerre et le président américain s'est bien gardé d'avertir Staline de l'essai réussi d'Alamogordo. Truman réalise très vite que les Soviétiques ne tiennent pas à une coopération qui supposerait un véritable contrôle sur leurs activités, mais il n'a guère les moyens de contrer celles-ci. Les pays libérés par l'Armée rouge sont hors de portée des Américains et ceux-ci s'y contentent de quelques gestes symboliques : la présence temporaire de non-communistes dans les nouveaux gouvernements de Pologne ou de Bulgarie. En revanche, l'Allemagne occupée par les quatre grands et divisée entre eux est un enjeu capital sur lequel les négociations s'enlisent.

En fait, les Américains prennent conscience de leur puissance et veulent l'utiliser pour promouvoir un monde pacifié à leur image, tout en s'irritant de la mauvaise volonté de leur ancien partenaire. Mais la démobilisation se poursuit sans accroc et, au début de 1947, il ne reste plus qu'1,5 million de soldats américains, dont la moitié sont encore à l'étranger.

Dans le domaine économique, la surpuissance américaine est réellement impressionnante : le pays n'a subi aucun dommage direct et ses usines, ses terres agricoles, comme ses ressources financières ont été utilisées à pleine capacité.

En 1945, les 140 millions d'Américains, qui représentent 7 % de la population mondiale, produisent et consomment la moitié des ressources disponibles dans le monde et assurent les trois quarts de la production industrielle. L'effacement des autres puissances rend cette situation exceptionnelle, mais ces chiffres n'en indiquent pas moins que les États-Unis appartiennent à une catégorie à part. D'ailleurs, l'efficacité de l'économie se remarque à tous les niveaux dans le pays : le PNB a doublé entre 1939 et 1945, passant de 91 à 223 milliards de dollars (en dollars courants) et le revenu disponible par tête a suivi une courbe analogue. Le chômage, plaie invaincue des années 1930, a quasiment disparu. Tous les grands secteurs de l'économie ont bénéficié de cette croissance, mais l'inégalité subsiste entre les régions : la Californie et la côte du Pacifique jusqu'à Seattle ont bénéficié de l'installation des industries de guerre, alors que le Sud profond stagne relativement. L'industrie retrouve ses niveaux de production d'avant la crise de 1929, même si les premières voitures produites restent encore du modèle 1942. En 1948, près de 80 % des automobiles mondiales sont américaines; on les trouve en Europe, où elles sont très recherchées par les gangsters, mais aussi en Amérique latine. La période de reconversion, due à l'arrêt des commandes de guerre, frappe le pays brièvement en 1946, mais largement prévue, elle est rapidement surmontée. La production agricole stimulée par les besoins des pays dévastés atteint des sommets – surtout pour le maïs, le blé et le coton –, bien que le nombre de fermiers diminue : ils ne sont plus que 18,1 % de la population, contre près de

25 % en 1930. Enfin, les accords de Bretton Woods de juillet 1944 ont fait du dollar le pivot du système monétaire international : appuyé sur un stock d'or de plus de 20 milliards, le billet vert est la seule monnaie convertible au monde, sur la base de 35 dollars l'once d'or, et l'unité de mesure de toutes les autres.

Une telle puissance repose sur une conjoncture particulièrement favorable, mais également sur des bases très solides. Les entreprises et les fermes ont fait de considérables efforts de productivité, grâce à un effort de recherche poursuivi après la fin des hostilités : utilisation systématique de l'énergie électrique, mécanisation poussée. De plus, la venue de savants européens à la recherche d'un refuge et de moyens, a été un atout précieux dans les domaines de pointe, comme la physique nucléaire. Enfin, renouant avec les principes de la prospérité des années 1920, l'économie américaine de 1945 repose sur un vaste marché de consommateurs, qui assure une grande stabilité à son essor, une fois disparues les commandes fédérales liées à la guerre. Les automobiles et les matériaux de construction retrouvent un ample marché ; quant aux produits électroménagers – réfrigérateurs ou machines à laver –, ils ont un considérable succès : plus de 4 millions de chacun de ces appareils sont produits chaque année.

Ces résultats extraordinaires n'empêchent pas les tensions et les inquiétudes : l'inflation s'accélère en 1946 avec la levée du contrôle des prix et les grèves se multiplient, car les salaires ne suivent pas. L'administration Truman, prise entre deux feux, réagit brutalement : elle réquisitionne les cheminots et poursuit John Lewis, leader des mineurs, tout en critiquant l'arrogance des patrons hostiles à l'intervention de l'État. Bien des pays du monde accepteraient avec joie de tels maux, afin de pouvoir bénéficier d'une richesse à l'américaine.

Dépenses fédérales et dépenses militaires après la Seconde Guerre mondiale (en millions de dollars constants, valeur de 1945)

PNB brut			Dépenses	Fédérales		Dépenses	Militaires		
Année	Total	% croiss	Total	% croiss	% PNB	Total	% croiss	% PNB	% de dépenses fédérales
1945	223,10		92,71	1,5	41,9	82,97	4,80	37,5	89,50
1946	222,30	- 0,36	55,23	- 40,40	24,8	42,68	- 46,60	19,2	77,30
1947	224,20	8,97	34,5	37,5	14,8	12,81	- 70,00	5,5	37,10
1948	269,20	9,29	29,76	- 13,70	11,6	9,11	- 28,90	3,5	30,60
1949	267,30	- 0,71	38,84	30,50	14,3	13,15	44,40	4,8	33,90
1950	293,80	9,02	42,56	9,60	15,6	13,72	4,40	5,00	32,20

La population atteint 140 millions d'habitants car la croissance a repris durant la guerre grâce à un redressement marqué du taux de natalité, alors qu'à ce moment, le taux de mortalité atteint son minimum avec 9,6 ‰, alors que celui de natalité dépasse les 20 ‰ : plus de 41 % des Américains ont moins de 24 ans. Il s'agit donc d'une population jeune qui contribue au dynamisme du pays, bien que de nombreuses inégalités subsistent entre les régions et que l'état sanitaire d'un tiers de la population laisse encore à désirer.

La guerre, avec création d'emplois dans l'Ouest et engagement dans l'armée, a multiplié les occasions de déplacement et accentué une mobilité traditionnelle. Pour gagner les régions industrielles, les Noirs ont été plus nombreux à quitter le Sud, où ils ne sont plus que 70 % vers 1945 ; au total, quinze millions d'Américains ont déménagé dans des maisons neuves. Les changements ont été tels qu'ils ébranlent la structure familiale : de nombreux mariages conclus à la hâte avant le départ des GIs se terminent en divorces à leur retour – près de 20 % des unions en 1946 –, mais, en même temps, les Américains sont plus nombreux à se marier et le font de plus en plus tôt. Une sorte de rattrapage se produit après des années troublées, faites de privations et de frustration.

Les troupes américaines ont diffusé dans le monde le jazz, la chanson et les films : de grands orchestres de jazz, comme ceux de Duke Ellington ou de Benny Goodman, accomplissent des tournées en Europe et au Japon. Le phénomène a débuté aux lendemains de la Première Guerre mondiale et s'est accentué ensuite, mais, désormais, les producteurs d'Hollywood ont acquis une forte puissance, produisant 2000 films pendant la guerre, auxquels viennent s'ajouter 400 nouveaux titres chaque année. *Les Raisins de la colère* ou *Citizen Kane* voisinent avec les productions de Walt Disney. De plus, un grand nombre d'écrivains, d'artistes et de metteurs en scène européens – comme Thomas Mann, Jean Renoir ou Claude Levi-Strauss –, ont fuit le nazisme ou la guerre et ont trouvé refuge aux États-Unis, renforçant le prestige culturel du pays, déjà bien établi par l'émergence d'une puissante littérature avec Ernest Hemingway, William Faulkner ou John Steinbeck.

Pour la culture populaire, comme pour celle des élites, les États-Unis bénéficient d'une position dominante. Ils possèdent là un complément indispensable à la puissance stratégique et économique : cet ensemble donne la mesure de leur hégémonie aux lendemains de la guerre.

Les fondements de la guerre froide

Au lieu de profiter paisiblement de cette situation nouvelle, les États-Unis s'engagent rapidement dans un affrontement qui va mobiliser leur énergie pour presque un demi-siècle.

Le président Roosevelt avait imaginé un monde contrôlé par quelques grandes puissances qui parviendraient de concert à maintenir la paix dans la prospérité, la démocratie et les libertés : quatre « gendarmes » se diviseraient le monde : la Grande-Bretagne en Europe de l'Ouest, l'URSS à l'Est, la Chine en Asie et les États-Unis sur le continent américain. L'ONU est la suite concrète d'un tel projet, qui adopte un système plus ouvert, pourtant, rapidement, l'assemblée internationale s'avère impuissante car deux des grandes puissances ne s'entendent plus du tout.

L'alliance qui a permis la défaite de l'Allemagne nazie a décidé d'une attitude commune dans les pays libérés : y instaurer la démocratie, une fois éradiqués les germes fascistes. Toutefois, de tels objectifs restent flous et ne peuvent être appliqués de la même façon partout. Staline veut profiter de sa victoire pour constituer un cordon de pays soigneusement contrôlés qui protégerait l'URSS contre toute attaque extérieure comme celle de 1941 et interdirait une manœuvre d'exclusion comme celle de Munich en 1938. Cette politique a été immédiatement mise en œuvre dans les zones occupées par l'Armée rouge. Simultanément, les partis communistes des autres pays européens, sous la coupe rigoureuse du grand frère soviétique, entretiennent une certaine agitation pour inquiéter les pouvoirs en place et peser sur la décision.

Aux États-Unis au début de 1946, le président Truman a été averti des ambitions soviétiques par le diplomate George Kennan, soviétologue réputé, qui prône l'endiguement de cette politique sans affrontement direct. Il a été aussi alerté par Winston Churchill qui, afin d'éveiller l'opinion américaine, dénonce dans un grand discours prononcé à Fulton

(Missouri), le 5 mars, la mise en place d'un « rideau de fer » en travers de l'Europe. Or, le gouvernement américain est bien décidé à maintenir une aussi grande zone possible d'économie libérale, seule capable d'enraciner la démocratie et d'assurer la diffusion des produits américains. Un tel projet ne peut aboutir que dans les pays où il rencontre l'adhésion des populations, car il n'est pas question de maintenir longtemps des troupes américaines à l'étranger.

Deux systèmes antagonistes

Ainsi, se forgent deux systèmes naturellement antagonistes dans leurs buts et leurs moyens, ce qui entraîne chacun à redouter les réactions de l'autre. Les alliés d'Europe occidentale sont aux prises avec les problèmes immenses de la reconstruction ; ils attendent énormément d'une aide américaine qui les protégerait contre une menace venue de l'Est ; l'administration Truman met un certain temps à comprendre l'ampleur d'une désorganisation économique qui favoriserait nécessairement la subversion communiste, bien que les experts commencent à l'alerter sur ce danger. Pourtant, il ne saurait être question de lutter en force contre l'URSS ni de lui reprendre les territoires qu'elle contrôle depuis 1945 : il s'agit de la tenir en respect, en aidant les pays menacés et en jouant du monopole atomique, tout en écartant l'utilisation de l'arme décisive sans provocation caractérisée. Décidément, le temps n'est ni à l'isolationnisme ni à l'aventurisme, mais à l'endiguement prôné par Kennan.

Fin 1946, le président Truman et ses collaborateurs sont décidés à réagir à ce qui les inquiète dans les initiatives soviétiques. En Pologne, le nouveau gouvernement communiste s'impose par la répression à une population rétive et se débarrasse des Polonais venus de Grande-Bretagne avec des espoirs démocratiques ; mais les États-Unis ne peuvent que protester verbalement, pour calmer les Polonais fixés dans le pays, car ils n'ont aucune volonté d'y contester la domination soviétique. En Iran, dont les ressources pétrolières sont prometteuses, le gouvernement américain redoute que le retrait prévu des troupes soviétiques ne se fasse pas, ce qui serait une brèche dans les accords d'après-guerre, mais il s'effectue avec lenteur. En Allemagne occupée, les enjeux sont plus importants ; or l'entente entre les états-majors des quatre puissances se détériore rapidement en raison de divergences profondes sur la dénazification et sur les prélèvements économiques effectués par les Soviétiques.

Ces événements contribuent à la dramatisation nécessaire pour faire comprendre à l'opinion américaine l'ampleur de la menace et susciter un consensus bipartisan qui seul permet de mener une politique ferme devenue indispensable pour le président Truman. Le 12 mars 1947, alerté par le gouvernement britannique qui reconnaît son incapacité financière et politique à contrôler la situation en Grèce, où se déroule une très dure guerre civile dans laquelle Staline intervient très peu, le président Truman effectue un pas décisif. La « doctrine Truman » instaure une aide militaire et économique à la Grèce et à la Turquie pour lutter contre la subversion communiste et indique la volonté d'endiguer le communisme partout où ce sera nécessaire. Cette politique est mise au point, après qu'une enquête en Europe occidentale a montré la gravité de la situation économique et sociale ; or les Américains ont tiré de l'expérience de la crise la certitude que la misère peut ouvrir la voie à la subversion et paver la voie au communisme.

L'aide à l'Europe

Le 5 juin 1947, le secrétaire d'État américain George Marshall propose une nouvelle aide financière à l'Europe, y compris à l'Union soviétique et à ses satellites. Conformément aux espoirs américains, Molotov, ministre des Affaires étrangères de Staline, la refuse, et prend la responsabilité officielle de la rupture, qui est étendue aux pays d'Europe de l'Est (y compris à la Tchécoslovaquie et à la Pologne) contraints de réorienter leur économie vers l'URSS. Seize pays d'Europe occidentale souscrivent au plan Marshall, nommé *European Recovery Program* (ERP) ou Programme de rétablissement européen.

La conférence des Seize pays européens est ouverte à Paris afin de régler la distribution de l'aide américaine. Pour convaincre le Congrès américain de financer un tel effort, il faut lui offrir la perspective d'une organisation commune susceptible dans un premier temps de répartir les crédits. Le Congrès américain débat du montant des aides ; les Seize (augmentés des zones d'occupation en Allemagne) forment l'Organisation économique pour la Communauté européenne (OECE). Une administration centrale est installée à Paris et chaque capitale occidentale y a son représentant.

D'avril 1948 à janvier 1952, les pays d'Europe occidentale unis par le plan Marshall reçurent plus de 13 milliards de dollars : Angleterre (24,4 %), France (20,2 %), Italie (11 %), Allemagne de l'Ouest (10,1 %), Pays-Bas (8,3 %), Autriche (5 %), Grèce (4,8 %), Belgique-Luxembourg (4,2 %), Danemark (2,1 %), Norvège (1,9 %), Turquie (1,4 %), Irlande (1,1 %), Suède (0,8 %), Portugal (0,4 %), Espagne (0,2 %). Cette manne permit aux bénéficiaires d'importer des biens, mais, parallèlement, chaque gouvernement devait déposer, sur un compte spécifique, la contre-valeur en monnaie nationale des dollars qui lui étaient alloués : 95 % des fonds de ce compte restaient à la disposition des gouvernements afin qu'ils les utilisent pour la reconstruction et le développement économique de leur pays. Le solde de 5 % était à la disposition de l'administration de l'ERP, l'*Economic Cooperation Administration* (ECA), pour ses dépenses dans le pays aidé. De l'avis général, ce plan a fortement contribué à libérer les énergies libérales des pays de l'Ouest européen ; il a été un moment crucial de la stabilisation et du développement des économies de marché en Europe occidentale. En 1952, les pays européens aidés sont sortis des difficultés économiques majeures de l'après-guerre. Le revenu national réel de ces pays était, en 1947, de 15 à 20 % inférieur à son niveau de 1938. En 1953, il lui est supérieur de 20 à 25 %. Les réserves d'or et de dollars de l'Europe occidentale ont suivi la même trajectoire ; fin 1938, elles se montaient à 10,6 milliards de dollars ; en 1947, à 7,9 et, en 1953, à 13,1. Toujours en 1953, la production industrielle européenne est supérieure de 35 % à celle de 1938 ; la production agricole, la plus lente à repartir, dépasse seulement de 11 % celle de 1938.

Les bénéficiaires de l'aide Marshall peuvent faire des achats *off-shore*, c'est-à-dire à l'extérieur des États-Unis. Les crédits Marshall, soit 1,2 % du PNB annuel américain, sont loin d'avoir représenté la part majeure de toute l'aide étrangère dispensée par les États-Unis dans le monde : 90 milliards de dollars au total ont été répartis (crédits économiques plus crédits militaires) entre 1946 et 1963. Le prestige de l'aide Marshall appuyée par une forte propagande adaptée, est extrêmement puissant. L'appellation a fait recette : il n'est pas rare qu'elle soit évoquée au sujet de l'Irak après 2003 ou qu'on dise à propos des banlieues françaises qu'elles sont en attente d'un hypothétique « plan Marshall ».

Le plan Marshall a été adopté par le Congrès en 1948, après le « Coup de Prague », par lequel les communistes se sont emparés de la totalité du pouvoir en Tchécoslovaquie. À partir de ce moment, les États-Unis sont dotés d'une politique définie ; contrer toutes les initiatives du Kremlin en dehors de la zone qui lui est reconnue. La volonté américaine et britannique de reconstruire une Allemagne prospère à partir de leurs zones d'occupation, provoque la réaction de Staline, décidé à garder un pays divisé. Il instaure un blocus de Berlin car la ville se trouve insérée dans la zone soviétique : le ravitaillement n'arrive plus ni les fournitures de base, routes et voies ferrées sont coupées. Du 24 juin 1948 au 12 mai 1949, pendant presque un an, la ville est ravitaillée par des milliers d'avions, sans que jamais la DCA soviétique n'intervienne, sans que les Américains ne tentent de briser les barrages. Face à la détermination des Américains et de leurs alliés comme aux moyens mis en œuvre, Staline est obligé de renoncer à les faire changer de politique.

Les Américains sont passés de l'aide économique à la menace d'utiliser leurs forces, mais ils agissent seulement au cas par cas, ce qui n'est pas suffisant pour les pays d'Europe occidentale. Les alliés des États-Unis sont satisfaits de l'aide économique, mais les pressent de leur assurer une protection plus ferme en cas d'attaque soviétique, car si l'Europe occidentale doit se défendre, elle ne pourra le faire seule. Pour la première fois de leur histoire depuis le traité avec la France de 1778, les Américains concluent un traité d'alliance en dehors de leur continent. Le traité de l'Atlantique Nord est signé le 4 avril 1949, il réunit 10 États européens ainsi que les États-Unis et le Canada ; le principe d'une défense collective en cas d'attaque armée est acquis et des troupes américaines seront stationnées durablement en Europe.

En août 1949, l'URSS fait exploser sa première bombe atomique : le monopole américain n'a permis ni le maintien de l'harmonie internationale ni empêché la dissémination de l'arme nucléaire.

Les structures de la guerre froide

Entre 1947 et 1949, les États-Unis mettent au point l'organisation permanente de leur politique de défense pour faire face à la situation internationale ; il n'est plus question de retour à la période précédente ni de réduire excessivement l'effort militaire.

La loi de la sécurité nationale de juillet 1947 organise et coordonne l'ensemble des moyens militaires et paramilitaires, qui jusque-là n'étaient mobilisables qu'en cas d'urgence.

Un ministère de la Défense est créé pour remplacer les ministères séparés de l'infanterie, de la marine et de l'aviation ; il s'installe dans le bâtiment du Pentagone, qui avait été prévu pour un hôpital, et le secrétaire de la Défense devient un membre important de l'équipe présidentielle. Les États-majors des quatre armes (les *Marines* gardent leur autonomie) sont réunis dans un État-major conjoint qui prépare les décisions stratégiques ; le général commandant cette structure est en général en fin de carrière, il provient de n'importe laquelle des quatre armes.

Le Conseil national de sécurité est institué ; il assure auprès du président la liaison avec l'État-major et prépare les décisions de politique étrangère en fonction des moyens disponibles ; au bout de quelques années, le Conseiller à la sécurité, souvent plus proche du président que le ministre de la Défense, devient un rouage essentiel de l'entourage présidentiel. La *CIA* (*Central Intelligence Agency* ou Agence centrale de renseignements) est créée ; elle prend la suite de l'OSS *(Office of Strategic Services)* du temps de la guerre. Elle centralise les activités de renseignement à l'étranger et n'a pas le droit d'intervenir sur le territoire américain où le FBI tient à garder la totalité du contrôle : l'agence est considérée comme essentielle pour dévoiler les intentions de l'ennemi communiste et pour le déstabiliser par tous les moyens.

Disposant de ces moyens totalement nouveaux pour eux, les Américains peuvent assumer un rôle militaire à la hauteur de leurs ambitions stratégiques. Il s'agit d'une véritable révolution pour un pays jusque-là hostile à toute militarisation permanente. Le gouvernement des États-Unis prend également conscience de la nécessité de mener une lutte idéologique contre un ennemi très bien préparé. Durant les deux guerres mondiales, une propagande a été organisée aux États-Unis, mais il s'agit désormais de dispositions durables et multiples :

- La Voix de l'Amérique, solidement financée à partir de 1949, émet régulièrement en direction des pays communistes et vante les réussites américaines.

• Le secrétaire d'État appuie fermement Hollywood dans son expansion à l'étranger et veille particulièrement à la disparition des défenses protectionnistes en Grande-Bretagne et en France contre l'invasion des films américains.

• En 1953, le gouvernement fédéral se dote de l'USIA (*United States Information Agency* ou Agence d'information des États-Unis) qui coordonne sa politique de communication à l'étranger.

• Le Congrès sous l'impulsion du sénateur William Fulbright promeut la diffusion de la culture et de la science américaines à travers un programme d'échanges universitaires de haut niveau et, chaque année, des dizaines de chercheurs étrangers passent quelques mois aux États-Unis et leurs homologues américains viennent en Europe ou en Asie apporter leur expérience et leur savoir (ainsi un millier d'universitaires français ont bénéficié de ce programme qui a survécu à la fin de la guerre froide).

• Certains de ces organismes suscitent secrètement des entreprises intellectuelles en Europe qui contribuent à la lutte anticommuniste, tel le Congrès pour la liberté culturelle, animé par des personnalités de haut niveau dans les différents pays d'Europe.

• Le gouvernement obtient chaque année que le Congrès vote d'importants crédits d'aides à des pays étrangers, dont la sécurité paraît essentielle aux États-Unis ; en dehors du plan Marshall, des sommes spécifiques sont attribuées à des pays en voie de développement, comme Truman l'a suggéré dans le point 4 de son programme de 1949.

• Le président parvient à obtenir du Congrès qu'il accueille, avant 1955, plus de 400 000 « personnes déplacées » fugitifs du monde communiste, juifs rescapés, en dehors des quotas stricts qui limitent strictement l'immigration, mais attends d'eux qu'ils dénoncent leur pays d'origine et ses atteintes aux droits de l'homme.

Avec la participation active à l'ONU et à d'autres organisations internationales, les États-Unis ont désormais les moyens d'influencer les affaires du monde suivant partiellement leurs principes et toujours leurs intérêts.

Si les premières années de la guerre froide ont eu pour seul théâtre l'Europe, celle-ci s'étend bientôt avec plus ou moins d'intensité à toute la planète.

Les Américains ont procédé à la démocratisation du Japon sous l'impulsion du général MacArthur qui agit en véritable proconsul, mais les valeurs de la nouvelle constitution ne s'adaptent pas toujours aux traditions de la société japonaise : ainsi la promotion des femmes choque d'autant plus que les Américaines n'ont pas encore accédé elles-mêmes à l'égalité sociale et familiale. Toutefois le Japon peut se reconstruire relativement paisiblement car l'URSS qui a limité ses appétits aux îles Kouriles ne présente ni une menace ni une concurrence. En revanche, en Chine, les États-Unis sont totalement impuissants, en dépit de l'envoi de représentants éminents comme le général Marshall, à empêcher la victoire totale du parti communiste chinois de Mao Zedong aux dépens de leur protégé nationaliste Tchang Kaï Chek : le 1er octobre 1949, la République populaire de Chine est proclamée. Cette victoire communiste est considérée par une fraction conservatrice de l'opinion américaine comme une « perte de la Chine », alors que la ce pays n'a jamais été une propriété américaine ; le puissant lobby chinois, farouchement anti-communiste, composé en partie de missionnaires, s'agite de manière excessive aux États-Unis et fait croire à un danger éminent pour la survie de leur pays. Le président Truman et ses conseillers sont persuadés du monolithisme du bloc communiste, mais la situation en Chine n'a pas pour eux autant d'importance que ce qui se passe en Europe et ils n'ont aucun moyen sérieux pour redresser la situation sinon aider Tchang Kaï Chek refugié dans l'île de Formose, car il n'est pas question d'attaquer la Chine. Il s'agit d'un véritable défi : les États-Unis ont-ils les moyens et la volonté d'intervenir partout dans le monde contre l'activisme communiste ?

Les États-Unis doivent-ils devenir l'unique leader pour le « Monde libre », suivant une expression qui date de 1949 ?

Au moment où le Conseil national de sécurité étudie les options et délimite son périmètre de défense, dont il exclut spécifiquement la Corée, il n'y a déjà plus de troupes américaines ; le 20 juin 1950, la Corée du Sud est envahie par celle du Nord communiste. Le pays était divisé entre deux zones après l'évacuation, l'année précédente, des Américains et des Soviétiques, et Dean Acheson, secrétaire d'État de Truman depuis 1949, avait déclaré que la Corée n'était pas essentielle à la défense des États-Unis. Dans ce contexte, Kim Il Sung a cru pouvoir agir en toute impunité, après être parvenu à obtenir le soutien complet de Staline pour une aide matérielle à condition qu'il n'y ait aucun risque d'intervention américaine. Or, Truman accusé de faiblesse par le lobby chinois n'hésite pas à réagir avec la plus grande fermeté : il obtient de l'ONU, d'où les Soviétiques ont décidé de partir pour protester contre la non-reconnaissance de la Chine, le mandat de répondre à cette agression caractérisée.

En Corée à partir de septembre, le général MacArthur organise un débarquement audacieux, à la tête des troupes de l'ONU – composée presque totalement de soldats américains –, il parvient à chasser les Nord-Coréens du Sud et pousse la contre-offensive au Nord jusqu'à la frontière chinoise sur le fleuve Yalou, qui est atteinte en octobre 1950 ; la division entre les deux Corées est gommée et les communistes sont humiliés. Les avertissements diplomatiques des Chinois ne sont pas écoutés – leur priorité n'était pas la Corée, mais Staline leur a demandé d'agir : l'intervention de 200 000 « volontaires » chinois, pour ne pas impliquer officiellement Pékin, à coups de vague d'assaut, repousse les troupes américaines jusqu'à Séoul au début de 1951, qui n'ont d'autre choix qu'une retraite improvisée. Dans une logique de victoire, le général MacArthur demande à utiliser une bombe atomique contre la Chine pour inverser le mouvement ; le président et l'État-major ne veulent pas prendre un tel risque pour un enjeu très incertain : la Corée n'est pas Berlin et la bombe déboucherait sur un risque de conflagration mondiale. MacArthur est limogé par Truman le 11 avril 1951 en dépit de nombreuses manifestations en sa faveur. La guerre ne peut plus être gagnée et perdure comme guerre de position dans des conditions climatiques difficiles. Des négociations s'engagent avec l'arrivée du président Eisenhower à la Maison-Blanche : elles aboutissent en juillet 1953 à la reconstitution des deux Corées, comme en 1950. Les Américains ont perdu plus de 54 000 hommes dans une guerre très dure, dont 40 % sans combattre ; ils ne connaissent pas en Corée une défaite militaire, mais démontrent leur impuissance stratégique, car la guerre froide suppose de ne pas affronter l'adversaire principal. Les buts incertains du conflit n'ont pas été bien compris dans le pays, ce qui a beaucoup nui au président Truman. En revanche, la détermination de ce dernier à lutter contre l'expansion communiste a rassuré les alliés. Les États-Unis sont vraiment engagés dans les affaires du monde et ne laisseront nulle part l'URSS passer à l'offensive, si tant est qu'elle le souhaite. La différence de sentiment entre Alliés et Américains s'explique par leur perception spécifique des enjeux : les uns sont proches du danger communiste avec l'URSS à « une étape du Tour de France », les autres n'ont rien à craindre, mais s'imaginent être sous une menace directe.

En 1953, l'armée américaine atteint 3,6 millions d'hommes et le budget de la défense triple par rapport à ceux de 1950 ; les crédits civils accordés aux alliés deviennent des crédits militaires – par exemple, la guerre menée par la France en Indochine n'est plus considérée comme colonialiste mais comme essentielle dans la lutte contre le communisme : elle bénéficie, de ce fait, d'un important soutien américain.

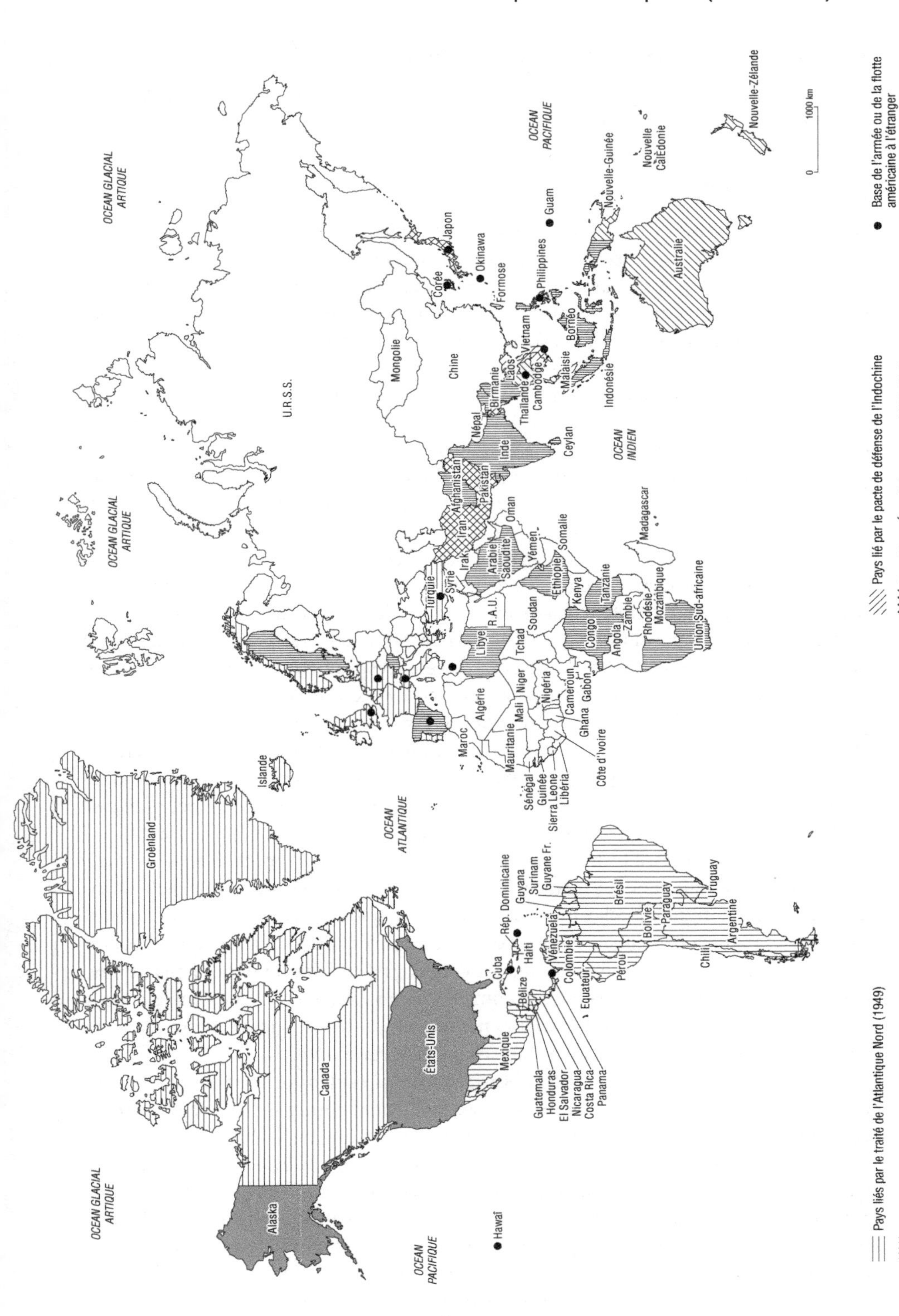

Carte 6. Les États-Unis et le monde

Un anti-communisme frénétique

La guerre froide ne se déroule pas uniquement sur des territoires lointains : elle a des conséquences profondes aux États-Unis, dont le maccarthysme est l'une des manifestations les plus notables, mais nullement la seule.

Un climat délétère

Après l'enthousiasme de la victoire et une fois le danger passé, les Américains s'interrogent sur les bouleversements survenus dans les dernières années : intervention de l'État durant le *New Deal* avec de nombreuses nouvelles agences fédérales, contraintes dues à la guerre vont, pour certains, à l'encontre de la tradition du laisser-faire économique et social, comme les engagements extérieurs s'opposent aux anciennes pulsions isolationnistes.

Les républicains et certains démocrates conservateurs, souvent issus du Sud, comptent bien profiter du manque apparent d'envergure de Truman ; d'ailleurs les élections de 1946 donnent la majorité aux républicains alors que les grèves se multiplient pour protester contre la hausse des prix : 100 millions de journées de travail sont perdues en 1946. Les patrons s'opposent violemment aux syndicats dont l'influence a été renforcée par la loi Wagner de 1935 et critiquent la fiscalité trop lourde, qui ne serait plus légitimée ni par la crise ni par la guerre.

Le président tient à maintenir le cap réformateur, en dépit de la montée de la contestation, mais la nécessité d'un consensus en matière de politique étrangère l'oblige à modérer ses ambitions sur le terrain intérieur. Le Congrès vote la loi sur la sécurité nationale, mais, en contrepartie, allège la pression fiscale sur les plus riches et s'attaque au pouvoir syndical par la loi Taft-Hartley de juin 1947 : dans les deux cas, le veto présidentiel est surmonté par la majorité constitutionnelle des deux tiers. La loi Taft-Hartley cherche à éliminer toute influence communiste au sein des syndicats et interdit la grève aux fonctionnaires ; elle réglemente étroitement le droit de grève, soumis à des délais de réflexion et au vote à bulletin secret, et s'attaque à la représentation syndicale dans l'entreprise en interdisant le monopole syndical d'embauche. Les protestations des syndicats et de Truman n'y peuvent rien et cette loi, avec quelques amendements, sert toujours de base à tout règlement des conflits du travail.

Dans un tel contexte, l'élection présidentielle s'annonce catastrophique pour Truman, impuissant sur le plan intérieur même s'il s'est affirmé sur la scène internationale. Thomas Dewey, son concurrent républicain, est brillant, dynamique et réformiste. Pourtant, jouant à fond de son caractère combatif et de ses origines humbles, le président fait quelques promesses démagogiques comme celle d'un nouveau et vaste programme social, mais prend par décret des décisions importantes, comme la déségrégation des forces armées et de la fonction publique fédérale, devenue indispensable après la victoire dans la guerre, à laquelle les Noirs avaient contribué tout en restant à leur place contrainte.

Après une campagne populaire à bord du train présidentiel, le président sortant renverse tous les pronostics et l'emporte assez facilement contre Dewey. Sa victoire est accompagnée d'un retour d'une majorité démocrate au Congrès : la coalition Roosevelt, rassemblant les démocrates, les Noirs et les pauvres a été reconstituée. Truman, fort de sa victoire, lance un important programme de réformes d'inspiration progressiste, le *Square Deal,* mais à part quelques-unes portant sur la construction de logements ou le salaire de base, les plus ambitieuses sont repoussées ou enterrées par la conjonction des conservateurs issus des deux partis ; d'ailleurs, lors de l'élection de 1948, un tiers parti sudiste s'est formé dirigé par un transfuge du parti démocrate, Strom Thurmond, pour protester contre les premières mesures de désagrégation.

De nombreux Américains demeurent favorables à des réformes, mais ils sont également inquiets de l'inflation qui repart, du chômage qui frappe 7 % de la population active, de la situation internationale menaçante qui oblige à affecter des crédits à l'Europe sous la menace de la puissance soviétique. Le président l'a bien compris qui, s'il se veut réformiste, prend des mesures vigoureuses contre le communisme pour enrayer l'offensive de ses adversaires sur ce terrain.

La guerre a fait de l'URSS l'alliée des États-Unis et, d'un seul coup, un franc enthousiasme s'est manifesté à l'égard de ce pays, faisant presque oublier son marxisme-léninisme. D'ailleurs, durant la crise des années 1930, un certain nombre d'intellectuels contemplant la faillite du système capitaliste ont rejoint ou se sont rapprochés du parti communiste américain : au sein de la centrale syndicale CIO, les communistes ont même acquis une certaine influence. Or cette sympathie pour l'URSS et le communisme est tout à fait exceptionnelle. La tradition américaine, fondée sur la liberté individuelle et religieuse ainsi que sur le respect de la propriété privée, a toujours été viscéralement hostile au socialisme marginalisé par la force si nécessaire, et encore plus au communisme athée et collectiviste : ainsi en 1919, avec la peur rouge et noire, ou lors de la campagne de la presse contre Roosevelt en 1936. En 1945, les plus conservateurs affirment qu'un véritable retour à la normale passe par l'élimination des mesures étatiques, certainement inspirées par des « professeurs communistes qui sont tous homosexuels et *New Dealers* ». Par ailleurs, la commission des activités non américaines (HUAC) de la Chambre des Représentants pourchasse la subversion depuis 1938, aussi bien fasciste que communiste à ses débuts, mais elle se spécialise vite dans l'anticommunisme ; la loi Smith de 1940 rend illégale toute intention de renverser le gouvernement des États-Unis par la force et, l'année suivante, des enquêtes sur l'orientation des fonctionnaires sont effectuées, avec obligation de serments de loyauté. Ces dernières sont relancées en 1947, pour accompagner le début de la guerre froide et faire oublier l'amitié envers l'URSS. Or, la menace soviétique paraît d'autant plus redoutable à certains qu'elle aurait été appuyée par des traîtres américains : en 1948-1949, la HUAC, au sein de laquelle le jeune Richard Nixon se fait remarquer, suspecte les sympathies communistes d'un collaborateur de Roosevelt qui l'avait accompagné à Yalta, Alger Hiss, brillant sujet issu des milieux huppés de la côte Est et sorti des meilleurs universités ; l'homme est seulement condamné pour outrage à la Cour, mais les archives soviétiques ont prouvé qu'il avait été un agent soviétique plus ou moins dormant.

La HUAC se rend également à Hollywood pour extirper l'éventuel germe communiste ; d'anciens communistes sont dénoncés par Walt Disney et John Wayne, ils se défendent mal : 10 sont condamnés et licenciés, certains s'exilent comme Joseph Losey ou Charles Chaplin, d'autres préfèrent donner des noms et collaborer, à l'instar d'Elia Kazan. Lors des sessions de la commission, qui attirent un large public en raison de la notoriété des suspects, l'interrogatoire cherche à les faire avouer des faits connus dans le détail par le FBI, afin qu'ils reconnaissent leur culpabilité ; ce faisant, la commission emploie les mêmes méthodes que les « procès de Moscou », mais l'issue n'est jamais aussi dramatique.

Les démocrates sont d'autant plus suspectés de trahison qu'ils occupent le pouvoir depuis près de vingt ans : la « perte de la Chine » ne peut s'expliquer, pour certains, que par le laxisme coupable du gouvernement. De plus, au début de 1950, preuve semble être faite que la bombe A soviétique n'a pu être réalisée que grâce aux renseignements fournis par des traîtres. Les époux Rosenberg sont arrêtés avec quelques complices et ils sont rapidement condamnés à mort ; la conviction communiste de Julius est certaine, comme l'ont dévoilée les archives soviétiques, alors que sa femme Ethel était innocente, mais, dans les fonctions qu'il occupait il n'avait pas accès à des renseignements valables, qui étaient transmis par le colonel Abel, un agent infiltré du KGB. Le verdict s'explique par un procès tendancieux, qui se contente de leurs sympathies communistes et qui tourne au procès d'opinion. En dépit d'une campagne internationale en leur faveur, venant beaucoup des communistes européens, ils sont exécutés en 1953.

De tels faits dans un contexte d'inquiétude, alors que le gouvernement est sur la défensive et que les conservateurs y voient la confirmation de leurs avertissements frénétiques, font croire à nombre d'Américains qu'un complot communiste est à l'œuvre sur leur sol : lui seul expliquerait l'avalanche de revers, en dépit de l'influence réduite d'un parti communiste américain, dont Staline n'attend pas grand-chose, et qui est entièrement pénétré par le FBI, avec un dossier sur chacun de ses 75 000 membres. L'URRS avait certes quelques espions bien implantés qui lui ont permis d'accélérer son programme nucléaire, mais ils ne mettaient nullement en péril la stabilité du pays et de ses institutions.

Truman, en acceptant cette logique perverse, qui n'a aucune base rationnelle alors que les États-Unis sont au faîte de leur puissance, s'est enfermé dans un piège infernal dont il ne pourra s'extraire.

L'essor de Mc Carthy

Le 9 février 1950, Joseph McCarthy sénateur républicain peu connu du Wisconsin, élu lors de la vague de 1946, choisit dans un discours de dénoncer le danger communiste : le thème porteur pour préparer sa réélection deux ans plus tard et pour mieux marquer sa place au Sénat où il avait été jusque-là assez silencieux. Il dénonce avec violence un nombre imprécis de communistes au sein du département d'État : ses accusations sans preuve, contre les plus hauts responsables démocrates, le général Marshall et surtout Dean Acheson, attirent l'attention des journalistes et du public, alertés par les affaires réelles des mois précédents. Les républicains sont ravis de ces attaques brutales mais efficaces contre les démocrates qui ne parviennent pas à se disculper, puisque McCarthy relance toujours les accusations. Après 1952, il devient président de la commission des affaires gouvernementales, où des documentalistes et des assistants travaillent pour lui ; il porte toujours une valise pleine de documents, qu'il ne montre que de loin.

Alors que la guerre de Corée traîne en longueur, bien des Américains se reconnaissent dans le ton populaire de McCarthy, dans sa hargne vulgaire contre un gouvernement incapable de gagner ou de mettre un terme aux combats. McCarthy n'est pourtant ni un grand orateur, ni un meneur d'hommes, il ne tient jamais de meeting de masse ; il n'a aucun programme, aucune organisation politique qui lui soit propre et ne cherche pas à en créer une, il se contente de l'appui discret et efficace du parti républicain, qui le tolère comme brûlot lancé contre les démocrates. En revanche, il a très bien compris le rôle capital de la radio : il attire l'auditeur par le spectaculaire, le captive par des secrets dont personne n'exige la preuve et promet une révélation encore plus spectaculaire pour le prochain épisode. Il joue volontiers le rôle du méchant et use avec un certain talent d'un thème qui rencontre déjà un large écho dans le pays.

Soutenus par les attaques de McCarthy, les divers groupes qui luttent contre le communisme accentuent leur pression sur les autorités qui finissent par céder : quelques centaines de professeurs et d'employés municipaux sont licenciés, plus de 2 500 fonctionnaires sont chassés pour déloyauté et environ 12 000 préfèrent démissionner qu'accepter cette ambiance délétère. Après les élections de 1952, McCarthy voit son influence croître avec les moyens d'un parti devenu majoritaire : il attire d'ailleurs dans son sillage un assez grand nombre de jeunes élus, comme Robert Kennedy désireux de participer à l'action. La commission pratique l'épuration des bibliothèques des centres culturels à l'étranger, jusqu'à l'autodafé d'ouvrages suspects.

Le climat détestable de cette « chasse aux sorcières » contribue incontestablement à la décision de Truman, au plus bas dans les sondages en raison de la Corée et des scandales frappant des démocrates depuis longtemps au pouvoir, de ne pas se représenter en 1952. Cette fois, les républicains peuvent gagner, ils ont sapé le moral de leurs adversaires et choisi comme candidat l'un des Américains les plus connus et les plus populaires : le général Dwight Eisenhower, chef d'État-major de la victoire en Europe, qui s'est adjoint comme candidat à la vice-présidence le jeune Richard Nixon, connu pour sa ferveur anti-communiste et sa participation à la HUAC. En face, l'intellectuel Adlai Stevenson incarne un parti démocrate dont beaucoup sont lassés. Avec 34 millions de voix contre 27, Eisenhower remporte une incontestable victoire et les républicains reprennent de justesse le contrôle du Congrès. Fort de son prestige militaire, le nouveau président parvient à obtenir le cessez-le-feu en Corée sans pouvoir être suspecté de mollesse face à l'ennemi.

Dans ce nouveau contexte, McCarthy s'avère beaucoup moins utile. Pourtant, le sénateur a si bien réussi qu'il tient à perpétuer le pouvoir dont il dispose et qui l'enivre : il poursuit des interrogatoires de suspects avec sa brutalité coutumière. Les méthodes de McCarthy finissent par révulser nombre d'Américains et nombre de voix se lèvent contre lui, contre la bassesse démagogique du débat ; ils doivent, pourtant, prendre des précautions, ne pas attaquer le personnage de front, évoquer ses méthodes sans chercher de preuves. En effet, une incontestable majorité a baigné dans cet anti-communisme hystérique et parfois absurde, McCarthy est très populaire chez les républicains et chez les Catholiques, les enquêtes d'opinion lui attribuent plus de la moitié de sympathisants au sein de ces groupes, mais il rallie également les démocrates les plus conservateurs, et des Protestants. McCarthy martèle des thèmes familiers, affirme grossièrement des certitudes largement partagées. Cela explique le zèle mis à dénoncer des collègues, à refuser le drapeau rouge ou les mentions relatives à l'URSS dans les ouvrages, à surveiller les agissements des voisins, à scruter les opinions de ceux qu'on embauche. Une sorte de frénésie parcourt l'Amérique car les revers subis ou perçus comme tels doivent avoir une cause commune : le communisme doté de moyens surhumains devient l'universel bouc émissaire, et l'anti-communisme consolide le consensus américain. Puis, les démocrates étant battus, il décide de s'attaquer à l'armée, dénonçant sa faiblesse contre le communisme, puisqu'elle n'a pas gagné en Corée. Eisenhower ne peut accepter cette attaque contre ses pairs qui rejaillit sur lui : McCarthy devient gênant pour le gouvernement, il n'est plus possible de le tolérer. Lors de débats de sa commission au printemps de 1954, télévisés en direct sur les conseils judicieux de Lyndon Johnson chef de la minorité démocrate, les méthodes douteuses et l'autoritarisme de cet homme vulgaire, au physique ingrat, souvent mal habillé, choquent les Américains : il se montre impérieux et brutal avec les subalternes, mais d'une servilité malsaine envers les puissants. En quelques semaines, Joseph Welch, l'avocat très subtil engagé par le Pentagone, montre que ses accusations reposent sur du vide. Le sénateur du Wisconsin perd une grande partie de son influence directe : en 1954, ses pairs lui adressent un blâme, il meurt dans la misère en 1957.

L'anticommunisme dans les cœurs

Les conséquences durables de ces sentiments catalysés par McCarthy se situent aux niveaux intérieur et international. Le premier est le plus important car McCarthy s'intéresse peu à l'étranger : pour lui, le mal est d'autant plus pernicieux qu'il est interne. Des mesures sont prises pour affaiblir le parti communiste pénétré par le FBI : il passe de 80 000 à 25 000 membres, ses sympathisants sont exclus des syndicats et des autres milieux où il pouvait s'en trouver. Pour se prémunir contre la contagion extérieure, la loi McCarran de 1950 réglemente étroitement l'immigration : les communistes ou leurs « compagnons de route » se voient refuser leur visa, ainsi le jeune Yves Montand. Dans ce contexte, nombreux sont les écrivains, les journalistes, les metteurs en scène à pratiquer l'autocensure pour ne pas éveiller les soupçons. Il ne s'agit pas de fascisme, comme le pensent beaucoup d'Européens de l'époque – les États-Unis n'ont pas la rage comme l'affirme Jean-Paul Sartre –, et il n'y pas l'émergence ni d'un leader charismatique ni d'un parti unique, mais le conformisme conservateur a été renforcé pendant quelques années et en partie renouvelé, la justice et la démocratie ont montré leur visage le plus indigne, mais elles n'ont pas disparu, mais, avec le temps, le retour aux valeurs s'effectue. Ce climat particulier marque durablement la société américaine et ressurgit en d'autres occasions, sans jamais pourtant, qu'apparaisse un autre McCarthy. La peur que ce médiocre personnage a diffusée dans le pays se manifeste également dans le domaine international, car elle ne quitte plus les dirigeants américains, alors que l'opinion, qui se soucie assez peu des pays étrangers, suit sans état d'âme. En effet, la campagne stridente de McCarthy contre Truman et Acheson, provoque leurs réactions maladroites et aboutit à un paradoxe. Elle réussit à faire passer le successeur de Roosevelt pour mou à l'égard du communisme, alors même que les historiens révisionnistes lui reprocheront, dix ans plus tard, d'avoir provoqué la guerre froide par son sectarisme. Par contraste, Eisenhower est préservé de toute critique, même quand sa réussite n'est pas éclatante. De leur côté, ses successeurs démocrates, John F. Kennedy et Lyndon B. Johnson, portent comme un boulet la dénonciation maccarthyste et une partie de leur politique consiste justement à éviter d'être accusés de mollesse à l'égard des pays communistes, craignant toujours le retour du climat empoisonné de cette période.

La fin de la guerre de Corée et la stabilisation en Europe semblent fournir la preuve de la réussite de la politique menée par les États-Unis. Pourtant, la réalité est plus complexe.

La géographie de la guerre froide

Afin de contrer un danger communiste jugé menaçant partout, les États-Unis mettent au point une défense différente suivant qu'il s'agisse d'une zone asiatique, de l'Europe ou du continent américain.

La réussite apparente de l'OTAN, puisque l'URSS n'a pas attaqué l'Europe occidentale, comme beaucoup d'Européens le redoutaient, conduit les États-Unis à multiplier des alliances similaires. En quelques années, le « Monde libre » est ainsi maillé par une série de traités ; les États-Unis, qui durant toute leur histoire s'étaient méfiés des alliances contraignantes, les jugent désormais indispensables pour assurer partout l'endiguement.

- Dès l'été 1951, en raison de la guerre de Corée, les Américains concluent des traités d'alliance avec les Philippines et surtout le Japon qui leur sert de base arrière, puis constituent l'ANZUS avec l'Australie et la Nouvelle-Zélande.
- En 1954, l'OTASE est créé – équivalent apparent de l'OTAN pour l'Asie du Sud-Est – regroupant les États-Unis, la France, la Grande-Bretagne, l'Australie, la Nouvelle-Zélande, le Pakistan, la Thaïlande, avec des clauses pour le Vietnam, le Laos et le Cambodge ; les Américains ont d'ailleurs mis à la tête du Vietnam du Sud un de leurs fidèles, Ngô Dinh Diem, pour lutter contre le voisin du Nord communiste.
- En 1955, le CENTO rassemble la Turquie, l'Iran, l'Irak, le Pakistan, la Grande-Bretagne et les États-Unis.
- À ces grands ensembles, s'ajoutent divers ententes bilatérales avec la Corée ou la Chine de Taïwan.

Ces alliances font croire que les États-Unis peuvent ainsi contrôler une grande partie du monde. En fait, contrairement à l'OTAN voulue par les pays membres d'un niveau de développement comparable, les autres traités sont des regroupements de circonstance de régimes instables et nullement démocratiques qui attendent beaucoup des États-Unis, mais sans partager leurs conceptions, sans croire nécessairement dans la nécessité de l'endiguement. D'ailleurs, à l'exception d'un débarquement des *Marines* au Liban en 1958, ces diverses alliances n'empêchent ni les monarchies de tomber aux mains de dictateurs, ni chaque pays de mener sa propre politique et, dès que les problèmes surgissent, ces fragiles arrangements subissent de très forts ébranlements.

Depuis la fin du XIXe siècle, les Américains ont l'habitude d'exercer un contrôle sourcilleux sur la stabilité des petits pays d'Amérique centrale, un peu plus souple sur ceux d'Amérique latine. Ce souci ancien est ravivé par la guerre froide ; en effet, sans qu'aucune menace communiste ne pèse sur aucun de ces pays, les États-Unis vont assimiler toute velléité de réforme de régimes souvent autocratiques à une entreprise de subversion communiste. C'est ainsi que peu satisfaite de l'efficacité de l'Organisation des États Américains qui lie ces pays aux États-Unis pour leur défense, la CIA n'hésite pas à intervenir au Guatemala en 1954 pour renverser le colonel Arbenz qui menace les intérêts d'*United Fruit*, propriétaire d'une grande proportion des terres du pays. C'est ainsi, que les Américains tolèrent pendant des années le régime Batista, dictatorial et corrompu, à Cuba, où ils possèdent les plantations de sucre et les établissements de jeux et les bordels de La Havane. Ils ne prennent pas garde à la montée du mécontentement et, en 1959, la prise du pouvoir par Fidel Castro est vite considérée comme une victoire communiste, d'autant moins tolérable qu'elle intervient dans une île très proche des États-Unis.

Comme l'a reconnu en 1991 un responsable important du Département d'État, jauger les problèmes du continent américain en fonction de la guerre froide a sans doute été une erreur, car cela a eu des conséquences déplorables sur les populations sans consolider la démocratie ; mais l'ambiance de l'époque explique cette dérive regrettable qui a souvent contribué au maintien de dictatures dans la région.

Les limites de l'endiguement

Les alliances périphériques ne font pas négliger l'ennemi principal qu'est l'URSS. En effet, Foster Dulles, secrétaire d'État du président Eisenhower, veut marquer nettement la différence avec les démocrates honnis. Pour lui, l'endiguement est débilitant, sans espoir de succès tangible et, tout en le poursuivant, il évoque fréquemment le nécessaire refoulement du communisme hors de ses conquêtes de l'après-guerre. L'idée peut être exaltante, mais elle est impossible à mettre en œuvre puisqu'il faudrait prendre le risque d'affronter les troupes soviétiques stationnées dans ces pays constituant le bloc soviétique, ce qui est exclu dans le contexte de la guerre froide. Aussi, Dulles se contente-t-il d'une rhétorique du refoulement sans jamais se décider à la mettre en œuvre et le président Eisenhower, moins passif qu'on ne l'a souvent dit, a tiré la leçon de la Corée et se refuse à envoyer des *GIs* combattre à l'étranger : militaire de carrière, il tient d'autant plus à éviter une mainmise de l'État-major sur la politique qu'il est persuadé que la guerre froide ne se gagnera pas par les armes. En 1960, au moment où il quitte le pouvoir, il dénonce même le « complexe militaro-industriel » qui s'est constitué durant ces années de conflits plus ou moins larvés, et à la construction duquel il a contribué, car il pèserait excessivement sur les décisions politiques.

Ce contexte particulier explique que la CIA puisse mettre fin en 1953 à l'expérience socialisante du docteur Mossadegh en Iran, au profit du jeune Shah – les Soviétiques ne sont pas présents dans le pays –, mais qu'Eisenhower et les généraux refusent d'utiliser l'arme atomique, comme le demande le gouvernement français en mai 1954 pour éviter la défaite de Dien Bien Phû. En octobre 1956, la même politique de prudence explique qu'aucune aide n'ait été fournie aux insurgés de Budapest, qui, après avoir écouté Dulles et « Radio Free Europe », étaient persuadés d'un renfort américain ; pour compenser, les quotas d'immigration seront assouplis en faveur de ces Hongrois, victimes emblématiques de la répression communiste.

La mort de Staline en mars 1953 provoque une relative détente et les rapports américano-soviétiques ne se dirigent plus vers l'affrontement direct. La période de suprématie nucléaire des États-Unis s'est achevée quand les Soviétiques ont développé un arsenal stratégique composé de fusées apparemment équivalentes à celles de leurs adversaires. De ce fait, la doctrine de représailles massives confiée au *Strategic Air Command*, en cas d'attaque adverse ne se justifie plus, elle fait courir le risque d'une riposte redoutable. Aussi des négociations doivent nécessairement s'engager entre les Deux Grands.

Une première détente ?

Les premiers contacts ont lieu à Genève en 1955, et bien que la course aux armements ne soit pas ralentie, les risques d'une Troisième Guerre mondiale s'éloignent. La preuve en est donnée en octobre 1956, quand Eisenhower et Khrouchtchev se mettent d'accord pour mettre fin à l'opération franco-anglo-israélienne, qui avait, entre autres buts, l'élimination de Nasser après la nationalisation du canal de Suez.

Ces progrès ne signifient pas que les tensions aient disparu, la guerre froide rebondit rapidement tant est grande la méfiance entre les Deux Grands, chacun cherchant à tirer parti des faiblesses de l'autre. Alors que les Soviétiques s'opposent au contrôle de leurs armements par les airs, le lancement réussi du premier satellite artificiel le Spoutnik, le 4 octobre 1957, provoque une vague d'angoisse aux États-Unis : l'enseignement des sciences est renforcé dans les écoles, ainsi que le développement des études d'ingénieur, des crédits sont alloués aux armements nouveaux ; les ouvrages détaillant la réussite soviétique deviennent des succès. Khrouchtchev en profite pour vanter la force de son pays, garantie par des fusées imparables. En fait, les Soviétiques ne disposent pas d'une véritable avance technologique sur les Américains : leurs fusées sont plus frustes, mais momentanément plus efficaces ; or la crainte engendrée par la guerre froide est si vive que les Américains sont convaincus de leur faiblesse, prêts à succomber à une quelconque offensive de l'adversaire. La frénésie de l'opinion contraste avec le calme du président ; les journaux dénoncent le « missile gap » et l'avantage dont disposeraient les Soviétiques. Eisenhower a toutes les informations sur les forces soviétiques grâce à la CIA et aux avions espions U2 qui survolent à haute altitude le territoire de l'URSS : elles ne sont guère inquiétantes et ne signalent aucune mobilisation soviétique particulière. La guerre froide se transforme en concurrence constante entre les Deux Grands ; le symbole de cette nouvelle situation est fourni par la pittoresque visite de Khrouchtchev aux États-Unis en septembre 1959. Le secrétaire général du PC de l'URSS se montre chaleureux tout en vantant de façon extravagante les réussites économiques ou techniques de son pays, et en promettant un rattrapage rapide du niveau de vie des Soviétiques ; lors de cette visite, le vice-président Nixon se frotte avec stupeur à son ennemi préféré.

Cette détente relative n'exclut ni la fermeté ni les manœuvres qui visent à déstabiliser l'adversaire. Les Américains et les alliés s'opposent avec la plus grande vigueur à la tentative soviétique de modifier le statut de Berlin en 1958 au profit de la RDA, pour freiner le départ massif des réfugiés vers l'Ouest. La conférence des Quatre Grands qui se tient à Paris en 1960 est, en revanche torpillée quand Khrouchtchev annonce spectaculairement qu'un avion U2 a été abattu au-dessus de l'URSS : Eisenhower nie tout dans un premier temps, avant d'être placé devant des preuves irréfutables, mais il refuse de faire des excuses, ce qui immédiatement tend l'atmosphère de la conférence, qui est interrompue.

À l'aube des années 1960, les États-Unis restent imprégnés par la mentalité de la guerre froide. Sur le plan international, la politique d'endiguement semble avoir évité tout conflit majeur depuis la fin de la guerre de Corée. Toutefois, l'URSS est désormais un partenaire à part égale, assurée de ses possessions européennes, mais son influence est redoutée partout dans le monde. Aussi, loin de limiter l'engagement des Américains, cette situation, dont ils exagèrent volontiers les effets, les contraint à une vigilance permanente, assurée par le maintien en vol permanent des B 52 chargés de bombes atomiques, par les soldats ou les agents des services secrets dans les jungles philippine ou vietnamienne ou par les bases disséminées dans une grande partie du monde.

La tension de la guerre froide se manifeste également dans l'esprit des Américains. Les réactions violentes apparues lors du maccarthysme ou lors du lancement du Spoutnik soviétique sont la preuve d'une angoisse profonde ; celle-ci est peut-être la contrepartie de la puissance du pays, mais elle nourrit un anticommunisme qui constitue un ingrédient durable des valeurs américaines. Ces années 1950 sont aussi celles d'une vie prospère et paisible pour la plupart des Américains, que bien des peuples de la terre leur envient.

Un niveau de vie sans rival

Le paroxysme de la guerre froide s'accompagne de l'apogée des États-Unis pour la façon de vivre, pour une réussite multiforme : les films des années 1950 ont marqué les cinéphiles et les habitudes de consommation devenues usuelles dans l'Europe à partir des années 1970 sont apparues en Amérique dans cette période. Cette réussite économique accompagne étrangement l'angoisse anticommuniste que nous avons décrite ci-dessus : alors que les Américains ne sont menacés par aucune atteinte à leur niveau de vie, que la croissance économique est même « vertueuse », ils semblent en refuser la réalité, comme si ce calme prospère n'était qu'un leurre.

Une démographie favorable

La natalité a repris sa croissance à partir de 1943, avant même que la guerre ne soit entrée dans sa phase finale – elle n'a pas cessé jusqu'en 1962-1963, signe d'une tendance durable. Le taux de natalité moyen des années 1950 se situe à 24,5 ‰ et atteint encore 23,7 ‰ en 1960. Les familles ont en moyenne trois ou quatre enfants, qu'elles soient rurales ou urbaines.

La mortalité ne bouge plus guère jusqu'aux années 1970, aux environs de 9,6 ‰, et l'immigration reste étroitement contrôlée avec environ 250 000 entrées par an.

La croissance naturelle explique donc 90 % de l'accroissement de la population : elle est nettement supérieure à celle des pays européens. En 1960, le total de la population dépasse les 180 millions d'habitants.

Ces données globales dissimulent de profondes différences suivant l'origine sociale et régionale : l'état de santé d'un tiers de la population, dans les zones défavorisées des Appalaches comme dans les régions à majorité noire, laisse à désirer avec une forte natalité infantile et des régimes alimentaires déséquilibrés. L'absence d'un système universel de sécurité sociale, que le président Truman n'a pas réussi à faire passer, en raison de la force du lobby médical, explique la sous-médicalisation des régions reculées ou des quartiers pauvres où l'espérance de vie est nettement inférieure à la moyenne : la population noire a une espérance de vie de 60 ans en 1950, alors que celle des Blancs dépasse 69 ans et, si dix ans plus tard, l'écart s'est légèrement réduit, il se situe encore à sept ans.

En dépit de ces importantes différences, les années 1950 sont bien celles du baby-boom, des générations abondantes, sans que s'explique aisément la pérennité de cette tendance, qui dure environ 20 ans. L'effet de compensation après la période de la crise et de la guerre est incontestable, renforcé par l'optimisme économique dominant, voire par une volonté inconsciente de bien se placer dans la concurrence avec l'Union soviétique. L'arrivée d'environ 3 millions de jeunes chaque année constitue une opportunité pour les industriels qui sont ainsi assurés d'une croissance régulière du marché. Cela amène également à prêter particulièrement attention aux goûts des enfants en tant que nouveaux consommateurs car ils disposent d'un réel pouvoir d'achat, assuré par la libéralisation progressive de l'éducation. Le livre du docteur Benjamin Spock, *Livre du bon sens pour le soin du bébé et de l'enfant,* dont la première édition date de 1944, explique la nécessité d'une grande tolérance des parents envers leur progéniture ; en 25 ans, il se vend à plus de 22 millions d'exemplaires et est accompagné par des programmes de radio et de télévision ; le règne de l'enfant-roi en est d'autant plus consolidé.

La croissance économique

De 1950 au début des années 1970, l'économie américaine connaît une croissance soutenue, impressionnante plus par sa durée que par son rythme. Le produit national brut, qui atteint 260 milliards de dollars courants en 1950, frôle les 1 000 milliards vingt ans plus tard, soit une augmentation annuelle de l'ordre de 2,8 %. Cette croissance n'est pas uniforme, plus timide dans les années 1950 que dans la décennie suivante et marquée par des périodes de récession, comme en 1953-1954 à la fin de la guerre de Corée ou en 1959-1960 au moment de l'élection présidentielle, mais celles-ci restent suffisamment brèves et ne laissent pas de mauvais souvenirs. D'autre part, la croissance américaine de ces années, impressionnante en volume, est inférieure à celle du Japon, de la RFA ou de la France, qui sont encore sous l'effet de la reconstruction.

En dépit de ces nuances, l'économie américaine bénéficie toujours d'une position largement dominante dans le monde, renforcée par la prééminence du dollar dont la valeur en or, fixée en 1934, n'est pas modifiée avant 1971. Durant cette période, les États-Unis conservent une balance commerciale bénéficiaire ; en revanche à partir de 1958, leur balance des paiements est régulièrement déficitaire, du fait de la multiplication des investissements à l'étranger et du gonflement des dépenses militaires. Enfin, jusqu'à la fin des années 1960, l'augmentation des prix reste modérée, parallèle et légèrement inférieure à celle du PNB.

La stabilité de la croissance s'explique par la composition du PNB, ainsi en 1960 :

- 64,5 % viennent de la consommation des ménages
- 22 % des achats de biens et services par les gouvernements fédéral et locaux
- 13,5 % des investissements intérieurs.

Sans investir autant que les autres pays industrialisés, l'économie américaine se définit désormais comme une économie de consommation. Cette dernière est soutenue par le maintien d'un plein-emploi relatif, puisque le chômage se stabilise aux environs de 5 % de la population active : la création d'emplois est constante, équivalente ou même supérieure au nombre de jeunes et de femmes qui arrivent sur le marché du travail. Ces dernières, qui représentent 28 % de la force de travail en 1947, en forment plus du tiers vingt ans plus tard et cette tendance se poursuit dans les années suivantes. En dépit des considérables différences de revenus au sein de la population, ces données globales donnent une idée de la stabilité de l'essor économique. Celle-ci est le résultat de l'évolution de la politique keynésienne, qui afin d'assurer la croissance, s'est tournée dès la fin du *New Deal* vers les garanties données au peuple des consommateurs.

Les structures économiques ont considérablement évolué pour aboutir à une telle croissance. Les États-Unis des années 1950 semblent renouer avec la croissance des années 1920, pourtant la situation est sensiblement différente, car le temps n'est pas à une spéculation effrénée.

- L'industrie, symbolisée par des produits-phares comme l'automobile ou les appareils ménagers, reste essentielle, mais elle ne représente qu'une part réduite du PNB : environ 20 %

durant toute la période et la main-d'œuvre industrielle, qui se situe à 35 % de la population active en 1950, décline régulièrement depuis.

• La part de l'agriculture passe de 12 à 8 % du PNB en vingt ans et la baisse des emplois suit une courbe équivalente, puisque plus de 730 000 personnes quittent chaque année les fermes dont le nombre diminue de moitié. La production agricole reste constante grâce à de considérables progrès de productivité sur des propriétés plus grandes aux mains souvent de l'industrie agroalimentaire.

• Les services connaissent une progression constante : ils passent de 58 % à 62 % du PNB entre 1950 et 1970 et donnent de l'emploi à un nombre grandissant d'Américains, près des deux tiers à la fin de période. Ce sont des fonctionnaires en plus grand nombre, des avocats, des juristes et des enseignants, des commerçants ou des professionnels de la publicité et du spectacle. L'essor du secteur tertiaire correspond bien à cette économie de consommation qui caractérise plus que jamais le pays. Les centres commerciaux en dehors des villes avec leurs immenses parkings, constituent le paradis des consommateurs ; ils étonnent les visiteurs européens, qui n'ont alors rien de semblable.

Une telle répartition de l'activité a des conséquences sur le plan régional : les grandes régions industrielles du nord-est réunissent toujours une part importante de la main-d'œuvre, mais la Californie, le Texas et la Floride se développent très rapidement grâce au pétrole et aux industries aéronautique et cinématographique ; il s'agit du début d'une évolution qui assure le succès des régions périphériques et ensoleillées.

« Ce qui est bon pour les États-Unis est bon pour General Motors et vice et versa. » Cette formule célèbre rend bien compte de l'état d'esprit qui règne dans le pays dans les années 1950. Les patrons idéalisés durant la prospérité des années 1920, avaient été déconsidérés à la suite de la crise de 1929 ; la guerre et surtout la croissance des années qui suivent redonnent leur prestige aux entreprises plus qu'aux patrons eux-mêmes.

Comme durant d'autres périodes de prospérité, la concentration industrielle et financière s'accélère. En 1958, la production des 200 plus grandes entreprises représente 38 % de la production industrielle totale et cette proportion ne cesse de croître. Le succès de ces trusts, desquels dépendent des milliers de petites entreprises sous-traitantes, repose sur des principes de gestion rigoureuse. La firme doit se concentrer sur une activité et s'y perfectionner. La direction et les cadres – tous salariés – sont issus des meilleures universités, qui ont toutes mises sur pied des études de *management* dans les *business schools*. La gestion est décentralisée au sein d'unités autonomes et la part du budget consacré à la recherche et au développement ne cesse de croître, plus rapidement que dans les autres pays industrialisés. Cette entreprise parfaite, qui s'autofinance grâce à ses profits, sert de modèle aux Européens : de nombreux étudiants viennent passer quelques mois aux États-Unis ; des ingénieurs ou cadres commerciaux sont attirés par les hauts salaires et la souplesse des formalités d'embauche ainsi que par les chances de promotion. Les grandes entreprises américaines drainent ainsi des cerveaux, s'assurant le service de gens déjà formés, au détriment de leurs pays d'origine, surtout en voie de développement.

Grâce aux profits accumulés et au rôle international du dollar, ces entreprises investissent également à l'étranger : dans la production de matières premières dans les pays en voie de développement surtout dans le continent américain mais aussi en Arabie Saoudite pour ses ressources pétrolières, dans la fabrication et la vente de produits qui ont connu le succès sur le marché américain, dans les pays riches et surtout en Europe où existe un large marché de consommateurs. Des filiales de Ford ou d'IBM, sont ainsi créées en France ou en Grande-Bretagne, elles apparaissent comme des entreprises de pointe avec leur technologie moderne et leur gestion modèle.

Les intellectuels étrangers, surtout européens, dénoncent parfois les méfaits de l'empire américain, comme lors du plan Marshall ou de l'éviction d'Arbenz au Guatemala ; mais le succès remarquable de l'économie ne suscite pas d'opposition parmi les Américains. Le mouvement antitrust, qui avait accompagné les premières phases de concentration, ne renaît pas et l'opinion est, dans son ensemble, persuadée de bénéficier de la dynamique de la croissance, grâce aux emplois qu'elle suscite et à la spirale du renouvellement constant des produits. Les entreprises se soucient toujours plus de la commercialisation et de la publicité nécessaire pour l'assurer. Dans ce contexte, les Américains ne redoutent plus un retour de la crise d'avant-guerre ; la croissance semble durable et protégée par les garde-fous mis en place par le gouvernement.

Le rôle de l'État

Les États-Unis des années 1950 ne sont plus dans l'ère du laisser-faire qui a caractérisé leur XIXe siècle. L'État fédéral et, dans une moindre mesure, les États sont de plus en plus présents dans l'économie. Les mécanismes de la législation anti-trust (loi Clayton de 1913 améliorée en 1950) agissent pour éviter les positions de monopole : en 1957, Dupont de Nemours doit abandonner sa participation dans General Motors qui lui assurait le contrôle absolu des ventes de certains de ses produits. L'État dispose également d'autres formes de réglementation pour la bourse, la radio et la télévision et les transports entre États. Il intervient directement en garantissant le revenu des agriculteurs, en subventionnant les stocks et, en 1969, le cinquième du produit agricole est assuré par les paiements directs de l'État. De plus, l'État finance directement la moitié des recherches de développement, et la quasi-totalité dans celles concernant la défense : les commandes militaires représentent 10 % du PNB et donnent de l'emploi à plus de 20 % des ouvriers, assurant aux industries spécialisées des contrats confortables. Par ailleurs, le président Eisenhower, tout en freinant parfois l'intervention de l'État dans certains projets créés par les démocrates (contrôle des gisements pétroliers immergés, construction de barrages) n'hésite pas à lancer en 1956, après avoir vaincu les résistances du Congrès, un programme de construction de 65 000 kilomètres d'autoroutes fédérales, qui, à terme, mailleront la totalité du territoire. Le programme, achevé 5 ans plus tard, a procuré du travail à des milliers de firmes, à des millions d'hommes, tout en désenclavant les régions et en facilitant la circulation des hommes et des produits.

Contribuent aussi à la croissance les salaires versés aux 6,6 millions de fonctionnaires civils – tant fédéraux que locaux – et les dépenses de sécurité sociale – limitée aux pensions, à l'allocation-chômage et à l'aide à certains groupes particulièrement défavorisés –, l'évolution depuis le *New Deal* a donné un coup de vieux au concept d'état minimum souhaité par de rares idéologues du parti républicain.

Par son poids relatif, comme par son rôle naturel de fixation des taux d'intérêt – par l'intermédiaire du Système de réserve fédérale –, l'État américain est un acteur essentiel de la vie économique. D'ailleurs, le président est entouré depuis 1947 d'un Conseil des experts économiques qui lui fournit des avis pour orienter ses choix en fonction de la conjoncture, ainsi que d'organismes qui lui permettent de moduler son action.

Dans ses conditions, un économiste comme John K. Galbraith a pu parler avec succès d'un néo-capitalisme, dans lequel l'État est largement associé à l'économie sans qu'il y ait opposition ou conflit. D'ailleurs, les hommes d'affaires tirent parti au mieux de la situation – dont quelques-uns feignent de se plaindre – et obtiennent des contrats favorables en négociant des exemptions à la règle ; cette entente assure la croissance et gomme les à-coups de la conjoncture. Les présidents sont d'ailleurs entourés par d'influents chefs d'entreprise, et certains deviennent ministres, comme Charles Wilson de General Motors, auprès de Eisenhower.

Une telle euphorie économique n'empêche pas les inquiétudes des salariés devant la puissance des patrons, des petites entreprises rachetées par de plus grosses, de certains groupes de consommateurs devant le mépris des règles de sécurité. Toutefois, l'optimisme reste dominant et chacun tient à profiter des bienfaits de la croissance.

L'*American Way of Life* se met en place dans les années 1950 et une nette majorité de la société en bénéficie et, en dépit de profondes modifications, elle reste toujours l'objectif à atteindre.

Les différences sociales

Les années de guerre et l'intervention sociale de l'État n'ont pas fait disparaître la pauvreté : en 1945 comme en 1960, environ 22 % d'Américains sont considérés comme pauvres, ce qui signifie qu'ils consacrent un tiers de leurs revenus à la seule alimentation. Ce chiffre marque un progrès par rapport à la situation issue de la crise de 1929 et à celle du XIXe siècle ; il recouvre, toutefois, de considérables différences : Noirs et Indiens sont particulièrement touchés, puisque les premiers ont trois fois plus de risques d'être pauvres que les Blancs, mais aussi certaines populations blanches de régions reculées. Ces gens-là sont frappés par le chômage, ne bénéficient guère de couverture sociale et connaissent des problèmes d'alphabétisation et d'insuffisance alimentaire. Bien que la proportion de pauvres ne change pas avant les années 1960, les perspectives de plein-emploi et la prospérité les font oublier : ils devraient à leur tour bénéficier de l'amélioration générale des conditions sans qu'il apparaisse nécessaire de prendre des mesures spécifiques pour les aider.

La majorité des Américains – plus de 50 % durant cette période – appartiennent à une vaste classe moyenne. Les limites de ce groupe sont floues ; fixées le plus souvent à partir d'un certain niveau de revenus, elles englobent aussi bien des ouvriers qualifiés, que des employés – dénommés « cols blancs » – ainsi que tous les cadres, les professions libérales et autres. Il est significatif que plus de 60 % des Américains disent appartenir à cette classe moyenne, même si ce n'est pas le cas. Au-dessous de ce groupe, se trouve celui des ouvriers qui cherchent à s'en rapprocher, soit environ 20 % de la population active. Au-dessus, un peu plus de 6 % de gens constituent clairement une classe supérieure : en 1962, 2 % des Américains possèdent 43 % des biens, alors que les 38 %, appartenant à la classe moyenne, en détiennent la moitié, quand les 25 % restants n'ont aucune propriété.

En dépit ce ces profondes inégalités, dont peu de monde se soucie, le mode de vie de la classe moyenne constitue le véritable noyau central de la société, attirant ceux qui en sont exclus et dont seule une petite minorité s'écarte pour l'améliorer.

Depuis la fin du XIXe siècle, un certain nombre de citadins ont fui les centres des villes pour s'installer dans les campagnes proches. Un tel mouvement s'est accéléré durant la prospérité des années 1920, mais c'est après1945 qu'il s'est généralisé en raison de la hausse des revenus. De surcroît, la guerre a interrompu la construction de logements pour lesquels la demande est très forte. Les Américains de la classe moyenne tiennent à devenir propriétaires et à s'installer dans les zones suburbaines. Le gouvernement favorise d'ailleurs l'accession à la propriété qui doit écarter d'éventuelles tentations socialisantes ou communistes. C'est la *Federal Housing Administration* (Agence fédérale du logement) qui accorde des garanties de prêt immobilier à long terme avec apport personnel réduit, à condition qu'il s'agisse de maisons individuelles ; les anciens combattants bénéficient d'avantages semblables par le *GI Bill of Rights* de 1944. Grâce à cette conjonction de volonté et de moyens, 62 % des Américains sont propriétaires de leur logement en 1960. Ces constructions font l'affaire des entreprises de travaux publics et des investisseurs, elles ont lieu pour l'essentiel en banlieue, dont la population augmente de 50 % dans la décennie 1960, alors que la population des centres des villes, où les investissements sont rares, décline.

	1950	1960	1970
Villes	70 %	60 %	54 %
Banlieues	30 %	40 %	46 %

L'*American Way of Life*

Ainsi, le logement typique de l'Américain est-il le plus souvent un pavillon de banlieue dans une zone récemment aménagée avec éclairage, voirie, écoles et commerces pour satisfaire tous les besoins. La plupart des maisons sont identiques, sans volets, flanquées d'un garage et entourés d'un petit jardin sans haies de séparation, dont le type de plantation est strictement réglementé. Les premières maisons de ce type, construites industriellement en séries préfabriquées, ont été proposées par William Levitt en 1947 ; elles sont moins chères que les constructions traditionnelles et correspondent à une demande croissante, mêmes quand les aménagements extérieurs ne sont pas achevés, en dépit de publicités alléchantes.

Si les traits généraux sont identiques, des différences apparaissent suivant le milieu social. Les maisons ouvrières sont plus petites et les jardins réduits au minimum ; les banlieues noires sont rares, homogènes et plus lointaines (seulement 5 % des habitants de la banlieue sont noirs). Au fil des années, apparaissent dans ces banlieues des résidences réservées aux personnes âgées ou aux seuls célibataires : ainsi « Leisure World » en Californie qui regroupe 18 000 personnes de plus de 55 ans.

Le mode de vie des banlieues repose sur la voiture, le confort ménager et la proximité relative de tous les services. Ces zones suburbaines ne sont accessibles qu'en voiture et par les bus de ramassage scolaire : la voirie est prévue à cet effet avec ralentisseurs pour protéger les enfants ; les commerces, comme les bureaux de poste ou les édifices de bureaux, sont entourés de vastes parkings. Les supermarchés deviennent la norme, il en existe 4 000 en 1960 : chariots, abondance des produits, avalanche de nourritures, établissements de restauration rapide comme MacDonald fondé en 1945 ; cette nouvelle forme de distribution est dominée par de grands groupes financiers.

Le confort ménager est essentiel pour attirer des familles dans des endroits lointains des centres-villes ; les femmes au foyer peuvent bénéficier de loisirs et celles de plus en plus nombreuses qui travaillent passent moins de temps dans les travaux quotidiens, auxquels les hommes sont amenés à participer. Les appareils ménagers envahissent ces maisons, devenant aussi indispensables que les voitures, dont il faut souvent deux par famille.

Pourcentage de maisons équipées

	1953	1971
Gros appareils : Aspirateur	54	92
Machine à laver	70	92
Réfrigérateur	82	100
Cuisinière	22	56
Lave-vaisselle	3	26
Petits appareils : Fer à repasser	82	100
Grille-pain	65	93
Cafetière	47	89
Radio	94	100
Télévision	43	99

Source : Michael Bernstein, *The Great Depression*, Cambridge, Cambridge U.P., 1988, p. 176.

Ce confort quotidien généralisé qui masque à première vue les importantes différences de revenus, caractérise autant que la voiture, possédée par les trois quarts des Américains, ce mode de vie exceptionnel.

Dans un tel environnement, les enfants – souvent du même âge en raison du type et de la date d'habitation de ces banlieues – sont très à l'aise, et se retrouvent dans les rues à la vitesse étroitement contrôlée ou dans les sous-sol aménagés de la plupart des maisons, vont ensemble dans les mêmes écoles. Les hommes peuvent bricoler à leur aise, laver leur voiture ou tondre la pelouse ; les femmes qui ne travaillent pas se retrouvent chez l'une ou chez l'autre pour des parties de bridge ou des réunions Tupperware, font des conserves, partent à plusieurs faire leurs courses, connaissent tout de la vie des unes et des autres. Les tâches quotidiennes sont réduites et l'alimentation adaptée à ces conditions de vie ; les invitations réciproques sont fréquentes, les barbecues essentiels, comme tous les produits laitiers conditionnés pour une consommation directe. C'est d'ailleurs en 1954-1956 que les lobbies des industriels de la viande et du lait font adopter leurs produits comme favorables à une bonne hygiène de vie par les autorités sanitaires ; aboutissant à une consommation généralisée dans tout le pays, sans inquiétude pour les excès de calories et de cholestérol qui en résultent.

De nombreux clubs et associations regroupent les gens par affinités : en même temps une manifestation d'une réelle solidarité et celle d'un contrôle social étroit. Les nombreuses églises trouvent, dans cette population souvent jeune et déracinée, de nouveaux adeptes et renforcent la forte religiosité d'une immense majorité d'Américains, puisque près de 70 % d'entre eux disent appartenir à une église en 1970 et veillent à ce que leurs enfants aient une éducation religieuse, soit dans les écoles publiques, soit dans des écoles privées souvent aidées par les municipalités. Toute déviance politique ou sociale est rapidement repérée, d'autant que la généralisation de la télévision tend à homogénéiser les comportements ; les interminables feuilletons populaires – les *Soap Operas* qui peuvent durer plusieurs années – se déroulent souvent dans des banlieues dans lesquelles les téléspectateurs peuvent se reconnaître.

Ce mode de vie, axé sur la consommation et la solidarité, conduit à un conformisme quotidien en raison de l'homogénéité de chaque banlieue et il a suscité de nombreuses controverses. Les sociologues ont étudié cette société organisée dont l'absence de décisions individuelles tranche avec la tradition américaine. Mais, dans l'ensemble, les Américains restent fidèles à une existence qui leur convient si bien, même si elle est parcourue de tensions diverses. Le développement des zones suburbaines aboutit à l'endettement généralisé des familles pour acheter la maison, la voiture et les appareils, ainsi qu'à la stérilisation de nombre de zones rurales fertiles par la multiplication des parkings et à l'engorgement des autoroutes qui les desservent. Un tel mode de vie n'est pas partagé par les habitants des centres-villes, qui ne peuvent bénéficier de ces avantages. Le départ des cadres vers la banlieue réduit la base d'imposition et les services offerts par les villes.

L'*American Way of Life* n'annonce pas les bouleversements des années suivantes, pendant lesquelles elle se poursuit plus ou moins inchangée, mais les contradictions entre cette dernière et les tensions de la guerre froide peuvent se faire sentir dans la culture, qui connaît d'autres développements.

Les divertissements

Le cinéma connaît dans les années qui suivent la guerre une période glorieuse par ses succès, mais bouleversée par la nécessaire adaptation aux besoins de la télévision. En effet, les salles obscures sont situées en ville et elles ferment au fur et à mesure des départs pour la banlieue ; le mouvement est irréversible puisque le nombre d'entrées et de salles baisse de moitié entre 1945 et la fin des années 1950 (en 1963, il ne reste plus que 9 200 cinémas ouverts, sur près de 40 000 au sortir de la guerre). Les grandes entreprises de production ne réalisent pas immédiatement l'ampleur des changements, alors qu'elles ont perdu le contrôle de la diffusion en raison de la lutte contre les trusts. Dans un premier temps, elles veulent freiner ce mouvement avant de composer avec la télévision dont l'essor est irréversible. C'est ainsi que pour suivre les spectateurs, les cinémas en plein air se multiplient à proximité des lotissements, puis des salles sont ouvertes dans les centres commerciaux. Dans le même temps, les films à grand spectacle, sur grand écran et en technicolor, cherchent à se différencier de ce qu'offre la télévision : ils font revivre des périodes spectaculaires de l'histoire ancienne ou de la conquête de l'Ouest. *Les Dix commandements* de Cecil B. De Mille en 1956 ou *Ben Hur* de William Wyler en 1960 voisinent avec *Le train sifflera trois fois* de Fred Zinneman en 1952 ou *West Side Story* de 1957. Les comédies musicales ou policières ont également beaucoup de succès. De plus, les vedettes comme Marilyn Monroe continuent à bénéficier d'une immense popularité. Grâce à de tels films et aux améliorations techniques comme le Cinémascope ou le son Dolby, Hollywood garde son prestige et freine quelque peu l'érosion des spectateurs.

Pourtant, très rapidement, les producteurs fournissent aux chaînes de télévision des films déjà réalisés ou contribuent à la mise au point de téléfilms adaptés au nouveau média ; seul moyen pour maintenir durablement les profits en dépit de la baisse de la fréquentation.

La télévision présente dans près de la moitié des familles, dès le milieu des années 1950, connaît un succès foudroyant. Outre les films, elle permet aux Américains d'accéder au sport en direct ; les compétitions de football ou de baseball, puis de basket sont organisées en fonction des horaires de télévision pour s'assurer d'un public aussi large que possible et permettre les coupures publicitaires, alors que le *soccer* (nom du football aux États-Unis) ne parvient pas à s'imposer avec ses deux longues mi-temps. De plus, les grandes vedettes du cinéma ou de la chanson sont mieux connues du public qui peut même en apprécier de nouvelles comme Elvis Presley. Hollywood a perdu le monopole de la distraction populaire.

Les thèmes transmis par les films et les feuilletons sont dans l'ensemble très conventionnels. Les producteurs conservent jusqu'en 1964 une autocensure rigoureuse, renforcée à la suite des investigations du maccarthysme : tout épisode subversif est supprimé comme toute expression érotique ou toute allusion à la liberté sexuelle. Encore en 1964, une comédie légèrement amorale mais bien sage de Billy Wilder, *Embrasse-moi idiot*, est considérée comme offensant la pudeur. La télévision destinée au plus grand nombre adopte des principes analogues et renforce encore cette pruderie frileuse et conforte le conformisme politique.

Toutefois, dans le même temps et souvent avec difficulté, des réalisateurs abordent les problèmes de leur temps et parviennent à ébranler le conservatisme ambiant. Dans *Sur les quais*, en 1954, qui lance Marlon Brando, Elia Kazan dénonce la corruption des syndicats, tout en utilisant le thème de la délation, fréquente sous McCarthy, *La fureur de vivre* de Nicholas Ray, en 1956, fait découvrir James Dean en évoquant les tourments d'une jeunesse plus révoltée qu'on pourrait le croire.

Le succès du Rock'n roll, issu de la musique noire, est considérable dès le début des années 1950, avec Buddy Holly, John Lee Hooker ou Bill Haley et ses *Comets* en 1955. Rythme brutal, qui tranche avec les accords convenus de la musique d'ambiance aux mélodies simples et sans saveur, et âpreté des paroles répondent aux aspirations des jeunes. Le succès gigantesque d'Elvis Presley à partir de 1955 ne s'explique pas autrement ; ce Blanc, qui chante et se déhanche comme les Noirs, émeut les adolescentes et n'est plus un chanteur de charme traditionnel, s'il reste dans le fond bien respectable.

D'ailleurs, le triomphe d'Elvis « le pelvis » révèle des fissures dans la pudibonderie officielle, qui sont confirmées par le rapport Kinsey sur la sexualité, dont la première version date de 1953 : il révèle un grand nombre d'adultères et de pratiques réprouvées par la morale traditionnelle. Le succès rapide de *Playboy*, créé en 1953 par Hugh Hefner, fournit une autre preuve de mouvements plus ou moins souterrains qui agitent la société des banlieues aseptisées.

Ces jeunes Américains bénéficient d'une scolarité bien supérieure à celle de leurs parents. Les écoles primaires et secondaires, toujours locales, restent inégales – certaines dans le Sud, toutes ségréguées, continuent par exemple à bannir l'enseignement de l'évolution des espèces, comme en 1925 –, mais, peu à peu s'y font jour les principes libéraux du docteur Spock pour favoriser l'épanouissement des enfants. C'est surtout la fréquentation de l'enseignement supérieur – collèges (correspondant au premier cycle) et universités – qui augmente considérablement : le nombre d'étudiants triple par rapport à l'avant-guerre pour atteindre 3,5 millions en 1960, soit plus de 16 % des jeunes Américains. En dépit de la grande diversité des établissements, l'accès aux études supérieures est considéré comme nécessaire pour une réelle promotion, il est facilité par un système de bourses vu son coût ; il suffit de mentionner les souvenirs émus des bénéficiaires du *GI Bill* pour le réaliser, car sans cette loi, ils n'auraient jamais pu accéder à l'enseignement supérieur. Or, pour aller à l'université, les étudiants quittent leur milieu familial ; il se rendent souvent dans une autre région des États-Unis, ce qui leur donne une ouverture extérieure non négligeable et leur permet de se frotter à des idées nouvelles.

L'amélioration de la scolarisation explique également la fréquentation accrue des musées, les succès des orchestres symphoniques, ce qui indique que le conformisme étroit n'est pas général. D'ailleurs, on retrouve dans la littérature des réactions analogues à celles qui parcourent la culture de masse : J. D. Salinger, dont le *Catcher in the Rye (L'attrape-cœur)* de 1951 remporte un grand succès, évoque le difficile sinon impossible passage de l'enfant à l'adulte, alors que Jack Kerouac, *Sur la route* de 1957, choisit l'errance pour fuir une petite communauté villageoise devenue étouffante.

Ces mouvements divers prouvent que la société américaine est parcourue de mouvements divers, bien avant que les hommes politiques ne le comprennent.

Le calme apparent de la vie politique

Ces années de prospérité et d'adaptation de la société américaine, un mode de vie renouvelé se déroulent dans un contexte politique apaisé, après les secousses du maccarthysme. Dwight Eisenhower en est l'incarnation, avant que son successeur ne personnifie une forme de changement.

L'élection du candidat républicain en 1952, accompagnée d'une victoire des républicains au Congrès après vingt ans de majorité démocrate, marque bien la volonté des Américains de répudier Truman et un parti usé par le pouvoir. La volonté de rompre avec le passé semble nette d'autant que le parti de l'Éléphant comporte une majorité conservatrice désireuse d'une revanche, partisane d'un budget strictement équilibré, et méfiante à l'égard des programmes démocrates dont d'autres républicains profitent sans état d'âme.

Pourtant la fin de la guerre de Corée et du maccarthysme, ainsi qu'une amorce de détente avec l'Union soviétique privent les républicains de certains de leurs arguments et les empêchent de mener leur politique. Or, dès les élections de 1954, les démocrates reprennent la majorité du Congrès et la détiennent jusqu'aux années 1980, ce qui coupe court à ces tentations de retour en arrière.

Résultats des élections au Congrès, 1952-1960

	Sénat		Chambre des Représentants	
1952-1954	48 R	47 D + 1	221 R	212 D + 1
1954-1956	48 D	47 R + 1	232 D	203 R
1956-1958	49 D	47 R	232 D	199 R
1958-1960	62 D	34 R	280 D	152 R
1960-1962	65 D	35 R	261 D	176 R

Cette domination démocrate n'empêche nullement Eisenhower d'être facilement réélu en 1956 contre son adversaire de 1952, Adlai Stevenson; il améliore même son score en obtenant 58 % des suffrages contre 42.
Cette cohabitation modère nécessairement les ambitions de la « Vieille garde » du parti et permet au président doté d'une telle légitimité de prendre ses distances. Comme ses inclinations l'y poussent, il va s'appuyer pour faire aboutir ses projets sur la minorité conservatrice du parti démocrate; il mène ainsi une politique du « milieu de la route » qui satisfait les Américains.

D'ailleurs cette période est caractérisée par un affadissement du débat politique, en raison du rejet des idéologies. Le nazisme, le communisme comme l'anticommunisme excessif de McCarthy ont vacciné les Américains contre les idées politiques. Plus de 90 % des citoyens ne sont membres d'aucun parti et n'en financent aucun; en 1954, ils sont 48 % à se reconnaître vaguement démocrates, 27 % républicains et 22 % se déclarent indépendants. Cela montre l'importance de l'abstention, qui atteint 39 % en 1956, même si de bons esprits l'expliquent par la satisfaction d'ensemble des électeurs qui ne jugeraient pas utile d'aller voter; en fait, ce sont les citoyens les moins informés qui constituent la majorité des abstentionnistes. Les intellectuels confirment cette tendance et les historiens, à la suite de Richard Hofstadter, développent une vision très consensuelle du passé de leur pays, écartant les tensions sociales ou raciales; la *Partisan Review*, longtemps marquée à gauche, rejoint également cette analyse et en 1960, le sociologue Daniel Bell a annoncé que la « fin des idéologies » abonde dans le même sens.

Les groupes de pensée conservateurs ou progressistes se trouvent marginalisés, n'ayant l'audience que de petits groupes. Parmi les premiers, William Buckley devra attendre pour que sa *National Review* trouve un large public et, pour les seconds, le philosophe Herbert Marcuse, qui pronostique la disparition des valeurs traditionnelles, ne prêche que devant des cénacles bien réduits à l'université de Californie.

Le président s'identifie à cet état d'esprit. Né en 1890, il a fait une honnête carrière militaire dans l'ombre de Douglas MacArthur avant de se révéler l'artisan de la victoire de 1945. Son prestige est alors au zénith mais il ne manifeste aucune ambition politique, il devient en 1950 premier commandant suprême des forces de l'OTAN et ce n'est qu'à l'approche de l'élection de 1952 que les deux partis vont vers lui. Il se décide pour les républicains, s'affirmant volontiers conservateur. Sa popularité auprès des Américains qui le surnomment Ike vient de la simplicité de ses manières, de son bon sens ainsi de la reconnaissance de ses incontestables talents militaires. Cette sympathie se manifeste en 1956 quand il doit être opéré, d'ailleurs, durant les huit ans de son mandat, les États-Unis ne sont en guerre avec personne et bénéficient de la prospérité.

Traditionnellement, le président a été présenté comme passif, ayant choisi un profil bas, par manque de sens politique. Pourtant, des études récentes prouvent qu'il a joué un rôle réel, sachant faire avancer ses projets, avançant prudemment mais à coup sûr et appliquant des principes militaires pour se reposer sur ses subordonnés tout en prenant seul les décisions finales.

Arrivé au pouvoir avec la volonté de limiter le poids du gouvernement et de réduire les dépenses, il comprend rapidement que la récession qui suit la fin de la guerre de Corée oblige à maintenir les engagements fédéraux à un degré élevé, tant pour les logements sociaux que pour la sécurité sociale. Les élections de 1954 confirment cette orientation et prouvent que les Américains restent largement attachés au *New Deal* et ses acquis. Le président tient compte de ces orientations et crée le ministère de la Santé, de l'Éducation et des Affaires sociales. En fait, les possibilités d'action sur le budget fédéral sont marginales et les différents groupes de pression se font entendre s'ils sentent leurs intérêts menacés : les fermiers obtiennent une meilleure garantie de leurs prix en dépit des promesses électorales du président.

Eisenhower s'indigne de l'extrême conservatisme de certains de ses partisans, mais s'entoure de millionnaires ; surtout, il ne comprend pas l'émergence du mouvement des droits civiques. En effet, le jugement de la Cour suprême de mai 1954, *Brown v. Board of Education of Topeka,* qui abroge la ségrégation scolaire le prend de court. Il n'est pas raciste, mais profondément paternaliste et favorable à l'ordre établi ; pour lui, les ségrégationnistes farouches sont des extrémistes, tout comme, à leurs manières, les militants noirs qui utilisent le boycottage et autres moyens illégaux ; pourquoi vouloir modifier un système racial en place depuis de longues années et qui ne cause pas de grosses vagues ? Lui qui s'est toujours reproché d'avoir nommé Earl Warren, ancien gouverneur de Californie, comme président de la Cour Suprême, ne pouvait comprendre le cheminement de celle-ci vers l'égalité des droits.

Après mai 1954, le président ne prend aucune décision et ne compte pas impliquer le gouvernement fédéral dans le processus de la déségrégation raciale qui se déroule à Birmingham et ailleurs ; en septembre 1957, il ne s'y résout qu'après beaucoup d'hésitations : il faut que le gouverneur l'Arkansas, Orval Faubus refuse de protéger les neuf petites Noires qui veulent s'inscrire à l'école, pour qu'il mobilise la garde nationale et envoie des parachutistes à Little Rock.

Sa prudence intérieure accompagnée d'une sage fermeté à l'extérieur expliquent le maintien de sa popularité durant ses deux mandats, très haute (79 %) au moment de sa réélection, basse lors du Spoutnik (48 %), plus élevée que celles de tous les présidents qui lui succèdent quand il quitte le pouvoir (65 %), à l'exception de John F. Kennedy, hors compétition en raison de son mandat écourté.

Le président a eu la chance de quitter la Maison-Blanche avant que ne se déclenchent les bouleversements de la décennie suivante : la revendication noire est encore sous contrôle et n'a pas connu de véritable accélération après le boycottage des bus de Birmingham en 1955 et l'émergence de Martin L. King ; sur le plan extérieur une amorce de détente se profile, en dépit des incidents liés à l'affaire du U2, et l'engagement en Indochine se limite à des opérations secrètes de la CIA au Laos, alors qu'il n'y a que quelques dizaines de soldats américains au Sud-Vietnam.

À ces deux niveaux, pointent les bouleversements des années suivantes, mais aucun observateur du temps ne pouvait en prévoir l'ampleur.

Chapitre 9

Le tourbillon (1960-1975)

Cette décennie longue correspond à un changement de rythme de l'histoire, particulièrement visible aux États-Unis. Le calme apparent des années 1950, qui a donné naissance à des formes de nostalgie, recouvrait des inégalités sociales majeures et des tensions stratégiques. Ces contradictions éclatent au début de la période, pour provoquer à partir de la revendication des Africains-Américains, un tourbillon d'autres forme de protestations qui s'entretiennent les unes les autres, alors même que l'enchaînement de la guerre du Vietnam plombe les mandats successifs de Lyndon Johnson et de Richard Nixon, jusqu'à déboucher à la démission de ce dernier.

Le mythe de John F. Kennedy

L'assassinat de John F. Kennedy, le 22 novembre 1963, a provoqué une mise en perspective hagiographique de sa présidence interrompue : il aurait pu éviter la guerre au Vietnam et su dessiner pour la nation une noble mission de justice et de prospérité. En réalité, Kennedy a été très habile dans la présentation de sa politique et dans la construction de son personnage, mais l'élection de 1960 ne contenait aucune de ces promesses tonitruantes.

Deux candidats nouveaux ?

Le prestige de Dwight Eisenhower reste considérable à la fin de son mandat. Son bilan est honorable et il s'est félicité d'avoir mené une politique du « milieu de la route ». Les Américains ont retenu le passé glorieux du général, ils apprécient sa personnalité simple de bon grand-père, mais l'homme est profondément conservateur et il n'entraîne pas un enthousiasme parallèle pour le parti républicain. Eisenhower n'a jamais eu d'estime pour Richard Nixon son vice-président depuis 1952 : il le considère comme un politicien sans principe et à l'esprit retors, dépourvu de chaleur humaine et maladroit devant les médias.

Pourtant, Nixon s'impose rapidement comme le meilleur candidat à la présidence au sein du parti républicain : il est encore jeune à 47 ans, mais son expérience politique et ses atouts ont convaincu les militants et l'état-major du parti. L'homme est issu d'une famille de petite bourgeoisie de Californie : son père tient un garage et sa mère, de religion quaker, s'occupe de la petite épicerie adjointe, un de ses frères est mort de tuberculose en 1933. Il fait des études de droit dans une université sans prestige, le collège de Whittier, et se lance dans la politique locale aux lendemains de la Seconde Guerre mondiale. Richard Nixon bâtit sa carrière sur l'anticommunisme : jeune représentant élu en 1946, il participe activement à la commission des activités non américaines qui enquête à Hollywood, et en 1948 s'y fait remarquer par sa virulence contre Alger Hiss. Il se fait élire en 1950 comme sénateur de Californie en insinuant faussement que la candidate démocrate sortante était protocommuniste ; il déteste la presse et méprise les brillants jeunes gens issus des meilleures universités de la côte Est, qu'ils aient été des *New Dealers* ou qu'ils forment l'entourage de Kennedy, car le jeune politicien est peu sûr de lui et animé par une hargne de revanche sociale. Son anticommunisme n'est pas du tout raciste et, tout en jugeant les problèmes uniquement sous leur angle politique, il reste ouvert aux législations sociales, et par là il s'avère moins conservateur qu'Eisenhower. Ce dernier l'accepte comme vice-président car il est l'un de ceux qui ont œuvré à lui gagner la Californie, mais il n'y aura jamais de sympathie entre les deux hommes ; à un poste ingrat, Nixon fait son possible pour ne pas se faire oublier, tout en restant proche de l'appareil du parti, au sein duquel il a bâti ses réseaux. La personnalité de Nixon est complexe – elle a été interprétée de façon remarquable par Anthony Hopkins dans le film *Nixon* d'Oliver Stone (1995) – mais elle n'entraîne pas la sympathie. Il a peu d'amis proches et son attitude âpre et agressive le dessert. Pourtant, il est un politicien doué, un orateur percutant et il ne renonce jamais à atteindre ses buts. En 1960 et avant même de connaître son adversaire, ses handicaps tiennent moins à sa personnalité qu'à l'appui réticent du président sortant et au fait que la vice-présidence est rarement la meilleure voie pour accéder au poste suprême.

Face à lui, Nixon trouve John F. Kennedy : beaucoup moins connu, celui-ci est doté d'un réel charme personnel. Sénateur du Massachusetts, il n'a que quatre ans de moins que Nixon et vient d'un milieu très différent. La famille Kennedy est installée à Boston depuis le début du siècle, elle y a eu des débuts difficiles en raison de la forte hostilité des Protestants à l'égard d'Irlandais catholiques et très ambitieux. John est le cadet d'une nombreuse famille, dominée par son père Joseph, véritable chef de clan et dont sa mère Rose est l'âme ; ce père est un homme d'affaires prospère et sans scrupule qui a investi dans le cinéma et a financé le parti démocrate en soutien à Franklin D. Roosevelt. En raison de ces services, il a été nommé ambassadeur à Londres avant la Seconde Guerre mondiale ; il a d'immenses projets pour ses fils et comme l'aîné disparaît pendant la guerre, il reporte toute son énergie sur le cadet. John fait des études moyennes à Harvard, mais en profite pour effectuer des séjours en Europe, où il accompagne son père. Son travail de thèse au sujet de la crise de Munich, *Quand l'Angleterre dormait*, n'apporte pas de grandes nouveautés, mais, grâce aux relations paternelles, le texte est publié dès 1940 et connaît un réel succès critique. Le jeune homme apparaît désormais comme un brillant intellectuel.

Alors qu'il aurait pu se faire réformer, il s'engage et a une conduite héroïque durant la guerre du Pacifique – en août 1943, il y est blessé quand son patrouilleur est touché mais il contribue à sauver ses compagnons. Cet épisode réel devient fondateur : après l'intellectuel, le héros, l'édification du mythe se poursuit. En 1946, il est élu à l'assemblée locale, puis en 1952 sénateur démocrate du Massachusetts, un siège sûr, mais qu'il remporte avec brio grâce à une campagne moderne qui utilise des jeunes volontaires et durant laquelle il apprend à maîtriser la télévision. Au Sénat, il se fait plus remarquer par son absence que par ses propositions de lois, mais il constitue ses réseaux dans les milieux influents. Tous les témoins sont impressionnés par sa classe, sa vivacité et son charme, mais aussi par la beauté, l'élégance et les talents de Jaqueline Bouvier qu'il a épousée en 1953.

Cette ambition et ces moyens ne peuvent suffire. John Kennedy a su convaincre les électeurs au cours de la campagne des élections primaires et il a vite distancé l'estimable Hubert Humphrey, soutenu par la grande fédération syndicale AFL-CIO. Kennedy est élu dès le premier tour par la convention démocrate, qui se déroule fin août à Los Angeles. Très habilement, il a choisi comme candidat à la vice-présidence Lyndon Johnson, chef de la majorité démocrate au Sénat : ce choix équilibre le « ticket » et rassure les traditionnels électeurs démocrates du Sud. Kennedy doit aussi faire face à la controverse autour de son catholicisme ;

aux États-Unis, les protestants accusent les catholiques de faire allégeance au pape, véritable chef d'État étranger, et mettent en doute leur loyauté. Kennedy va affronter la question très tôt : « Je ne suis pas un candidat catholique à la présidence… Je ne parle pas au nom de mon église pour les questions publiques, pas plus que cette dernière ne parle pour moi. »

Quelles sont les idées de John F. Kennedy et comment se positionne-t-il politiquement ? En premier lieu, le candidat est un partisan déterminé de la guerre froide : il multiplie les déclarations à ce sujet et reproche sa faiblesse au président sortant ; comme son frère Robert, très influent à ses côtés, il a été choqué par le maccarthysme et ses excès, aussi doit-il afficher un ferme anticommunisme, autant par conviction que pour écarter un éventuel démagogue comparable au sénateur du Wisconsin.

Comme il a reçu son éducation dans le Nord et que traditionnellement l'un des piliers du parti démocrate se trouve parmi les blancs du Sud, il n'a pas pris la mesure de la contestation raciale. Ses discours de campagne évoquent la récession économique, le retard dans les armements, mais aucune allusion à la déségrégation. Tous les observateurs de l'époque estiment que le programme de Kennedy est très semblable à celui de Nixon, ce qui en fait des candidats préfabriqués dépourvus d'originalité : « Ils tendent de plus en plus à prendre des idées dans le programme de l'adversaire et à faire des déclarations que l'un ou l'autre pourrait prononcer. »

La force du candidat démocrate provient de la présentation de son personnage et de se qualités oratoires. Durant la campagne, le 15 juillet 1960, il lance la formule de « Nouvelle Frontière » qui enflamme la presse en dépit de son très faible contenu : « Nous nous trouvons aujourd'hui au seuil d'une nouvelle frontière, le domaine vierge des années 1960, un domaine de possibilités et de périls inconnus, un domaine plein de menaces et d'espoirs inaccomplis. » Lors de ces différentes interventions, il met en avant sa jeunesse, pourtant relative ; son goût pour le sport – alors que la maladie du dos rend très pénible le moindre exercice ; son sens de la famille – en dépit de son infidélité conjugale. Le charme du candidat, sa capacité à faire travailler pour lui des personnalités nombreuses et sa facilité apparente font merveille auprès des citoyens et particulièrement des électrices, qui se pressent sur son chemin pour attirer son regard ; au grand dam de Nixon incapable de susciter un tel enthousiasme : « Nixon se bute toujours au problème de savoir qui il est. Moi, je sais qui je suis », ironise le candidat démocrate.

Il sait également tirer parti de l'actualité. Fin octobre, Martin Luther King est arrêté en Géorgie et condamné à quatre mois de prison pour un motif futile : les conseillers du candidat le poussent à téléphoner à Coretta, l'épouse de King, pour l'assurer de sa sympathie et Robert Kennedy, par pression informelle, obtient du juge la libération du pasteur. Les leaders noirs vont faire de leur mieux pour faire voter en faveur de Kennedy, quant à Nixon, il est est resté très discret après son intervention en faveur du pasteur emprisonné.

Enfin, John Kennedy maîtrise mieux que son rival les médias. Durant la campagne et après de nombreuses discussions, les deux candidats donnent leur accord à l'organisation de trois débats télévisés. Un tel événement ne s'est encore jamais produit, mais il indique la place prise par la télévision dans la société américaine. Le premier des trois débats à Chicago a été suivi par 115 millions de spectateurs – presque la moitié de la population du pays – et il a suscité passions et controverses. Ceux qui ne l'avaient écouté qu'à la radio ont placé Nixon en tête, les téléspectateurs ont attribué la victoire à Kennedy : le premier est apparu fatigué avec une barbe apparente, le second était bronzé, bien coiffé et élégamment vêtu. Ces détails comptent dans la mesure où, lors de ce premier débat, les candidats ne se parlent jamais directement, ils répondent aux questions de journalistes, après avoir fait une brève présentation. En fait, lors de la préparation du débat, Kennedy avait tendu un piège à son concurrent : habitué à la télévision, il connaissait l'importance du maquillage, alors que cette question était secondaire pour Nixon. Les conseillers du candidat démocrate avaient laissé entendre que celui-ci se maquillerait à la dernière minute ; l'entourage de Nixon avait senti un piège et avait annoncé que ce dernier n'était pas pressé. De ce fait, Kennedy est arrivé maquillé sur la scène, alors que son rival n'avait pas eu le temps de le faire.

En dépit de très nombreuses études, aucune certitude n'existe sur l'influence de ce premier débat, les deux autres à New York et à Chicago n'ont pas permis de dégager un vainqueur et passent inaperçus. Lors de ce type d'affrontement, chaque candidat ne convainc le plus souvent que ses propres partisans et la part des indécis reste stable, mais cette méthode inaugurée aux États-Unis en 1960 a été copiée dans de très nombreux pays et fait à présent partie du dispositif électoral dans tous les pays démocratiques.

Un scrutin serré

Les atouts incontestables de Kennedy auraient pu faire penser à une large victoire de celui-ci ; or il n'en a rien été et le résultat est l'un des plus serrés de l'histoire des États-Unis, puisqu'il remporte 49,7 % des voix contre 49,6 % à son rival, soit une différence d'à peine plus de 100 000 votes. La participation électorale a été de 64 %, la plus forte du XXe siècle et le parti démocrate maintient sa domination au Congrès : 65 contre 35 au Sénat et 263 contre 174 à la Chambre des représentants. La part de Kennedy dans cette victoire électorale complète est difficile à évaluer : sa bonne campagne lui a permis au moins de faire jeu égal avec un adversaire moins séduisant, mais expérimenté et accrocheur. Le nouveau président doit rapidement préciser ses projets, alors que la majorité au Congrès reste traditionnelle sur la base de la coalition établie naguère par Franklin Roosevelt : associant les démocrates conservateurs du sud, les syndicalistes, les immigrés des villes du Nord-Est et les rares Noirs qui peuvent voter. Le geste envers Martin Luther King n'a pas modifié l'équilibre électoral, pas plus que le catholicisme de l'élu.

En 1960, les Américains sont allés voter en grand nombre, intéressés par l'émergence d'une nouvelle génération politique s'ils n'ont pas tous succombé au charme du candidat démocrate, ni à sa médiatisation, mais John F. Kennedy a été en avance sur son temps en devenant le premier homme d'État à utiliser consciemment toutes les ressources des techniques de la communication moderne.

À la Maison-Blanche, le couple présidentiel organise des soirées culturelles, invite tous les artistes possibles, fait fête aux écrivains étrangers comme André Malraux quand ce dernier vient présenter la Joconde au public américain. Le président est accompagné constamment de deux photographes officiels, qui immortalisent ses moindres gestes : les clichés sont ensuite distribués aux invités de Kennedy. Bill Clinton, au sein d'une délégation de jeunes de l'Arkansas, a ainsi été reçu par John F. Kennedy et s'en est dit très impressionné. Les visites à l'étranger sont également fastueuses et le couple présidentiel américain paraît souvent très jeune aux côtés d'autres chefs d'État ; en 1961 à Paris, cet effet de contraste joue à plein et le général de Gaulle ne cache pas qu'il a été séduit, surtout par Jackie. Le changement est considérable, par rapport au président sortant et à son épouse surnommée Mammy ; dès le début, la jeunesse et le faste affichés soigneusement ont contribué à renforcer le mythe de Kennedy, qui prendra toute sa signification après sa mort.

Le jeune président démocrate se présente immédiatement comme un combattant déterminé de l'adversaire communiste. Il l'a exprimé sans ambages en septembre 1960 dans un discours électoral à Salt Lake City :

> « Notre ennemi est le système communiste lui-même, implacable, insatiable et qui accélère sa course vers la domination du monde... Il ne s'agit pas seulement d'un combat pour la suprématie dans le domaine de l'armement. C'est également un combat pour la suprématie entre deux idéologies qui s'opposent : la liberté sous la protection divine contre une tyrannie athée et sans principe. »[1]

Et ces arguments à la base même de la guerre froide sont repris fréquemment par le nouveau président : il tient à prouver sa détermination, il croit en ce qu'il dit et il a été échaudé par la période que symbolise Joseph McCarthy. Le discours d'investiture qu'il prononce le 21 janvier 1961 développe fortement l'objectif :

> « Que chaque nation, amie ou ennemie, sache que nous paierons n'importe quel prix, supporterons n'importe quel fardeau, ferons face à n'importe quelle difficulté, soutiendrons n'importe quel ami, nous opposerons à n'importe quel ennemi pour assurer la survie et le succès de la Liberté... Aujourd'hui la trompette nous appelle à nouveau – non pour porter les armes, bien que nous soyons engagés dans une bataille – mais pour appeler à soutenir, une année après l'autre, un long combat crépusculaire (...), un combat contre les ennemis communs de l'homme : la tyrannie, la pauvreté, la maladie et la guerre elle-même. »[2]

Le ton n'a guère changé depuis 1947, alors que le gouvernement américain a été amené à réagir, et même parfois à surréagir à la menace stratégique et idéologique de l'URSS. Le nouveau président se présente sans faiblesse, mais dès les premiers temps de son mandat, les crises tant internationales qu'intérieures le mettent rapidement à l'épreuve.

L'enchaînement des revendications

La revendication des Noirs

Les années d'après guerre ont été des années « blanches » : le mode de vie des banlieues est essentiellement blanc, même si la prospérité semble entraîner tout le pays dans cette voie. Pourtant, en 1950 comme en 1959, le revenu moyen des Noirs représente à peine plus de la moitié de celui des Blancs, bien que la répartition de la population noire entre le nord et le sud du pays ait beaucoup évoluée. En effet, jusqu'à la Première Guerre mondiale, plus de 80 % des Noirs vivaient dans le vieux Sud cotonnier. À partir de 1915, la migration des Noirs vers les villes industrielles du Nord commence sur une grande échelle. Elle est ralentie par la crise de 1929, mais reprend de plus belle durant la guerre. En 1950, 50 % des 15 millions de Noirs vivent dans le Sud ; dix ans plus tard, ils n'y sont plus que 41 % sur 18,8 millions.

Ces changements exacerbent les contradictions de la société américaine. Dans le Sud, se perpétue une ségrégation officielle sévère qui affecte tous les domaines de la vie publique : les Noirs n'ont accès ni aux mêmes wagons ni aux mêmes commerces que les Blancs ; tout rapprochement interracial est durement réprimé, et seule une infime minorité peut voter. Dans le Nord et dans l'Ouest, la ségrégation n'existe pas officiellement mais elle est présente quotidiennement : les Noirs se regroupent dans leurs quartiers et doivent accepter des travaux mal rétribués et souvent précaires : moins de 10 % sont électeurs.

Dans ce contexte, les organisations noires n'ont jamais renoncé à leur lutte pour l'égalité des droits, tant au Sud qu'au Nord. La pression exercée a permis d'obtenir quelques résultats : contrôle fédéral de l'égalité des conditions de travail, déségrégation dans l'armée ou

1. Cité par James T. Patterson, *Grand Expectations. The United States, 1945-1974*, New York, Oxford University Press, 1996, p. 486. Toutes les traductions de citations sont de Jacques Portes.
2. Daniel Boorstin, dir., *An American Pimer*, New York, Mentor Book, 1968, p. 38-41.

dans le sport dès 1948. Pourtant, les présidents démocrates ne peuvent aller plus loin car ils doivent ménager le bastion sudiste qui refuse toute évolution, alors que les républicains restent dans l'ensemble figés dans leur immobilisme.

Tandis que, sur un mode non violent, une organisation noire présente surtout dans le Nord comme le CORE *(Congress of Racial Equality)* prône la fin de la ségrégation par diverses manifestations dans la rue, la NAACP *(National Association for the Advancement of Colored People)*, fondée en 1909, poursuit le même but par un lent travail juridique. Depuis les années 1930, la NAACP porte son attention sur la ségrégation scolaire, la plus choquante et la plus déterminante pour l'avenir, mais les tribunaux sont conservateurs et la Cour Suprême a légalisé la ségrégation. Il faut attendre 1950 pour que l'association, sous l'impulsion de son avocat, Thurgood Marshall, se lance dans cette bataille. Il s'agit pour elle de choisir un cas d'élèves noirs lésés par la ségrégation, présenté de façon assez habile pour franchir toutes les étapes de la juridiction jusqu'à la Cour Suprême, seule capable de défaire ce qu'elle a noué. Un premier et important résultat est atteint le 17 mai 1954 par l'arrêt suivant :

Brown v. Board of Education of Topeka, Kansas (extraits)
« ... Les plaignants affirment que des écoles publiques pratiquant la ségrégation ne sont pas et ne peuvent pas être "égales" [...]. Notre décision ne peut être fondée simplement sur une comparaison des éléments tangibles dans les écoles noires et blanches impliquées dans chacune de ces affaires. Nous devons, en revanche, examiner l'effet de la ségrégation elle-même sur l'éducation publique.
« Dans l'étude de ce problème, nous ne pouvons pas remonter dans le temps jusqu'à 1868, date de l'adoption du XIVe amendement ou même 1896, date de la rédaction de Plessy v. Ferguson. Nous devons considérer l'éducation publique à la lumière de son grand développement et de sa place actuelle dans la vie américaine à travers toute la nation [...].
« Aujourd'hui, l'éducation est peut-être la fonction la plus importante des gouvernements d'État et des autorités locales. Des lois rendant l'école obligatoire et les grandes dépenses engagées pour l'éducation démontrent l'importance que nous reconnaissons à l'éducation dans notre société démocratique [...].
« Nous arrivons alors à la question : est-ce que la ségrégation d'enfants dans les écoles publiques sur une base seulement raciale prive les enfants d'un groupe minoritaire des possibilités d'une instruction égale, même si les moyens matériels et les autres éléments "tangibles" sont égaux ? Nous pensons qu'elle les en prive [...].
« Nous concluons que, dans le domaine de l'éducation publique, la doctrine "séparés mais égaux" n'a pas de place. Des moyens d'éducation séparés sont d'une manière inhérente inégaux. En conséquence, nous estimons que les plaignants [...] sont, à cause de cette séparation, privés de l'égale protection des lois garantie par le XIVe amendement. »

Ce texte clair est dû à la plume d'Earl Warren, qu'Eisenhower vient de nommer comme président de la Cour. Il correspond au profond sentiment de justice et de morale animant cet homme qui domine de sa stature la Cour Suprême jusqu'en 1969 et qui a tenu, en raison de l'importance du texte, à ce qu'il soit adopté à l'unanimité des neuf juges.

Cette première atteinte à l'édifice de la ségrégation officielle est essentielle ; elle indique que les temps sont en train de changer mais ne résout rien dans l'immédiat. Il faut que des Noirs aient le courage de demander leur inscription dans une école blanche pour vérifier que la décision de la Cour est respectée. Les premiers à le faire sont repoussés et il faut attendre septembre 1957 à Little Rock (Arkansas) pour que le gouvernement fédéral se sente obligé de mettre son poids dans la bataille pour venir à bout de l'obstination du gouverneur Orval Faubus. En dehors de ces événements spectaculaires, la déségrégation scolaire progresse lentement, au gré des autorités locales : dix ans après l'arrêt Brown, à peine 10 % des écoles concernées sont déségréguées. Les travaux les plus récents indiquent que ce jugement de 1954 a eu aussi pour effet de provoquer très tôt les ségrégationnistes avant que le gouvernement fédéral ne pèse dans le sens du progrès, et, par là, a contribué à ralentir le processus des droits civiques. Toutefois, l'intervention de la Cour Suprême a beaucoup stimulé les militants : un mouvement est lancé, il n'est plus possible de l'arrêter.

Ce n'est pas un hasard si une autre attaque contre le sort réservé aux Noirs dans le Sud se produit dès décembre 1955 à Montgomery, dans l'Alabama. Les Noirs de cette ville décident de boycotter la compagnie de bus qui les oblige à céder leurs places du fond du véhicule si les Blancs, trop nombreux à l'avant, le demandent : après une dure journée de travail, Rosa Parks, qui est aussi une militante de la NAACP, décide de refuser : elle est aussitôt arrêtée. Le mouvement dure un an, stimulé par la puissante personnalité d'un pasteur baptiste de 27 ans, docteur en philosophie et adepte de la non-violence, Martin Luther King. Les Noirs, étant les clients les plus réguliers des autobus, parviennent à ébranler la solidité financière de la compagnie, mais celle-ci, soutenue par la municipalité, ne cède pas avant que la pression de l'opinion se fasse plus forte et que la Cour Suprême ne condamne le système ségrégué en vigueur dans l'Alabama.

Les militants du CORE évaluent l'évolution de la situation : ils trouvent l'action de la NAACP trop lente et ne veulent pas se laisser déborder par M. L. King, qui a fondé en 1957 la *Southern Christian Leadership Conference* (SCLC). Ils organisent à partir de 1960 d'autres types d'action. Une campagne de sit-in dans les lieux publics des villes du Sud obtient peu de résultats, mais attire l'attention du pays ; des étudiants entrent dans des cafétérias réservées aux Blancs et demandent à être servis sans aucune agressivité ; le patron ferme son établissement après avoir appelé la police. En 1961, des étudiants noirs et blancs – il s'agit d'une des rares occasions où se manifeste cette alliance – participent à des « marches de la liberté » : ils empruntent des autobus Greyhound sur les routes fédérales du Sud, en occupant les stations ségréguées à chaque arrêt. Le mouvement déchaîne l'hostilité des Blancs, qui attaquent les bus – ils en brûlent un après avoir bastonné ses occupants – et arrêtent les étudiants. L'écho de cette initiative et les craintes pour la vie de ces jeunes gens sont telles que le ministre de la Justice, Robert Kennedy, frère du président qui vient de prendre ses fonctions, fait pression auprès des autorités d'État pour faire relâcher les jeunes arrêtés et protège les autres. Cette action a ému le Nord, montré que les réactions du Sud étaient inquiétantes, elle aboutit finalement à la déségrégation totale des routes fédérales.

Ainsi, en quelques années, les Noirs ont prouvé que la machine ségrégative n'était pas invincible, mais ils l'ont fait presque seuls, sans que le principe de la ségrégation soit totalement condamné. Le gouvernement fédéral est resté très prudent, réagissant en quelques occasions, mais ne montrant aucune détermination dans cette direction.

Les premiers résultats de la lutte pour les droits civiques ont amené une multiplication de mouvements et d'associations. Aux anciens CORE et NAACP, se sont adjoints le SCLC de King, puis le SNCC *(Student Nonviolent Coordinating Committee)* qui se sépare du précédent en 1961. De son côté, le mouvement des Musulmans noirs, marginal depuis les années 1930, connaît une soudaine vigueur sous l'impulsion de son porte-parole Malcolm X, qui critique King pour sa sa vaine quête de l'égalité et prône la lutte armée contre une Amérique raciste au cœur. À la lutte juridique se superpose désormais la non-violence militante, mais aussi la tentation de la violence dans les deux dernières organisations.

Cette variété des approches provoque des initiatives diverses et pas toujours coordonnées ; en 1962, les unes discrètes, comme celle en faveurs des militants assassinés dans le Mississippi, après y avoir inscrit des Noirs sur les listes électorales et les autres plus spectaculaires, comme la douloureuse entrée du premier étudiant noir James Meredith, à l'université de ce même État, avec la protection des troupes fédérales. Dans ce contexte, Martin L. King tient à s'affirmer comme le principal leader en polarisant la lutte sur Birmingham, capitale de l'Alabama où les partisans de la ségrégation sont particulièrement actifs et la police redoutable. De nombreuses manifestations ont lieu contre la ségrégation auxquelles se joignent des enfants au fur et à mesure des arrestations et des attentats racistes – une bombe explose dans la maison de King. Ces événements sont de plus en plus filmés par la télévision et la nation découvre alors l'ampleur du problème ; les Églises prennent position, celles du Sud contre l'activisme de King. Le gouvernement, timide jusque-là, est amené à agir et pas seulement cette fois pour protéger les militants, car le président prend enfin conscience de l'ampleur des problèmes. Alors que King prépare une marche sur Washington pour protester contre la lenteur des progrès, le président Kennedy propose une ambitieuse loi des droits civiques : elle interdirait la ségrégation dans tous les lieux publics. En dépit des pressions diverses, la marche a lieu comme prévu, pour soutenir le passage rapide de la loi. Le 28 août 1963, 250 000 personnes (dont environ 20 % de Blancs, pour rassurer les spectateurs, car le FBI redoute la violence et surveille étroitement la manifestation ; son directeur E. Hoover est convaincu que King est sous influence communiste). Se retrouvent dans la capitale fédérale – des vedettes (Marlon Brando, Harry Belafonte, Joan Baez, Bob Dylan, Mahalia Jackson), des représentants des diverses religions et des associations sont aux premiers rangs comme Joséphine Baker, mais aucun responsable politique. Afin de clore la journée, devant le monument de Lincoln, Martin L. King retrouve toute la rhétorique d'un pasteur baptiste pour prononcer un discours sans aucun note, « J'ai fait un rêve », splendide hymne à l'intégration raciale.

Les premiers succès du mouvement des Noirs ont des conséquences importantes sur l'action du gouvernement, obligé d'agir sur une échelle inconnue jusque-là.

Le changement de président, au début de 1961, n'a pas impliqué un bouleversement dans l'approche des problèmes révélés par l'émergence de la revendication noire. John F. Kennedy insiste surtout sur la politique extérieure, il veut se montrer à la hauteur, grâce à son énergie, son sens des médias ; or sa capacité, jusque-là inégalée, à attirer l'attention sur lui s'accorde mal avec des initiatives en faveur de la déségrégation. En effet, élu avec une petite majorité, Kennedy, comme ses prédécesseurs démocrates, a besoin de l'appui des sudistes. La formation de son gouvernement reflète ces obligations et, sur le plan intérieur, il choisit de s'attaquer à la récession en faisant adopter une baisse des impôts pour favoriser la relance. De surcroît, par sa formation, John Kennedy ne connaît pas du tout le Sud, n'est pas conscient des tensions sociales qui y existent, et comme Johnson n'est pas l'un de ses intimes, ce n'est pas celui-ci qui peut l'informer.

Ces conditions expliquent que le gouvernement fédéral n'ait pas agi avec plus de célérité en 1962 dans le Mississippi qu'en 1957 dans l'Arkansas. De son côté, Robert Kennedy manifeste beaucoup de prudence à l'égard de King et des leaders noirs – ne sont-ils pas suspectés de sympathies procommunistes ? Il faut attendre les grandes manifestations de Birmingham pour que la violence raciste devienne insupportable et que la mobilisation noire soit telle qu'elle prenne une signification politique.

La réponse de Kennedy est d'ailleurs double : d'un côté, un projet de loi des droits civiques audacieux, le gouvernement fédéral menaçant de suspendre ses subventions aux États qui se révéleraient réticents ; de l'autre, au printemps de 1963, une volonté de s'attaquer, plus généralement, à la pauvreté qui dure malgré l'essor économique. Les 40 millions d'Américains pauvres, parmi lesquels beaucoup de Noirs, mais également des personnes âgées et des ruraux, constituent en effet une tâche considérable pour une société se voulant un modèle pour le monde. De plus, la constitution d'une coalition de Noirs, de pauvres et de jeunes, séduits par la personnalité du président, peut constituer un atout décisif pour les élections de 1964, alors que l'appui des démocrates du Sud risque de n'être plus assuré, après cette première vague de mesures.

L'assassinat de Kennedy et ses suites

Ce plan est tragiquement interrompu par l'assassinat de John F. Kennedy, le 22 novembre 1963, à Dallas, où il se rendait pour s'assurer le soutien du Texas lors des élections de l'année suivante. Les conditions de ce drame n'ont pas été totalement éclaircies, malgré l'arrestation de l'assassin présumé, Lee Harvey Oswald, qui a été tué peu après par Jack Ruby, un tenancier de bar proche de la pègre et bien connu de la police locale. Toutefois, après de nombreuses élucubrations, les dernières recherches confirmeraient la culpabilité du seul Oswald.

Le choc est considérable aux États-Unis et dans le monde, tant le jeune président, sans avoir accompli beaucoup, avait su attirer la sympathie et susciter l'admiration.

Le vice-président Johnson n'a aucun point commun avec celui qu'il est amené à remplacer. Texan, et fier de l'être, âgé de 55 ans en 1963, parvenu à la force du poignet et sans beaucoup de scrupules à gravir tous les échelons de la carrière politique au sein du parti démocrate, il a été choisi comme vice-président pour faire contrepoids à un président issu de la Nouvelle-Angleterre. Plus que ce dernier, il connaît tous les rouages du Congrès. D'abord représentant, il est sénateur depuis 1948 et chef du groupe démocrate. Il s'est fait remarquer par ses qualités de négociateur, son sens particulier des relations humaines ; il est parvenu grâce à cela à faire voter en 1957 une première loi des droits civiques, assez limitée mais signe d'une évolution. Longtemps conservateur, il se sent l'héritier de F. D. Roosevelt et veut sincèrement supprimer la pauvreté et contribuer à bâtir une « grande société », où tous les Américains, de quelque origine qu'ils soient, auront les mêmes chances et se sentiront à l'aise. Conservant, au début, l'équipe de Kennedy il s'entoure peu à peu d'hommes dévoués qu'il écrase de travail et d'exigences.

Les premiers temps, Johnson bénéficie du choc suscité par l'assassinat de Kennedy ; le Congrès, réticent envers ce dernier, va appuyer sans réserve son successeur. D'ailleurs, candidat naturel de son parti en 1964, il est élu avec une majorité écrasante : 61 % des voix et 44 États ; les Noirs – ils sont désormais plus de 2 millions à voter – ont voté massivement pour lui, et il n'a laissé à son adversaire, le conservateur Barry Goldwater, que son État, l'Arizona, et cinq États du vieux Sud hostiles à la déségrégation. De surcroît, Johnson peut compter sur une large majorité démocrate au Congrès ; légitimé et assuré de pouvoir faire adopter ses projets, le président va lancer un vaste programme social, qui complète et approfondit celui de son prédécesseur.

Cet ensemble de mesures, accompagnées d'autres de moindre portée sur le développement régional, institue un État-providence à l'américaine, prolongeant et développant celui qui était issu du *New Deal*. Le président a choisi l'intégration des plus défavorisés, et tout particulièrement des Noirs dans la « grande société » qu'il désire établir – il l'a fait avec détermination et s'approprie le cri de ralliement des manifestants noirs : « We shall overcome ! » (« Nous vaincrons ! ») ; en septembre 1965, il propose un décret de principe pour amener les entreprises fédérales à établir des quotas d'embauche afin de compenser la discrimination traditionnelle des minorités et des femmes (première apparition de l'affirmative action), mais cette politique nouvelle n'est mise à l'essai que dans trois villes où elle rencontre beaucoup d'oppositions syndicales ; elle ne sera développée que par le président Nixon.

Le président n'hésite pas à montrer l'exemple en nommant, pour la première fois de l'histoire, Robert Weaver, un Noir, ministre en 1965 et, l'année suivante, il promeut Thurgood Marshall, l'avocat de la NAACP, à la Cour Suprême ; ce dernier s'en retirera en 1991, dernier témoin d'une époque, qui a constitué une véritable seconde Reconstruction, pour faire référence à celle du lendemain de la guerre de Sécession.

Principales lois constituant le programme de Johnson

26 février 1964 : réduction fiscale, dépenses budgétaires inférieures à 100 milliards de dollars (soit 17,5 % du PNB).
22 mai 1964 : à l'université de Michigan, Johnson évoque le programme de la « grande société ».
2 juillet 1964 : loi des droits civiques, voulue par Kennedy, soutenue par les associations noires, votée malgré la résistance des sudistes.
30 août 1964 : loi sur l'égalité des chances économiques, créant une aide aux personnes en difficulté, soutenant les initiatives locales de promotion sociale (formation, stage) par l'Office de l'égalité des chances.
9 avril 1965 : loi sur l'éducation ; en trois ans, un milliard de dollars sera distribué pour la scolarisation des enfants.
30 juillet 1965 : lois du *Medicare* et du *Medicaid*, la première élargit la Sécurité sociale aux personnes âgées, la seconde aux plus déshérités.
6 août 1965 : loi sur le droit de vote, elle permet aux fonctionnaires fédéraux d'inscrire sur les listes électorales les Noirs victimes de discrimination (en 1960, 30 % des Noirs votent dans le Sud ; en 1969, 62 %).
9 septembre 1965 : création du ministère de l'Habitat et du Développement urbain.
30 septembre 1965 : loi sur l'aide fédérale aux arts, établissement de la Fondation nationale pour les arts et l'humanité.
3 octobre 1965 : loi sur l'immigration, qui supprime les quotas d'entrée par nationalité, au profit de chiffres globaux par provenance régionale et introduit le regroupement familial.

En dépit des conservateurs et des sudistes qui utilisent toutes les ressources de l'obstruction pour faire dérailler le processus, ce travail législatif, mené avec obstination et volontarisme, marque profondément la société américaine et constitue la plus considérable intervention de l'État fédéral dans celle-ci. Sur le plan économique, les choix faits sont keynésiens, sans crainte d'un déficit budgétaire qui sera permanent à partir de 1963, à l'exception de 1969 : entre 2 % et 8 % du budget.

Malgré son ampleur, la « grande société » ne semble pas satisfaire tous ceux à qui elle s'adresse ; en effet si les Africains-Américains sont souvent les premiers bénéficiaires de ces dispositions, en raison de leur place dans l'échelle sociale et de leur revendication, ils ne sont pas les seuls, ce qui entraîne d'autres demandes, d'autres exigences. Alors que ses réformes se multiplient, les revendications font de même, parfois brutales, parfois inattendues.

Les cercles concentriques de la contestation

L'exemple des Noirs, dont les revendications s'exaspèrent dans les villes du Nord, et la volonté manifestée par l'administration de prendre en charge les principaux problèmes semblent mettre en ébullition une bonne partie de la société américaine.

Les étudiants sont de plus en plus nombreux, environ 6 millions ; beaucoup d'entre eux ont été élevés dans un certain confort, enveloppés dans le conformisme ambiant des banlieues, objets de soins attentionnés par les industriels et les marchands qui ont fait fortune grâce aux produits pour jeunes : les jeans deviennent courants pour les adolescents, comme les chaussures de sport, les microsillons leur permettent de suivre les nouvelles vedettes. Parfois pour réagir contre le consumérisme, parfois par idéalisme stimulé par les manifestations des Noirs, de jeunes gens découvrent dans la lutte pour les droits civiques une raison d'être ; ils se rendent compte alors de l'ampleur de la haine raciale et sont effarés par la face cachée de la société paisible dans laquelle ils vivaient.

Ainsi, en 1962, parut un petit texte de Tom Hayden – futur époux de Jane Fonda –, *Le Manifeste de Port-Huron* :

> « On voudrait nous faire croire que les Américains sont heureux au milieu de la prospérité – mais ne serait-ce pas plutôt qu'ils jettent un voile sur l'anxiété profonde que leur inspire leur rôle dans un monde nouveau ? Et si cette anxiété développe chez eux l'indifférence envers les affaires de l'humanité, ne produit-elle pas aussi un besoin de croire que d'autres possibilités que le présent existent, qu'on peut faire quelque chose pour changer la situation à l'école, sur les lieux de travail, au sein des bureaucraties et du gouvernement ? C'est à cette aspiration-là, étincelle et moteur du changement, que notre appel s'efforce de répondre... »
>
> Thomas Bailey, David M. Kennedy, *The American Spirit*, Lexington (Mass.), D.C. Heath, 1984, p. 892-893.

Ce document devient la charte du Mouvement des étudiants pour une société démocratique (SDS) dirigé, entre autres, par Hayden. Deux ans plus tard, sur le campus de Berkeley, naît un Mouvement pour la libre parole en protestation contre l'interdiction faite par les autorités universitaires à toute propagande antiraciste. Si ces manifestations du mécontentement étudiant restent minoritaires et ne regroupent que quelques centaines de personnes, elles n'en expriment pas moins la volonté de ces jeunes de trouver leur voie, loin des idéologies socialistes, pour définir un nouveau système de valeurs authentiques opposées à l'hypocrisie ou à la passivité du moment. Ces revendications n'ont rien de révolutionnaire, elles s'inscrivent dans le droit fil d'une tradition américaine, mais elles marquent l'insatisfaction d'une partie de la jeunesse pourtant très protégée. La critique se généralise contre la rigidité universitaire qui interdit l'expression d'opinions, qui se prétend ouverte au dialogue tout en le limitant étroitement. Il s'agit, dès 1962, de l'émergence d'une culture autonome de la jeunesse qui va avoir bien d'autres raisons de s'exprimer.

Alors que le discours officiel est à l'égalité des chances, à la nécessaire prise en compte des handicaps historiques, des femmes se rendent compte qu'elles sont de plus en plus nombreuses à travailler – elles constituent 35 % de la main-d'œuvre et près de 40 % d'entre elles travaillent en 1965 – mais ne peuvent compter que sur des salaires inférieurs de près des deux tiers par rapport à ceux des hommes. De surcroît, l'image de la femme transmise par la publicité, au foyer, entourée d'enfants, correspond de moins en moins à la vérité ; d'ailleurs, à partir de 1964, la natalité commence à baisser sous l'effet de ces bouleversements, au moment même de l'invention de la pilule contraceptive (en 1956, par le Dr Gregory Pincus).

En 1963, la publication par la sociologue Betty Friedan de *La Femme mystifiée* tombe à point pour systématiser ces réflexions. Pour parvenir à l'égalité avec les hommes, le parallèle avec la lutte des Noirs paraît utilisable ; d'ailleurs, en leur temps, des femmes n'avaient-elles pas été actives dans le mouvement abolitionniste ? Ainsi, en 1966, le NOW *(National Organization of Women)* est fondé par B. Friedan et d'autres intellectuelles sur le modèle de la NAACP – son but est l'égalité avec les hommes, plus que la libération ; son action est traditionnelle – recherches de fonds, groupes de pression, exploitation des textes officiels. En dépit de son caractère modéré, et bien que le recrutement reste faible et limité à une partie de la classe moyenne et blanche, le NOW attire l'attention des médias, fait prendre conscience aux élus de l'existence d'un problème, avant que n'apparaissent des mouvement plus radicaux.

Ces mouvements simultanés sont l'indication d'une société mise en question, même parmi des groupes apparemment privilégiés. Celui des Noirs, qui en a été l'initiateur, ne s'est pas contenté des résultats obtenus souvent limités au Sud, il est aussitôt relancé.

En 1964, M. L. King reçoit le prix Nobel de la paix (au grand dam d'Edgar Hoover qui croyait le mériter) ; il semble être le héros de la communauté noire. Pourtant, dès 1963, des tensions sont apparues au sein des organisations noires, l'unanimité n'existant pas sur la stratégie à suivre. Les chefs les plus radicaux, tels Stokely Carmichael ou Malcolm X, refusent le rêve de l'intégration et ont comparé la manifestation de Washington à une farce triste ; ils considèrent que rien ne bouge véritablement, que les écarts de salaires demeurent, que seule la prise en main par les Noirs eux-mêmes de leurs affaires, au besoin par la violence, permettra d'obtenir des résultats tangibles. Une forme de nationalisme noir est revigorée. Malcolm X, qui a été expulsé par les Musulmans noirs, où il occupait trop de place, acquiert vite une grande influence en valorisant les valeurs noires, en refusant les modèles de la société blanche ; il est rejoint dans cette lignée par le boxeur Cassius Clay (médaillé en boxe aux Jeux de Rome en 1960), qui prend le nom de Muhammad Ali. Malcolm X, qui avait modifié son discours après un voyage à La Mecque, est assassiné, en février 1965, presque certainement sur ordre d'Elijah Muhammad, le chef du mouvement ; il devient un martyr et son autobiographie connaît un immense succès auprès des jeunes pour lesquels il offre la voie du radicalisme.

Or, durant six jours à partir du 11 août 1965, une émeute urbaine éclate dans le ghetto de Watts, dans la banlieue de Los Angeles ; un incident mineur entre un jeune Noir et un policier blanc dégénère, les dégâts et les victimes sont nombreux (34 morts). Le choc de cette violente explosion est très fort dans une Californie où ne sévissait pas la ségrégation et où la prospérité semblait promise à tous, d'autant qu'elle survient moins d'une semaine après la signature par le président Johnson de la grande loi sur le droit de vote et un an après celle sur les droits civiques. Ces textes essentiels ne répondent pas à la situation socio-économique de nombreux quartiers des grandes villes du Nord et de l'Ouest. La violence frappe essentiellement des endroits où les Noirs vivent dans des sortes de ghettos, dans des conditions économiques et familiales difficiles – un quart des familles sont dirigées par des mères célibataires, beaucoup d'adolescents passent par la prison. Les résultats de la lutte engagée contre la pauvreté se font attendre et les lois de déségrégation ne s'appliquent qu'au Sud, d'où King est issu. Aussi, les quartiers pauvres se sentent-ils oubliés comme si les lois votées ne s'adressaient, une fois de plus, pas à eux, comme si les subventions et les aides diverses dont ils bénéficient étaient dérisoires.

D'ailleurs, les violences urbaines s'amplifient dans les années qui suivent, embrasant des centaines de villes et culminant à Newark et à Detroit en 1967. Chaque été, des incendies et des pillages se succèdent, les morts se multiplient. Le gouvernement semble impuissant ; de son côté, M. L. King, tout en restant très populaire, a saisi cette contradiction, mais n'a guère de prise sur les événements, comme le montre son échec à Chicago en 1966, car la ville dirigée par un maire démocrate populaire n'a rien à voir avec Birmingham ou Selma. Le 4 avril 1968, M. L. King est assassiné à Memphis où il participait à la grève des éboueurs de la ville, étape dans la création d'une coalition arc-en-ciel regroupant tous les pauvres de toutes les origines, par un tueur à gages dont les enquêteurs n'ont jamais découvert le commanditaire ; cet événement terrible provoque de nouvelles violences raciales.

Dans ce contexte violent, où les affrontements avec la police sont constants, le thème du Black Power semble fournir une issue. Le SNCC et le CORE se radicalisent et ne reculent plus devant l'autodéfense ; en 1966, le parti des Panthères noires (Black Panthers Party) est fondé, avec Bobby Seale, Eldridge Cleaver ou S. Carmichael ; ils assimilent la lutte des Noirs à celles des peuples du Tiers Monde contre l'impérialisme et à toutes les entreprises de décolonisation. Le parti, qui se dit proche de Ho Chi Min et de Fidel Castro, lance une véritable guérilla urbaine, qui provoque des centaines de morts au sein de leur communauté. En fait, cette lutte est sans issue, car ils doivent affronter une répression impitoyable, la police ne passe rien à ces hommes qui revendiquent le marxisme et vantent les pires ennemis des États-Unis. Cette lutte, dénoncée par les organisations noires modérées, n'obtient aucun résultat concret, mais les militants du parti s'installent dans les quartiers où ils exercent une forme de police et parfois d'aide sociale : de cette façon ils parviennent à exercer une pression sur les trop rares élus noirs. Par ailleurs, se généralise une attitude de refus de l'intégration signalée par une mode inspirée de l'Afrique – coupes « afro », grandes robes colorées – ou par des gestes symboliques forts – poings levés et gantés de noir des vainqueurs du 100 mètres aux Jeux Olympiques de Mexico.

L'immense majorité des Noirs reste à l'écart de cette violence, mais, pour beaucoup de Blancs, la contradiction entre l'élan de la « grande société » et la violence répétée de la rue est devenue totalement incompréhensible. La générosité des premiers temps a disparu : Noirs et Blancs ne manifestent plus ensemble. En revanche, d'autres groupes ethniques ne peuvent qu'être frappés par les actions spectaculaires des Noirs, par l'exemple qu'ils donnent et cherchent à les imiter.

En effet, la plupart des groupes ethniques ressentent une infériorité de traitement, ils ont à subir un racisme plus ou moins diffus, des embauches difficiles et des salaires médiocres. Ils veulent profiter, en outre, des dispositions des programmes de droits civiques qui, pour ne pas sembler être taillées sur mesure pour les seuls Noirs, s'appliquent aux diverses minorités et même aux femmes. Ces mesures introduisent des quotas d'embauche pour compenser la discrimination passée, prévoient le transfert d'enfants d'un quartier à un autre pour aboutir à des publics scolaires mélangés, moyens envisagés mais rarement mis en place rapidement comme remède contre le racisme.

Les chicanos, dont beaucoup sont des émigrés clandestins venus du Mexique, sont souvent travailleurs dans les grandes fermes industrielles du Texas et de Californie ; ils acceptent des salaires particulièrement bas, mais doivent subir une totale précarité du travail. C'est cette situation que veut changer le militant Cesar Chavez qui n'hésite pas à former un syndicat des travailleurs agricoles pour lutter contre les propriétaires de vignobles produisant du raisin de table. Le boycottage de ce produit – relativement peu consommé aux Etats-Unis – appuyé par divers groupes religieux et libéraux est un succès : au bout de cinq ans, le syndicat est reconnu. Au-delà de ce résultat, cette lutte, symbolisée par l'aigle noir mexicain et la Vierge de Guadalupe, est une raison de fierté pour le million et demi de chicanos de Californie. Plus généralement, les populations hispaniques – autres latinos, Portoricains – profitent des circonstances pour réclamer, elles aussi, le droit à la différence. Elles parviennent ainsi à obtenir en 1968 un enseignement bilingue dans certains quartiers de Californie, qui leur permet de renforcer l'implantation de l'espagnol aux dépens de l'anglais, utilisant des dispositions prévues pour l'intégration. Sans parvenir à se faire entendre sur le plan politique, les chicanos se font reconnaître, comme l'illustre le succès foudroyant de la chanson *La Bamba*, de Richie Valens, ou l'émergence d'auteurs hispaniques.

Parmi les autres groupes qui affirment leur identité, les Indiens occupent une place particulière, mais leur résistance culturelle traditionnelle ne suffit plus. Depuis 1924, ils sont citoyens, au risque de perdre leur spécificité. Dans les années 1960, un certain nombre de jeunes ont quitté les réserves, fait des études ; ils refusent d'être coupés de leurs traditions et fondent l'*American Indian Movement*. Celui-ci attire l'attention par des initiatives spectaculaires – sit-in, occupation de lieux publics comme, en 1970, l'îlot d'Alcatraz dans la baie de San Francisco – ; il réclame la reconnaissance des droits spécifiques des Indiens et obtient l'abandon de la politique officielle d'assimilation, mais, en 1973, les Indiens vont camper devant la Maison-Blanche pour faire avancer ce dossier.

Le vent ethnique qui souffle sur les États-Unis semble modifier l'équilibre de la société : celle-ci ne s'atomise-t-elle pas en groupes rivaux, qui arrachent subsides et emplois aux divers niveaux de gouvernement, qui se regroupent derrière des symboles qui leur sont propres ? Pourtant ces mouvements, sans être superficiels, n'affectent que certaines régions, certains quartiers ; plus de 85 % des Américains sont alors d'origine blanche et européenne, moins engagés dans les revendications. Dans ces conditions, la stabilité de la société n'est pas menacée, mais nombreux sont les Américains à le croire et à s'en inquiéter quand leurs fils ou leurs filles se mettent aussi à manifester, avec d'autres mots d'ordre. Les fissures du socle social ne sont pas près d'être comblées.

Les aléas de la guerre froide

Les premières crises sous Kennedy

Cuba

La grande île située à quelques dizaines de kilomètres de la Floride est dirigée depuis 1940 par Fulgencio Batista, un dictateur sans scrupule. Le sucre produit par les paysans pauvres enrichissait les industriels américains : près de 50 % des terres cultivées et 90 % des richesses minières leur appartenaient. Le 1er janvier 1959, le petit groupe de guérilleros dirigés par Fidel Castro, jeune avocat de 32 ans, parvient à prendre le pouvoir et à chasser Batista. Les autorités américaines sont surprises, mais elles connaissaient les abus de leur protégé et sont disposées à faire bonne figure au nouveau dirigeant cubain. Celui-ci est même accueilli à New York, mais Castro n'accorde aucune confiance à ses interlocuteurs et entreprend la nationalisation de l'économie cubaine : il a été convaincu par le marxisme, étudié lors de son séjour dans le maquis de la Sierra Maestra. Le président Eisenhower est décidé à utiliser tous les moyens pour éliminer Castro et il a ordonné à la CIA, dirigée par Allan Dulles frère du Secrétaire d'État Foster Dulles, de préparer une opération dans la grande île qu'il a demandé à Kennedy de mener à bien lors de la passation des pouvoirs. John F. Kennedy, encore novice, fait alors confiance à l'agence de renseignements, qui l'assure, intoxiquée qu'elle a été par les émigrés cubains farouchement hostiles à Castro, du soutien de la population prête à se soulever quand ces Cubains débarqueront sur une plage de l'île. Le 17 avril 1961, 1 400 anti-castristes cubains débarquent dans la Baie des Cochons au milieu de marécages qui rendent difficile leur déploiement ; des bombardiers B 26, dont les marques américaines ont été effacées, ont préalablement détruit une petite partie de l'aviation cubaine. L'opération est un échec total : les rares avions cubains détruisent les navires qui amènent munitions et renforts, la population locale a immédiatement averti les miliciens de Castro et n'a pas apporté le moindre soutien aux envahisseurs ; le 19 avril, ces derniers, dont une centaine ont été tués, se rendent aux Cubains. À Miami, des journalistes ont observé que les B 26 étaient pilotés par des Américains et non par des anti-castristes comme cela avait été annoncé. La CIA avait estimé que la population ferait fête aux arrivants, mais celle-ci avait gardé un très mauvais souvenir de la période de Batista et elle était profondément anti-américaine. Kennedy est dans une position très délicate à la suite de l'échec de la Baie des Cochons – il en assume d'ailleurs l'entière responsabilité – car des militaires lui reprochent de ne pas avoir lancé les *Marines* et les anti-castristes de ne pas les avoir assez soutenus avec l'aviation. De leur côté, les conseillers plus réfléchis et une partie de la presse s'inquiètent d'une faillite qui nuit à la crédibilité du nouveau président. Les conséquences sont multiples : Kennedy remplace les chefs de la CIA et son frère Robert est chargé de remettre de l'ordre dans ces services ; le président n'accordera plus sa confiance aux analyses de la CIA, suspectée de vouloir lui nuire. Enfin,

Castro devient l'ennemi à abattre par tous les moyens, surtout par des actions secrètes qui ont la préférence du président. L'influence des anti-castristes auprès de l'administration ne faiblit pas : de nombreuses manœuvres de déstabilisation du régime honni sont lancées, ainsi qu'une trentaine d'invraisemblables et vaines tentatives d'assassinat contre le *Lider Maximo*. Celui-ci se tourne alors de plus en plus résolument vers l'URSS.

Cette situation explique que Cuba soit constamment surveillé par des avions-espion et qu'une invasion des troupes américaines ne soit pas définitivement écartée. Toutefois, en raison d'une suspension temporaire des vols de l'U-2 au-dessus de la grand'île, les Soviétiques ont pu, durant l'été 1962, acheminer impunément vers celle-ci les armements demandés par Castro : des fusées à têtes nucléaires de moyenne portée, environ 1 800 km, qui pourraient atteindre tous les centres urbains de la côte Est des États-Unis et des missiles pour assurer la défense des sites. En octobre, neuf de ces fusées sont opérationnelles ; elles sont accompagnées par quarante-deux mille soldats soviétiques commandés par le général Issa Pliyev qui seul a l'autorité de déclencher le feu. Khrouchtchev a décidé cette opération pour répondre à la présence de fusées américaines aux frontières de l'URSS et afin d'interdire l'invasion de Cuba, tout en donnant satisfaction à Castro qui ne pense qu'à se venger des États-Unis.

Le 15 octobre, un avion espion U-2 prend des photos qui montrent vingt-trois sites de lancement et d'autres en construction ; la présence du grand nombre de soldats soviétiques, ni celle des têtes nucléaires, n'ont été perçues. L'effet de cette découverte est d'autant plus brutal que Khrouchtchev avait nié toute présence soviétique à Cuba. Le président Kennedy garde la nouvelle secrète et n'en discute qu'avec un cercle étroit de conseillers parmi lesquels son frère Robert, le ministre de la défense Robert McNamara et des généraux. Sans mentionner les photos, le président reçoit Anatoly Dobrynine, l'ambassadeur soviétique qui réitère les dénégations... Convaincu de la duplicité soviétique, le comité exécutif, réuni autour du président, peut mettre au point une riposte. Les options proposées par les militaires sont multiples, depuis l'invasion de l'île par des forces massives, jusqu'à la destruction par des bombardements des installations de fusées, en passant par des menaces précises envers Moscou. La pression est très forte sur le président qui ne veut pas risquer une confrontation directe avec l'URSS aux conséquences mal mesurables, ni lancer des milliers de soldats dans une île hostile, mais il est décidé à ne pas céder et à obtenir le retrait des fusées de Cuba, sans prendre le risque être accusé d'avoir ordonné une « première frappe » qui déconsidérerait son pays.

Le 22 octobre, John F. Kennedy, après en avoir averti Khrouchtchev, annonce à la télévision la découverte des fusées à Cuba et les décisions qu'il a prises pour faire face à cette situation : la marine américaine va établir un blocus autour de l'île pour interdire à tout navire soviétique suspect de l'atteindre et tout refus d'obtempérer sera suivi d'un arraisonnement par la force. Le président somme également son adversaire de retirer toutes ses fusées de Cuba. La tension est à son comble et le monde n'a jamais été aussi proche de la catastrophe nucléaire. Les Soviétiques sont pris de court et réagissent vivement à cette humiliation, Castro et les Cubains font tout ce qu'ils peuvent pour que les fusées soient lancées contre les États-Unis et les Américains sont dans l'ignorance totale des intentions des uns et des autres, comme ils le sont de l'ampleur du dispositif à Cuba. Il suffirait d'un incident pour déclencher le pire alors que Khrouchtchev et Kennedy doivent prendre leurs décisions sans savoir les intentions de l'autre : l'invasion de Cuba est-elle décidée, les fusées sont-elles prêtes à être utilisées ? Des négociations tendues ont lieu en coulisse, mais si, le 26 octobre, un avion-espion américain est abattu par un missile soviétique de Cuba, le jour suivant les bâtiments soviétiques font demi-tour et refusent l'affrontement. Après diverses tractations, le président américain s'engage à ne pas envahir Cuba et le premier secrétaire soviétique à retirer ses fusées de l'île ; pour faire bonne mesure et éviter à Khrouchtchev une trop grande humiliation, ce geste de l'URSS est compensé par le retrait de la douzaine de fusées Jupiter installées en Turquie.

Les interprétations de cette crise gravissime sont diverses. Pour la plupart des observateurs américains, le président Kennedy a démontré en cette occasion sa sagesse et son sang-froid, il a refusé l'aventure et fait reculer l'imprévisible Khrouchtchev ; ils célèbrent l'installation d'un « télétype rouge » entre les deux capitales pour prévenir une autre crise – opérationnel en 1963. Pour quelques autres, la situation à Cuba n'aurait pas dégénéré de la sorte si la politique américaine avait été moins perverse et clandestine à l'égard de Castro ; néanmoins, Kennedy a profité des circonstances pour marquer un point contre son homologue soviétique en dévoilant publiquement sa duplicité, alors que des négociations fermes mais discrètes auraient pu être aussi efficaces.

Les Soviétiques ont mis du temps à retirer leurs fusées et ont maintenu une forte présence militaire à Cuba. L'embargo commercial imposé par Washington à la grand'île, reconduit par tous les présidents depuis 1962, a contribué à appauvrir un peu plus les Cubains et à durcir leur antiaméricanisme. Castro a pu dénoncer la vilenie américaine contre la vaillante nation cubaine et, à la fin des années 1960, proposer ses services révolutionnaires à des pays d'Amérique latine – comme en Bolivie où Che Gevara, son compagnon de combat, perdra la vie en 1967 dans l'une de ses vaines tentatives –, puis, vingt ans plus tard à un pays d'Afrique comme l'Angola.

L'angoisse ressentie par beaucoup d'avoir frôlé la catastrophe nucléaire en octobre 1962 apparaît de manière forte dans *Docteur Folamour* de Stanley Kubrick (1963). Cette puissante farce montre comment la technologie mortifère peut échapper à des chefs d'État médiocres, empêtrés dans leurs fausses certitudes ; des bombardiers suivent une marche programmée que personne ne peut plus arrêter. Le film a fait scandale aux États-Unis, car il ridiculisait la sagesse attribuée par l'opinion au président Kennedy et mettait en doute la légitimité de la stratégie de la guerre froide.

La crise cubaine a occupé l'actualité, mais elle n'est pas la seule qui souligne les tensions de la guerre froide. Nikita Khrouchtchev a de bonnes raisons pour tester la fermeté du président Kennedy, son nouvel interlocuteur – affaibli par le récent fiasco de la baie des Cochons – il le rencontre à Vienne début juin 1961. Cette conférence est centrée sur Berlin : le gouvernement soviétique a annoncé qu'il allait reconnaître la RDA et signer un traité avec celle-ci, ce qui pouvait remettre en cause les accords interalliés de 1945 concernant l'ancienne capitale du Reich. La confrontation se passe mal entre un Khrouchtchev sûr de lui et fort de sa longévité politique et un Kennedy soucieux de ne rien céder, mais qui s'affirme comme le héraut du « Monde libre ».

Le test survient en août 1961, quand dans la nuit du 12 au 13 les troupes de l'Allemagne de l'Est édifient un mur au cœur de Berlin, afin de séparer les deux zones et surtout pour interrompre l'exode des Allemands vers la partie ouest de la ville et la RFA – 30 000 d'entre eux partaient par mois, dont la moitié avait moins de 25 ans. La construction du Mur est contraire aux engagements d'après-guerre et installe la confrontation au cœur de la ville. Alors que l'URSS se montre agressive sur le statut de l'Allemagne, alors qu'elle approuve l'initiative de Berlin-Est, le président Kennedy se garde bien de provoquer un face-à-face et se contente de protestations symboliques pour assurer que son pays défendra la liberté de la partie ouest de la ville par tous les moyens. En juin 1963, il se rend à Berlin et achève son allocution, prononcée face à l'Est, par la formule, « Ich bin ein Berliner » : elle fera le tour du monde, mais ne contient aucune mesure concrète. Cela prouve, une fois encore, que l'affrontement direct des Deux Grands est impossible et ne se résout que par des victoires ou des défaites de type seulement symbolique.

La course à la Lune

Il est près de 23 heures le 20 juillet 1969, à l'heure de la base de Houston (Texas), quand Neil Armstrong prononce cette phrase « historique » : « C'est un petit pas pour l'homme, mais un pas de géant pour l'humanité. » On sait aujourd'hui que ces mots si spontanés avaient été préparés et soigneusement choisis, comme avait été conçu dix ans auparavant le débarquement sur la Lune. Il était le résultat d'un engagement déterminé du gouvernement des États-Unis : les moyens n'avaient pas manqué ni le courage ni la compétence des astronautes.

C'était le 25 mai 1961, quelques semaines après l'humiliant échec de la Baie des Cochons, que le président Kennedy, en panne de prestige, a fait le pari que le premier homme à marcher sur la Lune avant la fin de la décennie serait un Américain : « Aucun projet spatial ne sera aussi impressionnant pour l'humanité que celui-là. »

Kennedy frappe un grand coup en lançant le programme lunaire : une telle entreprise permettrait la mise au point de fusées performantes et montrerait la puissance de son pays. La conquête de l'espace, dont le débarquement sur la Lune devait être le premier et spectaculaire succès, ne correspond à aucun projet scientifique – bien que des scientifiques y aient été associés –, mais elle constitue l'un des théâtres de la guerre froide. Les premiers astronautes sont tous des militaires, si la NASA *(National Aeronautics and Space Administration)*, qui depuis sa fondation en 1958 coordonne la politique spatiale, est civile : organisée hiérarchiquement et bénéficiant d'un budget considérable qui n'aurait jamais été accordé à une recherche désintéressée. Pour assurer ses lancements, la NASA a été tributaire des fusées mises au point par le ministère de la Défense pour répondre à la menace soviétique. Le programme *Mercury* de 1959, qui parvient à placer un premier Américain en orbite autour de la terre est suivi de *Gemini* qui permet de voler en équipage, avant que le programme *Apollo*, lancé dès 1960, non sans de nombreux échecs – soulignés par la presse qui pousse à la réussite de ce projet patriotique –, ne parvienne à former les équipes compétentes et à tester le nouveau matériel. La mise au point de l'énorme fusée *Saturn 5*, haute comme un immeuble de trente-six étages, a permis à partir de 1967 d'envoyer des missions préparatoires aux vols humains prolongés, afin de prendre le moins de risques possible lors du vol décisif d'*Apollo 11* en juillet 1969. À ce moment-là, trois cent mille travailleurs et vingt mille sous-traitants sont employés par l'industrie spatiale, qui envoie également des robots sur la planète Mars et des satellites d'observation autour de la terre. Le président Nixon, arrivé au pouvoir en janvier 1969, bénéficie des résultats de la politique spatiale de ses deux prédécesseurs démocrates et la poursuit avec la même volonté d'assurer le prestige de son pays face au grand rival communiste. D'ailleurs, en 1972 alors que s'achève le programme *Apollo*, le président Nixon lance pour lui succéder, et afin d'en tirer un prestige personnel, celui de la navette spatiale dont le premier vol aura lieu en 1981.

Ces conditions particulières, qui ont permis la réussite du projet de débarquement sur la Lune avant les Soviétiques (ces derniers n'y sont jamais parvenus), ont orienté la conquête spatiale vers des actions spectaculaires et médiatiques. Un demi-milliard de personnes ont vu à la télévision l'alunissage du module de débarquement et les premiers pas de Neil Armstrong et de Buzz Aldrin sur la Lune, ainsi que la mise en place d'une bannière étoilée tendue par une armature. Les astronautes se comportent là comme les colonisateurs d'antan sur un nouveau rivage ou comme des alpinistes arrivés au sommet : ils plantent le drapeau.

La réussite du projet *Apollo* a été l'aboutissement de la volonté politique : il est remarquable qu'une fois achevé le programme *Apollo*, qui a envoyé cinq autres missions habitées sur la Lune, le dernier étant *Apollo 17* en 1972, il n'ait plus été envisagé d'amener un être humain sur la Lune ou sur la planète Mars. Les programmes humains coûtent très cher et ne sont pas toujours d'un intérêt considérable, même si les alunissages du programme *Apollo* ont permis de recueillir des roches lunaires en grande quantité, qui ont fait le bonheur de nombreux laboratoires de par le monde ; les satellites et d'autres programmes plus discrets ont fourni, par ailleurs, de multiples renseignements sur le système solaire. Depuis la fin de la guerre froide en 1990, la NASA, critiquée parfois pour la priorité donnée à la seule navette spatiale, ne bénéficie plus d'aucune priorité stratégique ni financière.[1]

Le contexte de la mission d'*Apollo 11* ne doit pas masquer un réel succès technologique et humain. Armstrong et Aldrin ont réalisé le rêve de Jules Verne et de Hergé et c'est remarquable. La réussite des Américains n'est pas due au hasard : les États-Unis sont alors à la pointe technologique, particulièrement dans le domaine de l'aéronautique et, en 1969, le premier B 747 sort des chaînes de montage de Boeing et demeure, depuis, le fleuron de ce grand avionneur, mais également dans le champ de l'informatique sans laquelle la NASA n'aurait pu traiter autant de données en temps réel.

Au moment où alunit le module *Eagle*, des avions et des ordinateurs sont à l'œuvre dans la guerre du Vietnam. Les satellites lancés dans l'espace par la NASA servent à transmettre aux réseaux de télévision des États-Unis les images de guerre tournées en Asie, de la même façon que celles de la conquête spatiale.

L'engrenage de la guerre du Vietnam

Le choix du Vietnam

Après avoir aidé financièrement les Français durant la guerre d'Indochine (à hauteur de 78 %), les Américains favorisent, en 1955, l'accession au pouvoir au Vietnam du Sud de Ngô Dinh Diem, catholique et incontestable anticommuniste, qui revient des États-Unis. Il s'agit, pour l'administration Eisenhower, d'empêcher que ce pays ne devienne communiste et de faire mieux que les Français. L'objectif correspond bien à l'endiguement dont la guerre de Corée semble avoir montré toute l'importance : le Vietnam serait un domino dont la chute entraînerait celle des autres : Laos, Cambodge, Thaïlande, jusqu'au Japon ou aux Philippines. En effet, c'est en 1952 qu'a été formulée, par le Conseil de sécurité, cette théorie des dominos selon laquelle, mécaniquement, le passage d'un pays au communisme serait suivi par celui de tous les pays voisins, comme si tous étaient identiques et incapables de se défendre contre la subversion communiste.

À Saigon, la CIA joue un rôle majeur dans l'entourage de Diem : seuls quelques dizaines d'Américains sont dans le pays pour aider à mener à bien cette politique de repousser les communistes. Peu à peu, il apparaît que l'armée sud-vietnamienne se bat médiocrement ; or la politique de répression menée par Diem dans les campagnes, avec, selon les thèses américaines, la création de hameaux stratégiques qui éloignent les paysans de la sépulture de leurs ancêtres, suscite beaucoup de mécontentement. Le Nord-Vietnam de Ho Chi Min, qui n'a jamais renoncé à une reconquête progressive du Sud, profite de la situation pour infiltrer les villages. La situation au Vietnam se dégrade doucement, sans affrontement spectaculaire : le conflit reste marginal, totalement inconnu de l'immense majorité des Américains.

Quand Kennedy entre à la Maison-Blanche, il y a environ 1 500 Américains au Vietnam, dont moins de la moitié sont des conseillers militaires. Et le gouvernement de Diem ne survit que grâce à l'aide économique des États-Unis, qui sont alors également préoccupés de l'avancée communiste au Laos.

1. La destruction de la navette *Columbia*, le 1er février 2003 lors de sa rentrée dans l'atmosphère, a condamné ce programme qui sera arrêté en 2011.

Dans ce contexte, il ne saurait être question pour le président de reculer au Vietnam, pays auquel il s'intéresse depuis quelques années : en 1962, les conseillers américains sont au nombre de 11 362. Sur place, le commandement américain encadre l'armée vietnamienne ; du matériel moderne est acheminé – avions, véhicules blindés, hélicoptères – pour lequel la maintenance américaine est indispensable. L'État-major américain, qui se fixe à Saigon dès 1961, est convaincu de mener une lutte anticommuniste et néglige la dimension nationale du conflit, or, la division entre les deux zones du Vietnam a coupé de nombreuses familles ; en dépit du durcissement du régime communiste au Nord, Ho Chi Min conserve une stature nationale.

Le gouvernement des États-Unis n'a jamais envisagé de conquérir le Nord, d'où viendrait tout le mal, pour ne pas provoquer la Chine, mais d'éradiquer les forces communistes présentes au Sud : effectué dès 1962 pour atteindre ce but illusoire, le choix d'une guerre d'usure implique un effort prolongé, sans but territorial, mais avec des risques pour la population locale : une stratégie peu enthousiasmante pour l'opinion.

En septembre 1963, Kennedy envoie une mission au Vietnam, qui confirme totalement la stratégie suivie et demande plus de moyens. À la fin de l'année, il y a 16 233 conseillers au Vietnam ; depuis le début, ils ont eu une centaine de morts, mais ce sont des soldats de métiers et l'opinion ne s'en émeut guère. Dans le même temps au Vietnam, l'insatisfaction grandit à l'égard de Diem qui, au lieu de poursuivre les communistes, se livre à une lutte impitoyable contre les bouddhistes qui contestent son pouvoir : des moines s'immolent par le feu devant les objectifs des caméras, ce qui indigne les Américains. Le 1er novembre 1963, Diem est assassiné par des généraux mécontents ; aucun ne s'imposera comme chef d'État avant 1965.

L'entrée en guerre

Trois semaines après la mort de Diem, Kennedy est assassiné à son tour. Diverses sources ont indiqué que le président aurait pensé avant sa mort à retirer les conseillers du Vietnam. Ces suppositions, qui dégageraient la responsabilité du président assassiné, ne sont pas crédibles, car l'approche de l'élection de 1964 le contraignait à la plus grande prudence pour ne susciter aucune accusation de lâcheté. D'ailleurs, en novembre 1963, les Américains sont trop engagés au Vietnam pour en partir sans perdre la face ; jamais Kennedy n'aurait pu l'accepter. Ses deux successeurs ne résoudront jamais la contradiction entre la victoire impossible et l'humiliation d'un retrait sans résultat.

Le président Johnson va trouver en héritage cette guerre en gestation ; il l'assume aussitôt ; il avait été envoyé au Vietnam par son prédécesseur et il approuve totalement l'engagement américain et, lui qui n'a aucune expérience dans ce domaine, fait confiance aux les militaires, dirigés sur place par le général Westmoreland : à la fin de 1964, il y a 23 310 conseillers au Vietnam.

Pourtant, Johnson n'aime pas cette guerre ; il n'est pas passionné par les affaires étrangères et place toute son ambition dans son projet de « grande société » dont rien ne justifie qu'il s'en détourne. Le président souhaiterait se débarrasser de ce problème au plus vite et au moindre coût économique et social. Cette obsession l'entraîne, d'une part, à ne pas déclarer officiellement la guerre, ce qui, selon lui, inquiéterait trop les Américains ; elle le conduit, d'autre part, à suivre l'État-major qui lui promet des résultats certains et rapides, en écartant les rapports plus lucides de certains officiers ou de la CIA, dont il doutait depuis la baie des Cochons et l'assassinat de Kennedy.

Ces convictions conduisent le président, en vieux routier du Congrès, à chercher l'appui de celui-ci, indispensable pour assurer le financement des opérations dont la nécessité s'impose à lui, bien qu'il ne croie pas en la victoire et répugne à envoyer des troupes sur place. La lutte quotidienne sur le terrain ne progresse guère, aussi les militaires de Saigon tentent-ils de subvertir le Vietnam du Nord par des opérations secrètes. C'est au cours d'une mission d'espionnage, le 4 août 1964, qu'un bâtiment américain est accroché par des vedettes à l'intérieur des eaux nord-vietnamiennes ; le président ne réagit pas aussitôt, mais les rumeurs d'un second incident sont lancées, qu'il ne peut démentir au risque de révéler la réalité de la mission des navires.

Ce mensonge suffit au président pour dénoncer l'agression nord-vietnamienne, et demander aussitôt au Congrès une déclaration conjointe qui lui permette de mener la guerre quand ce sera nécessaire ; le ralliement autour du président après une telle attaque est immédiat. Le 7 août, le Congrès vote à la quasi-unanimité la résolution dite du golfe du Tonkin :

> « ... Le Sénat et la Chambre des représentants des États-Unis d'Amérique réunis en Congrès considèrent que le maintien de l'indépendance et de l'intégrité territoriale de la nation laotienne et de la nation sud-vietnamienne est vital pour l'intérêt national des États-Unis et pour la paix du monde.
> « À cette fin, si le président le juge nécessaire et si le gouvernement du Laos et du Sud-Vietnam en font la demande, les États-Unis sont prêts à faire tout ce qui est en leur pouvoir, en faisant intervenir au besoin leurs forces armées, pour aider les gouvernements de ces pays à défendre leur indépendance et leur intégrité territoriale contre l'agression et la subversion aidée, contrôlée et dirigée par les pays communistes voisins. »
>
> L. Bodard, *Les dossiers secrets du Pentagone*, Presses de la Cité, Paris, 1971, p. 196-197.

Ce texte couvre toutes les initiatives du président et de son successeur jusqu'en 1973, quand le Congrès reprend le contrôle des guerres, en 1964 il accepte la justification de la guerre présentée par Johnson. Ce dernier est bien décidé à faire ce qu'il faut, mais pas trop : en effet, il est hors de question de provoquer la Chine ou l'Union soviétique, en dépit de la menace unifiée que ces pays semblent présenter.

La première décision américaine a été de bombarder le Nord-Vietnam en représailles de l'attaque des vedettes, pour détruire son infrastructure militaire et le dissuader d'infiltrer des hommes au Sud. Le résultat de ces opérations ayant été décevant, elles sont élargies dans le cadre de l'opération « Tonnerre roulant », qui va se poursuivre jusqu'à la fin de la guerre. Toutefois, les actions vietcongs se multiplient au Sud, en particulier contre les bases d'où partent les bombardiers. Le commandement américain envisage depuis quelques mois l'intervention de troupes de combat américaines, plus performantes que les sud-vietnamiennes, afin de protéger ces bases. Ces attaques fournissent une justification que le président accepte, et les premiers *Marines* débarquent à Da Nang en mars 1965 pour assurer la protection des installations ; ces troupes, en pourchassant les assaillants, affrontent aussitôt des unités nord-vietnamiennes bien formées. En juillet après de multiples missions envoyées au Vietnam et après d'angoissantes hésitations, le président finit par décider l'envoi de troupes de combat pour poursuivre les Vietcongs partout où ils se trouvent ; il fait confiance à Westmoreland, qui lui promet la victoire dans les trois ans, après que les communistes auront été saignés à blanc.

Cette guerre se déroule dans des conditions très rudes, mais se fait selon deux conceptions différentes : les Américains ne cherchent aucun avantage économique ou territorial et se contenteraient d'obtenir des Nord-Vietnamiens qu'ils renoncent à leurs visées sur le Sud ; ces derniers avec les combattants du Front national de libération, dénommés par les Américains Vietcongs, ambitionnent de réunifier le pays après en avoir chassé les envahisseurs.

Sans que les Américains y aient pris garde, les *GIs* livrent une véritable guerre dans un pays dont ils connaissent fort peu les mœurs et les coutumes. Il s'agit pour eux d'aller chercher et de détruire les forces communistes ; le bilan scrupuleux des pertes infligées à l'adversaire devrait permettre à l'État-major de vérifier si ses plans sont suivis, mais les conditions des combats sur le terrain ne permettent guère un décompte exact des ennemis tués.

Les soldats américains sont très bien entraînés et ont un excellent moral jusqu'en 1967 ; pourtant, la guerre qu'ils mènent est frustrante. Rares sont les affrontements avec des troupes organisées, il s'agit le plus souvent d'embuscades, de fouilles de villages où l'on distingue mal les simples paysans des Vietcongs qui viennent de faire le coup de feu. La tradition militaire américaine repose sur l'utilisation massive du matériel, aussi les unités n'hésitent-elles pas, dès qu'elles accrochent l'ennemi, à faire appel à l'artillerie et à l'aviation, souvent des hélicoptères qui le pilonnent jusqu'à ce qu'il se rende, à moins qu'il n'ait disparu dans la nature. Au cours de ces opérations, les Américains causent des pertes considérables aux Vietcongs et regagnent certains territoires que ces derniers contrôlaient, dans le delta du Mékong ou sur les hauts plateaux ; mais ils ne parviennent pas à venir à bout d'adversaires souvent mêlés à la population ou réfugiés dans des zones impénétrables. L'aviation, de son côté, bombarde continuellement le Vietnam du Nord, en évitant toutefois Hanoi, le port de Haiphong et les digues du fleuve Rouge qui permettent la culture du riz, le but étant de détruire l'appareil économique du pays et de briser le moral de la population, mais sans aller jusqu'au bout, afin d'éviter une intervention de la Chine. Elle bombarde également les zones vietcongs au Sud comme le Delta ou les abords de la piste Ho Chi Min, par laquelle transite tout le matériel venu du Nord, soit de façon classique, soit avec des défoliants qui devraient enlever à l'ennemi l'abri de la couverture végétale ainsi que son approvisionnement local, mais ces produits à base de Dioxine, dénommés Agent Orange, ont des effets redoutables sur la santé de la population et sur la nature, défigurée pour longtemps.

Troupes américaines au Vietnam
(au 31 décembre de chaque année)

1964	23 300
1965	184 300
1966	385 300
1967	485 600
1968	536 100
1969	475 200
1970	234 600
1971	156 800
1972	24 200

Source : *Statistical abstract of the United States.*

Les Nord-Vietnamiens, déterminés à réunifier le Vietnam, quel qu'en soit le coût, quel que soit le temps mis pour y parvenir, dépeignent leur lutte comme celle d'un petit pays menacé par un grand, qui se bat avec des moyens simples et s'attirent de nombreuses sympathies dans le monde, alors que les Américains – en dépit de nombreux efforts – ne parviennent pas à convaincre leurs alliés de les aider dans leur entreprise, à l'exception de quelques Sud-Coréens et Australiens.

Avant 1965, la guerre, menée par des soldats de métier, conseillers non combattants, et des bombardements sans publicité, n'attirent guère l'attention du peuple américain.

Le soutien de l'opinion

Dans l'ensemble, une considérable majorité d'Américains soutient la politique de son gouvernement sans se poser de questions, d'autant qu'elle est officiellement fondée sur le consensus anticommuniste et menée avec beaucoup de conviction. De plus, le président Johnson rassure en maintenant son programme social et, en mai 1965, en envoyant plus de 20 000 hommes en République dominicaine pour soutenir une junte conservatrice, menacée par les partis de gauche : opération de police à consonance familière dans la zone caraïbe, qui prouverait que le Vietnam n'est pas une priorité absolue.

Seuls quelques hommes politiques s'inquiètent, comme le sénateur Wayne Morse, de tradition isolationniste ; quelques étudiants trotskytes sont alertés. Les choses changent véritablement avec l'envoi des *GIs*. En effet, cette fois, les familles sont impliquées d'autant que le recrutement s'effectue grâce à la conscription. Le service militaire n'est pas une tradition américaine et est d'autant plus mal ressenti qu'il est souvent injuste. Les 4 000 bureaux de recrutement, organisés au niveau local, n'agissent pas de façon homogène : les sursis bénéficient aux étudiants, les ouvriers et les Noirs sont recrutés en priorité. Devant cette situation, au moins la moitié des jeunes en âge de partir cherchent à éviter le service par tous les moyens : mariage protecteur, études prolongées, appui paternel, fuite à l'étranger. En tout, près de 2 millions et demi d'Américains ont servi au Vietnam, où ils ne restent qu'un an, ils ne se battent pas tous, l'immensité des installations nécessite beaucoup de travaux sans danger et les combats ne sont jamais de longue durée. En tout moins de 10 % des jeunes de classes d'âge susceptibles de partir sont allés au Vietnam, mais l'angoisse de la guerre a atteint, par ondes concentriques, beaucoup plus d'Américains.

Ce sont d'ailleurs des étudiants qui manifestent les premiers contre la guerre, dès l'été 1965, à Washington. Dans les mois qui suivent, d'autres groupes mettent en cause sa finalité de la guerre. Des intellectuels qui la trouvent peu justifiée, des leaders noirs qui n'admettent pas que près du tiers des soldats au Vietnam soient noirs, subissant des pertes supérieures à la moyenne, des pacifistes de diverses origines... La plupart de ces opposants réclament le retrait immédiat du Vietnam, ne comprenant pas ce que les État-Unis ont à y faire, ils critiquent les bombardements aveugles sur un pays pauvre. Toutefois, à la fin de 1966, les sondages montrent encore que plus de 60 % des Américains soutiennent la politique de leur président. Une fois les sursis supprimés, l'effort de guerre s'accélère et le mouvement d'opposition se renforce, proportionnellement au nombre de morts, qui s'accroît. Des jeunes brûlent ostensiblement leurs papiers militaires devant les caméras et en quelques mois la candidature pour les élections de 1968 du sénateur démocrate Eugene McCarthy (sans lien avec son homonyme des années 1950) rencontre un succès impressionnant : McCarthy demande la fin de la guerre et le retrait des troupes.

L'insuffisance des résultats obtenus sur le terrain explique qu'au sein du gouvernement des doutes se soient fait jour. Ainsi, le secrétaire à la Défense, Robert McNamara, architecte de l'effort de guerre et symbole de la supériorité américaine, avertit le président dès l'automne 1967 des risques de la situation ; à ce moment, il juge utile de commander une enquête sur les raisons de l'engagement. Peu écouté, il préfère démissionner, « faucon » devenu « colombe » – c'est ainsi que sont désignés couramment partisans et opposants de la guerre.

La presse et les médias suivent une évolution semblable. Les premières années, les correspondants appuient totalement l'effort de guerre, et les rédactions aux États-Unis n'hésitent pas à censurer les commentaires critiques. Puis, au fur et à mesure que la guerre dure, les journalistes, qui suivent sans aucune contrainte, les troupes sur place, se font plus réservés. La télévision, qui évite les images trop choquantes, habitue les Américains à une guerre sans relief apparent, où tournoient les hélicoptères et fument les villages. Quand l'opposition aux États-Unis se fait plus bruyante, les journalistes en rendent naturellement compte, démultipliant l'effet de manifestations relativement limitées ; quand hommes politiques et notables, plus estimables que des étudiants échevelés, rallient les « colombes », la parole leur est donnée. Ainsi, à l'automne 1967, environ la moitié des Américains met en doute la justification de la guerre, mais refuse une humiliation de leur pays.

1968

Le 30 janvier 1968, jour de l'an vietnamien, Vietcongs et Nord-Vietnamiens attaquent partout et s'emparent d'une quarantaine de chefs-lieux, après avoir détourné de nombreuses forces américaines dans un combat périphérique, à Khe Sanh, près de la frontière du dix-septième parallèle. La ville de Hué est prise, des commandos pénètrent jusque dans la cour de l'ambassade américaine au cœur de Saigon où des combats se déroulent ; l'aéroport de Than Son Nut est attaqué. L'effet de surprise est total : beaucoup de soldats sud-vietnamiens étaient en famille pour fêter le nouvel an. Les Nord-Vietnamiens n'obtiennent pourtant pas le soulèvement de la population en leur faveur, ni la chute du régime du général Thieu, qui a stabilisé le pouvoir au Sud. En quelques semaines, les forces américaines rétablissent la situation et reprennent la quasi-totalité du terrain perdu ; les Vietcongs, qui avaient voulu cette offensive, subissent de terribles pertes, alors que les Nord-Vietnamiens laissent apparaître la dureté de leur occupation, révélée notamment dans les charniers de Hué, mais la ville résiste longtemps.

Cette offensive constitue un choc terrible : n'a-t-elle pas été soigneusement préparée et menée avec de gros moyens ? Les analyses de Westmoreland qui programmait l'anéantissement de l'ennemi se révèlent fausses de telle sorte que la crédibilité de la politique suivie n'apparaît plus : l'État-major américain considère avoir remporté une victoire, puisque l'offensive a échoué, mais la situation reste la même qu'auparavant. De Saigon, le présentateur-vedette de CBS Walter Cronkite se demande où est passée la victoire promise et évoque une impasse ; la popularité du président est à son point le plus bas. Les militaires demandent d'autres hommes pour achever l'ennemi, mais le doute s'est installé au sein du pouvoir. Il y a déjà 543 000 *GIs* au Vietnam, le chiffre des morts atteint 38 000 depuis 1964, plus de bombes ont été déversées sur le pays que sur l'Allemagne pendant la Seconde Guerre mondiale, les dépenses se montent à 2 milliards de dollars par mois et aucune issue décisive n'est en vue : la guerre d'usure n'a pas mis l'ennemi à genoux, même si ses pertes sont considérables. Les militaires n'auront pas les troupes demandées, ils prétendront que les médias qui ont présenté le Têt comme une défaite sont fautifs ; en fait ils détournent ainsi l'attention de leur faillite tactique.

Le 31 mars, le président Johnson décide, dans une allocution dramatique, de cesser les bombardements sur le Nord, d'entamer des négociations et, surprise, de ne pas se représenter lors des élections de novembre. L'opinion lui accorde alors de nouveau une grande confiance.

Mais ce court répit pour le président ne dure pas, car en quelques semaines les États-Unis sont plongés dans la tragédie, comme si les fissures révélées par les années précédentes s'élargissaient en abysses.

Le 4 avril, le choc du Têt est suivi par l'assassinat de Martin L. King, devenu très critique à l'égard de la guerre et de son coût. Des émeutes raciales secouent le pays : les étudiants manifestent contre la guerre ; les Noirs, contre la pauvreté. Robert Kennedy, qui a décidé de se présenter pour obtenir la candidature démocrate avant même la décision de Johnson, mène une campagne vigoureuse où il se démarque de la politique suivie au sujet du Vietnam comme à propos des questions sociales. Devenu un orateur passionné, il suscite un réel enthousiasme auprès des jeunes et ranime l'espoir de retrouver l'élan de son frère. Le 6 juin, alors que Kennedy vient de remporter la primaire de Californie, qui lui assure la nomination, il meurt assassiné par un déséquilibré d'origine palestinienne.

Une fois de plus, l'émoi est immense dans le pays : à la violence de la guerre se superpose une violence interne qui semble ne rien respecter. Les croyances les plus solides sont remises en cause, sans qu'aucun des grands partis ne représente l'avenir. Chacun est divisé profondément.

Le parti républicain choisit comme candidat Richard Nixon, véritable revenant qui a préparé son retour, tablant sur le besoin de loi et d'ordre. Sur ce terrain, il est concurrencé par George Wallace, gouverneur de l'Alabama, défenseur de la ségrégation, mais aussi représentant des traditions populistes, qui a quitté le parti démocrate et fondé son propre parti : « le parti américain ».

La convention démocrate se réunit à Chicago, fin août, dans une atmosphère inédite en raison de la disparition des principaux candidats. Elle est très vite entourée par des manifestations nombreuses, dont beaucoup avaient été prévues pour conspuer Johnson ; d'autres réunissent des homosexuels, des *hippies,* ivres de musique et de marijuana, des Noirs en colère. Tous veulent profiter de la couverture médiatique de la convention et démontrent le décalage entre le mouvement social et la vie politique. Mais la police locale du maire Richard Daley n'hésite pas, elle choisit l'occasion pour détruire le mouvement étudiant et empêcher son alliance avec les Noirs radicaux : elle organise de faux incidents, tabasse sans faiblesse les manifestants qui traitent les policiers de « cochons » devant les caméras ; des centaines de blessés, les images révoltantes du matraquage de jeunes désarmés soulèvent l'indignation des journalistes, mais, dans le même temps, les excès des manifestants écœurent de nombreux téléspectateurs lassés des manifestations incessantes et satisfaits de la fermeté de la police.

Finalement dans le brouhaha, les démocrates investissent Hubert Humphrey, vieux routier de la politique, qui a beaucoup de mal à se distinguer de Lyndon Johnson dont il était encore le vice-président. Après une campagne dure, pendant laquelle Humphrey retrouve ses accents populistes, la candidat républicain, associé à Spiro Agnew (Grec du Maryland) l'emporte avec 43,4 % des suffrages (31,8 millions de voix) contre 42,7 % (31,3 millions) pour Humphrey, alors que Wallace a réuni dans le Sud 13,5 % (soit 9,9 millions), mais le Congrès conserve une majorité démocrate.

La tâche du nouveau président est considérable, le pays dont il s'est éloigné en 1960 a beaucoup changé : le consensus anticommuniste a éclaté, les villes sont secouées par des émeutes raciales, la guerre du Vietnam s'éternise sans solutions. Dans le même temps, la plupart des banlieues sont paisibles et la stabilité du pays n'y paraît guère menacée ; la NASA envoie envers la Lune avec succès le vaisseau spatial Apollo qui fait le tour du satellite de la terre, et, Stanley Kubrick sort la même année *2001 : l'odyssée de l'espace*, qui fait rêver les adolescents séduits par cette nouvelle aventure.

Deux images complémentaires de ce pays complexe que le président Nixon découvre.

Les hauts et les bas du président Nixon

Un bilan international ambigu

Le nouveau président hérite du conflit vietnamien, il comprend vite qu'aucune issue n'est aisée pour en venir à bout.

Richard Nixon peut être fier du chemin parcouru depuis son échec de 1960. Mal aimé des journalistes, il n'est pas parvenu à s'imposer dans la politique locale, mais, progressivement, il a reconstruit son influence au sein de son parti, attendant son heure ; en 1964, tout en sachant que la candidature extrémiste de Barry Goldwater était condamnée, il l'a soutenue. En 1968, il représente la solidité d'un homme politique chevronné. À 55 ans, il est bien décidé à lutter pour s'imposer, après avoir fait le gros dos pendant des années, tout en se méfiant du milieu politique qui l'a mal accueilli. Sa ténacité lui sert énormément, ainsi que son origine californienne qui semble l'entraîner dans le sens du progrès ; il sait par ailleurs faire valoir son expérience de vice-président, qui le lie à la période bénie des années 1950. Son programme illustre ce profil : il critique la guerre mal menée par les démocrates, vilipende les programmes sociaux coûteux qui ont engendré violence et inflation, dénonce les excès des revendications ethniques.

L'homme est ambitieux et désire être reconnu comme un grand président. Il réalise que la guerre du Vietnam nuit au prestige de son pays et, comme le général de Gaulle – qu'il admire – a su achever celle d'Algérie pour redonner à la France son rôle mondial, il veut trouver une issue pour se lancer dans une politique mondiale que l'aide à concevoir son conseiller à la Sécurité nationale, le brillant universitaire Henry Kissinger.

En arrivant au pouvoir, en janvier 1969, le président n'a pas de plan précis pour sortir de la guerre, contrairement à ce qu'il prétend. En effet, s'il lui est facile de critiquer les démocrates, il ne s'agit pas d'opter pour un retrait rapide du Vietnam, qui serait une honte pour le pays ; d'ailleurs, les Républicains ont surtout reproché à Johnson son indécision, son manque de fermeté et appuyé les revendications des militaires. De plus, il est impossible au nouveau président de sembler donner raison à ces manifestants qu'il n'a cessé de stigmatiser.

Peu à peu, Nixon fixe ses objectifs : la guerre ne peut se terminer que par une négociation mais celle-ci doit être engagée dans les meilleures conditions pour les États-Unis. Il reprend donc les propositions de Johnson, mais en évitant de se trouver dans la position de faiblesse de celui-ci. C'est en juillet 1969, après maintes consultations, que le président expose enfin son programme : il consiste à retirer progressivement les troupes américaines, dont la présence est rejetée par l'opinion, en confiant la guerre à ceux qui sont le plus concernés, les Sud-Vietnamiens dûment renforcés et entraînés. Pour calmer les inquiétudes de ces derniers, Nixon accompagne cette vietnamisation d'un renforcement de l'aviation américaine. Dans ces conditions nouvelles, la guerre pourra continuer en vue de faire fléchir les Nord-Vietnamiens, mais à moindre coût politique et social pour les Américains.

Les troupes américaines au Vietnam sont relativement démobilisées depuis le Têt ; elles ne savent plus très bien quel est leur rôle exact et aspirent à être rapatriées. Les bavures se multiplient, plus ou moins graves, mais prouvent le peu de respect des soldats envers la population vietnamienne. Ainsi, en mars 1968, a lieu l'odieux massacre, précédé des pires violences, des 504 villageois de My Lai (il ne sera rendu public que l'année suivante) ; une unité ordinaire chargée de rechercher des combattants dans un village perd tout contrôle et se met à tirer sur tout ce qui bouge – femmes, enfants, vieillards – en se livrant aux pires abus. Certains officiers sont menacés ou tués par une grenade placée sous leur lit, les tensions raciales des quartiers des villes américaines se retrouvent dans toutes les unités et on évalue le nombre des drogués à plus d'un tiers de l'effectif (à leur retour, la consommation de stupéfiants augmente aux États-Unis) ; alors même que les combats ralentissent, le nombre de tués reste important. Dans ces conditions, le retrait des troupes est accéléré et, à la fin de 1972, il n'y a plus de *GIs* au Vietnam.

Pendant que s'effectue ce retrait, les Sud-Vietnamiens bénéficient d'un entraînement soutenu et reçoivent du matériel moderne. Dans le même temps, les Américains se préoccupent des paysans, trop longtemps négligés et qui constituent le milieu dans lequel se meuvent les Vietcongs. Ils favorisent une amorce de réforme agraire et mènent une opération meurtrière, dénommée Phénix initiée par la CIA, pour détruire l'encadrement communiste dans les campagnes. De plus, en avril 1970, pour montrer sa détermination, Nixon ordonne une opération au Cambodge dans l'espoir de détruire le commandement nord-vietnamien. Le régime du prince Norodom Sihanouk est renversé quelques mois plus tard, mais les résultats militaires sont insignifiants, alors que l'opposition se déchaîne aux États-Unis. Pour la première fois, quatre jeunes gens sont tués et neuf blessés, à Kent State University (Ohio) par la Garde nationale débordée, ce qui provoque des vagues de nouvelle manifestations.

Le test de la vietnamisation et de la pacification arrive à Pâques 1972. Le Nord-Vietnam livre une grande offensive dans tout le Sud avec de grosses unités, la guérilla ayant été décimée et le gros des troupes américaines étant partie. Les soldats sud-vietnamiens plient, mais ne rompent pas. Néanmoins, de larges parties du pays sont perdues (Hauts Plateaux, zone nord), et l'offensive n'est brisée que grâce aux intenses bombardements ; de plus l'aviation américaine se déchaîne sur Hanoi et Haiphong.

Le bilan de ces opérations est ambigu : le Sud-Vietnam ne s'est pas effondré, mais survit uniquement grâce à l'appui aérien américain. Or, depuis 1969, des négociations sont en cours entre Américains et Nord-Vietnamiens, difficiles et souvent interrompues, chacun des camps voulant négocier en position de force. Nixon veut la paix dans l'honneur, ce qui signifie être toujours le plus fort. Il reconnaît la Chine, en février 1972, dans un geste spectaculaire, afin de pousser Mao à faire pression sur Hanoi pour achever les négociations ; mais cette visite a lieu deux mois avant la grande offensive nord-vietnamienne qui n'en est nullement affectée ; quelques mois plus tard il se rend à Moscou pour rencontrer Brejnev avec la même intention, mais en dépit de bombardements simultanés sur Haiphong, ce déplacement n'a pas plus d'effet que le précédent. Moscou et Pékin ont très bien compris depuis longtemps que les Américains s'enlisaient au Vietnam, sans les menacer le moins du monde, ils n'ont donc aucune raison d'intervenir en leur faveur.

L'espoir soulevé par la perspective d'un retrait rapide des troupes s'est vite effondré, surtout quand est dévoilée l'affaire de My Lai, puis quand les *GIs* vont se battre au Cambodge. De fait, la guerre de Nixon dure presque autant que celle de Johnson, sans déboucher sur une solution définitive. Sans doute le retrait des soldats apaise-t-il peu à peu les étudiants et les familles, mais c'est un 1969 et 1970 qu'ont lieu les manifestations les plus violentes contre la guerre. Les campus s'embrasent au moment de l'intervention au Cambodge, les manifestations se succèdent à Washington. Le procès du lieutenant Calley, responsable du massacre de My Lai, fixe les esprits et, début 1971, la publication par le *New York Times* des *Papiers du Pentagone,* réunis par McNamara et classés secrets, fournit toutes les preuves de l'ancienneté de l'engagement au Vietnam, de ses présupposés dogmatiques et, surtout, du souci constant de dissimulation des gouvernements successifs. Le Congrès s'est décidé à réagir en abrogeant, en juillet 1970, la résolution du golfe du Tonkin et en envisageant de couper les crédits pour le Vietnam.

Le président, excédé par les manifestations, scandalisé par la publication des *Papiers,* irrité par les journalistes qui lui seraient toujours hostiles, se referme de plus en plus sur son équipe de la Maison-Blanche. Finalement, fin 1972, les négociations entre Kissinger et le Nord-Vietnamien Le Duc Tho, longtemps secrètes, aboutissent. Les bombardements ont certainement fait réfléchir Hanoi, mais les successeurs de Ho Chi Min, décédé en 1969, savent aussi que les Américains n'ont pas d'autre solution qu'une issue négociée. Le cessez-le-feu, annoncé le 27 janvier 1973, est accompagné de perspectives de réunification sous contrôle international et après élection ; toutes les forces américaines doivent être évacuées, les prisonniers libérés et le gouvernement Thieu, dont les Nord-Vietnamiens avaient longtemps exigé le départ, reste en place pour cette période transitoire. Le Congrès, en 1973, s'engage à venir en aide au Sud-Vietnam, tout en soumettant l'engagement des forces américaines à des règles très précises et en supprimant la conscription pour revenir à l'armée de métier traditionnelle dans le pays. Quant à lui, Nixon promet verbalement à Thieu l'appui éventuel des bombardiers américains.

Les États-Unis sortent ainsi d'une guerre qui est leur premier échec d'envergure ; bien qu'ils n'aient pas été battus militairement, ils n'ont atteint aucun des objectifs qu'ils s'étaient fixés et Henry Kissinger est très conscient de la précarité de l'accord de cessez-le-feu : il reconnaît que le Sud-Vietnam ne devrait survivre guère plus d'une année. Ces circonstances ont contribué à la division des Américains de façon profonde ; le consensus anticommuniste n'a plus grand sens et une forte minorité d'entre eux n'y croit plus. L'échec a rendu publics les abus commis par les troupes, a rendu incompréhensible le sang versé dans un conflit sans justification. Pour d'autres, peut-être un quart des Américains, la guerre aurait dû, au contraire, être menée avec plus d'énergie, sans retenue pour éviter cet échec et rendre justice aux morts. 58 000 Américains ont perdu la vie dans ce conflit, plus de 300 000 sont revenus blessés (environ deux million de Vietnamiens en ont également été les victimes) ; 150 milliards de dollars ont été dépensés, sinon gaspillés.

La guerre du Vietnam a nécessairement hanté l'esprit américain dans les années qui suivent.

En même temps qu'il parvient douloureusement à s'extraire du guêpier vietnamien, le président Nixon cherche à affirmer une politique mondiale qui montrera que les États-Unis ne sont pas durablement affaiblis, s'ils tiennent compte des réalités du moment. Le maître mot du concepteur de cette politique, Henry Kissinger, est en effet le réalisme et le linkage (lien entre les différents problèmes à résoudre).

Toute l'attention portée au Vietnam ne fait pas perdre de vue à Washington que l'ennemi réel reste Moscou, où un gros effort est fait pour renforcer l'arsenal soviétique, ne serait-ce que pour éviter une humiliation comme celle de 1962. Mais cette conviction s'est accompagnée d'une prise en compte de la division du monde communiste entre l'Union sovietique et la Chine. Celle-ci, en germe depuis 1960, avait été ignorée par Kennedy et Johnson. Aussi les États-Unis vont-ils rétablir le contact avec la République populaire de Chine, afin d'inquiéter l'Union soviétique et, en même temps, obtenir l'appui de la Chine pour faire pression sur le Vietnam. Mais la Chine de Mao Zedong, tout en stigmatisant l'impérialisme américain, cherche à éviter d'être isolée face à l'Union soviétique de Brejnev. D'abord secret, le rapprochement, préparé par Kissinger et Zhou Enlai, débouche sur la visite spectaculaire de Richard Nixon à Pékin en février 1972, après que la Chine a été admise à l'ONU l'année précédente. George Bush sera le premier arnbassadeur américain à Pékin en 1976.

Dans le même temps et jouant de la haine entre les deux pays communistes, les Américains ont entrepris, depuis 1969, des pourparlers avec les Soviétiques dans le but d'arriver à limiter les armements qui menacent la stabilité du monde. Le président américain tient à signaler qu'un respect mutuel doit s'établir entre les Occidentaux et les pays communistes ; il n'hésite pas à en parler lors de sa visite en Roumanie où Ceausescu est paré de toutes les vertus, puisqu'il a pris ses distances avec Moscou. Ces bons procédés caractérisent la détente qui s'établit alors et aboutissent à la première conférence d'Helsinki sur la coopération en Europe et à la signature du premier traité de limitation des armements stratégiques, SALT I, lors du séjour de Nixon à Moscou en mai 1972 ; Brejnev se rend aux États-Unis l'année suivante et l'Union soviétique est autorisée à acheter le blé dont elle a besoin aux États-Unis.

Ce rapprochement entre les deux grandes puissances ne manque pas dêtre paradoxal. En effet, c'est le farouche anticommuniste Richard Nixon qui reconnaît la stabilité des frontières issues de la Seconde Guerre mondiale – la RDA est ainsi reconnue en 1972 – et qui accorde à l'Union soviétique la parité stratégique qu'elle convoitait depuis des années. Le bloc communiste européen paraît si solide qu'il devient préférable de s'en accommoder. Pourtant, l'Union soviétique n'est nullement prête à accepter la définition américaine des droits de l'homme et ne semble pas renoncer à son activisme mondial – en Égypte, en Syrie, puis en Afrique – contre lequel l'endiguement américain est pratiquement impuissant, surtout après l'humiliation vietnamienne.

Le réalisme cher à Kissinger et à Nixon a été vanté sur le moment – la détente étant largement préférable à la tension précédente. Pourtant, cette politique n'a pas atteint ses objectifs au Vietnam, ni anticipé le moins du monde le déclin inéluctable du monde communiste.

Les gestes spectaculaires que sont le voyage à Pékin ou les embrassades avec Brejnev ne doivent pas cacher les difficultés des États-Unis à orienter les événements comme ils le voudraient. Kissinger le « magicien », dont les médias attendent beaucoup, a voulu renouveler les liens de son pays avec l'Europe ; il n'y est guère parvenu. À la suite de la guerre israélo-arabe d'octobre 1973, il a inlassablement tenté de rapprocher les positions d'Israël et de l'Égypte, pour éviter l'humiliation finale de cette dernière. Pourtant, l'obstination d'Israël, puissamment soutenu par le Congrès, auprès duquel le lobby juif est fort actif, n'a pas été vaincue, même si le cessez-le-feu l'a frustré de la victoire totale. En cette occasion, le président Nixon a montré sa détermination en s'opposant, par la mise en alerte de toutes les forces américaines – dont les nucléaires – à une intervention directe des forces soviétiques en faveur de l'Égypte. Mais l'influence américaine sur les États arabes modérés et sur l'Iran n'a pas été assez forte pour empêcher la hausse brutale des cours du pétrole, à la suite de la guerre.

Le bilan de R. Nixon en matière de politique étrangère comporte quelques beaux succès, mais celle-ci se réduit de plus en plus, à un traitement au cas par cas, qui ne manifeste guère d'imagination ni d'élan. L'échec au Vietnam n'a pas entraîné la chute des dominos, comme on le croyait dans les années 1950, mais a asséché la créativité américaine sur l'échiquier mondial.

Un conservatisme très pragmatique

En 1969, deux images fortes rendent bien compte des contrastes arnéricains. Le 20 juillet, Neil Armstrong descendu d'*Apollo 11* a marché sur la Lune, devant des centaines de millions de téléspectateurs dans le monde : triomphe de la technologie américaine mise en œuvre par la NASA, accomplissement du pari lancé par Kennedy dix ans plus tôt. Du 15 au 18 août, près du petit village de Woodstock, dans l'État de New York, un gigantesque concert de rock réunit 400 000 jeunes dans un climat de paix et de fraternité facilité par la drogue ; ils sont plus nombreux dans la boue d'un été pluvieux que ceux qui ont manifesté contre la guerre à Washington quelques mois plus tôt, si ce sont aussi les mêmes. Ces deux facettes de la réalité américaine sont presque antinomiques, tellement l'aventure spatiale est liée à la guerre, mais elles n'en font pas moins partie de l'expérience américaine de la période.

Le président Nixon a été élu sur un programme de « remise en ordre du pays » : il n'a pas hésité en septembre 1969 à se mettre à l'écoute de la « majorité silencieuse », qui ne manifeste pas, qui ne fume pas la marijuana et ne s'étourdit pas de rock. Ce sont souvent ces mêmes personnes qui ont soutenu, de bout en bout, l'intervention au Vietnam, les ouvriers de la construction de New York n'ont pas hésité à intervenir durement contre les jeunes manifestants, suivant l'orientation de la grande centrale syndicale AFL *(American Federation of Labor)*; ceux-là diabolisent Jane Fonda qui s'est rendue à Hanoi pour dénoncer l'impérialisme de son pays. Or, cette partie de la population est excédée par le coût et les contraintes de la « grande société ». Celle-ci s'est faite par l'intervention du gouvernement, elle a conduit à la création de milliers d'emplois, au versement de millions de dollars de subvention, dont une partie semble avoir contribué à renforcer ces groupes contestataires et minoritaires.

Les principales lois de la « grande société » ont toutes été votées avant 1966. La guerre du Vietnam a sans doute polarisé les énergies par la suite, mais le Congrès s'est aussi montré beaucoup plus réticent, inquiet des dépenses destinées aux plus démunis, qui ont augmenté de plus de 10 milliards de dollars entre 1964 et 1969. Bien que ces fonds aient probablement permis une réduction sensible de la pauvreté et la mise en place d'un filet de protection pour les défavorisés (institution de coupons alimentaires, aide juridique gratuite), ils semblent – à première et courte vue – avoir aussi abouti au développement de la criminalité (le nombre de meurtres fait plus que doubler entre 1960 et 1972, passant à 20 000 par an).

Le nouveau président a certes critiqué les excès de dépenses faits par les démocrates, mais, une fois au pouvoir, il s'aperçoit que la plupart des réformes entrent en vigueur, dûment budgétisées par le Congrès. Il faudrait pour les diminuer ou les annuler une solide majorité – qu'il n'a pas, en dépit du poids conservateur au sein du parti démocrate – et une ferme volonté, qui n'est pas vraiment la sienne, car il n'est pas un idéologue. En effet, R. Nixon a été difficilement élu et la « majorité silencieuse » qui lui est chère n'est nullement homogène. Elle comporte des nostalgiques du bon vieux temps, mais aussi des membres des classes moyennes ou des ouvriers attachés à des réformes dont ils bénéficient – Sécurité sociale, enseignement –, voire des électeurs fiers de leur origine ethnique qui ne veulent pas supprimer le gâteau des subventions mais en avoir leur part. Aussi doit-il être particulièrement prudent dans son approche. Il lui est plus facile de condamner les excès de la pornographie, de faire voter des lois réprimant plus efficacement le crime ou de dénoncer les excès du *busing* (qui oblige à transférer les enfants d'un quartier noir dans un quartier blanc, et réciproquement) que de restreindre le nombre de bénéficiaires du *Medicare* ou des logements subventionnés.

De plus le nouveau président hérite d'une situation économique dégradée qui freine ses initiatives et le met en contradiction avec ses principes affichés.

La volonté de Johnson de poursuivre l'effort de guerre tout en développant la « grande société » a abouti à une augmentation sensible des dépenses fédérales, moins d'ailleurs par le coût spécifique de la guerre que par la menace que celui-ci semble faire peser sur les programmes sociaux en forte augmentation. De ce fait, le budget est régulièrement en déficit depuis le début des années 1960. Les baisses d'impôt accordées par Kennedy sont, partiellement, annulées par l'imposition d'une surtaxe de 10 % sur les revenus, qui ne résout rien sur le fond. Or, dans l'ensemble, ce déficit est financé par l'émission de dollars du Trésor fédéral. Les taux d'intérêt élevés maintenus par la Federal Reserve attirent des capitaux étrangers et conduisent les filiales de banques américaines en Europe à emprunter des dollars sur place où les taux d'intérêt sont moins élevés qu'aux États-Unis. La balance des biens et services reste ainsi excédentaire, mais graduellement la balance commerciale se détériore et devient elle-même déficitaire en 1971, pour la première fois depuis 1888.

Dans ces conditions, l'inflation s'accroît, en moyenne annuelle :

1968 : 4,27 % ; 1969 : 5,46 % ;1970 : 5,84 % ; 1971 : 4,30 % ; 1972 : 3,27 % ; 1973 : 6,16 % ; 1974 : 11, 03 %.

Le président Nixon hérite de cette situation et redoute qu'une lutte vigoureuse contre l'inflation ne provoque une récession qui pourrait se révéler coûteuse sur le plan électoral. Dans un premier temps, de 1969 à août 1971, il suit une politique monétariste, inspirée par Milton Friedman, qui consiste à ralentir la croissance de la masse monétaire tout en diminuant graduellement les dépenses budgétaires. Mais la récession qui s'ensuit amenuise les rentrées fiscales et rend utopique le retour prôné à l'équilibre du budget, à moins d'une coupe drastique dans les dépenses, politiquement impensable.

Aussi Nixon sans connaissance précise en économie redevient keynésien : il accepte désormais un déficit budgétaire, mais laisse filer l'inflation. Or, à l'été 1971, le dollar est menacé. Les États-Unis vivent à crédit, la baisse des taux d'intérêt nécessaire à la reprise fait fuir les capitaux mieux rémunérés en Europe. Pour ne pas aggraver la récession, un an avant les élections présidentielles, le président choisit une politique à l'opposé de celle, libérale, qu'il suivait deux ans auparavant. Le 15 août 1971, après avoir gardé le plus grand secret et sans aucune consultation avec les alliés, le président des États-Unis annonce la fin de la libre convertibilité du dollar en or, mettant un terme au système mis en place en 1945. En même temps, il annonce un blocage, pour trois mois, des prix et des salaires, suivi d'un contrôle strict de ceux-ci. Les premiers résultats sont encourageants, le taux d'inflation redescend et ce succès contribue à la victoire électorale écrasante de Nixon la même année, puisqu'il semble avoir apporté la paix et la prospérité. Mais le relâchement des contrôles, au début de 1973, aboutit à une inflation record, ce qui contraint le président à une nouvelle période de blocage ; le dollar, dévalué une première fois de 8,5 % en décembre 1971, l'est à nouveau de 10 % en février 1973 alors que la croissance s'amenuise avant de s'arrêter en 1974. L'économie américaine est profondément déréglée, Nixon n'est pas parvenu à inverser la spirale des dépenses amorcée par son prédécesseur.

L'impossible restriction des dépenses budgétaires s'explique par le gonflement régulier des dépenses sociales durant la présidence de Richard Nixon. Elles deviennent en effet supérieures à celles de la défense, qui ont été sévèrement réduites (de 9 % à 5 % du PNB entre 1968 et 1972). Ce gonflement s'accompagne de celui de toute une série de réglementation.

De telles données sont en contradiction avec la volonté affichée par le candidat républicain de mettre un terme aux débordements démocrates. Deux types de raisons expliquent ce changement dans la continuité. Les premières proviennent du maintien d'une forte majorité démocrate au Congrès, qui ne veut pas se renier ; les secondes, de l'attitude du président lui-même. Nixon se présente comme un conservateur, mais éclairé et prudent ; surtout, il n'a nullement l'intention de provoquer de nouvelles manifestations en cas d'atteintes aux acquis de la « grande société ». Son but serait toutefois de parvenir à généraliser l'attribution de l'aide à tous les défavorisés et non pas aux seules minorités, parfois bruyantes, et de donner plus de responsabilités aux États dans la gestion afin de supprimer les travailleurs sociaux considérés comme de dangereux parasites. Cette politique poursuivie jusqu'en 1972 obtient des résultats ambigus, car le Congrès se méfie de toute nouvelle mesure et les États n'obtiennent qu'une part très réduite des fonds. Pourtant, l'indexation des retraites sur l'évolution des prix, votée en 1972, correspond bien à cette volonté de favoriser l'ensemble d'un groupe social – les personnes âgées –, en faisant un pari financier dangereux sur l'avenir.

Par ailleurs, le président désire faire aboutir la déségrégation car il y croit et ne veut pas qu'une année électorale soit marquée par des émeutes raciales. Aussi fait-il appliquer toutes les lois des droits civiques, prenant garde, néanmoins, à ne pas brusquer les sudistes. En revanche, il refuse toute intégration forcée, ce qui explique son opposition au *busing* – mesure impopulaire pour beaucoup de Blancs et de Noirs – mais affirme vouloir aider la formation d'un « capitalisme noir ». Les résultats de cette initiative sont réels dans le domaine de l'industrie musicale et dans la mode, mais ils demeurent marginaux, car ces entreprises éprouvent des difficultés à trouver des capitaux et que les grandes firmes nationales ne renoncent jamais à un marché, serait-il celui aux faibles revenus de la communauté noire, souvent habituée aux grandes marques. Ces contradictions justifient que les leaders noirs n'aient guère fait confiance au président, bien que les violences urbaines diminuent, grâce au succès de certaines mesures, mais également du fait d'une répression sévère contre leurs organisateurs, en particulier les Panthères noires. Ces contradictions expliquent que les écoles ségréguées ne soient plus que de 6 % en 1972, et que peu de progrès économiques et sociaux aient été accomplis dans les quartiers noirs.

Avec la même ambiguïté, le président est le réel créateur des programmes dits d'affirmative action ; ces mesures compensatoires envisagées par son prédécesseur s'étaient heurtées à l'opposition des syndicats à toute forme d'embauche par quotas imposés. En 1970, afin de diviser l'opposition, Nixon entreprend de relancer ces programmes ; il enlève l'un de leurs projets aux démocrates et crée une pomme de discorde entre des piliers de ce parti : les leaders noirs, plutôt favorables, et les syndicats toujours hostiles. Finalement, les programmes d'affirmative s'imposent assez facilement, car ils sont limités au secteur fédéral – les entreprises noires sont privilégiés, les étudiants également – mais ne coûtent presque rien, car ne s'accompagnent d'aucun système de subvention. D'autres groupes sociaux, comme les femmes et les latinos, sont rapidement inclus dans ce système, qui devient caractéristique de la société américaine, d'autant que certaines entreprises l'adoptent sans y être obligées, comme les médias, afin d'élargir leur marché à toutes les catégories sociales.

L'attitude ambiguë du président, associée à la volonté du Congrès et des différents groupes de pression, aboutit à une multiplication de mesures nouvelles. Les unes correspondent à un souci de sécurité, dans le travail, sur la route ou à la maison. Ainsi la campagne de Ralph Nader, avocat des consommateurs, aboutit dès 1964 à ce que General Motors soit contrainte de retirer du marché des voitures dangereuses. Des mesures législatives viennent ensuite préciser les choses pour les différentes productions en créant une agence (OSHA, *Occupational Safety and Health Administration*) qui veille à la sécurité des personnels dans les entreprises. Les autres répondent à une prise de conscience écologique, provenant à la fois de traditionalistes inquiets de l'afflux de touristes et d'une population plus nombreuse préoccupée par la dégradation des ressources naturelles, dont font notamment partie les *hippies* cherchant à retrouver la nature. Ce souci, apparu dès 1960, aboutit dix ans plus tard à une législation concernant la pureté de l'eau et de l'air, et les problèmes d'environnement sont pris en compte avec l'adoption de l'essence sans plomb ; par là les États-Unis sont en avance sur l'Europe.

Une révolution culturelle ?

La Cour, dirigée par Earl Warren, a été le point de mire de nombre de conservateurs : n'avait-elle pas, à leurs yeux, déchaîné la contestation par la déségrégation et par des arrêts trop favorables aux minorités ? Richard Nixon profite de la retraite de Warren, en 1969, pour nommer un juge en chef sûr, Warren Burger, mais, comme cela arrive fréquemment, ce dernier se révèle très indépendant. D'ailleurs, la majorité de la Cour reste dans la ligne des années précédentes dans l'esprit de Warren.

De ce fait, la Cour va poursuivre son lent travail d'extension des libertés et des droits de la personne en interprétant les textes de façon large. Cela explique, en 1971, l'autorisation du *busing*, qui sera limité mais non interdit en 1975 dans le même esprit, mais surtout l'arrêt *Roe v. Wade* de 1973 qui rend légal l'avortement à partir d'une interprétation audacieuse des textes ; cette décision est restée controversée depuis cette date, mais n'a jamais été abrogée, car nombre de femmes de toute obédience n'y sont pas opposées.

Ce souci des libertés aboutit également, en 1971, au rejet de la plainte du gouvernement contre le *New York Times*, en raison de la publication des *Papiers du Pentagone* ; ce qui va donner une nouvelle impulsion à la liberté de la presse.

Le président Nixon ne s'attendait pas à ces jugement si progressistes et il en est profondément irrité, mais une fois de plus, la Cour a démontré sa grande indépendance ; pour inverser cette tendance, le président est parvenu à nommer quatre juges, mais ce n'est que peu à peu surtout avec un autre président de la Cour, et ces juges conservateurs devenant plus influents, qu'elle freinera cette orientation de défense des libertés individuelles.

La fin des années 1960 et la première moitié de la décennie suivante sont marquées par l'éclatement du conformisme des années précédentes.

Nombreux ont été ceux qui, écoutant Allen Ginsberg ou Tim O'Leary, se sont livrés à la drogue, souvent « douce » comme la marijuana, parfois plus « dure », surtout quand se développe l'angoisse et que reviennent les combattants du Vietnam. Beaucoup ont également expérimenté une vie débarrassée des contraintes familiales : ils vivent en « communes » sans couples constitués, les enfants sont élevés collectivement et assument pleinement leur sexualité ; San Francisco a ainsi attiré de nombreux homosexuels, les *gays*, qui demandent à être reconnus par l'ensemble de la société. Tous ont baigné dans la musique, adoptant dès 1964 les Beatles, puis les Rolling Stones venus d'Angleterre, en phase avec les paroles et les rythmes de Bob Dylan, Joan Baez ou Janis Joplin et de nombreux autres artistes.

Le cinéma et le théâtre se sont eux aussi libérés des codes de bonne conduite ; ils rendent compte de ces expériences nouvelles et interprètent les histoires autrement. En 1970, dans *Little Big Man* d'Arthur Penn, les bons sont les Indiens et la cavalerie américaine n'est composée que de brutes ignobles. En revanche en 1973, *Easy Rider*, de Peter Fonda, est une ballade à travers cette Amérique éclatée, où des *hippies*, qui représentent la douceur de vivre facilitée par la drogue, doivent affronter l'hostilité d'habitants extrêmement primaires.

Les manifestations multiples de cette culture alternative ne sont nullement cohérentes ; les « gourous » que suivent certains jeunes sont nombreux et rivaux ; il n'existe aucun projet d'ensemble, et les contradictions sont violentes entre la paix et la drogue. Cela explique que l'effritement ne soit pas tant venu des conservateurs indignés que de la puissante force de récupération de la société américaine, de la voracité de la société de consommation, critiquée mais gagnante. Une partie des modes, le *jeans* devenu universel, la musique rock, la liberté sexuelle ont été banalisés, repris – quelque peu affadis – par ceux qui étaient restés à l'écart du mouvement, alors que la vie en commun s'étiolait doucement.

Cette contre-culture a sans doute été superficielle, mais souvent suffisamment inventive pour que les jeunes des années 2000 la retrouvent. Elle constitue, en tout cas, un apport essentiel dans le décor de fond des États-Unis des années 1960 et 1970.

Une fin de partie chaotique

De 1972 à 1975, les États-Unis, qui semblaient avoir quitté la zone des tourmentes, vont s'enfoncer dans l'incroyable scandale du Watergate avant de subir l'infamie de l'évacuation de Saigon.

Watergate est le nom d'un immeuble de luxe du centre de Washington, qui est devenu synonyme d'un scandale complexe qui a provoqué la première démission d'un président des États-Unis, Richard Nixon ; depuis, le nom des scandales successifs a été façonné à partir de celui-ci : Irangate sous Reagan, Monicagate pour Clinton.

Le 17 juin 1972, d'étranges cambrioleurs sont arrêtés par un vigile alors qu'ils opèrent nuitamment dans les bureaux de la campagne démocrate, dans l'immeuble du Watergate, pour y poser des micros et y chercher des documents. Il s'avère rapidement que certains d'entre eux sont en liaison avec le parti républicain et plus particulièrement avec un conseiller de la Maison-Blanche.

L'enquête suit son cours, des journalistes du *Washington Post* la découvrent et en fouillant, dévoilent les complexités du réseau des « plombiers » du Watergate, lié à la CIA et au comité de réélection du président ; de son côté, la justice aboutit à des conclusions semblables, elle est en mesure de prononcer un certain nombre d'inculpations. Mais ce processus est lent et les premières révélations n'interviennent qu'après l'élection de novembre ; très peu de lecteurs ont prêté attention aux articles de Carl Bernstein et Bob Woodward enfouis dans le quotidien. La campagne suit son cours sans encombre : elle oppose Nixon au démocrate George McGovern, sénateur du Dakota du Nord, « colombe » affirmée au sujet du Vietnam et proche des préoccupations des jeunes, mais dépourvu de charisme, ce qui en fait une cible facile pour les attaques républicaines. Nixon l'emporte avec 60,7 % des suffrages, contre 31,8 % à son adversaire, et dans tous les États, sauf le Massachusetts et le district de Columbia ; c'est un raz-de-marée analogue à celui de Johnson en 1964, dans les deux cas contre un candidat qui se situe aux marges de son parti.

Fort de ce succès et en réponse à quelques questions, le président nie tout lien avec l'affaire et couvre ses collaborateurs ; ces dénégations semblent suffire au public. Or, début 1973, alors que la popularité du président est au plus haut, l'enquête judiciaire sur le cambriolage continue discrètement, relayée par celle d'une commission du Sénat. Il apparaît peu à peu que les accusés ont été payés pour se taire et leurs aveux prouvent l'implication du cercle le plus proche du président. La presse continue à diffuser des nouvelles sur l'affaire, le *Washington Post* affirme tenir ses informations d'un personnage haut placé, dénommé « gorge profonde », dont le nom n'a été révélé qu'à sa mort en mai 2005 : il s'agit de Mark Felt, ancien sous-directeur du FBI frustré de ne pas avoir été choisi pour succéder à Edgar Hoover décédé en 1972. Peu à peu, l'intérêt du public est éveillé, d'autant que les enquêtes révèlent que la campagne de réélection du président a été accompagnée de pots-de-vin et de malversations financières dans lesquelles est mêlé le pourfendeur des journalistes, le vice-président Spiro Agnew. Celui-ci choisit de démissionner le 10 octobre. Il est remplacé par le représentant du Michigan, chef de la minorité républicaine, le discret Gerald Ford. Pendant toute cette période, le président nie toute implication dans l'affaire, alors qu'il a tout fait depuis le début pour l'étouffer, en sacrifiant, si nécessaire, ses plus proches collaborateurs, comme John Dean. Or, en juillet 1973, on apprend incidemment que le président enregistre systématiquement toutes ses conversations à la Maison-Blanche, mais il refuse de donner ces bandes à la commission sénatoriale Erwin. Cette fois, l'opinion est alertée, passionnée : la cote de popularité du président est déjà tombée à 31 %.

Durant l'année qui suit, le président va refuser de rendre publics les enregistrements suspects, jouant au plus fin avec les différentes instances qui s'occupent de l'affaire : le juge John Sirica, en charge depuis le début de l'affaire, accepte mal la concurrence de la commission du Sénat. Les collaborateurs du président et les responsables du comité pour sa réélection sont toutefois inculpés de faux et de parjure et il apparaît clairement que Nixon avait entrepris des actions illégales contre Daniel Ellsberg, responsable de la publication des *Papiers du Pentagone*, avant de chercher à espionner le parti démocrate.

L'affaire arrive à son terme, fin juillet, quand Nixon est contraint par la Cour Suprême, saisie en dernière instance, de remettre les dernières bandes correspondant à la période du cambriolage du Watergate : elles révèlent l'effacement de celle du 17 juin 1972, mais aussi le langage ordurier du président. Le président avoue ainsi son intervention dès le départ pour étouffer une affaire dont il savait tout et reconnaît avoir constamment menti depuis deux ans. Sa mise en accusation devant le Congrès, suivant la procédure d'*impeachment*, se précise et elle aurait abouti à sa condamnation, mais les dignitaires du Parti veulent empêcher un procès humiliant et la Cour Suprême, en donnant rapidement son jugement, fait également pression : Richard Nixon démissionne le 8 août 1974 ; il est aussitôt remplacé par Gerald Ford, premier président non élu des États-Unis et dépourvu de vice-président.

Quelle est la logique du président pour agir comme il l'a fait durant ces deux années et comment l'opinion publique a ressenti tout cela ?

L'origine de l'affaire se situe directement dans le contexte de la guerre du Vietnam. Nixon n'a pas supporté les critiques contre sa politique et il est inquiet de l'agitation qui règne – c'est le moment où des attentats ont lieu à Washington. Or, il n'a aucune confiance envers les journalistes, qui ne l'aiment guère, et déplore que la justice soit trop laxiste envers les contestataires. C'est pourquoi il refuse les conférences de presse et met sur pied une petite équipe chargée des basses besognes. Ce sont ces « plombiers » qui permettent le dévoilement de l'affaire. De plus, le président est un angoissé qui veut continuellement disposer d'armes contre ses proches ou ses interlocuteurs ; aussi a-t-il modernisé le système d'enregistrement secret, venu de ses deux prédécesseurs, si dommageable. Partant de là, Nixon s'est cru hors d'atteinte d'autant que les premières manœuvres d'étouffement semblent avoir réussi. C'est sans doute pourquoi il n'a jamais détruit les bandes, qu'il a préféré mentir qu'avouer ses erreurs – cela aurait tant fait plaisir à ceux qui le détestaient. Il ne démissionne que devant la menace d'un procès à grand spectacle, lâché par tous.

Les Européens ne comprennent pas ce scandale né d'une apparente peccadille : comment un homme d'État brillant comme Nixon a-t-il pu y succomber ? Les Américains ont été indignés par la spirale de mensonges, par le mépris dans lequel leur président tenait ses semblables, ils ne lui ont pas pardonné. Cette affaire a, en revanche, prouvé l'indépendance du système judiciaire qui n'a jamais lâché prise, malgré les menaces présidentielles. La Cour Suprême a su, pour une fois, agir rapidement peut-être pour faire céder le président avant que ne démarre l'*impeachment* humiliant pour le pays et dangereux pour les institutions. Durant ces épisodes, la presse a acquis également un grand prestige, la ténacité de certains journalistes a permis la prise de conscience du public et contribué à ne pas enterrer l'affaire : le journalisme d'investigation y trouve une nouvelle justification.

Finalement, c'est la présidence « impériale » qui est remise en question, celle qui a abouti au Vietnam et au Watergate et qui a laissé se développer une inflation grandissante, à un moment où la conjoncture économique devient franchement défavorable. Par là, le scandale du Watergate dépasse largement le cambriolage raté qui en a été le prétexte, et dont les raisons profondes sont toujours obscures.

De plus, le journalisme d'investigation y puise un nouveau prestige, qui a attiré beaucoup de jeunes ; bien qu'ils n'aient pas tous le look et le charme de Robert Redford et de Dustin Hoffman, dans *Les Hommes du président*, d'Alan Pakula (1976), tiré du livre de Bernstein et Woodward.

Le président Ford a une tâche très difficile : il doit faire oublier Nixon sans laisser de prise aux démocrates à l'affût. Rien ne le prépare à accéder à la plus haute fonction de son pays :

ancien joueur de football, élu depuis 1948 dans la même circonscription très conservatrice du Michigan, il est honnête et combatif, mais sujet à des maladresses qui font la joie des journalistes. Il va, pourtant, multiplier, comme aucun président avant lui, les discours et les allocutions pour mieux se faire connaître.

Ford, présenté par la presse comme le grand « cicatriseur » capable de guérir les fractures des années précédentes, doit affronter une conjoncture difficile et ne s'y prend pas au mieux. En effet, l'un de ses premiers actes est d'accorder le pardon présidentiel à Richard Nixon, ce qui mettra ce dernier à l'abri de poursuites, mais indigne de nombreux Américains. De plus, les États-Unis sont frappés, comme les autres pays occidentaux, par la hausse brutale des prix du pétrole et un risque de récession sévère. Le chômage devient menaçant – 8 % de la population active en 1975 –, l'inflation ne faiblit pas, et la ville de New York est en faillite. Le président parvient certes à relancer la croissance par une réduction massive des impôts, mais il est incapable de se décider pour une politique énergétique devenue nécessaire.

Face à ces difficultés, dont il n'est nullement responsable, le président tente de remporter quelques succès internationaux. C'est ainsi qu'il rencontre Brejnev à Vladivostok en novembre 1974 pour préparer un nouveau traité sur le désarmement et que la détente peut se poursuivre jusqu'à la Conférence sur la sécurité et la coopération en Europe qui tient sa première réunion plénière à Helsinki l'année suivante : elle officialise les frontières issues de la Seconde Guerre mondiale et reconnaît l'existence de deux Allemagnes ; sa clause sur la liberté d'opinion suscite beaucoup d'intérêt dans les pays de l'Est.

Pourtant, c'est du Vietnam que les mauvaises nouvelles arrivent : le 30 avril 1975, après quelques semaines de combat, le régime de Thieu succombe à l'attaque générale des Nord-Vietnamiens, comme Kissinger l'a anticipé. Le Congrès a coupé les fonds et la promesse verbale d'envoyer les bombardiers n'est pas tenue. Les derniers diplomates américains évacuent en catastrophe l'ambassade de Saigon, ils ne peuvent emmener avec eux qu'une minorité des Vietnamiens qui leur avaient fait confiance : l'image d'E. Martin, dernier ambassadeur américain, son drapeau roulé sous le bras, qui depuis le toit de son ambassade monte dans un hélicoptère, a fait le tour du monde, comme symbole de l'humiliation américaine. Le Vietnam est réunifié sous l'impitoyable férule communiste, le Cambodge tombe en même temps aux mains des Khmers rouges : la défaite américaine est consommée.

Ce « cruel avril » relance la réflexion sur la guerre et, dans les années suivantes, des films vont ressasser l'expérience vietnamienne : *Apocalypse Now*, de Francis Ford Coppola (1979), *Platoon* d'Oliver Stone (1986) ou *Full Metal Jacket* de Stanley Kubrick (1987).

Ces circonstances dramatiques semblent couronner une douzaine d'années bouleversées. Les États-Unis sont déséquilibrés alors qu'ils célèbrent en demi-teinte le bicentenaire de leur indépendance. Un nouveau départ paraît indispensable, mais, en dépit de ses efforts, le président Ford ne semble pas en mesure de l'incarner.

Les États-Unis sortent affaiblis sur le plan international, mais leur société a aussi été profondément renouvelée dans ses mœurs et sa culture, ce qui perpétue la fascination réticente qu'ils exercent dans le reste du monde et surtout en Europe.

Chapitre 10

Le triomphe du conservatisme (1976-1992)

En une quinzaine d'années, le glissement vers la droite de la société américaine se confirme durablement ; la fraction anticommuniste bénéficie de l'implosion de l'URSS et du bloc soviétique qu'elle n'avait jamais cru possible.

Ce considérable événement a suivi une longue période d'incertitude. Le malaise issu de l'échec vietnamien et le désordre économique contribuent à la critique féroce du keynésianisme et au volontarisme international ; nouvelle opinion majoritaire incarnée par le président Ronald Reagan, qui redonne confiance dans les années 1980 avec son thème « America is back ». Les États-Unis, en déclin relatif par rapport aux lendemains de la Seconde Guerre mondiale, sont sortis vainqueurs par défaut de la guerre froide ; ils sont la seule grande puissance mondiale, mais la société de plus en plus multiculturelle est inquiète et profondément divisée.

Le succès inattendu contre l'URSS, Némésis depuis plus de 40 ans, n'a pas été l'occasion de grandes célébrations, alors que disparaît l'un des axes principaux de la politique américaine.

Vers de nouvelles certitudes

L'ampleur des difficultés économiques caractérise une décennie troublée ; les Américains ne parviennent pas à les contrôler bien qu'elles risquent de remettre en cause leurs habitudes de vie : 12 millions d'entre eux sont au chômage au début de 1983 et de plus en plus les femmes doivent travailler pour contribuer aux frais de la famille. Sur la scène internationale en 1979, l'invasion de l'Afghanistan par l'Union soviétique met fin à la détente, comme si Moscou reprenait sa marche en avant ; l'année suivante, l'humiliation vient d'Iran avec la fuite du Shah, longtemps soutenu par les Américains et le succès de la Révolution islamique qui résonne dans le monde entier avec son antiaméricanisme survolté. Les États-Unis sont ballottés par les événements : ils semblent impuissants à trouver la parade, et, de surcroît, incapables d'imaginer une quelconque solution.

L'impuissance politique

En 1976 et en 1980, les citoyens américains qui votent confient leur destin à des présidents relativement inhabituels. L'atmosphère du pays a bien changé par rapport à 1968 : retour aux valeurs traditionnelles et méfiance envers Washington sont à la mode dans les deux camps, mais la manière d'en faire une politique est presque antinomique. Les deux présidents, Carter et Reagan, offrent des bons exemples de la formation particulière des élites politiques aux États-Unis : ni l'un ni l'autre ne paraissent préparés pour occuper la Maison-Blanche.

En 1976, le scandale du Watergate et ses suites pèsent encore sur les républicains mal placés dans les sondages, mais aucun candidat démocrate ne s'impose au début de la campagne pour affronter Gerald Ford bien décidé à se battre pour faire mentir les pronostics. Inconnu sur le plan national. Jimmy Carter a compris le parti à tirer du processus des élections primaires, qui ont été démocratisées et mieux organisées après les déboires de 1968. Ses conseillers ont étudié scientifiquement le parcours et mis en œuvre, avec brio, leur méthode dès la consultation du New Hampshire qui indique la tendance, jusqu'à la Convention. Il en sort vainqueur avec un discours moral et une certaine fraîcheur, qui tranchent avec les turpitudes des derniers mois, et s'impose au milieu d'un groupe de treize candidats, parmi lesquels des hommes de premier plan comme Jerry Brown, gouverneur de Californie, George Wallace de l'Alabama et le sénateur Henry Jackson de l'État de Washington, semblaient plus aptes que lui.

James Earl Carter, né en 1924 dans la bourgade de Plains en Géorgie, est un personnage intéressant. Il est issu d'une famille de fermiers aisés, officier dans la marine, fier d'avoir participé comme ingénieur à la naissance des sous-marins atomiques, mais en 1953, il a quitté l'armée, contraint de reprendre l'entreprise familiale en déconfiture. Fort de ses capacités, il rend cette plantation de cacahuètes très moderne et très profitable ; puis il devient sénateur de son État avant d'y être élu gouverneur en 1970.

Jimmy Carter a montré sa détermination durant cette période : il a retrouvé la foi, il est devenu baptiste, et s'est s'affirmé vigoureusement sur le plan politique. Il s'entoure d'une équipe de fidèles Géorgiens, qui ont préparé soigneusement sa campagne. Pour convaincre ces électeurs qui ne le connaissent pas, Jimmy Carter joue à fond la carte de l'homme nouveau, seul capable de venir à bout des mœurs nauséabondes de Washington grâce à sa morale et à son sens démontré de l'efficacité. Son programme reste flou, empruntant à la tradition populiste démocrate, mais il est hostile à toute forme de ségrégation, et dans l'air du temps, hostile à l'emprise de l'État.

Ce mélange insolite de l'ingénieur mâtiné d'homme d'affaires issu du Sud moderne plaît et, grâce à ses succès lors des primaires, Carter s'impose à la Convention démocrate sans l'appui de l'appareil du parti. Il est élu avec 41 millions de voix, contre 39 à Ford, avec comme vice-président Walter Mondale (Minnesota), fort de l'appui des syndicats ; la participation électorale en baisse n'atteint que 53 % de l'électorat.

Le nouveau président révèle une personnalité ambiguë : c'est un homme de dossiers qui s'intéresse aux moindres détails, au risque de s'y perdre. Élu grâce à son discours marginal, il a du mal à se faire écouter d'un Congrès à majorité démocrate, au sein duquel il a peu de contacts. En dépit d'excellentes intentions et d'une grande dépense d'énergie, il ne parvient pas à faire passer son message auprès de l'opinion. De ce fait, Carter ne fait que renforcer une évolution qui fait du président des États-Unis un homme seul, s'appuyant sur une équipe personnelle, sans réelle base politique et sans le soutien d'un appareil de parti.

Un bilan en demi-teinte, sans ligne directrice, explique l'échec de Jimmy Carter quand il se représente en 1980. Homme de convictions, il devient le plus populaire des anciens présidents à la fin des années 1980 en tant qu'ambassadeur bénévole de la démocratie et des droits de l'homme en Bosnie comme en Haïti ou au Nicaragua.

Le vainqueur de 1980 est, par beaucoup de traits, l'opposé de Carter : ce dernier s'engluait dans les difficultés, « président-Velcro », son successeur les survolera sans être atteint, « président-Téflon » gardant une immense popularité même après son retrait de la vie politique.

À 70 ans quand il succède à Jimmy Carter, Reagan est le plus vieux président de l'histoire américaine. Né dans l'Illinois en 1911 d'une famille modeste, rien dans sa carrière préalable ne le prépare à être président. En effet, après des études sans relief, il réussit comme commentateur sportif à la radio en 1933, puis surtout, quatre ans plus tard, comme acteur à Hollywood. De 1937 à 1954, il tourne dans cinquante-trois films, se marie deux fois avec des actrices – en 1952, Nancy Davis joue dès lors un rôle essentiel dans sa vie – et devient président du syndicat des acteurs (SAG). Sans devenir une vedette de premier plan, il n'en est pas moins l'un des acteurs les mieux payés au lendemain de la guerre. Sa reconversion se fait à la télévision comme présentateur aimé du public pour la General Electric, dans des émissions où il développe sa thématique conservatrice.

En effet, après la guerre qu'il n'a pas faite, Ronald Reagan, d'origine démocrate, s'affirme de plus en plus conservateur. Farouche anticommuniste, il fait de l'intervention de l'État et de la fiscalité ses cibles favorites, et, grâce à sa parole chaleureuse, il suscite l'enthousiasme du public. Ces idées-force et sans sophistication, exposées avec le brio de l'homme habitué au micro et à la caméra, attirent l'attention de riches républicains de Californie. Lors de la campagne de Goldwater en 1964, Reagan est excellent à la télévision et prononce un discours remarqué à la Convention. En 1966, ce conservateur moderne habitué des médias est élu gouverneur de Californie ; il est réélu en 1970. La gestion politique au quotidien le montre capable d'une certaine modération, tout en restant fidèle à ses idées, en particulier face au mouvement étudiant. Il échoue dans sa quête de la candidature républicaine en 1976, mais réussit quatre ans plus tard : il a assoupli son approche et pris soin d'associer à sa campagne les modérés du parti, comme George Bush qu'il a choisi comme vice-président.

En novembre 1980, Reagan l'emporte de près de 8 400 000 voix sur Carter ; quatre ans plus tard, contre le sérieux mais terne Walter Mondale, sa marge est 16 875 000 voix, et il l'a emporté dans 49 États. En 1988, quand il quitte le pouvoir, sa popularité se situe aux environs de 60 %, en dépit d'une baisse notable lors du scandale de l'Irangate. En 1994, l'annonce de sa maladie d'Alzheimer émeut profondément les Américains, quelle que soit leur appartenance politique ; dix ans plus tard, sa mort confirme l'affection que lui portaient les Américains. Cela donne la mesure du succès du personnage, dû à une incontestable chaleur humaine, à son sourire fréquent, à un langage simple et direct et à l'expression « spontanée » de ses sentiments, à sa pratique de l'autodérision. De surcroît, Reagan s'en tient à des idées simples qui donnent l'apparence de la cohérence et de la détermination. Les Américains se retrouvent dans l'amour conjugal affiché, dans la glorification des valeurs familiales – bien que le président soit divorcé et peu attentif à ses enfants –, dans son identification avec quelques symboles de l'américanisme : ne pas dépendre de l'État, arriver à la force des poignets. Enfin, le succès de l'ancien acteur indique la symbiose profonde entre la société américaine et Hollywood.

Ces atouts du président sont soigneusement entretenus et mis en scène par les nombreux spécialistes de communication qui l'entourent durant les huit années du mandat. Ronald Reagan est le produit d'une stratégie médiatique sophistiquée, qui est chargée de le mettre toujours en valeur, en le mettant en scène pour la télévision presque tous les jours, mais en le soustrayant aux questions embarrassantes et en évitant tout imprévu. En effet, le président ne porte qu'un intérêt limité aux détails et s'en remet à ses collaborateurs, au début, souvent californiens, il se contente d'affirmer haut et fort ses convictions, sans s'embarrasser de rigueur ou de précision.

Ces conditions particulières expliquent le succès personnel du président Reagan, qui masque une réalité plus nuancée. Pourtant il s'agit du président le plus marqué politiquement depuis longtemps. Sans en être l'esclave, il est proche des milieux les plus conservateurs : il représente l'espoir pour les fondamentalistes religieux inquiets des progrès de l'athéisme, des révoltés contre la « grande société » trop coûteuse, des déçus par Nixon, et des partisans d'une économie totalement libérale. Il ne s'agit pas d'une « révolution conservatrice » organisée, mais il y a eu retour au pouvoir d'une fraction d'Américains frustrés par la durée des majorités démocrates et excédés par les soubresauts culturels et sociaux des années précédentes – en 1980, pour la première fois depuis trente ans, la majorité des deux chambres est devenue républicaine, seulement pour deux ans.

La personnalité et le rôle des présidents focalisent l'attention, mais leur pouvoir dans les années 1980 n'est pas sans limites. Ils dépensent une énergie considérable pour être élus alors qu'ils doivent prouver en tant que présidents d'autres qualités : il leur faut persuader un Congrès hostile tout en négociant avec leurs homologues étrangers, tâches auxquelles ils sont, le plus souvent, peu préparés.

Ainsi, Carter, Reagan et son successeur Bush, voire Clinton après 1994, ont rarement eu des majorités assurées pour appuyer leurs projets. Le premier rencontre l'opposition des démocrates conservateurs ; le deuxième, en revanche, séduit ces derniers et parvient à faire voter quelques-unes de ses propositions ; le troisième dénonce à l'opinion la mauvaise volonté de la majorité démocrate qu'il tente de combattre par le veto et le dernier doit renoncer à certaines de ses idées pour tenir compte de l'évolution de l'opinion.

Les présidents, les représentants et les sénateurs sont très indépendants par rapport à leur parti. Les campagnes électorales coûtent de plus en plus cher et ils passent une grande partie de leur temps à amasser des fonds en vue des échéances à venir – une campagne sénatoriale coûte 3 millions de dollars en 1986, trois fois plus qu'en 1980. Cette recherche est effectuée en dehors des partis, grâce à des comités d'action politique représentant les intérêts les plus divers. De ce fait, une majorité de sénateurs et de représentants, enracinés dans leurs circonscriptions, sont réélus régulièrement – souvent sans opposition. Une telle situation les amène à veiller à ce que leurs électeurs bénéficient de quelques largesses : maintenir une base militaire dans tel comté est plus important que s'attaquer de front au problème du déficit fédéral. Le Congrès est atomisé entre des intérêts multiples, dominés par des majorités précaires, soumis aux groupes de pression organisés et reconnus. De plus un règlement intérieur complexe ralentit toutes les procédures. Ce contexte ne favorise ni la conception de grands desseins, ni la vision à long terme des problèmes économiques et sociaux, même s'il existe une sensibilité démocrate ou républicaine, qui se ravive en cas de tension : les programmes des partis, établis lors des conventions, restent des catalogues représentant les diverses tendances et ne sont nullement contraignants pour le président.

Cet effritement des partis traditionnels se manifeste également au niveau des électeurs : plus d'un tiers d'entre eux se déclarent indépendants, sans aucune régularité de vote. De plus l'abstention est un phénomène en augmentation constante depuis la fin des années 1960 : à peine plus de la moitié des électeurs se dérangent pour l'élection présidentielle – 55 % l'ont fait en 1992, ce qui a été considéré comme un succès –, souvent à peine 35 % à 45 % le font pour les élections au Congrès. Nombreux sont les Américains, en particulier parmi les pauvres, à ne pas s'inscrire sur les listes électorales et nombreux sont les inscrits à ne plus rien attendre de la politique et à ne voter qu'épisodiquement. Aussi, quand les commentateurs évoquent un raz-de-marée électoral, comme dans le cas de Reagan en 1984 ou de la victoire républicaine au Congrès en 1994, faut-il relativiser les choses : à peine un tiers des Américains en âge de voter l'ont fait, en raison de l'abstention ou de la non-inscription sur les listes. Un tel phénomène, attribué par certains analystes à la satisfaction d'ensemble des Américains à l'égard de leurs institutions mais qu'ils aient besoin de se déplacer pour aller voter, est néanmoins une tache sur le fonctionnement de la démocratie des États-Unis, dans la mesure où ce sont les plus démunis qui ne votent pas.

Ces données montrent le décalage qui existe entre l'intérêt des Américains et l'activisme des médias. Les journalistes spécialisés et les conseillers en communication constituent un monde à part. Ils orientent, recueillent, diffusent les interventions des présidents et des politiciens qui s'adressent plus à eux qu'aux électeurs tant il est important d'avoir accès à l'omniprésente télévision.

Un tel système ne fournit pas la garantie de résolution des grands problèmes qui agitent le pays.

Une économie déréglée

La crise économique qui a débuté en 1973, avec la hausse brutale du prix du pétrole, prouve que les États-Unis ne contrôlent plus l'évolution économique mondiale, comme ils l'avaient fait dans les années précédentes.

À la fin des années 1970, la plupart des indicateurs économiques du pays passent au rouge :

- Le revenu national n'augmente plus que de 1,55 % par an contre 3,70 % dans la période précédente.
- L'inflation dépasse 11 % en 1979.
- La balance commerciale est constamment déficitaire, les Américains importent toujours plus.
- La restructuration des entreprises s'accompagne d'un chômage élevé, 10,8 % de la population active en 1982.

Après les deux chocs de 1973 et 1979, les prix du pétrole ont augmenté de 1 500 % et beaucoup d'entreprises américaines ne s'adaptent pas à cette nouvelle réalité : développées grâce à une énergie bon marché et sûres de leur avance technologique souvent enrayée, elles ne résistent pas à la crise qui révèle la fragilité de ces bases.

La production de pétrole des États-Unis ne suffit plus à la consommation intérieure depuis le milieu des années 1960 : dès 1971, le pays doit importer 25 % de ses besoins et le double huit ans plus tard. Les grandes compagnies pétrolières n'ont pas exploité rationnellement les ressources locales ni prévu une augmentation possible d'un prix resté très bas depuis 1945, grâce à l'alliance passée avec les pays producteurs du Moyen-Orient, comme l'Iran ou l'Arabie Saoudite, où les firmes américaines sont puissamment installées. Les industries qui ont le pétrole comme source d'énergie et comme matière première subissent le contrecoup immédiat de la hausse des prix.

L'augmentation brutale du prix de l'énergie survient alors que la productivité des entreprises américaines se réduit constamment par rapport à celle de leurs homologues d'Allemagne fédérale ou du Japon, sauf dans les exceptions des secteurs de pointe comme l'informatique et dans quelques autres industries spécialisées (aéronautique et espace), qui connaissent alors un vif essor. Le taux de croissance de la productivité, de 3 % par an dans les années 1960, a fléchi régulièrement dans la décennie suivante, atteignant à peine la moitié de ce montant, avant de devenir nul au début des années 1980. Le cas de l'automobile est frappant : les grands constructeurs ont dominé le marché, se contentant de multiplier gadgets et fantaisie de décoration sans chercher à moderniser les moteurs, de gros six ou huit cylindres très gourmands, ni les autres éléments techniques, comme les pneus et l'électronique. Seuls quelques modèles de luxe anglais en petit nombre d'exemplaires ou la Coccinelle de Volkswagen sont parvenus à trouver une place sur le marché. En 1980, 25 % des automobiles vendues aux États-Unis sont étrangères et viennent surtout du Japon : voitures qui consomment moins, sont plus efficaces et moins coûteuses que les « belles Américaines ». Les grandes usines de Detroit sont frappées de plein fouet ; elles ferment et licencient brutalement les ouvriers pour faire un effort de productivité en espérant retrouver la prospérité d'antan, parfois en créant des filiales afin d'adapter les innovations, à l'instar de la marque Saturn de General Motors (qui a été fermée en 2009, après la restructuration de la firme).

Les industries traditionnelles – sidérurgie, textile, chaussure, habillement, électronique grand public – disparaissent peu à peu. Elles résistent difficilement au changement de conjoncture et à la concurrence internationale venue de pays à faibles coûts salariaux comme Taiwan, la Thaïlande, avant que la Chine ne prenne le relais. La crise qui les frappe explique la montée brutale du chômage durant cette transition. Les régions industrielles traditionnelles de la Nouvelle-Angleterre et de la région des Grands Lacs, dénommées « la ceinture rouillée », cèdent le pas aux nouvelles technologies installées dans le grand croissant sud-ouest du pays, dont, en Californie, la Silicon Valley patrie de l'informatique est le meilleur exemple. Ce sont ces régions, formant « la ceinture ensoleillée », qui bénéficient de l'essentiel de la croissance démographique et économique.

Les États-Unis restent la puissance dominante dans le monde de 1980, mais leur position s'est considérablement érodée. Ils sont beaucoup plus dépendants qu'autrefois. Alors que le commerce international ne représentait que 5 % du PNB dans les années 1950-1960, il atteint désormais près de 10 % de celui-ci. Des pays comme l'Allemagne fédérale et le Japon rivalisent avec leur ancien vainqueur, pour l'automobile ou les machines-outils, alors que les États-Unis avaient favorisé leur croissance. Par ailleurs, les filiales des entreprises américaines installées à l'étranger n'hésitent pas à vendre une part de leur production aux États-Unis, profitant des avantages salariaux ou fiscaux dont elles disposent en Europe, tout en menaçant les positions de la société-mère.

Les fluctuations du dollar ajoutent à cette situation troublée. Les États-Unis conservent un potentiel considérable, ils constituent toujours le plus grand marché de consommateurs du monde, gardant la première place dans l'informatique, la construction aérospatiale ou l'industrie cinématographique ; mais ils n'en sont pas moins affaiblis et relativement moins dominants que durant la période précédente.

La dégradation de la situation économique du pays est due à de très nombreux facteurs : absence de souci du long terme, faiblesse de l'enseignement technique et scientifique, investissements et emplois plus nombreux dans les activités de service que dans l'industrie, ajustement « normal » de la puissance internationale à une concurrence renforcée. Les gouvernements ne disposent que de médiocres leviers pour agir sur une tendance aussi lourde.

La politique du président Carter va évoluer durant les quatre ans de son mandat, car il lutte contre les deux branches de la « stagflation » : en bon keynésien, il choisit d'abord la relance en injectant des fonds fédéraux dans les programmes de la « grande société », puis privilégie la lutte contre l'inflation quand elle semble plus menaçante. Le résultat de cette politique de *stop and go* est incertain : le déficit budgétaire n'est pas résorbé et l'inflation n'est pas vaincue. De plus, il ne parvient pas à convaincre les Américains de réduire leur consommation de pétrole, malgré un discours alarmiste mal calibré sur le « malaise » à surmonter, alors que de longues files d'attente se forment près des stations-service.

Devant cette fuite de la confiance, le président décide de marquer une véritable rupture, car il est de plus en plus convaincu par le monétarisme ; celle-ci est symbolisée en 1979 par la nomination comme président du Système de Réserve fédérale, d'un homme reconnu pour sa rigueur et son indépendance : Paul Volcker. Celui-ci est bien décidé, en faisant monter les taux d'intérêt, à venir à bout de l'inflation reconnue désormais comme le danger principal et qui affaiblit la position des États-Unis par rapport à leurs partenaires. Les effets de cette politique ne sont pas immédiats et ne permettent pas à Carter, empêtré dans l'affaire des otages en Iran, de l'emporter en 1980 ; elle marque pourtant une rupture avec la facilité qui a caractérisé les années 1960 et le début de la décennie suivante ; dans le même esprit, le président Carter a initié la déréglementation du transport aérien.

Ronald Reagan arrive au pouvoir en « état de grâce », largement victorieux et porteur d'un projet clair lui permettant de dénoncer le bilan de Jimmy Carter : durant la campagne, il demandait si les Américains se sentaient mieux depuis les quatre ans écoulés, la réponse était unanimement négative.

De plus, il s'est laissé convaincre par les tenants d'une rupture totale avec les idées de Keynes dominantes depuis quarante ans, et propose la politique de l'offre :

1. La croissance ne dépendrait pas de la demande des consommateurs, mais de l'efficacité de l'offre de produits et de services à meilleur coût.
2. Une telle offre entraînerait alors la demande et ferait repartir l'économie.

Une telle théorie dissimule à peine un retour aux principes ultra-libéraux du XIXᵉ siècle : les entreprises ayant obtenu des allégements de charges, feront plus de profit et embaucheront, elles distribueront alors du pouvoir d'achat et la prospérité ruissellera en cascade à partir du sommet sur l'ensemble de la société. De tels principes, modernisés et modélisés sur ordinateur, constituent l'idée neuve de la fraction la plus à droite du parti républicain. Pour le nouveau président, une telle proposition a l'avantage de marquer la rupture avec la quarantaine d'années depuis le *New Deal* dominées par le « libéralisme » à l'Américaine, et permet de dénoncer les dépenses excessives du gouvernement fédéral pendant cette période qui n'auraient servi qu'à enrichir, à travers les programmes sociaux, les bons à rien et les profiteurs de la « grande société ». Ce choix affirmé de faire confiance au seul marché pour réguler l'économie, dans laquelle l'État n'est pas « la solution mais le problème », comme l'annonce Reagan dans son discours d'investiture, marque les années 1980 et les vingt ans qui suivent, d'autant qu'en Grande-Bretagne, Margaret Thatcher en est également le porte-drapeau.

Un tel discours connaît un incontestable écho dans la mesure où il prévoit une toujours populaire baisse des impôts et un allégement du poids du gouvernement qui fait vibrer la fibre populiste des Américains. Dès 1978, la Californie avait diminué de moitié ses impôts fonciers après adoption par référendum de la « proposition 13 » et d'autres États avaient suivi. Quant à lui, Jimmy Carter avait entrepris à partir dès 1979 la déréglementation des moyens de transport, en particulier aériens, qui allait dans le sens d'un assouplissement des contraintes gouvernementales.

Mais Ronald Reagan présente son projet comme une « révolution » dont il serait le seul organisateur : la mise en scène compte autant que la réalité des mesures.

En août 1981, le président, fort de sa majorité au Congrès à laquelle s'ajoutent certains démocrates du Sud, fait voter une baisse des impôts de 25 % en trois ans. La déréglementation des établissements financiers est entreprise en 1982, avec l'abrogation de la loi Glass-Steagall (qui séparait les banques de dépôt et celle d'investissement), permet aux caisses d'épargne de concurrencer les banques.

Le gouvernement est décidé à réduire les dépenses sociales mais s'aperçoit vite que le gaspillage dénoncé – fonctionnaires inactifs qui coûteraient plus cher que les fonds qu'ils doivent distribuer aux plus démunis – ne représente pas un gros montant ; par ailleurs, le Congrès est prudent en raison des réactions possibles d'électeurs attachés à certains acquis. Aussi, ni la sécurité sociale ni les retraites ne sont touchées, mais les coupes de l'ordre de 7 % frappent des programmes annexes : formation professionnelle, aide spécifique aux minorités, programmes d'action culturelle, allocations chômage dont la durée est réduite pour ne pas habituer les chômeurs à être assistés.

Ce dégraissage général, savamment manipulé par le directeur du budget, David Stockman, vise à revenir à un budget équilibré, qui est l'un des buts affichés par cette « révolution ». Pourtant, les premiers effets de cette politique inquiètent beaucoup l'opinion et accentuent la dépression engendrée par la lutte menée avec constance par la Réserve fédérale contre l'inflation : les taux d'intérêt atteignent alors 20 %. Le chômage s'accroît et les difficultés s'accumulent. Mais Reagan reste impavide : il a montré sa détermination en licenciant les 10 000 contrôleurs aériens qui s'étaient mis en grève à l'été 1981 et démontré son réel courage personnel lors de l'attentat qui l'a blessé gravement en mars de la même année.Un déséquilibré voulait se faire remarquer pour séduire l'actrice Jody Foster.

L'autre axe de l'action du président consiste à faire pièce à I'Union soviétique et à redonner aux États-Unis une supériorité militaire supposée perdue. Il faut d'abord réarmer puisque, depuis la fin de la guerre du Vietnam, le budget de la défense a été réduit pour représenter à peine 5 % du PNB ; ce faisant, Reagan poursuit la politique commencée par son prédécesseur depuis 1979 et l'invasion de l'Afghanistan par les Soviétiques, mais s'en attribue le seul mérite. En quelques années, les dépenses militaires atteignent 7 % du PNB ; la rapidité des commandes entraîne l'inflation des coûts et, paradoxalement, le budget fédéral ainsi gonflé occupe un quart du PNB en 1983, soit plus que dans toutes les années précédentes. Le rôle de l'État n'a donc nullement diminué, en dépit de la rhétorique officielle.

La conjonction de la baisse des recettes fiscales et de l'augmentation des dépenses militaires contribue au gonflement du déficit budgétaire. Mais, à court terme, le succès de la lutte contre l'inflation est réel, puisqu'elle revient à 6,2 % en 1982 et à 3,8 % l'année suivante. L'augmentation de la pauvreté, elle a crû de plus de 7 % depuis 1980 et frappe 14 % de la population en 1982.

En fait, cette relance est alimentée par la baisse des impôts, qui favorise les investissements, mais aussi, selon la logique keynésienne dénoncée, par le déficit budgétaire dû au gonflement des dépenses militaires suscité par la tension internationale.

La réélection triomphale de Reagan s'explique par le succès réel mais relatif de la nouvelle politique américaine : elle s'adapte à la libéralisation des transactions financières et devient le nouveau dogme économique, aux États-Unis comme dans l'Union européenne.

Le retour de flamme de la guerre froide

La détente, dont Richard Nixon a été l'artisan, prend fin en 1979 : le choc est brutal qui conduit les États-Unis à un changement de cap. Le président Carter amorce le mouvement et son successeur en profite pour restaurer le ciment anticommuniste qui avait contribué à unifier le pays dans les années 1950 et qui fait oublier les difficultés économiques.

Les Etats-Unis, englués dans la guerre du Vietnam dont l'URSS se préoccupe peu, ont permis à celle-ci d'étendre son influence dans le monde et en particulier en Afrique : en Éthiopie – où l'empereur Hailé Sélassié est renversé en 1974 –, en Angola – où les communistes du MPLA parviennent à prendre le pouvoir en 1975. Or, ni Kissinger sous Ford ni Brzezinski, son successeur auprès de Carter, ne réussissent à contrer ces avancées.

Par ailleurs, la conférence d'Helsinki semble annoncer une ère de concorde, liée à la stabilisation des frontières en Europe, à la multiplication des échanges avec le bloc de l'Est et au progrès de la liberté de parole dans ces pays. Dans ce contexte, le président Carter a voulu renouveler la politique extérieure de son pays : il s'agit de s'éloigner de l'anticommunisme systématique, dont le Vietnam a marqué les limites et de redonner un sens moral aux actions américaines, en veillant à ce que les droits de l'homme soient respectés par les alliés des États-Unis, que les ventes d'armes soient réduites et que les problèmes africains soient, pour la première fois, pris en compte pour eux-mêmes. Cette politique aboutit à certains résultats :

• l'aide à l'Argentine, à l'Éthiopie ou à l'Uruguay, pays aux gouvernements peu recommandables, est diminuée ;

• les relations sont améliorées avec Cuba – mais la grand'île reste soumise à un embargo commercial total depuis 1962 ;

• de nouveaux traités sont signés avec le Panama, sous la pression d'Omar Trujillo l'homme fort du pays : ratifiés difficilement par le Sénat au printemps de 1978, ils abrogent celui de 1903 qui avait fait de ce pays un véritable protectorat américain et prévoient que le canal sera soumis à la seule autorité du Panama en 1999 ;

• les États-Unis commencent à prendre leurs distances à l'égard du dictateur Somoza du Nicaragua, qu'ils avaient longtemps soutenu, et contribuent à sa chute en 1979, qui permet aux Sandinistes de prendre le pouvoir.

Pourtant, le monde ne se plie pas facilement aux velléités d'un président qui n'impressionne guère ses homologues des autres pays industrialisés lors des premiers sommets qui les réunissent, pas plus qu'il ne convainc les dirigeants d'Amérique latine, qui ne font, de toute façon, aucune confiance aux Gringos du Nord. Au Moyen-Orient, des négociations serrées se déroulent et les ventes d'armes jouent leur rôle, mais le président Carter, en recevant Anouar al Sadate, l'Égyptien, qui a rompu avec Moscou, et Menahem Begin, le Premier ministre Israélien, en septembre 1978 dans sa résidence de campagne de Camp David, parvient à les engager sur un projet de traité de paix. Celui-ci sera signé à Washington en mars 1979 et constitue le plus beau succès de la diplomatie de Carter, mais cet exemple reste unique et aucun autre traité entre Israël et un pays arabe n'a été conclu depuis.

Cette politique a rencontré l'opposition forcenée des Républicains, qui ont utilisé tous les moyens pour déstabiliser un président affaibli ; lors de la campagne électorale, Ronald Reagan a promis de revenir sur le traité avec Panama (ce qu'il ne fera pas) et dénonce la poussée communiste au Nicaragua, causée par l'inconséquence de Carter.

Peu de temps après ce succès relatif à Washington, la révolution iranienne et la situation en Afghanistan prouvent les limites de cette politique.

Le tournant de 1979-1980

Depuis les années 1940, l'Iran constitue un allié modèle pour les États-Unis : pays modernisé d'une main de fer par le Shah dont ils ont raffermi le pouvoir en 1953, il constitue un bastion contre l'Union soviétique voisine. La montée du prix du pétrole a permis à l'Iran de lancer un vaste programme d'industrialisation et d'armement : le but affiché du Shah est de faire de son armée la troisième du monde. Les jeunes gens de la classe dirigeante sont formés aux Étas-Unis et le marché iranien est prometteur pour les firmes américaines et européennes ; les célébrations du IIIe millénaire de Persépolis sont fastueuses devant de nombreux chefs d'État. Aussi, les Américains considèrent l'Iran comme un îlot de stabilité et font toute confiance au Shah, allié fidèle et sûr ; le président Carter ne prend pas la peine de vérifier le respect des droits de l'homme.

La révolution chiite qui gronde à Téhéran à partir de 1978 prend les Américains par surprise : ils n'étaient en relation qu'avec une élite étroite et finalement superficielle de la société iranienne. En dépit à ou cause de leur présence voyante dans le pays, les Américains sont impuissants à éviter le départ du Shah en janvier 1979 mais, au début, ne veulent pas non plus l'accueillir sur leur territoire. Le retour de l'ayatollah Khomeyni à Téhéran déclenche une violente hystérie anti-américaine. La population conspue le drapeau des États-Unis, considérés comme « le grand Satan » qui a corrompu le pays. Le Shah, après une errance de quelques mois, est finalement accueilli aux États-Unis, ce qui déclenche des manifestations monstres en Iran, qui aboutissent, le 4 novembre 1979, à l'occupation de l'ambassade des États-Unis à Téhéran par des étudiants fanatisés et à la prise en otage des 65 diplomates qui s'y trouvent ; quelques-uns sont rapidement libérés, mais 55 entament un calvaire de quatre cent quarante-quatre jours.

Cette prise d'otages d'une nature exceptionnelle pèse immédiatement sur le gouvernement américain. Très vite, il apparaît qu'aucune négociation n'est possible en raison de l'émiettement du pouvoir en Iran et de la volonté d'humilier le pays qui a soutenu le Shah. Les sanctions économiques – tous les avoirs iraniens aux États-Unis sont gelés – ne peuvent affecter la détermination des « étudiants » qui piétinent la bannière étoilée et dévoilent tous les secrets de la CIA de Téhéran en en dispersant les archives.

Or, le 27 décembre 1979, les troupes soviétiques envahissent l'Afghanistan où, depuis des mois, la lutte des factions divise le parti communiste local. L'endiguement semble s'écrouler : Moscou vise certainement le Moyen-Orient, voire le contrôle du golfe Persique et des « mers chaudes », objectif traditionnel des tsars. L'Iran ne va-t-il pas pactiser avec le « petit Satan » soviétique ? Le président Carter se sent trahi, lui qui avait prôné la confiance. En quelques semaines, on assiste à un rallumage de la guerre froide :

- les exportations de blé à l'Union soviétique sont suspendues ;
- la décision est prise, sans précédent, de boycotter les Jeux Olympiques de Moscou de 1980 ;
- le traité SALT II n'est pas ratifié par le Sénat ;
- le président américain propose à ses alliés de l'OTAN de déployer les Pershing, nouveaux missiles à moyenne portée, en Europe pour faire face aux SS 20 accumulés par les Soviétiques ;
- un considérable programme de réarmement est entrepris, sous l'impulsion du secrétaire à la Défense Harold Brown : le bombardier B2, dont la construction avait été refusée par Carter en 1977, sera mis au point.

Ce brutal changement de cap est occulté par l'impuissance de l'administration démocrate face au problème des otages iraniens. Au fil des jours, le pays se mobilise pour ne pas les oublier, et le président est d'autant plus obsédé par cette affaire que l'élection présidentielle est proche. En avril 1980, une opération héliportée de secours aux otages, très délicate en raison des conditions de la région, échoue lamentablement dans le désert iranien, écornant un peu plus encore le prestige des militaires. En cas de succès, Jimmy Carter aurait été assuré d'être acclamé comme un héros, mais l'échec de l'opération Desert 1, plombe la fin de son mandat.

En dépit d'un effort de dernière minute pour renouer avec le populisme de ses débuts, la dégradation de la situation économique et le poids des otages suffisent à expliquer la défaite du président. Pour comble de honte, les otages sont perfidement libérés par Téhéran le 20 janvier 1981, le jour même où Ronald Reagan prête son serment de président ; ce dernier ne peut que bénéficier indirectement du règlement de cette affaire détestable.

L'« empire du mal »

C'est en ces termes que Ronald Reagan qualifie l'Union soviétique, retrouvant la rhétorique anticommuniste. Il ne s'agit pas, pour le président et son équipe, de partir en guerre contre cet empire menaçant, mais de montrer la force et la détermination des États-Unis.

Face à l'Union soviétique, vers laquelle les exportations de céréales reprennent, le programme de réarmement de Carter est poursuivi et amplifié, pour empêcher une nouvelle agression après l'Afghanistan. Le budget militaire croît de 5 % à 6 % par an et permet à l'armée américaine de se doter de nouveaux matériels, bombardiers B2, missiles MX, mais l'État-major tient encore moins que le gouvernement à engager ses troupes à l'extérieur. Aussi, seules des actions clandestines sont organisées pour lutter contre les avancées soviétiques en Afrique et Asie :

- les Américains vont peu à peu aider l'UNITA qui se bat en Angola contre le pouvoir procommuniste soutenu par les soldats cubains ;
- ils font parvenir des armes aux Peshmerga afghans qui luttent contre l'Armée rouge, par l'intermédiaire du Pakistan ;
- en Amérique latine, terrain familier, le président Reagan et les siens agissent plus ouvertement : ils dénoncent l'influence communiste au sein de la guérilla du Salvador et du pouvoir sandiniste au Nicaragua. Ce schéma de guerre froide permet au président de faire voter des crédits pour le gouvernement salvadorien et pour soutenir les *contras* anti-sandinistes ; ils sont massés aux frontières et hâtivement présentés comme dignes des patriotes américains de 1776 ou même des résistants français contre les nazis.

Cette politique musclée, qui vise peu à aider les populations des pays concernés, culmine en octobre 1983 avec l'occupation éclair de l'île de la Grenade par les forces américaines. Il s'agit d'y anéantir une menace cubaine naissante et dérisoire car elle ne regroupe que quelques dizaines d'hommes – Fidel Castro reste un adversaire coriace, dont les républicains voient l'influence dans tous les mouvements d'Amérique centrale – mais aussi de prouver l'efficacité retrouvée des militaires et la vigueur du président dans une opération sans risque, mais soigneusement médiatisée.

L'attitude reaganienne séduit incontestablement les Américains dont beaucoup retrouvent les réflexes oubliés de la guerre froide et croient effacer le souvenir des années précédentes. Le succès populaire des *Rambo* de Sylvester Stallone, qui glorifient des actions de commando contre l'adversaire communiste sans scrupules, s'explique essentiellement par un fantasme selon lequel les problèmes internationaux pourraient être réglés de cette façon expéditive.

Pourtant, dans le reste du monde, Reagan sait se montrer modéré car les États-Unis sont impuissants à contrôler ou orienter les événements :

- le déploiement des Pershing en Europe se fait difficilement car les pacifistes s'y opposent, « plutôt rouges que morts » ;
- les réactions à l'état de guerre en Pologne de décembre 1981, qui brise le syndicat Solidarnosc, restent d'autant plus limitées, que le général Jaruzelski prétend avoir devancé une intervention soviétique ;
- désormais officielles, les relations avec la Chine ne débouchent sur rien de très concret, sinon une croissance des échanges commerciaux ;
- au Moyen-Orient, les Américains se montrent incapables de trouver une solution au problème palestinien et subissent, comme les Français, des attentats meurtriers à Beyrouth, les *Marines* en sont évacués sans gloire au début de 1984.

Ainsi, au début des années 1980, la situation des États-Unis dans le monde n'a pas véritablement changé. Ils peuvent intervenir sur leurs terrains d'action habituels et réaffirmer hautement leur détermination de s'opposer à l'expansionnisme soviétique, mais ils ne sont plus la superpuissance d'antan qui imposait sa politique. Le discours et les actes reaganiens sont faits pour rassurer les alliés et impressionner les adversaires, mais ils doivent surtout convaincre les Américains qu'ils sont fermement gouvernés. La victoire massive de Reagan en 1984 prouve que, sous cet aspect, cette politique a été un succès.

Le second mandat du président Reagan se déroule dans une phase d'expansion économique survoltée qui semble redonner leur puissance aux États-Unis. Pourtant, l'Amérique du début des années 1990, forte de sa stature internationale, reste affaiblie par de nombreux problèmes tant sociaux que culturels.

L'Amérique est-elle de retour ?

Une économie brillante ?

De 1982 à 1989, les États-Unis ont connu la plus longue phase de croissance continue depuis 1945. Ce résultat, qui tranche avec celui d'autres pays industrialisés englués dans la crise, a compté pour beaucoup dans la popularité maintenue de Ronald Reagan et dans l'élection assez facile de son successeur, le vice-président George Bush en 1988 ; la prospérité étant toujours portée au crédit du pouvoir qui a la chance de l'accompagner. Bush est le premier vice-président à être élu président dans l'époque moderne, il l'emporte avec 54 % des suffrages sur son rival démocrate Michael Dukakis, ancien gouverneur du Massachusetts ; sans doute ce dernier est dépourvu de charisme et de programme attrayant, mais la campagne l'a sauvagement ridiculisé, pour son laxisme face au crime et sa faiblesse internationale.

Une quinzaine de millions d'emplois sont créés entre 1980 et 1990, mais l'endettement du pays atteint 200 milliards de dollars en 1990, ce qui représente 4 % du PNB : deux facettes d'une même réalité économique.

Cette croissance de l'ordre de 3,5 % par an permet la création de millions d'emplois et abouti à faire tomber le chômage de plus de 9 % à 5,4 % en 1989, son taux le plus bas depuis 1980. Cet essor régulier est dû au maintien d'une politique sévère de lutte contre l'inflation par la Réserve fédérale dont les taux d'intérêt élevés attirent les capitaux flottants. Cette prospérité des années Reagan se situe dans un climat spéculatif favorisé par la déréglementation des marchés financiers et la baisse de la fiscalité. Les trois quarts des entreprises créées se situent dans le secteur des services et beaucoup d'emplois restent précaires. Les OPA (offres publiques d'achat qui permettent l'acquisition des actions d'une société) sont multipliées grâce à l'invention par des courtiers de la Bourse des « obligations pourries » qui ouvrent une capacité d'emprunt sur les revenus futurs de l'entreprise convoitée. Des hommes d'affaires entreprenants et soucieux de rentabilité immédiate, les *raiders*, ont ainsi acquis des firmes comme TWA ou les magasins Bloomingdale, et ils en revendent les activités au rendement faible pour financer les acquisitions ; ils fragmentent de cette façon des conglomérats solides. Le flamboyant Donald Trump est l'un des symboles de cette époque et de ce genre de comportement avec une fortune basée sur l'immobilier, une tour à New York, et des casinos dans le New Jersey.

La plupart des entreprises ont connu une croissance plus régulière, mais « l'enrichissez-vous » du discours reaganien, fait clairement référence à l'essor du « capitalisme sauvage » du *Gilded Age* d'un siècle auparavant, avec son côté clinquant et brutal. Les investisseurs se sont portés sur les secteurs les plus profitables sans aucun souci du long terme et sans véritable stratégie industrielle. En raison cette attitude, la productivité est restée faible, croissant d'environ 1,6 % durant les années 1980, soit moitié moins que dans les années 1960 et moitié moins que dans les pays concurrents – comme le Japon, l'Allemagne fédérale ou la France ; pour les mêmes raisons, les investissements productifs ont marqué le pas.

Ces choix stratégiques n'ont pas de conséquences immédiates et le krach boursier d'octobre 1987, durant lequel l'indice Dow Jones a autant baissé en pourcentage qu'en 1929, s'il dégonfle la bulle de crédit, n'enclenche pas une récession. La crise boursière a montré les excès de la déréglementation sauvage de la finance : faillite en chaîne des caisses d'épargne, *savings and loans*, dont les dépôts, garantis par l'État fédéral, ont été placés de façon très risquée dans les « obligations pourries », pour tirer bénéfice de l'euphorie de la Bourse. La charge que représente leur sauvetage – au moins 250 milliards de dollars sur trois ans à partir de 1991 – alourdit les dépenses fédérales et creuse le déficit budgétaire. Mais ces événements, finalement limités, n'arrêtent pas le mouvement général des capitaux.

Ces dérapages aboutissent tout au plus à un ralentissement de la croissance à partir de 1990 ; il est également provoqué par les tensions internationales.

Depuis la fin des années 1960 et de façon accélérée par la suite, l'économie américaine devient très sensible aux mouvements économiques extérieurs.

La concurrence étrangère, et particulièrement celle du Japon, se fait durement sentir. Les voitures japonaises, importées ou fabriquées sur place, représentent plus du tiers du marché américain et les divers plans de restructuration des grands constructeurs ne suffisent pas à contrer des concurrents qui disposent d'une productivité supérieure. Dans le secteur de l'électronique grand public, la domination japonaise est quasi absolue. Les États-Unis sont devenus largement importateurs, puisque 70 % des produits qu'ils fabriquent sont désormais en concurrence avec ceux qui viennent de l'étranger. Or, cette concurrence saine dans une économie ouverte souligne les faiblesses – en termes de qualité, de finition et de coût – de nombreux produits américains sont de qualité moindre que ceux du Japon avec lequel le commerce est en déficit. Afin de développer leurs propres exportations de leurs produits restés concurrentiels, les États-Unis sont les promoteurs de la libéralisation mondiale des échanges dans le cadre du GATT *(General Agreement on Trade and Tariffs)* : ainsi Boeing dénonce les subventions du consortium européen Airbus, car celui-ci devient concurrentiel avec sa gamme d'avions A 319, mais le fait au nom des principes libéraux, alors que la firme américaine dispose d'avantageux contrats militaires.

Le déficit du gouvernement fédéral n'a pas diminué depuis le milieu des années 1980, alimenté par la distorsion entre les revenus de l'État et ses dépenses presque incompressibles.

Le déficit dépasse 220 milliards de dollars en 1990, soit 6 % du PNB, et atteint 318 milliards en 1991, ce qui accentue la charge de la dette. La loi Gramm-Rudman, votée en 1985, qui prévoit une réduction automatique des dépenses fédérales pour réduire le déficit, est totalement inefficace. Ce n'est qu'après des tractations fort complexes que le Congrès, toujours à majorité démocrate, et le président Bush sont parvenus, en octobre 1990, à un plan de réduction du déficit étalé sur trois ans, fondé à la fois sur l'augmentation des taxes indirectes et sur des coupes dans certaines dépenses. Une des difficultés venant, depuis la baisse des impôts de 1982 et la réforme fiscale de 1986 (cette dernière institue deux seuls taux d'imposition sur le revenu, 14 % et 28 %, pour les particuliers et 34 % pour les entreprises, pour remplacer la pyramide antérieure de taux progressifs, mais maintient stable le taux global d'imposition), de l'impossibilité politique de proposer une hausse des impôts qui permettrait de réduire plus facilement le déficit. En effet, les Américains sont hostiles à l'impôt, ils ne se soucient pas de l'endettement privé et public qui est le leur : ils font partie de la « génération de la carte de crédit ». Toutefois, le taux d'endettement des ménages, qui atteint 90 % de leurs revenus en 1991, contre 67 % en 1976, contribue à la morosité des consommateurs, et contribue largement à la récession commencée en 1990.

Pendant ces années, le déficit du budget fédéral a été largement financé par des capitaux étrangers attirés par les taux d'intérêt élevés : un tiers des obligations d'État ont été acquises par des capitaux japonais et, quand les taux d'intérêt ont fléchi, ces capitaux et d'autres ont été investis dans des entreprises américaines pour profiter du colossal marché de consommateurs que constituent toujours les États-Unis. Seulement 10 % des entreprises américaines appartiennent à des étrangers – contre près de 20 % dans la plupart des pays d'Europe et 25 % au Canada – et les investissements étrangers aux États-Unis sont du même ordre que les investissements américains dans le reste du monde (de l'ordre de 330 milliards pour chacun en 1989). Pourtant, la croissance spectaculaire des premiers, qui se portent sur certains des fleurons de l'économie américaine, inquiètent l'opinion. La vente des grands producteurs cinématographiques comme Columbia et MCA/Universal, respectivement à Sony et Matsushita en 1989 et 1990, apparaît comme un symbole, rien n'étant plus américain qu'Hollywood et Universal d'où sont sortis des films comme *Les Dents de la mer* et *E. T.*, parmi les plus fructueux de tous les temps. Les investissements japonais en croissance rapide sont encore inférieurs à ceux en provenance de Grande-Bretagne et d'autres pays, comme la France : tous profitent des possibilités offertes par le marché américain – par exemple, en 1990, Péchiney a acquis la société d'emballage *American Can.*

Ces investissements sont la preuve de l'attraction exercée par les États-Unis et témoignent de la confiance placée dans le pays, d'ailleurs, ni l'opinion, ni les décideurs ne s'inquiètent de ces mouvements de capitaux.

Les États-Unis ont profité, durant ces années, du rôle international du dollar et des variations importantes de son cours pour favoriser leurs exportations ou pour attirer des capitaux, mais leur monnaie, du fait de ces déficits, n'a plus la solidité d'avant 1971. Alors que le mark et le yen se sont renchéris régulièrement par rapport à la monnaie américaine, les fluctuations du cours du dollar ont été, entre 1970 et 1990, grossièrement parallèles à celles du franc français, preuve d'une certaine instabilité.

Cet ensemble de problèmes n'est ressenti que confusément par la plupart des Américains aux prises avec les contrastes du quotidien.

Une société multiculturelle

Le recensement de 1990 permet de saisir comment la société américaine a changé depuis le précédent, en 1980.

Ces données montrent une croissance rapide de la diversité ethnique de la population, d'autant plus apparente que les derniers recensements sont plus précis que les précédents. En 1991 : près de 25 % des Américains ont une origine « ethnique » contre 20 % dix ans plus tôt, alors que la population totale a crû d'environ 1 % par an, mais la population noire a augmenté de 1,3 % et l'hispanique de 5,3 %. Les minorités contribuent donc nettement à la croissance de la population et la part de la population d'origine européenne, bien que toujours dominante, décroît lentement : elle représente 76 % de la population totale, contre plus de 80 % dix ans plus tôt, et diverses projections indiquent qu'elle ne pourrait représenter que 50 % au milieu du XXIe siècle.

Durant cette période, l'immigration a contribué considérablement à l'essor de la population, puisque près de 8 millions d'immigrants sont entrés aux États-Unis. C'est là l'accentuation d'une tendance déjà ancienne qui contribue à la diversification de la population américaine, grâce à la pratique du regroupement des familles ; en 1990, un démographe évoque même « la naissance de la première nation vraiment universelle ».

Répartition ethnique de la population américaine (1980-1990)*

	1980	1990
Population totale	226 546 000	248 700 000
Noirs	26 732 000	30 000 000
Hispaniques	14 609 000	22 400 000
Asiatiques	3 500 000	7 300 000
Indiens	450 000	2 000 000
Autres	6 750 000	9 800 000

*Ce chiffre n'inclut pas les 900 000 Américains qui se trouvent à l'étranger dans les forces armées ou les agences fédérales ; par ailleurs, environ 6,3 millions de personnes ont été oubliées dans le dernier recensement, surtout des Noirs et des Hispaniques.

La loi sur l'immigration en place depuis 1924 a été remplacée par celles plus libérale de 1965 qui a facilité l'essor de l'immigration asiatique longtemps prohibée ; les quotas nationaux sont supprimés, comme les diverses restrictions politiques datant du maccarthysme : en 1993, plus de 800 000 immigrants sont entrés officiellement aux États-Unis, avec probablement 200 000 clandestins.

Toutefois, l'afflux de Mexicains et autres hispanophones d'Amérique de façon clandestine a conduit à l'adoption, en 1986, d'une législation légalisant le statut de ces derniers dans certaines conditions ; elle n'a pas eu les résultats escomptés car beaucoup se méfient d'un éventuel contrôle et seulement 1 million ont été enregistrés. Par ailleurs, en octobre 1990, une nouvelle loi sur l'immigration a été adoptée. Elle prévoit l'entrée de 700 000 immigrants par an à partir de 1992 ; parmi ceux-ci, sont privilégiés les ingénieurs et autres spécialistes, ainsi que la réunion des familles. La préférence accordée aux techniciens et ingénieurs, pour renforcer le potentiel américain, risque d'affaiblir durablement les pays dont ils sont originaires (pays d'Asie ou d'Europe de l'Est), renouant avec la « fuite des cerveaux » pratiquée dans les années 1960.

L'essor réduit de la population, en dehors de l'immigration, s'explique par l'érosion de la natalité, vérifiée dans tous les pays développés. La famille moyenne américaine comporte, en 1990, 2,6 personnes, contre plus de 3,3, vingt ans plus tôt. Le taux brut de natalité, qui était de 18,3 % en 1970, atteint encore 15,8 % en 1990, mais le nombre moyen d'enfants par femme fertile est passé dans la même période de 2,48 à 1,9. Ces données montrent que le taux de renouvellement des générations, qui se situe à 2,11, n'est pas atteint aux États-Unis, tout en restant beaucoup plus élevé que dans la plupart des pays développés. En conséquence, les jeunes sont moins nombreux et les personnes âgées représentent une part importante de la population. Une telle évolution, en partie masquée par la forte natalité des Noirs, des Mexicains ou des Cubains – leur indice de fertilité est supérieur à 2,4, alors que celui des Blancs est inférieur à 1,7 – pèse sur la façon de vivre des Américains, comme sur l'équilibre de leurs dépenses sociales.

La « grande société » tendait à homogénéiser le sort des Américains. Ses limites et la politique menée pendant les années 1980 ont freiné ce processus et font réapparaître des contrastes, que les experts des années 1960 pensaient avoir fait disparaître.

La conjonction de la crise des années 1970 et des mesures fiscales des premières années Reagan a creusé l'écart entre les extrêmes de la société. D'un côté, les familles les plus riches ont vu leurs revenus croître considérablement : 0,5 % de celles-ci détiennent, à la fin des années 1980, un quart du patrimoine, 1 % a bénéficié de revenus accrus de près de 75 % en dix ans et les millionnaires en dollars sont désormais plus d'un million. Une telle accumulation, conforme au rêve américain, correspond aux gains de la spéculation boursière et au succès de certaines entreprises informatiques, comme Microsoft.

De l'autre côté, le nombre de pauvres a augmenté sensiblement, le revenu moyen des familles les plus démunies ayant chuté de 10 %. En 1990, plus de 13,5 % des Américains vivent au-dessous du seuil de pauvreté – 13 359 dollars de revenus pour une famille de quatre enfants –, soit plus de 33 millions de personnes, et on trouve 750 000 sans-abri, alors qu'en 1969 le pourcentage de pauvres atteignait 12,1 %.

De 1960 à 1990, le pourcentage de pauvres n'est jamais descendu au-dessous de 11 % de la population, seuil incompressible indépendant de la conjoncture économique. Durant les années Reagan, les programmes de lutte contre la pauvreté ont été réduits de 55 milliards de dollars en tout. Les Églises et les organisations humanitaires ont pris partiellement le relais, mais elles assurent seules, dans certaines régions et dans les villes, l'aide aux plus démunis ; c'est dans l'un de ces quartiers à Chicago, que le jeune Barack Obama a commencé sa carrière de travailleur social. La récession, commencée en 1990, a provoqué une augmentation sensible du nombre de pauvres, puisque 2,1 millions d'Américains supplémentaires sont comptés.

Toutes les données prouvent qu'entre les deux extrêmes le nombre de familles appartenant à la classe moyenne s'est tassé, passant de 60 % à 53 % entre 1969 et 1986. Ainsi, ce conglomérat typique de la société américaine, qui avait paru dans les années 1950 la représenter au mieux, ne joue plus tout à fait ce rôle. Sans doute, un certain nombre de personnes ont-elles été aspirées vers le haut, conformément à l'ascension sociale traditionnelle, mais le statut de beaucoup d'autres a baissé. C'est le cas des ouvriers qualifiés des industries traditionnelles, comme l'automobile ou la sidérurgie, qui, en raison des restructurations, sont contraints d'accepter des emplois précaires – livreurs, serveurs –, peu payés. Beaucoup d'Américains vivent toujours dans le confort des banlieues, restées typiques de la vie américaine, mais des modifications se sont produites. Pour maintenir leur niveau de vie, les femmes ont été amenées à travailler, apportant un second salaire à la maison, contrairement à la tradition selon laquelle une femme mariée n'avait pas besoin d'un emploi. Un tiers des femmes travaillaient à la fin des années 1950 ; elles sont, quarante ans plus tard, 57,7 %. Cette évolution, qui atteint un palier au début des années 1990, explique l'arrivée des femmes dans des postes de cadre, voire de direction ; elle s'est effectuée malgré la tradition conservatrice qui prône le retour au foyer et qui a abouti, en 1982, à l'échec de l'ERA (projet d'amendement constitutionnel obligeant à l'égalité des droits entre les deux sexes).

Cet effritement de la classe moyenne se manifeste aussi par la croissance du nombre de locataires, incapables de devenir propriétaires selon le rêve traditionnel. De plus, les parents restent souvent inquiets et manquent de confiance dans l'avenir de leurs enfants.

Pour marquer leur origine et se situer dans la société, les Noirs ont adopté cette appellation d'Africains-Américains dans les années 1980, mais elle accompagne des changements importants au sein de leur communauté. Celle-ci avait été unie dans la lutte des droits civiques, mais avec les premiers résultats de celle-ci, de nombreuses divergences sont apparues. Généralement, l'écart de revenus moyens avec les Blancs, après s'être réduit jusqu'à 20 % à la fin des années 1970, a stagné ou recommencé légèrement à croître, sans qu'il paraisse possible de l'améliorer. Pourtant, cet écart varie beaucoup en raison du niveau d'éducation et de celui des revenus.

Pour environ un tiers de la minorité noire, les progrès ont été considérables. Les Africains-Américains qui ont fait des études supérieures constituent plus de 10 % du groupe. L'*affirmative action* a permis à des Noirs d'accéder à des postes de responsabilité dans les médias, voire dans l'armée, comme l'illustre l'accession au rang de chef d'état-major interarmes du général Colin Powell en 1990 ; il deviendra secrétaire d'État du président George W. Bush dix ans plus tard. Des milliers de Noirs sont élus au niveau local, et des villes comme Chicago, Los Angeles, Atlanta ou New York – cette dernière depuis novembre 1990 – ont des maires issus de leurs rangs ; le président du parti démocrate est noir et le président Bush a nommé, en 1991, pour remplacer le vieux combattant des droits civiques, Thurgood Marshall, un juge noir, Clarence Thomas, choisi plus pour la couleur de sa peau que pour ses compétences juridiques.

Pour un autre tiers, la situation a relativement peu changé, ils ont un emploi, ils vivent entre eux dans des conditions convenables, souvent ouvriers ou petits employés ; ils sont sur les marges de la classe moyenne noire, bien distincte de la blanche.

Enfin, le dernier tiers s'est enfoncé dans la misère ; il forme, comme des fractions d'autres minorités, un sous-prolétariat dont le sort ne s'est guère amélioré durant les années 1960 et 1970 et s'est sans doute aggravé dans la décennie suivante. Ceux-là vivent dans les quartiers déshérités des grandes villes. La moitié des enfants élevés par une mère-célibataire – et, en 1988, 42,8 % des familles noires sont menées par une mère célibataire – quittent l'école tôt ; frappés par le chômage, ils vivent de l'assistance sociale ou de la vente de la drogue et, en 1991, un quart des jeunes Noirs entre 20 et 29 ans sont ou en prison ou sur le point d'être jugés. C'est en effet dans les rangs de ces malheureux que le crack (cocaïne à bon marché), puis d'autres moutures, font le plus de ravages, car les revenus des revendeurs dépassent ceux de tous les emplois réguliers qu'ils pourraient obtenir dans leur quartier. La criminalité se développe avec ces meurtres qui rendent certains quartiers des grandes villes très dangereux : un homme noir a sept fois plus de risques de se faire tuer qu'un homme blanc. Des émeutes raciales ont éclaté en 1990 dans les quartiers noirs ou hispaniques de Washington et de Miami, rappelant celles des années 1960 et, en 1992, celles de South Central à Los Angeles ont été les plus violentes depuis longtemps.

Or, cette division de la communauté noire a permis l'émergence d'une classe moyenne et supérieure qui ne veut plus rien avoir de commun avec les quartiers dont ses membres sont issus. Le réalisateur Spike Lee montre bien, dans *Jungle Fever* (1991), les mouvements contradictoires qui agitent ce groupe. Cela explique également l'apparition de Noirs conservateurs, qui récusent, à l'instar de Clarence Thomas, les procédures de l'*affirmative action* et prônent l'ascension individuelle dont ils se veulent la preuve. Les auditions sénatoriales qui ont précédé la nomination de Thomas comme juge à la Cour suprême, à l'automne 1991, ont prouvé, par leur âpreté, les divisions profondes qui affectent la communauté noire, partagée entre la satisfaction de voir l'un des leurs accéder à une telle fonction et la crainte qu'il oublie ses origines et ne fasse rien pour les siens.

De ce fait, une attaque résolue contre cette pauvreté résiduelle est peu probable, en raison des difficultés financières et surtout de l'absence de volonté véritable. En effet, les conséquences les plus dramatiques de la situation restent limitées à certains groupes dans quelques quartiers : les gangs qui se disputent le marché de la drogue s'entretuent. La plupart des Américains qui ne vivent pas dans ces endroits peuvent donc ignorer les problèmes qui s'y posent quotidiennement.

Le cas des Noirs illustre bien celui d'autres minorités qui, durant une période plus ou moins longue, connaissent des situations semblables. Mais, plus que d'autres, les Africains-

Américains sont réticents à entrer sur un pied d'égalité dans la société américaine des années 1990. Des flambées de racisme viennent régulièrement montrer que ce résultat ne sera pas facilement atteint, et il n'est pas sûr que tous le veuillent vraiment. Beaucoup d'Africains-Américains restent persuadés d'affronter une société raciste et oppressive, même quand leur ascension sociale relative contredit ce sentiment ; ils sont seulement à l'aise entre eux.

Ainsi les Américains des années 1990 apparaissent-ils regroupés en sous-ensembles plus ou moins étanches, fondés sur l'origine raciale ou ethnique, sur les différences de revenus, chacun avec leurs propres difficultés et à la recherche de leur propre bonheur.

Il y a les ratés de la croissance reaganienne et, dès son entrée en fonction en janvier 1989, le président Bush a indiqué qu'il travaillerait pour une « Amérique plus douce et plus aimable », avec guerre contre la drogue et souci d'améliorer l'éducation. Une telle annonce politique est importante mais elle n'a guère de signification concrète.

Les problèmes sont réels : ils viennent aussi bien de la pauvreté intolérable dans un pays aussi riche, que de faiblesses qui parcourent toute la société. Ainsi, la diffusion de la drogue ne se limite pas aux Noirs des gangs, mais touche également nombre d'ados des écoles des bons quartiers. Ainsi le niveau scolaire des jeunes Américains inquiète de nombreux observateurs, les enquêtes internationales prouvent en effet qu'ils se situent, pour la plupart des disciplines, en dessous de leurs homologues dans les autres pays développés ; les patrons savent bien que nombre de diplômés des collèges sont presque illettrés. Ainsi le coût du système de couverture sociale est considérable alors que 15 % des Américains n'en ont aucune et que d'autres, en dépit des programmes existants, ne sont pas bien couverts. Ainsi le transfert de certaines charges de l'État fédéral aux États pèse-t-il sur les budgets de ceux-ci qui ont du mal à faire face aux besoins collectifs : la réfection des routes, des ponts et les autres dépenses d'infrastructure. En effet, les équipements publics des villes, les transports en commun ont été négligés pendant de longues années et leur dégradation nuit à l'efficacité du pays.

Face à ces enjeux considérables, la réponse politique est ambiguë. En effet, le poids du conservatisme incarné pendant huit ans par Ronald Reagan reste considérable et s'oppose à l'intervention de l'État pour résoudre ces problèmes, comme à toute augmentation des impôts. Le président Bush, a pris quelques distances avec l'idéologie conservatrice extrême, mais ne tient pas à s'engager véritablement sur des mesures sociales efficaces seulement à long terme et peu populaires parmi ses électeurs.

Or, dans le pays, deux courants s'affrontent, qui se retrouvent au sein des partis. Le premier est formé de conservateurs revigorés par les années Reagan : ils sont en faveur du laisser-faire économique et d'un impossible retour aux traditions américaines. Ils dénoncent volontiers le poids des syndicats, qui contribueraient à l'augmentation des salaires, alors que l'AFL-CIO a perdu beaucoup d'adhérents dans les années 1980 : au début des années 1990 moins de 18 % des salariés. Profondément religieux, sans tomber dans les excès des télévangélistes dévalués ni de la « majorité morale » en faillite, ils mènent depuis des années le combat contre l'avortement, pesant sur le pouvoir pour que les juges nommés par Reagan et Bush abrogent l'arrêt *Roe v. Wade* de 1973. En dépit de restrictions à la liberté de l'avortement, la Cour suprême ne s'est pas décidée à franchir un pas aussi décisif, car beaucoup de femmes mêmes républicaines veulent conserver cet acquis. Les mêmes Américains s'opposent depuis des années au busing, comme aux quotas en faveur des minorités et à l'*affirmative action* et remportent quelques succès dans les États.

Sur la défensive, le second courant cherche à défendre les acquis de la « grande société », voire à les étendre. Il a empêché, en 1987, la nomination du juge Robert Bork, considéré comme réactionnaire, à la Cour suprême, mais cette victoire est restée sans lendemain. Le mouvement pour le maintien du droit libre à l'avortement a pris de l'ampleur, parmi toutes les femmes. Les militants des droits civiques veillent également à ce que soient respectées les lois en vigueur, tout en s'interrogeant sur l'efficacité réelle du système des quotas. Dans les écoles et les universités, nombre d'institutions ont adopté, au début des années 1990, des programmes scolaires qui font toute leur place aux minorités et aux femmes.

Le Congrès, à majorité démocrate, tient compte de ces doubles signaux. Ainsi les élus de 1988 ont-ils, péniblement, étendu le bénéfice du *Medicaid* aux enfants, la moitié des pauvres y échappe ; ils sont parvenus également à voter une loi contre la pollution de l'air, à laquelle Reagan s'était opposé au nom de la déréglementation, et que Bush a approuvée. Pourtant, ces mesures manquent d'ampleur et de cohérence et ne règlent les problèmes qu'au cas par cas.

La fin de la guerre froide

En quelques années, les perspectives mondiales des États-Unis ont été totalement transformées ; la fin de la guerre froide, qui n'avait été ni prévue ni organisée, a changé tous leurs paramètres militaires et stratégiques. La guerre du Golfe de 1991 a semblé initier une nouvelle période dans les relations internationales, mais dépourvue de toutes perspectives claires.

La volonté de contrer l'expansionnisme soviétique conduit le président Reagan à proposer une nouvelle politique de défense en 1985. La SDI (Initiative de défense stratégique), plus communément appelée « guerre des étoiles », a pour but de protéger totalement les États-Unis d'une attaque ennemie grâce à l'établissement d'un bouclier spatial de haute technologie. Le Congrès rechigne à voter les crédits nécessaires à une entreprise sans réelle base technique et l'Union soviétique, soucieuse de maintenir la parité avec les États-Unis, ne cesse de dénoncer ce programme, sachant qu'il lui sera très difficile de suivre les Américains sur ce terrain.

Pourtant, les changements ne viennent pas de l'initiative américaine, mais bien de l'arrivée au pouvoir en URSS de Mikhaïl Gorbatchev, en 1985. L'initiateur de la *perestroïka* est d'abord considéré avec beaucoup de méfiance par l'équipe Reagan. Pourtant, peu à peu, les propositions de réduction des armements stratégiques dont cet homme nouveau a pris l'initiative sont prises au sérieux. Le premier sommet Reagan-Gorbatchev a lieu à Genève en novembre 1985, il est suivi d'un autre, à Reykjavik, en octobre de l'année suivante. La préparation d'un traité sur la limitation des forces de moyenne portée, signé à Washington en 1987, est l'objet de ces rencontres pendant lesquelles le président américain ne montre pas une grande maîtrise des dossiers.

La régularité des sommets américano-soviétiques annuels montre à l'évidence que l'heure n'est plus à l'affrontement avec l'ex-empire du mal. Pourtant, sur d'autres terrains, l'anticommunisme reste toujours la règle : bien que le Congrès ait suspendu, en 1984 et 1986, toute aide aux *contras* du Nicaragua, ceux-ci restent les protégés du Conseil national de sécurité confié à des fidèles du président ; leurs initiatives signalent un complet manque de principes dans la conception d'une politique étrangère souvent montrée en exemple.

À partir de l'automne 1986, grâce à des fuites venues d'Iran, l'opinion apprend avec stupeur que le Conseil de sécurité aidé de la CIA a vendu secrètement, par des intermédiaires israéliens, des armes à l'Iran, alors en guerre contre l'Irak, pour obtenir la libération des otages américains détenus au Liban. Une telle politique est contraire à tous les principes réitérés de refus de négociation avec les preneurs d'otages et particulièrement choquante en raison du contentieux américano-iranien. Les révélations indiquent également que l'argent tiré de ce trafic a été détourné par le Conseil national de sécurité au profit des *contras* nicaraguayens, auxquels le Congrès avait coupé les fonds autres qu'humanitaires. Le scandale de l'*Irangate* est considérable. Il prouve que l'équipe présidentielle de l'amiral John Pointdexter et du colonel Oliver North a mené secrètement une politique contraire aux vœux du Congrès en utilisant des circuits douteux de trafiquants. Le dévoilement du scandale cause un coup terrible à la popularité du président, bien que sa responsabilité directe ne soit pas établie par le procureur spécial et la commission du Sénat. Reagan, averti par le précédent de Nixon, a l'habileté de prendre les devants assez tôt pour éviter tout débordement, en limogeant les responsables et en comptant sur le silence de Bill Casey, le directeur de la CIA, qui meurt peu après. Il n'en reste pas moins qu'une telle affaire prouve la dérive d'une politique sans nuance et, finalement, sans socle solide.

Ces événements n'affectent pas le réchauffement des relations avec l'Union soviétique, qui se poursuit avec des rencontres à tout niveau. Ainsi, au début 1988, Mikhaïl Gorbatchev décide que toutes les troupes soviétiques seront retirées d'Afghanistan, enlevant ainsi sa justification au maintien de la tension et, en mai suivant, un nouveau traité prévoit l'élimination des fusées Pershing et SS 20 dont le déploiement avait été une source d'affrontements moins de dix ans plus tôt.

En quittant le pouvoir après avoir reconquis sa popularité, le président Reagan peut estimer avoir assuré la paix en obligeant à négocier l'Union soviétique, ruinée par la course aux armements imposée. Il ne prévoyait nullement que la désintégration du bloc de l'Est, par sa surprenante implosion, mettrait un terme réel à la guerre froide.

Dès la fin 1990, l'empire soviétique a été totalement démantelé et tous les pays européens qui le composaient ont rompu avec le communisme et dissous le pacte de Varsovie qui les unissait à l'Union soviétique. Seul subsiste le système d'alliance de l'OTAN, en voie d'évolution, et, comme seule superpuissance, les États-Unis, face à l'effondrement de l'Union soviétique, alors que les négociations START sur le désarmement sont arrivées à leur terme en juillet 1991 avec la signature d'un traité réduisant d'un tiers le nombre d'ogives nucléaires de chaque puissance.

Quelle a été la responsabilité des États-Unis dans ces événements spectaculaires qui ont secoué l'Europe à partir de la chute du mur de Berlin en novembre 1989 et jusqu'à la fin 1991 avec la réunification allemande et la disparition de l'URSS ? Au temps du « refoulement » prôné dans les années 1950, un tel effondrement du bloc communiste aurait été accueilli par des transports de joie américains. Les années de détente ont modifié le tableau : les célébrations n'étaient plus de mise.

En effet, les Américains n'ont mené aucune action directe qui ait causé ces événements extraordinaires : ceux-ci se sont déroulés en dehors d'eux, sous la pression des peuples concernés. La seule chose qu'ils peuvent revendiquer est d'avoir accéléré la déconfiture économique de l'Union soviétique en imposant des dépenses militaires disproportionnées à ses ressources. Pourtant, dans le même temps, l'économie américaine en a aussi souffert et cette pression a été inconsciente. Comme l'a reconnu Robert Gates, directeur de l'agence de renseignement et futur ministre de la défense de George W. Bush et de Barack Obama, la CIA s'est mépris sur l'ampleur de la dégradation économique de l'Union soviétique : elle lui prêtait une puissance qu'elle n'avait plus et pensait que la puissance militaire n'était pas affectée par le déclin technologique et l'effondrement moral du pays. Aussi la course aux armements n'a été qu'un élément parmi d'autres dans la disparition de l'URSS.

Sur le plan stratégique, la victoire américaine a été acquise seulement par défaut. Les mouvements populaires contre les régimes communistes ont souvent pris naissance à la fin des années 1970, stimulés par l'acte final de la conférence d'Helsinki de 1975 ainsi que par l'accent mis par Jimmy Carter sur les droits de l'homme dans les premières années de son mandat. Par ailleurs, le mode de vie américain, la musique rock et le jeans ont contribué à dissoudre le contrôle idéologique du parti. Par leur culture populaire, conçue pour le plus large public, les Américains ont exercé une réelle attraction démultipliée par un besoin de consommation trop longtemps réprimé. Enfin, l'anticommunisme fervent qui marque encore la mentalité ne peut que séduire des populations qui chassent tout souvenir de la domination des partis communistes ; la légèreté relative de l'État aux États-Unis peut plaire après les débordements du collectivisme : les Polonais ou les Bulgares trouvent l'Union européenne trop étatique et rêvent d'y immigrer. Pourtant, ceux-ci, en dépit de réels efforts, n'ont plus les moyens ni la volonté d'un nouveau plan Marshall ; leur politique étrangère a perdu une part de sa justification profonde, une réorganisation complète des forces armées est désormais nécessaire : le redoutable ennemi a disparu. Le monde n'est pas plus calme pour autant, mais la situation internationale n'est plus déchiffrable avec les codes de la guerre froide, surtout en Amérique centrale ou en Afrique.

Le cessez-le-feu entre les *contras* et le gouvernement sandiniste négocié en mars 1988 débouche sur des élections en février 1990. Les Américains auraient préféré une nette victoire des *contras* anticommunistes, qu'ils soutiennent jusqu'au dernier moment en dépit de leurs engagements officiels, mais La victoire de Violetta Chamorro est accueillie chaleureusement, car le Congrès rechigne à attribuer des crédits au Nicaragua qui n'est plus considéré par personne comme un enjeu.

Par la force des choses se dessine une politique débarrassée du prisme idéologique, plus directement conforme aux intérêts primordiaux des États-Unis. L'intervention militaire au Panama, de Noël 1989, pour chasser le dictateur Noriega, longtemps stipendié par la CIA et accusé de trafic de drogue, rentre tout à fait dans cette catégorie. En revanche, le maintien de l'embargo à l'égard de Cuba marque la volonté maintenue d'en finir avec le régime de Fidel Castro, seul bastion communiste survivant de la guerre froide et dernier obstacle à l'ordre américain dans la région.

Le Moyen-Orient représente un cas particulier pour les États-Unis en raison des liens particulièrement étroits qui les unissent à Israël, tant sur le plan économique, en raison du boycottage sévère exercé par les pays arabes, que, sur le plan politique, du fait de la puissance du lobby juif américain. La fermeté du gouvernement israélien et l'impuissance américaine depuis les accords de Camp David n'ont permis aucune initiative. Contre Kadhafi, plus isolé, les Américains ont montré leur détermination : le chef de l'État libyen devient un ennemi déclaré en raison de sa responsabilité dans le terrorisme international et, en 1986, son palais est bombardé en représailles par des avions américains venus de Grande-Bretagne.

C'est dans ce contexte que se précisent les appétits de Saddam Hussein sur les revenus pétroliers du Koweït voisin. Les services de renseignement n'ont pas porté une grande attention à un homme avec lequel les Américains s'entendent assez bien en raison de son rôle de rempart contre l'Iran et dont le pays représente un marché apprécié. L'invasion du Koweït par l'Irak, le 2 août 1990, est donc une totale surprise. La réaction du président Bush est immédiate : il obtient la condamnation de l'Irak par l'ONU et décide d'envoyer, dans ce cadre, un puissant corps expéditionnaire en Arabie Saoudite pour faire face à l'agresseur. Dans une telle conjoncture, la fin de la guerre froide se manifeste par l'effacement de l'Union soviétique qui doit accepter la direction américaine. Les États-Unis peuvent rassembler dans la même coalition, outre des alliés comme la France et l'Angleterre, un pays arabe comme la Syrie en même temps qu'Israël. En trois mois, les Américains acheminent sur les rives du Golfe plus de 500 000 hommes, des monceaux de matériel, des milliers d'avions. Ils démontrent par là qu'ils sont bien la seule puissance militaire mondiale.

Dans le même temps, le président Bush prend soin d'éclairer ses concitoyens sur les buts de guerre précis : libérer le Koweit. Il associe étroitement le Congrès à sa démarche, exorcisant ainsi le spectre du Vietnam. Cette volonté se double d'une véritable diabolisation du dictateur irakien, d'une certaine surestimation de ses forces, pour mieux souder les esprits, les Américains étant toujours plus unis contre un ennemi bien identifié que pour un but plus ou moins clair.

Durant ces mois, en dépit de tentatives de négociation, c'est bien une logique de guerre qui anime le président américain, plus déterminé sans doute que ses généraux. D'ailleurs, l'opinion manifeste son approbation et la cote de popularité de Bush monte vers les sommets.

Commencée en janvier 1991, la guerre aérienne prouve la réelle maîtrise des forces américaines, qui testent en vraie grandeur des matériels nouveaux comme l'avion dit furtif F 117-A, ou les bombes dites « intelligentes », qui atteignent une cible précise, mais avec des pertes collatérales. L'écrasement préalable des objectifs irakiens explique la rapidité de l'offensive terrestre, achevée en cent heures à partir du 17 février 1991, avec seulement 250 morts du côté américain. Les troupes de la coalition s'arrêtent aux frontières de l'Irak et n'ont pas pour mission de renverser Saddam Hussein.

La victoire a été célébrée aux États-Unis plus qu'ailleurs : les troupes ont été reçues avec allégresse et le général Schwarzkopf, qui les commande, devient un héros. Le pays semble retrouver une fierté bien malmenée depuis le Vietnam. Pourtant, cette victoire contre un adversaire isolé, fort de 17 millions d'habitants, n'est pas nécessairement probante sur le plan militaire. Les matériels utilisés l'ont été dans des conditions particulièrement favorables, beaucoup étant déjà périmés mais efficaces contre un pays en voie de développement au ciel toujours bleu. Les missiles Patriote, prêtés à Israël, qui ont abattu des Scud irakiens n'auraient pu venir à bout de fusées plus performantes. En revanche, la logistique américaine a prouvé sa capacité, mobilisant une technologie dont les produits civils ont rarement bénéficié.

Sur le plan stratégique, les États-Unis s'affirment comme la seule puissance susceptible de peser sur les affaires du monde. Cela explique les efforts inlassables du secrétaire d'État James Baker, en 1991, pour rapprocher les positions d'Israël et celles des pays arabes, et faire se tenir, en novembre de la même année, à Madrid, une première conférence entre eux sans résultats probants. Cela explique que les Américains interviennent en faveur des Kurdes irakiens et auprès des populations du Bangladesh aux prises avec des inondations catastrophiques.

Pourtant, cette omniprésence américaine a ses limites : les États-Unis n'ont plus les moyens ni surtout la volonté, d'intervenir partout dans le monde pour porter secours à des miséreux ou pour débusquer quelque tyran. La guerre contre l'Irak n'a d'ailleurs été rendue possible que par le financement fourni par l'Arabie Saoudite, le Japon et l'Allemagne.

Le nouvel ordre mondial évoqué après la victoire contre l'Irak n'a pas de contenu précis. Les États-Unis n'ont pas de solution face au déchirement de la Yougoslavie ; ils n'ont pas défini une politique de développement pour les pays d'Amérique centrale et latine, se satisfaisant des progrès de la démocratie politique rendue possible par la fin de la guerre froide ; ils n'ont pas imaginé une mission originale pour l'OTAN et sont obligés d'admonester le Japon pour qu'il assume de véritables responsabilités régionales.

Les États-Unis doivent donc définir quelle sera leur politique, loin des analyses sectaires, loin de principes flous. Autre défi, au moment où nombreux sont les Américains à trouver que leur président se préoccupe trop des questions internationales et insuffisamment des problèmes intérieurs brûlants.

À la veille d'une nouvelle élection présidentielle, les États-Unis ont beaucoup changé en une vingtaine d'années. Le changement de théorie économique a accompagné la fin du communisme. Deux des principaux repères du pays ont disparu : les acquis du *New Deal* renforcés durant les années 1960 sont de plus en plus remis en cause et la construction idéologique anticommuniste, qui avait structuré les esprits pendant cinquante ans, a disparu. Les Américains dans leur vie quotidienne ne se préoccupent guère de ces grandes questions stratégiques, si le bouleversement économique associé à la revendication ethnique et raciale les affecte profondément.

Quatrième partie

L'accélération de l'histoire 1992-2010

Une période d'une douzaine d'années, courte mais très dense en événements et évolutions majeures, comme si dans ce contexte de mondialisation et d'échanges instantanés des communications, l'histoire connaissait une réelle accélération, surtout aux États-Unis toujours branchés dans ce domaine. L'intensification du commerce international et des mouvements financiers constitue l'arrière-plan, avec des crises plus ou moins brèves et plus ou moins profondes : 2000, la bulle d'Internet explose, 2008, la faillite de Lehmann Brothers et la quasi-disparition de General Motors prouvent l'ébranlement de tout le système capitaliste avec même le retour de flamme du bon vieux keynésianisme. La société américaine est en première ligne de ces bouleversements, en raison de l'importance de la spéculation financière et immobilière. Le monde politique a été lui aussi plongé dans des crises et des grands moments : le procès d'*impeachment* du président Clinton, la tragi-comédie de l'élection de 2000, puis en 2008 l'élection d'un premier président de couleur, en la personne de Barack Obama. Et que dire du domaine international, rythmé par les attentats du 11 septembre 2001, et ses suites guerrières en Afghanistan et en Irak, avec une menace nucléaire venue d'Iran.

De tous ces développements majeurs, ne ressort pas de ligne directrice, mais plutôt une adaptation permanente avec des réponses au cas par cas, sans idéologie cohérente.

Chapitre 11

Le moment de l'hyperpuissance ? (1992-2000)

Le terme « hyperpuissance » a été forgé en 1999 par l'ancien ministre Hubert Védrine ; il décrit très bien ces quelques années, entre 1996 et 2001, pendant lesquelles les États-Unis ont été non seulement une puissance militaire supérieure à toutes les autres mais aussi les champions d'une mondialisation financière dont ils avaient su tirer le meilleur parti, avec la multiplication de nouvelles entreprises dans le domaine d'Internet. Encore une fois, la croissance semblait si bien établie que les analystes la prédisait durable, la consommation était dynamique : le président Clinton, rayonnant, fournissait une image sympathique pour ce « nouveau monde ».

Pourtant comme toujours, cette période d'euphorie n'a pas duré : la crise de la bulle informatique de 2000 a remis en cause la validité de la « nouvelle économie », la montée du terrorisme a ébranlé les certitudes des militaires avec leur matériel sophistiqué, alors que la Chine connaissait une croissance très prometteuse. Comme par une lassitude engendrée par la prospérité sans nuage, le président Clinton s'est livré à quelques facilités, dont les conséquences démesurées ont jeté un voile déplaisant sur la fin d'un mandat, par ailleurs estimable. La tragi-comédie de l'élection présidentielle de 2000 n'a pas contribué au prestige politique du pays, qui se croyait encore le plus puissant de la terre.

Le mirage de l'ère Clinton

Élu une première fois en 1992, le président Clinton a conduit une politique contrastée, aussi bien en raison de ses propres choix que du fait des élections de 1994 qui donnent aux républicains le contrôle du Congrès. Ces contradictions ne sont pas suffisantes pour empêcher une nouvelle victoire de Bill Clinton lors du scrutin de 1996, qui le rangea dans le groupe très réduit des présidents ayant été élu pour un deuxième mandat, mais il a subi comme ses prédécesseurs la malédiction inhérente à ce dernier.

La campagne électorale de 1992 révèle plusieurs tendances lourdes de la politique américaine. L'importance de l'économie dans une période de ralentissement de l'activité, avec des licenciements très nombreux est fondamentale : alors que le président Bush se croit auréolé à jamais par « sa » victoire dans la guerre du Golfe, le candidat démocrate Bill Clinton centre sa campagne sur les problèmes quotidiens, car son conseiller James Carville lui rappelle : « c'est l'économie, imbécile » qui déterminera le vote des électeurs et certainement pas une guerre étrangère.

Le manque de confiance des électeurs envers les politiciens est confirmée par les sondages favorables à la candidature de l'homme d'affaires Ross Perot qui prône un retour aux équilibres économiques et aux valeurs traditionnelles ; il finance sa candidature uniquement par sa fortune personnelle, obtenue par la vente de sa société informatique au Pentagone.

L'émergence d'une génération politique nouvelle, illustrée par la jeunesse de Clinton – étudiant pacifiste dans les années 1960 – et par la candidature de femmes et d'hommes jeunes aux postes de représentant au Congrès.

La série des élections primaires montre les limites de la popularité de Bush, contesté dans son propre camp par la droite religieuse et cruellement dépourvu de charisme. Dans le camp démocrate, les jeux ne sont pas faits et aucun candidat ne s'impose lors des premiers scrutins. Bill Clinton est peu connu du grand public, il n'a été jusque-là que gouverneur de l'Arkansas, l'un des États les moins peuplés et les plus pauvres du pays ; il parvient difficilement à distancer ses rivaux, montrant des ressources insoupçonnées de résistance face aux révélations sur sa jeunesse (a-t-il fumé de la drogue ?) et sa vie privée (n'a-t-il pas entretenu pendant des années une liaison hors mariage ?). Il n'est assuré d'être le représentant de son parti lors de la convention de New York qu'à la mi-juillet. De son côté, Ross Perot sort de la campagne en juin avant d'y revenir en septembre avec beaucoup d'argent et un moral de vainqueur.

L'élection présidentielle attire plus de 55 % des électeurs potentiels, chiffre-record depuis une vingtaine d'années, et sa configuration est triangulaire. Si Bill Clinton l'emporte avec 43 % des voix en distançant George Bush de 6 %, Ross Perot obtient 19 % des suffrages, sans l'apport d'un parti. Les démocrate conservent le contrôle du Congrès, mais avec beaucoup de nouveaux élus, dont une vingtaine de femmes et des représentants des minorités.

Le président Clinton, âgé de 46 ans lors de son élection, représente une génération nouvelle : premier président à n'avoir pas participé à une guerre. D'origine très modeste, brillant étudiant à Oxford et à Yale, il a participé au mouvement contre le conflit du Vietnam et goûté aux mœurs libres de cette période. Très tôt touché par le virus de la politique, il devient en 1976 ministre de la Justice de l'Arkansas avant d'en être le gouverneur avec une seule interruption jusqu'en 1992. Dans cet État à l'importance relative, il révèle des qualités d'entregent et avance des idées nouvelles, faisant partie d'un groupe d'élus, qui se regroupent au niveau national, les « nouveaux démocrates », qui veulent maintenir les dépenses et ne pas multiplier de nouveaux programmes sociaux ; il en devient le président, ce qui lui permet de se faire connaître au sein du milieu politique national. Sa femme, Hillary, est une brillante avocate qui l'appuie sans réserve, lui fournissant des idées et un peu de stabilité. Bill Clinton est un homme brillant, peu organisé, absorbant toutes les idées qui l'environnent et formant de nombreux projets pas toujours cohérents. Il désire un gouvernement qui ne soit pas envahissant et ne veut pas être accusé d'être dépensier comme les démocrates des années 1960 mais il propose des mesures pour la classe moyenne dont il est un bon représentant ; ce baptiste est partisan de la peine de mort mais ne s'est jamais intéressé à la politique étrangère.

L'apprentissage d'un président

Le nouveau président, qui met beaucoup de temps à constituer son équipe, gaspille ses premiers mois de président en mesures mal comprises. Par exemple, l'ouverture des rangs de l'armée aux homosexuels, à condition que l'on ne leur demande rien sur leur vie privée, déclenche une forte opposition d'officiers peu favorables à un homme qui a refusé de partir au Vietnam, elle est mal comprise par l'opinion.

Le projet de budget pour 1993-1994 comprend une baisse des dépenses de défense et une diminution du nombre des fonctionnaires, mais aussi des augmentations des taxes sur les plus riches, pour aider à réduire le déficit hérité des républicains, pour financer des travaux d'infrastructure. De telles décisions ne sont pas suffisantes pour stimuler une économie stagnante et mécontentent certains des électeurs de gauche du président ; elles provoquent surtout des protestations violentes des Républicains contre un homme qu'ils considèrent comme un imposteur, tant il incarne les valeurs des années 1960 qu'ils détestent. Cette opposition se déchaîne quand le président fait voter une loi, qui institue un délai avant l'achat d'une arme et interdit la vente de certains fusils d'assaut : il marque sa différence avec ses prédécesseurs et satisfait un grand nombre de ses concitoyens épouvantés par le nombre des tués par balle : 17 000 en 1993 sur un total de plus de 24 500 meurtres, mais il provoque l'opposition farouche du lobby des armes, le NRA (Association nationale des rifles), qui fournit son puissant soutien aux Républicains. En revanche, contre une large proportion des élus de son propre parti, proches de la centrale syndicale AFL-CIO, et avec l'aide des Républicains, Clinton prouve sa volonté d'ouverture internationale en parvenant à faire adopter par le Sénat en 1994 le projet de libre-échange nord-américain, l'ALENA qui réunit Canada, Mexique et États-Unis.

Le grand projet du président pour son premier mandat, qui a été souvent débattu dans les années précédentes en 1945 comme en 1965, consiste à réformer profondément le système d'assurance-santé dont le coût est en croissance constante alors que 40 millions d'Américains ne bénéficient d'aucune couverture. Hillary Clinton, quoique non élue, est chargée de mettre au point un projet qui sera soumis au Congrès. Alors que l'idée de réforme a été accueillie avec chaleur par l'opinion et le Congrès, la complexité du projet et la lenteur de sa mise au point de l'automne 1993 au printemps 1994 suscitent l'opposition des lobbies des professions médicales et l'incompréhension de nombreux Américains devant la création de structures administratives mi-privées mi-publiques selon un organigramme de type technocratique. La presse et les Républicains ridiculisent le projet, jouent sur la peur du socialisme, évoquent le spectre des systèmes européens, ils brandissent la perspective d'une hausse faramineuse des impôts et la fin de la liberté de choix des médecins.

Finalement, la réforme du système de santé est refusée par le Congrès en septembre 1994, une partie des élus démocrates ont voté contre. Cet échec est très grave pour le président, à la veille des élections de mi-mandat, alors qu'il en avait fait de ce projet son cheval de bataille et la première étape d'autres réformes majeures ; de surcroît, il contribue à l'impopularité d'Hillary Clinton, souvent accusée d'intellectualisme et d'insensibilité.

Dans ce contexte, les résultats en demi-teinte de la politique étrangère ne suffisent pas à redresser la cote de popularité du président qui est très basse : moins de 30 % des Américains sont satisfaits de lui. Clinton, après avoir critiqué Bush pour son indécision au sujet de la guerre en Bosnie, n'est pas capable de formuler une politique claire. Premier président de l'après-guerre froide, il ne trouve pas un axe de politique étrangère qui puisse en prendre la place ; il n'est pas le seul dans ce cas, car les États-Unis n'avaient plus de boussole pour mener leur action internationale. Quelques rodomontades à l'égard de l'Irak ou de la Corée du Nord et le soutien affiché à Boris Eltsine ne dissimulent pas les hésitations au sujet de Haïti où il renonce à débarquer des troupes, car la dictature militaire au pouvoir s'y oppose.

Avant le scrutin du 8 novembre 1994, les candidats républicains pour la Chambre des représentants, conduits par l'un des élus sortants de Géorgie, Newt Gingrich, ont juré d'appliquer – une fois élus – un programme en dix points, qui devrait constituer une réelle rupture avec la période précédente. Alors que, traditionnellement, les partis américains se contentent d'une plate-forme fourre-tout pouvant concilier les groupes de pression, le choix a été fait, au contraire, de quelques thèmes issus de la fraction conservatrice.

Une révolution conservatrice?

La victoire a fait de Newt Gingrich, chef de la majorité républicaine, le président de la Chambre – 230 élus contre 204. Un nouveau bureau et de nouveaux présidents de commissions représentant la tendance victorieuse ont été choisis. Sur le plan de la vie politique, ce changement est, en lui-même, significatif puisque le parti démocrate contrôlait la Chambre depuis 1955, avec une exception de deux ans sous Reagan : les républicains sont ravis de briser la routine de ces démocrates dépensiers et irresponsables.

Le changement est moins brutal au Sénat, bien que les élus républicains y soient désormais 53 contre 47. Le renouvellement de la haute assemblée ne s'effectue que par tiers et les sénateurs respectent une tradition de modération. Le chef républicain Bob Dole a longtemps fait figure de centriste, bien qu'il subisse les effets de la poussée à droite incarnée par Gingrich.

Le nouveau Congrès élu le 8 novembre 1994 est entré en session le 4 janvier 1995, avec une large couverture médiatique, N. Gingrich ayant la conviction d'être « un acteur de l'histoire » avec l'ambition de réaliser une large part de son programme dès les premiers mois. En effet, ce nouveau « Contrat pour l'Amérique » se compose de huit réformes et d'un plan en dix points dont une large partie doit être réalisée, dans les cent premiers jours – période symbolique empruntée au président Roosevelt.

Cet ensemble de propositions est pour le moins disparate. Les huit réformes concernent essentiellement la procédure du Congrès et sont inspirées par un antiparlementarisme de type populiste et par le souci d'empêcher, de façon contraignante, toute hausse de taxes et d'impôts. La droite conservatrice avait beaucoup reproché au président Bush d'avoir accepté une hausse des impôts après avoir indiqué qu'il y était formellement opposé. Le plan en dix points correspond aux principaux thèmes de la droite : un amendement constitutionnel pour équilibrer le budget, la volonté de renforcer la répression du crime et d'éliminer les mesures de prévention, le souci de contrôler étroitement le système d'aide sociale et d'assistance et de restaurer les valeurs familiales, ainsi que – autre tradition populiste – la limite du nombre de mandats successifs pour éviter l'absence d'imagination et faire circuler du sang neuf.

De telles mesures démontrent surtout une attitude de revanche par rapport au consensus mou des décennies précédentes. D'ailleurs, les enquêtes d'opinion prouvent que les Américains ne sont pas enthousiastes envers ce programme institutionnel qui ne les concerne nullement car il est bien loin des véritables problèmes : seuls 25 % d'entre eux le considèrent comme sérieux.

Dans les trois premiers mois de la législature, un certain nombre des réformes proposées ont abouti. Ainsi, les règles de fonctionnement du Congrès ont été justement modifiées et améliorées : par exemple, le président obtient un droit de veto par article, ce qui lui évite de refuser une loi pour seulement une clause. En revanche, le projet d'amendement établissant un budget équilibré n'a pas été accepté par le Sénat pas plus que la limite des mandats successifs, qui est anticonstitutionnelle. Les mesures budgétaires pour réduire l'aide aux repas des élèves ou pour s'attaquer aux soi-disant bénéficiaires abusifs de la protection sociale, comprises dans les propositions de budget, n'ont pas abouti en raison du veto présidentiel.

Les problèmes du pays, tels qu'ils sont apparus dans les années 1980 : pauvreté, exclusion et incertitude économique, restent présents, peu affectés par la rhétorique républicaine. Le président Clinton, après quelques mois d'hésitation, se présente comme le défenseur des Africains-Américains – aux prises avec une recrudescence du racisme dans le Sud où des églises noires sont brûlées – et comme le protecteur déterminé des mesures sociales comme le *Medicare* et le *Medicaid*. Il utilise fréquemment son droit de veto, en particulier pour s'opposer aux projets de budget des républicains pour l'année fiscale 1995-1996. En effet, la nouvelle majorité tient à affirmer ses principes : elle veut, en même temps, accroître les dépenses militaires en raison de l'incertitude mondiale et réduire les autres pour parvenir à un budget équilibré dans les cinq ans ; des coupes sont proposées pour réduire le nombre de fonctionnaires et le département d'État est l'objet de critiques nombreuses à propos du gaspillage qu'il représenterait.

À partir de l'automne 1995, le président va s'affirmer en reprenant l'objectif du budget équilibré qu'il avait quelque peu négligé, mais avec un calendrier plus long et des mesures moins brutales. Une telle attitude lui permet de faire porter à la majorité républicaine la responsabilité des blocages politiques et de l'obligation d'arrêter largement les activités du gouvernement fédéral durant l'hiver 1995-1996, par manque de financement régulier. Cette stratégie permet à Clinton de retrouver une cote de popularité favorable et d'aborder l'année électorale qui s'annonce avec une position inespérée un an plus tôt : il apparaît comme un centriste protégeant ses concitoyens des excès dogmatiques des républicains, car il applique les principes de la triangulation, qui consiste à reprendre certaines de leurs idées les plus acceptables, ce qui leur enlève toute originalité et leur fait perdre l'initiative.

Le président profite également d'un bilan en politique étrangère, qui est devenu honorable.

La réaction de Clinton

Comme ses prédécesseurs, le président Clinton s'est tourné de plus en plus vers la politique étrangère, domaine où il n'a pas à lutter contre un Congrès devenu rétif et qui n'y a aucune compétence. De plus, après une première partie de mandat consacrée aux problèmes intérieurs, le président a acquis une maîtrise des relations internationales, qui lui permet de bien représenter son pays et d'en défendre les intérêts avec vigueur.

Sur le plan du commerce international, le président Clinton a été particulièrement actif ; il n'hésite pas à promouvoir les intérêts des grandes entreprises tant celles du secteur des armements en Arabie Saoudite et au Koweït que des technologiques en direction de la Chine ; il voyage accompagné d'hommes d'affaires prêts à signer des contrats. Envers la Chine en pleine croissance, les États-Unis n'ont pas choisi entre la défense des droits de l'homme, bafoués à la suite de la répression du Printemps de Pékin de 1989, et les nécessités commerciales. Les relations avec les alliés ont été également tendues car toutes les restrictions commerciales européennes et japonaises sont l'objet d'attaques continues, même si ne se répète pas l'intensité des controverses autour des négociations du GATT en 1993, sur la libéralisation des échanges, en particulier dans le domaine culturel. Les Républicains ont voté une loi interdisant le commerce avec des Cubains, responsables de la nationalisation des entreprises américaines ; le président a signé ce texte, mais s'est montré prudent dans son application, qui lésait nombre de firmes européennes qui pouvaient être poursuivies sur le sol des États-Unis.

Le pays, dans ses relations avec ses partenaires habituels, est parvenu à peser sur les événements même quand il ne les contrôle pas. Il est ainsi apparu naturel que les négociations israélo-palestiniennes, initiées par un ministre norvégien, soient conclues à la Maison-Blanche en 1993, sous le nom d'accord d'Oslo, alors que les Américains n'y avaient pris aucune part directe. Pour les mêmes raisons, Warren Christopher, le secrétaire d'État, a déployé de nombreux efforts pour rapprocher les positions des deux parties, surtout après la victoire de la droite israélienne du Likoud en 1996. En Somalie et en Haïti, le président Clinton a hérité de situations confuses : il est parvenu à retirer sans gloire les troupes du premier pays, après divers incidents humiliants, mais a réussi à chasser les militaires du pouvoir dans le second pour y réinstaller le pouvoir légitime grâce à une intervention pacifique des troupes américaines en septembre 1994. Contre les ennemis traditionnels que sont la Corée du Nord et l'Irak, le gouvernement Clinton est resté vigilant, n'hésitant pas à menacer la première et à tirer des rafales de missiles sur le second, en 1993 comme en 1996, en espérant faire entendre raison à Saddam Hussein : ces opérations limitées mais médiatisées contre un ennemi bien connu ne peuvent qu'être bénéfiques sur le plan de la popularité présidentielle.

Le président Clinton a choisi de soutenir le pouvoir de Boris Eltsine en Russie, en dépit de son intervention sanglante en Tchétchénie, par crainte de se trouver face à face avec un autre partenaire plus dangereux. Des experts politiques américains ont ainsi contribué à la victoire d'Eltsine aux élections présidentielles de juin 1996. Dans le même temps, les projets se précisent d'élargissement de l'OTAN vers les anciens pays du bloc soviétique comme l'Ukraine et la Tchéquie.

Sur d'autres terrains plus complexes, le président a su, après maintes tergiversations, arriver à des décisions pour ramener la paix. Il a délégué George Mitchell comme représentant en Irlande pour aider à négocier un cessez-le-feu en Irlande du Nord et engager des négociations de paix ; elles ont abouti à Pâques en 1998, et l'intervention américaine, sans être essentielle, a été utile et bien reçue.

En Bosnie, après avoir refusé toute intervention dans une affaire européenne, en août 1995 le gouvernement américain a choisi avec la France la manière forte contre les Serbes qui avaient bombardé Sarajevo, en armant la Croatie et les Bosniaques ; puis le diplomate Richard Holbrooke a imposé une négociation serrée dans une ville de garnison aux États-Unis, Dayton (Ohio), pour arriver à un accord en novembre 1995 : 20 000 soldats américains participent au respect de ces accords complexes et fragiles, qui ont le mérite de mettre un terme à une guerre terrible.

Une telle politique ne correspond pas à un grand dessein ni à une vision articulée du monde, mais elle marque le maintien de la puissance stratégique des États-Unis, sans trop d'arrogance, et le refus de tout isolationnisme, en dépit des velléités de quelques membres du Congrès.

Fort de ses atouts de président, assuré d'un bilan honorable en politique étrangère et s'étant refait une santé politique, il a abordé l'année électorale sans angoisse. Le parti démocrate, en dépit de quelques états d'âme au sujet de son orientation trop centriste, n'a personne à lui opposer, et Al Gore, le vice-président, est très largement apprécié, donnant une consistance à certains projets du président, comme la diffusion d'Internet et la prise en compte de la défense de l'environnement.

De plus, la conjoncture économique s'est retournée, que ce soit dû à un cycle normal après la récession du début des années 1990 ou aux budgets de 1993 et 1994 qui ont favorisé la relance, tout en maintenant une politique monétaire très prudente ; de plus, les polémiques avec les républicains ont abouti à réduire le déficit budgétaire et à permettre aux capitaux de trouver d'autres placements. Alors que le déficit du budget de 1995 a atteint 164 milliards de dollars – en baisse régulière depuis 1992 –, il n'est plus en 1996 que de 109 milliards, soit une fraction minime du PNB, à peine 1 %. La croissance s'est établie à environ 2,5 % par an, ce qui permet de soutenir l'économie. Comme symbole de cette embellie et preuve de la vitalité des firmes américaines, la firme japonaise Matsuhita a dû revendre Columbia et Sony a beaucoup de problèmes avec ses investissements massifs dans le cinéma. Les industries automobiles sont redevenues productives, en développant des modèles comme de nouveaux pick-ups et surtout des SUV (des monospaces, souvent 4/4, typiques de l'habitat en banlieue), et elles regagnent des parts de marché sur leurs concurrents nippons.

Le président Clinton, qui en avait fait l'un de ses thèmes de campagne en 1992, avait promis de créer 8 millions d'emplois en quatre ans. En fait, ce sont 10,5 millions d'emplois qui ont été créés durant cette période et il ne s'agit pas seulement d'emplois précaires et mal payés comme dans les années 1980, mais d'emplois dans les services et les entreprises informatiques. Le chômage a baissé régulièrement pour atteindre 5,1 % de la population active en 1996, soit un chiffre exceptionnellement bas. Dans le même mouvement, le nombre de pauvres a légèrement décru, atteignant 13,5 % au lieu de 14,5 % dans la décennie précédente et le salaire moyen des Africains-Américains a connu une amélioration sensible. Ces progrès ne permettent pas un changement visible dans les quartiers défavorisés des villes et ne font pas diminuer sensiblement le nombre des SDF qui errent dans les parcs.

Ces données contribuent à la popularité de Clinton, même si les Américains restent inquiets car les grandes entreprises continuent à se restructurer au prix de licenciements massifs, et que certaines régions restent en retrait. En effet, les Américains pensent toujours que leurs enfants ne connaîtront pas un avenir aussi heureux que le leur.

Dans ce contexte, les Républicains sont divisés entre une droite dure, forte d'une revendication populiste – incarnée par Pat Buchanan – et une fraction plus modérée représentée par Bob Dole, qui quitte le Sénat en juin 1996 pour se consacrer à sa campagne. Cet ancien combattant et grand blessé de la Seconde Guerre mondiale est âgé de 73 ans ; d'un grand courage et d'une grand dignité personnelle, l'homme obtient difficilement l'investiture de son parti. Le programme et le candidat républicains manquent d'idées nouvelles et ne parviennent pas à imaginer ce que pourrait être le XXIe siècle, alors que Clinton insiste sur sa capacité à conduire le pays vers une modernité assumée.

La campagne n'aborde que marginalement les grandes questions qui animent la société : l'*affirmative action* est très discutée mais les partis sont divisés à ce sujet ; de la même façon, l'avortement est plutôt défendu par les femmes, quel que soit leur parti, et la droite religieuse ne parvient pas à en faire un thème fédérateur ; les questions de sécurité sont l'objet de controverses, le président a pris quelques mesures pour l'assurer quand Dole a promis au NRA d'abroger une loi sur le armes pourtant bien timide. Finalement, la campagne a glissé vers une attaque de Dole contre l'intégrité personnelle de Clinton, mais ce dernier restait serein, alors que la campagne télévisée démocrate se montrait très sévère pour le candidat républicain.

Les sondages réguliers donnent une avance de 15 à 20 points au président sortant alors que la candidature de Ross Perot ne suscite pas l'enthousiasme. La certitude de la victoire de Bill Clinton et les arguments sans passion de la campagne n'ont pas motivé les citoyens pas plus que les centaines de millions de dollars – sans doute un milliard pour cette campagne la plus chère de l'histoire.

Attendue, la victoire de Bill Clinton est à la fois historique et décevante : il n'est que le troisième président démocrate du XXe siècle à être élu pour un second mandat (après Wilson et F.D. Roosevelt), mais c'est la première fois qu'un président est élu avec une majorité opposée, car les républicains conservent celle-ci durant deux mandats ; enfin, le taux d'abstention dépasse 50,5 %, chiffre le plus important depuis 1924.

En effet, le président n'a obtenu que 49 % des suffrages exprimés, contre 43 % à Bob Dole et 8 % à Ross Perot, en dépit d'une large victoire dans le nombre des mandats de grands électeurs. Il devra affronter un Congrès plus conservateur que le précédent et sa marge de jeu reste limitée, du fait du contrôle des finances par les chambres. Les premières intentions des uns et des autres indiquent une volonté de conciliation et de compromis, mais les positions du président démocrate et de la majorité républicaine restent fondamentalement éloignées – sur la protection sociale ou le rôle des États-Unis dans le monde –, en dépit du virage stratégique accompli par Clinton vers des positions centristes.

Ces incertitudes n'empêchent pas les États-Unis de garder un rôle essentiel dans la définition de l'équilibre mondial ni de donner l'exemple d'une réussite économique enviable, en dépit d'une société divisée et trop violente.

Un deuxième mandat éclaboussé de scandales

La réélection de Bill Clinton ne signifie pas que sa marge de manœuvre soit augmentée, il reste en position défensive face aux républicains bien décidés à lui donner du fil à retordre.

Les rares lois votées par le Congrès sont le résultat d'un bras de fer entre des projets républicains et un veto présidentiel : les discussions sur le déficit budgétaire sont d'autant plus acrimonieuses que les républicains veulent éviter d'être placés dans une posture d'accusés comme en 1995, mais ils s'accrochent au principe d'un équilibre du budget. Il l'avait invoqué dès 1990 avec la loi, dénommée Gramm-Rudman, destinée à interdire les déficits budgétaires, mais restée lettre morte. En 1993, les républicains avaient proposé un amendement qui interdirait les déficits, auquel le président avait mis son veto; ils avaient aussi critiqué comme insuffisante la loi fiscale de 1993, bien que ce texte ait contribué à une baisse conséquente du déficit passé de 164 milliards de dollars en 1995 à 109 milliards l'année suivante. Le Congrès républicain revendique la paternité de ce résultat, mais le président a pris à son compte le rétablissement de l'équilibre budgétaire et en fait sa bannière : le budget de 1996 n'est voté qu'en avril avec sept mois de retard. Les deux camps ont toutes les raisons de se réjouir, puisque ce déficit est le plus bas depuis 1981 et il ne représente plus que 1,4 % du PIB. Ce mouvement de baisse se poursuit dans les années suivantes, pour arriver à l'équilibre en 1998 et à un surplus de 54,2 milliards en 1999.

Grâce aux fruits de la conjoncture économique, la cote de popularité du président passe de 50 % d'opinions favorables en 1994, à 58 % en 1997, avant d'atteindre 63 % en 1998.

La réussite de Bill Clinton repose toujours sur son habileté à prendre à revers la majorité républicaine exacerbée, mais le bilan législatif de son mandat reste très mince, sans le moindre projet d'envergure. Une telle situation de blocage provoque des effets particulièrement pervers.

D'un côté, les républicains les plus conservateurs sont toujours à l'affût des scandales qui résultent de l'intégrité personnelle douteuse de Bill Clinton, avec l'espoir d'abattre enfin cet usurpateur : rarement un président des États-Unis n'a fait autant l'actualité de la presse populaire.

L'affaire Whitewater fait figure de feuilleton : une spéculation foncière imprudente effectuée lors du premier mandat de Clinton comme gouverneur de l'Arkansas dans les années 1970. Des fonds frauduleux auraient servi à une campagne électorale et la famille Clinton aurait bénéficié au mieux de quelques milliers de dollars. Tout a été remboursé, mais la démission de conseillers, le suicide douteux d'un ami de la famille ont entretenu la suspicion. Après novembre 1994, les républicains se sont empressés de relancer la procédure : un procureur spécial est chargé de l'investigation : Kenneth Starr. L'affaire Paula Jones, cette jeune femme, ancienne employée des bureaux du gouverneur de l'Arkansas, accuse Bill Clinton de harcèlement sexuel alors qu'il était en fonction. Le président nie, mais l'affaire est aux mains de la justice et l'avocat de Clinton tente de faire admettre qu'un président en exercice ne peut comparaître pour des faits antérieurs à son mandat.

Ces deux affaires sont les plus notables, mais d'autres, mineures, d'autres ont été amplifiées par la presse et les républicains : Bill Clinton ne peut s'en dépêtrer et semble toujours cacher quelque chose.

Par ailleurs, le président ne sait toujours pas se discipliner, alors que sa victoire électorale de 1996 le convainc qu'il est hors de l'atteinte de ses opposants. De novembre 1995 à avril 1997, il a eu une liaison avec Monica Lewinsky, une stagiaire de la Maison-Blanche de l'âge de sa fille Chelsea, elle s'était juré de séduire le président : rencontres secrètes dans une pièce proche du bureau ovale, fellation, robe souillée, cadeaux réciproques, fréquents appels téléphoniques. Cette relation inconséquente aurait pu rester secrète, mais la jeune femme s'est confiée à amie qui a enregistré ses confessions pour monnayer cette révélation, non sans en informer le procureur spécial et, inévitablement, la presse, ce qu'elle fait le 12 janvier 1998.

Le scandale n'en est alors qu'à sa phase initiale, mais, le 17 janvier, Bill Clinton, choisit la dénégation péremptoire : il ne connaît pas « cette femme ». Son attitude est incompréhensible pour un homme si habile, dans la mesure où il sait l'acharnement à son endroit du procureur spécial, qui a obtenu du ministère de la Justice le droit d'enquêter sur cette affaire ; un aveu partiel ou total aurait pu servir de coupe-feu et éviter la tragi-comédie. Dans les semaines suivantes, l'affaire apparaît sur des sites Internet douteux avec tous ses détails, que la presse écrite et télévisée reprend en gros titres : les preuves s'accumulent contre le président, surtout quand Monica Lewinsky témoigne devant le grand jury, qui doit décider d'une éventuelle poursuite. Le 17 août devant cette instance, il avoue une « relation inappropriée » avec Monica et affirme sa volonté de contrition en faisant appel à un confesseur. Trois semaines plus tard, Kenneth Starr remet au Congrès son rapport qui énumère les chefs d'accusation nécessaires pour un *impeachment*, ce que les conseillers du président contestent en accusant l'obstination de l'extrême droite républicaine. Le 8 octobre, la chambre des représentants a lancé une procédure d'*impeachment* contre le président pour mensonge, obstruction à la justice et manquement à ses devoirs ; le 19 décembre, après avoir entendu les témoins, la commission judiciaire retient deux articles de destitution : « parjure » et « entrave à la justice ».

Le monde politique et la presse suivent le feuilleton avec passion : les républicains ont là l'occasion d'abattre un président honni et un grand nombre d'élus démocrates ont bien du mal à le comprendre et à le défendre, si l'attitude digne d'Hillary a beaucoup pesé en sa faveur. Les enquêtes d'opinion menées en septembre 1998, montrent que les Américains ne s'affolent pas : 94 % des Africains-Américains et 70 % des femmes soutiennent le président, estimant que ses agissements sont du domaine privé et ne nuisent pas à sa conduite des affaires du pays et que ce sont ses ennemis qui exagèrent ; les hommes sont plus réticents, mais 52 % d'entre eux le respectent toujours en tant que personne. Le président se sent très proche des Africains-Américains qui le lui rendent bien en votant massivement pour lui. D'ailleurs, en 1998, la grande romancière noire Toni Morrison le considère comme « notre premier président noir », car il « incarne tous les caractères de la négritude : une mère seule au foyer, une naissance dans la pauvreté, une origine ouvrière, il joue du saxophone et n'est qu'un gars de l'Arkansas adorant la malbouffe de McDonald ».

Cet écart entre le monde politique et les citoyens apparaît clairement lors des élections de mi-mandat de novembre. À l'occasion du « Monicagate », les républicains espéraient accroître leur majorité, ne serait-ce que pour surmonter le veto présidentiel, mais les électeurs ne les suivent pas : la stabilité est de règle au Sénat (55-45) et les démocrates gagnent cinq sièges à la Chambre, sans parvenir à renverser la majorité républicaine (223-211). Bien que Bill Clinton estime que les électeurs l'aient blanchi, le procès d'*impeachment* va à son terme : le Sénat met en place la procédure, entend certains témoins, mais le 12 février 1999, acquitte le président, par 55 voix contre 45 pour le premier chef d'accusation de parjure et par 50 voix à 50 pour le second d'entrave à la justice. Ce verdict inattendu, pour lequel des républicains ont voté avec les démocrates tant était considéré excessif un procès pour une affaire qui n'avait rien à voir ni avec la trahison ni avec la sûreté de l'État, permet un retour au calme. L'année suivante, l'enquête sur Whitewater se conclut par un non-lieu pour le président et son épouse, et l'affaire Paula Jones s'achève par un arrangement financier entre les parties.

Jusqu'à la fin de son mandat, Bill Clinton est considérablement affaibli. Ses rares initiatives ne sont pas suivies d'effet, même si elles lui permettent d'affirmer ses préoccupations sociales : volonté d'améliorer le système de santé et de sauvegarder les retraites grâce aux surplus budgétaires. Son projet de recruter des milliers d'enseignants se heurte aux contraintes budgétaires et à l'opposition de républicains frustrés dans leur offensive.

Cette impasse politique explique que le président ait consacré les derniers mois de son mandat aux affaires internationales, pour lesquelles sa marge de jeu était un peu plus large : intervention et bombardement au Kosovo en 1999, premières initiatives contre Al-Qaeda, tentative inlassable jusqu'à la dernière minute pour rapprocher les positions de Barak et Arafat, mais en vain car ni Israël ni les Palestiniens ne veulent vraiment d'une paix négociée.

À l'approche de l'élection de novembre 2000 la popularité du président reste forte, avec près des deux tiers d'opinion favorables et quelques enthousiastes rêvent même d'un troisième mandat.

Une nouvelle économie et une société diverse

Les transformations douloureuses de l'économie obtiennent leurs meilleurs résultats durant les deux mandats du président Clinton, à tel point que cette « nouvelle économie » semble à l'abri de tout accident.

Durant cette période où la croissance atteint 4 % par an, la productivité des entreprises américaines est supérieure à celles des autres pays. Grâce au progrès de l'électronique et de l'informatique, les progrès de contrôle et d'inventaire aboutissent à des gestions en flux tendu, afin d'éviter les stocks et de satisfaire les goûts particuliers du client. L'équipement des ménages en ordinateurs personnels se poursuit en raison de l'obsolescence rapide de ce matériel. De nouvelles entreprises sont créées de façon constante pour tirer parti de la révolution technologique qui se poursuit : le développement d'Internet aux États-Unis est remarquable puisque, à la fin des années 1990 plus de la moitié des ménages sont équipés. L'accès au réseau, grâce à des serveurs puissants comme AOL ou Yahoo, donne une grande souplesse à la recherche d'informations et permet aux entrepreneurs d'atteindre des millions de consommateurs par la publicité, comme par le commerce direct en ligne. Une entreprise comme Amazon, fondée en 1994, se lance dans le commerce de livres, puis étend son domaine aux disques, aux logiciels et aux ordinateurs ; des centaines d'autres occupent tel ou tel créneau et les plus traditionnelles développent à leur tour un secteur de commerce électronique, alors que Google s'impose à partir de 1997 comme le meilleur moteur de recherches sur Internet. Toutes ces nouvelles entreprises ne sont pas profitables ni bien gérées : un grand nombre n'ont qu'une existence éphémère. Pour les plus solides, les bénéfices ne sont pas immédiats car les habitudes commerciales sont lentes à changer, mais les banques et les investisseurs prennent le risque de les soutenir tant les ressources de ces nouvelles activités semblent illimitées.

Internet constitue le moteur de la croissance des années 1990 et entraîne toute l'économie américaine ; d'ailleurs des millions d'emplois sont créés pendant cette période et le chômage atteint son plus bas niveau historique avec 3,9 % en 1999. Ces emplois sont de nature diverse et offrent deux salaires à une famille, lui assurant des revenus convenables qui permettent le maintien d'une forte consommation, car celle-ci demeure fondamentale pour stabiliser la croissance.

Le deuxième levier de cette « nouvelle économie » est la politique monétaire, qui a assuré des taux d'intérêt particulièrement bas pour ne pas freiner l'économie (le taux à court terme est passé de 7 % à moins de 3 % entre 1996 et 2000, et même à 0 % en 2008) et pour maintenir l'inflation au même niveau que la croissance ; de plus à partir de 1996, le président Clinton est parvenu à réduire le déficit du budget fédéral, qui pesait sur le taux de l'argent, et des surplus ont été affichés à partir de 1999.

Le résultat a été l'embellie de la bourse où les entreprises, même nouvelles, pouvaient trouver des financements bon marché et où les investisseurs arrondissaient régulièrement leurs revenus. La création du NASDAQ, indice particulier pour les nouvelles technologies, est un signe de cette confiance qui aboutit à des sommets puisque l'indice principal de Wall Street dépasse les 10 000 points en 1999, alors qu'il avait atteint un sommet extraordinaire en 1960 avec 1 000 points. Les profits boursiers attirent tous ceux qui veulent placer leur argent et plus de la moitié des adultes américains sont dans ce cas, alors qu'ils étaient moins de 10 % au moment de la prospérité des années 1920. Les fonds de pension, qui aux États-Unis comptent peu sur la répartition mais adoptent la capitalisation, constituent des masses financières considérables qui peuvent lancer une entreprise en lui fournissant des moyens qu'elle n'avait pas, mais également en ruiner une autre en retirant leurs fonds.

Ces fonds sont gérés par des cabinets spécialisés au pouvoir considérable ; ces derniers ont œuvré pour assurer une progression régulière de la bourse et ont souvent choisi les nouvelles technologies dont les possibilités de croissance paraissaient sans limite, sans réelle anticipation. De tels capitaux ont déclenché une vague de fusions qui a reconstitué le paysage des industries audiovisuelles et de communication – en 2000, AOL a pris le contrôle de Turner, Internet associé aux chaînes câblées et aux banques de films – mais aussi d'entreprises plus traditionnelles puisque Daimler a fusionné avec Chrysler en 1998, mais cette opération n'a pas eu de succès en raison du déclin de la firme américaine et chacune des firmes a repris sa liberté en 2006.

De tels placements n'étaient pas sans risque, comme le prouve l'exemple du Comté d'Orange en Californie. Ce territoire est l'un des plus riches des États-Unis, car y résident de nombreux milliardaires, qui ne veulent pas payer beaucoup d'impôts ; le responsable financier du comté a donc placé les fonds sur le marché international des capitaux, mais, en 1997, il n'a pas pris garde à la crise asiatique et a été amené à la faillite. En dépit de tels incidents et de quelques scandales retentissants, la possibilité semblait toujours exister de rebondir et de retrouver le chemin de la fortune : le marché toujours vertueux ne punirait que la mauvaise gestion.

La montée en puissance du commerce international

L'importance du commerce international constitue le troisième pilier de cette économie. Jusqu'aux années 1970, les États-Unis avaient un poids commercial non négligeable dans le monde, en raison de leur puissance, mais le commerce extérieur ne comptait pas beaucoup dans la formation de leur PNB. Le pays avait des ressources naturelles en quantité suffisante pour ses besoins, sauf pour le pétrole, et les entreprises tiraient le meilleur parti de leur immense marché intérieur. En 1968, le commerce extérieur représentait 8 % du PNB, en 1996, près d'un tiers, aux environs de la moitié dix ans plus tard – à titre de comparaison leurs exportations occupent près de 15 % du PNB contre moins 10 % au Japon. Les États-Unis vendent des logiciels, des films, des télécommunications, des assurances et des produits financiers, mais aussi des vêtements et friandises dont les marques sont connues mondialement. Toutefois, ils achètent tout leur textile courant en Asie, où les firmes américaines les plus connues comme GAP ou Nike font fabriquer leurs modèles, des produits alimentaires ainsi qu'une grande part de leur électronique, surtout au Japon ou en Europe; mais surtout les États-Unis doivent importer les deux tiers de leur pétrole. S'ils conservent un surplus dans les seuls services, leur balance commerciale est déficitaire depuis les dix dernières années, ce déficit représentant 4 à 5 % du PNB, seule la récession a freiné les exportations et l'a réduit depuis 2007. Le commerce des États-Unis avec la Chine reste constamment déficitaire.

Ces résultats ont été obtenus à la suite d'une politique déterminée, qui a changé la nature des échanges américains. Dans la période qui a suivi la Seconde Guerre mondiale, les États-Unis ont exporté des capitaux et de la technologie vers l'Europe et le Japon, mais à la suite de la récession des années 1970, beaucoup de ces dollars et des entreprises américaines se sont repliés sur le continent américain. Une première inflexion a eu lieu durant le mandat de George H. Bush, mais elle a été poussée à son extrémité par son successeur Bill Clinton. Celui-ci est parvenu à faire voter par un congrès réticent – les syndicats qui votaient démocrate ont été les plus difficiles à convaincre –, les accords de libre-échange du GATT *(General Agreement on Tariffs and Trade)* en 1993 et l'année suivant le traité de l'ALENA (Accord de libre-échange nord-américain) par lequel le Mexique s'ajoutait au traité de 1988 entre les seuls Canada et États-Unis. Le président Clinton a été un très actif VRP de son pays et a cherché à étendre cette politique d'ouverture commerciale vers l'ensemble du continent américain ainsi que vers l'Asie, tout en combattant les subventions européennes dans le domaine agricole ou audiovisuel. Cette politique a été maintenue sous la présidence de George W. Bush.

Les résultats ont été inégaux, mais cette politique illustre le rôle fondamental du commerce international pour les États-Unis de la première décennie du XXIe siècle. Désormais les principaux secteurs de l'économie américaine dépendent des revenus tirés des marchés étrangers pour assurer leurs bénéfices.

En même temps, des règles compliquées permettent au gouvernement fédéral de protéger certaines productions de la concurrence étrangère ou ménagent des avantages aux entreprises américaines, que ce soit dans des paradis fiscaux ou par des commandes officielles. Les États-Unis jouent de leur puissance pour empêcher les autres pays de commercer avec leurs ennemis, comme Cuba ou l'Iran, et pour contrôler les principales ressources pétrolières car ils sont désormais dépendants des importations pétrolières pour près des deux tiers de leurs besoins.

La conjonction de ces atouts a expliqué l'euphorie délirante des observateurs américains dans les années 1990 : une telle économie était une garantie contre la récession par sa souplesse. Elle assurait une croissance forte, régulière, et permettait aux États-Unis de s'imposer au niveau des échanges commerciaux dans le cadre d'une mondialisation apaisée. D'ailleurs, les plus défavorisés profitaient de la grande variété des emplois créés et la misère semblait reculer : l'écart de revenus et d'éducation entre Africains-Américains et Blancs s'est considérablement réduit pendant cette phase de prospérité, accélérant un mouvement qui avait commencé dans les années 1960. Une nouvelle classe de gens très fortunés est apparue avec un train de vie fastueux, qui ne se soucie pas de ceux qui restent sur le bord de la route. La société américaine n'a jamais été caractérisée par l'égalité, mais les progrès des années 1990 ont accentué ce caractère. Les plus pauvres restent marginalisés dans la mesure où leur nombre ne dépasse pas 20 % et ils ne se font entendre que de façon sporadique et peu organisée.

La libéralisation des échanges

Une telle euphorie associait les États-Unis directement au phénomène de la mondialisation : Internet et libre-échange en étaient les deux principaux symboles. Les manifestations contre ce type d'économie en novembre 1999 à Seattle ont sonné comme un signal d'alarme et prouvé que de nombreux travailleurs américains ne participaient pas à l'enthousiasme propagé par les dirigeants et par les médias. De fait, la « nouvelle économie » a profité en priorité aux plus aisés et jamais l'écart entre riches et pauvres n'a été aussi important. Depuis les années 1970, le salaire moyen d'une famille a peu augmenté. Cette évolution a contraint les Américains des classes moyennes à travailler intensément et plus longtemps pour accéder au paradis de la consommation. Dans le même temps, 5 % des plus riches américains possédaient vers 2000 la plus grande part de la richesse nationale depuis 1920, 20 % de la population n'en possédait que la plus petite.

Durant l'année 2000, la bourse a connu un fort ralentissement car les nouvelles technologies ne tenaient pas toutes les promesses mises en elles. Les fusions d'entreprises réalisées au prix maximum se sont avérées très coûteuses et n'ont pas retrouvé le chemin de la croissance, d'autant que les gains obtenus grâce à Internet ne sont pas maintenus à un rythme aussi élevé que les premières années. La saturation de certains marchés est apparue, que ce soit dans l'équipement en téléphones portables ou dans de nouveaux accès au réseau mondial avec la faillite en 2002 de Worldcom et de QWest ; les espoirs des entreprises nouvelles n'ont pas tous été réalisés. Finalement les entreprises de nouvelle technologie ont les mêmes caractéristiques que les autres : une bonne gestion et un financement solides sont nécessaires pour parvenir à une croissance stable. La bulle spéculative qui entraînait la marche des affaires n'a pas résisté à ce ralentissement ; en 2002, le chômage est repassé au-dessus des 5 % de la population active.

De plus, le retournement de la conjoncture réduit nécessairement la consommation des ménages les plus humbles, ce qui peut peser à moyen terme sur la bonne marche de l'économie.

Une société en mouvement

La capacité d'accueil du pays demeure tout à fait exceptionnelle et constitue un de leurs plus puissants atouts. Depuis 1965, la législation a changé et ces barrières ont été partiellement abaissées au profit d'une immigration renouvelée. Au début du XXIe siècle, la moyenne des arrivées officielles se situe autour d'un million par an, auquel s'ajoutent environ 250 000 clandestins.

Les données du recensement de 2000, plus précis que les précédents, donnent la mesure du dynamisme démographique des États-Unis ; elles sont actualisées par des enquêtes partielles en attendant le nouveau recensement dû en 2010 (fait seulement grâce à des données transmises par Internet, avec un fort risque de sous-estimation de certaines catégories sociales) : ainsi la barre des 300 millions d'habitants a été franchie en 2004. Entre 1990 et 2000, la population américaine a augmenté de 32 700 000 personnes, ou 13,2 %, ce qui constitue le taux le plus élevé de l'histoire du pays. De tels chiffres distinguent les États-Unis de tous les pays développés, ils s'expliquent par la croissance économique de ces années qui a favorisé la natalité et attiré de nouveaux immigrants en nombre croissant, mais aussi par une législation favorable.

En 2000, près de 25 millions de résidents américains étaient nés à l'étranger, soit près de 10 % de la population totale ; des chiffres voisins ce ceux de 1900, quand 15 % étaient dans ce cas.

La part de la population ethnique est en croissance continue, puisque plus de 30 % affirment leur appartenance à un groupe racial ou national, alors qu'ils n'étaient que 25 % à le faire dix ans plutôt. Pour la première fois, le recensement de 2000 a introduit une catégorie multiraciale pour tenir compte d'un petit mouvement, puisque 2,4 % des Américains ne se reconnaissent dans aucune des catégories officielles, à l'instar du golfeur Tiger Wood.

Une des conséquences de la diversité ethnique est l'érosion de la part de la population d'origine européenne : celle-ci était d'environ 80 % en 1990, de 75 % dix ans plus tard et les projections aboutissent à la fixer à moins de 50 % en 2040. À Los Angeles, ville-laboratoire où sont apparues beaucoup de tendances et de modes devenues nationales, aucun groupe ethnique ne représente la majorité de la population : les Hispaniques y sont 46 %, les Blancs 32 %, les Noirs 12 % et les Asiatiques 11 %.

Parmi les immigrants de ces dernières années, la proportion des Hispaniques – cette catégorie regroupe tous les arrivants d'Amérique latine, mais pas les Espagnols d'Europe classés parmi les « Blancs » – est en croissance forte, puisque pour la première fois ils sont plus nombreux que les Africains-Américains et qu'il faut inclure un nombre important de clandestins. L'augmentation du nombre des « Latinos » est due pour la moitié à l'immigration et pour l'autre à une forte natalité. Ces nouveaux arrivants connaissent les conditions les plus difficiles – 24 % d'entre eux sont pauvres, alors que le taux national est de 15 % – ils acceptent des travaux peu payés dans les services et l'agriculture, mais l'écart de développement entre leurs pays d'origine et les États-Unis explique la permanence des arrivées, en dépit des contrôles à la frontière continentale avec le Mexique, malgrè l'érection, en 2001, d'une importante barrière sur une partie de celle-ci.

Le cas des Asiatiques – originaires de Corée, de Chine, des Philippines et de bien d'autres pays – est comparable par leur croissance rapide et spectaculaire, surtout en Californie où ils représentent environ 10 % de la population, mais ils parviennent le plus souvent à progresser assez vite dans l'échelle sociale, en poussant leurs enfants vers les études supérieures, seulement 12 % d'entre eux se retrouvent parmi les pauvres.

La croissance de la population favorise surtout les États du Sud et du Sud-Ouest et ce sont le Nevada, l'Arizona, l'Utah et le Colorado qui, depuis 1990, ont connu l'accroissement de la population le plus fort. Mais les grandes villes de l'Est ont stoppé leur déclin.

Les immigrants constituent-ils l'avant-garde d'une nation formée uniquement de minorités, comme l'exemple de Los Angeles tendrait à le prouver ? Des sociologues et divers observateurs le pensent avec fierté et même enthousiasme tant cette perspective correspond au multiculturalisme affirmé comme le nouvel idéal social américain. En première analyse, la présence de chicanos, comme on appelle les immigrants venus du Mexique, qui parlent espagnol et vivent entre eux, ou la cohésion familiale des Coréens, semblent s'ajouter au cas des Africains-Américains qui refusent les mariages hors de leur groupe – moins de 2 % des unions sont interraciales – et affirment avec vigueur leur identité.

Ces phénomènes existent, mais ils sont de nature différente. Les immigrants qui arrivent aux États-Unis, au XXIe siècle comme dans les périodes précédentes, n'y viennent pas pour conserver à tout prix leurs caractères nationaux, mais en s'installant, ils se regroupent entre eux ce qui facilite la communication et les démarches à accomplir. Des quartiers ethniques ont ainsi toujours existé dans les grandes villes américaines ; pourtant dans la plupart des cas, ces communautés se désintègrent doucement au fur et à mesure qu'elles se différencient socialement, que les jeunes participent à la culture américaine dominante et que les mariages deviennent exogamiques. De façon générale, trois ou quatre générations sont nécessaires pour parvenir à cette forme d'intégration.

Une telle évolution est ralentie par l'arrivée récurrente de nouveaux immigrants hispaniques ou asiatiques qui renforcent les traditions du groupe existant. Pourtant, l'attrait du mode de vie américain est fort et les types de consommation, qui font quelques concessions à la mode ethnique, contribuent à une forme d'intégration. Des associations multiples sont apparues pour tirer parti des programmes fédéraux qui favorisent ouvertement la diversité et pour renforcer le courant identitaire qui assure pendant une longue période leur visibilité.

Ces groupes de défense des immigrants ont souvent calqué leurs méthodes sur celles du mouvement des droits civiques qui a permis les progrès accomplis par les Noirs depuis les années 1960.

À cause du racisme aux racines très anciennes, à cause de la revendication de leurs droits spécifiques, ces Africains-Américains, souvent éduqués, se sentent en représentation dans le monde « blanc » où ils travaillent et ne sont à l'aise qu'en fin de semaine quand ils sont en famille ou entre amis. Cette situation explique que le nombre de mariages interraciaux soit très restreint et qu'ils ne plaisent à aucun des deux groupes dont les époux seraient issus.

Les Africains-Américains sont néanmoins des Américains qui participent dans leur grande majorité aux manifestations patriotiques et qui mènent le mode de vie américain. Mais des intellectuels et des groupes de pression noirs revendiquent toujours une autonomie identitaire : les Musulmans noirs constituent le groupe principal qui défend celle-ci. Depuis les terribles émeutes de Los Angeles en 1992, la situation raciale est relativement calme dans le pays, mais l'équilibre reste fragile et dépend beaucoup de la conjoncture économique. Toutefois, l'accession des Noirs parmi les élites n'est plus exceptionnelle ; le président Bush a nommé Colin Powell secrétaire d'État, lors de son premier mandat, et Condolezza Rice comme conseillère à la Sécurité internationale avant qu'elle ne remplace ce dernier. L'ascension de Barack Obama, qui revendique son appartenance à la communauté noire tout en se présentant comme un Américain sans trait d'union, est symptomatique d'une évolution notable.

Ce calme n'empêche pas des Américains blancs de déplorer la tendance de la société à la fragmentation, de s'inquiéter des progrès de l'Espagnol dans le Sud-Ouest du pays au détriment de l'Anglais, en dépit du fait que les élites politiques et du monde des affaires restent issues encore largement des groupes d'origine européenne. Le gouvernement de Californie a interdit aux enfants d'immigrants clandestins d'aller à l'école et, à leur niveau, les autorités fédérales dépensent des sommes importantes pour fermer la frontière avec le Mexique et réduire la venue des clandestins. Dans le même temps, dans la période de croissance économique, les chefs d'entreprise se satisfont d'employer ces clandestins corvéables et licenciables à merci, surtout quand la conjoncture se retourne comme en 2008.

Cette société en mouvement permanent subit directement la conjoncture, mais elle ne s'attendait pas au choc de 2001.

Cette situation contrastée accompagne le passage au XXIe siècle, qui marque un changement de priorité et de ton, surtout après la victoire contestée de George W. Bush à l'élection de 2000.

Chapitre 12

Chaos et renouveau (2000-2010)

Le XXIe siècle a commencé sous de mauvais auspices aux États-Unis, non pas à cause du fantomatique bug du 1er de l'an que par les retombées d'une élection extraordinairement troublée, par l'arrivée d'un pouvoir conservateur qui tranche avec la période précédente et n'hésite pas à provoquer alliés comme ennemis, alors que l'économie n'est pas encore remise de l'explosion de la bulle Internet. À peine un an plus tard, le coup de tonnerre du 11-Septembre retentit dans le monde entier : le président Bush y trouve sa mission qui est la lutte contre le terrorisme ; une immense majorité d'Américains le suit dans les aventures d'Afghanistan puis d'Irak. La désillusion n'arrive qu'en 2006, avec la défaite des Républicains, sur fond d'échec en Irak. La voie se prépare pour la victoire de Barack Obama en 2008, qui a représenté un réel renouveau, mais qui a dû affronter les énormes difficultés de la plus grave crise du capitalisme depuis 1929, puis vaincre un Congrès récalcitrant pour faire passer en 2010 sa réforme du système de santé.

L'arrivée d'un Noir à la Maison-Blanche est le signe des bouleversements nombreux qu'a connus la société américaine dans les trente dernières années.

Une décennie qui démarre mal

La tragi-comique élection de 2000

La campagne présidentielle de 2000 a commencé lentement, car les principaux candidats étaient contestés dans leur propre camp : George W. Bush a dû batailler ferme lors des primaires avec son concurrent John McCain, alors qu'Al Gore devait s'imposer face sénateur Bill Bradley ; au moment des conventions, ils sont néanmoins incontestés. Chacun des deux hommes affronte un problème de reconnaissance : Bush, gouverneur du Texas, est mal connu dans le pays et doit se faire un nom pour se différencier de son père ; Gore doit s'affirmer, après huit ans de vice-présidence, et s'éloigner un peu de Bill Clinton toujours très populaire, mais marqué par le scandale.

De ce fait, la campagne a été terne : George W. Bush s'est présenté comme un « conservateur compassionnel », Gore a pris ses distances vis-à-vis de son mentor, mais aucun des deux n'a développé de projet mobilisateur.

La surprise est venue au soir du scrutin, puisque pour la première fois depuis le XIXe siècle, il a été impossible d'en déterminer le vainqueur. Al Gore a une majorité de 300 000 voix sur Bush, avec 50 158 094 contre 48 820 518 (Ralph Nader a réuni plus deux millions d'électeurs, sans avoir une majorité dans aucun État), mais ne dispose que de 267 mandats de grands électeurs alors que 270 sont nécessaires. Le vote de la Floride, avec ses 25 grands électeurs, est indécis et il s'avère que le dépouillement y a été chaotique avec des machines à voter qui n'ont pas enregistré tous les votes. Un nouveau dépouillement manuel est alors entrepris, mais les conseillers de George W. Bush, dont le frère Jeb est gouverneur de Floride, obtiennent de la Cour suprême qu'elle interrompe ce processus et donne ainsi, le 12 décembre, la victoire au candidat républicain auquel les grands électeurs de Floride sont finalement accordés. L'attention portée au cas de la Floride a occulté un fait qui aurait évité cette confusion : si avec une campagne mieux ajustée, Al Gore l'avait emporté au Tennessee, État dont son père et lui-même avaient été sénateurs, ou en Arkansas, État de Bill Clinton, il aurait eu assez de mandats électoraux pour devenir président.

Un tel résultat est extraordinaire à plus d'un titre : c'est la première fois depuis 1876 qu'un président est élu avec une minorité de voix, la première fois que la Cour suprême est intervenue dans le processus électoral et elle l'a fait de justesse (5 voix contre 4). Ce jugement donne aux Républicains tous les pouvoirs, puisqu'ils conservent une majorité au Congrès : 49 à 51 (avec un élu indépendant) au Sénat et 223 à 210 à la chambre ; consolation pour les démocrates, Hillary Clinton a été élue sénatrice de New York.

Le président Bush a donné jusqu'à sa victoire une image de modération, qui ne le distinguait guère de son rival malheureux, mais ses premières semaines à la Maison-Blanche ont révélé l'ampleur de son conservatisme et de celui de son entourage. Celui-ci rassemble d'anciens collaborateurs de Ronald Reagan et de George H. Bush : le vice-président Dick Cheney, le secrétaire à la Défense Donald Rumsfeld et des néo-conservateurs déterminés comme les conseillers de celui-ci Paul Wolfowitz et Richard Perle, des fidèles du père à l'instar de Condolezza Rice, spécialiste de l'ex-URSS, conseillère nationale à la Sécurité ; mais aussi quelques nouveaux, tel John Aschcroft à l'Intérieur, connu pour ses prises de position morales sans concession, et certains plus modérées, par exemple Colin Powell au département d'État ou Paul O'Neill au Trésor.

Le président Bush hérite d'une armée profondément modernisée, car Bill Clinton, qu'il décrie constamment, a redonné toute sa force à la machine militaire de son pays qui a retrouvé en 2000 un niveau qu'elle n'avait plus depuis près de dix ans. Cette modernisation s'est faite sans peser excessivement sur la richesse nationale puisque ses 250 milliards de dollars annuels ne représentent que 3,5 % du PNB – les dépenses militaires n'avaient jamais été aussi faibles depuis 1940. Pourtant le budget de la défense des États-Unis est supérieur à celui des dix pays les plus puissants mis ensemble et la technologie américaine est en avance d'une génération sur celles de ces derniers. Aucune autre nation ne dispose de 12 porte-avions avec tout leur accompagnement naval et aérien, de missiles de croisière, d'avions invisibles au radar et de bombardiers à long rayon d'action.

Avec une armée de 1 300 000 soldats et deux cents bases situées autour du monde, les États-Unis peuvent faire respecter leurs intérêts et aider leurs alliés ; ils sont présents en Allemagne, en Corée, au Japon et dans le golfe Persique, mais aussi en Macédoine et dans des bases proches de l'Afghanistan. Cette force stratégique est démultipliée par l'usage universel de la langue anglaise, par l'omniprésence de la culture américaine, par ses films et par ses marques connus dans le monde entier.

Jusqu'en septembre 2001, ces considérables moyens n'étaient mis en œuvre qu'au cas par cas, car les États-Unis n'avaient pas retrouvé un thème central pour leur politique internationale. Le changement qui est survenu par la suite est considérable.

Le choc du 11 septembre 2001

Les attentats du 11-Septembre ont causé un choc énorme aux États-Unis comme, dans un premier temps, dans de très nombreux pays. Pour la première fois, le pays était atteint sur son sol et au cœur de New York, sa ville la plus connue et la plus souvent montrée sur les écrans. Une première preuve de la puissance unique des États-Unis est fournie par la diffusion immédiate et mondiale des ahurissantes images : jamais un événement n'avait reçu une couverture de cette ampleur, pas un scénariste n'aurait pensé à lancer des avions sur les deux tours jumelles du *World Trade Center*.

Une fois passée l'émotion des premiers jours, le gouvernement américain se devait d'autant plus de réagir que le président George W. Bush n'avait pas eu l'occasion jusque-là de montrer ses capacités internationales. La condamnation des attentats a été immédiate et les États-Unis ont reçu l'appui d'un grand nombre de pays. Un même ensemble a accueilli l'annonce de « la guerre contre le terrorisme » car l'objectif était clair même si quelques membres de l'équipe de Bush ne négligeaient pas la recherche des causes profondes de l'agression et se proposaient d'expliquer pourquoi leur pays pouvait susciter tant de haine afin d'éviter d'autres attaques.

Pourtant, le président et ses ministres, dont certains, comme le vice-président Dick Cheney et le secrétaire à la Défense Donald Rumsfeld, ont été formés par la guerre froide, ont vite retrouvé dans cette épreuve les accents des moments les plus durs de celle-ci.

La lutte contre le terrorisme devait être multiforme pour remonter les réseaux, assécher le financement d'Al-Qaeda et convaincre l'opinion musulmane qu'elle n'était pas considérée comme coupable collectivement. Ces objectifs ont été partiellement réalisés, mais la priorité a été accordée à une démarche guerrière, que les véritables amis n'ont pas le droit de discuter (comme la Grande-Bretagne). De plus, la recherche d'alliés a été poursuivie sans nuance ni principe. Tous les gouvernements qui soutenaient sans faille les États-Unis ont été promus au rang d'alliés privilégiés et ont reçu leur brevet de démocratie, qu'il s'agisse du président Poutine de Russie assimilant les Tchétchènes aux terroristes honnis, de l'ex-président du Pakistan Musharraf, jusque-là considéré comme un dictateur inquiétant et peu fréquentable. Ariel Sharon, le Premier ministre d'alors en Israël, déjà ami des États-Unis, n'en a pas moins transformé les Palestiniens en complices d'Al-Qaeda, afin d'éviter les remontrances de Washington à l'égard de sa politique dans les territoires occupés.

La guerre menée d'octobre à décembre 2001 en Afghanistan contre le régime des Talibans et le réseau terroriste qu'il abritait a démontré l'immense puissance des États-Unis. Tous les moyens militaires accumulés dans les années précédentes ont été utilisés et ont prouvé leur efficacité, avec des bombardements de plus en plus sélectifs et moins massifs que dans le passé avec l'intervention rapide des hélicoptères, des drones et des troupes spécialisées déployées en avant ; le nombre de morts américains a été infime. L'écart entre l'équipement militaire des États-Unis et celui de leurs principaux alliés, qui ont fourni quelques troupes, est apparu en pleine lumière, tant pour la quantité que pour la qualité.

La guerre contre le terrorisme mobilise toutes les énergies du gouvernement des États-Unis et en particulier de son président. La « loi patriotique », votée en octobre 2001 et renouvelée au bout de quatre ans, donne de nouveaux moyens d'enquête au FBI, mais elle introduit également des atteintes aux règles démocratiques, en permettant la garde-à-vue prolongée des suspects, en rendant possibles les fouilles poussées dans les ordinateurs et les fichiers de bibliothèque : elle ne reconnaît pas aux personnes arrêtées les droits reconnus dans la procédure régulière. Le projet de sécurité intérieure discutée par le Congrès à l'été de 2002 a abouti à une meilleure coordination des divers organismes du gouvernement, qui s'occupent de terrorisme et introduit des nouveaux moyens de surveillance ; le centre de détention de Guantanamo à Cuba, où les détenus ne bénéficient d'aucune garantie constitutionnelle, utilise les méthodes « modernes » de torture comme la privation de sommeil et la diffusion continue, avec une puissance assourdissante, de musiques brutales, mais aussi le plus classique supplice de l'eau.

Le président Bush et son équipe ont vite abandonné les recherches sur les causes lointaines pour concentrer l'action du pays sur des ennemis facilement reconnaissables contre lesquels pourraient se mobiliser les Américains. La première tentative, début février 2002, a consisté à dénoncer un « axe du mal » constitué de l'Iran, de l'Irak et de la Corée du Nord, or ces trois pays très dissemblables dont aucun n'a eu le moindre lien avec les terroristes du 11-Septembre offrent un avantage symbolique : chacun d'entre eux a été un adversaire des États-Unis et leur a tenu tête.

L'échec irakien

Rapidement, les dénonciations de l'Irak et de son dictateur Saddam Hussein se sont multipliées : celui-ci aurait accumulé des armes de destruction massive et ferait le malheur de son peuple. La décision de l'attaquer a été prise dès le début 2002, mais, durant l'été, le gouvernement des États-Unis a exercé une forte pression sur ses alliés et sur l'ONU pour obtenir leur soutien, en tentant de les convaincre du danger que présenterait le tyran irakien ; celui-ci est même comparé par certains commentateurs à rien moins qu'Hitler et le moment choisi à Munich, car ce serait la dernière chance de l'abattre avant qu'il ne se lance dans les plans agressifs qu'on lui prête ; les preuves avancées sont fabriquées de toutes pièces. Avec ce mensonge, la démonstration est sans faille : les États-Unis n'ont pas besoin d'autre chose contre l'Irak, il leur suffit de le présenter comme un danger et de décider qu'ils sont en droit d'y changer le régime. Le président Bush devant l'assemblée générale de l'ONU a pu fustiger l'organisation internationale pour son inaction face au danger, tout en l'amadouant avec l'annonce que son pays reprendrait son siège à l'Unesco, qu'il avait quitté l'année précédente, et paierait toutes les cotisations en retard.

La guerre a été déclenchée le 27 mars 2003 et les États-Unis l'ont conduite de façon unilatérale, avec le soutien affirmé de la Grande-Bretagne et d'autres pays, car ils ne sont pas parvenus à la faire adopter comme opération officielle de l'ONU. La réussite des opérations militaires a été rapide : en mois d'un mois de bombardements et d'offensives terrestres, avec seulement une centaine de morts du côté anglo-américain, le régime de Saddam Hussein a été abattu et les vainqueurs se disent maîtres de l'Irak depuis le 9 avril 2003. Les États-Unis ont démontré leur puissance de feu : d'après les concepteurs de la guerre, celle-ci, brève comme elle l'a été, ne devait pas creuser trop le déficit, et les dépenses militaires se maintiendraient autour de 3 % du PNB, soit moitié moins que durant la présidence de Ronald Reagan ; de surcroît, le prix du pétrole, après une hausse limitée au début des opérations, est retombé à un niveau très bas, ce qui permettrait la reconstruction du pays. Le président Bush n'a rempli aucune de ses promesses : le déficit budgétaire explose, car des sommes considérables non budgétisées seront nécessaires pour la reconstruction de l'Irak et la poursuite des opérations, alors que la baisse programmée des impôts prive le gouvernement fédéral de ressources sans assurer une reprise de la croissance. En 2008, le coût de cette guerre est évalué à plus de 3 milliards de dollars.

L'écroulement rapide du régime de Saddam Hussein a renforcé la position des « faucons » comme le secrétaire à la Défense Donald Rumsfeld, mais les erreurs commises par les vainqueurs en licenciant tous les fonctionnaires de l'ancien régime et en disposant d'effectifs insuffisants, ont abouti à une véritable guerre civile entre populations sunnites et chiites, alors que les Kurdes se comportent de façon autonome et en profitent. Les troupes américaines sont apparues rapidement comme occupantes, avec des opérations brutales qui touchent des civils, avec la destruction de quartiers suspects par l'aviation et l'économie du pays n'est pas repartie. Dans ce contexte, les abus des tortionnaires de la prison d'Abu Graïb, comme l'incapacité de cette armée surpuissante à s'imposer, a conduit à un effondrement de l'image des États-Unis dans le monde, alors que la spirale des pertes se creusait toujours un peu plus. À partir de 2007, le changement de personnel au sein du gouvernement américain, avec le départ de Rumsfeld et son remplacement par Robert Gates, aboutit à une meilleure utilisation des troupes cantonnées dans leurs quartiers, quand elles ne sont pas en opération, ainsi qu'à une relative stabilisation du régime irakien : ces modifications tactiques ont permis une stabilisation de la situation et une diminution des pertes.

L'erreur stratégique n'en est pas moins patente, car la guerre n'a pas abouti à rendre l'Irak stable et démocratique ; de plus, elle a provoqué une vague d'antiaméricanisme sans précédent, tout en soulignant la faiblesse du monde arabe face à la puissance américaine ; elle a renforcé la place régionale de l'Iran, qui s'est repu des rodomontades guerrières de George W. Bush. Ce dernier a totalement négligé le conflit entre Israël et les Palestiniens, qui s'est envenimé un peu plus encore. Jusqu'à la Corée du Nord, qui nargue les États-Unis avec sa capacité nucléaire.

La durée de la guerre d'Irak et son coût en hommes et en moyens font que les Américains ont négligé l'effort engagé en Afghanistan ; dans le cadre de l'OTAN, des Européens les ont remplacés, alors que les Talibans s'y renforcent. Poussés par leurs opinions publiques, la plupart des 44 pays qui faisaient partie de la coalition initiale en Irak en ont retiré leurs troupes.

Comme dans les autres pays démocratiques, la politique étrangère et ses implications ne constituent pas la priorité des citoyens américains. Les enquêtes effectuées lors de la campagne des élections de mi-mandat de l'automne 2002 ont indiqué que, même à ce moment-là, l'inquiétude au sujet de la stagnation de l'économie et de la montée du chômage étaient au cœur des préoccupations ; deux ans plus tard, le président Bush s'est fait réélire sur les questions de sécurité nationale, en insistant sur sa capacité à empêcher d'autres attentats sur le sol américain. Son adversaire John Kerry, ancien combattant du Vietnam, ne pouvait rien faire contre cette argumentation sommaire, dans la mesure où beaucoup de démocrates avaient soutenu le président Bush au début ; de plus, une immonde campagne de presse l'a sali en insinuant qu'il aurait menti sur son expérience vietnamienne : ces mensonges ont contribué à affaiblir un peu plus encore le candidat démocrate.

La popularité du président Bush s'est maintenue à un niveau élevé durant son premier mandat et au début du second, ce qui lui a permis d'affirmer haut et fort sa volonté de rigueur budgétaire. Mais ce discours a perdu peu à peu de sa crédibilité en raison de l'impasse de la guerre en Irak. Pris dans une logique guerrière, le président Bush, réélu en 2004, uniquement grâce à sa posture sécuritaire, n'a pas laissé beaucoup de traces de sa vision intérieure. Il a mis du temps à réagir après que le cyclone Katrina a, l'été 2005, dévasté la Nouvelle-Orléans et une partie de la Louisiane ; il n'a pas pu mettre en œuvre son projet de privatisation de la Sécurité sociale, c'est-à-dire des retraites fédérales, car les Américains sont soucieux de conserver cette garantie solide, ni faire adopter une indispensable législation sur l'immigration.

De ce fait, à partir de 2006, une majorité d'Américains ont marqué leur volonté d'en finir avec cette politique, d'autant plus que l'inversion de la conjoncture économique modifiait leurs priorités.

La fierté des Américains pour leur pays est ancienne et incontestable, elle a été considérablement renforcée à la suite des attentats du 11-Septembre. Les États-Unis, dans des conditions d'équilibre mondial qui leur étaient favorables, ont repris confiance dans leurs moyens militaires et dans leur capacité à orienter les relations internationales. Mais l'échec de la stratégie suivie en Irak, avec 4000 morts en cinq ans et des abus révoltants commis par des soldats et des employés civils dévoyés ont convaincu de plus en plus d'Américains de la nécessité d'un changement.

De surcroît, la population des États-Unis a participé avec un apparent enthousiasme à la mondialisation des échanges, qui est fréquemment considérée comme une américanisation dans les pays étrangers. Les entreprises les plus performantes ont été à la pointe de ce mouvement et les médias ont célébré leurs succès, mais les crises de 2000 puis de 2007, ont fait comprendre aux Américains que la spéculation débridée, qui en est le naturel effet, pouvait aboutir de façon récurrente à une inégalité grandissante et surtout à la récession.

La toute-puissance américaine cause naturellement des problèmes aux habitants du pays : ils expriment leurs doutes tant sur les questions internationales que sur l'évolution économique et sociale.

Dès 1999, les manifestants de Seattle contre l'Organisation mondiale du commerce venaient en grand nombre des rangs des syndicats américains, car ces derniers redoutent les effets du libre-échange nord-américain avec le « dumping » social et la concurrence de travailleurs sous-payés, qui donnent un avantage marqué à des produits mexicains. Cette angoisse a été confortée par la montée de la crise économique de 2008 qui pousse certains syndicalistes à demander une ferme protection des productions américaines, alors que des pans entiers de l'industrie sont menacés de ruine.

Ces exemples prouvent, comme souvent, que les États-Unis ne peuvent se résumer à une orientation unique ; des forces politiques et sociales y coexistent qui contestent une évolution brutale, et peu soucieuse des plus humbles. Pourtant, le poids des croyances dominantes est en effet considérable dans ce pays. Les médias, le gouvernement, les élites économiques ont, depuis les années 1980, répété et martelé le message de la puissance américaine déréglementée qui serait plus apte que les autres à faire face aux défis du monde moderne. Le président Bush a pris le relais avec la guerre contre le terrorisme et la possibilité de frappes américaines préemptives ; il en a fait une nouvelle mission des États-Unis. Un tel contexte n'a pas favorisé l'expression d'opinions dissidentes et le vacarme dominant sur le déclenchement de la guerre contre l'Irak a pesé sur les esprits. Les candidats démocrates aux élections de novembre 2002 ont dû modérer leurs discours, car les électeurs avaient retenu le discours présidentiel ; ces précautions ne leur ont pas été favorables, car elles ne les différenciaient pas de leurs concurrents républicains, qui ont dépensé largement et ont pu s'imposer dans une majorité de circonscriptions. Au début au Congrès, ils ont soutenu, dans leur grande majorité, les initiatives belliqueuses de George Bush, mais ils sont devenus rapidement des critiques : les uns, comme Obama, ont indiqué dès 2002 leur opposition à la guerre en Irak ; les autres, comme John Kerry ou Hillary Clinton, se sont repentis d'avoir voté pour cette dernière. Des observateurs sont même allés jusqu'à comparer la guerre d'Irak à celle du Vietnam, en dépit de différences, par son risque d'enlisement et par son origine basée sur des mensonges.

Jusqu'en 2006, les excès de l'arrogance républicaine ont inquiété de plus en plus d'Américains : les avantages fiscaux pour les plus riches ; l'inaction du gouvernement fédéral à la suite du cyclone Katrina, la convocation d'urgence du Congrès afin d'empêcher la mort d'une malade incurable dans le coma ; les atteintes à la protection de l'environnement ; l'unilatéralisme international qui a abouti à donner une image désastreuse du pays à l'étranger. Cette réaction a été concrétisée par la victoire démocrate lors des élections de mi-mandat en 2006, confirmée deux ans plus tard. D'ailleurs, à l'été 2008, la profondeur rapide de la récession a amené le président sortant à prendre des mesures d'urgence, en avouant qu'il ne pouvait plus respecter son credo libéral.

Néanmoins, la société américaine reste dynamique par son mouvement permanent et par les tensions qui y existent entre une forte identité nationale – manifeste après les attentats du 11 septembre 2001 – et des revendications identitaires qui ne sont pas nécessairement contradictoires.

Ces caractères ne font pas de cette société un modèle attrayant pour tout le monde. Le communautarisme qui semble régner aux États-Unis dérange beaucoup d'Européens et d'Asiatiques, qui ne veulent pas le voir traverser les océans ; à l'étranger, beaucoup ne comprennent pas bien l'emprise de la religion sur la vie politique du pays ni la médiocrité de la protection sociale et la couverture médicale. De plus, ils sont révoltés par la pratique de la peine de mort dans une majorité d'États, qui isole le pays au sein de la communauté internationale, mais lentement l'application de ce châtiment recule à la suite des découvertes d'erreurs judiciaires grâce à la recherche d'ADN, après des pressions locales pour mieux la contrôler : moins de soixante exécutions par an dont la moitié dans le seul Texas (alors qu'il y en avait une centaine vingt ans auparavant).

L'événement Obama

À la veille de l'élection de 2008, les faiblesses du pays sont nombreuses, le dogme libéral dominant depuis 30 ans, avec le culte de la concurrence et des échanges sans contraintes, s'est fissuré depuis 2007. Des ménages ont perdu leur maison après avoir obtenu des prêts sans garantie et beaucoup ont freiné leur consommation, ces crédits « subprime » ont provoqué la faillite des banques trop aventureuses, certaines ont été quasi nationalisées ; à la base de la civilisation américaine, un constructeur automobile comme General Motors sur le bord de la faillite, lui dont les camions GMC ont contribué à la libération de l'Europe, a reçu des injections de capitaux fédéraux, alors que Chrysler et sa Jeep ont été vendus à Fiat, avec une cascade de pertes d'emplois parmi les sous-traitants ; seul Ford est parvenu à se maintenir sans aide. Et même les entreprises qui restent performantes, dans les nouvelles technologies, connaissent des problèmes de trésorerie et souffrent d'une baisse de la demande. Le président Bush et son gouvernement ont pris des mesures d'urgence pour sauver le système financier, mais il ne laisse pas une tâche facile pour son successeur.

C'est cette situation qui pèse sur la campagne pour les élections de 2008.

Une campagne hors du commun

La conjoncture de l'élection a été particulièrement inhabituelle en 2008. D'un côté, l'impopularité du président sortant George W. Bush (à peine un quart d'opinions favorables) est abyssale et il entraîne dans sa chute la majorité républicaine du Congrès, déjà bien ébranlée en 2006. De l'autre, comme seulement en 1924 et en 1952, ne se trouve en lice aucun président sortant, aucun ancien vice-président, aucune sommité politique, puisque Hillary Clinton ne l'est que par association. Le changement est inévitable, surtout pour les démocrates après huit années de disette présidentielle, et Barack Obama incarne tout à fait ce renouveau, plus nettement encore que sa principale concurrente. Enfin, pour la première fois depuis la démocratisation des élections primaires après 1968, celles-ci ne fournissent qu'à la toute fin de leur cycle un seul candidat.

Le 10 février 2007, Obama a fait sa déclaration de candidature à la nomination démocrate devant le Capitole de Springfield, capitale de l'Illinois rendue célèbre par Abraham Lincoln qui avait établi là sa pratique d'avocat avant d'être élu à la chambre locale. À ce moment-là, il apparaît comme un candidat de plus dans un champ démocrate chargé : une demi-douzaine d'autres personnalités sont inscrites ; comme les sénateurs Joseph R. Biden,

J.-R. du Delaware et Christopher J. Dodd du Connecticut, l'ex-colistier de Kerry, John Edwards de Caroline du Nord, l'ancien gouverneur Tom Vilsack de l'Iowa et le représentant Dennis J. Kucinich de l'Ohio. Quelques semaines plus tard, Hillary Clinton, sénatrice de New York, se joint au peloton, tout comme Bill Richardson, gouverneur du Nouveau-Mexique. À ce moment, il ne s'agit pour Obama comme pour les autres que de constituer un comité préparatoire en vue des primaires qui ne débuteront qu'une année plus tard ; ils peuvent ainsi recueillir des fonds et susciter l'attention des journalistes qui couvrent la campagne.

Les premiers commentaires insistent sur la personnalité du nouvel entrant, qui le place au-dessus des candidats plus ternes, mais il ne dispose ni de la reconnaissance du nom comme Hillary Clinton et John Edwards ni d'un bilan sénatorial significatif. De plus, Obama ne se situe pas dans la lignée des candidatures noires de témoignage sans aucune chance de l'emporter, mais sa tâche semble sans espoir d'ébranler la puissance d'Hillary Clinton. Le parti démocrate se singularise : trois de ces candidats de premier plan sont issus de groupes sociaux longtemps marginalisés : un Noir, une femme et un Mexicain-Américain (Bill Richardson). La lutte est assez rapidement circonscrite entre Obama et Clinton, car Richardson ne parvient pas à rester en course, sa candidature ne prenant pas plus corps que celle de John Edwards : ce couple inattendu fournit une ample matière aux journalistes et autres commentateurs.

Du côté républicain, la lutte est aussi complexe. Les candidats doivent ne pas être trop proches du président sortant impopulaire, tout en manifestant leur identité républicaine. Les trois principaux candidats représentent les courants principaux de leur parti : Mitt Romney, richissime et ancien gouverneur du Massachusetts, offre une caricature des principes ultra-libéraux républicains ; le pasteur Mike Huckabee est associé aux fondamentalistes protestants qui constituaient près du tiers de l'électorat républicain ; enfin John McCain incarne les centristes du parti, éloigné des dogmes néo-conservateurs, fort d'une connaissance intime du Sénat et de son passé de prisonnier dans la maison d'arrêt de Hanoi pendant cinq ans.

Dans les réunions préélectorales du printemps et de l'été 2007, Obama parvient à rassembler des foules importantes et rapidement enthousiastes par des discours plus remarquables par leur ton que par leurs propositions précises ; il manifeste lors de ces meetings un réel charisme qui frappe tous les observateurs. Mais les enquêtes d'opinion ne lui attribuent qu'une très faible notoriété dans l'ensemble du pays : Hillary Clinton le devance de plusieurs dizaines de points.

Or dès février 2008, au tournant de la campagne des primaires démocrates, il a dépassé Hillary Clinton par le nombre de ses victoires et le gain des délégués nécessaires à la nomination par la convention de Denver, du 25 au 28 août.

Cette ascension irrépressible a surpris la plupart des observateurs, qui, même quand ils appréciaient le talent et le charme du jeune sénateur de l'Illinois, ne le pensaient pas en mesure d'arrêter la marche du bulldozer Clinton.

Ce succès, qui a été confirmé dans les primaires suivantes, est déjà très étonnant. En effet, Barack Obama ne siège au Sénat que depuis 2005, et son parcours dans l'Illinois ne le plaçait pas sur la scène nationale, il incarne une forme d'exception, car même John F. Kennedy, auquel il est parfois comparé, avait passé dix ans dans la haute assemblée avant de briguer la présidence.

Barack Obama est quasi inconnu dans les profondeurs du pays, en janvier 2007, avec un déficit de notoriété par rapport à Hillary Clinton de plus de 30 points. Quinze mois plus tard après une cinquantaine d'élections primaires, Obama est devenu le candidat de son parti.

Une telle ascension est stupéfiante, même aux États-Unis où il n'est pas rare que le combat électoral révèle des candidats quasi inconnus. En effet, Barack Obama n'est sénateur de l'Illinois que depuis à peine deux ans quand il met en place sa candidature, il n'a jamais été gouverneur et n'a occupé aucun poste de gouvernement. Ses principaux rivaux ont une beaucoup plus longue carrière et, de ce fait, une notoriété qui semble mieux établie : Hillary Clinton est sénatrice de New York depuis l'élection de 2000, après les huit années passées à la Maison-Blanche, John Edwards a été sénateur de Caroline du Nord avant d'être candidat à la vice-présidence en 2004 et Bill Richardson est gouverneur du Nouveau-Mexique après avoir été ministre du président Clinton.

Barack Obama a attiré très tôt l'attention des médias en raison de son parcours particulier, un Noir différent de ceux qui étaient arrivés précédemment au premier plan, mais un Noir tout de même, ce qui joue certainement dans la nouveauté de sa candidature. Lui-même est très conscient de l'impact qu'il peut avoir et a bâti sa campagne sur ce paradoxe : être un Africain-Américain sans être catalogué nationaliste noir ni le candidat des seuls quartiers défavorisés, d'ailleurs, par son éducation et ses goûts, il est également un intellectuel sophistiqué.

En 2008, le président sortant et le parti républicain sont en chute libre dans les enquêtes d'opinion, en raison de divers scandales et surtout de la guerre en Irak ; le premier rassemble moins de 30 % d'opinions favorables. Les électeurs républicains sont souvent déboussolés et craignent que le candidat républicain John McCain ne poursuive une politique semblable à celle de George W. Bush tant en Irak que face à la crise économique liée aux prises de risque des banques à cause de leurs prêts immobiliers inconsidérés ; certains d'entre eux se disent prêts à voter pour le candidat démocrate, quel qu'il soit. Le parti démocrate, qui a regagné la majorité au Congrès en 2006, est profondément renouvelé par rapport à l'ère Clinton et se situe plus à gauche.

Du 3 janvier (Iowa) au 3 juin (Dakota du Sud et Montana), la campagne électorale se déroule d'État en État ou en groupe d'États, elle demande d'amples moyens pour assurer la couverture télévisée d'autant plus indispensable que les candidats n'ont pas le don d'ubiquité pour intervenir en même temps dans tous les États. De surcroît, afin d'avoir quelque chance dans les premières consultations, les candidats ont dû investir dans celles-ci depuis de longues semaines aussi bien par des messages télévisés que par un travail minutieux effectué par des volontaires et des professionnels salariés auprès des électeurs pour les inciter à voter pour le candidat qu'ils représentent.

Lors des élections primaires, les candidats poursuivent deux objectifs simultanément : engranger le plus grand nombre de délégués pour atteindre les 2 025 nécessaires à la nomination et s'assurer d'un élan populaire assez fort pour distancer les rivaux en obtenant une plus large couverture médiatique (ce que les Américains dénomment « momentum »).

Durant toute l'année 2007, la candidature d'Hillary Clinton semble s'imposer, elle est même considérée comme « inévitable » : elle est en avance dans toutes les enquêtes d'opinion sur tous les autres candidats et dispose d'une considérable notoriété ainsi que du soutien de l'appareil du parti démocrate renforcé par l'aura de son mari. Elle-même est tellement convaincue de ses chances qu'elle ne considère pas Barack Obama, sans bilan et sans réelle expérience, comme un concurrent dangereux. Son équipe de campagne a décidé de négliger les petits États, qui fournissent peu de délégués, et d'assurer sa victoire écrasante lors du super-mardi le 22 février, puis dans les États-clef de l'Ohio et du Texas, de façon à ce que le processus soit achevé en mars.

Barack Obama et ses deux principaux conseillers, David Plouffe et David Axelrod, pensent que la décision ne sera pas atteinte lors des premières consultations. Ils choisissent de mettre en œuvre la stratégie des 50 États. Plouffe en est le concepteur : il s'agit de mener une systématique chasse aux délégués jusque dans les plus petits États y compris ceux d'allégeance républicaine et d'y susciter les bonnes volontés. Pour cela, des volontaires sont recrutés pour aller chez les électeurs indécis et en convaincre le plus grand nombre pour s'inscrire sur les listes électorales, en menant un véritable quadrillage des quartiers et des immeubles. Le financement de la campagne est assuré très tôt par le recours à Internet, après que le candidat a décidé le retrait du système fédéral de financement des campagnes, qui impose des plafonds trop bas avec de nombreux contrôles. Obama tient compte du précédent de 2004, mais il est parvenu à l'améliorer : les donations ne doivent pas dépasser 2 300 dollars par personne, mais un million de dollars a été réuni ainsi, auxquels se sont ajoutées les contributions des entreprises de Chicago et d'autres cités, ainsi que des banquets organisés dans tout le pays pour réunir de riches donateurs. Grâce à ces divers moyens, Barack Obama distance très tôt ses rivaux et peut assurer des rafales de messages télévisées en réaction immédiate aux sollicitations de la campagne.

Dans les six premiers mois de 2007, près de 60 millions de dollars sont rentrés dans les caisses du sénateur de l'Illinois et plus de 135 millions dans la même période de l'année suivante ; un tiers de cette somme est composé par des dons individuels de moins de 200 $, une moitié par des gens plus aisés qui atteignent le plafond de 2 300 dollars. Pour assurer la continuité, Obama et ses proches ont fidélisé près de 260 000 personnes, dont la liste Internet est continuellement tenue à jour et augmentée, alors qu'aucun de ses concurrents n'avait pu en atteindre plus de 100 000. Le mouvement s'est accéléré durant le reste de l'année et, surtout pendant la période des primaires (au début de sa présidence, Obama dispose ainsi d'un fichier de 13 millions adresses électroniques...).

Grâce à ces moyens humains et financiers en utilisant Facebook et Youtube, Barack Obama a réussi à toucher un grand nombre de jeunes électeurs, jusque-là négligés par les candidats : nombreux sont ceux qui animent ses meetings et s'inscrivent sur les listes électorales.

Plus généralement, les élections primaires de 2008 ont suscité un grand intérêt parmi les électeurs, sans doute en raison de leur originalité et de leur indécision : les réunions rassemblent partout des milliers de spectateurs quand auparavant ils n'étaient que des centaines ; le jour des scrutins, de longues queues d'électeurs se forment devant les machines à voter, ce qui a provoqué de gros retards dans un État comme le Texas. Ce sont des millions de personnes qui ont participé à ces élections (près de 3 millions en Pennsylvanie), leur donnant une légitimité qu'elles n'avaient pas précédemment quand seulement les militants les plus ardents se déplaçaient : au total du Nord au Sud et de San Francisco à Boston, près de 40 millions d'Américains sont allés voter (en comptant seulement les démocrates), soit environ un quart du total de l'électorat des États-Unis. Ces consultations ont pris une dimension démocratique incontestable : le vainqueur d'un tel processus devient indiscutable.

Durant les six mois de campagne officielle pour les élections primaires, les candidats démocrates se sont trouvés face à face dans une vingtaine de débats, organisés par quelques-uns des États. Les premiers ont opposé tous les candidats, mais, rapidement, seuls Hillary Clinton et Barack Obama y ont participé. Lors de ces échanges, tous les arguments ont été avancés, toutes les phrases ont été scrutées, les attitudes décryptées. Les deux candidats ont dû faire face à un véritable paradoxe : comment se distinguer l'un de l'autre alors que leur programme est nécessairement identique, venant du même parti et d'une mouvance proche au sein de celui-ci ?

Fort des éléments d'un programme et d'une solide organisation, Barack Obama est parvenu à profiter du calendrier des élections primaires, comme il l'a prévu. Ses efforts ont payé dès la première étape du 3 janvier 2008 : il l'emporte nettement dans les caucus de l'Iowa avec 38 % des voix. Cette victoire inattendue provoque de fortes réactions, surtout dans ce petit État dont les Noirs sont presque totalement absents alors que les fermiers y restent assez nombreux ; personne n'attendait Barack Obama et il suscite d'autant plus d'espoir que les enquêtes d'opinion le placent en tête dans le New Hampshire. Pourtant un certain relâchement de sa part et un vigoureux coup de rein d'Hillary Clinton ont donné une étroite victoire à cette dernière dans cet État. Ensuite, la stratégie d'Obama fonctionne remarquablement : il remporte des États comme l'Illinois, et n'est jamais largement distancé quand il perd, comme en Ohio, et engrange les délégués des petits États, négligés par sa rivale. Lors du super-mardi, contrairement à ses espoirs Hillary Clinton ne parvient pas à le distancer et ils se retrouvent au coude à coude aussi bien dans le vote populaire que dans le décompte des délégués, puis peu à peu il prend une certaine avance. Les nombreuses enquêtes, qui accompagnent ces résultats, prouvent que le discours d'Obama attire beaucoup de jeunes, de cadres et d'indépendants qui se décident à voter pour la première fois et même un assez grand nombre de républicains déçus par leurs dirigeants, ainsi que la quasi-totalité du vote noir, alors que sa rivale réussit mieux auprès des femmes, des personnes âgées et parmi les ouvriers, traditionnellement démocrates.

Un soutien majeur à Obama vient d'une large fraction de la famille Kennedy : Ted, vieil ami des Clinton, a choisi d'apporter son expérience à Barack Obama, avec Caroline (la fille de John) et Ethel (la veuve de Robert) qui a trouvé que le candidat avait la même « passion au cœur » que son défunt mari. La popularité persistante des Kennedy est certainement un atout pour le sénateur de l'Illinois, bien qu'elle le relie à une tradition de Washington, parfois embarrassante. Mais les médias en rajoutent sur la mystique des Kennedy et sur la comparaison avec John et Robert Kennedy ; d'ailleurs, durant ces semaines de campagne, la plupart des commentateurs américains ont marqué une relative partialité envers Obama. Le ralliement de Bill Richardson à Obama a également montré la puissance de son message, puisque le gouverneur du Nouveau-Mexique était un fidèle de Bill Clinton. Beaucoup d'autres personnalités ont rallié Barack Obama, comme le chanteur Bruce Springsteen ou le cinéaste Michael Moore, ce qui prouve que sa candidature reste attrayante en dépit du caractère interminable de la campagne. En mai, c'est au tour de John Edwards de rejoindre le camp d'Obama, après avoir retenu longtemps sa décision.

Ces atouts et ces soutiens ne sont pas découragés par le fait qu'Obama n'est plus parvenu à porter un coup décisif à sa rivale depuis ses succès initiaux ; des électeurs indécis qui se décident au dernier moment semblent préférer une personne connue comme Hillary Clinton à un Africain-Américain dont la couleur et l'inexpérience peuvent inquiéter. Mais il parvient à retrouver son élan et la vigueur initiale à son message d'espoir, afin d'emporter les dernières primaires.

Les dernières semaines de la campagne ont été difficiles pour Barack Obama : il était sur la défensive. Un retour sur le terrain devant de petits comités, un souci retrouvé de convaincre avec ses thèmes porteurs lui ont permis de casser cette spirale descendante. Le 6 avril, Barack Obama remporte largement l'élection primaire de Caroline du Nord (avec 14 % d'avance) et n'est battu en Indiana que d'infime justesse (20 000 voix), ce qui lui permet de retrouver ce fameux « *momentum* ».

En fait, à partir de la fin avril, les élections primaires ont suivi le schéma fixé par les enquêtes d'opinion très fines dans ces quelques États. Le 3 juin, se déroulent les deux dernières primaires : celle du Dakota du Sud donne une victoire de consolation à Hillary Clinton, tandis que Barack Obama l'emporte dans le Montana et surtout s'assure le ralliement de l'ancien président Jimmy Carter, ce mouvement concerté lui donne la nomination du parti démocrate : il dépasse largement le nombre nécessaire de délégués. Trois jours plus tard, Hillary Clinton a reconnu sa défaite et promet de déployer toute son énergie pour faire gagner le candidat démocrate.

L'élection

Dans le camp républicain, les primaires ont permis à John McCain d'émerger comme le candidat, car ses deux concurrents ont montré très tôt leurs faiblesses. De ce fait durant le printemps, le candidat républicain n'a pas eu d'adversaire, et sa campagne était d'autant moins stimulante.

Avant la campagne présidentielle, Barack Obama et John McCain ont eu au Sénat des positions voisines sur des sujets comme le financement des campagnes présidentielles ou la loi sur l'immigration. Tous deux étaient alors relativement marginaux au sein de leur parti, le premier en raison de sa jeunesse et de sa popularité déjà établie, le second en raison de ses distances par rapport à George W. Bush, contre lequel il s'était présenté en 2000 – au sujet de l'Irak et du respect des droits de l'homme.

De ce fait, les deux hommes ont attiré des électeurs au-delà de leur propre parti et ont été particulièrement appréciés des indépendants mal à l'aise avec la langue de bois des discours officiels. Mais, depuis que chacun a été investi, cet équilibre a été modifié. Nécessairement, Barack Obama doit représenter son parti, comme son concurrent le sien, mais il aura sans doute moins de difficultés à le faire que ce dernier ; en effet ses votes au Sénat ont toujours été dans la ligne démocrate, même s'il a su adopter un ton personnel, alors que John McCain doit obtenir le soutien des plus conservateurs qui ne se reconnaissent pas vraiment en lui et se rapprocher de l'organisation du parti.

Sur la plupart des grandes questions, les différences se sont accentuées entre les deux candidats. Barack Obama a construit son succès sur son opposition à la guerre en Irak, mais, au cours de l'été 2008, il a nuancé son discours sur le retrait des troupes, alors que John McCain, qui avait en 2003 pris ses distances avec la politique de Bush, a tenu des discours très fermes. Dans le même esprit, le candidat démocrate reste partisan du droit à l'avortement que son adversaire veut abroger. En revanche, sur les sujets moins sensibles, les deux hommes ont des approches comparables : pour une politique d'immigration ferme mais ouverte, pour une négociation collective avec l'Iran. Barack Obama, sans pratiquer la triangulation inventée par Bill Clinton qui consiste à faire siennes les positions de l'adversaire, a nuancé ses propos sur l'Irak, sur la peine de mort, qui serait admissible dans certains cas, sur le droit à porter des armes. La tentation centriste est inévitable dans le système américain, d'autant que les républicains risquent d'attaquer Obama sur ses positions de gauche avec la virulence dont ils ont la pratique, mais il sait conserver son originalité et l'élan du changement qu'il incarne.

Finalement, les problèmes économiques se sont imposés dans la campagne, en raison du développement de la crise bancaire qui a conduit à la récession ; les deux hommes n'ont pas la même position : Obama propose de revenir sur les mesures fiscales favorables aux plus riches et n'écarte pas des mesures fédérales de soutien à l'économie quand son concurrent reste partisan de la baisse des impôts comme tout bon républicain en même temps qu'il promet l'équilibre du budget en 2013, ce qui fait qu'il refuse l'intervention fédérale dans la réforme du système d'assurance-santé. Dans ce contexte, John McCain a beaucoup de difficultés à montrer sa différence avec George W. Bush.

Barack Obama a triomphé lors la Convention de son parti à Denver, dont il a prononcé le discours final le 28 août, jour du quarantième anniversaire du fameux discours de Martin L. King à Washington et où il a intronisé Joe Biden comme candidat à la vice-présidence. Pour briser sa spirale descendante et son manque de visibilité, John McCain choisit comme candidate à la vice-présidence, Sarah Palin, une quasi-inconnue devenue gouverneur de l'Alaska. Cette femme reçoit aussitôt une formidable couverture médiatique, tous les journaux du pays lui consacrent leur une, mais en quelques jours l'effet qu'elle a produit s'essouffle et se retourne contre elle : elle est combative et très conservatrice, mais son message politique sans nuance ne fait que reprendre les thèmes éculés de l'ère Reagan, alors que sa fille mineure doit avouer sa grossesse hors mariage ; elle su rebondir en 2010 et a pris la tête d'un mouvement populiste. Le but des stratèges républicains d'attirer grâce à elle certaines des femmes qui avaient soutenu Hillary Clinton n'a pas été atteint, car presque toutes ont rallié Barack Obama.

Les deux candidats ont parcouru le pays en tous sens, dans les États susceptibles de basculer pour l'un ou pour l'autre ; partout Obama attire de très nombreuses assistances, dont beaucoup de jeunes, alors que son rival parle devant des assemblées clairsemées en dépit du sursaut d'intérêt suscité par Sarah Palin ; de plus le candidat démocrate continue à recueillir des fonds qui démultiplient sa campagne. Les deux hommes ont été opposés dans trois débats (les candidats à la vice-présidence à un seul), chacun centré sur un grand thème (économie, politique internationale, libertés) : jamais John McCain n'est parvenu à prendre le dessus sur son adversaire, ce dernier se montrant toujours décontracté et sûr de lui. Au cours du troisième débat, John McCain s'est livré à une attaque en règle contre l'inexpérience d'Obama, sur ses relations passées avec des gauchistes, mais le candidat démocrate, dont la jeunesse relative apparaissait en pleine lumière, assis sur le coin d'une table, le regardait avec un léger sourire qui indiquait que ces arguments ne le touchaient pas. En dehors de sa difficulté à trouver un bon angle d'attaque, John McCain a subi les conséquences directes de la récession économique en voie d'approfondissement : il n'a pas su proposer quelque mesure que ce soit sinon s'incliner devant celles prises d'urgence par le président Bush et son secrétaire au Trésor. Les réticences que pouvaient conserver certains électeurs envers un candidat noir ont été peu à peu balayées en raison du souhait général de tourner la page des années Bush, et Barack Obama a creusé l'écart grâce à cette conjoncture, mais également en raison de son talent personnel.

Barack Obama a remporté près de 52 % des voix au niveau national contre 46 % pour son adversaire républicain. C'est la première fois qu'un démocrate remporte la majorité du vote populaire depuis Jimmy Carter en 1976 et Obama obtient le meilleur résultat depuis « le raz-de-marée » de Lyndon Johnson en 1964. Il a obtenu 62,98 millions de voix et John McCain 55,78 millions ; jamais autant de citoyens n'avaient voté.

Barack Obama est devenu le quarante-quatrième président des États-Unis grâce à son ample victoire dans le collège des grands électeurs : au moins 270 étaient nécessaires, il en a emporté 365 grâce notamment à ses victoires dans les États-clefs de Pennsylvanie, de l'Ohio et de Floride, alors que son rival John McCain n'en a réuni que 173. Plus étonnant encore, a été la remontée considérable de la participation électorale : alors que, depuis des décennies, elle stagnait autour de 50 %, elle dépasse cette fois 64 %, un taux qui n'avait plus été atteint depuis 1908.

Républicains et démocrates depuis 1980

	Sénat		Chambre des Représentants	
	Démocrates	Républicains	Démocrates	Républicains
1980	47	53	243	192
1982	46	54	269	166
1984	47	53	253	182
1986	55	45	258	177
1988	55	45	260	175
1990	56	44	267	167
1992	57	43	258	176
1994	47	53	198	236 + 1 indép.
1996	45	55	208	225 + 2 indép.
1998	45	55	211	229 + 1 indép.
2000	50	50	212	221 + 2 indép.
2002	48	51	204	229 + 1 indép.
2004	44	55 + 1	202	232 + 1 indép.
2006	49	49 + 2	233	202
2008	55	41 + 2	256	178

Barack Obama a confirmé son ascendant sur les jeunes électeurs – nombreux à s'inscrire, nombreux à voter – sur les femmes, en obtenant 95 % du vote noir, et il a même réuni 43 % du vote des Blancs, résultat remarquable. Par là, il a gagné son pari de dépasser les clivages raciaux : il est bien l'élu de tous les Américains.

Dans le même mouvement, le parti démocrate a pris le contrôle total du Congrès, ce qui n'était plus arrivé depuis 1994 : au Sénat, il dispose de 59 sièges contre 41, ce qui ne lui donne pas la majorité des deux tiers qui permet de surmonter une éventuelle obstruction républicaine : à la Chambre des représentants, il a conforté sa domination avec 257 élus contre 178, en progression de 21 sièges.

Les tâches qui attendent le nouveau président sont considérables, mais, dans les mémoires, l'élection de 2008 restera comme réellement historique.

> « C'est la signification de notre liberté et de notre credo, c'est la raison pour laquelle des hommes, des femmes et des enfants de toutes les races et de toutes les croyances peuvent se réjouir ensemble sur cette magnifique esplanade, et pour laquelle un homme dont le père, il y a moins de 60 ans, n'aurait peut-être pas pu être servi dans un restaurant de quartier, peut maintenant se tenir devant vous pour prêter le serment le plus sacré. »

Entre la parole et l'action[1]

Barack Obama a remporté une magnifique campagne présidentielle, il a marqué celle-ci par des discours remarquables comme celui sur la race ou celui de son acceptation de la nomination à Denver.

Pour lui, comme pour d'autres (ainsi J. Carter), la différence est le plus souvent immense entre la campagne et la présidence elle-même. Deux logiques, deux temporalités : d'un côté, un adversaire connu et, malgré la lenteur du processus, un terme précis ; de l'autre, une majorité aussi difficile à maîtriser que l'opposition et, au-delà des possibilités de décrets présidentiels, le calendrier immanquable du Congrès avec ses commissions, ses groupes et ses traditions d'indépendance par rapport à la Maison-Blanche.

1. Il ne s'agit pas dans cette partie de faire l'historique d'une présidence très médiatisée et en cours, mais d'essayer de fournir quelques analyses pour mieux la comprendre.

La situation n'est pas plus favorable dans le domaine des relations internationales, puisque les interlocuteurs étrangers ne réagissent pas comme des citoyens américains et ne sont tenus que par leur propre calendrier.

Cette tendance lourde ne signifie pas qu'Obama a été « carterisé », comme son prédécesseur, car même si l'écart existe toujours entre les deux exercices, il est très conscient du danger de cette contradiction et a su s'en extraire.

Barack Obama a maintenu dans les premiers mois de sa présidence sa capacité à produire de grands discours, comme celui du Caire, pour apaiser les musulmans et leur assurer sa compréhension, ou au sujet de la réforme de santé, pour montrer toute son importance pour moderniser la société, mais ces deux allocutions, quoique saluées de toutes parts, n'ont pas eu de résultats sensibles : la première a eu très peu d'écho dans la région, la seconde n'a pas convaincu des Républicains bien déterminés à ne rien céder au président.

Ces textes, qui sont du domaine de tout chef d'État, ne débouchent pas nécessairement sur des politiques concrètes, au mieux, ils ont servi comme piqûres de rappel des grandes idées du président Obama.

La présidence dispose de quelques leviers que le nouveau président a utilisés pour marquer sa différence avec son prédécesseur honni : ce sont les décrets liés à la défense nationale et à son rôle de commandant en chef.

Comme il l'avait promis, la fermeture de Guantanamo a été décidée dès son arrivée à la Maison-Blanche, mais sa mise en œuvre n'est ni facile ni rapide, car un certain nombre de prisonniers sans papiers ne peuvent être renvoyés chez eux et, comme ils sont réputés dangereux, aucune prison n'en veut sur le continent ; les autres ont été répartis dans les pays qui ont accepté de les recevoir. La renonciation à la torture comme méthode d'interrogation est officielle, mais le président n'a pas voulu engager de poursuites contre les précédents responsables, pour ne pas troubler le pays.

Il a également annoncé la fin de la règle du « *dont ask, dont tell* », concernant les homosexuels, qui était une façon hypocrite de traiter cette question moins brûlante qu'en 1993 quand le président Clinton l'avait énoncée ; désormais dans l'armée, la transparence régnera sur ce sujet. Le Congrès a approuvé au printemps 2010.

Puis, en 2010, Obama a décidé d'étendre les avantages des couples classique à ceux des homosexuels, sans emphase.

Dans le domaine des affaires étrangères, la situation est plus complexe et les résultats moins apparents. Comme il l'avait annoncé dans la campagne, et pour ne pas adopter la politique brutale et inefficace de son prédécesseur, Obama a invité les dirigeants iraniens à des négociations ; mais, très mal réélu, le président Mahmoud Ahmadinejad a repoussé ces offres avec mépris, d'autant qu'il pensait qu'elles avaient contribué à renforcer le mouvement de contestation en Iran.

George Mitchell est l'envoyé spécial du président pour faire avancer le dialogue entre Israël et les Palestiniens, mais en dépit de nombreux allers-retours, le dossier n'a guère avancé ; d'ailleurs le Premier ministre d'Israël, Netanyahou, a de très mauvaises relations avec le président Obama, car il refuse le moindre compromis, en sachant que les États-Unis ne peuvent se permettre de rompre avec Israël sur le plan stratégique comme économique.

En Irak, le président n'a pas eu de difficultés à fixer un retrait des troupes en 2011, car son prédécesseur était arrivé à la même conclusion. En revanche, il lui a fallu mettre au point une nouvelle stratégie en Afghanistan : Richard Holbrooke est l'envoyé spécial pour les questions liées à l'Afghanistan et au Pakistan.

À peine arrivé à la Maison-Blanche, Obama a dû décider de mesures d'urgence pour faire face à la crise, qui s'approfondissait : il a choisi un considérable plan de relance (plus de 9 milliards de dollars) pour aider les banques, restructurer l'automobile et favoriser les entreprises « vertes » ; ce programme est l'un des seuls qui a été adopté par une majorité bipartisane, car cette fois suffisamment de républicains sont venus à la rescousse, comme l'a toujours souhaité le président.

Enfin, le temps est venu de la réforme du système de santé, prioritaire.

Cette réforme a échoué précédemment non seulement en 1994 sous Clinton, mais aussi sous Truman en 1945, sous Earl Warren en Californie la même année et Lyndon Johnson, en dépit de sa frénésie législative, ne s'est pas risqué à aller jusque-là.

C'est dire l'importance du dossier pour un démocrate, alors que 40 millions d'Américains ne disposent d'aucune couverture, et Obama pensait que nombre de républicains pouvaient appuyer une telle réforme, qui aura des retombées favorables pour tous, dans la mesure où le système en place est très coûteux et pas toujours très efficace.

Deux exemples de la méthode d'Obama apparaissent dans deux dossiers majeurs : la décision sur l'Afghanistan et la réforme du système de santé.

En ayant conservé Robert Gates à la Défense, le président a signalé son souci de continuité avec ce républicain de service, sans poids dans son propre parti, mais bon professionnel. Il a mis près de trois mois avant de prendre une décision au début de 2010 ; des consultations intensives avec tous les responsables ont fait reprocher son indécision profonde. En fait, une décision impulsive comme celle de son prédécesseur aurait-elle été meilleure ? Mettre un terme à l'engagement, comme il l'a fait, serait une preuve de faiblesse, en avertissant l'adversaire, mais c'est une autre logique qui est en place ; les troupes supplémentaires (30 000) doivent porter un coup de boutoir en profondeur, sans s'éterniser. Cette initiative ne sera pas nécessairement efficace, car le gouvernement afghan reste fragile ; en tout cas, elle marque une profonde différence avec les politiques précédentes brutales, dont on sait à coup sûr qu'elles ont échoué.

La réforme de la santé a pris l'allure d'un serpent de mer ; à l'automne 2009, Obama a voulu laisser le Congrès débattre puisque ce dernier devait au final produire un projet de loi ; de plus il espérait alors, comme il l'a toujours dit avec sincérité, l'apport de quelques républicains. Or rien de tel n'a eu lieu, puisque la minorité républicaine a décidé, poussée par sa base plus radicale, de refuser tout compromis et de mener une campagne acharnée pour faire échouer le projet de loi. De plus, l'élection symbolique d'un républicain sur le siège de Ted Kennedy dans le Massachusetts, qui avait depuis des années été l'un défenseur acharné de la réforme, a privé les démocrates de la majorité des deux tiers destinée à passer outre le filibuster – obstruction légitime. Le Sénat a des règles particulières qui peuvent gêner même une confortable majorité comme celle des démocrates. Les stratèges du parti (Reed au Sénat et Pelosi à la Chambre) ont alors cessé de pousser le projet, le croyant mort ; ils constataient aussi que le mouvement d'opposition dans le pays montait contre ce dernier présenté comme une intrusion socialiste du gouvernement fédéral dans les affaires des citoyens (le mouvement *Tea Party* est apparu pour marteler ce thème et a donné une seconde chance à Sarah Palin).

En janvier 2010, Obama a décidé de jouer son va-tout pour faire aboutir ce projet ; il a accepté qu'il soit très amendé pour assurer la cohésion des démocrates, même anti-avortement : un tel texte de compromis restait essentiel pour sa crédibilité. Autant il avait laissé le Congrès s'en charger au début, autant il s'est impliqué personnellement, par téléphone, par rencontre personnelle. Il a emporté la décision avec une clause de procédure, qui permet de faire passer sans vote officiel un texte adopté dans les mêmes termes dans chacune des deux chambres et en le joignant à un autre projet qui lui était lié.

Dans ces deux cas emblématiques, le président a prouvé qu'il n'était nullement indécis, mais qu'il prenait son temps ; qu'il avait quelques convictions fortes, comme la réforme de la santé, qu'il fallait la faire passer même amendée, car c'était une mesure fondamentalement « juste ».

En même temps, Obama est un pragmatique, qui a accepté nombre de compromis sur ce texte, au risque de décevoir les plus engagés de ses supporters, pour que la réforme du système de santé passe.

Cette méthode Obama a produit un bon effet pour la réforme de la couverture maladie, mais en mécontentant la gauche du parti en raison de la disparition d'une option publique (les assureurs privés gardent la maîtrise), et en provoquant la révolte populiste des Républicains. Cela a prouvé que son espoir de majorité d'idées était totalement illusoire. Toutefois, ce succès majeur a redonné son « *momentum* » à sa présidence et il redevient un président avec lequel il faut compter, dans les domaines intérieurs comme internationaux.

Alors que les enquêtes d'opinion de mars 2010 indiquent en première lecture qu'il est à son point bas avec 46 % d'opinion favorable, ce chiffre reste honorable, car il avait commencé si haut que cette baisse est naturelle.

Mais surtout, des analyses plus fines indiquent en même temps que 61 % d'Américains le trouvent « inspirateur », 57 % pensent qu'il sait prendre les décisions, 54 % qu'il leur fournit toujours de l'espoir et 49 % qu'il leur donne de la fierté. Seuls 30 % le qualifient d'arrogant, déconnecté du réel (sans même parler des délires des extrémistes qui voient dans le président un antéchrist juif et hitlérien).

Ces enquêtes *(Pew Research Center)* sont sérieuses : elles montrent qu'Obama conserve un bon capital parmi ses concitoyens.

Son succès législatif tout comme la signature de l'accord de désarmement START avec la Russie qui a immédiatement suivi, prouvent qu'il a repris la main.

Chapitre 13

Vers la réélection

L'immense succès de 2008 a été suivi de beaucoup de cahots lors du premier mandat de Barack Obama, ce qui ne lui assure pas une victoire dans un fauteuil en 2012, comme quelques-uns le lui avaient promis.

2010 : Un net recul pour les Démocrates

Depuis la fin 2009, les enquêtes d'opinion annoncent une incontestable victoire républicaine prévue pour la chambre des représentants et un simple recul démocrate au Sénat, elles sont confirmées par les résultats.

La chambre élue le 4 novembre 2010 ne comporte plus que 193 Démocrates – ils ont perdu 63 sièges – contre 242 Républicains ; au Sénat, la majorité démocrate demeure, mais est tombée à 53 (perte de 6) alors que les Républicains obtiennent 47 sièges. Les gouverneurs démocrates sont encore 26 (les Républicains 24), mais avec une perte de six, ils conservent le Massachusetts et ont repris New York comme la Californie.

Face à un Congrès hostile, le Président est relativement impuissant. Il dispose de rares possibilités pour faire adopter ses propres textes, mais peut, par son droit de veto, interdire à la majorité adverse de faire passer les siens : sa marge de jeu se situe entre blocage ou compromis... La majorité réduite au Sénat permet de bloquer les mesures poussées par les Républicains, mais n'est pas suffisante pour assurer le vote des siens avec une majorité des 2/3 pour empêcher le *filibustering* – obstruction officielle et légitime.

Au Sénat, ce scénario s'est produit dès le 25 août 2009 : la majorité de 60 élus démocrates en 2008 est passée à 59, à la suite de la mort de Ted Kennedy (dernier frère de John F. Kennedy et fidèle soutien de Barack Obama), remplacé par un Républicain. Aussitôt, les grands projets du Président sont mis sous le boisseau : la réforme du système de santé a été amendée et affadie afin de pouvoir passer sans obstruction : rien d'autre d'important n'a été adopté.

À l'instar de ses prédécesseurs, Barack Obama n'est pas le président de son propre parti ; son ascension politique s'est toujours effectuée en son sein, mais il n'en a jamais été le chef ni même proche de son état-major. Le parti s'est rangé derrière lui après les élections primaires, lui a fourni les moyens nécessaires, mais, une fois installé à la Maison-Blanche il a dû entreprendre de se concilier les leaders démocrates au Congrès, car Nancy Pelosi (Californie) à la Chambre et Harry Reid (Nevada) au Sénat ne lui doivent ni leurs positions ni leurs élections. En conséquence, le parti démocrate a son mot à dire sur les projets avancés par le Président et ne vote jamais avec une discipline totale.

Surtout depuis son élection, Barack Obama affronte la crise économique. Le plan de relance et des mesures de régulation financière n'ont pas fait revenir la croissance : elle n'atteint pas les 2 % par an et n'enraye pas la spirale de la perte d'emplois (en 2010, le chômage stagne autour de 9,4 % de la population active[1]). De nombreux Américains perdent

1. Chiffre considérable dans un pays habitué au plein-emploi avec moins de 5 % de chômage.

leur maison car ils ne peuvent pas rembourser leurs prêts et acceptent des salaires réduits aux dépens de leur consommation.

L'écart entre les résultats électoraux de 2008 et 2010 s'explique par la défection des électeurs indépendants qui avaient soutenu Obama pour la présidence. Globalement, les électeurs démocrates sont restés fidèles à leur parti, mais seule une minorité d'indépendants l'a rejoint, ce qui a suffi à faire basculer de nombreuses circonscriptions dans le camp républicain renforcé par ceux qui sont à l'origine du mouvement du Tea Party.

Face à cet échec électoral, le Président ne peut plus lancer de grandes réformes et il doit définir une marche en avant. Il tente de réaffirmer son autorité de manière à être en position gagnante en 2012 : en acceptant la confrontation avec les Républicains sur des projets emblématiques, comme la réforme du système de santé, tout en cherchant la conciliation afin d'éviter un blocage total qui serait très mal perçu par les citoyens.

La défaite de novembre s'explique par de multiples facteurs : la crise économique, le mouvement Tea Party qui dénonce un gouvernement trop dépensier et trop intrusif ; un défaut de communication car selon ses critiques la Maison-Blanche n'aurait pas permis de garder le contact avec l'opinion publique.

En fait, les citoyens ont envoyé au Président un message complexe : déçus par la façon dont il a accompli sa tâche, ils lui reprochent surtout d'avoir sauvé les banques sans se soucier du sort des défavorisés ; ils sont surtout farouchement hostiles aux élus démocrates du Congrès, c'est pourquoi ils ont donné la majorité de la Chambre aux Républicains. Ces derniers ont attisé pendant des mois la colère citoyenne sur la crise économique et contre un gouvernement trop puissant, sans proposer la moindre idée positive. Ils n'ont aucune intention de faciliter la tâche du Président, car leur unique objectif est d'empêcher à tout prix un second mandat d'Obama.

Afin de reprendre l'initiative du débat politique, Obama doit reprendre contact avec ses électeurs, comme il avait su le faire en 2008 ; il lui faut aussi secouer les énergies des chefs du parti démocrate qui ne l'ont pas toujours suivi avec enthousiasme.

À la fin 2010, une majorité des Américains se considèrent comme beaucoup plus conservateurs qu'ils ne l'étaient en 2006 et en 2008. Au sein de ce groupe une moitié n'est pas favorable au parti républicain, considéré comme trop lié avec Washington et sa perversion ; aussi 40 % d'entre eux soutiennent le mouvement Tea Party.

L'émergence de ce mouvement constitue une nouveauté dans le champ politique américain. Surtout par son sens de la communication puisque le nom choisi rappelle la Boston Tea Party du 6 décembre 1773, durant laquelle des patriotes déguisés en Indiens ont jeté à la mer les ballots de thé de la compagnie des Indes. Cette action est considérée aux États-Unis comme l'un des premiers actes de l'indépendance mythifié par la mémoire.

D'une manière relativement spontanée, le mouvement Tea Party a pris son essor en février 2009 avec des manifestations dans une quarantaine de villes lancées par les réseaux sociaux. Leur thème central exprime la colère contre le renflouement massif des banques par le président Bush et le sentiment de n'être pas entendu à Washington. Ils reprochent aux Républicains de leur avoir préféré la sauvegarde des banquiers ; toutefois l'élection de Barack Obama et ses premières décisions leur ont donné des arguments supplémentaires, non dénués de racisme, contre le pouvoir fédéral.

En quelques semaines, le mouvement Tea Party devient un phénomène national. Le président Obama et ses conseillers ont prêté attention à ces manifestations : en donnant de la publicité aux baisses d'impôt qu'ils avaient pratiquées et en assurant que la loi sur la réforme de santé apporterait une diminution des dépenses médicales. Pourtant ils ne sont pas parvenus à se faire entendre face à la grande colère de ces citoyens.

En dépit d'une rhétorique antiparti, 84 % des adeptes du Tea Party sont proches du parti républicain. La plupart ne sont ni des brutes sudistes ni des riches patrons et ils ne sont pas très différents de l'ensemble des Américains : 80 % de Blancs, dont 44 % de « Born again Christians », 61 % d'hommes et 45 % de personnes de plus de 55 ans. Conservateurs, ils appartiennent aux classes moyennes supérieures avec d'assez bons revenus et une solide éducation, souvent acquise dans des collèges et des universités sans renommée. Beaucoup travaillaient dans des bases militaires qui ont fermé, ils ont subi un fort déclassement avec parfois la perte de leur maison. Pas tous racistes, ils considèrent que le gouvernement fédéral privilégie les Noirs à leurs dépens ; ils veulent conserver et préserver les valeurs « américaines » : fermeture drastique de la frontière avec le Mexique et interdiction totale du mariage homosexuel. Certains sont favorables à un renforcement de la puissance américaine dans le Monde, d'autres sont nettement isolationnistes.

L'arrivée de Barack Obama à la Maison-Blanche a servi de catalyseur à ce mouvement : alors que 18 % des Américains sont persuadés en 2010 qu'Obama est musulman, 40 % des Tea Party le croient et condamnent la politique du Président à l'égard des pays arabes. De plus, pour eux, cet homme est un intellectuel froid qui ne peut les comprendre.

Ce mouvement structuré de façon très souple représente plus du tiers des électeurs conservateurs ; il a contribué à la victoire républicaine à la chambre, car des élus républicains ont accepté sa rhétorique, résultant d'une profonde poussée populaire. De surcroît, un groupe Tea Party s'est constitué à la Chambre des représentants, sous la direction de Michelle Bachman, car ces élus n'ont pas confiance dans la fermeté des Républicains.

Le passage de la loi réformant le système de santé a été le catalyseur de la protestation, car ce texte a été présenté comme une caricature de l'intervention d'un État proliférant, sous influence communiste.

Les Républicains de la Chambre des Représentants, aiguillonnés par les protestataires, ne peuvent se contenter de s'opposer pour éviter la répétition de 1995, quand l'obstination sans faille de leurs prédécesseurs a permis au président Clinton de les faire paraître comme les seuls responsables.

Leur priorité consiste à réduire les impôts, en particulier en prolongeant les coupes assurées par l'équipe de George W. Bush, mais surtout à obtenir l'abrogation de la loi sur le système de santé, demande symbolique car ils n'ont pas la majorité au Sénat. Or la position de ces électeurs n'est guère cohérente : ils veulent en même temps la réduction du déficit du budget fédéral, la diminution des impôts[1] et le maintien de la sécurité sociale.

Le nouveau congrès est entré en fonction en janvier 2011 : le Président et les Républicains doivent trouver leurs marques et leur rythme.

Une économie au ralenti

La faiblesse de l'économie mal soutenue par une croissance molle est confirmée par les diverses enquêtes, alors que Républicains et Démocrates s'opposent sur l'ampleur et la nature des coupes à pratiquer dans le budget fédéral.

Au début de 2011, la réserve fédérale évaluait la croissance à environ 3,9 %, mais en juin, le département du commerce l'a réévaluée à 1,9 % car les Américains ont freiné leurs dépenses, avec un chômage voisin de 9 % (environ 13 millions de sans-emploi).

1. Mais les enquêtes d'opinion indiquent que seulement 19 % des électeurs ont comme priorité la baisse des impôts.

La dette publique des États-Unis, qui représentait 57,3 % du PIB en 2000, a doublé pour atteindre 102,6 % onze ans plus tard, soit à un niveau voisin de celle de la Grande-Bretagne[1].

Ce considérable endettement trouve son origine durant le mandat de George W. Bush, puisque le coût des guerres d'Irak et d'Afghanistan s'est combiné avec les réductions d'impôt accordées aux plus aisés : les revenus de l'État fédéral constituaient 21 % du PIB à la fin des années 1990, alors que le budget était en surplus ; ils n'en représentent plus que 14 % en 2011 avec un déficit important[2].

En raison de la crise les dépenses s'accroissent : d'un côté les coûts supplémentaires du programme de relance et de sauvetage des banques et de l'automobile, de l'autre la réduction des rentrées fiscales en raison des faillites d'entreprises et du ralentissement de la consommation. Les prévisions économiques du bureau du budget du Congrès indiquent que si les allégements fiscaux expiraient comme prévu en 2012, le déficit budgétaire reviendrait à 3,1 % du PIB dès 2014, sans créer d'impôt nouveau. Or le Président, afin de ménager un compromis avec les Républicains, ne demande plus l'abrogation des allégements fiscaux de l'ère Bush : il a proposé de les étendre aux familles de la classe moyenne supérieure (qui disposent d'un revenu de 250 000 dollars par an). Alors que la plupart des Américains n'acceptent ni d'impôt nouveau ni un accroissement de ceux qui existent, le déficit ne peut être réduit que par une coupe massive des dépenses. Une lutte inexpiable s'engage alors entre les deux partis.

Le Congrès doit disposer de fonds suffisants pour les dépenses comme pour les charges de la dette dans les limites autorisées par la loi. Une première fois, un compromis bipartisan a été adopté qui a permis d'assurer le financement jusqu'au 30 septembre, terme de l'année fiscale, avec la promesse de quelques réductions de dépenses. Deux mois plus tard, le problème se pose à nouveau : le financement du gouvernement devant être effectif jusqu'à l'élection de 2012. Pour y parvenir, le plafond de la dette qui avoisine 15 000 milliards, devrait être augmenté de 1 500 milliards ; or la majorité républicaine refuse de voter cette mesure si le gouvernement ne réduit pas ses dépenses de façon substantielle : en cessant de payer les fonctionnaires, en ne versant plus les retraites du système fédéral. Le Président n'a aucun intérêt à proposer lui-même des coupes, mais plutôt à laisser les Républicains le faire, avec les risques d'impopularité.

Ces derniers ont décidé qu'il fallait revoir les dépenses du programme Medicare (assurance-maladie des seniors) en en laissant la maîtrise aux États et en proposant une privatisation partielle. Or le programme républicain de refonte du Medicare rencontre une opposition profonde dans le pays, dans la mesure où les personnes âgées qui en bénéficient se trouvent dans chacun des deux partis, même parmi les Tea Party. Dans ce contexte, les deux partis mènent une guerre de position et de posture et sont parvenus à un accord transitoire sur le plafond de la dette, car aucun n'a intérêt à fermer les services fédéraux ni à provoquer une véritable cessation de paiement.

---

1. À tel point que l'agence de notation Moody's a exprimé son inquiétude face à un éventuel défaut de paiement des États-Unis, mais ces derniers avec la maîtrise du dollar ne sont pas dans la situation de la Grèce ni du Portugal.
2. Une enquête de mai 2011 montre qu'une majorité d'Américains, dans les deux partis, pensent que le coût des guerres explique beaucoup plus la croissance du déficit, que les allégements fiscaux ; d'une certaine façon, le président Bush, en dépit de son impopularité, a inscrit dans l'opinion publique, la nécessité de réduire les impôts, même en période de crise.

La stagnation sociale

L'économie et la société américaines sont affectées par des mouvements profonds, comme ceux qui frappent la plupart des pays développés : financiarisation de l'économie avec une nécessaire restructuration du secteur bancaire, déclin industriel, investissements retardés. Les ressources énergétiques ne suffisent plus à des besoins toujours en augmentation[1], mais les préoccupations de sauvegarde de la nature se heurtent à ces contraintes et suscitent des profondes divisions. Les États-Unis fonctionnent sur le mode du paradoxe : la préoccupation écologique est largement répandue et le programme de relance du président Obama a une importante dimension « verte », mais, en même temps, les industriels, en quête de nouvelles ressources, cherchent à tourner les interdictions afin d'exploiter les terres fédérales. Les Américains sont bien les plus grands pollueurs de la planète, en raison de leur mode de consommation, mais beaucoup d'entre eux en sont conscients. Cette tension permanente entre les écologistes et les entreprises est apparue en pleine lumière au printemps 2010 : le président Obama avait annoncé qu'il souhaitait la levée de l'interdiction de nouveaux forages pétroliers en mer, non pour satisfaire les exploitants mais pour mieux assurer l'indépendance énergétique du pays ; or au même moment l'explosion de la plate-forme pétrolière Deepwater Horizon de BP dans le golf du Mexique répandait 780 millions de litres sur les plus beaux paysages du Delta du Mississippi ; le Président a dû revenir sur sa déclaration initiale. L'émotion était alors immense et les écologistes ont eu beau jeu de dénoncer ces forages sous-marins aventureux.

Les États-Unis sont le pays le plus pollueur de la planète, mais sont aussi celui qui dispose du plus grand parc éolien installé avec plus de 50 gigawatts, mais le combat est rude avec la nouvelle majorité républicaine, dont la plupart des membres nient le réchauffement climatique.

Le système éducatif américain souffre de grandes faiblesses, surtout au niveau secondaire, toutes les enquêtes internationales classent très bas les élèves du pays : selon une enquête PISA de 2006, les élèves américains de 15 ans ont eu de moins bonnes notes que la moyenne des pays de l'OECE pour les connaissances scientifiques de base. Début mars 2011 en prenant la parole dans une école de Virginie, le président Barack Obama a demandé au Congrès de rédiger une nouvelle loi afin de réformer le système éducatif[2]. Il voudrait que chaque enfant sache à l'automne que l'éducation est devenue l'absolue priorité du pays. Son but est de donner plus de responsabilité aux enseignants et aux directions afin de développer les initiatives locales et de fournir des ressources aux écoles dont les résultats sont les plus médiocres.

Cette initiative correspond à une nécessité, mais une telle loi n'a aucune chance d'être votée par un Congrès obsédé par le déficit, à un an de l'élection présidentielle.

Globalement, les États-Unis ont encore de considérables ressources et conservent une place dominante dans le monde, même s'il est probable que le niveau de vie des habitants n'augmentera plus de manière exponentielle comme cela a été le cas depuis la fin de la Seconde Guerre mondiale. Le crédit trop facile, qui a suscité l'explosion des bulles successives jusqu'à la crise des *subprimes*, ne reviendra plus. Déjà, le revenu moyen des hommes dans la trentaine est inférieur à ce qu'il était il y a trente ans, et une majorité d'Américains ont vu leur niveau de vie stagner depuis 2000. La consommation s'est poursuivie grâce

1. Cette situation est en train de changer avec le développement des gaz de schistes et autres ressources non traditionnelles très abondantes dans le pays, il pourrait atteindre l'indépendance énergétique en 2030.
2. La législation actuelle « No Child Left Behind », date du premier mandat de George W. Bush.

aux grandes facilités de crédit pour freiner brutalement après 2008. Cette réaction est accentuée par le vieillissement de la population, car le mode de vie des personnes âgées est assez différent de celui des plus jeunes, avec un considérable accroissement des dépenses médicales.

La génération dite du baby-boom est composée de près de 80 millions de personnes nées entre 1945 et 1964, qui sont en train de prendre leur retraite. Alors que le groupe des plus de 65 ans représente 13 % de la population en 2010, il atteindra 20 % en 2030 et ne diminuera que lentement par la suite. Inévitablement, les dépenses sociales vont s'accroître : la « social security » (forme de retraite fédérale) grimpe d'environ 0,5 % par an, mais les programmes de Medicare et de Medicaid de 7 à 8 % par an. L'ensemble de ces débours va doubler en dix ans, alors que la croissance du PIB n'augmentera dans la même période au mieux que de 50 %.

Le champ de bataille politique

Depuis les élections au Congrès, le climat politique est particulièrement tendu, que ce soit dans les États ou à Washington.

Les États se remettent d'autant plus mal de la crise financière que leurs constitutions interdisent le déficit. Presque tous les gouverneurs et les assemblées sont amenés à couper dans les dépenses : les fonctionnaires locaux forment une cible aisée – ils sont souvent syndiqués (en moyenne à 35 %, alors que le taux moyen de syndicalisation dans le pays est de 7 %) et bénéficient de conventions collectives avantageuses. Dans un certain nombre d'États comme celui de New York, des négociations sérieuses ont abouti à des compromis qui ont sauvegardé l'essentiel en y associant les syndicats : licenciements limités, stagnation des salaires et garantie des avantages sociaux. Dans le New Jersey, les négociations ne sont pas parvenues à trouver un accord : le gouverneur républicain veut imposer des réductions des dépenses publiques, sans s'attaquer à la négociation collective ; toutefois l'échec des pourparlers le conduit à une fermeture des services publics de l'État. C'est ce qui se produit au même moment dans le Minnesota où un tel blocage a conduit à une fermeture momentanée de la plupart des services publics, du zoo aux hôpitaux publics.

Dans les États du Middle West comme l'Ohio, le Wisconsin et l'Indiana, les nouveaux gouverneurs ne sont pas modérés. Ils prétextent la nécessaire réduction des dépenses publiques pour en finir avec les syndicats et briser par la loi les accords de négociation collective, au risque de licencier des pompiers ou des policiers.

L'échéance approche, qui mettra mécaniquement les États-Unis dans l'incapacité d'emprunter, or les deux camps n'arrivent pas à trouver une formule de compromis. Obama a alors décidé de prendre l'opinion à témoin afin que les électeurs fassent pression sur leurs élus récalcitrants : le 25 juillet, il admoneste ces adversaires : « Ce n'est pas une façon de diriger le plus grand pays de la terre. C'est un jeu dangereux. »

Le discours présidentiel s'appuie sur une enquête d'opinion où il apparaît que plus de la moitié des Américains tiendraient rigueur aux Républicains d'un non-relèvement du plafond de la dette, quand seulement un tiers d'entre eux en feraient reproche à Barack Obama[1].

1. La très conservatrice Chambre de commerce, qui avait soutenu financièrement les Républicains à l'emporter en 2010, a fait savoir qu'elle souhaitait un règlement de l'impasse afin de ne pas nuire à une reprise économique encore bien faible.
Les leader républicains ont subi une forte baisse de leur popularité, en six mois de 35% à 22% ; les Démocrates s'en sortent un peu mieux.

À l'approche de la date du 2 août imposée pour des raisons politiques sans aucune rationalité économique, le Président retrouve une place d'arbitre pour une ultime phase de négociations. Une formule de compromis est finalement trouvée, mais le relèvement du plafond de la dette de 14 300 à 16 400 milliards peut difficilement être considéré comme satisfaisant.

Obama et les Démocrates feignent de se satisfaire d'avoir obtenu un accord durable avec un programme de réduction de dépenses de 2,4 milliards qui s'étendrait sur dix années; d'autre part, une commission bipartisane devrait, avant novembre 2011, préciser quels programmes fédéraux précis seront affectés à hauteur de 1 500 milliards, ils doivent correspondre à part égale à des programmes sociaux (retraite fédérale exceptée et Medicare partiellement) et à des dépenses militaires.

Les leçons de cet épisode politicien sont assez claires. Le relèvement du plafond de la dette n'a pas rassuré les observateurs car l'économie américaine ne se relève pas avec une croissance molle, un immobilier qui n'a pas repris, une consommation des ménages en stagnation et un chômage qui ne baisse pas.

84 % des Américains désapprouvent la façon dont le Congrès a mené cette négociation, mais la cote de popularité du Président, pourtant moins affectée par cet épisode, a chuté à 39 % seulement d'opinions favorables : c'est la première fois depuis son entrée à la Maison-Blanche qu'une majorité relative désapprouve son action. Les Républicains ne sont pas mieux lotis car les élus du Tea Party se sont divisés, les plus radicaux ne voulant aucun compromis avec un Président honni, sans avoir convaincu l'opinion de la validité de leurs options radicales. Leur arme absolue serait l'adoption d'un amendement constitutionnel imposant l'équilibre budgétaire, quand les États soumis à cette contrainte se débattent dans des difficultés insurmontables[1].

Barack Obama a maintenu sa détermination à parvenir à un compromis plutôt que de choisir l'affrontement, mais, ce faisant, il n'a pas montré sa capacité de leadership. La conjoncture était mauvaise et la perspective d'un défaut de paiement des États-Unis très dommageable[2], mais ce seul résultat obtenu très difficilement n'a pas rendu les marchés plus optimistes.

Les Démocrates de gauche sont très déçus des renonciations du Président[3], les tenants du Tea Party en colère contre la mollesse des chefs républicains, mais les modérés de chaque parti ne parviennent absolument pas à s'entendre, contrairement aux vœux du Président de gouverner au centre avec tous les élus de bonne volonté. L'impasse politique dure durant toute l'année qui précède l'élection présidentielle, à laquelle Barack Obama est bien décidé à se préparer; ce scrutin sera dominé par la conjoncture économique de l'été 2012. Il faut que le Président retrouve le ton et le dynamisme de 2008, perdus dans les méandres de Washington.

1. Déjà en 1994, un projet d'amendement similaire avait été proposé par les Républicains, sans aucun résultat.
2. D'ailleurs, dès le 4 août l'agence de notation Standard & Poors a dégradé la notation des États-Unis de AAA à AA+, une première depuis l'existence de ce système et une preuve que le milieu financier ne croit pas dans la solidité de l'accord. Elle n'a pas été suivie par les autres agences.
3. Par exemple en raison de la nomination de Jeffrey Imelt, président de General Electric et peu porté sur le social, comme directeur de la nouvelle commission pour l'emploi (janvier 2011), l'homme a su échapper à l'impôt et ne s'est signalé par aucune initiative à son nouveau poste.

Des succès internationaux

Comme pour ses prédécesseurs et comme pour beaucoup d'autres chefs d'État en difficulté, les initiatives internationales sont un exutoire pour Barack Obama.

Les Républicains ne s'intéressent que peu aux questions internationales, sinon avec un penchant pour les solutions fortes et musclées fondées sur une critique de la faiblesse et de l'indécision du Président, qui a été désamorcée avec l'opération réussie contre Ben Laden. Toutefois, le Président doit tenir compte des sympathies affirmées des fondamentalistes envers Israël[1].

Barack Obama a accompli un bel effort au sujet des deux guerres dont il a hérité. En Irak, après tant d'épreuves et en dépit de la faiblesse du gouvernement local, la guerre n'est plus d'actualité et les dernières troupes américaines se chargent de tâches de surveillance et de formation. Sans doute, des voitures piégées explosent de temps en temps et quelques attentats peuvent survenir, mais la guerre proprement dite est bien finie, plus de huit ans après que George W. Bush ait déclaré qu'elle l'était par la victoire acquise sur Saddam Hussein : les dernières unités de combat quittent l'Irak le 17 décembre 2011.

Le Président a décidé de mener en Afghanistan une tactique similaire à celle qui a si bien réussi en Irak ; le général Petraeus a été chargé de continuer son effort dans ce pays si différent[2]. Le renfort de troupes a permis de reprendre du terrain et de contester la domination des Talibans, mais cette guerre menée par l'OTAN ne peut en aucun cas déboucher sur une victoire par laquelle le gouvernement Karzaï étendrait son autorité dans toute la contrée grâce à des forces armées efficaces et sans corruption. Un tel objectif est impossible à atteindre en raison des disparités régionales, des chefs de guerre rivaux et des Talibans, pour qui la dénonciation de l'occupation des forces étrangères et la corruption d'un régime de laquais fournissent des arguments invincibles. Sans doute, les forces occidentales ne peuvent-elles être défaites sur le terrain, mais elles ne peuvent pas plus l'emporter, le Président américain l'a compris après quelques illusions ; aussi le retrait des troupes commencé en 2011 s'achève trois ans plus tard.

Afin de sortir de cette impasse, le président Obama, en accord avec le général Petraeus, a décidé de mener des frappes de plus en plus nombreuses, à l'aide de drones, sur les positions des chefs Talibans dans la région de la frontière avec le Pakistan, voire parfois dans ce pays, où ces pratiques choquent profondément l'opinion.

Depuis août 2010, les services de renseignements, à partir de l'interrogatoire de l'un des prisonniers de Guantanamo, ont pu identifier le messager de Ben Laden, le seul homme en qui ce dernier ait confiance afin de maintenir un contact avec le reste du monde, car il se refuse à passer des communications par téléphone ou par Internet. Une longue traque de plusieurs mois a commencé essentiellement au Pakistan : les Américains sont parvenus à localiser une maison dans laquelle se rend souvent le messager ; elle est située à Abbottabad, une ville aux nombreuses casernes à 50 kilomètres au nord d'Islamabad. En avril 2011, des observations humaines et satellitaires permettent à l'état-major d'avoir la certitude que l'homme le plus recherché de la planète vit bien dans cette propriété ceinte de hauts murs, sans ouverture sur l'extérieur. La décision est alors prise par le Président d'envoyer un commando des forces spéciales, plutôt qu'un drone qui aurait risqué de man-

1. Michelle Bachman, l'une des candidates pour le Tea Party, fervente croyante, a fait avant d'entrer en politique un séjour prolongé dans un kibboutz en Israël.
2. En juin 2011, le général Petraeus devient directeur de la CIA, en remplacement de Leon Panetta qui succède à Robert Gates, au poste de secrétaire de la Défense. Il doit démissionner l'année suivante après une liaison extraconjugale susceptible de peser sur la sécurité.

quer sa cible ou qu'un bombardement qui aurait provoqué des pertes civiles nombreuses et fait disparaître le corps et la maison. Au moment de la décision, Barack Obama n'a pas pu oublier Jimmy Carter qui trente ans auparavant avait pris une décision semblable afin de libérer les otages de Téhéran (voir p. 332).

Le 1er mai dans la nuit, quatre hélicoptères discrets des Navy Seals pénètrent dans l'espace aérien pakistanais et se posent dans l'enceinte de la maison ; les 79 hommes qui en descendent exécutent Ben Laden et son messager qui cherchait à le défendre, ils récupèrent le corps et de nombreux documents et regagnent leurs appareils, après avoir fait sauter celui qui était tombé en panne, pour revenir sur le porte-avions qui les attendait. Quand la police pakistanaise arrive sur les lieux, plus aucun Américain ne s'y trouve : l'opération a duré 45 minutes[1].

Cette opération rendue publique aussitôt par le Président a fait remonter d'un seul coup sa cote de plus de 10 %, alors qu'une foule enthousiaste se réunissait à Ground Zero à New York. En annonçant que « justice a été rendue », le Président a montré son sens de la décision et atteint un objectif qui avait échappé à son prédécesseur ; la plupart des Républicains sont amenés à le reconnaître, tellement le symbole représenté par cet homme détesté avait pesé depuis le 11 septembre 2001.

Cette opération de commando réalisée dans un pays étranger sans son autorisation, soulève des questions de fond : au Pakistan, le gouvernement a dû feindre de protester contre cette infraction à la loi internationale, tout en sachant bien qu'il ne pouvait rien y faire d'autant plus que sa responsabilité était engagée dans le refuge accordé depuis quelques années à Ben Laden : en revanche l'opinion publique locale indignée a manifesté avec furie son indéfectible antiaméricanisme.

Cet incontestable succès, qui a décapité Al-Qaeda, ne peut aboutir à la fin de l'engagement en Afghanistan, mais il rompt la sensation d'enlisement qui y prévalait dans les semaines précédentes. Il reste aux nouveaux responsables américains et européens à définir une stratégie de sortie honorable[2]. Dès lors, des scénarios de retrait des troupes plus rapides sont envisagés, d'autant qu'ils contribueront à réduire le coût d'une guerre qui pèse encore lourdement sur un budget fédéral largement déficitaire. Le 22 juin, le Président a d'ailleurs annoncé le retrait de 10 000 soldats avant la fin de l'année 2011 – comme il s'y était engagé – et celui de 20 000 autres avant l'élection de l'année suivante, soit l'ensemble des renforts du « sursaut » de 2009[3].

Le dossier du Moyen-Orient n'a pas été influencé par la mort de Ben Laden, car les branches locales de la centrale terroriste y sont autonomes. De surcroît, Benjamin Netanyahou, le Premier ministre d'Israël, qui a fait une partie de ses études aux États-Unis, connaît parfaitement le lobby juif et sait très bien en tirer les ficelles ; c'est ainsi que son discours très dur sans aucune proposition nouvelle, au Congrès, en mai 2011, a été salué par une immense ovation venue aussi bien des Démocrates que des Républicains.

La marge de jeu limité des États-Unis vient du fait que depuis cinquante ans, l'État d'Israël reçoit une aide militaire considérable puisqu'elle atteint en 2011 plus de 3 milliards de dollars – soit un quart de ses dépenses militaires –, cette somme est versée chaque

1. *Dark Zero Thirty* (2012), film de Karen Bigelow reproduit avec précision cette opération.
2. Des indications de pourparlers secrets entre responsables américains et chefs talibans se multiplient à l'été 2011 vont dans le sens d'un règlement, mais les obstacles sont encore très nombreux.
3. La France a aussitôt annoncé le retrait proportionnel de ces forces dans la même période, comme l'avaient déjà fait d'autres pays de la coalition.

année en cash, donnant le droit aux Israéliens d'acheter avec cet argent les armes et les équipements qu'ils veulent. Le lobby juif des États-Unis profite de cette manne, créée au temps de la guerre froide, et fait pression pour qu'elle ne cesse pas.

Le programme d'une aide économique modulée, en place depuis 1976, a été interrompu, mais le gouvernement américain garantit toujours les prêts dont son partenaire a besoin, selon une formule venue en expiration en 2011, mais aussitôt renouvelée.

Dans ce contexte, le Président américain peut faire comprendre au Premier ministre israélien, que son intérêt bien compris serait de parvenir à un accord avec les Palestiniens, mais il ne peut aller jusqu'à menacer d'interrompre cette aide. En avril 2011, la preuve de cette impuissance a été fournie par la démission de George Mitchell l'envoyé spécial du Président américain, qui, en dépit de va-et-vient incessant entre Ramallah et Jérusalem n'est pas parvenu à faire bouger les lignes, d'autant qu'il n'avait pas les mains totalement libres au sein de l'équipe, où des divisions existent entre le soutien indéfectible à Israël et le respect du droit des Palestiniens.

En raison d'une rhétorique peu suivie d'effets, Barack Obama a perdu la confiance des partis en cause : incapable de faire plier Israël, alors que ses propositions pour les Palestiniens restent inévitablement très vagues[1].

À partir de février 2011, la position des États-Unis à propos du printemps arabe a été assez subtile ; son déclenchement est attribué par certains commentateurs à l'intervention discrète des Américains. Ces derniers ont conservé durant tout ce temps des liens entre forces armées (Égypte) qui leur permettaient de prôner la conciliation ; ils ont lancé des admonestations précoces contre la répression excessive et manifesté un soutien plus ou moins appuyé au mouvement de protestation, comme en Tunisie où Barack Obama s'est manifesté très tôt. Le Président a même comparé le suicide par le feu de Mohammed Bouazizi à Sidi Bouzid du 17 décembre 2010 à la révolte des Patriotes contre la Grande-Bretagne avant l'indépendance ainsi qu'au refus de Rosa Parks de laisser son siège à un Blanc en 1955. En Libye, l'effort militaire initial des Français et des Anglais a été soutenu dès le départ par les Américains, d'abord avec des frappes, puis avec l'apport de leur technologie de gestion et d'information, sans laquelle rien n'aurait été possible[2].

Les Américains défendent leurs principes mais également leurs intérêts, avant de maintenir des relations avec les nouvelles autorités quand elles apparaissent. Ils y sont parvenus, car ces révolutions à finalité démocratique n'ont jamais été accompagnées de slogans antiaméricains, alors qu'elles se développaient grâce aux réseaux sociaux Facebook et Twitter, qui fournissent une autre preuve du maintien d'une influence diffuse des États-Unis dans le monde[3].

Depuis novembre 2010, le président Obama reste un leader international reconnu et incontesté en dépit des critiques récurrentes des Républicains, mais ses efforts et ses initiatives ne sont pas toujours suivis de succès. Début 2012, les conditions financières contraignent le Président à proposer des coupes sévères dans le budget de la défense : l'armée va être réduite de 100 000 hommes et, surtout, l'obligation de tenir toujours les forces prêtes pour mener deux guerres simultanément est abandonnée ; en revanche la priorité asiatique et moyen-orientale demeure.

---

1. Les États-Unis ont mis leur veto à la reconnaissance de l'État palestinien à l'ONU. Le voyage de Barack Obama dans la région en mars 2013 n'a rien apporté de neuf.
2. En juin 2011, la Chambre des Représentants prise par une pulsion isolationniste, a voté contre la poursuite des opérations en Libye, sans en supprimer le financement.
3. En 2012, la mort du consul américain à Benghazi, tué par des jihadistes, a montré que la situation était très tendue.

La victoire de novembre 2012

Dispositif de campagne

Dès le printemps 2011, le Président lance une équipe de campagne basée à Chicago placée sous la direction de son conseiller politique en chef David Axelrod : elle est formée d'un réseau d'employés et de militants.

Celle-ci met en place une organisation État par État – tout particulièrement ceux qui sont stratégiques comme la Caroline du Nord, le Colorado, la Floride, le Nevada et la Virginie où les populations noires et hispaniques sont nombreuses.

L'un des objectifs primordiaux est de réunir des fonds pour une lutte électorale sans pitié, d'autant que depuis l'arrêt de la Cour Suprême de 2010 les limites des donations au sein des PAC *(Political Action Committee)* sont supprimées ; ce qui donne naissance aux Super PAC à la considérable force de frappe.

Pour accompagner ce mouvement Barack Obama accomplit des déplacements dans des États-clés comme l'Ohio, sans lequel un candidat ne peut espérer être élu ; il a entrepris également une tournée en autobus dans les États du Middle West. Il n'y retrouve pas l'enthousiasme de 2008.

Dans son discours télévisé aux deux chambres du Congrès, le Président a mis les élus du Capitole, et particulièrement ceux de la Chambre des représentants, au défi d'approuver très rapidement son train de mesures d'un total de 447 milliards de dollars pour endiguer un taux de chômage à plus de 9 %.

Le principal axe de ce plan consiste en un abaissement des charges salariales, une extension de l'assurance-chômage, une réhabilitation des écoles et des investissements dans les infrastructures de transports.

Le Président a mis de la passion dans son discours, en dénonçant le cirque politique qui régnerait à Washington.

Toutefois, ce plan ambitieux, dont le financement serait assuré par des réductions d'impôt, n'entraîne pas l'approbation des leaders républicains, bien qu'ils soient eux-mêmes sérieusement préoccupés par le chômage. Aussitôt ils ont évoqué les solutions éculées, dénoncé le rôle excessif du gouvernement : ils n'ont aucune raison de faire le moindre cadeau à ce Président qu'ils exècrent.

Dans ce climat délétère, le Président a relancé, en vue de sa réélection, une organisation qui reste remarquable tant par le professionnalisme de ses collaborateurs que par leur utilisation sophistiquée d'Internet ; dans les six premiers mois de 2011, il a recueilli 86 millions de dollars (environ 60 millions d'Euros)[1], ce qui est un record plus d'un an avant le scrutin. Si 40 % des donateurs sont de riches personnages, mais rarement des banquiers qui reprochent à Obama les dénonciations de leurs pratiques, le tiers des contributions correspond à des versements de 200 dollars, provenant d'électeurs de la base démocrate et de groupes identitaires comme celui des homosexuels.

Afin de limiter les effets de la conjoncture tout en marquant une nette différence par rapport aux années précédentes, Michelle Obama intervient pour dynamiser les équipes sur le terrain et, sans jamais faire de la politique directe, afin de motiver les femmes noires et latinos qui l'admirent et dont le vote sera important pour son époux.

1. L'objectif affiché est de disposer de 750 millions de dollars au moment de l'élection, soit une somme comparable à celle qui avait été amassée en 2008.

En face les nombreux candidats à l'investiture républicaine n'ont amassé ensemble que 34 millions de dollars, avec un net avantage pour Mitt Romney le plus connu d'entre eux en raison de sa participation aux primaires républicaines de 2008, fort de ses liens avec de riches hommes d'affaire qui abondent leur Super PAC.

La meute des Républicains

En septembre 2011, les candidats du GOP (Grand Old Party) sont plus d'une dizaine et aucun d'entre eux ne s'est alors détaché au sein de cette meute, à travers une vingtaine de débats.

Onze candidats ont officiellement déclaré leur candidature et commencé à rassembler des équipes et à amasser des fonds. Les uns n'ont aucune réelle visibilité au-delà de leur circonscription d'origine ni la moindre organisation : ils ne seront plus présents après les premiers scrutins de la saison des primaires.

Plus connu, mais sans réelle chance, apparaît Jon Hunstman, un ancien gouverneur de l'Utah, que Barack Obama avait nommé ambassadeur en Chine, pour éloigner un rival dangereux, mais ce Mormon père de sept enfants à la belle chevelure grise a été approché par des stratèges de l'équipe McCain de 2008, peu satisfaits par les autres candidats. En juin, les débuts de campagne d'Huntsman ne sont pas prometteurs ; l'homme présente bien mais n'a pas de message à faire passer et souffre d'un grand handicap : il n'est pas un conservateur déterminé.

De la même façon, le gouverneur du Texas Rick Perry, farouche conservateur mais peu aimé par les édiles du parti, n'a fait qu'un tour rapide, tout comme Michelle Bachman, qui a fait illusion les premières semaines mais a dû interrompre sa campagne par manque de financements.

La bande des quatre

Ron Paul, représentant du Texas, est un libertaire de la vieille école, hostile à l'emprise du gouvernement fédéral, opposé aux interventions à l'étranger et conservateur sur le plan social ; il a parfois été nommé « le parrain intellectuel du Tea Party ». Il se maintient lors des primaires en restant bon dernier des quatre qui subsistent à la veille de la décision.

Newt Gingrich a été, en 1994, le chef de la majorité républicaine qui a remporté les élections de mi-mandat, mais a été malmené par l'habileté manœuvrière de Bill Clinton (voir p. 351) ; depuis il est devenu un commentateur politique défendant l'environnement. Conservateur pragmatique converti au catholicisme il pourrait être gêné par une vie privée instable : il n'atteint jamais les premiers rôles dans les premières primaires.

Rick Santorum est sénateur de Pennsylvanie, farouche conservateur sur le plan social, hostile à l'avortement et dénonciateur du « fascisme islamique », mais ce fervent catholique sans grande équipe arrivé quatrième dans les premiers scrutins, est parvenu à remonter pour devenir le principal opposant de Mitt Romney, ralliant les électeurs les plus conservateurs du Sud.

Ce dernier, lui aussi Mormon, a été un gouverneur modéré du Massachusetts et il s'est fait remarquer au début de 2008 comme rival de John McCain : favorable à l'avortement et aux droits des homosexuels, il a fait adopter une réforme du système de santé dans son État dont s'est inspirée celle d'Obama. Pourtant, au fur et à mesure de la campagne, il a radicalisé son discours, renoncé à toute modération et entrepris une ferme condamnation du Président. L'influence du Tea Party est sensible sur ce candidat peu charismatique, mais capable d'amasser des fonds importants.

Romney s'achemine peu à peu vers une nomination inévitable pour affronter Obama, mais sans soulever beaucoup d'enthousiasme[1].

Ces candidats divers modérés à l'origine ont été amenés à se radicaliser et à se rapprocher des thèmes brutaux, voire racistes, du Tea Party. En 2012, le candidat républicain ne peut-être un modéré, si certains des politologues du parti s'inquiètent de cette dérive qui vient contredire l'histoire politique depuis des années, car les élections présidentielles se gagnent toujours au centre ; nombre d'électeurs sont décidés à choisir des candidats conservateurs sans nuance afin de « redonner au pays son orgueil légitime ».

Devant une telle situation, le président Obama semble avoir de bonnes chances de réélection, mais les contradictions de l'élection sont nombreuses et pas toutes en sa faveur.

Il profite du déchirement du camp adverse pour, dans de nombreux discours de l'hiver 2011-2012, stigmatiser l'obstination néfaste du Congrès républicain, indiquer sa préoccupation envers les classes moyennes et pour nommer un défenseur des droits des consommateurs, refusé par les Républicains. Cette posture offensive sera-t-elle suffisante ? Elle est favorisée par une très légère et fragile reprise économique : entre décembre et mai 2011, le chômage a baissé à 8,1 % et la création d'emplois n'a pas été négligeable (200 000 par mois en moyenne).

Conclusion : la victoire de 2012

Un contexte défavorable

Depuis 1945, aucun président n'a été réélu avec un chômage supérieur à 7,2 %. Or, toutes les données indiquent qu'à l'automne 2012, le taux reste voisin de 8 %, en raison de la faiblesse de la croissance. Une telle conjoncture condamne presque à coup sûr un président sortant, qui n'aurait pas réussi à inverser cette tendance ; ce fut le cas de George H. Bush aux prises avec la récession mineure de 1992.

D'ailleurs, la côte de popularité de Barack Obama est en baisse depuis l'impasse sur la dette d'août 2011 et la dégradation de la note des États-Unis par *Standard & Poors.* L'opinion est très divisée à son sujet : 37 % des Américains le désapprouvent violemment, alors que 26 % le soutiennent indéfectiblement, les autres sont plus hésitants.

Il faut à Obama une force de caractère et une détermination qui ont été prises en défaut depuis son entrée à la Maison-Blanche. En tout cas, il sait d'expérience qu'il lui est impossible de parvenir à un quelconque compromis avec ses adversaires républicains et du Tea Party qui mettent en cause la règle du jeu ; sa volonté de compromis a été vaine depuis 2010.

Une victoire incontestable

Durant la campagne présidentielle, Barack Obama n'a pas retrouvé tout à fait la magie de 2008, car son bilan tout à fait honorable ne pouvait suffire à contrebalancer les effets d'une économie en quasi-stagnation. Sans doute le chômage a-t-il baissé légèrement dans les mois qui ont précédé le scrutin, ce qui est un bon signe. En face de lui, Mitt Romney, sorti seulement en juin des primaires, n'a jamais trouvé le bon tempo ni délivré un message clair et porteur ; il a tenté de revenir plutôt au centre, après avoir choisi comme colistier

1. Avant la consultation de Caroline du Sud, John Hunstman a décidé de quitter la course, puis Rick Perry a fait de même ce qui réduit le nombre des candidats à 4. Puis ce fut le tour de Santorum, puis de Gingrich en avril : face à Romney, il ne reste plus que le marginal Ron Paul.

Paul Ryan, un représentant du courant le plus conservateur, mais ses nombreuses variations de posture et d'opinion ont brouillé son message au-delà du refrain contre l'État et les impôts.

Les trois débats présidentiels ont été contrastés ; lors du premier, Barack Obama a paru amorphe et sans vigueur ni répondant face à Romney à son meilleur ; dans les deux autres, le Président sortant a repris le dessus sans trop de difficulté. Il a profité également de sa très bonne gestion des suites de l'ouragan Sandy, qui a prouvé l'importance du rôle de l'État dans de telles circonstances.

Dans le pays, les Républicains ont mené une campagne très sophistiquée pour conserver le contrôle de la Chambre des représentants, en ciblant très minutieusement les électeurs potentiels. Les Démocrates ont utilisé des moyens identiques mais en modulant leurs messages en direction des Hispaniques, des Asiatiques et, bien sûr, des Noirs.

Le soir du 6 novembre, la victoire de Barack Obama s'est dessinée assez vite.

Le Président sortant a réuni près de 66 millions de voix, contre un peu moins de 61 millions pour son concurrent, mais sa marge des grands électeurs est beaucoup plus grande avec 332 contre 206. Sa victoire est moins large qu'en 2008, mais reste sans ambiguïté, avec une participation électorale d'environ 50 %, soit 9 % de moins que la fois précédente. C'est le nouveau président démocrate à être élu pour un second mandat après Bill Clinton.

Au Congrès, les changements sont minces : les Démocrates reprennent 8 sièges à la Chambre des représentants, 201 contre 234 aux Républicains, alors que la situation au Sénat reste identique avec une petite majorité démocrate. Dans le pays, le parti républicain détient désormais 30 postes de gouverneurs, contre 19 à leurs adversaires, avec deux indépendants.

Le Président retrouve donc une situation de « cohabitation », mais avec l'avantage d'être libéré de toute contrainte électorale alors que les Républicains doivent imaginer une nouvelle stratégie, n'étant pas parvenus à reprendre la Maison-Blanche. Cela ne signifie pas qu'ils seront modérés, comme le prouvent les premiers débats budgétaires de 2013.

Comme tous les présidents réélus, Barack Obama a renouvelé en grande partie son équipe, avec le départ notable mais attendu d'Hillary Clinton, remplacée par John Kerry.

Les tâches que les États-Unis affrontent sont considérables avec les incertitudes internationales, mais dans un contexte économique sur la voie de l'amélioration.

Bibliographie

Les ouvrages signalés sont pour la plupart en français, cela les rend accessibles, mais ils ne couvrent pas toutes les phases et tous les aspects de l'histoire des États-Unis. Pour aller plus loin, leurs bibliographies indiquent les ouvrages américains.

Instruments de travail

HEFFER, Jean et WEIL, François, *Chantiers d'histoire américaine*, Paris, Belin, 1994.

FOHLEN, Claude, HEFFER, Jean et WEIL, François, *Canada et États-Unis depuis 1770*, Paris, PUF, 1997.

Données statistiques américaines dans *Historical Statistics of the United States, Colonial Times to 1970*, Washington, U.S. Department of Commerce, 1975, également en CD Rom, Bicentennial Edition, New York, Cambridge University Press, 1998 et sur le web pour une version actualisée.

SALMON, Frédéric, *Atlas historique des États-Unis*, Paris, Armand Colin, 2008.

Les sites web sont nombreux sur le sujet : « Droit des femmes », « Mouvement des droits civiques », « Congrès des États-Unis », « Cold War », etc. Et toujours les recueils annuels de statistiques, également accessibles sur internet : *Statistical Abstract of the U.S.*

Ouvrages généraux en français

BOURGUINAT, Nicolas, *Histoire des États-Unis de 1860 à nos jours*, Paris, Armand Colin, 2006.

Collectif, *États-Unis, peuple et culture*, Paris, La Découverte, 2004.

GERVAIS, Pierre, *L'avènement d'une superpuissance, le siècle de l'Amérique*, Paris, Larousse, 2001.

GERVAIS, Pierre, *Les États-Unis de 1860 à nos jours*, Paris, Hachette, 1998.

HEFFER, Jean, *Les États-Unis de Truman à Clinton*, Paris, Armand Colin, 2000.

FOHLEN, Claude, *De Washington à Roosevelt, L'ascension d'une grande puissance, 1776-1945*, Paris, Nathan, 1992.

LACORNE, Denis, dir., *Les États-Unis*, Paris, Fayard, 2006.

LACROIX, Jean-Michel, *Histoire des États-Unis*, Paris, PUF, 2006.

LENNKH, Annie et TOINET, Marie-France, *L'État des États-Unis*, Paris, La Découverte, 1990.

NOUAILHAT, Yves-Henri, *Les États-Unis et le Monde, de 1898 à nos jours*, Paris, Armand Colin, 2000.

NOUAILHAT, Yves-Henri, *Les États-Unis de 1917 à nos jours*, Paris, Armand Colin, 2009.

PORTES, Jacques, *Histoire des États-Unis depuis 1945*, Paris, La Découverte, 1992.

PORTES, Jacques, *Les États-Unis de 1900 à nos jours*, Paris, Armand Colin, 2002.

PORTES, Jacques, *Les États-Unis de l'Indépendance à la Première Guerre mondiale*, Paris, Armand Colin, 2008

SY-WONYU, Aïssatou, *Les États-Unis et le monde au XIXe siècle*, Paris, Armand Colin, 2004.

TOCQUEVILLE, Alexis (de), *De la démocratie en Amérique*, Paris, Garnier-Flammarion, nombreuses éditions.

TROCMÉ, Hélène et ROVET, Jeanine, *Naissance de l'Amérique moderne, XVIe-XIXe siècle*, Paris, Hachette, 1997.

VAÏSSE, Justin, *Le Modèle américain*, Paris, Armand Colin, 1998.

VINCENT, Bernard, dir., *Histoire des États-Unis*, Paris, Flammarion, 2008.

ZINN, Howard, *Une histoire populaire des États-Unis, de 1492 à nos jours*, Paris, Agone, 2002.

Ouvrages spécialisés

BACHARAN, Nicole, *Histoire des Noirs Américains au XXe siècle*, Bruxelles, Complexe, 1994.

BODY-GENDROT, Sophie, *La société américaine après le 11 Septembre*, Paris, Presses de Sciences Po, 2002.

CHALIAND, Gérard et BLIN, Arnaud, *America is Back. Les nouveaux Césars du Pentagone*, Paris, Bayard, 2003.

COLLOMP, Catherine et MENDENDEZ, Mario, *Exilés et réfugiés politiques aux États-Unis – 1789 – 2000*, Paris, CNRS Éditions, 2003.

COLLOMP, Catherine, *Entre classe et nation. Mouvement ouvrier et immigration aux États-Unis*, Paris, Belin, 1998.

CORDILLOT, Michel, *La Sociale en Amérique. Dictionnaire biographique du mouvement social francophone aux États-Unis, 1848-1922*, Paris, Les éditions de l'Atelier, 2002.

DANIEL, Dominique, *Immigration aux États-Unis, 1965-1995. Le poids de la réunification familiale*, Paris, L'Harmattan, 1996.

DEBOUZY, Marianne, *Le monde du travail aux États-Unis : les temps difficiles (1980-2005)*, Paris, L'Harmattan, 2009.

DELANOË, Nelcya et ROSTKOWSKI, Joëlle, *Les Indiens dans l'histoire américaine*, Paris, Armand Colin, 1996.

DELPORTE, Murielle, *La politique étrangère américaine depuis 1945*, Bruxelles, Complexe, 1996.

DEYSINE, Anne, *La justice aux États-Unis*, Paris, PUF, 1998.

FLORENTIN, Eddy, *Quand les alliés bombardaient la France*, Paris, Perrin, 2008.

FOHLEN, Claude, *L'Amérique de Roosevelt*, Paris, Imprimerie Nationale, 1982.

FOUCHE, Nicole, *Benjamin Franklin & Thomas Jefferson*, Paris, Michel Houdiard, 2000.

FOUCRIER, Annick, *Meriwether Lewis & William Clark*, Paris, Michel Houdiard, 2000.

GERARD, Alice, KATAN, Yvette, SALY, Pierre et TROCMÉ, Hélène, *Villes et sociétés urbaines au XIXe siècle*, Paris, Armand Colin, 1992.

GREEN, Nancy, *L'Odyssée des émigrants. Et ils peuplèrent l'Amérique*, Paris, Gallimard, coll. « Découvertes », 1994.

HOFSTADTER, Richard, *Bâtisseurs d'une tradition*, Paris, Economica, 1989.

HURET, Romain, *De l'Amérique ordinaire à l'État secret : le cas Nixon*, Paris, Presses de Sciences Po, 2009.

KASPI, André, *La guerre de Sécession. Les États désunis*, Paris, Gallimard, coll. « Découvertes », 1992.

KASPI, André, *Kennedy, les 1 000 jours d'un président*, Paris, Armand Colin, 1993.

KESSLER, Nicolas, *Le conservatisme américain*, Paris, PUF, 1998.

KOLCHIN, Peter, *Une institution très particulière : l'esclavage aux États-Unis, 1619-1877*, Paris, Belin, 1998.

LACORNE, Denis, *De la religion en Amérique*, Paris, Gallimard, 2007.

LACORNE, Denis, *La crise de l'identité américaine*, Paris, Gallimard, 2003.

LENTZ, Thierry, *Kennedy. Enquête sur l'assassinat d'un président*, Paris, Jean Picollec, 1995.

MARIENSTRAS, Élise, *Wounded Knee ou l'Amérique fin de siècle*, Bruxelles, Complexe, 1992.

MCNAMARA, Robert, *Avec le recul. La tragédie du Vietnam et ses leçons*, Paris, Seuil, 1996.

MELANDRI, Pierre, *Reagan. Une bibliographie totale*, Paris, Robert Laffont, 1988.

MELANDRI, Pierre et VAÏSSE, Justin, *L'Empire du Milieu : les États-Unis et le monde depuis la fin de la guerre froide*, Paris, Odile Jacob, 2001.

MELANDRI, Pierre, *Histoire des États-Unis contemporains*, Paris, André Versaille, 2008.

NOUAILHAT, Yves-Henri, *Truman, un chrétien à la Maison-Blanche*, Paris, Éditions du Cerf, 2007.

OATES, Stephen, *Lincoln*, Paris, Fayard, 1984.

PETILLON, Pierre-Yves, *Histoire de la littérature américaine, 1939-1989*, Paris, Fayard, 2003.

PORTES, Jacques, *Les États-Unis aujourd'hui. Les maîtres du monde ?*, Paris, Larousse, 2003.

PORTES, Jacques, *De la scène à l'écran. Naissance de la culture de masse*, Paris, Belin, 1997.

PORTES, Jacques, *États-Unis. Une histoire à deux visages*, Bruxelles, Complexe, 2003.

PORTES, Jacques, *Une génération américaine*, Paris, Armand Colin, 2004.

PORTES, Jacques, *Histoire et cinéma aux États-Unis*, Paris, La Documentation française, n° 8028, août 2002.

PORTES, Jacques, *Les États-Unis et la guerre du Vietnam*, Paris, Complexe-Vilo, 2008.

ROSTOKOWSKI, Joëlle, *Le renouveau indien aux États-Unis*, Paris, Albin Michel, 2001.

SAINT-JEAN PAULIN, Christiane, *La contre-culture. États-Unis, années 1960 : la naissance de nouvelles utopies*, Paris, Autrement, 1997.

SORMAN, Guy, *La révolution conservatrice américaine*, Paris, Fayard, 1983.

SUBILEAU, Françoise et TOINET, Marie-France, *Les chemins de l'abstention. Une comparaison franco-américaine*, Paris, La Découverte, 1993.

Vincent, Bernard, *Lincoln. L'homme qui sauva les États-Unis* : biographie, Paris, l'Archipel, 2009.

Weil, François, *Histoire de New York*, Paris, Fayard, 2000.

Wilson, James, *La terre pleurera. Une histoire de l'Amérique indienne*, Paris, Albin Michel, 2002.

Woodward, Bob, *Bush s'en va-t-en-guerre*, Paris, Denoël, 2004.

Zunz, Olivier, *Le siècle américain. Essai sur l'essor d'une grande puissance*, Paris, Fayard, 1998.

Quelques ouvrages en anglais

Barney, William L., dir., *A Companion to 19th America*, Malden, Blackwell, 1998.

Campbell, Colin et Coleman, Bert A., *The Clinton Legacy*, New York, Chatham, 1999.

Davies, Philip John et Waldstein, Fredric A., *Political Issues in America Today. The 1990s revisited*, Manchester, Manchester University Press, 1996.

Folbre, Nancy, *The New Field Guide to the U.S. Economy*, New York, The New Press, 1995.

Foner, Eric, *The Story of American Freedom*, New York, Norton, 1998.

Goodwin, Doris Kearns, *No Ordinary Time, Franklin & Eleanor Roosevelt : the Home Front in World War II*, New York, Simon & Schuster, 1994.

Kutler, Stanley I., ed., *Encyclopedia of the United States in the Twentieth Century*, 4 vol., New York, Simon & Schuster, 1996.

Montgomery, David, *The Fall of the House of Labor. The Workplace, the State and the Labor Activism*, Londres, CUP, 1987.

Oates, Stephen B., *Let the Trumpet Sound. A Life of Martin L. King, Jr.*, New York, Harper & Row, 1982.

Patterson, James T., *Great Expectations. The United States, 1945-1974*, New York, Oxford, 1996.

Patterson, James T., *Restless Giant. The United States from Watergate to Bush v. Gore*, New York, Oxford, 2005.

Tindall, George B. et Shi, David E., *America. A Narrative History*, vol. II, New York, Norton, 1999.

Warren, Earl, *The Memoirs of Chief Justice Earl Warren*, Lanham, Madison Book, 2001.

Whitfield, Stephen J., *A Companion to 20th Century America*, Malden, Blackwell, 2004.

Chronologie

1763 – Traité de Paris, la France cède la Nouvelle-France à la Grande-Bretagne qui interdit la colonisation à l'ouest des Appalaches.

1764 – Le Parlement de Londres taxe le sucre, protestation dans les colonies.

1765 – Loi sur le Timbre, première assemblée des représentants des 13 colonies américaines, protestations et émeutes contre la mesure.

1766 – La loi sur le Timbre est abrogée par le Parlement britannique.

1767 – Nouvelles taxes imposées aux 13 colonies par le chancelier de l'Échiquier, Lord Townshend.

1768 – Protestations et émeutes à Boston contre ces taxes.

1769 – Dissolution de l'assemblée de Virginie par le Roi.

1770 – Premiers accrochages entre colons et soldats britanniques, « massacre de Boston ». Retrait des taxes Townshend.

1771 – Mouvement des Régulateurs en Caroline du Nord.

1772 – « Comités de correspondance » entre les colonies lancés par Samuel Adams de Boston.

1773 – Loi sur le thé en faveur de la Compagnie des Indes orientales ; *Boston Tea Party* (Partie de thé de Boston), du thé appartenant à la Compagnie est jeté à la mer.

1774 – Lois coercitives contre Boston ; loi sur le Québec qui limite l'expansion des 13 colonies. Premier Congrès continental à Philadelphie.

1775 – Premiers combats, Lexington et Concord ; réunion du Congrès, nomination de G. Washington comme général ; échec de l'offensive américaine au Canada.

1776 – Publication du *Sens commun* de Thomas Paine ; déclaration d'Indépendance des 13 colonies.

1777 – Philadelphie prise par les Britanniques. Victoire américaine de Saratoga (oct.). Le Congrès adopte les Articles de la Confédération.

1778 – Traité d'alliance avec la France.

1779 – L'Espagne entre dans la guerre contre l'Angleterre ; nombreuses défaites américaines.

1780 – Arrivée du corps expéditionnaire français à Newport.

1781 – Capitulation du général Cornwallis à Yorktown devant les Franco-Américains. Les Articles de la Confédération sont ratifiés et appliqués.

1782 – Les Britanniques renoncent à la guerre.

1783 – Traité de Paris, reconnaissance de l'Indépendance des États-Unis.

1784 – Le Connecticut et le Rhode Island suppriment l'esclavage.

1785 – Jefferson nommé ministre des États-Unis en France. Ordonnance sur la vente des territoires de l'Ouest.

1786 – Convention d'Annapolis pour amender les Articles. Révolte de *Shays* dans le Massachusetts, contre la baisse du pouvoir d'achat.

1787 – Élaboration de la Constitution des États-Unis. Ordonnance du Nord-Ouest, l'esclavage est interdit dans les territoires du Nord-Ouest.

1788 – La Constitution, ratifiée par 9 États, entre en application.

1789 – Élection du premier Congrès et du premier président, G. Washington.

1790 – Philadelphie, capitale provisoire. Premier recensement décennal.

1791 – Fondation de la Banque des États-Unis. La Déclaration des Droits (les 10 premiers amendements de la Constitution) est adoptée.

1792 – Réélection de Washington. Formation du parti républicain de Jefferson.

1793 – Washington proclame la neutralité des États-Unis.

1794 – Défaite de la confédération indienne à Fallen Timbers. Traité de Jay avec l'Angleterre. Eli Whitney invente une machine à égrener le coton.
1795 – Traité avec l'Espagne.
1796 – Message d'adieu de Washington. Élection de John Adams.
1797 – Affaire XYZ entre les États-Unis et la France.
1798 – Le Congrès abroge les traités avec la France. Vote de la loi sur les étrangers et les séditieux.
1799 – Mort de G. Washington.
1800 – J. Adams et le Congrès s'installent à Washington, nouvelle capitale. L'élection présidentielle est reportée devant la Chambre des Représentants.
1801 – J. Marshall, juge en chef de la Cour suprême. T. Jefferson élu président, A. Burr est vice-président.
1802 – Négociation avec Napoléon au sujet de la cession de la Louisiane.
1803 – Achat de la Louisiane à la France. Arrêt de la Cour suprême *Marbury v. Madison.*
1804 – Départ de l'expédition de Lewis et Clark vers le Nord-Ouest. Réélection de Jefferson.
1805 – Victoire de la flotte américaine contre la Tripolitaine.
1806 – Première grève, dans l'industrie de la chaussure, à New York.
1807 – Loi sur l'embargo, interdisant aux navires américains de commercer avec la France et l'Angleterre, en raison du blocus continental. Premier voyage du navire à vapeur de Fulton sur l'Hudson.
1808 – J. Madison est élu président. La traite des esclaves est interdite par le Congrès.
1809 – Abrogation des lois d'embargo.
1810 – Révolte des colons de Floride occidentale contre les autorités espagnoles.
1811 – Défaite des Indiens de Tecumseh à Tippecanoe par le général Harrison.
1812 – Annexion de la Floride occidentale par le Congrès. Déclaration de guerre à l'Angleterre. Défaite américaine au Canada.
1813 – Apparition du personnage d'Oncle Sam (US initiales d'Uncle Sam). Victoires américaines sur le lac Érié et contre les Indiens de Tecumseh.
1814 – Washington incendiée par les Anglais. Traité de Gand entre la Grande-Bretagne et les États-Unis. Première usine de tissage en Nouvelle-Angleterre, par Francis C. Lowell.
1815 – Victoire de Jackson sur les Anglais à la Nouvelle-Orléans.
1816 – Deuxième banque des États-Unis. Tarif protectionniste. Élection à la présidence de J. Monroe.
1817 – Traité Rush-Bagot sur la démilitarisation des grands lacs.
1818 – Adoption définitive du drapeau des États-Unis. Le général Jackson envahit la Floride. Accord anglo-américain sur la frontière de l'Oregon.
1819 – L'Espagne cède la Floride aux États-Unis.
1820 – Compromis du Missouri, équilibre entre États esclavagistes et libres.
1821 – M. Austin débute la colonisation du Texas.
1822 – Découverte d'un complot d'esclaves. Reconnaissance des Républiques indépendantes d'Amérique latine par le président Monroe.
1823 – Doctrine de Monroe.
1824 – Création du Bureau des affaires indiennes. J. Q. Adams, président.
1825 – Ouverture du canal de l'Érié. Fondation de la Nouvelle Harmonie par Robert Owen.
1826 – Mort de T. Jefferson et J. Adams. *Dernier des Mohicans* de F. Cooper.
1827 – Les Indiens Creek abandonnent leurs terres de Géorgie.
1828 – Tarif protectionniste dit des « abominations ». Élection d'A. Jackson à la présidence.
1829 – Ouverture du canal du Delaware au Chesapeake.
1830 – Réforme de l'administration fédérale par Jackson. Débat Hayne-Webster sur l'Union. *Livre des Mormons* par J. Smith. Première voie ferrée par le *Baltimore and Ohio.*
1831 – Insurrection servile de Nat Turner. Publication du *Liberator,* par William L. Garrison. Invention de la moissonneuse par McCormick.

1832 – Jackson met son veto au renouvellement de la charte de la Banque des États-Unis. Querelle de la nullification. Réélection de Jackson.
1833 – Fin du débat sur la nullification. Tension avec la France. Formation du parti *whig*. Le *Sun* de New York, premier journal bon marché.
1834 – Crise financière. Premier volume de l'*Histoire des États-Unis* de G. Bancroft. Les Cherokees chassés de Georgie.
1835 – R. Taney succède à J. Marshall à la Cour suprême. Colt invente le revolver.
1836 – Le Texas proclame son indépendance. Élection de M. Van Buren à la présidence.
1837 – Crise financière. Arrêt *Charles River Bridge v. Warren Bridge.*
1838 – Échec de l'annexion du Texas par le Congrès. Déportation des Cherokees.
1839 – Début d'une dépression économique.
1840 – Élection de W. H. Harrison. Premier ouvrage d'E. A. Poe.
1841 – John Tyler, vice-président, remplace Harrison à la mort de celui-ci.
1842 – Traité Webster-Ashburton sur la frontière avec le Canada.
1843 – Reprise économique.
1844 – James K. Polk élu à la présidence. Premier télégraphe de Morse.
1845 – Annexion du Texas. Tension avec l'Angleterre au sujet de l'Oregon. Début de l'immigration des Irlandais.
1846 – Guerre contre le Mexique. Traité de l'Oregon.
1847 – Victoires contre le Mexique, prise de Mexico. Les Mormons s'installent dans l'Utah. *Evangeline* de Longfellow.
1848 – Traité de Guadalupe Hidalgo avec le Mexique. Découverte de l'or en Californie. Zachary Taylor élu président.
1849 – Ruée vers l'or en Californie.
1850 – Compromis de 1850 au sujet des territoires acquis du Mexique. Millard Fillmore remplace Z. Taylor décédé.
1851 – Fondation du *New York Times*. *Moby Dick* de H. Melville.
1852 – *La case de l'Oncle Tom* d'H. B. Stowe. F. Pierce élu président.
1853 – Parti xénophobe des Know-Nothing. Le commodore Perry « ouvre » le Japon.
1854 – Adoption difficile de la loi Kansas-Nebraska. Apparition du parti républicain. *Walden* de H. D. Thoreau.
1855 – Affrontements au Kansas au sujet de l'esclavage.
1856 – James Buchanan élu président.
1857 – Arrêt *Dred Scott v. Sanford*. Crise financière et dépression.
1858 – Débats entre A. Lincoln et S. Douglas dans l'Illinois.
1859 – Le calme revient au Kansas. Raid de l'anti-esclavagiste John Brown contre l'arsenal de Harper's Ferry en Virginie.
1860 – Élection de A. Lincoln à la présidence. Sécession de la Caroline du Sud.
1861 – Formation de la Confédération des 11 États du Sud. Attaque de Fort Sumter, début de la guerre de Sécession. Défaites du Nord. Incident du Trent.
1862 – Combats confus. Lee battu à Antietam. Vote du *Homestead Act*, du *Pacific Railway Act*, du *Morrill Act*. Proclamation d'émancipation.
1863 – Bataille de Gettysburg, défaite de Lee. Premières victoires d'U. Grant dans l'Ouest.
1864 – Grant, général en chef. Match nul en Virginie. Marche sur la mer de W. T. Sherman à travers la Géorgie. Réélection de Lincoln.
1865 – Vote du XIIIe amendement. Grant prend Richmond. Lee capitule à Appomattox. Assassinat de Lincoln par J.W. Booth (15 avr.).
1866 – Le Bureau des Affranchis est confirmé. Ultimatum exigeant le retrait des troupes françaises du Mexique. Invention de la machine à écrire.
1867 – Première loi de Reconstruction. Apparition du Ku Klux Klan. Achat de l'Alaska à la Russie.
1868 – Échec de la procédure d'*impeachment* contre le président A. Johnson. Réadmission de 7 États du Sud dans l'Union. Élection de U. Grant à la présidence. Adoption du XIVe amendement.

1869 – Suppression du Bureau des Affranchis. Premier chemin de fer transcontinental. Fondation des Chevaliers du Travail par U. Stephens.
1870 – Adoption du XVe amendement. Vote du Force Act. Réadmission de 3 États.
1871 – Interdiction du Ku Klux Klan. Procès de W. Tweed à New York. Incendie de Chicago.
1872 – Amnistie des Confédérés. Réélection de Grant.
1873 – Crise financière. Démonétisation de l'argent. Scandales politiques.
1874 – Victoire démocrate à la chambre. *Gilded Age*, de M. Twain. Invention du fil de fer barbelé par J. F. Glidden.
1875 – Loi des droits civils. Scandale du Whisky.
1876 – Victoire des Sioux à Little Big Horn, mort du général Custer. Élection disputée de R. Hayes. Exposition universelle de Philadelphie. Invention du téléphone par G. Bell.
1877 – Hayes président. Grève violente des chemins de fer de Pennsylvanie.
1878 – L'argent est remonétisé par la loi Bland-Allison. T. Powderly grand maître des Chevaliers du Travail. T. Edison invente le phonographe.
1879 – Convertibilité du dollar. *Progress and poverty*, de H. George. Lampe à incandescence par T. Edison.
1880 – Élection de J. Garfield à la présidence. Film photographique de G. Eastman.
1881 – Attentat mortel contre Garfield, Chester Arthur le remplace.
1882 – Premier trust, la *Standard Oil Company* de J. Rockefeller. Loi d'exclusion des Chinois.
1883 – Abrogation de la loi des droits civils. Vote de la loi Pendleton organisant des concours pour le recrutement des fonctionnaires. Inauguration du Pont de Brooklyn.
1884 – Élection de Grover Cleveland à la présidence. Dépression. Fondation du *Wild West Show* de Buffalo Bill.
1885 – Premier gratte-ciel à Chicago par W. LeBaron Jenney.
1886 – Manifestation pour la journée de 8 heures à Chicago, répression, attentat à la bombe, procès et condamnation de quatre anarchistes. Fondation par S. Gompers de l'*American Federation of Labor*. Inauguration de la statue de la Liberté, donnée par la France.
1887 – Dawes Severalty Act en vue d'intégrer les Indiens. Fondation de la Commission fédérale du commerce entre États. Exécution des quatre de Chicago.
1888 – Création du Département du travail. Élection de B. Harrison à la présidence. Invention par G. Eastman de l'appareil photo Kodak.
1889 – Ouverture de l'Oklahoma à la colonisation. Première conférence des États américains à Washington. Accord sur Samoa avec l'Allemagne et la Grande-Bretagne.
1890 – Tarif protectionniste McKinley. Vote de la loi Sherman antitrust, de la loi Sherman sur l'achat de l'argent. Le recensement établit la fin de la frontière. Dernière guerre indienne et massacre de Wounded Knee. À New York, J. A. Riis, *Comment vit l'autre moitié.*
1891 – Frictions avec l'Italie ; incident avec le Chili. Formation du parti populiste. Brevet d'Edison pour une caméra.
1892 – Deuxième élection de Cleveland, émergence du parti populiste. Grève violente à l'aciérie Carnegie de Homestead. Ouverture du centre d'Ellis Island pour accueillir les immigrants.
1893 – Exposition universelle de Chicago. Crise financière et dépression. Abrogation de la loi sur l'argent. Conférence de F. J. Turner sur la Frontière.
1894 – Grève à l'usine Pullman, extension aux chemins de fer, intervention des troupes fédérales. Marche des chômeurs de Coxey sur Washington.
1895 – Rappel de la doctrine de Monroe par Cleveland au sujet de la querelle entre le Venezuela et la Grande-Bretagne.
1896 – La révolte des Cubains reconnue par le Congrès. Élection de McKinley contre W. J. Bryan après une campagne survoltée. La Cour suprême officialise la ségrégation dans *Plessy v. Ferguson.* Ruée vers l'or du Yukon.
1897 – Fin de la dépression. Succès de la grève des mineurs.
1898 – Tension avec l'Espagne. Explosion du *Maine* à la Havane. Guerre avec l'Espagne, prise de Cuba, victoire de la flotte à Manille, traité de Paris. Annexion d'Hawaï.

1899 – Révolte d'Aguinaldo aux Philippines. Proclamation de la doctrine de la Porte ouverte à l'égard de la Chine.

1900 – Le *Gold Standard Act* établit le monométallisme or. McKinley est réélu, son vice-président est T. Roosevelt.

1901 – Attentat mortel contre McKinley, Roosevelt président. Protectorat sur Cuba par l'amendement Platt. Formation du trust de l'US Steel.

1902 – Gouvernement civil constitué aux Philippines. Grèves des mineurs de charbon menés par J. Mitchell.

1903 – Premières élections primaires dans le Wisconsin. Révolte et indépendance du Panama, traité avec les États-Unis sur le canal. Premier vol aérien des frères Wright.

1904 – Élection de Roosevelt à la présidence. Corollaire à la doctrine de Monroe. L. Steffens publie *Shame of the cities.*

1905 – Fondation du syndicat des *Industrial Workers of the World.* Roosevelt médiateur entre le Japon et la Chine, traité de Portsmouth.

1906 – Tremblement de terre à San Francisco. Loi Hepburn sur les tarifs des chemins de fer. U. Sinclair, la *Jungle;* loi sur le contrôle sanitaire des aliments. 1907 – Panique financière, dépression. Tour du monde de la flotte.

1908 – Accord avec le Japon sur la limitation de l'immigration. Élection de W. H. Taft à la présidence. Fondation de la Général Motors. Présentation de la Ford T.

1909 – Tarif douanier élevé. Fondation de la NAACP par E.B. Dubois. R. Perry atteint le pôle Nord.

1910 – Nouveau Nationalisme de T. Roosevelt.

1911 – Fondation de la Ligue nationale progressiste. La Cour suprême dissout la *Standard Oil.*

1912 – Élection de Woodrow Wilson à la présidence. Intervention des *Marines* à Cuba. Naufrage du *Titanic.*

1913 – Adoption des XVIe et XVIIe amendements. *Federal Reserve Act.* Baisse des droits de douane. Chaîne de montage chez Ford.

1914 – *Federal Trade Commission* et loi Clayton antitrust. Intervention des troupes américaines au Mexique. Ouverture du Canal de Panama. Neutralité américaine affirmée par Wilson.

1915 – Démission du secrétaire d'État W. J. Bryan. Prêts aux Alliés, torpillage du *Lusitania.* Intervention des *Marines* à Haïti. *Birth of a Nation,* de D. W. Griffith.

1916 – Intervention au Mexique, à Saint Domingue. Réélection de Wilson. Loi sur la défense.

1917 – Achat des îles Vierges au Danemark. Armement des navires civils. Déclaration de guerre à l'Allemagne (avr.). Détachement symbolique de troupes américaines en France.

1918 – Programme des 14 points de Wilson. Le corps expéditionnaire américain atteint plus d'un million en novembre, rôle majeur dans la victoire. Lors des élections de mi-mandat, les républicains obtiennent la majorité au Congrès.

1919 – Wilson en France, conférence de la paix, frappé par une attaque cérébrale à son retour aux États-Unis. Protestation sociale, grèves, répression farouche des Noirs et des Rouges. Adoption du XVIIIe amendement qui institue la prohibition de l'alcool.

1920 – Rejet par le Sénat du Traité de Versailles, élection du républicain Harding à la présidence. Le XIXe amendement donne le droit de vote aux femmes. Wilson reçoit le prix Nobel de la paix.

1921 – Première loi des quotas nationaux pour restreindre l'immigration. Conférence de Washington sur les armements navals dans l'oécan Pacifique. *Ulysse* de James Joyce est interdit aux États-Unis.

1922 – Premier reportage radiophonique d'un match de base-ball ; inauguration du Mémorial de Lincoln à Washington ; *Babitt,* de Sinclair Lewis remporte un grand succès. Début de la « Prospérité ».

1923 – Premier discours présidentiel retransmis à la radio. Fondation du magazine *Time.* Corruption dans l'entourage du président Harding : enquête.

1924 – Deuxième loi des quotas, l'immigration ne doit pas dépasser 150 000 personnes par an ; les Japonais ne sont plus admis aux États-Unis. Calvin Coolidge est élu président républicain avec une large majorité. Sortie de la dix-millionième voiture Ford.

1925 – Manifestation du Ku Klux Klan à Washington. Procès dit « du Singe » dans le Tennessee, autour de l'enseignement de la théorie de l'évolution. Scott Fitzgerald publie *Gatsby le Magnifique*. Charlie Chaplin dans la *Ruée vers l'or*.

1926 – Semaine des 40 heures adoptée par Ford. Premier vol au-dessus du pôle Nord. Ernest Hemingway, *Le soleil se lève aussi*.

1927 – Exécution de Sacco et Venzetti après cinq ans d'appels. Établissement du FBI. Charles Lindbergh vole de New York à Paris en 33 heures et ½ sur le *Spirit of Saint Louis*. *The Jazz Singer* est le premier film parlant. Fondation de l'Académie des arts et sciences du cinéma : distribution des Oscars.

1928 – Élection de Herbert Hoover à la présidence, majorité républicaine. Walt Disney créé Mickey Mouse en dessins animés. Signature du pacte Briand-Kellogg qui met la guerre hors-la-loi.

1929 – Adoption du plan Young pour échelonner le remboursement des dettes de guerre. Guerre des gangs à Chicago : massacre de la Saint-Valentin. Effondrement de la bourse de New York (24 et 29 octobre : jeudi et mardi noirs).

1930 – Premières mesures contre la crise : grands travaux, protectionnisme. Faillite de banques. Majorité démocrate au Congrès. Sinclair Lewis est le premier Américain à recevoir le prix Nobel de littérature.

1931 – Moratoire sur les dettes ; proposition de révision de la prohibition. 5 millions de chômeurs : marche de la faim à Washington, grève de mineurs, émeutes de fermiers. Le gangster Al Capone est condamné pour fraude fiscale.

1932 – 13 millions de chômeurs. Hoover a pris des mesures contre la crise : loi Glass-Steagall qui distingue banques de dépôt et banques d'affaires, mais a envoyé l'armée pour disperser les anciens combattants qui campaient à Washington. Élection triomphale de Franklin D. Roosevelt à la présidence, majorité démocrate.

1933 – Mesures des 100 jours : XXe amendement qui avance l'investiture du président au 20 janvier ; XXIe qui abroge la prohibition ; mise en place de la législation du *New Deal* : AAA, NIRA, CCC, TVA, loi sur la bourse, dévaluation du dollar à 35 dollars pour une once d'or, création d'emplois publics (CWA). Albert Einstein se réfugie aux États-Unis.

1934 – Diverses mesures fédérales pour les agriculteurs, les banques, le logement, les communications. Bonnie Parker et Clyde Barrows abattus en Louisiane. Mise en place du code d'autocensure sur tous les films produits à Hollywood.

1935 – Création du WPA (*Work Progress Administration*) pour employer les chômeurs et les réinsérer, il dure jusqu'en 1942. Loi Wagner sur les relations ouvrières, création d'un bureau de règlement des conflits. Première loi de neutralité votée au Congrès. *Porgy and Bess*, de George Gershwin, premier opéra situé dans une communauté noire. La Cour suprême invalide la NIRA et l'AAA.

1936 – Deuxième loi de neutralité (interdiction de prêt et de crédit à un belligérant), les États-Unis écartent une intervention en Espagne. Grève dans les usines automobiles. Margaret Mitchell publie *Autant en emporte le vent*. Premier numéro du magazine *Life*. Réélection facile de Roosevelt.

1937 – Le président veut réformer la Cour suprême, pour nommer des juges plus favorables, mais le projet de loi ne voit pas le jour. Les juges les plus âgés démissionnent et la cour entérine finalement le New Deal. 3e loi de neutralité. Inauguration du pont du Golden Gate à San Francisco. John Steinbeck publie *Des souris et des hommes*.

1938 – Création par la Chambre des représentants de la commission des activités non-américaines (HUAC), contre nazisme et communisme. Le président indique le besoin d'une politique de défense, approbation des accords de Munich. La bourse baisse, le chômage repart à la hausse : loi d'urgence. Programme radio : Orson Welles sème la panique avec sa présentation de la guerre des mondes.

1939 – 4e loi de neutralité : imposition du « *Cash and Carry* ». Le président indique son inquiétude. John Steinbeck publie *Les raisins de la colère* ; le film *Autant en emporte le vent*, de Victor Fleming, remporte un succès immédiat.

1940 – Le Congrès accepte d'aider la Grande-Bretagne : échange bases britanniques contre vieux destroyers américains. Le président obtient des crédits pour la défense, mise en place d'un service militaire. Conception de la Jeep. Roosevelt réélu pour la 3e fois. Ernest Hemingway, *Pour qui sonne le glas* ; Charlie Chaplin, *Le Dictateur*.

1941 – Aide organisée vers la Grande-Bretagne, mesures contre les intérêts allemands, mis en place du prêt-bail pour aider les alliés. Charte de l'Atlantique (14 août) entre Roosevelt et Churchill, pour organiser l'alliance. Impôt sur le revenu avec prélèvement à la source, engagement de non-grève des syndicats. Attaque japonaise sur Pearl Harbor (7 décembre), déclaration de guerre au Japon (8 déc.), à l'Allemagne (11 déc.). Loi sur la conscription.

1942 – Les soldats américains arrivent en Irlande et Angleterre ; débarquement en Afrique du Nord (nov.). Premiers bombardements sur le continent européen. Revers dans le Pacifique, avec évacuation des Philippines, avant bataille de Midway (juin), premier bombardement sur Tokyo. L'URSS bénéficie du prêt-bail. Création d'un service de renseignement : l'OSS. Invention du napalm, utilisation du radar. Déportation des Japonais-Américains dans des camps loin de la Californie. Michael Curtiz met en scène *Casablanca*.

1943 – Les troupes américaines obtiennent la reddition de l'Afrika Korp, après la prise de la Tunisie (juin) ; débarquement en Sicile puis Italie (sept.). Succès mitigés dans le Pacifique. Conférences entre alliés : Casablanca, Téhéran. Choix de la reddition inconditionnelle pour les ennemis.

1944 – Les bombardements s'intensifient sur Berlin et sur Tokyo. En Europe, remontée des alliés depuis l'Italie et débarquement en Normandie (6 juin) sous le commandement du général Eisenhower. Dans le Pacifique, les Mariannes et la Nouvelle-Guinée sont reprises. Principe accepté des Nations unies. Fin des rationnements aux États-Unis. 4e réélection de Roosevelt, avec Harry Truman comme vice-président. Bataille des Ardennes (Noël). *GI Bill*, en faveur des anciens combattants.

1945 – Conférence de Yalta, sur l'Europe libérée (février). Mort de Roosevelt (12 avril). Conférence de San Francisco pour établir l'ONU (avr-juin). Capitulation allemande (7 mai). Dans le Pacifique, le général MacArthur reprend les Philippines, bataille d'Okinawa et d'Iwo-Jima, bombes atomiques sur Hiroshima (6 août) et Nagazaki (9 août) ; reddition du Japon (14 août).

1946 – Deux premières sessions de l'ONU, à Londres, puis à New York, son site définitif. Création de la commission pour l'énergie atomique. Grève des mineurs et des cheminots. Pour la première fois, le président Truman s'adresse au public grâce à la télévision. Premier franchissement par un avion du mur du son (Charles Yeager).

1947 – Doctrine Truman, aide à la Grèce et à la Turquie (mars) ; création d'institutions de sécurité nationale : Pentagone, CIA ; adoption de serments de loyauté anticommuniste. Annonce du plan Marshall, par le secrétaire d'État (5 juin). Enquête de la HUAC à Hollywood. Majorité républicaine au Congrès : adoption de la loi Taft-Hartley, pour limiter et organiser les grèves. Jackie Robinson, des Dodgers de Brooklyn, premier joueur noir en première division de base-ball.

1948 – La HUAC porte son enquête sur Alger Hiss, collaborateur de Roosevelt, qui est accusé d'être un agent soviétique : Richard Nixon y révèle sa ténacité. Des chefs du parti communiste sont condamnés pour délit d'opinion. Staline déclenche le blocus de Berlin (juin), auquel les Américains répondent par un pont aérien d'un an. Le président, par décret, interdit la ségrégation raciale dans l'armée et les services publics (juillet) ; il est élu président en novembre, à la surprise générale, le Congrès reste à majorité républicaine.

1949 – Signature du traité de l'Atlantique Nord : les États-Unis s'engagent dans la défense de l'Europe. Retrait des troupes de Corée du Sud. Non- reconnaissance de la Chine populaire (1er oct.) ; annonce la bombe atomique soviétique. Truman annonce un programme social ambitieux mais irréalisable : le *Fair Deal*. Radio Free Europe émet vers les pays de l'Est.

1950 – Premiers discours du Sénateur Joseph McCarthy contre l'infiltration communiste dans le gouvernement (fév.). Loi McCarran sur la sécurité intérieure. Le général Eisenhower est nommé commandant suprême en Europe. Déclenchement de la guerre de Corée (juin), les troupes américaines, sous l'égide de l'ONU, repoussent les assaillants du Nord jusqu'à la frontière chinoise, mais doivent battre retraite (nov.). La CBS peut émettre en couleurs. William Faulkner, prix Nobel de littérature.

1951 – Les époux Rosenberg sont condamnés à mort pour espionnage. Traité de paix avec le Japon. Combats avec les Chinois autour de Séoul. *Un Américain à Paris*, de Vincente Minelli.

1952 – Dwight Eisenhower, élu président. Première bombe à hydrogène. Conflit social avec les ouvriers de la sidérurgie : opposition entre le président qui nationalise l'industrie et la Cour suprême, grève. Premier sous-marin à propulsion nucléaire. *Chantons sous la pluie*, de Gene Kelly et Stanley Donen.

1953 – Exécution des époux Rosenberg. McCarthy s'en prend à l'armée. Earl Warren devient président de la Cour suprême. Armistice de Panmunjom en Corée ; aide américaine à la France en Indochine. Premier numéro de *Playboy*.

1954 – Blâme des Sénateurs à McCarthy. Représailles massives, proposés par le secrétaire d'État J. F. Dulles. Les États-Unis n'interviennent pas à Dien Bien Phu. Les forces américaines interviennent au Guatemala. Arrêt de la Cour suprême, Brown v. Board of Education of Topeka (17 mai). Prix Nobel de littérature à Ernest Hemingway.

1955 – Conférence de Genève sur le désarmement. Rosa Parks déclenche la protestation contre la ségrégation à Montgomery (Ala.). Fusion de l'AFL et de la CIO. Inauguration du parc de Disneyland à Anaheim (Calif.).

1956 – Réélection d'Eisenhower. Le président stoppe l'opération franco-anglaise sur le canal de Suez. Non-intervention pour aider la révolution en Hongrie.

1957 – Première loi sur les droits civiques depuis 1868 : anodine. Crise de Little Rock (Arkansas) : le président doit envoyer des troupes pour protéger des écolières noires. Test du premier missile intercontinental. Première de *West Side Story* à New York.

1958 – Création de la NASA. La Cour suprême poursuit la déségrégation scolaire. Premier satellite Explorer. Premier vol commercial du Boeing 707.

1959 – L'Alaska et Hawaï deviennent des États de l'Union. Visite de Khrouchtchev aux États-Unis. Premier noir nommé général dans l'Air Force.

1960 – Crise de l'avion U2, abattu en URSS (mai). Mesures coercitives contre Cuba. Commercialisation de la pilule contraceptive. Élection présidentielle : victoire de John F. Kennedy.

1961 – Création du Corps de la Paix. Échec de l'opération anticastriste de la Baie des Cochons (avril). Débuts de l'aide au Vietnam du Sud. Annonce d'un programme spatial pour l'envoi d'un homme sur la lune avant 1970. Film *West Side Story*, de Jerome Robbins et Robert Wise.

1962 – Crise de fusées de Cuba (oct.). Mort de Marilyn Monroe. James Meredith entre à l'université du Mississippi avec protection fédérale.

1963 – Kennedy à Berlin : « Ich bin ein Berliner ». Manifestation de Washington autour des droits civils : discours *I have a dream* de Martin L. King (28 août). 16 800 soldats au Vietnam. Assassinat de John F. Kennedy à Dallas (22 nov.), par Lee Harvey Oswald. Lyndon Johnson président.

1964 – Rapport de la commission Warren. Résolution du golfe du Tonkin (août). Le président présente la Grande Société : vote de la loi des droits civiques (juillet). Martin L. King, prix Nobel de la Paix. Johnson élu président, avec large majorité.

1965 – Manifestation noire à Selma, vote de la loi sur le droit de vote (juillet). Loi Medicare. Loi sur l'immigration (suppression des quotas). Émeutes raciales de Los Angeles. Assassinat de Malcolm X. Décision d'envoyer des troupes de combat au Vietnam. Bombardements massifs sur le Vietnam du Nord. 184 300 hommes au Vietnam.

1966 – Premières grandes manifestations contre la guerre. Victoire des syndicalistes mexicains autour de Cesar Chavez en Californie. Utilisation de défoliants au Vietnam. Émeutes raciales dans de nombreuses villes.

1967 – Thurgood Marshall, premier juge noir à la Cour suprême. Bombardements sur Hanoi, 485 600 soldats au Vietnam. Manifestations contre la guerre, émeutes raciales. Film *Bonnie and Clyde*, d'Arthur Penn.

1968 – Offensive du Tet (jan.), arrêt des bombardements, négociations (mars), 536 000 soldats au Vietnam. Assassinat de Martin L. King à Memphis (4 avr.), de Robert Kennedy à Los Angeles (juin). Émeutes raciales. Chaotique convention démocrate à Chicago. Élection à la présidence de Richard Nixon. *2001 : Odyssée de l'espace*, de Stanley Kubrick. Comédie musicale, *Hair*, de J. Rado, G. Ragni et G. MacDermot.

1969 – Warren Burger remplace Earl Warren à la Cour suprême. Signature du traité de non-prolifération nucléaire. Négociations de paix, bombardements, début du retrait des troupes du Vietnam, 475 000 hommes. Manifestations contre la guerre. Neil Armstrong, premier homme sur la lune (juil.). Premier vol commercial du Boeing 747. Musique, drogue et enthousiasme au rassemblement de Woodstock (oct.).

1970 – Première loi sur la qualité de l'air. Invasion du Cambodge (avril), 4 tués à Kent State University (mai). Manifestations. 334 600 hommes au Vietnam. Premier marathon de New York.

1971 – Vote à 18 ans. Publication des Papiers du Pentagone, la Cour suprême donne tort au président. Dévaluation du dollar. Le busing est constitutionnel. 156 800 soldats au Vietnam.

1972 – Arrestation des « cambrioleurs » du Watergate (juin), suivie de leur inculpation. Richard Nixon réélu très largement. Progrès des négociations de paix (oct.). Bombardements massifs sur Hanoi. 24 200 soldats au Vietnam. Voyage de Nixon à Pékin (fév.), puis à Moscou (mai).

1973 – Démission du vice-président Agnew, corruption. Enquête sur Watergate par la justice, le Congrès et la presse ; nombreuses révélations ; Nixon nie. Signature du cessez-le-feu au Vietnam, à Paris (27 jan.) : réunification du pays, libération des prisonniers. Protestation indienne (Wounded Knee). Second dévaluation du dollar.

1974 – Procès d'*impeachment* lancé contre le président, la Cour suprême le contraint à livrer ses bandes magnétiques. Démission du président (8 août), remplacé par le vice-président Gerald Ford. *Le Parrain*, de Francis Ford Coppola.

1975 – Le président Ford gracie Richard Nixon. Chute de Saigon aux mains des Nord-Vietnamiens (avril). Accords d'Helsinki sur les frontières issues de la Seconde Guerre mondiale.

1976 – Bicentenaire des États-Unis. Accord de la Jamaïque : fin de l'étalon-or ; fin des parités fixes des monnaies. Élection à la présidence du démocrate James E. Carter.

1977 – Politique orientée vers les droits de l'homme. Appel de Carter en faveur des économies d'énergie. Premier vol de la navette spatiale. Mort d'Elvis Presley.

1978 – Ratification du traité avec le Panama. Rencontres de Camp David avec Sadate et Begin.

1979 – Signature du traité de paix entre l'Égypte et Israël. Accident à la centrale nucléaire de Three Mile Island (Penn.). Prise de l'ambassade américaine de Téhéran par les étudiants révolutionnaires : 65 otages. Intervention soviétique en Afghanistan. *Apocalypse Now*, de F.F. Coppola.

1980 – Mesures de rétorsion contre l'Iran et l'URSS. Échec de la tentative de récupération des otages d'Iran. Boycott des Jeux Olympiques de Moscou. Émeutes raciales à Miami.

1981 – Libération des 52 otages d'Iran. Programme de dépenses militaires, réduction des impôts. Licenciement des contrôleurs aériens grévistes. Sandra O'Connor, première femme nommée à la Cour suprême. Premier vol de la navette spatiale Columbia.

1982 – Baisse de l'inflation. Montée de la pauvreté. Les Marines débarquent à Beyrouth. Inauguration à Washington du monument du Vietnam.

1983 – Attentat à Beyrouth contre les Américains. Invasion de l'Île de la Grenade. Installation de fusées à moyenne portée en Europe. Indemnisation des Japonais-Américains déportés pendant la Seconde Guerre mondiale. Annonce du système de défense anti-missiles « guerre des étoiles ».

1984 – Opération au Salvador et au Nicaragua contre les « communistes ». Identification d'un virus du SIDA. Réélection de Reagan. Apple met au point « la souris ».

1985 – Soutien accru aux « contras » du Nicaragua. Premier sommet Reagan-Gorbatchev à Genève. Promesse d'équilibrer le budget dans les 5 ans.

1986 – William Rehnquist président de la Cour suprême. Réduction des armements annoncée à Reykjavik entre Reagan et Gorbatchev. Mise à jour du scandale de l'Irangate : enquête de la justice et du Congrès. Réforme fiscale. Explosion de la navette *Challenger*.

1987 – Baisse de la popularité de Reagan. Baisse du chômage. Poursuite du désarmement américano-soviétique. Rejet par le Sénat de la candidature du juge Bork à la Cour suprême. Krach boursier.

1988 – Cessez-le-feu au Nicaragua. Démantèlement des fusées à moyenne portée. Traité de libre-échange avec le Canada. Déficit commercial en hausse. Élection à la présidence de George H. Bush. 45 millions de PC (*personal computer*).

1989 – Fin de la guerre froide. Le président promet de ne pas augmenter les impôts : le déficit augmente. Élection du premier Noir gouverneur de Virginie. Opération au Panama : arrestation du général Noriega.

1990 – Loi sur l'émigration : 700 000 immigrants plus divers par an. Augmentation des emplois précaires. Baisse de la conjoncture. Le président évoque de nouveaux impôts. Invasion du Koweït par l'Irak.

1991 – Guerre du Golfe : coalition autour des États-Unis. Immense popularité du président. Audition mouvementée du juge noir Clarence Thomas, nommé pour succéder à T. Marshall. Déficit en hausse : le président envisage de nouveaux impôts. Disparition de l'URSS. Film *J.F.K.* d'Oliver Stone.

1992 – Émeutes raciales de Los Angeles (mai). Élection de Bill Clinton à la présidence, contre le président sortant et Ross Perot, un indépendant.

1993 – Signature à Washington des accords d'Oslo. Négociations du GATT. Ratification de l'ALENA entre États-Unis, Canada et Mexique. Controverse sur la place des homosexuels dans l'armée. Attentat d'une voiture piégée contre l'immeuble du *World Trade Center.*

1994 – Échec du projet de réforme de l'assurance-santé. Victoire marquante des républicains (Nov.), avec un programme très à droite. Rapatriement des troupes de Somalie. Début des enquêtes officielles sur les affaires personnelles de Bill Clinton.

1995 – Reconnaissance officielle du Vietnam. Attentat contre l'immeuble fédéral d'Oklahoma City. Accords de Dayton. Conflit entre le président et le Congrès au sujet des finances publiques.

1996 – Signature de la réforme du système de Welfare. Croissance économique et baisse du déficit. Réélection de Bill Clinton et d'Al Gore, le Congrès reste républicain.

1997 – Accord bipartisan sur la réduction du déficit. La Cour suprême dénie au président une immunité contre la plainte de harcèlement de Paula Jones. Succès mondial du film *Titanic*, de James Cameron. Fondation de Google.

1998 – Début de la procédure d'*impeachment* contre le président, en raison de sa liaison avec Monica Lewinski ; la Chambre le déclare coupable. Développement de la presse sur Internet.

1999 – Le Sénat acquitte le président. Intervention militaire au Kosovo. Disparition du déficit budgétaire. Échec des négociations entre Palestiniens et Israéliens à Wiye Plantation.

2000 – Nouvel échec de la négociation entre Arafat et Barak à Camp David. Croissance économique : firmes liées à Internet. Élection surprise : Al Gore, candidat démocrate, remporte plus de voix que George W. Bush, mais perd pour le nombre des délégués, après l'intervention de la Cour suprême.

2001 – Refus de ratifier le protocole de Tolyo, proposition d'une coûteuse défense anti-missiles, protectionnisme en faveur de l'acier américain. Attentats simultanés contre le *World Trade Center*, le Pentagone à Washington, et une cible ratée (11 septembre). Création d'un office de la sécurité intérieure. *Patriot Act.* Création de tribunaux militaires spéciaux. Base de Guantanamo transformée en prison. Guerre en Afghanistan : victoire apparente. Crise boursière. Commercialisation de l'Ipod.

2002 – Discours contre l'axe du mal. La convention de Genève ne s'applique pas aux prisonniers d'Afghanistan. Autorisation du Congrès à utiliser la force. Décision prise d'envahir l'Irak (fév.). Victoire républicaine aux élections de mi-mandat.

2003 – Présentation fallacieuse à l'ONU des preuves contre Saddam Hussein (fév.). Guerre en Irak (20 fév.-1er mai). Capture de Saddam Hussein.

2004 – Guerre en Irak. Réélection de George W. Bush, contre J. Kerry, les républicains conservent la majorité au Congrès, mais élection au Sénat de Barack Obama.

2005 – Le président réaffirme ses pouvoirs de commandant en chef. Il nomme John Roberts, président de la Cour suprême. Abus des troupes américaines en Irak. L'ouragan Katrina dévaste la Nouvelle-Orléans et une partie de la Louisiane. Échec du projet de réforme de la Sécurité sociale.

2006 – Nomination de J. Alito à la Cour suprême. Les démocrates remportent les élections au Congrès.

2007 – Échec du projet de loi sur l'immigration, manifestations. Débat sur les écoutes téléphoniques. Barack Obama annonce sa candidature à la présidence. Démarrage de la crise des « *subprimes* ». Commercialisation de l'Iphone.

2008 – Nouvelle stratégie en Irak : retrait envisagé. 4 000 morts américains. Barack Obama remporte les primaires démocrates contre Hillary Clinton, il est élu président contre J. McCain. Faillite de Lehman Brothers. Menace sur les banques et l'industrie automobile.

2009 – Nouvelle orientations en matière de mesures sociales et internationales. Mise au point d'une nouvelle tactique en Afghanistan. Mort de Ted Kennedy. Film *Avatar*, de James Cameron.

2010 – Vote de la réforme de l'assurance-santé par la majorité démocrate. Montée d'une contestation populiste.

Index des noms de personnes

Table des encadrés

Table des illustrations

Table des matières

DEUXIÈME PARTIE

LE DIFFICILE ACCOUCHEMENT DE LA MODERNITÉ 1920-1945

TROISIÈME PARTIE

LES ÉTATS-UNIS DE LA GUERRE FROIDE 1945-1991

Composition realisée par DATAGRAFIX

Achevé d'imprimer en France
par Dupli-Print à Domont (95)
www.dupli-print.fr

228511 – (II) – (0,4) – OSB 80° – ASIA - BTT
Dépôt légal : septembre 2014
Dépôt légal de la 1re édition : juillet 2013
N° d'impression : 2014090029

juin

13 9:30

1485 Bank Street chambre 215

Kilbom